中华人民共和国史长编

第四卷 1978-1991

刘国新 贺耀敏 刘晓 武力 主编

HISTORY OF THE PEOPLE'S REPUBLIC OF CHINA

天津人民出版社

图书在版编目（CIP）数据

中华人民共和国史长编. 第 4 卷，1978～1991／刘国
新等主编. —天津：天津人民出版社，2010. 2
　ISBN 978-7-201-06467-3

　Ⅰ. ①中… Ⅱ. ①刘… Ⅲ. ①中国—现代史—1978～
1991　Ⅳ. ①K27

　中国版本图书馆CIP数据核字（2010）第 017621 号

天津人民出版社出版

出版人：刘晓津

（天津市西康路 35 号　邮政编码：300051）

邮购部电话：（022）23332469

网址：http://www.tjrmcbs.com.cn

电子信箱：tjrmcbs@126.com

山东新华印刷厂德州厂印刷　新华书店经销

2010 年 2 月第 1 版　2010 年 2 月第 1 次印刷

787×1092 毫米　16 开本　50.25 印张　5 插页

字数：1050 千字

定　价：270.00 元

总编委会

第 四 卷

(1978 — 1991)

第四卷　编委会

主　编　　刘国新　贺耀敏
副主编　　武　力　陈思训　刘占昌　傅玉能
作　者　（按姓氏笔画排序）

丁　莉　　于式力　　于剑波　　于洪波　　于德宝　　马学亮
马增科　　牛燕冰　　王中原　　王　伟　　王晓明　　王新生
王德胜　　包　仁　　史　青　　田景水　　刘元春　　刘占昌
刘巨才　　刘社建　　刘国新　　刘　昕　　刘振国　　刘淑云
吕廷煜　　吕　微　　孙大力　　朱立南　　江淑丽　　汤　涛
齐晓华　　齐鹏飞　　何虎生　　佟　耕　　吴少宏　　吴　超
吴庭刚　　宋士云　　宋亚安　　张文荣　　张守新　　张　丽
张丽波　　张贺福　　张桂兰　　张　彬　　张　蒙　　张　毅
李东燕　　李亚军　　李　伟　　李建辉　　李　杰　　李松林
李金河　　李维国　　李雅茹　　李　静　　苏　浩　　邱宝华
陈思训　　周大计　　周生玉　　周建波　　周建涛　　岳　珑
武　力　　郎青春　　郑　华　　信长星　　柏继平　　柳广军
胡东明　　贺耀敏　　赵　旭　　钟真真　　剧锦文　　崔　毅
梅　冰　　章　爱　　彭　卫　　敬　宏　　温乐群　　温秀敏
温青蓉　　董国政　　韩英红　　韩　毅　　蔡文杰　　戴国庆
戴晨京　　魏新牛

前　言

《中华人民共和国史长编》在中华人民共和国成立 60 周年之际由天津人民出版社出版，这是作者与编者共同努力的结晶。

写这本书的初衷就是"存史"。至于怎么存？却是有些说道的。

就共和国史而言，以单一的体裁述说历史，有时会显得力不从心。因为人类社会一旦搭上现代化这趟快车，就不太可能是一个直线的轨迹了，社会的整体性和网络化以及与外部世界的关联程度都决定了历史面貌的立体化结构。为了能对此有一个很好的表达，《中华人民共和国史长编》由"总论"、"重大事件"、"文献资料"、"人物"及"大事记"五部分组成。五个部分既是独立的，又能互为补充。

"总论"，顾名思义，是史论，是论说本阶段历史概貌。这部分内容侧重分析历史发展的阶段性，每个阶段有哪些不同的特点。此外，对主要成就的归纳和经验教训的总结，也是"总论"的题中之义。在写作方法上，不是就事论事，而是以事引论。在对成败的判断上虽然不可能用太多的笔墨，但也不是浅尝辄止。读者通过"总论"会得到一个总括性的印象。

"重大事件"就是按照中国传统史学纪事本末体的写法，尽可能完整地揭示重要事件的起因、过程和结局。哪些属于"重大事件"呢？首先是政治运动和社会变革，比如"三反"、"五反"运功，新中国成立初期的"禁毒运动"；接下来是重要的事件、决策和会议，比如抗美援朝战争、国民经济五年计划、全国人大和全国政协会议；再接下来就是治国理念和方略、重要的思想、重要成就，比如"三步走"发展战略、"三个代表"重要思想、科学发展观、中国成功举办奥运会等;还有主要的社会现象、社会思潮、社会习俗、突发公共事件以及重大自然灾害,比如知识青年上山下乡、防治"非典"、抗震救灾等等。大体说来,前30年因为政治运动较多,一个事件基本上就是一次运动,比较容易独立成篇;后30年国家各项工作的重点转到经济建设,不再搞运动,所以,"事件"更多的是表现为某个领域的发展、某项政策的贯彻、某一方略的提出。不管是政治运动也好,还是发展方略也罢,它们都是历史的关节点,点点相连,就组成共和国历史的脉络主线。我们在这部分里面还安排了"港澳台"专题,对于1997年前的香港和1999年前的澳门,为了照顾历史的完整性,也作了简单的引述性记载。在编排上,依照政治、经济、文化、军事、外交几大板块排列,每个板块内按时间的先后为序。

"人物"吸收了传统史学纪传体的长处,简述人物的经历。传主为在共和国创立、建设和改革过程中建功立业的人物,也适当地收录了其他方面的代表人物。这里有两个具体的标准,首先是已经去世的,仍然健在的不收。其次是凡党政军系统人物一般按正部级以上出条,其他方面如教育界、科技界、文艺界、学术界的人物则以其学术成就和社会影响为依据,这里面虽然很难定出一个明确的标准,但从约定俗成或公众认可的角度看,还是能够画出一个杠杠的。人物按姓氏音序排列。

"大事记"是学习传统史学编年史体例,以年、月、日为经,以事件为纬。在遵守通常的编写大事记体例的基础上,本书还有自己的考虑。其一,从史学定位看,本书的"大事记"是中观史学,甚至包括一点点微观事件。因为以全书的互补关系,"重大事件"主要反映宏观史学,那么,"大事记"定位于中观带点微观就是恰如其分的,这充分体现本书各个部分所代表的不同层次。其二,从收录的领域看,"大事记"除了政治、经济、文化、军事、外交以外,还有教育、科技、新闻、出版、学术、卫生、体育、民族、宗教、国土、人口、气象等林林总总的事,它编织的是一幅更为细密的网络。"大事记"有部分内容同"重大事件"相重复,本书的处理办法是,凡"重大事件"已有的,"大事记"一概从简。

"文献资料"包括从中央到地方各级党、政、军、民主党派、人民团体的组织沿革和职官,以及研究成果总目。

本书的九卷分别是"重大事件"六卷:第一卷(1949—1956)、第二卷(1956—1966)、第三卷(1966—1978)、第四卷(1978—1991)、第五卷(1992—2002)、第六卷(2002—2009)。这种分法,不是本书的独创,完全是参照近些年学术界,包括党史学界和国史学界关于阶段的划分法,同时也自觉这六卷的编排无论从其所呈现出来明显的阶段性,还是从国家最高层级的对应上也还说得过去。第七卷为"人物"卷,第八卷和第九卷为"大事记"卷。

粗粗算来,国内对于共和国史研究有近30年了,出版著作百十来部,时间和数量能不能成为一个标志,还很难说,因为绝大多数著作都是教材。我们认为,共和国史若真正成为一门学科,按史书范式写出一批论著是基本条件。本书不敢妄谈水平多高,但宽领域、多视角的记述,多多少少还是做到了存史的目的。把过去发生的事情娓娓道来,写清楚它们的来龙去脉,应了孔子所说的"物有本末,事有始终,知所先后,则近道矣"和刘知几所强调的"良史以实录直书为贵"的要求。如果条件允许,本书每隔10年重新补充修订一次,长此下去,也会成为一个可观的文化建设。

中华人民共和国史长编

（第四卷　1978—1991）

目　　录

总　论

辉煌的十四年

中共十一届三中全会,是新中国成立以来党的历史上具有深远意义的伟大历史性转折。它结束了党在基本指导思想上的痛苦徘徊和各项工作难以开展的局面,开始全面地、认真地纠正"文化大革命"及其以前的"左"的错误,从指导思想上确立了解放思想、实事求是的正确路线,宣告了全党的工作中心转移到社会主义现代化建设上来,从而揭开了我国改革开放新的历史时期的序幕。

一

不平凡的前进历程

回顾我们走过的 1978—1991 年的十四年,是极不平凡的十四年。它是我国改革开放从成功走向更大成功的十四年,是我国经济迅速发展和社会全面进步的十四年,是思想观念和实践开拓大踏步跨越的十四年。我国在各方面所取得的伟大成就难以历数,目不暇接。

十几年来,我们:

——否定了"文化大革命"及其以前的"左"的错误,平反了各种冤假错案,使包括邓小平在内的一大批老革命家重新走上领导岗位,领导我们进行新的长征。

——冲破了"两个凡是"的束缚,肯定了实践是检验真理的唯一标准,重新恢复了解放思想、实事求是的思想路线。

——摒弃了以阶级斗争为纲的错误路线,明确了社会主义的根本任务是解放和发展生产力,把全党的工作重心转移到经济建设上来,制定了我国经济建设"三步走"的发展战略。

——确立了我国还处在社会主义初级阶段的基本判断,并且不失时机地开始了改革开放的伟大历史进程。在这个伟大实践中,以邓小平为代表的中国共产党人提出并丰富了建设有中国特色社会主义的理论,制定并确定了"一个中心,两个基本点"的基本路线。

——农村经济体制改革率先开展。农村长期实行的"一大二公三纯"的经济模式被突破,以家庭联产承包为主的责任制和统分结合的双层经营体制逐步建立,农民发展生产的积极性被极大地调动起来,农村出现了前所未有的喜人景象。

——城市经济体制改革从扩大国有企业自主权开始起步,经过经营承包责任制等多种形式的探索和改革企业内部人事、劳动、分配制度以及试行社会保障制度等,已经发生了显著的变化。一个以建立现代企业制度为主要内容的企业改革已迈出坚实的步伐。

——以公有制为主体、多种经济成分并存的格局开始形成。在国有经济和集体经济发展的同时,个体、私营、外资经济也有很大发展,给国民经济的发展注入了新的生机和活力。

——对外开放步伐加快,积极参与国际的经济技术及文化的合作与交流,初步形成了全方位的对外开放格局。由经济特区、沿海开放城市、沿海经济开放带以及内陆中心城市,共同组成的中国经济的梯度开放蔚为壮观。

——依据我国国情,允许和鼓励一部分地区、一部分人先富起来进而达到共同富裕,有效地促进了经济发达地区和经济欠发达地区的蓬勃发展;以按劳分配为主、其他分配形式为补充的分配制度,进一步调动了人们的积极性。

——流通体制的改革从增开渠道、减少环节入手,逐步展开。全面推行价格机制改革,主要工农业商品价格均已实现由市场定价和市场机制进行调节。市场在资源配置中的作用迅速扩大,其他如资金、劳动力、技术、信息、房地产等生产要素市场也正在发育成熟。

——挣脱固有的思想禁锢,借鉴海外一切有利于我国经济发展和社会进步的文明成果,使竞争、破产、股份制、市场机制和其他世界通行的做法,在我国得以存在和发展。这拓宽了我们的视野,为我国经济同世界经济接轨创造了条件。

——产业结构不断得到调整,在确保第一、第二产业发展的同时,第三产业发展迅速,已经成为我国重要的产业部门和缓解就业压力的重要渠道。

——乡镇企业异军突起,为我国农业的稳定发展和农村经济的繁荣作出了巨大贡献。乡镇企业已经成为国民经济的重要支柱和农村实现小康的有力保证。

——国内贸易和对外贸易日益活跃。国内消费品市场繁荣。

——人民生活水平显著提高,在我国11亿人口的温饱问题初步解决后,正在向小康社会迈进。

——科学技术是第一生产力已成为人们的共识。科技转向经济建设主战场的成果大批涌现,科技与经济一体化进程加快。

——高等学校恢复招生考试后,带动并促进了大中小学教育和职业教育、成人教育等多层次、多渠道教育蓬勃发展。尊重知识、尊重人才的风气正在形成。

——干部制度改革取得积极进展,废除了领导职务实际上存在的终身制。干部队伍革命化、年轻化、知识化、专业化步伐加快。国家公务员制度开始实施。政府转变职能的任务已提到政治体制改革的中心地位。

——人民代表大会制度与共产党领导的多党合作、政治协商制度不断得到加强和完善，民主与法制建设逐步推进。一大批经济法规和法律制定出台，国家的政治生活、经济生活和社会生活被纳入法制化轨道。

——物质文明和精神文明"两手抓"的方针，不仅使我国物质文明建设取得显著成就，而且也使社会主义精神文明建设取得了很大成绩。

——军队建设和国防建设也取得了巨大成就。人民解放军按照新时期军队建设的指导思想，大力推进现代化建设，走上精兵之路。他们同武警部队、公安干警一起承担着保卫国家安全、维护社会稳定的职责。

——"一国两制"是实现祖国统一的伟大构想。中英、中葡分别签署了联合声明，结束了英、葡分别在香港、澳门的殖民统治，并使中国在1997年、1999年先后恢复行使对香港、澳门的主权。中国大陆同台湾的关系得到改善，经济文化交流频繁。

——在国际关系中，我国坚持独立自主的外交政策，积极发展同第三世界国家关系，改善同西方国家和东欧原社会主义国家的关系。在对外关系中，坚持原则、冷静观察、沉着应付、广交朋友，我国在国际事务中发挥着越来越重要的作用。

改革开放十四年来，我们在各条战线、各个领域所取得的伟大成就数不胜数、举世瞩目。十四年来，是我国综合国力增长最快的时期，经济与社会发展最迅速的时期，人民生活提高最显著的时期。

正像1992年召开的中共十四大的政治报告中指出的那样："全党全国人民公认的事实是：这十四年是真正集中力量进行社会主义现代化建设的十四年，是人民生活水平提高最快的十四年，开创了历史的新局面，取得了举世瞩目的成就，党赢得了广大人民群众的拥护。"

高奏改革开放的时代主旋律

十几年的历史，是以改革开放为时代主旋律的历史。改革开放是新时期最鲜明的特点。改革开放从十一届三中全会起步，十二大以后全面展开。它经历了从农村改革到城市改革，从经济体制的改革到各方面体制的改革，从对内搞活到对外开放的波澜壮阔的历史进程。

1. 计划经济体制的特点和弊端

计划经济是特定历史环境中为完成特定历史任务而实施的经济体制。其最基本的历史依据，就是为了迅速摆脱贫穷落后，尽快启动社会主义初级工业化。

中国在近三十年中实行的计划经济，是高度集中的计划经济。这种经济体制的基本特点，就是国家对整个经济活动和经济生活，实行高度的集中管理，国家的指令性直接计划，是所有生产单位进行生产经营活动和经济决策的唯一依据。衡量和评价一个微观经济单位的好坏，就是看它完成国家计划的好坏。

在农业生产中，这种体制集中体现为两种强制：一种是生产组织强制，即国家通过把分散的小农户组织起来，强制推行人民公社组织，使农民服从国家统一安排的生产经营活动和内容，农民的经济活动缺少自主选择的自由；另一种是劳动成果强制，即国家对农民生产的农副产品实行严格的统购派购政策，使农民生产的农产品基本控制在国家手中，禁止农副产品自由进入流通领域。

在工业生产中，这种体制则分别表现为：国家严格地控制着工业企业，并通过直接计划和行政管理，对企业的经济活动进行直接干预；企业实际上就是一级国家或政府机构，分别被定为科级、处级、局级甚至部级单位，企业的负责人也相应享有同等的政治待遇和行政权力；企业同生产要素市场不发生任何关系，计划由国家下达，产品由国家调拨，企业成为国家这个大工厂或总公司的一个车间；国家办企业，企业办社会，政企不分，企业没有独立的生产经营决策权，国家包揽了企业的一切经济后果；国家在确定发展战略时，始终以重工业为重点优先发展，导致重工业超常规发展，经济发展始终是以数量型增长，而非效益型增长为主；工业生产尤其是重工业生产，以自我为市场，形成封闭的自我服务、自我循环系统。

在我国生产和人民生活中，计划经济无所不在、无所不包。工业、农业是如此，其他部门和行业也是如此。商业、金融、外贸等部门，同样被高度集中的计划经济体制所控制。在商业中，国营商业一统天下，商业渠道单一，组织落后，服务很差，与人民生活和经济发展的需要很不适应；在金融业中，国营金融机构一花独放，非国营的金融机构不能存在，投资体制和融资机制唯行政命令是从；在对外贸易中，主要由国家垄断进行，从事政府之间的易货贸易，尽量回避和绝少参与国际经济生活和国际经济竞争。整个国家经济均服从计划经济的调节和安排，虽然有序但缺乏生机与活力。

历史地看，这种传统的高度集中的计划经济体制，曾经在短期内对中国的经济发展，起过不可低估的重要作用。即它具有强有力的手段进行集中计划、动员、调集和配置经济资源，以迅速实现经济发展所要求的较快较大的结构变动；它具有有效地确保人民迅速地摆脱极端贫困状态、实现较高程度的收入分配均等化能力，以消除因社会变动而引起的社会不安定因素；它具有强大的应付经济突发事件和克服经济严重困难的能力，对于较低水平的经济发展和初级工业化启动具有重要意义。

但是，现实生活的发展，并不完全遵循人们的良好愿望。计划经济也是一样。传统的计划经济体制，只适用于较特殊的历史条件和环境。具体地讲，它只适于非常规的经济发展水平较低阶段，需要在短期内进行大规模经济建设，建立国家工业化基础这种特殊环境。它不能也不可能适应中国经济长期发展和现代化建设的需要。

事实上，这种传统的计划经济体制在50年代后期，就已开始暴露出越来越明显的弊端，即在这种体制形成后不久，就已经成为中国经济发展的制约因素。此后，国家曾多次对这种体制进行了局部调整，但由于我们从未认识到这种阻碍，源于计划体制本身，所以总是在由中央集中计划，还是由地方集中计划上兜圈子，即在放权和收权上摆来摆去。正是因为如此，以往历次的调整，都没有取得预期的结果。高度集中的计划经济的矛盾和弊端，在60—70年代不仅没有缓解，而且越来越严重和尖锐了。其结果，便是经济发展缓慢。从1957—1978年，我国职工平均年工资由637元增至644元，21年只增长了1.1%，同期职工生活费指数却上涨了5.9%，从而使职工生活水平下降；农村居民的生活状况则更差,相当一部分城乡居民处于贫困状态中。

具体说来,计划经济积弊之一,它严重地压抑并扼制了经济主体的主动性和积极性,使各种经济主体(包括企业、农户和个人)日益缺乏自由从事和选择经济活动的权利,从而使各种经济主体,特别是企业越来越丧失活力,整个国家经济发展速度缓慢,经济效益下降,发展后劲严重不足。

积弊之二,它一味追求重工业发展和高速度,严重地压制了农业的发展,通过扩大工农业产品价格剪刀差、加重农业赋税等方式,强制农业为工业积累资金。采取强制方式,而不是采取经济诱导方式(即通过金融机构动员储蓄的民间积累),在农村中集中农业剩余,提高资本积累能力,这种做法是借取苏联的对农业"拧紧螺钉"的方法,不仅遭到农民的抵触和抵制,而且也使我国农业生产长期发展缓慢。

积弊之三,它无视经济发展规律和现代经济的基本要求,使工业长期脱离农业超常规发展;重工业脱离农业和轻工业异常发展,导致整个国民经济结构和工业内部结构失衡。在这种格局中,虽经中央政府三年小调整、五年大调整的多次调整,但问题依然存在,调整很难有什么成效。

积弊之四,它虽在短期内,可以做到使经济资源符合某种战略需要的配置,但是从长期来看,则根本无法实现资源的有效配置。经济计划缺乏科学的依据,逐渐蜕变成上级长官意志和行政命令。从客观上讲,在现今乃至今后相当长的时期内,人们对经济发展和经济供求关系的预测和决策,要做到万无一失、十分科学,是根本不可能的。正因为如此,对全部社会生活的计划管理,只能使中国经济的资源配置方式日趋失灵并僵化。这种状态被概括为"一放就乱、一统就死"。

以上种种表现,都是传统的高度集中的计划经济体制的弊端。它产生于这种体制本身,并不是外加的。可见,不彻底改变这种僵化的经济体制,要想赢得中国经济的长期健康发展是不可能的。

2. 从农村到城市的经济体制改革

我国的改革开放事业,就是在计划经济体制的山重水复中开始的。它并不像中国共产党领导新民主主义革命那样,有充分的理论准备、组织准备和实践准备,它经历了一个由不自觉到自觉、由被动到主动、由局部到全局的过程。在这个过程中,改革开放的目标逐步明确,改革措施逐步出台,思想理论逐步成熟和完善。一句话,我们就是在"摸着石头过河"的探索中,找到了一条通往彼岸的新路子。

中共十一届三中全会,实现了在这个问题和选择上的具有深远意义的飞跃。党确立了一个基本的认识,即在中国这个经济文化基础非常落后、有着11亿人口的东方大国,实行社会主义,不能也不可能照搬任何其他国家的经验和模式,必须从中国的实际出发,建设有中国特色的社会主义。正是基于这种认识,从1978年开始,我国有步骤、分阶段地开始了从农村到城市、从经济体制到政治体制的全方位改革。

(1)农村经济体制改革逐步深入

几十年的计划经济体制,实际上就是在部分地甚至是全部地牺牲农业与农民利益的前提下维持的。这种牺牲农业和农民利益的工业化,也就是城乡隔绝的工业化,不可能保持国民经济长期的稳定、协调发展。尤其是在十年"文化大革命"期间,人民公社成了我国把工农商学兵结合在一起的基层组织,一味追求"一大二公三纯",对农民的个体劳动积极性和个体经济发展愿望长期压制打击,到处割"资本主义尾巴"。十年动乱中,农民从集体分配中得到的人均年收入,一直在60元左右,1976年农民人均分配只有62.8元,其中现金仅占23.7%,即每人只有14.9元。全国大约有1亿多农民没有解决温饱问题,生活非常困苦。历史又一次把农民和农村问题推到了最前端。改革农村经济体制,发挥农民的劳动积极性,发展农业生产和农村经济,提高农民的生活水平,已经到了无法回避的地步了。

①农村经济蓬勃发展

农村的变革真好像是一种纯粹的历史偶然。1977年的春天,安徽省遭遇了少见的干旱威胁,经历了十年"文化大革命"的破坏和折腾,当地的许多农村,已难以应付这样的自然灾害了,老百姓的吃饭问题怎么办? 是让他们外出乞讨谋生,还是另外寻找一种稳定人心的权宜之计? 在当时"左"的思想仍很盛行的政治空气中,少数生产队冒着难以想象的政治压力,"偷偷地"搞起了"包产到户"。他们不曾料到,这一"包",包出了我国农村生产经营的崭新阶段。"包产到户"受到了农村广大老百姓的衷心拥护,在1978年安徽全省超纪录的大旱中,"包产到户"在肥西、凤阳、全椒、芜湖等地普及到1200多个生产队。次年又增至38000个生产队。"包产到户"取得了惊人的增产效果。虽然,在当时就"方向和产量"问题还存在着激烈的争论,但是它的实践效果却早已为老百姓所感受和认识,所以很快在全国推广开来。

十多年来,我国农村改革逐步深入,在许多领域都取得了突破性进展:

在废除了人民公社制度后,积极实行以家庭联产承包为主,统分结合的双层经营。这一改革把亿万农户推向市场,使广大农户成为自主经营、自负盈亏的商品生产者和经营者。这就把农业生产的责、权、利直接结合起来,从而极大地调动了广大农民的积极性、创造性,使我国农业在长期徘徊后,跃上了一个新台阶。

在取消了农产品统购派购制度后,积极放开绝大多数农产品的购销价格,使农业由传统的计划体制,向生产商品化、经营市场化转变。

在限制了政府对农村经济,以及农业生产的行政干预和控制后,农村市场体系迅速发展起来。1991年,全国农产品批发市场和各类专业市场达到9000多个。另据统计,在1990年的农副产品消费量中,集贸市场提供了89.1%的水产品,80.3%的干鲜水果,75.80%的干鲜菜,68.2%的肉禽蛋,50%的商品粮。

近些年来,我国农村在探索组织创新中,取得了积极的成效。特别是农村商品经济的发展异常迅速,为在市场经济条件下,重构我国农村的经济结构和农业的经营方式提供了可能。尤其是逐步发展起来的"贸工农一体化、产供销一条龙"的经营方式,显示出旺盛的生命力和巨大的优越性,为我国农村的经济发展,注入了新的活力。这也是我国农村和农业走向市场经济的重要步骤。

按照市场经济要求发展起来的农村新型经济组织,以及经营方式,适应了我国农村经济向专业化、商品化、社会化发展的需要,必将产生广泛而深远的影响。它有利于把农民的生产与市场的需求衔接起来,促进农村自给半自给经济向商品经济转化;它有利于解决小规模经营与采用科学技术的矛盾,促进传统农业向现代农业转变;它有利于扩大城乡生产要素的流动与结合,促进农村城镇化的发展。

②乡镇企业异军突起

我国广大的农村崛起了一支很有竞争力的企业队伍,这就是乡镇企业。在改革开放中异军突起的乡镇企业,是我国最先出现的一块市场经济的绿洲。乡镇企业从诞生的那一天起,就是完全依赖市场经济,凭借其强大的活力,以及有效灵活的经营机制,顽强地逐步发展起来的。1992年,乡镇企业总产值达1.6万多亿元,几乎和1985年的全国社会总产值相等;其中工业总产值为1.2万多亿元,与1986年全国工业总产值相差无几;目前从业人员过亿,等于全国全民所有制单位职工总人数;实现利税1500亿多元,国家新增税收的30%以上来自乡镇企业;出口创汇200多亿美元,占全国出口产品总额的25%左右。其发展速度令人吃惊!要知道,我国全民所有制企业职工从新中国成立到现在也只是1亿多人,全国社会总产值从1000亿元发展到1.1万亿元用了31年,而乡镇企业从1000亿元增至1.1万亿元仅用了8年时间。近年来乡镇企业的外向型经济,更是以50%左右的速度的迅猛发展,已成为我国进入国际市场的一支极富实力的竞争力量。

(2)城市经济体制改革全面开展

1984年10月党的十二届三中全会通过了《中共中央关于经济体制改革的决定》,宣告了我国经济体制改革的重点已经由农村转移到城市,标志着我国城市经济体制改革进入全面展开和不断深化的新阶段。《决定》为我们描绘了以城市为重点的整个经济体制全面改革的基本蓝图,确定了改革的方向、性质、目的、任务以及全面推进改革所必须遵循的基本原则和工作方法,成为80年代指导我国经济体制改革的纲领性文件。在《决定》的指导下,我国城市经济体制改革围绕着搞活企业,特别是国有大、中型企业这个中心,全面展开。

城市是现代经济的中心,城市经济体制改革难度大、困难多。为了有步骤、有系统、有计划地推进以搞活企业为中心的城市经济体制改革,党和政府先后开始了对所有制结构、物价体制、计划体制、财政体制、投资体制、金融体制、劳动就业体制、社会保障制度等的改革,并取得了显著的成效。

中国经济体制改革,就是中国经济体制的重新定位。选择什么样的经济体制,更适合于中国经济长期发展的要求,十几年来一直是我们探索的核心问题。

党的十一届三中全会以来,有关经济体制的重新定位,一直是在讨论计划与市场的相互关系中逐步深入的。在计划与市场的关系上,我国开展的大讨论大致经历了以下几个阶段,每一阶段都对市场经济有了新认识。

①1984年10月以前:计划经济为主,市场调节为辅的阶段。党的十一届三中全会提出"必须重视价值规律的作用"之后,1979年6月,五届全国人大二次会议进一步指出,必须通过改革建立起计划调节与市场调节相结合的体制,以计划调节为主,同时充分重视市场调节的作用。1982年9月,十二大报告更加明确指出:"正确贯彻计划经济为主,市场调节为辅的原则,是经济体制改革中的一个根本性问题。"这个阶段的特点是认识到在计划经济中应引入市场机制,让市场发挥调节作用。

②1984年10月—1987年10月:改革计划体制、加强市场调节阶段。1984年10月的《中共中央关于经济体制改革的决定》,提出了"在公有制基础上建立有计划的商品经济",并提出"改革现行的计划体

制,就要有步骤地适当缩小指令性计划的范围,扩大指导性计划的范围"。这一阶段的特点是从在计划经济框架下引入市场机制,到主动改革计划体制,以发展商品经济,这是我国经济改革思路和政策的一次飞跃。

③1987年10月—1989年上半年:国家调节市场,市场引导企业的阶段。1987年10月,党的十三大报告指出"社会主义有计划商品经济的体制,应该是计划与市场内在统一的体制,计划和市场的作用范围都是覆盖全社会的","新的运行机制总体上说应当是'国家调节市场,市场引导企业'的机制"。首次明确放弃了计划经济为主、市场调节为辅的提法,将市场置于新经济运行机制的中心环节。

④1989年下半年—1991年:恢复计划经济与市场调节相结合的阶段。1989年下半年在计划与市场的关系上,我国经济进入治理整顿阶段,重新使用了计划经济与市场调节相结合的概念。在实际操作中,一些部门用政府原有的行政计划代替了市场调节。

在实践中,以市场化为导向的经济体制改革,是以农村推行家庭联产承包责任制,以及农村传统自然经济向商品经济转变为先导,继而以城市广泛开展的经济体制改革为重点,逐步展开的。

改革开放的十多年来,我们才真正开始发展市场经济,从开放农副产品市场,到全面发展生活消费品市场;从发展生活消费品市场,到建立生产资料市场;从发展单一的商品市场,到发育包括各种生产要素市场在内的社会主义市场经济体系,经历了一个不断突破和深化的过程。可以说,我国市场体系建立的时间虽短,但已取得了明显成效,正有力地促进旧体制向新体制的转换,推动新经济运行机制的

建立。这必将给中国经济带来质的飞跃。

3. 对外开放,走向世界

十多年来,中国社会生活的最大特点,就是不断扩大对外开放的程度,加快对外开放的步伐,把封闭了已经很久的国门又一次推开。

十多年来,最使人关注和难以平静的,就是从东南沿海刮来的一阵阵开放的春风,以及东南沿海沸腾的生活信息。焦点、热点、聚变点全部都集中在中国最开放的地区。

1979年1月31日,党中央、国务院决定在广东蛇口举办工业区,由香港招商局集资实施。这恰似一石激起千层浪,带来了此后一连串的重大举措。

同年7月15日,中央同意广东、福建两省的报告,决定对两省对外经济活动,实行"特殊政策和灵活措施"。这是一个爆炸性新闻,在全国产生了轰动效应。

1980年8月26日,五届全国人大常委会第十五次会议决定,在广东省深圳、珠海、汕头和福建省的厦门,设立经济特区,由此真正揭开了我国对外开放的新时期。

1984年5月4日,党中央、国务院决定进一步开放大连、秦皇岛、天津、烟台、青岛、连云港、南通、上海、宁波、温州、福州、广州、湛江、北海等14个沿海港口城市,同4个特区一起,成为我国对外开放的前沿地带。开放地区已形成向内地辐射的堡垒。

1985年2月18日,党中央、国务院决定,把长江三角洲、珠江三角洲和闽南厦门、漳州、泉州三角地区,开辟为沿海经济开放区。这就架起了向内地辐射的第一个阶梯。

1988年4月,国务院决定扩大沿海经济区开放范围,共扩大140个市县,开放前

沿地带扩大至 288 个市县，面积增至 32 万平方公里，人口增至 1.6 亿。其中包括沈阳、南京、杭州、唐山、丹东、威海、梧州等市。这就使点连成片，使片连成带，架起了我国经济从沿海向内地辐射的第二个阶梯。在沿海形成如此广大的开放地区，对我国经济的推动作用是无法估量的。

同月，七届全国人大批准设立海南省，决定划海南全岛为经济特区。在海南如此辽阔的地区设立经济特区，无论从任何角度上讲，都是我国改革开放时期最有意义的一件大事。真可谓：国家办特区，后来者居上。海南一跃成为全国最大的特区。海南特区成为我国经济、政治和社会改革开放的重要试验场所。

1990 年 4 月，中央决定开发上海浦东，给浦东以比特区更优惠的政策。浦东必将成为搞活大上海、舞动扬子江、促进大发展的"世纪大杠杆"。

（1）建立经济特区

1979 年初，即在正式建立深圳经济特区之前，香港招商局就首先提出在蛇口所在的南山半岛 2.14 平方公里的范围内，采用一些灵活措施，把外国的一些先进管理经验、先进技术和知识引进来，以便在邻近港澳的这块荒凉之地，创造出一块繁荣富裕的"绿洲"来。这个方案，很快得到广东省人民政府的支持和国务院的批准。这个大胆的尝试，推动着沿海人们的思想越来越解放，思路也越来越宽广。广东和福建两省率先提出在对外经济活动中给予较多的自主权的要求，实行"特殊政策、灵活措施"。1979 年 7 月，党中央和国务院正式批准两省的报告，并且提出在深圳、珠海两个地方试办"出口特区"。但是"出口特区"的概念过于狭窄，功能过于单纯，不能包含服务业、金融业、房地产业等内容，仍无法满足发展本地经济、积极学

习和借鉴的目的。所以，在广东、福建两省的要求下，1980 年 5 月，党中央和国务院下达文件，把特区正式定名为"经济特区"。

经济特区之"特"，根本之处表现在突破了传统思想的束缚，冒着风险，大胆采取了一些许多人认为是"大逆不道"的做法：在宏观管理上，特区是以市场调节为主，充分发挥各种经济杠杆的作用；在资金运用上，特区又以引进外资为主；特区的所有制结构，除部分基础设施外，又以中外合资经营企业、中外合作经营企业、外商独资企业占大多数。国务院授予特区政府比较多的经济活动自主权，扩大特区政府的项目审批权；特区政府有权结合特区的实际情况，进行经济体制改革的探索；对引进外资、引进先进技术放宽政策；对中外合资、中外合作企业和外商独资企业，在税收方面实行多种优惠待遇；鼓励出口，特别鼓励举办具有先进技术的企事业；在与外商往来、出入境等方面，同样给予种种方便，等等。

以深圳为代表的经济特区，在经济体制改革中先行一步，直接采用市场经济的办法运行，利用对外开放的优势，积极参与国际分工和国际竞争，积极采用国际惯例和外国的先进做法，更新观念，提高效率，创造平等竞争的环境，使经济特区逐步通过改革，发展成为能够按国际惯例运作的地区，即开放型的、市场型的地区。特区经济发展的过程，就是不断走向市场化的过程，特区坚持以市场化改革推动发展，以发展促进市场，这正是其经济活力之所在，也正是其成功的基本经验之所在。

（2）开放沿海港口城市

1984 年春，在我国兴办 4 个经济特区取得初步成绩的基础上，中央进一步大胆

决定,从北到南开放大连、秦皇岛、天津、烟台、青岛、连云港、南通、上海、宁波、温州、福州、广州、湛江、北海等 14 个沿海港口城市。开放这些城市,是因为它们既有较大的外运港口,又有江河铁路与内地连接,腹地宽广,人才集中,科教文事业发达。对外开放,可以把这些地区得天独厚的优势同国外资金和国际先进技术结合起来,以改造原有企业、更新传统产品、开发新兴技术,全面推动科技进步和经济发展。为此,国家对沿海开放城市实行一系列优惠政策。1988 年,又批准威海为开放城市,使沿海开放城市总数增至 15 个。

利用这次机遇,沿海开放城市发生了巨大变化,特别是基础设施明显改观。短短 10 年间,在我国东部沿海地区建成了沈阳—大连、广州—深圳、北京—天津—塘沽等高速公路,大同至秦皇岛电气化铁路,宁波和温州机场,宁波市北仑港、秦皇岛港和大连港等,分别成为世界上最大的能源输出港和辐射面最广的东方大港。一大批大中型电厂相继投产,使供电能力大为增强。城市建设、邮电通讯都已今非昔比。这些都为外商在我国沿海的投资和沿海经济的迅速发展,提供了运输、能源、信息传递等重要条件。

(3)建立沿海经济开放区

早在 1984 年底,在刚刚确立沿海开放城市后,我国就已开始考虑建立与特区、开放城市相结合的沿海经济开放区。1985 年初,决定将长江三角洲、珠江三角洲和闽南厦门、漳州、泉州三角地区,开辟为沿海经济开放区。1988 年又将辽东半岛、胶东半岛等一些沿海市、县列入沿海经济开放区。这 5 个区域,共包括 40 个省辖市、215 个县和县级市。这些地区工业基础较好,乡镇企业发达,发展外向型经济潜力很大。

通过建立如此辽阔的经济开发区,将促进在这些地区形成贸—工—农型的生产结构,即按出口贸易的需要发展加工业,按加工业的需要发展农业和其他原材料的生产,使这些地区不仅成为内地扩展对外经济联系的窗口,而且成为参与国际经济活动、发展对外贸易的重要地。经过近十年的发展,沿海经济开放区取得了累累硕果,实践已充分说明,沿海开放的决策是完全正确的。

(4)创建浦东开发区

1990 年 4 月,浦东开发由最高层决策拍板。它传出的重要信息是:中国新一轮的改革开放即将展开。浦东开放已全面启动。浦东在新一轮开放中的地位已远远超过特区,浦东被称为比特区还要"特"的"特区"。它起点高、开放半径大,所依靠的腹地——上海,经济发展水平高,工业、商业和金融业基础好。此外,浦东扼长江的龙头,更有通过长江辐射内地的优势。到目前为止,浦东开发已显示出良好势头,外商投资项目已达 565 项,总投资额超过 28 亿美元。吸收外资 12.46 亿美元,是新区开发前 10 年总和的 10 倍。

浦东昂起头颅,必将复兴上海昔日东亚金融中心和商业中心的地位,必将重振上海这个中国最大的工业基地的雄风,必将舞动长江这个"黄金水道"的千年巨龙。

无论是在特区、在沿海开放城市、在沿海开放地区,还是在边陲城镇、内陆地区,都已沸腾起来了。一个"三沿滚动,内外接轨"的发展新格局已经形成。

这个新格局是在建立社会主义市场经济的总目标下,使各地区有相同的机会和平等竞争,使沿海、沿江、沿边开放更上一层楼,在"三沿"地区形成多个高增长区域;使经济由"三沿"地区向内地滚动,形成强劲的多方位对流效应;使国内各经济区域直接与世界经济接轨，迅速走向国际化。

历史为中国发展提供了难得的机遇，各个地区只有抓住时机，才能取得成功。机遇千载难逢！机遇稍纵即逝！华南经济区，可通过港澳与西方工业国家及东南亚新兴工业化国家与地区加强经贸关系；西南滇、黔、川可与越、泰、老、柬，开创边贸的新局面，开拓南亚和东南亚市场；以上海为龙头的长江经济带，可与世界直接衔接，形成最强劲、最富活力的发展极；东北、内蒙古可与邻国开展大边贸活动，积极参与东北亚经济圈；中、西部地区可通过欧亚大陆桥同西亚、东欧联系起来，加强多方面的合作。

我国对外开放的规模和领域不断扩大，目前已形成了"经济特区——沿海开放城市——沿海、沿江、沿边开放区——内地"逐步推进的对外开放格局。从地域上看，我国对外开放发展的总的趋势是，由东南沿海的广东、福建两省开始，从南到北，从东到西，从沿海到内地逐步推进。经过十多年的努力，对外开放已开始结出硕果，中华大地变成了一片沸腾的热土，中国人民焕发出了多年被压抑的活力。

伟大的实践、伟大的理论

打倒"四人帮"，果断地结束了"文化大革命"这场动乱，为党的十一届三中全会的召开，为在各条战线、各个领域拨乱反正，重新确立马克思主义的指导思想，恢复党的八大制定的正确路线，创造了最重要的条件。

十一届三中全会开始全面认真地纠正长期存在的"左"的错误，果断地决定将全党工作的着重点转移到社会主义现代化建设上来，停止使用"以阶级斗争为纲"和"无产阶级专政下继续革命"这些不适用于社会主义社会的口号，宣告大规模的急风暴雨式的群众阶级斗争已经基本结束。这是对1957年以来党在指导思想和基本路线上所犯错误的第一次全面纠正，标志着我们党对如何使科学社会主义的基本原理与中国建设的实际相结合的认识有了新的飞跃，即在经济文化基础落后、人口众多的中国建设社会主义，不应该也不可能照搬任何其他国家的经验与模式，必须从中国的实际出发，建设有中国特色的社会主义。三中全会对我国新形势下的社会政治状况和经济发展水平作出了科学的分析和正确的论断，提出了不仅要大幅度地提高和发展社会生产力，而且要多方面地改变同生产力发展不相适应的生产关系和上层建筑，改变一切不适应的管理方式、活动方式和思想方式，从而揭开了我国改革开放新的历史时期的序幕。这次会议郑重宣布，除了发生大规模的外敌入侵，任何其他方面的工作都不能偏离现代化建设这个中心，必须围绕这个中心并为它服务，今后不再搞损害现代化建设的所谓"政治运动"和"阶级斗争"。三中全会确立的党的新时期政治路线的核心，就是从中国的具体国情出发，积极开展社会主义经济建设，大力解放和发展社会生产力。

改革开放十多年来，我们所以能够取得如此显著的成就，根本原因就是我们坚持把马克思主义基本原理同中国的具体实际相结合，逐步形成和发展了建设有中国特色社会主义的理论。这一理论，第一次比较系统地初步回答了中国这样的经济、文化比较落后的国家如何建设社会主义、如何巩固和发展社会主义的一系列基本问题,用新的思想、观点,继承和发展了马克思主义。以邓小平为代表的中国共产党人,在探索中国自己的社会主义建设道路中日益走向成功和成熟。正是在实践中,我们搞清楚了什么是社会主义,中国应该怎样建设社会主义这两个最根本的问题。

作为建设有中国特色社会主义理论的主要创建者,邓小平十多年来始终倡导解放思想,实事求是,把社会主义同中国的特色结合起来。他全面深刻地总结了自 50 年代中期以来我国社会主义发展道路出现的曲折和困难,以及六、七十年代发生的为期十年的"文革"灾难,并对我国社会主义的前途和命运进行了严肃的反思。1978 年 12 月,邓小平提出了寻找有中国特色社会主义道路的新课题。1979 年 3 月,他强调指出:"过去搞民主革命,要适合中国情况,走毛泽东同志开辟的农村包围城市的道路。现在搞建设,也要适合中国情况,走出一条中国式的现代化道路。"① 1981 年 6 月,中共十一届六中全会通过了邓小平主持起草的《关于建国以来党的若干历史问题的决议》。《决议》全面、系统、客观地总结了新中国成立以来的历史,形成了一系列新的方针政策。《决议》指出:"三中全会以来,我们党已经逐步确立了一条适合我国情况的社会主义现代化建设的正确道路。这条道路还将在实践中不断充实和发展,但是它的主要特点,已经可以从新中国成立以来正反两方面的经验,特别是'文化大革命'的教训中得到基本的总结。"《决议》还提出了以经济建设为中心、改革开放、建设社会主义民主法制和精神文明等十条方针和

原则,这是对建设有中国特色社会主义理论的第一次初步概括。这些方针政策的中心点是突出了三个转变:即从以阶级斗争为纲转到以发展生产力为中心,从封闭转到开放,从固守成规转到各方面的改革。1982 年 9 月,邓小平在中共十二大开幕词中指出:"我们的现代化建设,必须从中国的实际出发,无论是革命还是建设,都要注意学习和借鉴外国经验。但是,照抄照搬别国经验、别国模式,从来不能得到成功。这方面我们有过不少教训。把马克思主义的普遍真理同我国的具体实际结合起来,走自己的道路,建设有中国特色的社会主义,这就是我们总结长期历史经验得出的基本结论。"② 1984 年 6 月,他又指出"马克思主义必须是同中国实际相结合的马克思主义,社会主义必须是切合中国实际的有中国特色的社会主义"③。此后,邓小平多次强调并系统阐述了建设有中国特色社会主义的具体内容和重要意义。

十多年来,我们的党和国家在邓小平倡导的建设有中国特色的社会主义道路上迅猛前进,在建设中取得了举世公认的伟大成就,在理论上澄清了一系列大是大非问题,确立了建设有中国特色社会主义的基本理论和基本路线。中共十四大报告把建设有中国特色社会主义理论的主要内容概括为九个方面,即发展道路、发展阶段、根本任务、发展动力、外部条件、政治保障、战略步骤、领导力量和依靠力量、一国两制等。具体地讲:

1. 在社会主义的发展道路问题上

强调走自己的路,不把书本当教条,

① 《邓小平文选》(1975—1982),第 149 页。
② 《邓小平文选》第三卷,第 2—3 页,63 页。
③ 同上。

不照搬外国模式，以马克思主义为指导，以实践作为检验真理的唯一标准，解放思想，实事求是，尊重群众的首创精神，建设有中国特色的社会主义。

1978年，邓小平倡导并支持了"实践是检验真理的唯一标准"的大讨论，指出这场讨论，"实际上也是要不要解放思想的争论"；"一个党，一个国家，一个民族，如果一切都从本本出发，思想僵化，迷信盛行，那它就不能前进，它的生机就停止了，就要亡党亡国"；"只有解放思想，坚持实事求是，一切从实际出发，理论联系实际，我们的社会主义现代化建设才能顺利进行，我们党的马列主义、毛泽东思想的理论也才能顺利发展"①。十一届三中全会正是在经历了实践是检验真理的唯一标准的大讨论之后，重新确立起马克思主义实事求是的思想路线。这个思想路线就是：只有全党同志和全国人民在马列主义、毛泽东思想的指导下，解放思想，努力研究新情况新事物新问题，坚持实事求是，一切从实际出发、理论联系实际的原则，我们党才能顺利地实现工作中心的转变，才能正确解决实现四个现代化的具体道路、方针、方法和措施，正确改革同生产力迅速发展不相适应的生产关系和上层建筑。

2. 在社会主义的发展阶段问题上

作出了我国还处在社会主义初级阶段的科学论断，强调这是一个至少上百年的很长的历史阶段，制定一切方针政策都必须以这个基本国情为依据，不能脱离实际，超越阶段。

在总结我国社会主义建设历史经验时，邓小平多次提出要重新认识社会主义，这就是要澄清在人们头脑中存在的不切实际的或错误的社会主义观念，从中国的具体历史实际出发，重新认识中国社会主义的发展阶段和经济特征。十多年来，我们在这方面的探索不断深入。1979年，叶剑英代表党中央在国庆30周年大会的讲话中，明确指出我国现在还是发展中的社会主义国家，社会主义制度还不完善，经济和文化还不发达。1981年6月中共十一届六中全会通过的《关于建国以来党的若干历史问题的决议》中，首次提出我国社会主义制度还处于"初级阶段"。

1987年，党的十三大系统地提出并论述了社会主义初级阶段理论，指出"正确认识我国社会现在所处的历史阶段，是建设有中国特色的社会主义的首要问题，是我们制定和执行正确的路线和政策的根本依据"。"我国正处于社会主义初级阶段"这个论断，包括两层含义。第一，我国社会已经是社会主义社会，我们必须坚持而不能离开社会主义。第二，我国的社会主义社会还处在初级阶段。我国必须从这个实际出发，而不能超越这个阶段。社会主义初级阶段包括了从社会主义改造基本完成，到社会主义现代化基本实现的100年时间。

我国初级阶段社会主义的突出特征是社会生产力还不发达。国家综合实力不强，人口多，底子薄，人均国民生产总值居世界后列；农业生产技术基本上还停留在比较落后的阶段，农村人口仍占全部人口的绝大多数；现代工业与传统工业并存；当代科学技术突飞猛进，而我国还存在着相当数量的文盲半文盲；此外，在社会生活的各个方面还存在着非社会主义的因素和成分。凡此种种问题，从根本上说都要依靠发展社会生产力来解决。

① 《邓小平文选》(1975—1982)，第131—134页。

3. 在社会主义的根本任务问题上

指出社会主义的本质是解放生产力，发展生产力，消灭剥削，消除两极分化，最终达到共同富裕。强调现阶段我国社会的主要矛盾是人民日益增长的物质文化需要同落后的社会生产之间的矛盾，必须把发展生产力摆在首要位置，以经济建设为中心，推动社会全面进步。

在社会主义初级阶段，我们党把解放和发展社会生产力作为根本任务的基本理由是：

第一，迅速解放和发展社会生产力是壮大我国社会主义物质基础的唯一途径。我们的社会主义脱胎于半殖民地半封建社会，生产力水平远远落后于发达的资本主义国家。新中国建立后，社会主义经济建设的重大历史任务要求我们在十分落后的经济基础上，用不太长的时间创造出资本主义用几百年时间才创造出的生产力，这绝不是一件轻而易举的事情。四十多年来，我们虽然在经济建设中有过挫折、走过弯路，但是仍然赢得了比资本主义国家更快的经济发展和社会进步。尽管如此，目前我们的经济发展水平同发达资本主义国家之间还有着较大的差距，远远没有建立起发达社会主义所必需的物质技术基础和社会文化条件。建立强大的社会主义物质基础的唯一途径，就是解放和发展生产力。

第二，只有迅速解放和发展社会生产力，才能不断巩固和壮大社会主义制度。社会主义制度代替资本主义制度的必然性，社会主义制度存在和发展的合理性，就在于它能够创造出比资本主义和一切私有制社会更高的劳动生产率，更适应社会生产力的发展。邓小平指出："贫穷不是社会主义，社会主义要消灭贫穷。不发展生产力，不提高人民的生活水平，不能

说是符合社会主义要求的。"社会主义的实践也说明，能否促进社会生产力的发展，改善人民群众的物质文化生活，不仅关系到社会的稳定和国家经济实力的增强，而且关系到社会主义制度的巩固与壮大。在十年动乱中，大批所谓"唯生产力论"，使社会生产力的发展受到严重挫折，人民生活水平长期没有改善并有所下降，这极大地伤害了我国的社会主义制度和人民对社会主义的信心。人民厌恶"四人帮"推行的假社会主义。同样，在近些年东欧和苏联发生剧变的国际背景下，我国能够始终坚持并发展社会主义，其中最重要的原因之一，就是改革开放以来我国社会生产力取得了巨大发展，人民生活有了显著改善。我国人民对社会主义的信心随着改革开放的深入发展更加坚定。大力解放和发展社会生产力必将使社会主义的优越性更充分地发挥出来，而社会主义也只有在其优越性得到充分发挥时才会更加巩固和壮大。

第三，迅速解放和发展社会生产力也是增强我国综合国力、推动现代化建设事业蓬勃发展的根本保证。综合国力和现代化事业包括经济、政治、文化等各个方面的内容，但是其中心是经济实力的增强和经济现代化。十一届三中全会以来，党和政府多次强调，要一心一意地搞经济建设。我们的前人已经失去了与发达资本主义国家同时起步的历史时机，我们不能再失去赢得经济发展的新的机会。我们要增强我国的综合国力，推动现代化建设事业蓬勃发展，在本世纪末实现发展国民经济的第二步战略目标，在下世纪中叶实现人均国民生产总值达到或接近中等发达国家水平，关键就在于大力解放和发展社会生产力。应当把是否有利于解放和发展社会主义社会生产力，作为我们考虑

一切问题的出发点和检验一切工作的根本标准。同样,判断我们党的方针政策的标准,应该主要看是否有利于发展社会主义社会的生产力,是否有利于增强社会主义国家的综合国力,是否有利于提高人民的生活水平。

4. 在社会主义的发展动力问题上

强调改革也是一场革命,也是解放生产力,是中国现代化的必由之路,僵化停滞是没有出路的。经济体制改革的目标,是在坚持公有制和按劳分配为主体,其他经济成分和分配方式为补充的基础上,建立和完善社会主义市场经济体制。政治体制改革的目标,是以完善人民代表大会制度、共产党领导的多党合作和政治协商制度为主要内容,发展社会主义民主政治。同经济、政治的改革和发展相适应,以"有理想、有道德、有文化、有纪律"为目标,建设社会主义精神文明。

改革开放已经是一项深入人心的伟大事业,没有改革开放,就不可能有中国的现代化。改革是社会主义制度的自我完善,是推动社会前进的内在动力。农村经济体制改革焕发了中国农民的建设热情和首创精神,促进了农村经济面貌的根本改观;城市经济体制改革大大增强了城市经济和企业的活力,使改革进一步向纵深发展。正如邓小平指出的那样:"改革促进了生产力的发展,引起了经济生活、社会生活、工作方式和精神状态的一系列深刻变化。改革是社会主义制度的自我完善,在一定的范围内也发生了某种程度的革命性变革。这是一件大事,表明我们已经开始找到了一条建设有中国特色的社会主义的路子。"我们要发展生产力,对经济体制进行改革是必由之路。今天,进一步深化改革,建立社会主义市场经济体制,是一项紧迫的深入人心的历史任务。

实行经济体制改革的十多年来,是我国经济发展最旺盛、国家实力增强最快、人民得到实惠最多的时期。

政治体制改革已提到我国全面深化改革的议事日程上。社会主义事业是千百万人的事业,充分调动和发挥人民群众的积极性、主动性和创造性,是社会主义事业的希望所在和力量源泉。社会主义民主政治的本质和核心就是发扬人民民主,保证全体人民当家做主,依法管理国家经济、文化和社会事务。进行政治体制改革、建设社会主义民主政治,是我们党和政府的基本任务和奋斗目标之一,也是维护国家安定团结、推进现代化建设事业顺利进行的重要保障。当然应该指出,我国政治体制改革和社会主义民主政治的建设,既因为封建专制主义影响很深而具有特殊的迫切性,又因为受到历史的、社会的条件限制,只能是有秩序有步骤地进行。现阶段政治体制改革和社会主义民主政治建设,应首先着眼于调动人民群众的积极性,致力于基本制度的完善,以继续完善人民代表大会制度、共产党领导的多党合作制度和政治协商制度为主要内容。必须加强社会主义法制,使我国社会主义民主政治逐步走向制度化、法律化。

5. 在社会主义建设的外部条件问题上

指出和平与发展是当代世界两大主题,必须坚持独立自主的和平外交政策,为我国现代化建设争取有利的国际环境。强调实行对外开放是改革和建设必不可少的,应当吸收和利用世界各国包括资本主义发达国家所创造的一切先进文明成果来发展社会主义,封闭只能导致落后。

我国是国际社会的重要成员,在国际事务中发挥着越来越重要的作用。外部世界的各种变化对我国会产生不同的影响,我国的进步和国力的增强同样也会积极地推动世界历史的进程。我国不可能在封闭状态下进行社会主义现代化建设。近十几年来,世界形势发生了重大而深刻的变化,国际政治格局由冷战时期的"两极"向"多极"转变。世界的主题也由冷战和对抗转为和平与发展。这种转变与发展,给我国的改革开放提供了机遇,也提出了挑战。十一届三中全会以来,我国及时准确地把握了世界发展的趋势和潮流,实施对外开放的重大战略转变。邓小平在讲到对外开放时指出,"我们确定搞两个开放:一个对外开放,一个对内开放。对外开放具有重要意义。任何一个国家要发展,孤立起来是不可能的,闭关自守是不可能的。要实现我们的第一步目标和第二步目标,不开放不行,不加强国际交往不行,不引进发达国家的先进经验、先进科学技术成果和资金不行。关起门来是不行的","中国长期处于停滞和落后状态的一个重要因素是闭关自守。经验证明,关起门来搞建设是不可能成功的,中国的发展离不开世界"。

对外开放就是要使中国的发展不离开整个世界,要充分利用世界一切有益于我国发展的因素和条件,推动和促进我国的现代化建设事业。向外国学习,大胆吸收和借鉴人类社会创造的一切文明成果,包括资本主义发达国家创造的一切先进文明成果。应该看到,大胆吸收和借鉴包括资本主义国家在内的人类社会创造的一切文明成果,是建立、巩固和发展社会主义的客观要求。不论任何历史时代创造出来的、以任何特定形式表现出来的人类文明成果,其中都包括和体现着人类共同财富的内容。这是因为人类社会始终面临着认识和改造客观世界这样一个共同课题。我国要建立社会主义市场经济

体制,则只有大胆吸收和借鉴资本主义发达国家的一切先进文明成果,尤其是先进科学技术、经营方式和管理方式,才能顺利实现。

当前世界发展潮流的显著特点之一,就是经济和科技因素所起的作用明显增强。发展经济和科技普遍成为各国面临的重要任务。在国际关系中,各国政府更多地倾向于通过对话、谈判或协调来实现自己的国家利益。经济因素成为推动国际关系发展的基础。十一届三中全会以来,面对变化了的国际形势,我国始终不渝地奉行独立自主的和平外交政策,坚持原则,冷静观察,沉着应付,不失时机,灵活务实,为我国社会主义现代化建设创造了良好的和平国际环境,为维护世界和平和促进各国共同繁荣作出了应有的贡献。

6. 在社会主义建设的政治保证问题上

强调坚持社会主义道路、坚持人民民主专政、坚持中国共产党的领导、坚持马克思列宁主义毛泽东思想。这四项基本原则是立国之本,是改革开放和现代化建设健康发展的保证,又从改革开放和现代化建设获得新的时代内容。

坚持四项基本原则、坚持改革开放,是紧密联系、不可偏废的两个基本点。社会主义制度在中国的确立、巩固和发展,体现了我国现代社会基本矛盾运动的客观规律,是我国近现代史上发生的最伟大、最深刻的变革。为了确保我国沿着社会主义方向顺利、健康地发展,必须始终坚持四项基本原则,这是全国人民根本利益的必然要求。坚持社会主义制度,是我国的基本国情和人民群众的根本要求。邓小平指出:"中国要解决十亿人的贫困问题,十亿人的发展问题。如果搞资本主义,可能有少数人富裕起来,但大量的人

会长期处于贫困状态,中国就会发生闹革命的问题。中国搞现代化,只能靠社会主义,不能靠资本主义,历史上有人想在中国搞资本主义,总是行不通。"只有社会主义才能救中国,只有社会主义才能发展中国,这已经成为全国人民的共识。人民民主专政是我国的根本制度,只有坚持人民民主专政,才有国家的强盛、社会的安定、国民经济的发展、人民权利的保障、群众生活的改善和我国国际地位的提高。中国共产党代表着中国人民的根本利益,领导中国人民赢得了中国革命的胜利和劳动人民的翻身解放;并经过艰辛的劳动建立起一个强大的社会主义国家,使中国人民开始走上富裕的道路。历史已经证明并将再次证明,领导我国社会主义现代化事业的核心力量是中国共产党。马列主义毛泽东思想是指导我们思想的理论基础,是我们取得革命和建设胜利的重要保障,只有始终不渝地坚持并发展马克思主义,我们才能取得社会主义建设的更大胜利。

7. 在社会主义建设的战略步骤问题上

提出基本实现现代化分三步走。在现代化建设的过程中要抓住时机,争取出现若干个发展速度比较快、效益又比较好的阶段,每隔几年上一个台阶。贫穷不是社会主义,同步富裕又是不可能的,必须允许和鼓励一部分地区一部分人先富起来,以带动越来越多的地区和人们逐步达到共同富裕。

经济建设分三步走的战略部署,是由邓小平主持设计并于中共十三大上确立起来的我国经济发展和经济建设的蓝图。第一步,实现到80年代末国民生产总值比1980年翻一番,解决人民的温饱问题。第二步,到20世纪末,使国民生产总值再增长一倍,人民生活达到小康水平。第三步,到21世纪中叶,人均国民生产总值达到中等发达国家水平,人民过上比较富裕的生活,基本上实现现代化。然后,在这个基础上继续前进。第一步目标已经基本实现,我们面临的是要走好第二步,并为21世纪初走第三步作好必要的准备。这个战略部署,全面总结了经济建设的历史经验,科学地估量了我国经济的现状和趋势,从总体上规划了我们的奋斗目标和建设步骤。1987年,邓小平指出:"从1981年开始到本世纪末,花二十年的时间,翻两番,达到小康水平,就是年国民生产总值人均八百到一千美元。在这个基础上,再花五十年的时间,再翻两番,达到人均四千美元。那意味着什么?就是说,到下一个世纪中叶,我们可以达到中等发达国家的水平。如果达到这一步,第一,是完成了一项非常艰巨的、很不容易的任务;第二,是真正对人类作出了贡献;第三,就更加能够体现社会主义制度的优越性。"

社会主义要摆脱贫穷,求得比资本主义更快的发展速度,这是社会主义的本质特征决定的。邓小平讲,"搞社会主义,一是要使生产力发达,贫穷不是社会主义"。他在回顾我国经济建设曲折发展的历史时指出:"我国解放了生产力以后,如何发展生产力,这件事做得不好。主要是太急,政策偏'左',结果不但生产力没有顺利发展,反而受到阻碍。1957年开始,我们犯了'左'的错误,政治上的'左'导致1958年经济上搞'大跃进',使生产遭到很大破坏,人民生活很困难。1959、1960、1961年三年非常困难,人民饭都吃不饱,更不要说别的了。1962年开始好起来,逐步恢复到原来的水平。但思想上没有解决问题,结果1966年开始搞'文化大革命',搞了十年,这是一场大灾难。这十年中,许多怪东西都出来了,要人们安于贫困落后,说什么宁要贫困的社会主义和共产主义,不要富裕的资本主义。这就是'四人帮'搞的那一套。哪有什么贫困的社会主义、贫困的共产主义!"

贫穷不是社会主义,发展才是硬道理。这是中国人民在经历了经济发展的挫折和成功之后的宝贵认识。这是十多年来中国人民一心一意、专心致志地进行经济建设的基本理由。

8. 在社会主义的领导力量和依靠力量问题上

强调作为工人阶级先锋队的共产党是社会主义事业的领导核心,党必须适应改革开放和现代化建设的需要,不断改善和加强对各方面工作的领导,改善和加强自身建设。执政党的党风,党同人民群众的联系,是关系党生死存亡的问题。必须依靠广大工人、农民、知识分子,必须依靠各民族人民的团结,必须依靠全体社会主义劳动者、拥护社会主义的爱国者和拥护祖国统一的爱国者的最广泛的统一战线。党领导的人民军队是社会主义祖国的保卫者和建设社会主义的重要力量。

党是否能适应改革开放和现代化建设的需要,不仅关系着党本身的生死存亡,而且还关系着现代化建设事业的成败,这绝不是一个简单而次要的问题。1981年11月,陈云就明确提出:"执政党的党风问题是有关党的生死存亡的问题。因此,党风问题必须抓紧搞,永远搞。"应该说,在领导和率领中国人民进行改革开放和现代化建设事业的全过程中,中国共产党都必须警钟长鸣。十一届三中全会以来,党已经较成功地解决政治路线、思想路线和组织路线,这是保证我国十多年来改革开放顺利进行的重要因素。与此同时,还应看到,反腐倡廉、从严治党的任务还很艰巨。改革开放以来,针对党风建设所面临的新情况、新问题,党中央多次提出要"严格标准,严格教育,严肃党纪",并相继制定了一套严格而切实可行的治党措施。尤其是近几年来,党和政府把反腐败斗争和勤政廉政建设作为大事来抓,充分表达了党和政府的决心。腐败问题有三大危害,一是毁坏了党和政府的健康肌体,降低了党和政府的威信;二是滋生了一批腐败分子,损害了国家和集体;三是涣散了人心,影响改革开放和经济建设的健康发展。

在新的历史条件下,密切党与人民群众的关系是执政党所面临的一个十分突出的问题。密切党同人民群众联系的首要问题是保证决策和决策的执行必须符合人民群众的根本利益,以得到最大多数人民群众的拥护为出发点和归宿。为此,党和政府多次提出,决策的制定和执行,一定要坚持"从群众中来,到群众中去",只有这样才能保证在社会主义现代化建设中作出正确决策;严格执行民主集中制原则,实现决策的民主化、科学化;领导机关和领导干部要带头贯彻执行党的政策,不能带头谋私腐败;积极疏通党和政府同人民群众联系的渠道。

9. 在祖国统一的问题上

提出"一个国家、两种制度"的创造性构想。在一个中国的前提下,国家的主体坚持社会主义制度,香港、澳门、台湾保持原有的资本主义制度长期不变,按照这个原则来推进祖国和平统一大业的完成。

1984年2月,邓小平提出了"一个国家、两种制度"的政治构想。这是党和政府根据国际形势和国内情况的发展变化,为争取以和平方式解决大陆和台湾的统一问题,恢复对香港、澳门的主权问题,实现祖国统一而制定的一项基本国策。

　　根据"一国两制"的方针,中英两国政府于 1984 年 12 月 19 日在北京签署了《关于香港问题的联合声明》,确定英国政府于 1997 年 7 月 1 日将香港交还中华人民共和国,我国政府则于同日对香港恢复行使主权。全国人大在广泛征求了海内外各方面人士意见、特别是香港居民的意见后,制定并通过了《中华人民共和国香港特别行政区基本法》,为香港的平稳回归提供了法律保障。香港问题之后,1987 年 3 月 27 日,中国和葡萄牙两国政府签订了《关于澳门问题的联合声明》,全国人大通过了《中华人民共和国澳门特别行政区基本法》。这样,帝国主义对中国部分地区的殖民统治将在 20 世纪内彻底结束。

　　台湾是我国神圣领土不可分割的组成部分。"和平统一、一国两制"的方针不仅适用于港澳地区的回归,而且也是解决台湾问题最现实的途径。近些年来,海峡两岸民间交往不断扩大,民间团体的事务性接触也有进展;两岸经贸关系迅速发展,台湾工商界到大陆投资活动热潮不减;以"汪辜会谈"为契机,两岸的沟通又上了一个新台阶。可以预见,随着两岸交往和接触的日益发展,两岸敌对状态的逐步缓解,中华民族所热切期待着的祖国统一的日子将指日可待。

　　十一届三中全会开创的社会主义现代化建设新时期,是新中国成立以来经济建设与社会发展最好的时期。历史不会忘记,人民不会忘记。在这十多年中,尽管我们走过的道路并不平坦,在我们的前面还有许多困难,但是,我们毕竟已经找到了一条通向成功的道路。中共十四大把建立社会主义市场经济体制作为我国经济体制改革的目标;中共十四届三中全会通过了《关于建立社会主义市场经济体制若干问题的决定》,对市场经济体制进行了总体规划,是 90 年代我国经济体制改革的行动纲领。摆在中国人民面前的两大奋斗目标已经明确,一是要实现国民经济发展目标,在 20 世纪内达到小康;二是要完成经济体制改革目标,初步建立起社会主义市场经济体制。这是我们通向 21 世纪、开创更加宏伟事业的光荣使命。

重大事件

改革开放决策初步酝酿

走出国门看世界

进入 1978 年后，中国明显改变了"文化大革命"期间的对外封闭或半封闭状态，对外交往开始活跃起来。不但多次邀请外国首脑来中国访问，而且中国领导人也纷纷出国访问。这一年，仅副总理和副委员长以上的领导人，就有 13 位先后 21 次出访，访问的国家达 51 个。这当中包括：华国锋对朝鲜、罗马尼亚、南斯拉夫和伊朗等国的访问；李先念对菲律宾、孟加拉国的访问；邓颖超对缅甸、柬埔寨等国的访问；邓小平对缅甸、尼泊尔、朝鲜、日本、泰国、马来西亚、新加坡等国的访问；还有谷牧、方毅、王震等一批领导同志对西欧国家的访问……如此频繁、广泛的出访，不但在"文化大革命"中，就是在"文化大革命"前也没有过。这不仅引起了中国人民的关注，而且也使世界各国感到：结束了"文化大革命"的中国正在开始以新的姿态向世界走来。

这其中，最令世人耳目一新的，是邓小平在 1978 年 10 月对日本进行的为期八天的访问。这也是中国的主要领导人第一次访问日本。访问期间，邓小平不仅代表中国政府出席了《中日和平友好条约》互换批准书的仪式，解决了这一拖延了三年多的外交悬案；广泛会见了日本朝野各界人士，推进了两国友好关系，而且，还利用一切场合，向日本各界反复介绍了中国的内外政策。这就是：在国际上，坚持反对霸权，维护世界和平；愿在和平共处五项原则基础上同各国友好相处，进行经济技术合作;在国内,巩固安定团结的局面,加快中国现代化建设的步伐,从而展示了中国的新形象。

给人印象最深的,还是邓小平对日本现代化企业、高科技设施的关注和对中国现代化建设的推动。在乘坐新干线高速列车时,他向人谈了这样的感受:就感觉到快,有催人跑的意思。紧接着又说:我们现在正合适坐这样的车。

在参观君津制铁所时,他详细认真地了解了这座现代化炼钢厂的情况,然后向接待他的享有"日本钢铁帝王"之称的稻山嘉宽先生和日本贸促会的斋藤英四郎先生询问:"能不能帮我们搞个比这还好的钢铁厂?""每吨钢需要投资多少?"他的热心给日本朋友留下了深刻印象,后来稻山嘉宽先生回忆道:邓小平身材不高,可是精力过人,对中国的建设竭尽全力。① 正是他的这次参观,进一步促成了上海宝山钢铁厂成套设备的引进。

在神奈川县参观日产汽车制造厂时,邓小平看到:在车体工厂,48 个机器人依次焊接车体,自动化程度高达 96%;在组装厂,传送带以每分钟 2.1 米的速度运行着,汽车产量和劳动生产率比当时中国的长春第一汽车制造厂高几十倍。看到这种差距,他十分感慨地说:我懂得什么是现代化了。在日本众参两院议长举行的欢迎宴会上,邓小平这样说,日本早有蓬莱国之称,听说有长生不老药,这次访问,也是为了得到它。或许没有长生不老药,但是我想把日本发展科学技术的先进经验作为礼物带去。他还强调,目前,我国人民正在执行新时期的总任务,决心在 20 世纪内把我国建设成为社会主义的现代化强国。我们的任务是艰巨的,我们首先要靠自己的努力,同时我们也要学习和借鉴外国的管理经验和先进技术。中日双方在经济方面合作的余地很大。我们向日本学习的地方很多,也会借助于日本的科学技术甚至于资金。

这次访问刚结束,11 月 5 日至 14 日,邓小平又连续访问了泰国、马来西亚、新加坡三国。所到之处,除了反复阐明中国的内外政策,加深同这些国家的相互了解和友好关系外,使人印象深刻的,仍是他对于世界经济发展最新动态的关注。14日,他在接见中国驻新加坡机构主要负责人时说:大家要开动脑筋,有的人总认为自己好。要比就要跟国际上比,不要与国内的比。政治要落实到业务,这是检验政治好不好的重要标准。工厂办得好不好,要看它管理好不好,质量、技术好不好。

这一年,也是邓小平出访最多的一年。

除此之外,值得一提的还有国务院副总理谷牧率领的中国政府代表团对西欧五国的访问。这是新中国成立以后,首次向发达资本主义国家派出的国家级政府经济代表团。代表团成员中除国家部委的有关人员外,还有北京、广东、广西、山东等一些省市的负责同志,共 20 多人。邓小平对这次访问十分重视,代表团出发前,他特地嘱咐:要广泛接触,详细调查,深入研究些问题。看看人家的现代工业发展到什么水平了,也看看他们的经济工作是怎么管理的,资本主义的先进的经验、好的经验,我们应当把它学回来。遵照邓小平的嘱咐,从 1978 年 5 月 2 日到 6 月 6 日,谷牧率领的政府代表团在对法国、联邦德国、瑞士、丹麦、比利时 5 个国家进行访问期间,共访问和考察了 15 个城市,

---

① 稻山嘉宽:《谁知我心》,国际文化出版公司,1988 年版,第 56 页。

除了跟政府首脑、官员会谈,听取情况介绍外,还会见了不少政界人士和经济、企业界人士,参观了许多工厂、农场、港口码头、市场、学校、科研单位和居民区。一路观察,一路思考,收集了大量的资料和信息,开阔了视野。他们看到:联邦德国州一级的权力很大,一个州的财政收入有100亿马克,相当于80亿人民币。而我国广东省的人口比联邦德国多,财政收入当时只有30多个亿,还全部要上缴,地方不能开支。通过实地考察,大家发现,资本主义国家的确有许多好的经验,值得我们学习和借鉴。

此外,人们从这年8月华国锋对罗马尼亚、南斯拉夫等国的访问中,也看到了引进国外资金和技术设备发展本国经济的成效,并感受到了已在东欧社会主义国家涌动了多年的改革潮流。

上述重大的外交活动不仅改善了我国同受访国家、特别是一些资本主义国家的外交关系,推动了国际反霸斗争,维护了世界和平。更重要的是,通过这些访问,中国共产党人对于国际形势的发展变化和世界经济的发展趋势有了比较直接和清楚的认识和了解。

这时国际形势的主要特点,一是美苏两个超级大国对世界霸权的争夺;一是各国在实力上的激烈竞争。这些国家都希望能够同中国友好,以便在激烈的竞争中占据有利地位;也希望中国能够作为一个大国真正强大起来,成为世界和平的有利因素。这年7月举行的西方七国首脑会议上,美国总统卡特表示:一个强大的安定的中国是世界和平的重要因素。这一年,中国同西方国家的关系有了较大进展,除了上面提到的《中日和平友好条约》的签

订外,中美两国的建交谈判也取得了实质性进展(这年12月16日,中美两国政府终于宣布正式建立大使级外交关系)。

另一方面,由于70年代经济危机的打击和新一轮技术革命的兴起,资本主义国家普遍面临着调整产业结构,开辟、扩大市场,以摆脱萧条的课题。当时,资本主义国家的资金和设备大量闲置,其中钢铁、造船等行业生产设备闲置达20%—30%,而当时世界市场又很不景气,世界贸易的增长率已从1975年的11.5%下降到1977年的6%。[①] 因此,当中国提出了实现四个现代化的目标后,资本主义国家纷纷看好中国这个大市场,表现出极大兴趣,愿同中国做生意,进行合作。这年2月,日本同中国签订了1978年至1985年8年间的中日长期贸易协定,贸易额达200亿美元。4月,欧洲共同体和中国签订贸易协定,宣布向中国提供贸易最惠国待遇。9月,日本政府又向中国建议,将中日长期贸易协定的期限再延长5年,贸易额再扩大2倍,即由200亿美元扩大到600亿美元。

中国的市场刚一打开大门,就展示了强大吸引力。中国的现代化建设遇到了十分有利和难得的发展机遇。利用相对和平的国际环境,抓紧时机进行经济建设,使自己发展强大起来,不仅有可能,而且十分必要。世界需要开放的中国,中国更需要向世界开放。

除了对国际形势的观察和分析,最使中国共产党人感到震撼的,是我国在经济和科学技术领域同世界发达国家的巨大差距。还在1978年3月召开的全国科学大会上,有的代表就谈到,我国经济落后的一个十分重要的原因就是科技落后。

① 宦乡:《纵横世界》,世界知识出版社,1984年版,第22页。

同世界先进水平相比,我国的科学技术在多数领域大约相差 15 年到 20 年,有些领域相差更多一些。对这个问题谈得最多、最迫切的是邓小平。还在 1977 年 9 月 29 日,他在会见外宾时就指出:60 年代我国的科学技术水平同世界水平差距不大,但世界科学技术在 60 年代末期 70 年代初期有个突飞猛进的发展。各个科学领域一日千里地发展,一年等于好几年,甚至可以说一天等于几年。一个新东西发明出来,可以带动其他方面走得很远。而我国在这段时间里则落后了。①

　在 1978 年的全国科学大会上,他又指出:现代科学技术正在经历着一场伟大的革命。近 30 年来,现代科学技术不只是在个别的科学理论上、个别的生产技术上获得了发展,也不只是有了一般意义上的进步和改革,而是几乎各门科学技术领域都发生了深刻的变化,出现了新的飞跃,产生了并且正在继续产生一系列新兴科学技术。现代科学为生产技术的进步开辟了道路,决定它的发展方向。当代的自然科学正以空前的规模和速度,应用于生产,使社会物质生产的各个领域面貌一新。社会生产力有这样巨大的发展,劳动生产率有这样大幅度的提高,靠的是什么? 最主要的是靠科学的力量、技术的力量。② 而我们现在的生产技术水平是什么状况? 几亿人口搞饭吃,粮食问题还没有真正过关。我们钢铁工业的劳动生产率只有国外先进水平的几十分之一。新兴工业的差距就更大了。在这方面不用说落后一二十年,即使落后八年十年,甚至

三年五年,都是很大的差距。在科学技术方面,我国古代曾经创造过辉煌的成就,四大发明对世界文明的进步起了伟大作用。但是我们祖先的成就,只能用来坚定我们赶超世界先进水平的信心,而不能用来安慰我们现实的落后。③

5 月,邓小平在会见外宾时又谈到:在工业方面,我们 28 年还是搞了些基础,但技术落后,管理水平低。就现有设备能力来说,由于技术水平和管理水平低,也没有发挥应有的作用。过去"四人帮"干扰,就关起门来搞建设,连世界是个什么样子都不清楚。如果说 60 年代前半期我们同世界技术上的发展有些差距,但不很大,那么近十多年则拉得很大。④

我国的政府代表团赴西欧考察后也发现:在第二次世界大战以后,资本主义国家把二次大战当中一些高、精技术如电子计算机、核能等应用于和平建设,同时,总结了资本主义发展的一些矛盾、弊端,也借鉴了社会主义的一些好做法,如组织工人机构、吸收工人参加管理等等,所以从 50 年代后期到 70 年代,资本主义来了个大发展。尤其是科学技术日新月异,而我们已经落后很多。我们经济建设搞了近 30 年,比起外国许多国家,速度是太慢了。他们回国后专门向中央政治局作了汇报。这些汇报很快被整理成文件,由中央批转给各部门领导传阅。

这年 9 月,邓小平在访问朝鲜时又向金日成谈道:"最近我们的同志出去看了一下,越看越感到我们落后。什么叫现代化? 50 年代一个样,60 年代不一样了,70

① 冷溶、汪作玲主编:《邓小平年谱(1975—1997)》上,中央文献出版社,2004 年版,第 210 页。
② 《邓小平文选》第二卷,人民出版社,1994 年版,第 87 页。
③ 同上书,第 90 页。
④ 冷溶、汪作玲主编:《邓小平年谱(1975—1997)》上,中央文献出版社,2004 年版,第 316 页。

年代就更不一样了。"①

当然,通过走出国门看世界,中国共产党人除了看到自身的差距,也看到了中国面临的发展机遇。对这一点,同样是邓小平讲得最多。1977年9月,他会见外宾时谈道:"国际形势变化很大,许多老的概念、老的公式已不能反映现实,过去老的战略规定也不符合现实了。"②12月,他在中央军委全体会议上谈到国际形势时指出:现在苏联的全球战略部署还没有准备好。美国在东南亚失败后,全球战略目前是防守的,打世界大战也没有准备好。所以,可以争取延缓战争的爆发。我们能够争取比较长一点时间不打仗,这对我们的现代化建设,对我们的备战工作,都是有利的。在1978年全国科学大会上他还提到:中国的社会主义现代化建设,已经得到并且必将进一步更广泛地得到世界各国人民的关注和支持。我们要积极开展国际学术交流活动,加强同世界各国科学界的友好往来和合作关系。谷牧率领的政府代表团在结束对西欧的考察后也向中央建议:资本主义国家在社会化大生产的组织管理方面有许多值得借鉴的经验,它们的资金、商品、技术要找市场,国际经济运作中有许多通行的办法,包括补偿贸易、生产合作、吸收国外投资等,我们可以研究采用。

国务院副总理王震在访问了欧洲后提出:目前的国际条件对我们加快四个现代化建设是极为有利的。现在西欧有5000亿美元的游资要找出路,有向中国投资、贷款的愿望和要求;有些外国人对中国这么穷又不向外国借钱来开发资源表示不理解;有的人问,他们私人资本家能不能和中国合股办工厂?一些经济界朋友问,如果向中国投资有没有法律保证?对这些条件,我们应当加以利用。西欧、日本等资本主义国家由于生产过剩,新技术、成套设备和资金急于找出路。在这种情况下,有利于我们在平等互惠、互通有无的政策下,搞补偿贸易、合资经营企业,也可以设想利用国外资金和先进技术设备对我们的大江、大河流域进行疏浚、开发,建设梯级电站,开采有色金属、贵重稀有金属等矿业。打开了这个大门,经济、科技等都会上得快一些。他的意见也受到了中央领导人的重视。

巨大的差距和加速发展的机遇并存,这就是中国共产党人在经历了长期封闭重新打开国门后的主要感受。经过了解世界,人们对如何加快中国现代化建设的步伐,思路开阔了,信心更足了。

迈出引进和开放的步伐

世界的发展变化,我国的落后现实,不能不促使人们对中国的命运进行反思。在反思中人们首先形成了这样的共识:中国要真正发展强大起来,决不能再关起门来搞建设,必须积极引进和利用国外的资金和先进技术设备,以加快我们实现四个现代化的步伐。1978年5月,邓小平在会见外宾时说:"现在提出在本世纪实现四个现代化的目标,这当然有很多重要的条件作为根据,其中很重要的一条就是要把世界最先进的技术吸引过来,作为我们发展的起点。当然,这不是简单的吸收外国

① 《邓小平文选》第二卷,人民出版社,1994年版,第372—373页。
② 冷溶、汪作玲主编:《邓小平年谱(1975—1997)》上,中央文献出版社,2004年版,第200页。

技术,吸引了先进技术,自己还要有所创造。"①6月下旬,他在听取了谷牧关于出访西欧的汇报后,又明确地讲:引进这件事要做;下决心向国外借点钱搞建设;要尽快争取时间。同引进外国的先进技术和设备相比,邓小平更注重学习他们发展经济的先进经验。他多次强调:我们的现代化建设,不但要引进外国的先进技术,而且要尽可能地吸收国际上的先进经验。"中国在历史上对世界有过贡献,但是长期停滞,发展很慢。现在是我们向世界先进国家学习的时候了。""关起门来,故步自封,夜郎自大,是发达不起来的。"②

邓小平注意到,同世界上的先进水平相比,我国不但在技术水平上落后,而且在管理上同样落后。因此,他特别强调,在引进国外先进技术设备的同时,也要学习国外先进的管理方法,并由此提出了必须进行经济管理体制改革的主张。1977年9月,他在同邓颖超一起会见英籍作家韩素音时谈道:我们不但要学习世界先进的科学技术,"我们还要吸收世界先进的工业管理方法,要搞科研,搞自动化。我们的设备能力不小,但生产落后,这是一个组织管理问题。过去,我们很多方面学苏联,是吃了亏的。我们的潜力很大,但有个组织管理问题,归根到底是科学研究要走在前面。"③

1978年2月1日,邓小平在出访尼泊尔途经成都时,对四川省省委、省政府的负责同志指出:可能有两个问题拖我们的后腿。一是农业,搞粮食不容易;二是工业管理水平,我们不会管理。3月2日,他在五届全国人大一次会议解放军代表团小组会上讲话时再次指出:现在有两个问题要注意,一个是农业,农业不发展,不能满足人口增长的需要;再一个拖后腿的问题,是普遍存在的不会管理。技术落后,管理技术水平低,在工业上是个很突出的问题。你讲社会主义比资本主义优越,就要比人家管理得更好。提高科学技术水平,管理水平很重要。这一年,当我国陆续引进了一批具有世界先进水平的成套技术设备后,邓小平又及时地提醒人们:"引进先进技术设备后,一定要按照国际先进的管理方法、先进的经营方法、先进的定额来管理,也就是按照经济规律管理经济。一句话,就是要革命,不要改良,不要修修补补。""企业没有自己的权力和机动性不行。大大小小的干部都要开动机器,不要当懒汉,头脑僵化。当然这个懒汉主要是过去制度形成的。以后既要考虑给企业的干部权力,也要对他们进行考核,要讲责任制,迫使大家想问题。现在我们的上层建筑非改不行。"④

邓小平的上述看法逐渐成为中共中央领导人的共识。1978年2月,李先念在批示一份文件时指出:老实说,我们掌握的国际先进科学技术知识是不够的,不是一般的不够,而是很不够。因此,要兢兢业业地工作,并善于学习,不断提高。要动脑子,办事情、想问题,头脑要敏锐。我们的方针,是在独立自主、自力更生的前提下,积极引进世界上的先进技术。⑤

同月举行的五届人大一次会议通过的政府工作报告中也提出:各地区、各部

①　冷溶、汪作玲主编:《邓小平年谱(1975—1997)》上,中央文献出版社,2004年版,第316页。
②　《邓小平文选》第二卷,人民出版社,1994年版,第132、133页。
③　中共中央文献研究室编:《邓小平思想年谱(1975—1997)》,中央文献出版社,1998年版,第44页。
④　《邓小平文选》第二卷,人民出版社,1994年版,第129—130页。
⑤　《李先念文选》,人民出版社,1989年版,第315页。

门都要了解国内外的技术发展状况,制定采用和推广新技术的计划和措施,努力学习国内和世界上的先进科学技术,决不能因循守旧,故步自封。

1978 年 6 月 20 日至 7 月 9 日,中央在北京召开全国财贸学大庆学大寨会议,讨论财贸工作如何适应四个现代化建设的需要。李先念在会上讲话指出:我们现有的财贸工作,即使是历史最高水平,仍然是很低的水平,决不能适应目前社会主义建设新形势的需要。提高管理水平的问题,并不只存在于财贸战线,同样存在于农业、工业、交通运输和其他战线。华国锋也在会上指出:我们的目标是要实现四个现代化,在经济上和技术上赶超国外先进水平,我们的成就必须同国外的先进水平比。这样,就可以看出我们的水平仍然是很低的。我们现在不但技术水平低,而且管理水平低。我们的上层建筑和生产关系的许多方面还不完善,我们的政治制度和经济制度的许多环节还有缺陷,这些同实现四个现代化的要求是不相适应的,是束缚生产力、阻碍生产力的发展的。管理水平低,归根到底就是一个这样性质的问题。①

改革的呼声必然会促使对"左"倾错误的纠正,从而为指导思想的拨乱反正创造条件。1978 年下半年,在真理标准问题讨论的推动下,全国上下都在涌动着思想解放的潮流。这一潮流表现在思想界、理论界,是对思想僵化和"两个凡是"的批判;表现在经济建设方面,则是要求加快实现四个现代化的步伐和实行改革开放的呼声。这种呼声,在国务院召开的务虚会上得到了集中体现。

1978 年 7 月 6 日至 9 月 9 日,国务院召开了为期两个月的务虚会,专门研究如何加快我国现代化建设速度的问题。参加会议的是国务院所属的各部、委、局、室的主要负责同志。李先念主持了这次会议。会议主要是要求大家围绕如何加快现代化建设这个中心自由发言。

谷牧在会上介绍了我国政府代表团考察西欧国家的情况,并讲了关于引进外国资金和技术,加快我国现代化建设的想法和建议。会议印发了此前不久李一氓率领的中国共产党代表团考察南斯拉夫的情况报告。报告认为,过去斯大林企图把苏联经济体制的模式强加给南斯拉夫,被铁托坚决拒绝,但南斯拉夫不失其为社会主义国家,南共不失其为走在社会主义道路上的党。报告并未主张学南斯拉夫,但大家却由此得到一个启发:社会主义的基本经济制度,可以有多种模式。任何国家都不应该盲目照搬别的国家的做法,但应该对别国的经验很好地研究。

参加会议的各部门负责人都认真准备了发言,根据本部门的工作状况提出了加快建设速度的设想,并在认真总结新中国成立以来经验教训的基础上,提出了改革经济管理体制,积极引进国外先进技术和设备的建议。这些发言情况大致如下:

国家计委关于积极引进外国资金和设备的设想方案,提出了从 1978 年到 1985 年的引进总规模;并且提出了关于积极扩大出口,增强对外支付能力的意见。

国家建委介绍了我国 50 年代以来从国外引进技术设备的情况。

国家经委的发言提出了提高职工技术水平,以适应现代化建设要求的建议。

农林部的发言根据国外发展农业的经验,提出了发展我国林业与畜牧业的问

---

① 载《红旗》杂志,1978 年第 8 期。

题,指出:世界的森林覆盖率为22％,日本为66％,而我国的森林覆盖率仅为12.7％,西北地区只有2.5％,华北地区只有4.7％,应当尽快改变我国林业的落后现状。我国畜牧业在农业产值中的比重只占14％,而加拿大是65％,美国是60％,法国是57％,苏联是49％,日本是26％,印度是18％。我国有可利用的草原33亿亩,应当充分开发,发展畜牧业。

第一机械工业部的发言提出了一定要把引进新技术同国内管理制度的改革结合起来的主张。

国家劳动总局关于劳动工资问题的发言提出:我们要积极准备改革工资制度的工作,努力提高职工的劳动积极性,提高劳动生产率。

冶金部的发言介绍了他们派人对日本、美国、加拿大和西欧各国钢铁工业进行考察的情况,认为当前资本主义国家的钢铁工业出现了严重危机,工厂设备开工严重不足,资金、技术找不到出路。欧洲共同体钢铁设备开工率只有63％。日本、西欧包括美国在内,都争着同我们做买卖,这种局势对我们极为有利。我们应当充分利用当前的有利时机,引进外国的先进技术设备,发展我们的钢铁工业。

国务院财贸小组的发言提出了关于适当提高农产品价格的建议。

对外贸易部提交了《努力实现对外贸易大发展,为四个现代化多作贡献》的发言。

煤炭工业部提交了《加快煤炭工业高度现代化的步伐,为四个现代化服务》的发言。

石油工业部提交了《关于加快石油工业发展问题》的发言。

化学工业部提交了《关于加快化学工业发展速度的几点意见》的发言。

第四机械工业部的发言,提出了关于加快发展我国电子工业的几点意见和建议。其中提到,邓小平曾经作出批示:除了电,还有个关键的东西——电子工业,没有它,就没有现代化。

中国社会科学院提交了《按照客观经济规律办事,加快实现四个现代化》的发言。这篇发言中列举了单纯依靠行政方法管理经济的弊端,提出这种方法"应当缩小到十分必要的范围,而最大量的经济工作应当由政府行政的范围转入企业经营的范围,企业本身也要尽量缩小纯粹行政方法的管理,扩大依靠经济手段的管理"。"我们建国已经快三十年了,不能只是用缺乏经验来解释自己的错误了,为了加快实现四个现代化,现在特别有必要认真地总结正反两方面的经验,努力自觉地按照客观经济规律办事,积极地发挥社会主义制度的优越性。"①

对经济体制问题早就深思熟虑过的陈云一直关注着会议的讨论。他向李先念谈了这样的想法:要在计划经济的前提下,搞点市场经济作补充;计划经济和市场经济相结合,以计划经济为主;市场经济是补充,不是小补充,而是大补充。② 在陈云当时的用语中,市场经济与市场调节是混用的,二者是一个意思,都是指计划经济下的市场调节。这在当时是启动经济体制改革进程的一个重要思路。

在各部门普遍要求放手利用外资,大量引进国外技术设备,组织国民经济新跃

① 胡乔木:《按照经济规律办事,加快实现四个现代化》,《人民日报》,1978年10月6日。
② 转引自朱佳木:《陈云与十一届三中全会》,于光远等著:《改变中国命运的41天》,海天出版社,1998年版,第37页。

进的呼声中,陈云还觉察到了正在滋长的急躁冒进倾向。他及时地提醒大家:利用外资搞建设也要注意按比例,考虑国内的配套能力,包括资金、技术力量、动力、原材料等。7 月 31 日,他向李先念等同志提出,务虚会是否多开几天,听听反对的意见,可能有些人有不同意见。可以向外国借款,中央下这个决心很对,但是一下子借那么多 办不到。有些同志只看到外国的情况,没有看到本国的实际。我们的工业基础不如他们,技术力量不如他们。有的国家和地区发展快,有美国的特殊照顾。只看到可以借款,只看到别的国家发展快,没有看到本国的情况,这是缺点。不按比例,靠多借外债,靠不住。①

可惜,陈云的这些意见在当时的情况下难以被大家接受,但它毕竟是讲出了一种清醒的声音,并使此后不久召开的中央工作会议和十一届三中全会能够提出解决重大比例失调问题有了思想基础。

会议在讨论上述发言时已经触及到一些经济体制问题,提出了不少改革的思想,如对于过去经济工作中不尊重客观经济规律、搞"长官意志"的批评;对重视商品生产和价值规律的意见;关于讲求经济效益,反对不算经济账的呼吁等等,都涉及了经济体制中的弊端。9 月 9 日,李先念在会上作的总结讲话集中体现了这些思想。他说:实现四个现代化,这是一场根本改变我国经济和技术落后面貌的伟大革命。这场革命既要大幅度地改变目前落后的生产力,也就必然要多方面地改变生产关系,改变上层建筑,改变工农业企业的管理方式和国家对工农业企业的管理方式,改变人们的活动方式和思想方式,使之适应于现代化大经济的需要。这

场革命规模的巨大,变化的广泛、激烈、深刻,任务的繁重、紧迫,意义的深远,都不下于我们党过去领导的任何革命,某些方面还要超过。全党全军全国人民必须为这场革命空前紧张地动员起来。他指出:现在的国内外形势很好,世界上的极大多数国家都希望我国强大繁荣。欧美、日本等资本主义国家,经济萧条,要找出路。我们应有魄力、有能力利用他们的技术、设备、资金和组织经验,来加快我们的建设。我们决不能错过这个非常难得的时机。自力更生绝不是闭关自守,不学习外国的先进事物。为了大大加快我们掌握世界先进技术的速度,必须积极从国外引进先进技术设备。这比关起门来,样样自己从头摸索的爬行主义,要快不知多少倍。

在回顾和总结了中华人民共和国成立以来的经验教训后,李先念指出:总的来说,28 年来,我们建设的成绩很大,但没有做到持久地高速度地发展。我国至今仍然是世界上最贫穷落后的国家之一。我们现在的管理制度,不少是 50 年代从苏联搬来的,实践证明其中有些是好的,有些是妨碍生产力发展的。由于林彪、"四人帮"的干扰破坏,好的丢了不少,坏的没有改正,又加进了更不好的东西。而我们的不少同志却习以为常,看不到其中存在的问题,不懂得必须进行改革。为此,他发出呼吁:要勇敢地改革一切不适应生产力发展的生产关系、不适应经济基础的上层建筑,放手发挥经济手段和经济组织的作用。在经济领导工作中,要坚决地摆脱墨守行政层次、行政区划、行政便利、行政方式而不讲经济核算、经济效果、经济效益、经济责任的老框框,打破小生产者的

① 《陈云文选》第三卷,人民出版社,1995 年版,第 252 页。

狭隘眼界,改变手工业式、小农经济式甚至封建衙门式的管理方法,掌握领导和管理现代化工农业大生产的本领。无论中央各部门或是地方各级领导机关,都必须认真注意发挥企业的积极性。只有充分尊重和充分发挥他们的积极性和主动精神,生产才能高速度发展。把企业当做任何行政主管机关的附属品,当做只能依靠上级从外部指挥推动的算盘珠,这种管理思想是同实现四个现代化的要求格格不入的。机器都要自动化,何况是人,何况是当家做主的工人农民和由他们组成的社会主义企业?这就需要在经济管理中充分注意企业的经济权限和经济利益,充分实行按劳分配,善于运用经济手段,而不要滥用行政方式,不要用行政层次、行政区划的框架去束缚经济的发展。在过去多年中,我们已经不止一次改革经济体制,但是在企业管理体制方面,往往从行政权力的转移着眼多,往往在放了收、收了放的老套中循环,因而难以符合经济发展的要求。我们现在要进行的这次改革,一定要同时兼顾中央部门、地方和企业的积极性,一定要考虑大企业和大专业公司的经济利益和发展前途,努力用现代化的管理方法来管理现代化的经济,使我们的管理水平尽可能适应高速度发展工农业的需要。我们将适应四个现代化的需要,改革计划体制、财政体制、物资体制、企业管理体制和内外贸体制,建立起现代化的经济组织、科研组织、教育组织和管理制度。

李先念在讲话中还分析了改革可能遇到的阻力和困难:要进行这样深刻的决定我国前途和命运的伟大革命,不仅必须战胜国内外敌人的破坏,而且必须克服我们队伍中由于旧的思想、旧的习惯和安于现状、不愿变革的保守倾向。现在有些领导干部心有余悸,战战兢兢,生怕自己犯错误,不怕国家搞不好。要帮助这些同志从精神枷锁中解放出来,从个人得失的小圈子里跳出来,投身到建设社会主义强国的伟大斗争中去。我们要按照四个现代化的要求,改进思想方法、工作方法和工作作风,破除各种陈腐的观念,破除小生产的狭隘眼界和习惯势力,不断提高工作效率。

9月30日,中央转发了这个讲话,并要求各级党委认真讨论,为在即将召开的中央工作会议上进一步讨论这个讲话准备意见。在上述思想酝酿的推动下,引进国外资金和技术设备的规模也不断扩大。实际上,这项工作在我国早已开始,而且效果很好。只是由于国际环境的制约和"左"倾错误的破坏,而一再被迫中断或拖延,难以打开我国面向世界的大门。粉碎"四人帮"后,国内安定团结和现代化建设的最大障碍被扫除了,国际形势也出现了对我国更加有利的变化,实行对外开放政策的主客观条件终于具备了。在日益强烈的要求加快现代化建设的呼声中,在思想不断解放的背景下,我国的对外引进工作在1978年里取得了新的进展。这一年,我国同西方发达国家先后签订了22个成套引进项目的合同,共需外汇130亿美元(1978年已签约部分为58亿美元)。这些项目包括:

上海宝山钢铁厂成套设备的引进;

大庆石油化工厂一套30万吨乙烯生产装置;

山东石油化工厂一套30万吨乙烯生产装置;

北京东方化工厂一套30万吨乙烯生产装置;

南京石油化工总厂两套30万吨乙烯生产装置;

吉林化学工业公司一套 11 万吨乙烯关键设备；

浙江化肥厂一套 30 万吨合成氨生产装置；

新疆化肥厂一套 30 万吨合成氨生产装置；

宁夏化肥厂一套 30 万吨合成氨生产装置；

以煤炭为原料的山西化肥厂 30 万吨合成氨装置；

100 套综合采煤机组；

江西德兴铜基地；

贵州铝厂；

上海化纤二期工程；

江苏仪征化纤厂；

河南平顶山帘子线厂；

山东合成革厂；

兰州合成革厂；

云南五钠厂；

内蒙霍林河煤矿；

河北开滦煤矿；

彩色电视机生产线。

当时，人们对"合资"这个字眼还感到很陌生，但党中央领导层实行开放政策的决心已经是十分坚决了。虽然在引进工作中受到了当时尚未纠正的"左"倾指导思想的影响，出现了急于求成倾向，但这些项目的引进毕竟为中国的现代化建设提供了比较先进的技术装备和较高的起点。如上海宝山钢铁厂成套设备的引进，使我们学到了世界一流的生产技术和管理方式，并将使我国钢铁工业同世界先进水平的差距至少能缩短二十年。[①] 如此大规模的成套设备引进，不但将加快我国现代化建设的进程，还为党中央把工作重点转移到现代化建设上来，并制定改革开放

的方针，作了实践上的准备。

突破旧体制的初步尝试

对社会主义建设新道路的探索，不光是体现在改革开放的思想酝酿上，而且还体现在实践中对传统经济体制的突破上。这种突破首先是出现在计划体制的控制相对较松，而其弊端又暴露得最充分、最严重的农村。我国农村中以"一大二公"为特征的人民公社管理体制，长期以来不仅剥夺了广大农民、而且也剥夺了基层生产队的自主权，严重压抑了农民的生产积极性。"左"倾错误的推行，利用并强化了这种体制；这种体制也维护和助长了"左"的错误、"左"的观念。所以，"文化大革命"结束后在农村工作中进行拨乱反正，就不仅要触及"左"的错误，而且要触及传统的、束缚生产力发展的管理体制。当然，在"左"倾错误延续了二十多年的情况下，这种触及不能不遇到极大阻力，承担极大风险，即使是取得突破也只能是很初步的。

"四人帮"被粉碎后，"文化大革命"的动乱虽然停止了，但是"左"的理论、政策乃至口号在农村中仍很盛行。如前所述，1976 年年底召开的全国第二次农业学大寨会议虽然对揭批"四人帮"作了发动，但是又全面肯定了"文化大革命"的理论和"左"的农村政策。会后，全国农村许多地方在"普及大寨县"的口号下继续大批"资本主义自发倾向"，把农民的自留地和农村集市贸易当做"资本主义尾巴"加以限

---

① 黎明：《宝钢的改革和发展》，中央党校《报告选》，1995 年第 8 期，第 10 页。

制甚至取缔。与此同时，中央还继续推广大寨的以生产大队为核算单位的做法。1977年11月召开的普及大寨县工作座谈会提出：实现基本核算单位由生产队向大队过渡是大势所趋，各级党委要积极热情地为这种过渡创造条件，并确定从1977年冬到1978年春，全国再选择10％左右的大队实行大队核算，从而助长了许多地方的"瞎指挥"和"穷过渡"现象。其实，这时相当多的生产队连简单再生产都难以维持，大量农民不得温饱，生产队却无权允许农民自己设法解决。广大农村的当务之急，不是实现"核算单位向生产大队过渡"，而是要解决农民的生计问题。因此，中央关于向生产大队过渡的部署在不少地方受到了抵制。据1978年1月农林部《普及大寨县动态》第二期透露：去冬今春普及大寨县工作座谈会后，各地对人民公社基本核算单位向大队过渡问题都作了研究，态度比较积极，但发展很不平衡，云南、四川、广西、广东、河南、安徽、江苏、山东等省，没有按要求在去冬今春过渡一批大队，也没有安排搞试点。从这里可以看出，一些省区的领导同志已经意识到了再搞"急于过渡"的"左"的一套是行不通的。一些地方的领导开始从本地实际出发，对现行农村政策进行大胆调整。这些调整由于不同程度地突破了人民公社"一大二公"体制的束缚，因而被视为后来农村改革的发端。其中走在最前面的是安徽、四川两省。安徽之所以能够成为农村改革的发源地不是偶然的，是由多方面的因素造成的。第一，在"左"倾错误的影响下，农村生产力受到严重破坏。从1957年到1978年，安徽全省人均占有粮食只增加了13斤；从1955年到1978年，全省人均收入只是从60元增加到66元；到1977年，全省只有10％左右的生产队能够维持温

饱，大部分农民吃不饱、穿不暖，生活困苦。集体经济成为空壳，全省大约有25％的生产队难以维持简单再生产；8％的生产队即使把全部资产，包括耕牛、农具、房屋全部变卖了，也还是负债累累。第二，60年代初，安徽全省范围内搞过"责任田"（即包产到户），对当时恢复和发展农业生产、稳定农村形势，起了明显的促进作用，被农民誉为"救命田"。虽然只实行了一年，但它的优越性已深深植根于安徽农民的心中。第三，也是最关键的一点，就是安徽当时有一个勇于开拓、实事求是的省委领导班子。1977年6月22日，中共中央任命万里为省委第一书记。万里到安徽后，和与他同时调来的顾卓新、赵守一等主要领导都亲自下乡进行调查研究。三个月内，万里几乎跑遍了全省各个地区的县、市和工矿农村。他痛切地感到，安徽是个农业省，而农村的问题远比城市的问题严重得多。在不少村庄，他走进农民简陋的草房，看到门是泥糊的，睡床、桌子甚至小坐墩也是土的，一根横在墙上的竹竿就可以放下全家的衣物；在大别山革命老区，他看到年迈的老人，在几乎一无所有的小屋里，光着身子裹着棉絮已快撕完的破棉袄，米缸已露了底，全家人只有一条裤子。目睹这一幕幕景象，他禁不住发出深深的叹息："解放快三十年了，没想到老百姓还这么穷！"

在多方调查、掌握了大量材料后，万里和省委领导们认真分析了安徽省的基本情况，并取得了完全一致的认识。其中突出一点就是："四人帮"在农村的流毒和影响很深，要害是破坏了党的政策，使党严重脱离群众。因此，从抓落实农村经济政策入手，把揭批"四人帮"与解决农村的现实问题紧密结合，才能打开当前复杂、困难的局面，调动广大农民的积极性。为

此，安徽省委制定了《关于当前农村经济政策几个问题的规定（草案）》。然后又经过多次讨论、反复修改，使有关条文更加妥帖、完善。在此基础上，1977 年 11 月，省委召开全省农村工作会议，正式通过了《中共安徽省委关于当前农村经济政策几个问题的规定（试行草案）》（简称《六条》），主要内容是：第一，搞好农村的经营管理，允许生产队根据农活建立不同的生产责任制，可以组织作业组，只需个别人完成的农活也可以责任到人；第二，尊重生产队的自主权；第三，减轻社队和社员负担；第四，落实按劳分配政策，粮食分配要兼顾国家、集体和个人利益；第五，允许和鼓励社员经营自留地、家庭副业，开放集市贸易等；第六，干部参加集体生产劳动。

这些内容今天看起来似乎不足称道，但在当时却针对农村政策突破了一些被视为"原则问题"的禁区。比如，文件没有再讲"农业学大寨"问题，却强调农村一切工作要以生产为中心；在自留地和家庭副业正被当做"资本主义尾巴"而大加挞伐的形势下，文件中却明确规定不仅允许，还要鼓励；在"生产队自主权"长期以来被批判成"自由种植"的情况下，文件却明确要"尊重"。这些禁区的突破，反映了广大农民群众的迫切要求。因此，文件一和群众见面，就受到了热烈欢迎，出现了过去很少见过的盛况。

有些大队通知一户派一个代表到会，农民们听说是讲政策，都争着来。屋里坐不下，就到场院里开会。有的听了一遍不过瘾，还让宣讲人再讲一遍、两遍。有的人高兴地说："省委就像到我们院里看过一样，条条讲到了我们的心坎里。"在六安县三十里铺公社，新华社记者问一位老农："这《六条》，哪一条你最高兴？"老农回答："我都高兴，最高兴的还是养鸡、养鸭、养鹅不受限制了。今后大概不会再来'摸鸡笼子'、'砍鸡头'了。"在定远县严桥公社，记者听到一些生产队干部说："《六条》规定实在好！我们最高兴的是专门写了一条'尊重生产队的自主权'，明确规定了生产队在保证完成上交任务的前提下，有权因地种植，任何人不得干涉。这下子'瞎指挥'可行不通了，今后再不会出现毁了花生种稻子，拔了瓜苗种玉米之类的伤心事了！"

不过，"以阶级斗争为纲"年月留下的阴影还未消退。有些人见了《六条》后忐忑不安，怀疑省委是不是搞错？："怎么以生产为中心，纲跑到哪里去了？不怕批唯生产力论么？"当时，北京正开着两个农业方面的会议。一个是各省分管农业的负责人参加的会议，中心议题是如何大干快上，强调的是深入学大寨。另一个是部分省、区的一些处级干部参加的会议，主要是座谈农村情况，交流经验。会上有人介绍了安徽的做法，也引起了一部分人的争论和有关方面的重视。1978 年 2 月 3 日，《人民日报》在头版显著位置发表了该报记者专门采写的长篇通讯——《一份省委文件的诞生》，介绍了安徽《六条》制定的情况。同时还配发了评论员文章：《尊重生产队的自主权》。

2 月 5 日，万里在同新华社记者谈话时指出：尊重生产队自主权是《六条》中最受生产队干部和社员欢迎的一条。这一条——实质上是个尊重实际、尊重群众、发扬民主和反对官僚主义"瞎指挥"的大问题，是一个对待群众的态度问题，是把群众当做真正的英雄，还是当做"阿斗"的一个原则性问题。不尊重生产队自主权，这是我们过去农村工作中许多错误的根源。历史上的教训太深刻了！① 2月15日，万里又在地、市委书记会议上针对有些同志贯彻《六条》的顾虑提出批评：有些同志指导思想不明确，不清楚应该以什么为中心。什么单位都得有个中心，学校不以教学为中心，算什么学校？军队不以保卫祖国、搞好军事训练为中心，要军队干什么？农村不以农业生产为中心，没有粮食，或者粮食不够，没有棉花，或者棉花不够，大家吃什么，穿什么？②

在安徽省委的坚定推动下，《六条》得到了有力贯彻，从而开始了安徽农村工作的拨乱反正。有的地方如来安县还在贯彻《六条》的基础上搞起了包产到组或"包产到劳"的生产责任制，开始尝试向农业管理体制的禁区——包产到户发起冲击。因此，《六条》也成为安徽省的一份具有十分重要历史意义的文件，成为中国农村改革的一个重要信号。后来席卷全国的农村改革大潮，正是从这里发端的。

安徽的举动受到了正全力倡导解放思想、拨乱反正的邓小平的关注。他不但赞赏安徽的做法，而且还希望能够进一步解放思想，打破农业政策上的禁区。1978年2月3日，邓小平出访尼泊尔途经四川成都时，向四川省委领导谈到了安徽的做法，并指出：农业的路子要宽一些，思想要解放，只是老概念不解决问题，要有新概念，只要所有制不动，怕什么！要多想门路，不能只是在老概念中打圈子。农村政策、城市政策，中央要清理，各地也要清理一下，自己范围内能解决的，先解决一些。③

不久，四川省省委根据本省实际制定

了《关于目前农村经济政策几个主要问题的规定》。这个《规定》共12条，主要内容有：①加强劳动管理；②严格财务管理制度；③搞好生产计划管理；④兼顾国家、集体和个人的利益，要执行按劳分配的原则，坚决保证社员分配兑现；⑤减轻生产队和社员的负担；⑥以粮为纲，开展多种经营；⑦奖励发展耕牛；⑧大力发展养猪事业；⑨大搞农田基本建设；⑩积极兴办社队企业；⑪积极而又慎重地对待基本核算单位由生产队向大队过渡的问题；⑫允许和鼓励社员经营少量的自留地和家庭副业，农民自留地由占总耕地面积的7％扩大到15％，取消不准农民搞家庭副业和不准农民自销多余产品的禁令，开放集市贸易。《规定》还强调要实行因地制宜种植农作物的方针，尊重生产队的自主权，支持农民采取"定额到组，评工到人"的办法进行生产管理，鼓励发展多种经营等等。④ 这些规定同样也为四川农民冲破"左"的禁区壮了胆，有效地调动了农民的生产积极性。不少地方的农民还自发地将"定额到组，评工到人"的办法发展成包产到组。四川省省委则对这一做法采取了默许和支持。6月26日，四川省省委又发出《关于大力发展农村多种经营的指示》，提出：必须狠抓集体副业的发展，允许和鼓励社员经营正当的家庭副业。大队、生产队要充分利用果园、茶园、林场、猪场、牛场、水田、塘堰等有利条件，积极发展小家禽、家畜和养鱼。要鼓励社员养牛、养兔、养鸡、养鸭、养鹅。对于那些任意规定"限、打、毒、罚"等限养、禁养的"土政策"，要向群众公开宣布，一律作废。由

①　《万里文选》，人民出版社，1995年版，第104页。
②　同上书，第106页。
③　中共中央文献研究室编：《邓小平思想年谱(1975—1997)》，中央文献出版社，1998年版，第54页。
④　新华社报道：《四川全面清理认真落实农村经济政策》，《人民日报》，1978年6月13日。

于落实了政策,广大农民的生产积极性得到了有效调动,四川的农业形势也迅速好转。

除了安徽和四川两省,其他省、自治区也开始从本地的实际出发,对农村政策进行调整。

1977 年年底,甘肃省委制定了《关于目前农村工作若干问题的意见》,提出要把按劳分配、定额管理、副业生产、牲畜繁殖奖励,以及尊重生产队自主权等政策,一项一项地恢复起来,停止"一平二调"的做法;减轻农民负担;做到分配兑现;允许对农作物采取定额管理、包工到作业组。①

1978 年年初,广东省委制定了《关于减轻生产队负担,加强农业生产第一线的意见(试行草案)》,共 16 条,重申现阶段实行"三级所有,队为基础"的制度,强调尊重生产队的自主权,坚决反对"一平二调"的做法。②

6 月,新疆维吾尔自治区党委根据本地实际制定了《关于当前农村经济政策若干问题的规定》,针对前几年搞乱了的农村政策,决定在农区实行"定额管理、评工记分"的生产责任制;坚持多劳多得,超产奖励;反对"一平二调";允许社员经营家庭副业。7 月,又决定在牧区实行划分作业组,定劳力、定质量、定工分、定草场,多劳多得、超产奖励、减产赔偿的生产责任制,受到群众的欢迎,调动了广大农牧民的积极性。③

同时,西藏、宁夏、青海等省区也从本地实际出发确定了"以牧为主"的方针。这些省、区制定的政策和措施都在不同程度上抵制了强制推广"大寨经验"的"左"的做法。在开展真理标准问题讨论的推动下,全国农村普遍出现了要求尊重生产队自主权的呼声。党中央陆续发出文件,纠正一些地方的强迫命令和"瞎指挥"现象,提出要落实党的农村政策。据此,各省、市、自治区对几年来的农村政策都进行了清理,解决一些"瞎指挥"和分配不兑现等问题,废除了一些限制农民、破坏生产的"土政策"。不少地方还实行了包工、包产到组的生产责任制,调动了农民的生产积极性。

在此基础上,安徽省又采取了更为大胆的行动。1978 年夏秋之际,安徽遇到了百年不遇的大旱,梅雨季节也没有雨,大部分地区河水断流,塘库干涸,人畜用水紧张,受灾农田达六千多万亩。持续的干旱使不少地方不仅秋季无收,而且秋种也难以进行,农业减产已基本定局。面对严重灾情,万里提出要采取特殊政策战胜灾荒。9 月 1 日,他召开紧急会议提出:"必须尽一切力量,千方百计地搞好秋种,争取明年夏季有个好收成。""我们不能眼看着农村大片土地摞荒,那样明年的生活会更困难。与其抛荒,倒不如让农民个人耕种,充分发挥各自潜力,尽量多种'保命麦'渡过灾荒。"非常时期必须打破常规,采取特殊措施。一是"水路不通走旱路",除了水源确有保证的,都要下决心改种旱粮;二是"借地度荒",凡集体无法耕种的地可以借给社员扩种小麦,明年收购时不计统购;三是放手发动群众多开荒,谁种谁收谁有;四是划一点菜地,要尽量保住老母猪,猪是一个肥源,也是群众收入的

---

① 新华社报道:《甘肃落实农村行之有效的各项经济政策》,《人民日报》,1978 年 3 月 23 日。
② 新华社报道:《广东省委制订 16 条措施》,《人民日报》,1978 年 5 月 13 日。
③ 新华社报道:新疆制定《关于当前农村经济政策若干问题的规定》,《人民日报》,1978 年 6 月 30 日。

重要来源。① 根据万里的意见,安徽省委正式作出决定:将凡是集体无法耕种的土地,借给社员种麦种菜;鼓励多开荒,谁种谁收,国家不征统购粮,不分配统购任务。这一决定一下子激发了广大农民的抗灾积极性,全省迅速并超额完成了当年的秋种计划,大部分的边地也都种上了油菜、蚕豆和小麦。增加秋种面积达 1000 多万亩。②

　　在实行"借地度荒"时,该省肥西县山南公社的部分社队干部和农民群众又联想起 60 年代初实行的"责任田",悄悄地再度搞起包产到户。这一消息不胫而走,引起了一些干部的震惊,担心这样做违反中央文件和上级指示,再背上"复辟资本主义"的罪名。10 月 11 日,万里在省委会议上针对这种担心鼓励大家说:"坚持实践是检验真理的唯一标准,省委没有决定的,只要符合客观情况的就去办,将来省委追认。不要都等我这个第一把手来决定。各条战线、各级领导处理问题都应按这个精神办。""根据作物情况,可以包产到人、到组,联产计酬,也可以奖励到人、到组。所有制不变,出不了什么资本主义,没有什么可怕的。"③ 省委的鲜明态度使肥西县的包产到户受到了保护,也推动了省里其他地区改变生产管理方式的尝试。

　　凤阳县梨园公社最穷的小岗生产队悄悄地搞起了包干到户。这个只有 20 户人家的生产队在 11 月初曾划分为四个作业组,后因组内矛盾太多又分成八个组,但矛盾还解决不了。有的老农提出不如像 50 年代那样,各干各的,什么矛盾也没有了。有人担心:分田到户好是好,但要

被上面知道了可不得了,带头的干部要坐牢的。这时,已被穷困逼到绝路的队干部们已经顾不了那么多了,他们决定瞒上不瞒下,分田到户干一年。于是,他们召开了一个对小岗村具有决定意义的秘密会议。全村 20 户除 2 户单身汉正在外流,其余 18 户全都到了会。会议决定分田到户,并约定:土地分到户后不准任何人向外透露,包括自己的至亲好友都不能说;要保证上交国家粮食,该给国家的给国家,该交集体的交集体。任何人不准装孬。有的说,要是你们干部因分田到户坐牢,我们就是要饭也要给你们去送牢饭;你们坐了牢,全体社员共同负责把你们的小孩抚养到 18 岁,决不反悔。说罢,由生产队副队长在一张纸上写下了这样的契约:我们分田到户,每户保证完成每户的全年上交和公粮,不在(再)向国家伸手要钱要粮,如不成,我们干部作(坐)牢杀头也干(甘)心,大家社员也保证把我们的小孩养活到 18 岁。然后,在场的人庄重地在这段文字后面写下了自己的姓名,又摁上了鲜红的手印。

　　小岗人没有意识到,他们发明的这种包干到户的办法不但解决了自己的生计,从此结束了逃荒要饭的历史,而且还为日后兴起的农村改革树立了一个样板。这种被农民们概括为"保证国家的,留足集体的,剩下都是自己的"包干办法,由于它的简便易行和效果明显,又省去了包产到户中还需统一分配的环节,因而很快被广大农民所接受,成为风靡全国的家庭联产承包制。

　　这一年,安徽省不但顺利渡过了灾

---

① 张广友:《改革风云中的万里》,人民出版社,1995 年版,第 163 页;吴象:《农村改革为什么从安徽开始》,载《中国人力资源开发》,1994 年第 2 期。

② 张广友:《改革风云中的万里》,人民出版社,1995 年版,第 164 页。

③ 《万里文选》,人民出版社,1995 年版,第 108 页、109 页。

荒,一部分地区还取得较好收成。包产到组、包产到户和包干到户这些经营形式的出现,是中国农民在新形势下突破"左"的农村政策的试探。尽管还面临许多非议和压力,但在由真理标准问题大讨论掀起的思想解放潮流的鼓舞下,已不可能再被压下去。这些经营形式不但有效地调动了农民的生产积极性,而且还突破了"三级所有,队为基础"的格局,使延续了22年的人民公社体制开始从根本上受到动摇,为新时期农业和农村的发展准备了经营制度的基础。

打破旧体制的尝试不仅兴起于农村,而且也在城市里酝酿着。1978年10月,四川省省委作出决定,在工业战线首先进行扩大企业自主权的试点,并选择了宁江机床厂、重庆钢铁公司、四川化工厂、新都县氮肥厂等6个企业作为试点单位。

11月,南京市尝试按专业化协作原则改组地方工业,打破城乡、行业、所有制和隶属关系的界限,成立了31个公司、8个总厂,按行业、按产品实行分工和协作,以经济办法管理经济。①

思想的解放鼓舞了突破旧体制的尝试,从这些尝试中人们又进一步解放了思想,既看到了改革旧体制的艰难,更看到了改革旧体制的必要,产生了越来越强烈的改革要求。这种要求恰好与邓小平等领导人对于改革开放的呼吁相呼应,从而使党中央作出改革开放的决策,既有了思想基础,又有了实践根据。

---

① 《人民日报》,1978年11月13日。

实现历史转折

1978年下半年,已经有相当多的人意识到,为了实现四个现代化的奋斗目标,需要集中主要精力进行现代化建设,把酝酿中的改革开放设想尽快付诸实施。在这一点上党内已基本没有分歧。但是,在现代化建设的指导思想上,党内认识还不一致。一部分人仍然固守"两个凡是"的思想,认为实现四个现代化,"就必须坚持以阶级斗争为纲"。而多数同志已经愈来愈认为需要首先进行指导思想上的拨乱反正。

多数人的意志代表了广大中国人民的利益,决定了历史的走向。于是,共和国历史上具有决定意义、影响深远的历史性转折,不可避免地发生了。

一

实行工作重点转移的酝酿

1978年9月,邓小平对思想路线和政治路线的拨乱反正,又作了一次有力的推动。

他在结束了对朝鲜的访问后,对东北三省进行了一次不同寻常的视察。9月13日,邓小平首先来到辽东工业重镇本溪。

在了解了本溪市和本溪钢铁公司的情况后,他要求当地领导:不要自满,现在要比国外水平。要好好向世界先进经验学习,不然老是跟着人家后面爬行。

9月14日,邓小平来到大庆油田。视察正在筹备建设的新引进的30万吨乙烯工程。15日,在哈尔滨听取了黑龙江省委常委的工作汇报后谈到:我们要大量地吸收外国的资金、新的技术、新的设备。令人担心的是国家的体制能不能适应这项工作。

9月16日,邓小平来到长春。在听取了吉林省委常委的工作汇报后,他说:现在摆在我们面前的问题,关键还是实事求是、理论与实际相结合、一切从实际出发。这是政治问题,是思想问题,也是我们实现四个现代化的现实问题。不论搞农业,搞工业,搞科学研究,搞现代化,都要实事求是,老老实实,学大庆、学大寨要实事求是,学他们的基本经验,如大寨的苦干精神、科学态度。有些东西不能学,也不可能学。实践是检验真理的唯一标准,这是马克思主义,是毛主席经常讲的。世界天天发生变化,新的事物不断出现,新的问题不断出现,我们关起门来不行,不动脑筋永远陷于落后不行。

他再次批评了"两个凡是"的主张,指出:现在很多人都赞成高举毛泽东思想旗帜。什么叫高举?怎么样高举?"凡是毛泽东同志圈阅的文件都不能动,凡是毛泽东同志做过的、说过的都不能动。这是不是叫高举毛泽东思想的旗帜呢?不是!这样搞下去,要损害毛泽东思想。毛泽东思想的基本点就是实事求是,就是把马列主义的普遍原理同中国革命的具体实践

相结合。毛泽东同志在延安为中央党校题了'实事求是'四个大字,毛泽东思想的精髓就是这四个字。""我们现在要实现四个现代化,有好多条件,毛泽东同志在世的时候没有,现在有了。中央如果不根据现在的条件思考问题、下决心,很多问题就提不出来、解决不了。"①

邓小平又以非常迫切的心情讲道:现在在世界上我们算贫困的国家,就是在第三世界,我们也属于比较不发达的那部分。我们是社会主义国家,社会主义制度优越性的根本表现,就是能够允许社会生产力以旧社会所没有的速度迅速发展,使人民不断增长的物质文化生活需要能够逐步得到满足。正确的政治领导的成果,归根结底要表现在社会生产力的发展上,人民物质文化生活的改善上。

这番话,震撼了在场的每一个人。

9月17日,他到了沈阳。在听取辽宁省委作工作汇报时,又讲了和在长春几乎同样的一番话,中心仍是强调实事求是,解放思想。他说:不恢复毛主席树立的实事求是的优良传统和作风,四个现代化没有希望。我们太穷了,太落后了,老实说对不起人民。

同一天,邓小平在听了沈阳军区党委常委关于揭批"四人帮"运动的汇报后,又提出了一个更现实的问题。他说:运动不能搞得时间过长,过长就厌倦了。"揭批'四人帮'运动总有个底,总不能还搞三年五年吧!要区别一下哪些单位可以结束,……否则你搞到什么时候。我们要把揭批'四人帮'的斗争进行到底。但是,总不能说什么都是'四人帮'搞的,有些事情还要自己负责。"②

---

① 《邓小平文选》第二卷,人民出版社,1994年版,第126、127、128页。

② 冷溶、汪作玲主编:《邓小平年谱(1975—1997)》上,中央文献出版社,2004年版,第383页。

这里,他已经开始提出工作重点转移的问题。

9月18日上午,邓小平又专程来到鞍山钢铁公司视察。在听了关于鞍钢改造问题的汇报后,他果断地说:引进先进技术设备后,一定要按照国际先进的管理方法、先进的经营方法、先进的定额来管理,"日本年产600万吨钢的企业,行政人员只有600人。鞍钢现在的年产量是600多万吨,行政人员有23000人,这肯定不合理"。①

从邓小平在东北的视察中,人们明显感到,他此时所考虑的,并不是如何开展运动,而是怎样适时地结束揭批"四人帮"的群众运动,集中力量进行现代化建设。

回京途中,9月19日上午,邓小平又来到唐山,视察了这座城市在遭到毁灭性地震灾害后的重建工作。他对沿途看到的临时简易棚十分挂念,当他听到住宅只恢复了17.9%时,不禁关切地问:"你们去年冬天就是勉强过来的,今年冬天呢?速度是不是可以再加快一点?"②他所关心的,仍是生产和效率问题,是人民的疾苦冷暖问题。

9月20日,邓小平在天津停留,在听取天津市委常委工作汇报时,他对这次北方之行作了一个简短的总结:我走了几个地方,一再讲就是要解放思想,开动机器,不要当懒汉,从实际出发。

回到北京后,邓小平继续利用各种场合反复讲他在东北视察时阐述的观点。这些观点在党内的领导干部中间也受到了越来越多的拥护,从而使党在指导思想上实现历史性转变的条件也愈来愈成熟。

在这种形势下,9月24日开始的全国

计划会议确定,经济战线必须实行三个转变:一是从上到下都要把注意力转到生产斗争和技术革命上来。二是从那种不计经济效果、不讲工作效率的官僚主义的管理制度和管理方法,转到按照经济规律办事、把民主和集中很好地结合起来的科学管理的轨道上来。三是从那种不同资本主义国家进行经济技术交流的闭关自守或半闭关自守状态,转为积极地引进国外先进技术,利用国外资金,大胆地进入国际市场。③

在"三个转变"的思想指导下起草的《1979、1980两年经济计划的安排(草稿)》,被提交即将召开的中央工作会议。

10月11日,中国工会九大开幕,邓小平在致辞时指出:揭批"四人帮"的斗争在全国广大范围内已经取得决定性的胜利,我们已经能够在这一胜利的基础上开始新的战斗任务。现在党中央、国务院要求加快实现四个现代化的步伐,并且为此而提出了一系列政策和组织措施。中央指出:这是一场根本改变我国经济和技术落后面貌,进一步巩固无产阶级专政的伟大革命。这场革命既要大幅度地改变目前落后的生产力,就必然要多方面地改变生产关系,改变上层建筑,改变工农业企业的管理方式和国家对工农业企业的管理方式,使之适应于现代化大经济的需要。因此,各个经济战线不仅需要进行技术上的重大改革,而且需要进行制度上、组织上的重大改革。这次讲话,除了提出改革的任务,还把实行工作重心向现代化建设转移的意思讲得更清楚了。

这时,邓小平的关于结束揭批"四人

① 《邓小平文选》第二卷,人民出版社,1994年版,第129页。

② 中央党史研究室科研局编:《再造中华辉煌——邓小平纪事》,中共党史出版社,第103页、105页。

③ 《全党工作的重点和经济战线必须实行的三个转变》,《党的文献》,1988年第6期。

帮"运动,实行工作重心向现代化建设转移的意见已经得到了党中央领导层多数人的赞同。但是,在如何实现重点转移的问题上,仍然存在明显的认识分歧:一种是继续维护毛泽东晚年的一套理论方针,根据这一指导思想,"转移"就仅仅是作为一种工作上的安排或"形势的需要"。另一种就是在邓小平倡导的实事求是、解放思想的方针指导下,把"转移"首先看成是对思想路线、政治路线的拨乱反正,是对仍然存在的思想禁区的突破。这样,在讨论重点转移问题时,两种指导思想的再一次交锋和各种认识的碰撞就会不可避免。不过,由于真理标准问题讨论兴起的思想解放的潮流,因此,思想交锋和认识碰撞的结果也不难预料。关键就看敢不敢和能不能进行这种交锋和碰撞了。

二

促成历史转折的中央工作会议

1978 年 11 月 10 日,中共中央工作会议在北京召开,参加会议的有各省、市、自治区、各大军区和中央各部门的主要负责人。各省、直辖市、自治区和各大军区的第一、二把手都到了会;中央和国家机关各部委、军委直属机关的主要负责人也到了会。还有一批非十一届中央委员和候补委员,但是曾在中央和地方或军队担任过重要职务的老同志,共 219 人。会议出席者按地区分为六个大组。

开幕会上,华国锋宣布了这次会议的三个议题:讨论《关于加快农业发展速度的决定》和《农村人民公社工作条例(试行草案)》;商定 1979、1980 两年国民经济计划的安排;讨论李先念在国务院务虚会上的讲话。华国锋提出,在讨论这三个议题

之前,中央政治局决定,先讨论一下从明年起把全党工作着重点转移到社会主义现代化建设上来的问题。他说:"中央政治局常委和中央政治局一致认为,适应国内外形势的发展,及时地果断地结束全国范围的揭批'四人帮'的群众运动,把全党工作的着重点转移到社会主义现代化建设上来,是完全必要的。""恰当地估量运动的发展情况,是我们提出转移全党工作重点的重要依据。"他宣布整个会议准备开 20 多天。

这篇讲话没有再提"两个凡是"。而且,较多地讲了实行工作重点转移的必要性,也提出了要大胆利用外国资金和技术,加快我国的建设步伐,改进经济管理体制。但是,没有提指导思想问题,没有提真理标准讨论、思想路线转变的问题,也没有提当时党内外普遍关心的平反冤假错案问题。由此可以看出,按照这篇讲话,工作重点转移,只是一个具体阶段的工作部署问题。是要在不改变指导思想的前提下,来实现工作重点转移。这当然是参加会议的那些希望首先解决指导思想的是非和重大历史问题是非的同志们不能满意的。

会议开始后,陈云率先提出解决历史遗留问题的意见,把会议讨论引向了拨乱反正。

11 月 12 日,陈云在东北组发言说:实现四个现代化是全党和全国人民的迫切愿望。我完全同意中央的意见。安定团结也是全党和全国人民关心的事。干部和群众对党内是否能安定团结,是有所顾虑的。对有些遗留的问题,影响大或者涉及面很广的问题,是需要由中央考虑和作出决定的。例如:

第一,薄一波同志等"六十一人"所谓叛徒集团一案。他们出反省院是党组织

和中央决定的,不是叛徒。

第二,对于那些在"文化大革命"中被错误定为叛徒的同志应给以复查,如果并未发现有新的真凭实据的叛党行为,应该恢复他们的党籍。对他们作出实事求是的经得起历史检验的结论,这对党内党外都有极大的影响。

第三,陶铸同志、王鹤寿同志等是七七抗战后由我们党向国民党要出来的一批党员。这些同志,现在或者被定为叛徒,或者虽然恢复了组织生活,但仍留着一个"尾巴",例如说有严重的政治错误,应该解决他们的问题。中央专案组是"文化大革命"时期成立的,他们做了许多调查工作,但处理中也有缺点错误。我认为,专案组所管的属于党内部分的问题应移交给中央组织部,像现在这样,既有中央组织部又有专案组,这种不正常的状态,应该结束。

第四,彭德怀同志是担负过党和军队重要工作的共产党员,对党贡献很大。过去说他犯过错误,但我没有听说过把他开除出党。既然没有开除出党,他的骨灰应该放到八宝山革命公墓。

第五,关于天安门事件。这是北京几百万人悼念周总理,反对"四人帮",不同意批邓小平同志的一次伟大的群众运动,而且在全国许多大城市也有同样的运动。中央应该肯定这次运动。

第六,"文化大革命"初期,康生同志是"中央文革"的顾问。康生同志那时随便点名,对在中央各部门和全国各地造成党政机关瘫痪状态是负有重大责任的。康生同志的错误是很严重的,中央应该在适当的会议上对康生同志的错误给以应有的批评。①

这六个问题不仅是党内外普遍关注的,而且提得很准确。

陈云的这篇发言在简报上全文刊出后,立即受到了与会同志的热烈响应。各个组都有不少同志就陈云提出的这些问题发表意见,并补充提出了其他一些必须由中央考虑作出平反决定的重大案件,如"彭、罗、陆、杨问题"、"二月逆流"问题,以及一些地方性的冤假错案问题。

胡耀邦在西北组发言说:现在全国脱产干部大约1700万人,在历次运动中被立案审查的约占17%,加上被审查的基层干部、工人、老百姓和他们的直系亲属,将近一亿人。这么多人的问题解决不好,就很难同心同德,充分调动大家的积极性。

此外,许多人还对康生的问题进行了揭发,对一些在"文化大革命"中犯了严重错误的同志进行了批评。会议的气氛顿时活跃起来,所提的重大冤假错案已经愈来愈涉及指导思想的问题。原定的"三项议程"被一步步冲破了,各组发言的重点也集中到平反冤假错案上来,特别是天安门事件,几乎各组都提出了尽快平反的要求。

与此呼应,11月14日的《北京日报》刊登了中共北京市委常委扩大会议的决定,宣布:1976年清明节,广大群众到天安门广场悼念我们敬爱的周总理,完全是出于对周总理的无限爱戴、无限怀念和深切哀悼的心情,完全是出于对"四人帮"祸国殃民滔天罪行的深切痛恨,它反映了全国亿万人民的心愿,完全是革命的行动,对于因此而受到迫害的同志一律平反,恢复名誉。这一决定是经中央常委批准的。11月15日,新华社在"天安门事件完全是革命行动"这样的标题下对这一消息作了

---

① 《陈云文选》第三卷,人民出版社,1995年版,第232—234页。

报道。18 日,华国锋为童怀周编辑、即将出版的《天安门诗抄》题写了书名,用这种方式,表示了对为天安门事件平反的支持。随后,河南、浙江、江苏等省委也郑重宣布:为 1976 年清明节期间因悼念周总理,反对"四人帮"而受到迫害的同志彻底平反,恢复名誉。

但是,参加中央工作会议的同志还是希望中央对天安门事件平反的问题再作一个明确的表态。除天安门事件外,与会同志还提出了其他一些重大错案。有的同志还说:只有把遗留的问题解决好,才能真正达到全党全军全国各族人民的团结,把党的工作重点转到实现社会主义现代化建设上来。对属于全国性的重大事件和重大案子,中央有过决定、中央负责同志讲过话的,中央不讲几句话不行,很多人会觉得不好理解,总会有意见。

在与会同志的强烈要求下,中央政治局常委讨论了上述意见。11 月 25 日,华国锋代表中央政治局在大会上宣布了中央的决定:①为天安门事件平反。中央认为,天安门事件完全是革命的群众运动。应该为事件公开彻底平反。②关于所谓"二月逆流"问题。中央认为,所谓"二月逆流",完全是林彪、"四人帮"颠倒是非,蓄意陷害。其目的是打倒当时反对他们的几位老帅和副总理,进而打倒周总理和朱委员长。因所谓"二月逆流"一案受冤屈的所有同志,一律恢复名誉,受牵连和处分的,一律平反。③关于薄一波等 61 人的问题。现已查明,这是一起重大错案。中央决定为这一重大错案平反。④关于彭德怀同志的问题。彭德怀同志是老党员,担任过党政军重要职务,有重大贡献。历史上有过错误,但过去怀疑他里通外国是没有根据的,应予否定。骨灰应放到八宝山革命公墓第一室。⑤关于陶铸同志

的问题。陶铸同志是老党员,在几十年工作中对党对人民是有重大贡献的。经过复查证明,把陶铸同志定为叛徒是不对的,应予平反。骨灰放入八宝山革命公墓第一室。⑥关于杨尚昆同志的问题。过去把他定为阴谋反党、里通外国是不对的,应予平反。对杨尚昆同志要分配工作,恢复党的组织生活。中央决定,中央专案组结束工作,全部案件移交中央组织部。各级党委设立的专案组也应逐步结束工作。今后不再采取成立专案组审查干部的办法。⑦康生、谢富治民愤很大,对他们进行揭发批判是合情合理的。⑧关于一些地方性重大事件。中央决定一律由各省、市、自治区党委根据情况实事求是地予以处理。

后来,根据会议讨论的情况和大家的要求,12 月 14 日,在印发华国锋这次讲话的修改稿时,又增加了一条,即:"实践证明,反击右倾翻案风是错误的。中央政治局决定:中央 1975 年发的 23、24、26、27 号文件,1976 年发的 2、3、4、5、6、8、10、11 号文件全部予以撤销。贯彻执行这些文件的党委和个人是没有责任的,责任由中央承担。"这一条作为第二条,文件内容也变为九条。

这些决定,使两年来广大干部群众一直强烈呼吁的几项要求终于得到基本解决。大家感到心情舒畅。中央政治局也决定让大家放开讲话,以利于总结工作,分清是非。这使大家的发言更加思想解放,畅所欲言。有的同志甚至提出了对"文化大革命"应当重新研究、重新评价的意见,认为所谓"刘少奇的资产阶级司令部"根本就不存在。只是因为时机和条件还不成熟,还没有人提出刘少奇的平反问题。

天安门事件得到平反后,北京等一些

大城市出现一些自发的群众集会和大、小字报，在表示拥护党中央决定的同时，也要求追究压制解放思想，阻挠平反冤假错案的领导人的责任，有的还提出了全盘否定毛泽东的要求。这引起了围观群众之间的争吵和混乱。这一动向立即引起党中央的重视。

11月25日下午，在中央工作会议刚宣布完中央政治局的几项重大决定之后，华国锋、叶剑英、邓小平、李先念、汪东兴听取了北京市委和团中央对天安门事件平反后群众反映的汇报。邓小平指出：天安门事件平反后，群众反映强烈，大家很高兴，热烈拥护，情况是很好的，当然也出现一些问题。我们的工作要跟上去，要积极引导群众，不能和群众对立。我们一定要高举毛主席的伟大旗帜。毛主席的旗帜是全党全军全国各族人民团结的旗帜，也是国际共产主义运动的旗帜。有些历史问题要解决，不解决就会使很多人不能轻装前进。有些历史问题，在一定的历史时期内不能勉强去解决。有些事件我们这一代人解决不了的，让下代人去解决，时间越远越看得清楚。有些问题可以讲清楚，有些问题一下子不容易讲清楚，硬要去扯，分散党和人民的注意力，不符合党和人民的根本利益。现在报上讨论真理标准问题，讨论得很好，思想很活泼，但讲问题，要注意恰如其分，要注意后果。迈过一步，真理就变成谬误了。毛主席的伟大功勋是不可磨灭的。外国人问我，对毛主席的评价，可不可以像对斯大林评价那样三七开？我肯定地回答，不能这样讲。党中央、中国人民永远不会干赫鲁晓夫那样的事。安定团结是实现四个现代化的必要政治条件，不能破坏安定团结的局面。这是中央的战略部署，这是大局。

上述讲话，很快作为中央政治局常委

的指示传达，为北京市、团中央和各地的党委做好群众工作及时提供了指导方针。北京等地的社会局面很快稳定。

11月27日，在听取各组召集人的汇报时，邓小平再次强调指出：毛主席的伟大功勋是不可磨灭的。没有毛主席，就没有新中国。毛主席不是没有缺点错误的，我们不能要求伟大领袖、伟大人物、思想家没有缺点错误，那样要求就不是马克思主义者。

按照会议安排，从11月27日起，开始转入对两年经济计划和李先念在国务院务虚会上的讲话的讨论。但是，由于指导思想问题在解决历史遗留问题的过程中尚未得到充分讨论，因此，在基本解决了遗留问题后，就不可避免地要提出思想路线问题。

11月27日，有人在发言中对真理标准问题的讨论提出了不同看法，不赞成把这场讨论看成是政治问题、路线问题，是关系国家前途和命运的问题，不赞成已见诸许多报刊的"来一个思想解放运动"、"反对现代迷信"等口号。有的同志仍然认为，讨论真理标准问题，是提倡怀疑一切，是在实际上引导人们去议论毛主席的错误，不符合党的十一大的方针。这些意见立即引起多数与会同志的反对和驳斥。

通过争论，很多人进一步了解了真理标准讨论中的一些情况，纷纷发言充分肯定讨论真理标准问题的重要意义，对压制和阻碍这场讨论的一些领导同志包括中央领导同志也进行了严肃批评。大家感到，在这个问题上的分歧，实质上是两种指导思想的分歧，这个问题不解决，是非就搞不清，工作重点转移也无法顺利进行。

万里在华东组发言说：当前，"实践是检验真理的唯一标准"和关于"两个凡是"

的讨论已经公开化了。这不只是一个理论之争，也不只是发生在下面，是发生在党的核心内。问题已经揭开，不必回避。

蒋南翔在东北组发言说：真理标准问题虽是个马列主义的常识问题，但有极重要的意义。这个原则不明确，思想就不能解放，遇有分歧就难以统一认识，不利于安定团结。

习仲勋在中南组发言说：关于实践标准的问题，是个思想路线问题，对实际工作关系很大，是非搞不清楚，就不能坚持实事求是。

同一组的邓颖超也发言说：实践是检验真理的唯一标准问题，是一个重大问题。这个问题不是一般的意见不同，是关系到这次会议以后走向四个现代化，是这次工作会议首先要统一的思想、理论和政治问题。

徐向前在西北组发言说：实践标准，是马克思主义的根本观点。这个问题不搞清楚，对我们的工作影响很大，马列主义、毛泽东思想要丰富、要发展，不能把革命导师的每句话永远不变地照搬。

经过尖锐的思想交锋，一些曾对这场讨论的意义认识不足的同志先后有了转变，作了自我批评。大家还要求党中央对这场讨论明确表态，以彻底解决思想路线问题。不少同志还表示，赞成叶帅的意见，在工作会议后专门召开一次理论工作会议，把不同意见摆开，以统一思想认识。

关于工作重点转移的指导思想，会议也进行了讨论。有些同志认为，"我们搞建设，仍然要坚持以阶级斗争为纲"。而不少同志则提出，对建设时期的阶级斗争问题应当重新认识，澄清糊涂观念。这是党指导现代化建设必须要解决的问题。有的同志还提出：今后除非发生战争，一定要把生产斗争和技术革命作为中心，不

能有其他的中心。经过热烈讨论，这一看法最后得到多数人的赞同。

随着思想路线的拨乱反正，对其他议题的讨论也在不断摆脱"两个凡是"的束缚。

在讨论两个农业文件时，许多同志都对《关于加快农业发展速度的决定（草案）》感到不满意，认为这个文件回避严峻的现实，空讲"人民公社的优越性"和"连续十几年的大丰收"，没有真正揭露矛盾和总结经验教训。

东北组在讨论时指出：现在全国有近两亿人口粮在300斤以下，吃不饱肚子，全国的人均粮食比1957年还要少。如果不下最大决心迅速缓和农民生活的紧张状态，我国整个政治、经济形势就不能摆脱被动局面。

当时，四川省的农业生产恢复较快，在全国受到称赞。可西南组的同志在发言时仍然指出：四川虽然名声在外，但还有一批生产队不能进行简单再生产，大部分生产队只能进行简单再生产，不少农民的口粮在300斤以下。可农业文件所提措施还不足以尽快改变农业落后面貌。

西北是我国穷困地区比较集中的地方，因此西北组的同志对农业的问题感受更深，讲的情况也更令人震惊。他们指出：西北黄土高原人口2400万，粮食亩产平均只有170斤，有的地方只收三五十斤，口粮在300斤以下的有45个县，人均年收入在50元以下的有69个县。宁夏西海固地区新中国成立以来人口增长2倍，粮食增长不到1倍，有的人家土炕上连一张席都没有。陕西2300万农业人口中，口粮平均在300斤以下的约有760万人。甘肃自1967年以来，44％以上的生产队，41％的农村人口，口粮在300斤以下。1977年全省社员现金收入平均每人13元。28年来，陕

甘宁青四省区共吃返销粮74亿斤,仅甘肃省就占40亿斤,有的地方一天的工分只有几分钱。

万里在华东组发言讲:安徽全省每人平均粮食占有量至今未达到1955年的水平。1955年人均718斤,而1977年人均降为652斤,与1949年的648斤相比,28年只增长4斤!大别山老根据地一些农民现在还穿不上裤子、盖不上被子,实在叫人难过,这种情况,再也不能继续下去了。

造成这种局面,除了林彪、“四人帮”的破坏外,主要是什么原因?摆脱农业困境、把农业尽快搞上去,主要应从何处入手?对此大家进行了认真分析和讨论。

西南组的发言提出:农业生产为什么长期上不去?主要是一些重大政策问题没有解决。多年来,我们把农民挖得太苦了。竭泽而渔,严重挫伤了农民的积极性。拨乱反正,首先要解决这些带根本性的问题。

西北组的发言提出:解决农业问题的根本在于调动农民积极性,调动的关键在于落实党在农村的各项政策,改进领导作风,改善党和农民的关系。这两年要让农业缓口气。缓和的关键在于改变以往在农业方面的过“左”政策。绝对不征过头粮。社员自留地制度和允许社员经营家庭副业的规定一定要坚持,再不能朝令夕改。要在思想上弄清什么是资本主义,什么是社会主义。不要怕农民富。如果认为农民富了就会产生资本主义,那我们只有世世代代穷下去。那我们还干什么革命呢?越穷越革命,但不能越革命越穷嘛!

东北组的发言提出:农业发展慢,根本原因就是一些人觉得“左”比右好。农业上不去,主要是“左”倾,应当反“左”。应该尊重农民的权利和生产队的自主权。提高粮食收购价格,争取两年内提价30％。

华东组的发言提出:农民反映,拿得太多,给得太少,管得太紧,统得太死。这个问题必须解决。现在政社合一的结果,往往产生长官意志,集体所有制得不到尊重。

中南组的发言提出:现在很有必要对过去二十多年的农业状况作个基本估计。这个文件最大的缺点就是没有很好地总结经验、揭露矛盾。

邓颖超还在该组提出:农业学大寨不是农业的方向,农业现代化才是方向。许多同志都提到,全国情况千差万别,怎么能都搞成大寨一个模式?

陈云在东北组作了《关于当前经济问题的五点意见》的发言。其中对农业问题谈到:在三五年内,每年进口粮食可以达到两千万吨。我们不能到处紧张,要先把农民这一头安稳下来。农民有了粮食,棉花、副食品、油、糖和其他经济作物就都好解决了。摆稳了这一头,就是摆稳了大多数,七亿多人口稳定了天下就大定了。建国快三十年了,现在还有讨饭的,怎么行呢?要放松一头,不能让农民喘不过气来。如果老是不解决这个问题,恐怕农民就会造反,支部书记会带队进城要饭。我认为,这是大计,这是经济措施中最大的一条措施。[①]

此外,还有不少人指出了人民公社体制中的弊端,提出了政社分设的主张。这些意见全都受到了中央的重视,关于农业问题的两个文件也根据多数人的要求重新进行改写。

---

① 《陈云文选》第三卷,人民出版社,1995年版,第236页。

在讨论 1979 年、1980 年国民经济计划安排时，不少同志都赞成全国计划会议提出的"三个转变"方针。同时，对粉碎"四人帮"后经济工作中的急于求成倾向和国民经济中的比例失调问题也提出了批评。

东北组在讨论中有人指出：现在全国在建项目有 65000 多个，其中大中型项目 1700 多个，要把这些项目搞完，还要投资 1650 多亿元，要干三年多才能干完。而新的 120 个大项目又将陆续上马，如果不把铺开的摊子认真清理，坚决压缩，就会分散精力。

陈云在关于经济工作的发言中还指出：工业引进项目，要循序而进，不能窝工，不要一拥而上。一拥而上，看起来好像快，实际上欲速则不达；要给各省市一定数量的真正的机动财力；对于生产和基本建设都不能有材料的缺口。各方面都要上，样样有缺口，表面上好看，挤来挤去，实际上挤了农业、轻工业和城市建设。材料如有缺口，不论是中央项目或地方项目，都不能安排；要重视旅游事业的发展。

陈云的意见受到了与会同志的重视。华东组的同志在讨论时说：十多年来，国民经济比例严重失调。这两年还未基本改变。对这一点要有足够的估计和认真加以对待。要下决心和很大力量解决比例失调问题。

中南组的同志在讨论中也表示：同意陈云的发言。当前突出的矛盾是工农业比例失调；轻重工业比例也失调。建议中央考虑，在今后两三年内把工农业比例失调大体调整过来。

西南组的同志指出：现在的国民经济存在着四个失调：①工业与农业失调；②骨头与肉失调；③工业内部不平衡；④行业内部的失调。要解决这一系列问题，要

很好总结二十年的经验教训，制订计划要尊重客观规律。只有这样，才能积极地创造平衡，促进经济发展。

李先念还在华东组发言指出：随着大规模建设的展开和工业生产的增长，如果不采取坚决措施，某些失调现象，如农业与工业之间、动力工业与整个工业之间、骨头与肉之间的矛盾将会更加尖锐、更加扩大起来。特别是农业的落后将更加突出。因此，我主张明后两年应明确还将处于边调整、边建设阶段。

这些意见，同样引起了中央的重视。根据这些意见，国务院开始对国民经济计划进行修改。

在讨论李先念在国务院务虚会上的讲话时，很多人都赞成改革经济管理体制，大胆引进国外先进技术设备的主张。会议特意印发了一批介绍国外和我国的香港、台湾怎样迅速发展经济的材料。与会同志认真研究了这些材料，并在解放思想、实事求是、畅所欲言的气氛鼓舞下，大胆地提出了一系列改革开放的思想主张。例如：

华北组有的同志指出：我们的上层建筑必须作重大改革。如果上层建筑不改革，经济战线那"三个转变"也转不好。首先是计划体制，计划是龙头，它不改革，别的体制就不好改。

华东组有的同志提出：改进管理体制，要加快速度下放权力；要减少层次，简化手续，扩大企业权力。现在的体制对企业统得过死，企业权力过小，一万元以上的建设项目都得经过批准，影响企业积极性的发挥。

西南组有的同志建议：管理体制改革，第一步，一方面扩大企业权力，另一方面，使各省、市、自治区能有适当的机动财力。第二步，按照方便生产，按经济规律

办事的原则,总结历史经验,参考一些东欧国家改革的经验,进行我国的经济管理体制的大改革。

关于对外开放,华北组在讨论中提出:现在各国都看到中国市场大,争着借款给我们。我们应该欢迎,再坚持"既无外债,又无内债"的说法就不行了。可以向外国借款,外国人可以到中国来合办工厂。我们赚外国资本家的钱为人民服务,为什么不行?

东北组有的同志指出:在某种意义上,闭关自守等于慢性自杀。但也不能什么都引进,不能有依赖思想,不能忽视国内先进的东西。

华东组的同志还提出:福建在国外的华侨有500多万人,分布在几十个国家。应充分利用这一有利条件,发挥地区优势,大量吸收外资,引进先进技术设备,放手大搞出口贸易,通过外贸和轻工业积累资金,然后搞基础工业,搞农业机械化,从而为发展经济闯出一条路子。

西北组有的同志还建议:人大常委会应尽快制定一项有关接受外国投资和贷款、借款等方面的法律。

这些意见使此前关于改革开放方针的酝酿进一步具体化,正式作出改革开放决策的条件已经成熟了。

会议的讨论还涉及了党的建设、国家的民主和法制建设等问题,大家结合过去的惨痛教训,指出"文化大革命"给党和国家造成这样严重的灾难,主要原因就在于党内民主生活遭到破坏,国家的民主生活和社会主义法制受到破坏。因此,应当健全党的民主集中制,加强党和国家的民主建设。

各个组还普遍提出建议:健全党的民主集中制,健全党规党法,成立中央纪律检查委员会,以维护党规党法;恢复中央书记处,以加强党的集体领导;尽快制定各种法律,使宪法规定的人民的民主权利得到保障。

于是,怎样加强党和国家的民主建设,酝酿成立中央纪律检查委员会,对中央委员会和中央政治局的成员进行适当增补,以加强党的领导,便成为会议后一阶段的主要议题之一。

12月13日,会议举行闭幕会,华国锋、叶剑英、邓小平分别作了讲话。

邓小平首先作了《解放思想,实事求是,团结一致向前看》的讲话。他说:"今天,我主要讲一个问题,就是解放思想,开动脑筋,实事求是,团结一致向前看。"接着,他从四个方面作了阐述:

一、解放思想是当前的一个重大政治问题。"首先是解放思想。只有思想解放了,我们才能正确地以马列主义、毛泽东思想为指导,解决过去遗留的问题,解决新出现的一系列问题,正确地改革同生产力迅速发展不相适应的生产关系和上层建筑,根据我国的实际情况,确定实现四个现代化的具体道路、方针、方法和措施。""在我们的干部特别是领导干部中间,解放思想这个问题并没有完全解决。不少同志的思想还很不解放,脑筋还没有开动起来,也可以说,还处在僵化或半僵化的状态。"①"目前进行的关于实践是检验真理的唯一标准问题的讨论,实际上也是要不要解放思想的争论。"进行这个争论很有必要,意义很大。"一个党,一个国家,一个民族,如果一切从本本出发,思想僵化,迷信盛行,那它就不能前进,它的生

---

① 《邓小平文选》第二卷,人民出版社,1994年版,第141页。

机就停止了,就要亡党亡国。"①"从这个意义上说,关于真理标准问题的争论,的确是个思想路线问题,是个政治问题,是个关系到党和国家的前途和命运的问题"②

二、民主是解放思想的重要条件。解放思想,开动脑筋,一个十分重要的条件就是要真正实行民主集中制。当前这个时期,特别需要强调民主。因为在过去一个相当长的时间内,民主集中制没有真正实行,离开民主讲集中,民主太少。这种状况不改变,怎么能叫大家解放思想,开动脑筋?"一个革命政党,就怕听不到人民的声音,最可怕的是鸦雀无声。"③为了保障人民民主,必须加强法制。必须使民主制度化、法律化,使这种制度和法律不因领导人的改变而改变,不因领导人的看法和注意力的改变而改变。

三、处理遗留问题为的是向前看。这次会议解决的一些历史遗留问题,也是解放思想的需要,目的正是为了向前看,顺利实现全党工作重心的转变。我们的原则是"有错必纠"。

凡是过去搞错了的东西,统统应该改正。有的问题不能够一下子解决,要放到会后去继续解决。但是要尽快实事求是地去解决,干脆利落地解决。"最近国际国内都很关心我们对毛泽东同志和对'文化大革命'的评价问题。毛泽东同志在长期革命斗争中立下的伟大功勋是永远不可磨灭的。……毛泽东思想永远是我们全党、全军、全国各族人民的最宝贵的精神财富。我们要完整地准确地理解和掌握毛泽东思想的科学原理,并在新的历史条件下加以发展。当然,毛泽东同志不是没有缺点、错误的,要求一个革命领袖没有缺点、错误,那不是马克思主义。"④

四、研究新情况,解决新问题。要向前看,就要及时地研究新情况,解决新问题。当前尤其要注意研究和解决管理方法、管理制度、经济政策这三方面的问题。现在,我们的经济管理工作,机构臃肿,层次重叠,手续繁杂,效率极低,政治的空谈往往淹没一切。"如果现在再不实行改革,我们的现代化事业和社会主义事业就会被葬送。"⑤在经济政策上,我认为要允许一部分地区、一部分企业、一部分工人、农民,由于辛勤努力成绩大而收入先多一些,生活先好起来。一部分人生活先好起来,就必然产生极大的示范力量,影响左邻右舍。就会使整个国民经济不断地波浪式地向前发展,使全国各族人民都能比较快地富裕起来。"这是一个大政策,一个能够影响和带动整个国民经济的政策。"⑥

接着,叶剑英发表讲话,他首先对会议作了高度肯定,指出:"在这次会议上实行这样充分的民主,确实是一个很好的开端,带了头,我们一定要永久坚持、发扬下去,一定要推广到全党、全国去。"⑦接着,他讲了三点意见:

第一,我们要顺利地进行社会主义现代化建设,首先,要有好的领导班子,特别是中央委员会要有好的领导班子。

① 《邓小平文选》第二卷,人民出版社,1994 年版,第 143 页。
② 同上书,第 143 页。
③ 同上书,第 144—145 页。
④ 同上书,第 148—149 页。
⑤ 同上书,第 150 页。
⑥ 同上书,第 152 页。
⑦ 《叶剑英选集》,人民出版社,1996 年版,第 493 页。

第二，发扬民主，加强法制。只有充分发扬民主，才能最大限度地调动起广大干部和群众的积极性。只有充分发扬民主，才能广开才路，及时地发现我们党的优秀人才。只有充分发扬民主，才能保障广大干部和群众有对领导实行监督和批评的权利。一个国家非有法律和制度不可。这种法律和制度要有稳定性、连续性。一定要具有极大的权威，只有经过法律程序才能修改，而不能以任何领导个人的意志为转移。在人民自己的法律面前，一定要人人平等，不允许任何人有超于法律之上的特权。人大常委会如果不能尽快担负起制定法律、完善社会主义法制的责任，那人大常委会就是有名无实，有职无权，尸位素餐，那我这个人大常委会委员长就没有当好，我就愧对全党和全国人民。

第三，勤奋学习，解放思想。"我们进行社会主义现代化建设，不仅是大大提高社会生产力，而且是从经济基础到上层建筑的一场深刻的社会革命。我们的同志，对待这样一场革命，是不是有充分的思想准备呢？我看，许多人还是准备不足。有些同志还是前怕狼后怕虎，墨守成规，因循守旧，思想就是不解放，不敢往前迈出一步。怕什么？是不是怕人家说自己复辟资本主义，怕抓辫子、扣帽子、打棍子，怕丢乌纱帽？如果是那样，那他们为什么不怕两千多年来遗留下来的手工业生产方式继续保存下去，不怕中国贫穷落后，不怕中国人民不答应这样的现状？""中国经历了两千多年的封建社会，资本主义在我国没有得到过充分的发展，我们的社会主义是从半殖民地半封建的社会基础上开始建设的。所以我们解放思想的重要

任务之一，就是要注意克服封建主义思想残余的影响。我们要破除封建主义所造成的种种迷信，从禁锢中把我们的思想解放出来。"①

华国锋也在会上讲了话。其中对"两个凡是"问题，他作了这样的解释和自我批评：我在去年3月中央工作会议上的讲话中，从当时刚刚粉碎"四人帮"的复杂情况出发，专门讲了在同"四人帮"的斗争中，我们全党，尤其是党的高级干部，需要特别注意坚决捍卫毛主席的伟大旗帜的问题。在这一思想指导下，我讲了"凡是毛主席作出的决策，都必须维护；凡是损害毛主席形象的言行，都必须制止"。当时的意图，就是要把毛主席和"四人帮"严格切开，绝不能损害毛主席的伟大形象。这是刚粉碎"四人帮"的时候，我思想上一直考虑的一个重要问题。后来发现，第一句话，说得绝对了，第二句话，确实是必须注意的，但如何制止也没有讲清楚。当时对这两句话考虑得不够周全。现在看来，不提"两个凡是"就好了。在这之前，2月7日中央两报一刊还发表过一篇题为《学好文件抓住纲》的社论。这篇社论中也讲了"两个凡是"，即"凡是毛主席作出的决策，我们都坚决维护；凡是毛主席的指示，我们都始终不渝地遵循"。这"两个凡是"的提法就更加绝对，更为不妥。以上两处关于"两个凡是"的提法虽不尽相同，但在不同程度上束缚了大家的思想，不利于实事求是地落实党的政策，不利于活跃党内的思想。我的讲话和那篇社论，虽然分别经过政治局讨论和传阅同意，但责任应该主要由我承担。在这个问题上，我应该作自我批评，也欢迎同志们批评。他还宣布，会后将召开党的十一届三中全会，进一步

<hr>

① 《叶剑英选集》，人民出版社，1996年版，第501—502页。

确定全党工作重点转移后的方针和任务。

邓小平、叶剑英和华国锋的讲话都受到了与会同志的热烈拥护。大家还一致认为邓小平的这篇讲话内容非常丰富，非常深刻，提出了当前实现历史转变和进行现代化建设所面临的最重大、最关键的问题，明确了党在今后的主要任务和前进方向，将起到长期的指导作用，为党制定在历史新时期的方针政策，也为即将召开的十一届三中全会提供了指导思想。因此，这篇讲话也实际成为十一届三中全会的主题报告。

闭幕会后，大家继续进行了两天讨论，12 月 15 日，会议结束。在老一辈革命家的推动和绝大多数与会同志的共同努力下，这次为期 36 天的中央工作会议终于彻底否定了"两个凡是"的方针，把原本准备讨论经济工作的会议开成了一次为全局性的拨乱反正和开创新局面作准备的会议。

划时代的中共十一届三中全会

经过中央工作会议的充分准备，党的十一届三中全会于 1978 年 12 月 18 日至 22 日在北京召开。出席会议的有中央委员、候补中央委员和中央有关部门的负责同志，共 290 人。华国锋在开幕会上宣布：这次全会的主要任务，就是讨论通过中央政治局关于从明年 1 月起，把全党工作着重点转移到社会主义现代化建设上来的建议。同时审议通过关于农业问题的两个文件和 1979、1980 两年国民经济计划安排；讨论人事问题和选举成立中央纪律检查委员会。

根据中央工作会议在充分讨论的基础上取得的共识，全会顺利完成了上述议程，并通过对中央工作会议所取得的各项成果的确认，实现了党和国家的历史性转折。

在邓小平提出的解放思想、实事求是、团结一致向前看的方针指导下，全会肯定了中央工作会议上对于"两个凡是"方针和思想僵化现象的批评，高度评价了关于实践是检验真理的唯一标准的讨论，认为这场讨论对于促进全党同志和全国人民解放思想，端正思想路线，具有深远的历史意义。从而重新确立了马克思主义实事求是的思想路线，实现了党在思想路线上的拨乱反正。

全会郑重决定，及时地、果断地结束全国范围的大规模地揭批林彪、"四人帮"的群众运动，从 1979 年起，把全党工作的着重点转移到社会主义现代化建设上来。由于已经有二十多年的曲折经历，更由于实事求是指导方针的确立，党在这时对于工作重心转移问题的认识，和以往相比，显然要深刻得多，坚定得多。不仅把这一转移看成是形势发展的需要，是实现四个现代化的需要，而且还指出这是社会主义事业的需要，是关系党和国家命运的战略决策，是全国人民的根本利益。这就为从战略的高度，从社会主义本质的要求认识经济建设的中心地位，毫不动摇地坚持这个中心，提供了思想基础。全会公报没有再提"以阶级斗争为纲"的口号，而且还指出：对于社会主义社会的阶级斗争，"应该按照严格区别和正确处理两类不同性质的矛盾的方针去解决，按照宪法和法律规定的程序去解决，决不允许混淆两类不同性质矛盾的界限，决不允许损害社会主义现代化建设所需要的安定团结的政治局面"。自八大以来，这是党第一次对阶级斗争问题正式作出如此明确的限制和规定,从而使彻底抛弃"以阶级斗争为纲",顺利实现全党工作重点转移,实现政治路线的拨乱反正,成为顺理成章。

全会确认了中央工作会议关于纠正对彭德怀、陶铸、薄一波、杨尚昆等同志的错误结论几项决定;重申了实事求是、有错必纠的原则。全会公报强调了解决历史遗留问题必须遵循的"实事求是、有错必纠"原则和平反冤假错案"还要坚决抓紧完成"的任务。虽然在这次全会上还没有条件解决"文化大革命"的是非这个最大的历史遗留问题,还不可能对新中国成立以来的重大历史是非进行系统的清理,但全会公报已经宣布:"对于'文化大革命',也应当历史地、科学地、实事求是地去看待它。"要在适当的时候对"文化大革命"作为经验教训加以总结。

全会肯定了中央工作会议提出的关于提高农产品收购价格等一系列促进农业发展的政策措施,同意将《中共中央关于加快农业发展若干问题的决定(草案)》和《农村人民公社工作条例(试行草案)》发到各省、市、自治区讨论和试行。经过重新改写的上述文件虽然还有"左"的思想的遗留,还有若干不足,甚至还写上了"不许包产到户",但是总的精神是解放思想,是搞活经济。全会公报中说:为了保证整个国民经济的迅速发展,"必须首先调动我国几亿农民的社会主义积极性,必须在经济上充分关心他们的物质利益,在政治上切实保障他们的民主权利"。这就在指导思想上支持了刚刚兴起的农村改革,启动了中国农村改革的进程。

在讨论和审议1979、1980两年国民经济计划安排时,全会接受了中央工作会议关于首先应对国民经济进行调整,纠正比例失调状况的意见,明确了实事求是、量力而行的经济建设方针,使两年来的经济冒进错误终于得以停止。

在讨论经济工作时,全会肯定了中央工作会议及其之前关于改革开放政策的酝酿,会议公报提出:我们要根据新的历史条件和实践经验,采取一系列新的重大的经济措施,对经济管理体制和经营管理方法着手认真的改革,在自力更生的基础上积极发展同世界各国平等互利的经济合作,努力采用世界先进技术和先进设备,并大力加强实现现代化所必需的科学和教育工作。这就使改革开放的酝酿正式成为社会主义现代化建设的总方针。

全会恢复了党的民主集中制的传统,作出了加强社会主义民主与法制和党的建设的一系列决定,并要求从现在起,把立法工作摆到全国人民代表大会的重要议程上来。全会公报指出:国要有国法,党要有党规党法。全体党员和党的干部,人人遵守党的纪律,是恢复党和国家正常政治生活的起码要求。党的各级领导干部必须带头严守党纪。为了保障人民民主,必须加强社会主义法制,使民主制度化、法律化,使这种制度和法律具有稳定性、连续性和极大的权威,做到有法可依,有法必依,执法必严,违法必究。从现在起,应当把立法工作摆到全国人民代表大会及其常务委员会的重要议程上来。要保证人民在自己的法律面前人人平等,不允许任何人有超于法律之上的特权。

在作出一系列拨乱反正决策的同时,全会公报指出:"如果没有毛泽东的卓越领导,没有毛泽东思想,中国革命有极大的可能到现在还没有胜利,那样中国人民就还处在帝国主义、封建主义、官僚资本主义的反动统治之下,我们党就还在黑暗中苦斗。毛泽东同志是伟大的马克思主义者。他对于包括自己在内的任何人,始终坚持一分为二的科学态度。""党中央在理论战线上的崇高任务,就是领导、教育全党和全国人民历史地科学地认识毛泽东同志的伟大功绩,完整地、准确地掌握毛泽东思想的科学体系,把马列主义、毛泽东思想的普遍原理同社会主义现代化建设的具体实践结合起来,并在新的历史条件下加以发展。"这就为在纠正毛泽东所犯"左"倾错误的同时,坚持和维护毛泽东思想,正确对待毛泽东的历史地位,确定了基本方针,使我们能够客观地尊重我们党和人民奋斗的历史,不至于迷失方向,丧失我们的基本立足点。

经过认真酝酿,全会增选陈云为中央政治局委员、中央政治局常委、中央委员会副主席;增选邓颖超、胡耀邦、王震为中央政治局委员;增补黄克诚、宋任穷、胡乔木、习仲勋、王任重、黄火青、陈再道、韩光、周惠为中央委员;选举产生了由100人组成的中央纪律检查委员会,陈云为中央纪律检查委员会第一书记,邓颖超为第二书记,胡耀邦为第三书记,黄克诚为常务书记。12月25日,中央政治局开会决定:由胡耀邦担任中共中央秘书长兼中央宣传部部长;胡乔木任中共中央副秘书长兼毛泽东主席著作编辑出版委员会办公室主任;姚依林任中共中央副秘书长兼中央办公厅主任;宋任穷任中央组织部部长;免去汪东兴的中央办公厅主任、毛泽东主席著作编辑出版委员会办公室主任等各项兼职。虽然华国锋仍担任党中央主席,但就体现党的正确的指导思想、决定改革开放和现代化建设的重大方针政策来说,邓小平此时实际上已经成为党中央的领导核心。以邓小平为核心的党中央领导集体的形成,是组织路线上拨乱反正的最重要的成果,保证了工作重点转移的顺利实现和十一届三中全会确定的各项决策的贯彻实施。

全会还评估了我国外交政策的新进展。会议公报提到:中日和平友好条约的缔结,中美两国关系正常化谈判的完成,为亚洲和世界和平作出了重大贡献。随着中美关系正常化,我国神圣领土台湾回到祖国的怀抱、实现统一大业的前景,已经进一步摆在我们的面前。

这样,集中力量进行现代化建设和实行改革开放;打开对外关系新局面,维护世界和平,反对霸权主义,创造有利的国际环境;实现祖国统一,就成为摆在中国人民面前的三大历史任务。

十一届三中全会实现了党和国家历史的伟大转折。作为全会主题报告的邓小平《解放思想,实事求是,团结一致向前看》讲话,是在"文化大革命"结束以后,中国面临向何处去的重大历史关头,冲破"两个凡是"的禁锢,开辟新时期新道路、开创建设有中国特色社会主义新理论的宣言书。

这里说的新道路,就是在新中国成立以来建设社会主义取得的伟大成就的基础上,继承我们党积累的一切正确和比较正确的经验,纠正过去长期"左"的错误,面对新情况,研究新问题,总结新经验,而开辟的建设有特色社会主义的道路。

这里说的新理论,就是继承毛泽东思想的科学体系,把马克思列宁主义同当代中国实际和时代特征相结合,在改革开放和社会主义现代化建设的实践中发展起来的,作为当代中国马克思主义的邓小平理论。

十一届三中全会的各项重大决策,明确了党在历史新时期的总任务和奋斗目标——建设社会主义现代化强国。也为这一目标的实现提供了各方面保证,从而使党的十一届三中全会的路线有了比较清晰的轮廓。

这表明，"文化大革命"结束后，在中国处于向何处去的历史关头，中国共产党毅然地开辟了一条避免重蹈"文化大革命"覆辙、促使生产力更快发展的新路，一条不但在中国前无古人，而且在世界上也无先例的新路。这一选择不但将开辟中国社会主义建设历史的新时期，而且也将在世界社会主义史上谱写出新的篇章。

通过开辟这条道路，党领导的社会主义事业实现了从"以阶级斗争为纲"到以发展生产力为中心，从封闭或半封闭到对外开放，从墨守成规到各方面改革的根本性转变。这一转变不但结束了两年来党的工作在徘徊中前进的局面，而且将使中国掀起一场彻底改变贫困落后面貌的革命。

十一届三中全会，是新中国成立以来党的历史上具有深远意义的伟大转折的起点。它标志着：中国的社会主义事业在过去二十年经历了严重挫折后，终于走上了健康发展的新道路。中国共产党终于从严重的挫折中重新奋起，带领中国人民迈上了社会主义现代化建设的新征程。社会主义的中国将逐渐告别贫穷和落后，走向繁荣和进步，实现几代人为之奋斗的理想。

一个以改革开放和社会主义现代化建设为主要任务的历史新时期开始了。

第五届全国人民代表大会

1976年10月，粉碎"四人帮"后，地方各级人民代表大会逐步恢复工作。1978年2月，党的十一届二中全会向全国人大提交了宪法修改草案。同年3月，五届全国人大一次会议召开。会议通过了修改后的宪法，重新恢复了1954年宪法的一些基本原则，确认全国人民代表大会是国家的最高权力机关；会议听取、审议了政府工作报告，选举叶剑英为全国人大常委会委员长，通过了国家机关领导人的任命名单。但是，1978年宪法是在粉碎"四人帮"以后不久制定的，由于当时的历史条件的限制，在指导思想上仍然没有摆脱"以阶级斗争为纲"和"无产阶级专政下继续革命的理论"的影响，没有彻底清算"文化大革命"的错误。在此期间，地方各级人民代表大会也陆续召开会议，选举产生了地方各级国家机关领导人。经历十年内乱破坏的人民代表大会制度得到恢复。

1978年底，中国共产党召开了十一届三中全会。这次会议总结了新中国成立以来正反两方面的经验教训，特别是十年内乱的沉痛教训，提出了发展社会主义民主、健全社会主义法制的任务。强调"为了保障人民民主，必须加强社会主义法制，使民主制度化、法律化，使这种制度和法律具有稳定性、连续性和极大的权威，做到有法可依、有法必依、执法必严、违法必究"。这次会议在我国民主和法制建设的历史上具有划时代的历史意义。从此，我国人民代表大会工作进入了一个新的重要的历史发展阶段。

1979年2月，五届全国人大常委会第六次会议决定设立以彭真为主任委员的法制委员会，加强立法工作。1979年7月，五届全国人大二次会议制定了全国人大和地方各级人大选举法、地方各级人大和地方各级政府组织法，规定县、乡两级人大代表实行直接选举，县以上地方各级人大设立常务委员会。1980年和1981年在全国范围内进行了县级以下直接选举，选出 600 多万名县、乡人大代表。与此同时，在全国 29 个省、自治区、直辖市的范围内，县以上人大相继建立了常委会。1980 年 9 月，五届全国人大三次会议接受中共中央的建议，决定成立宪法修改委员会，主持修改 1978 年宪法。经过近两年时间的修改和全民讨论，1982 年 4 月，五届全国人大五次会议通过了新宪法。

新宪法以及选举法和地方组织法，对完善人民代表大会制度有一系列重要规定，主要是：

第一，扩大了全国人大常委会的职权。1954 年宪法规定，全国人大常委会可以制定法令，但不能制定法律，也无权监督宪法的实施；在全国人大闭会期间，常委会只能任免个别国家机关工作人员。根据新宪法的规定，全国人大常委会有权制定除刑事、民事、国家机构和其他的基本法律以外的法律，并可在同全国人大制定的法律的基本原则不抵触的前提下，对这些基本法律进行部分的补充和修改；全国人大常委会同全国人大共同行使监督宪法实施的职权；全国人大常委会有权审查和批准国民经济和社会发展计划、国家预算在执行中所必须作的部分调整；在全国人大闭会期间，全国人大常委会根据总理的提名，可以决定部长、委员会主任、审计长、秘书长的人选。

第二，规定县级以上地方人大设立常委会。过去的人民委员会，既是地方人大的常设机关，又是人民政府的委员会，权力机关对行政机关的监督职能受到影响。设立人大常委会是地方政权建设的一项重要改革，有利于人民经过自己的代表、代表大会及其常委会对同级政府、法院、检察院的工作进行监督，加强了人民自己管理国家各项事务的权力。

第三，加强了各级人民代表大会及其常委会的组织机构。全国人大设立民族、法律、财经、教科文卫、外事、华侨六个专门委员会，在全国人大及其常委会的领导下研究、审议和拟定有关议案。省、自治区、直辖市、自治州、设区的市的人大也可以设立专门委员会。宪法还规定全国人大常委会由委员长、副委员长、秘书长组成委员长会议，地方人大常委会由主任、副主任、秘书长组成主任会议，负责处理人大常委会的重要日常工作。

第四，省级人大及其常委会有权制定地方性法规。1982 年宪法根据发挥中央和地方两个积极性的原则，规定省、自治区、直辖市人大及其常委会在不同宪法、法律和行政法规相抵触的前提下，可以根据本行政区域的具体情况和实际需要，制定和颁布地方性法规，报全国人大常委会和国务院备案。全国人大及其常委会还没有制定的法律，也可以先在地方制定法规。新修改的地方组织法进一步规定，省、自治区人民政府所在地的市和经国务院批准的较大的市人大及其常委会可以制定本市需要的地方性法规，报省、自治区人大常委会批准，并报全国人大常委会和国务院备案。

第五，改革了选举制度。首先，直接选举的范围扩大到县一级。过去是乡、镇、市辖区和不设区的市人大代表由选民直接选举产生。1979 年，五届全国人大二次会议修改全国人大和地方各级人大选举法，把直接选举扩大到县一级，1982 年宪法确认了这一重要改革。其次，在选举程序和方式等方面作了一些改进，为更有利于保障选民行使民主权利，选举方式将等额选举改为差额选举，将基层选举中的举手投票方式一律改为无记名投票等。

第六，改变农村人民公社政社合一体

制,恢复设立乡政权。城乡基层设立居民委员会或村民委员会,作为基层群众性自治组织,这也是社会主义民主的一项重大改革。

这个时期的人大工作有以下几个特点:①把立法工作放到重要地位。制定法律成为全国人大及其常委会经常的繁重的任务,几乎每次代表大会或常委会会议都有审议法律草案的议程。省一级人大及其常委会制定了大量地方性法规。②严肃认真地审议、决定国家重大问题。各项人代会都审议批准了年度国民经济和社会发展计划、财政预决算,选举和决定了国家领导人等。全国人大常委会也讨论决定了许多重大事项。③逐步加强对宪法和法律实施的监督和对行政、审判、检察机关的工作监督。各级人大在工作中逐步摸索,总结经验,做了许多工作。④各级人大及其常委会工作逐步程序化、规范化。⑤注意提高了人民代表和常委会组成人员的素质,发挥代表和委员的作用。但这一时期的人大及其常委会的工作还存在一些问题,主要是:立法工作还不完全适应改革、开放和社会主义现代化建设的进程,迫切需要加强,特别是加强经济、行政方面的立法工作;监督工作仍然是一个薄弱的环节;人大及其常委会在行使职权方面还需要进一步作出明确规定;如何进一步完善选举制度,提高代表素质,充分发挥人民代表的作用,还存在不少问题;常委会的办事机构还不健全,很不适应工作的需要。

一

第五届人大第一次会议

五届全国人大一次会议是四届全国

人大任期未满提前召开的会议。由于这次会议是在粉碎“四人帮”之后,党的十一届三中全会之前召开的,因而具有那个时代的特色。

各省、直辖市、自治区和人民解放军共选出出席五届全国人大的代表3500名,有3人在这次会议前由原选举单位撤销了代表资格,代表资格审查委员会确认了3497名代表的资格。依照中共中央有关文件的规定,要求这一届全国人大代表的条件是:坚决拥护英明领袖华主席为首的党中央,拥护中国共产党的领导;代表的绝大多数应是阶级斗争、生产斗争、科学实验三大运动中的积极分子,在反对“四人帮”的斗争中表现较好,为群众信任的;本人历史清楚。这次会议的主要目的是:动员全国人民在经济上大干快上;修改宪法;重新组织中央国家机关。会议的指导思想是:紧密地团结在英明领袖华主席为首的党中央周围,坚决贯彻执行党的十一大路线,高举毛主席的伟大旗帜,坚持党在社会主义历史阶段的基本路线,抓纲治国,继续革命,为建设社会主义的现代化强国而奋斗。

1978年2月25日,五届全国人大一次会议举行预备会议。会议一致通过了五届全国人大一次会议议程,选出了大会主席团和秘书长,通过了由31人组成的第五届全国人大代表资格审查委员会主任委员、副主任委员、委员名单。这次大会的主要议程是:听取和审议政府工作报告;听取和审议《关于修改〈中华人民共和国宪法〉的报告》;通过《中华人民共和国宪法》;通过关于政府工作报告的决议;选举五届全国人大常委会委员长、副委员长、秘书长、委员;决定国务院总理;选举最高人民法院院长和最高人民检察院检察长;决定国务院其他组成人员的人选;

决定中国科学院院长和中国社会科学院院长的人选；通过《中华人民共和国国歌》。

2月26日，五届全国人大一次会议举行第一次全体会议。华国锋代表国务院作了题为《团结起来，为建设社会主义的现代化强国而奋斗》的政府工作报告，报告分为六个部分：第一，三年来的斗争和新时期的总任务；第二，把揭批"四人帮"的斗争进行到底；第三，加快社会主义经济建设；第四，繁荣社会主义科学教育文化事业；第五，加强政权建设，加强各族人民的大团结；第六，国际形势和我国的对外政策。报告总结了粉碎"四人帮"16个月来的工作，提出了新时期的总任务，即：坚持无产阶级专政下的继续革命，深入开展阶级斗争、生产斗争和科学实验三大革命运动，在20世纪内把我国建设成为农业、工业、国防和科学技术现代化的伟大社会主义强国。由于受"左"的指导思想的影响。报告对当时国民经济比例失调的情况估计不足，急于求成，提出了要建设120个大项目，其中有10个钢铁基地、9个有色金属基地、10大油气田等高指标。这个方针的执行，造成了国家财政困难和国民经济比例更加失调的严重后果。

在3月1日的全体会议上，中共中央副主席叶剑英受中共中央委托，作了关于修改宪法的报告。会议通过了《中华人民共和国宪法》。五届全国人大一次会议通过的《中华人民共和国宪法》（1978年宪法），是新中国建立后制定的第三部宪法。这部宪法用根本大法的形式规定了在20世纪内把我国建设成为农业、工业、国防和科学技术现代化的伟大的社会主义强国的全国人民在新时期的总任务，为四个现代化确立了法律基础。1978年宪法由序言和四章共60条构成，结构与1954年、1975年两部宪法基本相同，条文比1975年宪法增加了30条。第一章总纲，规定了我国国家制度和社会制度的基本原则，特别规定了发扬社会主义民主、保障人民参加管理国家、参加管理经济和文化事业的原则和具体措施，为进一步提高各级人大在国家政治生活中的作用，使其能够更好地有效地行使人民赋予的国家权力提供了法律依据。第二章国家机构，在健全全国人大代表的选举制度和加强全国人大及其常委会的职能、加强地方各级人大的职能方面增加了一些具体的规定，并将"全国人民代表大会是在中国共产党领导下的最高国家权力机关"修改为"全国人民代表大会是最高国家权力机关"；恢复了人民检察院的设置，取消了检察机关的职权由各级公安机关行使的规定；恢复了1954年宪法关于国务院"统一领导全国地方各级国家行政机关的工作"的规定。第三章公民的基本权利和义务，由1975年宪法的4条增加到16条，恢复了关于从物质上保证公民行使权利的规定，专门规定了公民对违法失职的国家机关和企事业单位的工作人员的控告权和申诉权。但是，由于受当时的历史条件的限制，来不及全面总结新中国成立以来社会主义革命和建设的经验教训，来不及彻底清除十年"文化大革命"中"左"的思想对宪法的影响，因此，1978年宪法从基本精神到具体内容都存在严重缺陷。主要是：根据"无产阶级专政下继续革命"的错误理论和搞阶级斗争的基本路线，把坚持"无产阶级专政下继续革命"作为新时期总任务的内容；认为不抓住阶级斗争这个纲，就不能巩固无产阶级专政，也不可能实现四个现代化的任务；从正面肯定了"文化大革命"；在国家机构中，仍然保留了地方各级"革命委员会"的名称；在公民的基本权利和义务中,继续规定公民有运用"大鸣、大放、大辩论、大字报"的权利;等等。

五届全国人大一次会议通过了关于政府工作报告的决议;通过了《中华人民共和国国歌》,新国歌仍然采用《义勇军进行曲》的曲谱,但改写了歌词;选举了以叶剑英为委员长、由196人组成的第五届全国人大常委会;根据中共中央提议,决定华国锋为国务院总理;选举了最高人民法院院长和最高人民检察院检察长;根据国务院总理华国锋的提名,决定了国务院副总理、各部部长、各委员会主任、中国科学院院长和中国社会科学院院长。会议在完成各项预定的议程后,于3月5日闭幕。

五届全国人大一次会议是粉碎"四人帮"后召开的第一次全国人民代表大会。这次会议推动了人民代表大会制度和人大工作的进一步恢复。由于各方面的原因,这次会议也存在着严重的不足,主要是:第一,立法方面的工作做得很有限。除修改宪法和通过《中华人民共和国国歌》外,没有制定出其他法律,而国家各方面工作迫切需要有法可依。第二,国民经济计划和财政预、决算没有列入会议议程。第三,最高人民法院和全国人大常委会没有向大会报告工作。第四,中共中央直接向全国人大会议提出宪法修改草案,这种做法没有法律依据,是以党代政、由党直接行使国家权力的表现。第五,这次大会除设立了代表资格审查委员会外,没有设立法律规定的其他委员会;代表没有提出一件议案;从会期(包括预备会议)看,是最短的一次,很难说代表对各项议案进行了充分的审议。第六,这次会议关于政府工作报告的决议一并批准了1976年至1985年发展国民经济十年规划纲要。纲要违背实事求是、量力而行的原则,未经全面综合平衡就提出一些新的经济发展口号和指标,致使我国经济建设出现了新的失误。

第五届人大第二次会议

五届全国人大二次会议于1979年6月18日至7月1日在北京举行。这是全国工作重点转移到社会主义现代化建设上面后召开的会议,具有重要的意义。会议的主要议程是:听取和审议《政府工作报告》;审查和批准国务院提出的1979年的国民经济计划和1978年的国家决算、1979年的国家预算;制定一些重要法律;听取和审议《全国人民代表大会常务委员会工作报告》、《最高人民法院工作报告》和《最高人民检察院工作报告》。此外,还要作出有关人事安排的若干决定。

叶剑英委员长在开幕式上致开幕词。他指出:"广大人民群众要求加强和完善我国的社会主义法制。有了完善的法制,就能使宪法所规定的人民的民主权利得到有效的保障,就能不断地发展安定团结、生动活泼的政治局面,以利于社会主义建设的进行。随着经济建设的发展,我们还需要有各种经济法。全国人民代表大会一定要经过认真的调查研究和慎重的讨论,陆续制定各项必要的法律,使这些法律能够真正代表广大人民的意志,反映社会主义和无产阶级专政的最高利益,符合社会主义经济建设发展的需要。在法律颁布后,一定要坚决贯彻执行。全国人民代表大会和地方各级人民代表大会都要为维护社会主义法制的尊严起重要的作用。"

会议听取并审议了华国锋总理代表国务院所作的《政府工作报告》。《报告》

分四个部分：第一，伟大的历史性转变；第二，打好四个现代化的第一个战役；第三，加强社会主义民主和社会主义法制；第四，反对霸权主义，维护世界和平。会议通过了关于《政府工作报告》的决议。决议指出，在中共十一届三中全会作出的把全党全国工作着重点转移到社会主义现代化建设上来的决策和解放思想、开动机器、实事求是、团结一致向前看的方针指导下，国务院提出的当前政府工作的各项任务和采取的一系列政策措施是正确的。要集中三年时间对我国国民经济进行调整、改革、整顿、提高。为了从根本上巩固我国的社会主义国家制度，充分发挥全国各族人民在社会主义现代化建设中的积极性和创造性，必须加强社会主义民主和社会主义法制，要十分注意加强立法和司法工作，使社会主义法制逐步完善。

会议听取了余秋里副总理所作的《关于1979年国民经济计划草案的报告》、财政部长张劲夫所作的《关于1978年国家决算和1979年国家预算草案的报告》，并通过了关于1979年国民经济计划、1978年国家决算和1979年国家预算的决议。

全国人大常委会法制委员会主任彭真向大会作了关于七个法律草案的说明。他指出，随着全国工作的着重点转移到社会主义现代化建设上来，我国必须认真地加强社会主义民主和社会主义法制。没有健全的社会主义法制，就很难实现健全的社会主义民主。现在有些地方和单位，人民的积极性和创造性还受到压抑，人民的人身权利、民主权利和其他权利有时还得不到可靠的保障，因此，"人心思法"，全国人民都迫切要求有健全的法制。法律制订出来以后，要保证贯彻执行。共产党员、革命干部要在守法、执法上起模范带头作用。我们的法律既代表了全国人民的利益和意志，也集中反映了党的政策和主张。党员干部遵守和执行法律，就是服从全国人民的意志，就是服从党的领导，就是维护人民的利益。对于违法犯罪的人，不管他资格多老，地位多高，功劳多大，都不能加以纵容和包庇，都应该依法制裁。

会议通过了《中华人民共和国地方各级人民代表大会和地方各级人民政府组织法》和《中华人民共和国全国人民代表大会和地方各级人民代表大会选举法》。这两个法律对地方政权组织和选举制度作了一些重要改革。主要是：第一，县以上地方各级人民代表大会设立常委会，由主任和副主任、委员若干人组成。地方各级革命委员会改为人民政府，并相应地恢复省长、市长、自治区主席和州长、县长等称呼。第二，规定省、自治区、直辖市人大及其常委会根据本行政区域的具体情况和实际需要，在和国家宪法、法律、政策、法令、政令不抵触的前提下，可以制定和颁布地方性法规。第三，规定实行自下而上、自上而下，充分民主地提候选人的办法，并将候选人和应选人等额选举的办法改为候选人的名额多于应选人的差额选举的办法。第四，把直接选举人大代表的范围扩大到县一级。第五，规定地方各级人大代表有向人大和它的常委会反映群众的意见和要求的权利和义务。为了保证代表能够充分行使代表职权，规定县级以上地方各级人大代表报经本级人大常委会同意，不受逮捕或者审判。

会议还通过了《中华人民共和国刑法》、《中华人民共和国刑事诉讼法》、《中华人民共和国人民法院组织法》、《中华人民共和国人民检察院组织法》和《中华人民共和国中外合资经营企业法》。

会议还听取审议了《全国人民代表大

会常务委员会工作报告》、《最高人民法院工作报告》、《最高人民检察院工作报告》,并通过了相应的决议。

会议还补选彭真、萧劲光、朱蕴山、史良等为五届全国人大常委会副委员长。根据国务院总理华国锋的提议,决定任命陈云、薄一波、姚依林为国务院副总理,任命方毅为中国科学院院长。

大会共收到提案1890件,其中属于工业交通和人民生活方面的有636件,属于农业方面的有209件,属于财贸方面的有119件,属于科学文教卫生方面的有468件,属于政法、国防、外事等方面的有458件。这次大会的提案数量之多是空前的,代表性非常广泛。许多提案是代表们事先征求了群众的意见提出来的,充分体现了代表们当家做主的高度责任感和积极性。提案审查委员会组成了工业、农业、财贸、文教、综合等5个专业审查组,认真审理了代表们提出的议案,并提出了相应的审查意见。

总之,五届全国人大二次会议在加强社会主义民主和健全社会主义法制方面,取得了重要的成果。

三

第五届人大第三次会议

五届全国人大三次会议于1980年8月30日至9月10日在北京召开。会议的主要议程是:审查和批准国务院《关于1980年、1981年国民经济计划安排的报告》和《关于1979年国家决算、1980年国家预算草案和1981年国家概算的报告》;审议全国人大常委会根据中共中央的建议提出的《关于建议修改〈中华人民共和国宪法〉第四十五条的议案》;审议《中华

人民共和国国籍法草案》、《中华人民共和国婚姻法修改草案》、《中华人民共和国中外合资经营企业所得税法草案》和《中华人民共和国个人所得税法草案》;听取和审议全国人大常委会的工作报告以及最高人民法院和最高人民检察院的工作报告;听取国务院总理华国锋的讲话,根据中共中央的提议决定国务院总理的人选,并且决定和选举其他一些国家领导工作人员;审议中共中央关于修改《中华人民共和国宪法》和成立中华人民共和国宪法修改委员会的建议。

会议听取并审议了国务院副总理兼国家计委主任姚依林《关于1980、1981年国民经济计划安排的报告》、财政部部长王丙乾《关于1979年国家决算、1980年国家预算草案和1981年国家概算的报告》,并通过了相应的决议。会议认为,1979年国民经济计划执行情况基本上是良好的,整个经济在调整中稳步前进。同时,会议认真研究了1979年国家决算出现的赤字问题,指出了在执行中存在的若干缺点和失误,并责成国务院有关部门,进一步贯彻执行从实际出发,量力而行、讲求经济效果的指导思想,在增产节约、反对浪费、缩短基本建设战线、加强财政监督、严格财经纪律等方面,采取有效措施,逐步做到减少财政赤字,实现收支平衡。

会议通过了《关于修改〈中华人民共和国宪法〉第四十五条的决议》。《决议》指出,为了充分发扬社会主义民主,健全社会主义法制,维护安定团结的政治局面,保障社会主义现代化建设的顺利进行,决定将《中华人民共和国宪法》第45条"公民有言论、通信、出版、集会、结社、游行、示威、罢工的自由,有运用'大鸣、大放、大辩论、大字报'的权利",修改为"公民有言论、通信、出版、集会、结社、游行、

示威、罢工的自由"，取消原第45条中"有运用'大鸣、大放、大辩论、大字报'的权利"的规定。会议通过了修正的《中华人民共和国婚姻法》《中华人民共和国国籍法》《中华人民共和国中外合资经营企业所得税法》和《中华人民共和国个人所得税法》。

会议审议了《全国人民代表大会常务委员会工作报告》《最高人民法院工作报告》和《最高人民检察院工作报告》，并通过了相应的决议。

会议期间，华国锋就政府工作问题发表讲话。他说，在会议讨论中，代表们对一年多来的政府工作和其他工作，肯定了成绩，指出了存在的问题，提出了许多重要的批评和建议。我代表国务院衷心感谢代表们对政府的信赖。国务院和有关部门应该认真研究代表们的批评和建议，该办的必须努力办，该改的必须努力改。华国锋在讲话中详细回顾了我国经济经过一年多来进行调整、改革、整顿、提高后的情况，提出了今后政府工作的指导方针：一是制定长远规划；二是继续推进经济管理体制的改革；三是克服官僚主义，改进政府工作；四是进一步发展社会主义民主和法制；五是实现各级政府领导人员的年轻化和知识化、专业化。在讲话中，华国锋受中共中央委托，对国务院领导成员的调整问题作了说明。他说，为了加强和改善党的领导，以适应社会主义现代化建设的需要，不久前举行的中共十一届五中全会，提出了若干重大的措施。为了吸取历史教训，避免权力过分集中和兼职过多，为了把党的工作和政府的工作切实地明确地分开，中共中央决定，党委第一把手一般不宜兼任人民政府的省长、自治区主席、自治州州长、县（市）长，以便这些同志能够集中时间和精力处理党的重大问

题，使国务院以下各级政府能够建立起从上到下的完善有效的工作系统。根据以上的原则，华国锋向中共中央提出并经中共中央决定，不再兼任国务院总理。中共中央同时决定，现任国务院副总理的党内的5位老同志——邓小平、李先念、陈云、徐向前、王震都不再兼任国务院副总理，王任重已担任党内重要职务，也不再兼任副总理。现在一并提请大会审议。陈永贵请求解除他的副总理职务，已经中共中央同意，也请大会予以审议。中共中央经过慎重考虑，向大会提议赵紫阳为国务院总理。

聂荣臻、刘伯承、张鼎丞、蔡畅、周建人等向大会提出辞去全国人大常委会副委员长职务的请求。会议通过决议，决定接受上述人员的辞职请求。会议还通过决议，同意华国锋代表中共中央提出的对国务院部分组成人员进行调整的建议，决定接受华国锋辞去国务院总理职务的请求，接受邓小平、李先念、陈云、徐向前、王震、王任重辞去国务院副总理职务的请求，接受陈永贵解除国务院副总理职务的请求。会议还补选彭冲、习仲勋、粟裕、杨尚昆、班禅额尔德尼·确吉坚赞为全国人大常委会副委员长，杨尚昆兼秘书长，补选马寅初、王观澜、邓兆祥、平措汪杰、司马义·艾买提、费彝民、郭增恺、缪云台为全国人大常委会委员。会议根据中共中央的提议，决定赵紫阳为国务院总理。会议根据国务院总理赵紫阳的提议，决定任命杨静仁、张爱萍、黄华为国务院副总理。

五届全国人大三次会议还通过了关于修改宪法和成立宪法修改委员会的决议。决议指出，五届全国人大三次会议同意中共中央关于修改宪法和成立宪法修改委员会的建议，同意中共中央提出的中华人民共和国宪法修改委员会名单，决定

由宪法修改委员会主持修改 1978 年五届全国人大一次会议制定的《中华人民共和国宪法》、提出中华人民共和国宪法修改草案,由全国人大常委会公布,交付全国各族人民讨论,再由宪法修改委员会根据讨论意见修改后,提交本届全国人大四次会议审议。

出席五届全国人大三次会议的代表向大会共提出提案 2300 件。提案数量之多,质量之高,内容之广,都是前所未有的。这些提案对国家机关各方面的工作提出了许多宝贵的意见、要求和建议。大会通过了提案审查委员会关于提案的审查报告。

9 月 10 日,五届全国人大三次会议闭幕。全国人大常委会委员长叶剑英致闭幕词。他说,我们这次会议已经对国家的许多重大问题作出了决定。大会以后,各位代表要把大会的精神向全国人民进行广泛深入的传达。我们相信这次大会各项决定的贯彻落实,必将对四化建设起巨大的推动作用。我们不仅要进行经济体制的改革,而且要进行国家领导制度和干部制度的改革,把四化建设的伟大事业推向前进。

第五届人大第四次会议

五届全国人大四次会议于 1981 年 11 月 30 日至 12 月 13 日在北京召开。会议的主要议程是:听取和审议国务院总理赵紫阳作《关于当前的经济形势和今后经济建设的方针的报告》、财政部部长王丙乾作《关于 1980 年国家决算和 1981 年国家概算执行情况的报告》;审议 1982 年经济和社会发展计划要点;听取宪法修改委员会副主任委员彭真作《关于建议推迟修改宪法完成期限的说明》;听取和审议《全国人民代表大会常务委员会工作报告》、《最高人民法院工作报告》、《最高人民检察院工作报告》。审议《中华人民共和国经济合同法(草案)》、《中华人民共和国外国企业所得税法(草案)》、《中华人民共和国民事诉讼法(草案)》。

国务院总理赵紫阳的政府工作报告分为三个部分:①当前的经济形势;②今后经济建设的方针;③我国经济发展的前景。赵紫阳在报告中提出了搞好经济建设的十条方针:一是依靠政策和科学,加快农业的发展;二是把消费品工业的发展放到重要地位,进一步调整重工业的服务方向;三是提高能源的利用效率,加强能源工业和交通运输业的建设;四是有重点有步骤地进行技术改造,充分发挥现有企业的作用;五是分批进行企业的全面整顿和必要的改组;六是讲究生财、聚财、用财之道,增加和节省建设资金;七是坚持对外开放政策,增强我国自力更生的能力;八是积极稳妥地改革经济体制,充分有效地调动各方面的积极性;九是提高全体劳动者的科学文化水平,大力组织科研攻关;十是从一切为人民的思想出发,统筹安排生产建设和人民生活。赵紫阳在报告中指出,这些方针是调整、改革、整顿、提高方针的具体体现,是新中国成立 32 年来的经验积累,特别是近 3 年来的经验积累。

会议审议了赵紫阳所作的政府工作报告和国务院提出的《1982 年经济和社会发展计划要点》,并通过了决议。会议认为,五届全国人大三次会议以来,国务院在进一步调整经济、发展生产,力求财政收支平衡和物价稳定等方面,作了巨大努力,克服了很多困难,取得了显著成就。

但是,财政收支的基本平衡还不巩固,物价在争取基本稳定的过程中仍有部分商品价格上涨。大会责成国务院在明年的经济工作中,注意在发展生产和大力节约的基础上,进一步加强财政、信贷和物价管理,保持财政收支的基本平衡,保证市场物价的基本稳定。会议原则批准国务院提出的《1982年经济和社会发展计划要点》,责成国务院根据实际情况进行必要的修改,并授权全国人大常委会审议批准。会议还认为,国务院决定在国务院各部门进行机构改革,这是完全正确的,会议授权全国人大常委会对国务院机构改革方案进行审议和决定。大会根据预算委员会的审查报告,批准财政部部长王丙乾代表国务院所作的关于1980年国家决算和1981年国家概算执行情况的报告,批准1980年国家决算,并对1981年国家概算的执行情况表示满意,认为国家财政由连续两年发生较大的赤字转为收支基本平衡,这标志着我国财政经济状况有所好转。会议还审议了1982年的国家预算收支指标,认为这个安排比较适当,是符合国民经济发展需要的。会议授权全国人大常委会,在1981年国家决算和1982年国家预算正式编成以后,予以审查批准。

宪法修改委员会副主任委员彭真作了《关于建议推迟修改宪法完成期限的说明》。彭真说,1980年9月五届全国人大三次会议决定由宪法修改委员会提出中华人民共和国宪法修改草案,经过全民讨论后,提交五届全国人大四次会议审议。一年多来,宪法修改委员会秘书处为宪法修改委员会做了大量的准备工作。由于宪法修改工作关系重大,牵涉到各方面一系列复杂的问题,需要进行大量的调查研究,广泛征求各地区、各方面的意见。同时,目前国家正在进行体制改革,有些重

大问题正在实践研究解决过程中。原来对这些情况考虑不足,规定期限过于紧迫,没有能按期完成。为了慎重地进行宪法修改工作,尽可能把宪法修改得完善些,需要把修改宪法完成期限适当推迟。五届全国人大四次会议通过了关于推迟审议宪法修改草案的决议,决定将中华人民共和国宪法修改草案的审议工作推迟到五届全国人大五次会议进行。

会议审议了《中华人民共和国经济合同法草案》、《中华人民共和国外国企业所得税法草案》和《中华人民共和国民事诉讼法草案》。制定经济合同法,是为了保护经济合同当事人的合法权益,维护社会经济秩序,提高经济效益,保证国家计划的执行,促进社会主义现代化建设事业的发展。制定外国企业所得税法,是为了有利于吸引外资,加快发展我国对外经济合作和技术交流,开发我国资源,发展我国经济。民事诉讼法是我国重要的基本法律,它的任务是从司法程序方面,保障所有的民事法律、经济法律、商事法律,以及有关的行政法律的贯彻实施。大会通过了《中华人民共和国经济合同法》、《中华人民共和国外国企业所得税法》。鉴于民事诉讼法涉及的问题比较复杂,会议决定原则批准《中华人民共和国民事诉讼法草案》,并授权全国人大常委会根据代表和其他方面所提出的意见,在修改后公布试行。在试行中总结经验,再作必要的修订,提交全国人民代表大会审议通过,公布施行。

大会听取和审议了全国人大常委会工作报告、最高人民法院工作报告和最高人民检察院工作报告,并通过了相应的决议。会议还补选朱学范为五届全国人大常委会副委员长。

五届人大四次会议共收到代表提出

的提案2318件。提案中反映比较集中的问题有:整顿企业,改革工资制度和奖金办法;加强市场管理,打击投机倒把活动,采取有力措施稳定物价;广开就业门路,有计划地安排待业青年;尽快制订计划生育法等。提案对发展国民经济,建设社会主义精神文明等提出了许多建设性的意见,其中不少提案,事先作了深入的调查研究,广泛地征求了意见,反映了人民群众的要求。提案审查委员会对提案提出了审查意见,并分别交由全国人大常委会、国务院、最高人民法院和最高人民检察院研究办理。

五届全国人大四次会议的中心议题是经济问题。政府工作报告中提出的十条经济建设方针经过会议的批准,成为我国相当长时期的经济工作纲领,它对于彻底改变"左"的经济建设指导思想发挥了重大的作用。

五

第五届人大第五次会议

五届全国人大五次会议于1982年11月26日至12月10日在北京召开。会议的主要议程是:听取和审议国务院总理赵紫阳作《关于第六个五年计划的报告》;听取和审议国务院提出的《国民经济和社会发展第六个五年计划(草案)》和《1983年国民经济和社会发展计划要点(草案)》;听取和审议财政部部长王丙乾作《关于1982年国家预算执行情况和1983年国家预算草案的报告》;听取和审议宪法修改委员会副主任委员彭真作《关于中华人民共和国宪法修改草案的报告》,通过中华人民共和国宪法;听取和审议《全国人民代表大会常务委员会工作报告》、《最高人

民法院工作报告》和《最高人民检察院工作报告》;通过《关于中华人民共和国国歌的决议》;审议《全国人民代表大会组织法(草案)》、《国务院组织法(草案)》、《关于修改〈地方各级人民代表大会和地方各级人民政府组织法〉的若干规定的决议(草案)》、《关于修改〈全国人民代表大会和地方各级人民代表大会选举法〉的若干规定的决议(草案)》;通过《关于第六届全国人民代表大会代表名额和选举问题的决议》。

会议审议了赵紫阳总理代表国务院所作的《关于第六个五年计划的报告》,并审议了国务院提出的《国民经济和社会发展第六个五年计划(草案)》和《1983年国民经济和社会发展计划要点(草案)》。会议认为,国务院制定的第六个五年计划,是实现自1981年到本世纪末工农业生产总产值翻两番这个宏伟目标的一个重大步骤,是当前我国社会主义经济建设的行动纲领,是一个比较完备的计划。赵紫阳总理的报告和六五计划提出的国民经济和社会发展的任务是积极的、可靠的;提出的主要措施是符合实际的,是可行的。实现了六五计划,就可以取得国家财政经济状况根本好转的决定性胜利,就可以为第七个五年计划的经济发展以至1990年以后十年的经济振兴创造更好的条件。会议批准赵紫阳总理《关于第六个五年计划的报告》,批准《中华人民共和国国民经济和社会发展第六个五年计划》和根据这个五年计划制定的1983年国民经济和社会发展计划。对于计划执行中的具体问题,授权国务院根据实际情况及时予以调整和解决。

会议听取了宪法修改委员会副主任委员彭真所作的《关于中华人民共和国宪法修改草案的报告》。彭真说,现行宪法

在许多方面已经同现实的情况和国家生活的需要不相适应,有必要对它进行全面的修改。中国共产党去年召开的十一届六中全会通过的《关于建国以来党的若干历史问题的决议》和中共十二大文件,得到全国人民的拥护,为宪法修改提供了重要的依据。这次宪法的修改、讨论工作前后进行了两年之久,是做得相当认真、慎重和周到的。宪法修改委员会和它的秘书处成立后,经过广泛征集和认真研究各地方、各部门、各方面的意见,于1982年2月提出《中华人民共和国宪法修改草案》讨论稿。宪法修改委员会第二次会议用9天的时间对讨论稿进行了讨论和修改。4月,宪法修改委员会第三次会议又进行了9天的讨论并通过了宪法修改草案,由全国人大常委会公布,交付全国各族人民讨论。这次全民讨论的规模之大、参加人数之多、影响之广,足以表明全国工人、农民、知识分子和其他各界人士管理国家事务的政治热情的高涨。全民讨论中提出了大量的各种类型的意见和建议。宪法修改委员会秘书处根据这些意见和建议,对草案又进行了一次修改。许多重要的合理的意见得到了采纳,原来草案的基本内容没有变动,具体规定作了许多补充和修改,总共有近百处。这个草案经宪法修改委员会第四次会议历时5天逐条讨论,又作了一些修改,于1982年11月23日在宪法修改委员会第五次会议上通过,现在提交全国人民代表大会审议。彭真指出,宪法修改草案的总的指导思想是四项基本原则,这就是坚持社会主义道路,坚持人民民主专政,坚持中国共产党的领导,坚持马克思列宁主义、毛泽东思想。这四项基本原则是全国各族人民团结前进的共同的政治基础,也是社会主义现代化建设顺利进行的根本保证。彭真还就宪法的有关问题进行了说明。

在听取彭真关于宪法修改草案的报告后,代表们经过逐章逐条审议,又提出了不少重要修改意见。根据这些意见,对宪法修改草案再次作了修改,涉及19条(有的条文修改不止一处),加上对序言的修改,共修改了30处。12月4日,大会采取无记名投票的方式,以3037票赞成,3票弃权,通过了新宪法。

新宪法除序言外,一共四章(第一章总纲,第二章公民的基本权利和义务,第三章国家机构,第四章国旗、国徽、首都),138条。宪法序言回顾了一百多年来中国革命的历史,指出20世纪中国发生了翻天覆地的伟大历史变革,其中有四件最重大的历史事件。在这四件大事中,除了1911年的辛亥革命是孙中山先生领导的以外,其他三件都是以毛泽东主席为领袖的中国共产党领导全国各族人民,在马克思列宁主义、毛泽东思想指引下进行的,它们是:推翻帝国主义、封建主义和官僚资本主义的统治,建立了中华人民共和国;消灭延续几千年的剥削制度,建立了社会主义制度;基本上形成了独立的、比较完整的社会主义工业体系,发展了社会主义的经济、政治和文化。这三件大事,使中国人民的命运,使中国社会和国家的状况,发生了根本的变化。正是从这些伟大的历史变革中,中国人民得出了必须坚持四项基本原则的结论。宪法第一条规定:"中华人民共和国是工人阶级领导的、以工农联盟为基础的人民民主专政的社会主义国家。"这明确规定了我们国家的性质和社会各阶级在国家中的地位。宪法关于公民的基本权利和义务的规定,是总纲关于人民民主专政的国家制度和社会主义的社会制度的原则规定的延伸。我们的国家制度和社会制度从法律上和事实上保证我国公民享有广泛的、真实的自由和权利。宪法恢复了 1954 年宪法关于公民在法律面前一律平等的规定,这是保证社会主义民主和社会主义法制实施的一条基本原则。宪法根据历史的经验和"文化大革命"的教训,对公民的自由和权利作了充分的、切实的、明确的规定。同 1954 年宪法相比,有的是新增加的,比如公民的人格尊严不受侵犯;禁止用任何方法对公民进行侮辱、诽谤和诬告陷害。宪法以法律的形式确认了中国各族人民奋斗的成果,规定了国家的根本制度和根本任务,是国家的根本大法,具有最高的法律效力,是我国社会主义法制的核心和基础,是新的历史时期治国安邦的总章程。

会议听取和审议了《全国人大常委会工作报告》、《最高人民法院工作报告》和《最高人民检察院工作报告》,并通过了相应的决议。大会还通过了《关于中华人民共和国国歌的决议》,决定恢复《义勇军进行曲》为中华人民共和国国歌,撤销五届全国人大一次会议通过的《关于中华人民共和国国歌的决定》。

会议还通过了《中华人民共和国全国人民代表大会组织法》、《中华人民共和国国务院组织法》、《关于修改〈中华人民共和国全国人民代表大会和地方各级人民代表大会选举法〉的若干规定的决议》、《关于修改〈中华人民共和国地方各级人民代表大会和地方各级人民政府组织法〉的若干规定的决议》。这四个法律案是宪法通过后,根据宪法制定的第一批重要的法律案,对于发展社会主义民主,健全社会主义法制有着重要的作用。《中华人民共和国全国人民代表大会组织法》根据宪法的有关规定,总结了我国建立全国人民代表大会以来的工作经验,对全国人大和全国人大常委会的组织和工作程序作了

一系列具体的规定,是保证全国人大及其常委会有效地进行工作的一个重要法律。《中华人民共和国国务院组织法》根据宪法的有关规定,吸收了多年来政府工作的经验和一年来国务院机构改革的经验,对国务院的组织和各项工作制度作了规定,有利于精简机构,克服官僚主义,提高国家行政机关的工作效率。《关于修改〈中华人民共和国全国人民代表大会和地方各级人民代表大会选举法〉的若干规定的决议》和《关于修改〈中华人民共和国地方各级人民代表大会和地方各级人民政府组织法〉的若干规定的决议》根据宪法的有关规定,并根据实践经验和实际需要,对这两个法律的若干规定作了修改和补充。

大会共收到代表提出的提案 2102 件(其中用少数民族文字提出的提案 68 件)。这些提案围绕十二大提出的战略目标、战略重点和战略部署,提出了许多建设性的意见和要求。其中,要求加强商品粮基地建设,兴建和修复各种水利设施,增加林业建设投资,增加交通运输能力,加强能源开发,重视核能建设等,共 185 件,占提案总数的 8.8%;要求增加教育科技经费,发挥知识分子的作用,加强职工技术和文化培训,普及农村小学教育,重视边远地区和少数民族地区教育等,共 379 件,占提案总数的 18%;要求加强社会主义法制,发扬社会主义民主等,共 129 件,占提案总数的 6%。代表所提的提案,经提案审查委员会提出审查意见,分别交由全国人大常委会、国务院、最高人民法院和最高人民检察院研究办理。

这次大会审议和通过了《中华人民共和国宪法》,审议和通过了国民经济和社会发展第六个五年计划及其他法律、决议,从而使我们在全面开创社会主义现代

化建设新局面的斗争中,有了一部合乎国情、顺乎民意的新宪法,有了一个积极的、比较稳妥可靠的、经过努力可以实现的五年计划。大会发出号召,要广泛深入地宣传新宪法,使十亿人民都养成人人遵守宪法、维护宪法的习惯,并且敢于起来同违反和破坏宪法的行为进行斗争。同时,广泛深入地宣传"六五"计划,使之深入人心,使十亿人民都知道我们的家底和奋斗目标,为完成"六五"计划贡献自己的力量。

中国人民政治协商会议第五届全国委员会

一

政协第五届全国委员会第一次会议

1978年2月16日至18日,政协第四届全国委员会常务委员会举行第八次会议,决定政协第五届全国委员会第一次会议于2月24日在北京召开,并协商通过了政协第五届全国委员会委员名单和政协第五届全国委员会第一次会议议程(草案);讨论并通过了政协第四届全国委员会常务委员会工作报告、《中国人民政治协商会议章程》(修改草案)和关于修改章程的说明;通过了政协第五届全国委员会第一次会议主席团和秘书长名单(草案)。中共中央统战部部长乌兰夫在会上就政协第五届全国委员会委员名单作了说明。

各民主党派、人民团体负责人和无党派民主人士,以及有关部门负责人列席了会议。

1978年2月24日至3月8日,全国政协五届一次会议在京举行。政协第五届全国委员会委员共1988人,其中民主党派成员和党外人士共1061人,约占委员总数的51%;中共党员978人,约占委员总数的49%。

大会选举了本届会议的主席团和秘书长,听取并讨论通过了许德珩所作的《中国人民政治协商会议第四届全国委员会工作报告》。报告充分肯定了毛泽东、周恩来对建立和发展我国革命统一战线,创建中国人民政治协商会议所立下的不朽历史功勋;揭发了"四人帮"诬蔑、打击、迫害广大知识分子和各界爱国人士,制造民族分裂,破坏侨务政策、宗教政策造成的极其严重的恶果;回顾了十三年来政协第四届全国委员会常务委员会的主要工作;强调要紧密团结在中共中央周围,充分发挥政协在民主协商国家大事中的积极作用,充分发挥政协在发展统一战线中的重要作用,团结一切可以团结的力量,调动一切积极因素,并尽量地把消极因素转化为积极因素,为巩固我国的无产阶级专政,为统一祖国大业,为发展国际统一战线,为把我国建成社会主义现代化强国,对人类作出较大贡献而奋勇前进。

会议期间,全国政协五届一次会议委员列席了第五届全国人民代表大会第一次会议,听取并讨论了国务院总理华国锋所作的《政府工作报告》和中共中央副主席叶剑英所作的《关于修改宪法的报告》。

会议还听取了韦国清所作的《关于修改中国人民政治协商会议章程的说明》,并通过了《中国人民政治协商会议章程》和《中国人民政治协商会议第五届全国委员会第一次会议决议》。

韦国清说,章程修改草案是依据中国共产党的十一大路线精神和中华人民共和国宪法的基本原则起草,经过同各方面反复协商和讨论,并经政协全国委员会第四届常务委员会原则通过的。原章程的总纲部分重新改写了,组织部分作了必要的修改,增写了工作总则一章。

全国政协五届一次会议于 1978 年 3 月 8 日通过的《中国人民政治协商会议章程》由总纲、组织总则、工作总则、全国委员会、地方委员会等 4 章 27 条组成。《总纲》的主要内容为:①明确了中国人民政治协商会议的性质是中国共产党领导下的革命统一战线的组织。②记载了宪法规定的我国人民在新时期的总任务,指出"中国人民政治协商会议根据这个总任务,要加强全国各族人民的大团结,发展工人阶级领导的、以工农联盟为基础的,团结广大知识分子和其他劳动群众,团结爱国民主党派、爱国人士、台湾同胞、港澳同胞和海外侨胞的革命统一战线,把一切可以团结的力量都团结起来,并且尽量地把消极因素转化为积极因素,反对国内外敌人,进一步巩固无产阶级专政,为在本世纪内把我国建设成为社会主义现代化强国而奋斗"。③写明了中华人民共和国宪法是我国各族人民必须遵守的根本大法,"是中国人民政治协商会议各参加单位和个人必须遵守的共同纲领"。指出,"毛主席根据我国宪法的原则提出的六条政治标准,是我国人民政治生活中判断言论和行动的是非标准,是共产党同各民主党派长期共存、互相监督的政治基础,也是我国现阶段革命统一战线的政治基础"。④阐明了中国人民政治协商会议要在中国共产党领导下,发扬民主协商的优良传统,认真做到知无不言、言无不尽,言

者无罪、闻者足戒,有则改之、无则加勉,努力造成又有集中又有民主,又有纪律又有个人心情舒畅、生动活泼那样一种政治局面。⑤写明了中国人民政治协商会议的各参加单位和个人共同遵守的八项准则。

章程在《组织总则》中规定,中国人民政治协商会议以中国共产党、各爱国民主党派、各人民团体和各界代表为基础组成;中国人民政治协商会议全国委员会对地方委员会的关系和地方委员会对下一级地方委员会的关系是指导关系。参加政协委员会的单位和个人都有遵守和实行中国人民政治协商会议章程的义务,地方委员会对全国委员会的全国性的决议和号召,都有遵守和实行的义务。政协各级委员会、常务委员会决议都应当以全体委员的过半数通过,各参加单位和个人对会议的决议都应当遵守和实行。如果有不同的意见,可以声明保留,等待下次会议提出讨论,但应当根据少数服从多数的原则执行,不得违反;如对重要决议根本不同意,有声明退出中国人民政治协商会议的自由。还对参加全国政协的单位和个人严重违反章程和决议时的处分,作了明确的规定。

章程在《工作总则》中规定,各级政协委员会要就有关国家政治生活和革命统一战线的重要事项,进行民主协商和开展活动,积极推动各爱国民主党派、各人民团体、各界人士参加社会主义革命和社会主义建设,全心全意为人民服务。工作总则中列举了各级政协主要进行的各项工作:第一,组织和推动各爱国民主党派、各人民团体、各界人士在自愿的基础上,努力学习马克思主义、列宁主义、毛泽东思想,学习时事政治,通过各种可行途径,联系实际,向工农兵学习,开展批评和自我

批评,进行思想改造。第二,举行报告会和座谈会,组织参观访问和调查研究,反映实际情况,提出意见或建议,协助国家机关宣传和贯彻政策,改进工作。第三,配合有关单位,在政治、经济、文化、教育、科学技术等方面开展活动,为国家建设广开言路,广开才路。在文化、科学的活动中,贯彻百花齐放、百家争鸣的方针,以利于社会主义文化繁荣和科学进步。第四,搜集、整理、编写中国现代史、革命史等资料。第五,开展解放台湾的有关工作。第六,研究国际问题,宣传贯彻政府的外交政策,根据统一安排,进行国际统一战线活动。第七,认真处理人民来信、来访。

章程在"全国委员会"、"地方委员会"这两章中分别对委员会由哪些单位和个人组成以及每届委员人选如何决定,每届委员会的任期,委员会领导机构、领导人员的设置,委员会全体会议行使的职权等等作了规定。

全国政协五届一次会议选举邓小平为政协第五届全国委员会主席,选举乌兰夫、韦国清、彭冲、赵紫阳、郭沫若、宋任穷、沈雁冰、许德珩、欧阳钦、史良、朱蕴山、康克清、季方、王首道、杨静仁、张冲、帕巴拉・格列朗杰、周建人、庄希泉、胡子昂、荣毅仁、童第周共22人为政协第五届全国委员会副主席,选举齐燕铭为秘书长,选举244人为常务委员会委员。

二

政协第五届全国委员会第二次会议

1979年6月4日至7日,政协第五届全国委员会常务委员会举行第四次会议。会议原则通过了政协第五届全国委员会常务委员会工作报告;通过了政协第五届全国委员会第二次会议议程草案和政协第五届全国委员会增补109名委员的名单、政协第五届全国委员会第二次会议提案审查委员会名单草案、政协第五届全国委员会第二次会议的分组办法和小组召集人名单;听取和讨论了荣毅仁副主席关于《全国政协代表团访问西德的情况报告》、农业部部长霍士廉关于农业情况的报告。

1979年6月15日至7月2日,中国人民政治协商会议第五届全国委员会第二次会议在北京举行。全国政协主席邓小平致开幕词。会议听取并讨论了全国政协副主席许德珩所作的《中国人民政治协商会议第五届全国委员会常务委员会工作报告》。

邓小平说,全国政协五届二次会议是在党和国家的工作重点转移到社会主义现代化建设上来以后这个形势下召开的。会议的目的,就是要进一步动员、团结全国各族人民和一切爱国力量,促进社会主义现代化建设的发展。我们的国家进入了以实现四个现代化为中心任务的新的历史时期,我们的革命统一战线也进入了一个新的历史发展阶段。

他说,在这三十年中,我国的社会阶级状况发生了根本变化。我国工人阶级的地位已经大大加强,我国农民已经是有二十多年历史的集体农民。工农联盟将在社会主义现代化建设的新的基础上更加巩固和发展。我国广大的知识分子,包括旧社会过来的老知识分子的绝大多数,已经成为工人阶级的一部分,正在努力自觉地为社会主义事业服务。我国各兄弟民族经过民主改革和社会主义改造,早已陆续走上社会主义道路,结成了社会主义的团结友爱、互助合作的新型民族关系。我国的资本家阶级原来占有的生产资料早已转到国家手中,定息也已停止十三年之久。他们中有劳动能力的绝大多数人已经改造成为社会主义社会中的自食其力的劳动者。我国各民主党派在民主革命中有过光荣的历史,在社会主义改造中也作了重要的贡献。这些都是中国人民所不会忘记的。现在他们都已经成为各自所联系的一部分社会主义劳动者和一部分拥护社会主义的爱国者的政治联盟,都是在中国共产党领导下为社会主义服务的政治力量。上述各个方面的变化表明,我国的统一战线已经成为工人阶级领导的、工农联盟为基础的社会主义劳动者和拥护社会主义的爱国者的广泛联盟。新时期统一战线和人民政协的任务,就是要调动一切积极因素,努力化消极因素为积极因素,团结一切可以团结的力量,同心同德,群策群力,维护和发展安定团结的政治局面,为把我国建设成为现代化的社会主义强国而奋斗。邓小平最后指出,在新的历史时期,人民政协作为统一战线组织,任务是十分光荣的,工作是大有可为的。

全国政协五届二次会议全体委员列席了第五届全国人民代表大会第二次会议,听取了国务院总理华国锋所作的《政府工作报告》;听取了国务院副总理余秋里《关于 1979 年国民经济计划草案的报告》、财政部部长张劲夫《关于 1978 年国家决算和 1979 年国家预算草案的报告》;听取了全国人民代表大会常务委员会副委员长兼法制委员会主任彭真关于《中华人民共和国地方各级人民代表大会和地方各级人民政府组织法》、《中华人民共和国全国人民代表大会和地方各级人民代表大会选举法》、《中华人民共和国人民法院组织法》、《中华人民共和国人民检察院组织法》、《中华人民共和国刑法》、《中华人

民共和国刑事诉讼法》、《中华人民共和国中外合资经营企业法》七个法律草案的说明。

6 月 28 日,政协五届全国委员会常务委员会举行第六次会议。刘澜涛代秘书长汇报了大会开幕以来分组讨论的情况。会议通过了政协第五届全国委员会第二次会议政治决议草案和政协第五届全国委员会第二次会议关于常务委员会工作报告决议草案;协商通过了增补政协第五届全国委员会副主席、秘书长、常务委员候选人名单草案;决定增补刘宁一为政协第五届全国委员会委员。

6 月 29 日,全国政协五届二次会议分组讨论各项决议草案和增补副主席、秘书长、常务委员候选人名单草案。6 月 30 日,政协全国委员会常务委员会举行第七次会议,听取大会秘书处汇报分组讨论情况。

7 月 2 日,政协第五届全国委员会第二次会议举行闭幕会议。会议通过了《中国人民政治协商会议第五届全国委员会第二次会议政治决议》、《中国人民政治协商会议第五届全国委员会第二次会议关于常务委员会工作报告的决议》、《提案委员会关于提案的审查报告和关于提案审查的决议》。会议增选刘澜涛、陆定一、李维汉、胡愈之、王昆仑、班禅额尔德尼·确吉坚赞为政协全国委员会副主席,补选刘澜涛为秘书长,增选 40 人为常务委员会委员。朱蕴山、史良已由第五届全国人民代表大会第二次会议增选为副委员长,不再担任政协全国委员会副主席职务。乌兰夫副主席致闭幕词。

三

政协第五届全国委员会第三次会议

　　1980年8月25日至26日,五届全国政协常委会第十一次会议在北京举行。会议分别由政协全国委员会副主席乌兰夫、胡子昂、王首道主持。会议决定,中国人民政治协商会议第五届全国委员会第三次会议8月28日在北京举行。会议协商通过了江泽民等79人的委员增补名单。会议还通过了五届政协三次会议的议程(草案)、关于政协第五届全国委员会第二次会议提案处理情况的书面报告和五届政协三次会议提案审查委员会名单,并任命彭友今为政协全国委员会副秘书长。

　　1980年8月28日至9月12日,中国人民政治协商会议第五届全国委员会第三次会议在京举行。本届委员共有2016人,出席1712人。

　　全国政协主席邓小平致开幕词。他指出,我国革命的爱国的统一战线具有空前的广泛性,它在社会主义和爱国主义的基础上更加巩固和发展了。我们要进一步加强全体社会主义劳动者、拥护社会主义的爱国者和拥护祖国统一的爱国者的广泛团结,使我国统一战线和人民政协在发挥社会主义制度优越性的实践中,作出积极的贡献。人民政协是在共产党领导下实现各党派和无党派人士团结合作的重要组织,也是我们政治体制中发扬社会主义民主,实行互相监督的重要形式,它在我国各族人民中享有很高的威信。

　　会议听取并讨论了政协全国委员会副主席许德珩作的《中国人民政治协商会议第五届全国委员会常务委员会工作报告》。8月29日,政协第五届全国委员会第三次会议分组讨论了开幕词和常务委员会的工作报告,委员们表示赞同。

　　8月30日,政协第五届全国委员会第三次会议全体委员列席了第五届全国人民代表大会第三次会议,听取了国务院副总理兼国家计划委员会主任姚依林《关于1980、1981年国民经济计划安排的报告》和财政部部长王丙乾《关于1979年国家决算、1980年国家预算草案和1981年国家概算的报告》。8月31日和9月1日,全国政协五届三次会议分组讨论了国民经济计划和国家预决算报告。

　　9月2日,政协第五届全国委员会第三次会议全体委员列席了第五届全国人民代表大会第三次会议,听取了彭真副委员长所作的全国人民代表大会常务委员会工作报告、江华院长所作的最高人民法院工作报告、黄火青检察长所作的最高人民检察院工作报告和全国人大常委会法制委员会副主任武新宇、顾明关于婚姻法、国籍法、中外合资经营企业所得税法、个人所得税法四个法律草案的说明。9月3日至6日,政协第五届全国委员会第三次会议分组讨论了国民经济计划、国家预决算报告和四个法律草案及说明。

　　9月7日,政协第五届全国委员会第三次会议全体委员列席了第五届全国人民代表大会第三次会议,听取了华国锋总理关于国务院领导成员的调整问题和今明两年政府的主要工作的讲话。

　　9月9日至11日,政协第五届全国委员会常务委员会举行第十二次会议,讨论通过了政协第五届全国委员会第三次会议政治决议草案、政协第五届全国委员会第三次会议关于常务委员会工作报告决议草案、关于修改中国人民政治协商会议章程的决议草案和政协章程修改委员会名单草案、提案审查委员会关于提案的审查报告和决议草案；协商通过了增选政协第五届全国委员会副主席、常务委员候选人名单草案。

9月12日，政协第五届全国委员会第三次会议闭幕。闭幕会上，通过了《中国人民政治协商会议第五届全国委员会政治决议》、《中国人民政治协商会议第五届全国委员会第三次会议关于修改政协章程的决议》和章程修改委员会名单，通过了《中国人民政治协商会议第五届全国委员会第三次会议关于常务委员会工作报告的决议》、《中国人民政治协商会议第五届全国委员会第三次会议关于提案审查的决议》。会议增选何长工、萧克、程子华、杨秀峰、沙千里、包尔汉、周培源、钱昌照为政协全国委员会副主席；增选28人为常务委员会委员。

四

政协第五届全国委员会第四次会议

1981年11月21日至24日，政协第五届全国委员会常务委员会第十六次会议在北京举行。会议决定政协第五届全国委员会第四次会议于1981年11月28日在北京召开。会议还协商通过了新增70名委员名单、政协第五届全国委员会第四次会议日程草案、政协第五届全国委员会第四次会议议程草案、政协第五届全国委员会常务委员会工作报告；听取了政协第五届全国委员会第三次会议以来提案工作情况的报告；通过了政协第五届全国委员会第四次会议提案审查委员会名单草案、政协第五届全国委员会第四次会议分组办法和小组召集人名单、政协第五届全国委员会第四次会议列席名单等。

1981年11月28日至12月14日，中国人民政治协商会议第五届全国委员会第四次会议在北京举行。本届应有委员2054人，出席1714人。

全国政协主席邓小平主持了开幕大会。许德珩副主席作了《中国人民政治协商会议第五届全国委员会常务委员会工作报告》。会议进行了讨论，一致拥护工作报告。

11月30日，政协第五届全国委员会第四次会议全体委员列席了第五届全国人民代表大会第四次会议，听取了国务院总理赵紫阳所作的《当前的经济形势和今后经济建设的方针》的报告。

12月1日，全国政协五届四次会议列席了第五届全国人民代表大会第四次会议，听取了财政部部长王丙乾《关于1980年国家决算和1981年国家概算执行情况的报告》。12月2日至5日，委员们分组讨论了赵紫阳总理和王丙乾部长的报告。

12月7日，全国政协五届四次会议列席了全国人大五届四次会议，听取了全国人大常委会副委员长杨尚昆所作的《第五届全国人民代表大会常务委员会工作报告》和关于民事诉讼法、经济合同法、外国企业所得税法草案的说明；还听取了最高人民法院院长江华所作的《最高人民法院工作报告》，最高人民检察院检察长黄火青所作的《最高人民检察院工作报告》，以及林业部部长雍文涛对国务院关于开展全民义务植树运动的议案所作的说明。12月8日，委员们分组讨论了三个法律草案。

12月9日至12日，政协第五届全国委员会常务委员会举行第十七次会议。会议讨论通过了政协第五届全国委员会第四次会议政治决议（草案）和政协第五届全国委员会第四次会议关于常务委员会工作报告的决议（草案）。这两个决议

（草案）将提交政协五届四次会议通过。会议还讨论通过了全国政协五届四次会议提案审查委员会关于提案审查情况的报告，协商通过了增补政协第五届全国委员会副主席、常务委员候选人名单。政协章程修改委员会秘书处还向会议提交了关于政协章程修改工作情况的书面报告。政协全国委员会副主席兼秘书长刘澜涛和副秘书长平杰三分别就全国政协五届四次会议以来委员们的小组讨论情况和协商增补政协全国委员会副主席、常委候选人名单情况作了说明。

12月14日，全国政协五届四次会议举行了闭幕会。会议通过了《中国人民政治协商会议第五届全国委员会第四次会议政治决议》、《中国人民政治协商会议第五届全国委员会第四次会议关于常务委员会工作报告的决议》、《中国人民政治协商会议第五届全国委员会第四次会议关于提案审查情况报告的决议》。会议增选刘斐、董其武为政协全国委员会副主席，增选19人为常务委员会委员。

五

政协第五届全国委员会第五次会议

1982年11月20日至21日，中国人民政治协商会议第五届全国委员会常务委员会第二十一次会议在北京举行。会议的主要议程是协商全国政协五届五次会议的筹备工作。会议决定政协第五届全国委员会第五次会议11月24日在北京开幕。会议通过了政协第五届全国委员会第五次会议的议程（草案），讨论并通过了常务委员会向政协五届五次会议作的工作报告（草案）。会议还通过了提案审查委员会关于政协五届四次会议以来提

案工作情况的书面报告。政协五届四次会议提案审查委员会召集人蔡啸就政协五届四次会议以来提案工作情况的书面报告作了说明。会议还通过了增补范寿康、黄植诚为全国政协第五届委员会委员的决定，通过了政协五届五次会议提案审查委员会名单（草案）以及全国政协五届五次会议列席人员名单。

11月24日至12月11日，中国人民政治协商会议第五届全国委员会第五次会议在北京举行。本届共有委员1997人，出席会议1560人。

全国政协主席邓小平主持了开幕大会并讲了话。他说，5年来，特别是中共十一届三中全会以来，统一战线工作和人民政协工作有了很大发展，出现了生气勃勃的局面，我们的统一战线比过去任何时期更加扩大了，不仅包括全体社会主义劳动者，还包括拥护社会主义的爱国者和拥护祖国统一的爱国者，是最广泛的爱国统一战线，前程远大，大有可为。

会议听取并通过了全国政协副主席胡子昂所作的《中国人民政治协商会议第五届全国委员会常务委员会工作报告》。

会议听取了全国政协章程修改委员会副主任委员刘澜涛作的《关于〈中国人民政治协商会议章程〉（修改草案）的说明》，通过了《中国人民政治协商会议第五届全国委员会第五次会议关于〈中国人民政治协商会议章程〉的决议》，通过了《中国人民政治协商会议章程》。新的政协章程于1982年12月11日生效，同时废止1978年3月8日政协第五届全国委员会第一次会议通过的《中国人民政治协商会议章程》。

刘澜涛说：1978年的章程是粉碎江青反革命集团后由五届政协全国委员会第一次全体会议制定的。这部章程，对于恢

复和开展政协工作起了积极作用,但在某些内容上受到"左"的指导思想的影响,沿袭了"文化大革命"中的错误理论和提法。随着国家的政治、经济、文化各方面的巨大变化,人民政协的组织和工作也有了很大的发展,统一战线和人民政协的工作进入了一个新的历史发展阶段。这就需要把新的形势和任务在人民政协的章程中反映出来,使政协工作更好地适应新阶段的要求。这个章程修改案是以中国共产党十一届三中全会以来,特别是党的第十二次全国代表大会确定的路线、方针、政策为指导,并在总结中国人民政协历史经验的基础上,认真研究了各方面提出的修改意见拟定的,因此可以说是党的路线、方针、政策,特别是党的十二大精神和人民政协具体实际相结合的产物,也是统一战线内部集体智慧的结晶。刘澜涛就政协章程修改案的几个主要问题作了说明。第一,关于人民政协的性质。经过讨论,一致认为,国家最高权力必须由全国人民代表大会统一行使,人民政协则是中国人民在中国共产党领导下的统一战线组织。第二,关于人民政协的任务。中国人民政协要尽一切努力不断巩固和扩大爱国统一战线,为实现我国新时期的总任务,开创社会主义现代化建设的新局面而奋斗。第三,关于政治协商和民主监督。人民政协的主要职能是对国家的大政方针和地方重要事务以及群众生活、统一战线内部关系等重要问题进行政治协商,并通过提出建议和批评,发挥民主监督的作用。第四,关于学习的自愿原则。第五,关于人民政协各级组织的关系。第六,关于主席会议。章程修改草案规定全国委员会和地方委员会的主席主持常务委员会的工作,并由主席、副主席、秘书长组成主席会议,处理常务委员会的重要日常工作。第

七,关于地方委员会的设立。章程修改草案规定,自治州,设区的市、县、自治县,不设区的市和市辖区凡有条件的都可设立地方委员会。

新的章程由总纲和五章五十条组成。总纲中写明了人民政协的性质,肯定了中国人民政协自成立以来作出的重要贡献,指出了我国社会阶级状况发生的根本的变化,指出:"我国面临的主要矛盾是人民日益增长的物质、文化需要同落后的社会生产之间的矛盾。我国各族人民在新的历史时期的总任务是自力更生,艰苦奋斗,逐步实现工业、农业、国防和科学技术现代化,把我国建设成为高度文明、高度民主的社会主义国家。中国人民政治协商会议要在热爱中华人民共和国、拥护中国共产党的领导和拥护社会主义事业的政治基础上,尽一切努力,进一步巩固和发展爱国统一战线,调动一切积极因素,团结一切可以团结的人,同心同德,群策群力,维护和发展安定团结的政治局面,促进社会主义民主和法制的建设,为全面开创社会主义现代化建设的新局面,实现我国各族人民的总任务而奋斗。"

总纲指出:"中国人民政治协商会议是我国政治生活中发扬社会主义民主的一种重要形式,根据中国共产党同各民主党派和无党派人士'长期共存、互相监督','肝胆相照、荣辱与共'的方针,对国家的大政方针和群众生活的重要问题进行政治协商,并通过建议和批评发挥民主监督作用。中国人民政治协商会议的一切活动以中华人民共和国宪法为根本的准则。"

《章程》第一章是工作总则,第二章是组织总则,第三章是全国委员会,第四章是地方委员会,第五章是附则。

出席会议的委员列席了第五届全国

人民代表大会第五次会议,讨论了中华人民共和国宪法修改草案,听取和讨论了宪法修改委员会副主任委员彭真所作的关于宪法修改草案的报告,听取了关于第六个五年计划的报告以及其他报告和法律草案。

会议通过政治决议,一致热烈拥护第五届全国人民代表大会第五次会议通过的中华人民共和国宪法、"六五"计划的报告和本次政协会议通过的政协章程以及各项报告,并保证坚决贯彻执行。决议还指出,要进一步落实知识分子政策,调动知识分子的积极性;要重视社会主义精神文明建设。决议号召各级人民政协充分发挥主动性、积极性和创造性,为开创人民政协生气勃勃的新局面而奋斗。全国政协副主席乌兰夫致闭幕词。会议增选马璧、范寿康为政协第五届全国委员会常务委员。

国民经济"洋跃进"与新的调整方针

一

1977 年至 1978 年国民经济"洋跃进"

由于林彪、"四人帮"长期的干扰破坏,我国的国民经济陷入瘫痪、半瘫痪状态。粉碎"四人帮"后,本来应该用一定的时间对国民经济进行调整和整顿,解决国民经济重大比例失调问题,使国民经济达到基本平衡。可是,当时对"四人帮"长期

干扰破坏在经济上造成的严重后果估计不足,急于求成,要"大干快上",于是,在这个时期的头两年,即 1977 年和 1978 年,出现了"洋跃进",又把国民经济的发展引入歧途。

与 50 年代的"大跃进"相类似,70 年代的"洋跃进"是从高指标、大口号开始的。

1976 年 12 月 10 日至 27 日,中共中央在北京召开第二次全国农业学大寨会议。华国锋作了讲话。会议适应广大人民的要求强调要把农业生产搞上去,但在一些方面继续坚持和重新提出了一些不切实际的高指标、大口号,继续推行了"左"的政策。

1977 年 1 月 19 日,中共中央将国务院《关于 1980 年基本上实现农业机械化的报告》转发各地区、各部门。《报告》坚持毛泽东过去的号召,要求到 1980 年在全国基本上实现农业机械化,使农、林、牧、副、渔主要作业的机械化水平达到 70% 左右。按照这一要求,在四年时间里,大中型拖拉机拥有量将要增长 66%;化肥年产量需要增长一倍。这些高指标显然是达不到的。

1977 年 4 月,全国工业学大庆会议召开。会议指出要狠抓企业整顿,还提出要广泛开展社会主义劳动竞赛,掀起增产节约的高潮,使各项技术经济指标,在最短的时间内达到本企业的历史最高水平,在两三年内达到本行业的国内先进水平,在第五个五年计划期间把全国 1/3 的企业建成大庆式企业。就是在这次会议的各地区和各部门负责同志会议上,在没有掌握可靠地质资源的情况下,华国锋提出:"石油光有一个大庆不行,要有十来个大庆。"

7 月 30 日,中共中央转发了国务院《关于一九七七年上半年工业生产情况的

报告》。这个报告并没有指出工业之所以上升较快是带有很大恢复性质，而是过高地估计了整个经济形势，指出：上半年，我国工业生产改变了过去那种长期停滞不前甚至下降倒退的局面，正在以较快的速度回升。上半年完成全年计划的48%。铁路平均日装车，4月份达到55100车，超过历史最高月水平；6月份达到57000车。80种主要工业产品，5、6月份的产量，绝大多数高于上年同期水平，其中26种创造了历史最高月产水平。《报告》认为这标志着"国民经济的新的跃进局面正在出现"。按照这种错误的估计，各部门、各地区都开始为新的跃进而筹划，提出高指标，制订大计划。

在煤炭工业方面，1977年10月29日，煤炭工业部向中央政治局汇报了煤炭工业发展规划的设想。总的指导思想是："要拿下前所未有的高速度"，1987年要突破10亿吨，赶上美国；到本世纪末达到20亿吨。"五五"计划后三年，原煤产量平均每年要增长4300万吨，到1980年总产量要搞到6.3亿吨；"六五"期间，平均每年要增长5000万吨，到1985年煤炭总产量要达到8.8亿吨。为了达到这个目标，今后八年，除了大搞现有矿井的挖潜、革新、改造以外，还要着重抓以下两条：一是建设10个年产5000万吨和10个年产3000万吨的大型煤炭基地；二是要加快实现采煤机械化，争取到1980年使统配煤矿基本上实现一般机械化，到1985年使全国煤矿采掘机械化程度达到70%以上，并进一步发展综合机械化。

在冶金工业方面，1977年11月9日，冶金部向中央政治局汇报了钢铁工业发展规划。规划分四个阶段。第一阶段，到1980年钢产量搞到3500万吨，力争达到3800万吨。第二阶段，到1985年钢产量搞到6000万吨，力争搞到7000万吨，平均每年增加500万到1000万吨。第三阶段，到1990年钢产量达到1亿吨。第四阶段，到本世纪末要拿下20多个鞍钢，使全国钢产量达到1.6亿吨，超过美国。

在引进新技术和成套设备方面，1979年7月17日，国家计委向国务院提出了今后8年引进新技术和成套设备的规划。中央政治局原则批准了这个规划。国家计委提出，在"五五"后三年和"六五"计划期间，除抓紧把1973年批准的43亿美元进口方案（简称"四三方案"）中在建项目尽快建成投产外，拟围绕着长远规划的目标和任务，在支农工业、轻工业等方面再进口一批成套设备、单机和先进技术。

1977年11月24日至12月11日，全国计划会议在北京举行。会议主要研究了长远规划问题。经过会议讨论，国家计委向中央政治局提出了《关于经济计划的汇报要点》。1978年2月5日，中央政治局批准了《汇报要点》，连同《1978年国民经济计划主要指标》一起下达，要求各地区、各部门贯彻执行。《汇报要点》提出，今后23年，在经济上，要分三个阶段，打几个大战役。第一阶段，即第五个五年计划时期的后三年。重点是打好农业和燃料、动力、原材料工业这两仗，使农业每年以4%到5%、工业每年以10%以上的速度持续大步前进，为第六个五年计划时期大上作准备。第二阶段，在第六个五年计划期间，各项生产建设事业都要有一个较大的展开，提高到一个新水平。到1985年，粮食产量要求搞到8000亿斤，钢搞到6000万吨，原油搞到2.5亿吨。为了实现生产上的高指标，相应地拟订了基本建设的大计划，提出在工业方面，新建和续建120个大项目，其中主要有30个大电站、10个大油气田、10个大钢铁基地、8个大型煤炭基地、9 个大有色金属基地、10 个大化纤厂、10 个大石油化工厂、10 多个大化肥厂，以及新建续建 6 条铁路干线、改造 9 条老干线，重点建设秦皇岛、连云港、上海、天津、黄浦等 5 个港口。第三阶段，在 2000 年以前全面实现四个现代化，使国民经济走在世界的前列。到那个时候，粮食总产量要达到 13000—15000 亿斤，钢产量达到 1.3—1.5 亿吨，农业将成为世界上第一个高产国家，许多省的工业水平将赶上和超过欧洲的某些工业发达国家。这次计划会议提出的第五个五年计划和第六个五年计划的设想，比 1975 年拟定的十年规划纲要草案的不少指标又高了很多。国家计委提出的这些高指标、大计划助长了当时国民经济发展中已经出现的急躁冒进倾向，在实际经济生活中造成了极其严重的后果。

1977 年 12 月 19 日，中共中央将全国普及大寨县工作座谈会提出的意见转发各地区研究执行。这次会议，在生产建设上搞了高指标，在许多重大政策性问题上肯定了大寨、昔阳的某些错误做法：①会议认为当前"农业生产新跃进的形势正在到来"。到 1980 年，全国粮食要搞到 7000 亿斤，棉花产量搞到 6000—6750 万担。为完成这种高指标，会议强调要大搞农田基本建设，确保 1980 年基本实现农业机械化。②在肯定"三级所有、队为基础"制度的同时，又强调实现基本核算单位由生产队向大队过渡是大趋势，各级党委要积极热情地为这种过渡创造条件。会议确定 1977 年冬和 1978 年春，全国要选择 10% 左右的大队实行大队核算。③会议继续强调在农村进行"基本路线"教育，并把它作为农村的一项长期的任务。④在干部参加集体劳动问题上，要求所有的县、社、队干部在一年中必须分别参加集体劳动

100 天、200 天和 300 天。

1978 年 1 月 4 日至 26 日，国务院在北京召开第三次全国农业机械化会议。会议强调指出：1980 年基本上实现农业机械化，是"毛泽东主席向全党和全国人民发出的伟大号召，是在本世纪内实现农业现代化，把我国建成社会主义的现代化强国的一个重大步骤。现在距离 1980 年只有三年的时间了，全党动员，苦战三年，基本上实现农业机械化，是摆在我们面前的一项紧迫的战略任务"。会议号召"全党坚持党在农业问题上的根本路线，这就是：第一步实现农业集体化，第二步在农业集体化的基础上实现农业的机械化和电气化"。会议确定：1980 年全国农林牧副渔作业的机械化水平要达到 70% 左右；同 1977 年相比大中型拖拉机拥有量增长 70%，手扶拖拉机拥有量要增长 36%，排灌动力机械拥有量要增长 32%。针对农业机械化发展中出现的问题，会议提出，农机企业要在统一计划下，组织起来，逐步实行专业化协作生产，搞好标准化、系列化、通用化。为了实现上述目标，1978—1980 年三年期间，国家供应农机制造和维修用的钢材，将比过去三年增加 50%。

在各部门各地区拟定大计划、高指标的气氛中，第五届全国人民代表大会第一次会议于 1978 年 2 月 26 日至 3 月 5 日在北京举行。会议讨论通过了华国锋所作的《政府工作报告》；讨论并同意了国务院提出的《1976 年至 1985 年发展国民经济十年规划纲要（草案）》。按照《纲要》的规划，到 1985 年，钢产量要达到 6000 万吨，原油产量要达到 2.5 亿吨，从 1978 年至 1985 年的 8 年期间，在全国形成 14 个大型重工业基地，全国的基本建设投资相当于过去 28 年的总和。这个规划纲要以

"左"的思想为指导,指标订得过高,基建投资安排过大,许多项目没有经过综合平衡就草率决定,虽然没有公布和下达,但在实际工作中仍然起了作用,不失为"洋跃进"的纲领性文件。

1978年3月20日,国家计委、国家建委下达了1978年引进新技术和成套设备的计划,中共中央批准各部门的规划用汇总额为85.6亿美元,1978年成交额为59.2亿美元,当年用汇11.7亿美元,重点安排煤炭、电力、石油、冶金、化工和轻纺等6个行业。4月6日,中共中央批准追加基建投资等支出52亿元。资金来源,一是从超计划收入中拿出22亿元,二是使用中央集中的更新改造资金30亿元。追加的投资用于五个方面:①煤、电、运和森林工业、建材、糖厂投资22亿元。②农业和支农工业18亿元。④挖潜改造措施费7.3亿元。④增加高级科教人员宿舍和配合煤炭外运、加快陇海铁路复线改造等基建投资3.4亿元。⑤大规模集成电路会战措施费和其他经费1.3亿元。上述追加资金中,属于基建投资34.8亿元;属于挖潜改造措施费10.8亿元。

1978年7月6日至9月9日,国务院召开务虚会,集中研究了加快中国四个现代化建设的速度问题。会议提出要组织国民经济的新的大跃进,要以比原来的设想更快的速度实现四个现代化,要在本世纪末实现更高程度的现代化。会议强调要放手利用国外资金,大量引进国外先进技术设备。

1978年9月5日,国务院召开全国计划会议,讨论了1979年、1980年的计划安排问题。会议拟定的生产建设计划存在着过高过急的问题。1979年、1980年计划是:农业总产值平均每年增长5%—6%,工业总产值平均每年增长10%—12%;工农业主要产品产量平均每年增加,粮食300亿斤,棉花500万担,钢300万吨,原煤4000万吨,原油600—1000万吨。1979年国家直接安排的基本建设投资为457亿元(加上地方自筹等投资,实际为583亿元),比投资规模急剧膨胀的1978年又增长15.7%。

1978年9月10日,国务院同意国家计委的报告,决定再追加48亿元的基本建设投资。全年追加的基本建设投资总数为83亿元(连同1至8月已经追加的35亿元基本建设投资),其中65%以上加给了煤油电、冶金机械、化工、铁路、交通、邮电等重工业部门。这一年,财政收入增长200多亿元。其中基本建设拨款即增加了151亿元。经过几次追加投资,国家预算内直接安排的基本建设投资的总规模就由年初计划的332亿元增加为415亿元,比1977年增加100多亿元,成为50年代"大跃进"之后增长最高的年份,而实际上完成的投资额比预计的还要多。到1978年底,全国全民所有制在建项目有6.5万个(其中大中型项目1773个),投资总规模达3700亿元。这一年的积累率由1977年的32.3%提高到36.6%。

1978年10月13日,国务院批转财政部《关于修订短期外汇贷款办法的报告》和《短期外汇贷款办法》。《报告》指出,为了更好地发挥外汇贷款的作用,支持对外贸易的发展,财政部对原来的《短期外汇贷款试行办法》进行了补充:第一,下放部分审批权限。第二,明确人民币资金供应渠道。外汇贷款项目的国内配套设备和土建工程等所需资金,应先用企业的更新履行资金、技措费支付,不足部分可以由建设银行发放人民币贷款。贷款基金由财政部拨给。第三,适当解决土建问题。外汇贷款项目要尽量利用原有厂房,一般不搞土建。原有厂房需要改造非搞少量土建不可的,要在土建材料和施工力量确有保证的条件下,经过省、市、自治区计划、财政部门审查批准,才能贷款。第四,延长贷款的归还期限。这次将贷款归还期限改为二年(原规定一年半),最长不超过三年。《报告》和《办法》的发布,使得本来已安排过大的基本建设和投资需求进一步膨胀。

12月5日,化工部负责人向国家计委和国务院有关方面报告了化工新技术引进工作的进展情况。1978年内,化工部门同国外签订了8个石油化工成套设备引进项目:其中有大庆石化厂、山东石化厂、北京东方红化工厂各一套30万吨乙烯生产装置,南京石化总厂两套30万吨乙烯装置,吉林化学公司一套11万吨乙烯关键设备,浙江、新疆、宁夏三个化肥厂各一套30万吨合成氨生产装置。此外,还有以煤炭为原料的山西化肥厂30万吨合成氨装置。这9个项目的投资,包括国内工程投资,共需160多亿元。除了这9个项目与宝山钢铁厂外,1978年同国外签订的成套引进项目还有100套综合采煤机组、德兴铜基地、贵州铝厂、上海化纤二期工程、仪征化纤厂、平顶山帘子布厂、山东合成革厂、兰州合成革厂、云南五钠厂、霍林河煤矿、开滦煤矿、彩色电视等项目,共计22项。这些项目需要外汇130亿美元(1978年已签约部分为58亿美元),约合人民币390亿元,加上国内工程投资200多亿元,共需600多亿元。到80年代初进入建设高峰,每年需投资130亿元。

把70年代的"洋跃进"与50年代的"大跃进"相比,尽管它们形成的社会经济环境有所不同,但指导思想是一脉相承的。"大跃进"是"左"倾错误造成的。"大跃进"失败后,虽然被迫进行调整,把高指标暂时降了下来。但没有从指导思想上清理造成"大跃进"的"左"的错误思想。这种"左"的思想在"文化大革命"中愈演愈烈,达到登峰造极的地步。粉碎"四人帮"后的1977年和1978年非但没有清理"左"的那一套,反而在这种错误思想支配下,不顾客观条件,企图搞新的"大跃进"。"洋跃进"之所以失败,就是因为它从主观的想当然出发,违背实事求是、一切从实际出发的原则,提出许多离开现实条件的、根本达不到的高指标、大口号。

"洋跃进"是破坏按比例发展、一味追求高速度的。它孤立地突出钢铁、石油、化工等重工业部门,这与50年代"大跃进"中的"以钢为纲"颇为类似。1977年国家财政结余31亿元,本有能力更多地改善人民生活,发展短线部门,但是没有这样做,硬把这些钱拿去搞重工业,致使职工住宅、城市公用事业、商业服务业等方面的一些亟待解决的问题没有得到解决。1977年农业生产没有完成计划,粮食比上年减产71亿斤,棉花比上年减产13万担。在1978年的基本建设投资总额中,重工业投资的比重高达48.7%,这接近于"三五"、"四五"计划时期的50%左右,而轻工业投资的比重仅占5.8%,这比"三五"、"四五"计划时期的6.7%还低。由于"洋跃进"过分突出钢铁、石油、化工等重工业部门,挤了农业和轻工业,使得本来已经严重失调的农轻重的比例关系进一步加剧,使农业和轻工业相对更加落后。

"洋跃进"是靠高积累高投资维持的。这一点与"大跃进"相同。1978年的积累基金比上年增长30.6%,而消费基金仅增长8.4%,致使积累率急剧上升到36.5%,成为"大跃进"后的20年期间最高。随着高积累出现了高投资。1978年固定资产投资总额达到668.7亿元,比上年增加

120.4 亿元,增长 22%。其中基本建设投资总额达到 501 亿元,比上年增加 118.6 亿元,增长 31%;更新改造资金比上年仅增加 1.8 亿元,增长 1.1%。"大跃进"后的 20 年中,当年基本建设投资超过上年 100 亿元的,除了突出国防、大搞三线的 1970 年之外,只有 1978 年。而且 1978 年的基建投资规模比 1970 年的还大,成为 20 年中最大的规模。这就造成物资紧张,留下很大的缺口,破坏物资供求平衡。

"洋跃进"中的经济效益是很差的。这一点,也与"大跃进"一样。1978 年,一半以上的产品质量、燃料动力消耗和产值利润等指标没有恢复到历史最好水平;大约有 30% 的企业有不同程度的亏损,完成的投资额是以往历史上最多的一年,而投资效果却是十几年来最差的年份之一。全部建成投产的大中型项目只有 99 个,投产率仅为 5.8%。

"大跃进"限于当时的国际条件,没有搞什么洋的东西,而以"小土群"著称。与此不同,"洋跃进"却以大量引进国外的技术设备和借外债为特征。正因为如此,称这次跃进为"洋"的,而不是"土"的。冶金和化工的种种高指标都是建立在空前规模的引进上的,尤其是冶金部企图把钢铁的发展和冶金机械制造所需资金全部寄托在外债上。

从"洋跃进"与"大跃进"的对比分析中看出,"洋跃进"所走的是一条以"左"倾思想为指导的高速度、高积累、低效益、低消费的"大跃进"式的老路。它使国民经济的比例失调更加严重,经济效益更差,以致难以为继。"洋跃进"酿成的 1977 年和 1978 年国民经济的两年徘徊局面,直至具有深远历史意义的中共十一届三中全会才终止。

二

第五个五年计划的制定和完成

"文化大革命"这场政治动乱不仅在政治领域、思想领域,而且在经济领域都给国家带来了重大损失。

结束"十年动乱",为我国国民经济的健康发展创造了良好的政治环境。全国人民在党中央的领导下,同心同德,艰苦努力,使我国的国民经济得到全面的恢复和发展,经济工作中开始呈现出拨乱反正的可喜局面,重新恢复、制定和发展了一系列行之有效的方针政策和规章制度。

在农业方面,全面清理和落实各项农村经济政策,强调要尊重生产队的自主权。不能搞瞎指挥;要减轻社员的负担,坚持和落实按劳分配原则;要积极开展多种经营;在保证集体经济占绝对优势的前提下,允许和鼓励发展家庭副业。这些政策的实施,调动了广大农民的生产积极性,推动了农村经济的复苏。

在工业交通方面,大规模地整顿工交企业,恢复正常的生产秩序。1977 年 2 月召开全国铁路会议,4 月召开全国冶金会议,4 月至 5 月又召开了全国工业学大庆会议。这些会议都要求搞好生产,抓紧进行企业整顿,恢复规章制度,健全领导班子,加强职工队伍的团结。1978 年 4 月,中共中央将《关于加快工业发展若干问题的决定(草案)》下发到全国各工业管理机关、工交企业试行,强调企业必须以生产为中心,恢复实行党委领导下的厂长分工负责制、总工程师和总会计师的责任制、职工代表大会制,恢复和建立企业基金制度,建立起强有力的各级工业指挥系统,有秩序地组织生产和建设活动。通过贯彻和落实会议的文件和精神,工交企业的面貌发生了较大的变化,各工业部门正常的生产秩序、工作秩序开始得到恢复。

在科技工作方面,重新肯定科学技术的作用和知识分子的重要地位,激发科技人员的积极性。1978年3月的全国科学大会提出要全党动员,大办科学,扎扎实实地做好科研机构的建设、科研人员的选拔晋升、国际学术交流、百家争鸣等方面的事情。邓小平在这次会议开幕式上的讲话中指出,科学技术是生产力,是实现四个现代化的关键;科技人员是工人阶级的一部分,是我们重要的依靠力量。会后,学术交流开始活跃,新的科研项目陆续上马,科技与教育事业同经济建设的结合逐步得到加强。

拨乱反正极大地调动了人民群众的积极性,促进了工农业生产的发展。国民经济开始逐步摆脱了1976年的下降趋势,得到了恢复和发展。1977年工农业总产值达到 4978 亿元,比 1976 年增长10.7%,国民收入 2644 亿元,增长 9%。1978年进一步好转,工农业生产总值达到563 千亿元,比上年增长12.3%;国民收入为 3010 元,增长 13.8%。

"五五"计划全称为《中华人民共和国发展国民经济的第五个五年计划》,指我国 1976—1980 年的发展国民经济五年计划。与以往不同,我国的"五五"计划没有正式单独编制,而是同最初的"六五"计划编在一起,称作《1976 年—1985 年发展国民经济十年规划纲要(草案)》。

1.《纲要》的制定及有关"五五"的主要内容

《十年规划纲要》(以下简称《纲要》)于1975年拟定。在 1977 年 8 月召开的全国计划会议上,对 1975 年提出的草案进行了修订。修订后的《纲要》于 1978 年 3 月由全国五届人大一次会议审议批准。

《纲要》根据在本世纪内实现我国现代化的中心任务,确定了"五五"期间发展国民经济的奋斗目标是:到 1980 年,建成我国独立的、比较完整的工业体系和国民经济体系。主要要求是:

(1)工农业生产。"五五"期间工农业生产总值平均每年增长 8.6%,后三年平均每年增长 10.4%。其中农业总产值平均每年增长 4.5%,后三年年增长 5.8%;工业总产值平均每年增长 10.2%,后三年年增长 12%。1980 年,基本实现农业机械化,全国粮棉平均亩产上《纲要》,粮食产量达到 6700 亿斤,棉花 6000 万担,钢3600 万吨,煤 6.5 亿吨,原油 1.3—1.5 亿吨,发电量 3000 亿度,铁路货运量 11.5—12 亿吨。

(2)财政收支。五年合计财政收支各5100 亿元。

(3)基本建设。五年国家预算内基本建设投资 1780 亿元,全国基建投资总额2030 亿元。"五五"后三年,要把在建的项目拿到手,并开辟一些新战场,为"六五"计划期间大发展作准备。

2.《纲要》的执行情况及经济工作决策的失误

由于对长期"左"的错误遗留的国民经济主要比例失调及经济体制、经济效益、人民生活等严重问题估计不足,对带有很大恢复性质的经济形势没有进行实事求是的分析和冷静的估计,《纲要》中提出的一些严重脱离实际的过高的奋斗目标,不仅加剧了当时国民经济比例关系的失调,而且对以后的经济发展带来了不利的影响。

以 1978 年为例,1978 年的工农业生产得到恢复,国民经济主要指标都完成或超额完成国家计划,但国民经济中隐藏着许多问题。

第一，由于钢铁等重工业发展过快，基本建设安排过大，加上其他一些因素，使本来就失调的农轻重比例、积累与消费比例更加不协调，人民生活没有得到应有的改善，农轻重产值之比由 1977 年的 25.2∶32.9∶41.9，变为 1978 年的 24.8∶32.4∶42.8，农、轻比重进一步降低，重工业比重进一步上升。积累基金比上年增长了 30% 以上，而消费基金只增长了 10.8%，使积累率由 1977 年的 30.3% 进一步上升到 36.5%，1978 年成为新中国成立以来除"大跃进"时期外积累率最高的年份。

第二，经济效益差的状况没有多少改善。全国约有 1/3 的企业管理比较混乱，生产秩序不够正常，全国重点企业主要工业产品中 30 项主要质量指标，有 13 项低于历史最好水平；38 项主要消耗指标，有 21 项没有恢复到历史最好水平。国营工业企业每百元工业产值提供的利润，1978 年比历史最好水平低 1/3。基本建设，这一年完成的投资额是历史上最多的一年，基本上达到 501 亿元，比上年增加 119 亿元。在建大中型项目达 1773 个，比上年增加 290 个，但全国全部建成投产的大中型项目只有 99 个，投产率仅为 5.8%，投资效果是十几年来最差的年份之一。

第三，引进规模过大，超过了我国的承受能力和消化配套能力。全年签订了 78 亿美元的引进项目合同，而且都要用现汇支付。

第四，劳动就业问题十分突出。全国有 2000 万人要求安排就业，其中 1979 年急需安排的就有 800 万人。

由此可见，由于未能全面清理长期以来"左"的思想，经济工作又出现新的失误。1978 年底，党中央在认真地分析研究了经济状况和存在的问题以后，果断提出了坚决把各方面严重失调的比例逐步调整过来的要求。1979 年 4 月，中共中央会议提出要修改《十年规划纲要》，并决定在实际工作中停止执行。

三

"调整、改革、整顿、提高"八字方针的提出与实施

1976 年，我国国民经济比例失调的问题已经十分严重。1978 年制订的一系列高指标和大规模的设备引进，更加剧了国民经济比例失调的状况，加重了财政经济的困难。

对国民经济进行调整已到了刻不容缓的地步了。

十一届三中全会提出了解决国民经济重大比例严重失调的要求。1979 年 3 月下旬，中央政治局开会讨论 1979 年计划和整个国民经济的调整问题。会上陈云提出，按比例发展是最快的速度，现在国民经济比例失调比 1961 年、1962 年严重得多。基本建设项目太多，要迅速下决心丢掉一批。邓小平指出，现在的中心任务是调整。会议决定用三年时间调整国民经济。

1979 年 4 月 5 日至 28 日，中共中央召开工作会议，讨论国民经济调整问题。李先念代表中共中央和国务院发表讲话。他说，我们经济发展的步子迈得不稳，基本建设规模搞大了，引进工作搞急了。因此，必须下最大的决心，对国民经济实行"调整、改革、整顿、提高"的方针（简称新"八字方针"）。"边调整边前进，在调整中改革，在调整中整顿，在调整中提高。""坚决地、逐步地把各方面严重失调的比例关

系基本上调整过来,使整个国民经济真正纳入有计划、按比例健康发展的轨道;积极而稳妥地改革工业管理和经济管理的体制,充分发挥中央、地方、企业和职工的积极性;继续整顿好现有企业,建立健全良好的生产秩序和工作秩序,通过调整、改革、整顿,大大提高管理水平和技术水平,更好地按客观规律办事,为今后经济的发展创造更好的条件。"会议正式确定对国民经济实行"调整、改革、整顿、提高"的方针,它标志着经济建设指导思想的根本转变。

1979年和1980年两年作为调整的第一阶段,着重进行了以下三个方面的调整。

1. 调整了积累和消费的分配比例,增加了城乡居民的收入

1979年提高了粮食、棉花、油菜、生猪、鲜蛋、水产品等主要农副产品的收购价格。1980年又先后提高了棉花、羊皮、黄红麻、木材、桐油等农副产品的收购价格。由于农业生产的增长和主要农副产品收购价格的大幅度提高,这两年农民仅出售农副产品即增加收入258亿元。在这两年中,国家还减免了农业税收和社队企业税收,农民约得益45亿元。两项合计,农民约得益300亿元。

对于城镇居民,主要是扩大了就业,提高了一部分职工的工资水平。两年内在全国城镇,共安置了1808万人就业。1979年提升了40%职工的工资级别,调整了部分地区的工资类别以及发放了副食价格补贴等。以上措施使1980年全国职工的工资总额比1978年增加了204亿元。全民所有制职工的年平均工资,1979年增长7.6%,1980年增长6%。

同时,国家压缩了财政预算内的基本建设投资。1980年比1978年下降了68.1亿元。在基本建设中,降低了生产性建设的支出,提高了满足人民生活需要的非生产性建设的比重,由1978年占17.4%提高到1980年的33.7%。

由于进行上述的调整,两年国民收入中积累资金增加了近100亿元,消费基金增加了580多亿元。积累比重从1978年的36.5%下降到1980年的32.4%,消费比重相应地增加了。

2. 调整了农业、轻工业和重工业的比例,加快了农业、轻工业的发展

在发展农业方面,1979年9月23日,在中共十一届四中全会上通过了《关于加快发展农业若干问题的决定》。《决定》提出了发展农业生产力的25项政策措施。主要有:今后三五年内,在整个基本建设投资中,国家对农业的投资比重,要逐步提高到18%左右;大幅度地提高农产品收购价格,同时减轻农民负担;对农业的贷款,从现在起到1985年,要比过去增加一倍以上;因地制宜地发展多种经营,鼓励社员在搞好集体经济的前提下发展家庭副业,并且有领导地开放农贸市场。这些措施调动了广大农民的生产积极性,1979年粮食产量创造了历史最高纪录,达到6642.4亿斤。经济作物转变了长期停滞不前的局面。棉花产量1980年增长到5413.4万担,创造了新中国成立以来的最高纪录。糖料、蚕茧、茶叶等经济作物普遍提高了产量,农村社队多种经营和家庭副业有了较快的发展。

加快发展轻纺工业,使轻、重工业的比例协调起来。1979年4月,中共中央工作会议提出,要调整重工业和轻工业的投资比例,适当提高轻纺工业的投资比重,增加轻工业生产所需的外汇。6月,五届人大二次会议确定,优先保证轻纺工业生产所需的燃料动力和原材料的供应,适当

增加轻纺工业所需要的原材料进口（例如，1979 年计划用于这方面的外汇，折合人民币，比 1978 年增加了 3.2 亿元，增长 17％），增加轻纺工业的贷款，动员重工业部门生产一些工艺相近、产品对路的日用工业品。1980 年 1 月，国务院决定对轻纺工业实行"六个优先"的原则，即能源、原材料的供应优先；挖潜、革新、改造措施优先；银行贷款优先；基本建设优先；利用外资和引进技术优先；交通运输优先。与此同时，开始扭转重工业自我服务的方向，使重工业开始面向农业、轻工业和市场。这两年重工业速度放慢了，但是在调整产品服务方向，更好地为农业、轻工业、节约能源和国民经济技术改造服务方面，在增加品种、提高质量、降低物质消耗方面，则有新的进步。

3. 对企业进行了调整和整顿

鉴于全国的燃料、动力和原材料养活不了 30 多万个工业企业，决定有秩序地关、停、并、转一批企业，以保证那些产品对路、消耗低、质量好、盈利多的企业开足马力生产，按照产品是否对路、消耗高低、质量好坏、盈利多少，对企业进行排队，确定哪些企业要保证上去。哪些企业要限期改造，哪些企业要淘汰。在经济调整中，要继续抓紧企业整顿，提高企业管理水平，建立健全岗位责任制为中心的各项规章制度。

为了促进国民经济的调整，在 1979—1980 年，对经济体制进行了有利于调整的改革。在农村恢复和推行各种形式的联产计酬的生产责任制，在城市进行扩大企业自主权试点和推行经济责任制。在所有制方面，放宽政策，在生产资料公有制占绝对优势的条件下，允许多种经济形式和经营方式并存。在计划体制方面，注意在坚持国家计划的原则下，发挥市场调节

作用。

经过这两年经济调整，近十亿人口中的绝大多数生活得到了改善，农业这个国民经济基础开始活跃；不合理的工业生产结构开始发生变化。

虽然两年的调整取得了成效，但是国民经济比例严重失调的情况并没有从根本上改变过来，基本建设规模仍没有降下来。在停建、缓建一批项目的同时，地方和企业又盲目地上了一批重复建设项目，总的规模仍然大大超过国家财力。消费基金增长过猛，1979 年用于改善人民生活的消费支出比原定计划多 41 亿多元。这样，积累和消费的总和超过了国民收入，国家安排的基本建设开支和各种消费开支超过了财政收入，1979 年、1980 年两年连续出现很大财政赤字，1979 年达 170.6 亿元，1980 年达 127.5 亿元。为了弥补赤字，1979 年动用历年财政结余 80.4 亿元，向银行透支 90.2 亿元。这一年增发货币 56 亿元。1980 年财政向银行借款 80 亿元，从 1981 年发行国库券收入中动用 47.5 亿元。这一年多发了 76 亿元钞票。由于货币流通量超过正常需要量，引起物价上涨，必须采取有力措施加以解决。

四

国民经济的进一步调整

"调整、改革、整顿、提高"方针的初步贯彻虽然取得了一定的成果，但由于长期形成的国民经济比例失调的现象很难在短期内完全纠正过来，长期在经济建设中形成的"左"的错误也很难立即清除掉。同时在调整工作中又出现了一些新的问题和困难。因此，1979 年、1980 年的调整工作虽然使经济形势出现好的转折，但也

存在不少潜在的危险和隐患。突出的问题是：

1. 基本建设战线仍然过长

全国在建大中型基建项目虽然比调整前减少了，但基本建设的总规模并没有真正压缩，基建投资并没有降下来。同时，国家基本建设所需物资留有很大的缺口，1980年国家统一分配以及其他渠道动员出来可以用于基本建设的钢材，只能满足需要的85%左右，木材只能满足60%—70%，水泥只能满足60%左右。另一方面，对地方、企业自筹资金缺乏计划控制和指导，又导致预算外投资大增。

2. 消费基金增长过猛

1979年用于改善人民生活的消费支出比原定计划多41亿元。其中，国家财政用于提高农产品收购价格的补贴78亿元，比预算超过13亿元；减免农村各项税收20亿元，比预算超过3亿元，国家用于扩大就业和提高部分职工工资和实行奖金制度的资金总额达75亿元，比预算超过25亿元。1980年国家用于上述各项开支达330多亿元，比上年增长150多亿元。

3. 财政出现赤字，市场物价上涨

由于在提高人民生活水平的同时，基本建设投资未相应减少，行政管理费用又增加，致使积累和消费的总和超过国民收入，国家财政支出大于财政收入，财政连年出现较大赤字，1979年达170亿元，1980年达127.5亿元，靠向银行透支过日子。1979年、1980年银行增发货币130亿元，货币流通量已接近要引起经济危机的临界点。由于货币流通量超过正常需要量，引起物价上涨，1979年全国平均零售物价指数上涨5.8%，1980年上升6%左右，其中副食品价格上涨13.8%，使居民生活受到影响。

4. 工业战线拉得过长

1980年全国关停并转了几千个企业，而同时又新建投产了2万多个企业。新投产的企业大多数是盲目发展起来的小型加工工业，因而加剧了本来就很紧张的燃料、动力和原材料工业与加工工业之间的矛盾，企业经济效益不高，能源、原材料仍然十分短缺。

上面列出的情况和问题表明，在国民经济中长期存在的一些重大比例关系还没有从根本上得到改变的情况下，调整中又产生了一些新的问题。出路在于对国民经济实行进一步调整，克服面临的种种困难，消除潜在的危险，保证经济全局的稳定和发展。

为了扭转经济工作的被动局面，中央于1980年12月16日召开工作会议，确定了经济上实行进一步调整的方针，强调改革要服从调整，当前要以调整为中心。会议提出的进一步调整，是要求某些方面要退够，主要是基本建设要退够，一些生产条件不足的企业要关停并转或减少生产，行政费用要紧缩，使财政收支、信贷收支达到平衡。生产建设、市政设施、人民生活的改善，都要量力而行，量入为出。通过进一步调整，站稳脚跟，稳步前进。

根据党中央的建议，1981年2月，国务院向人大常委会第十七次会议提出了关于进一步调整国民经济的报告，对原定的1981年国民经济计划和国家预算进行必要的修订。

对经济进一步调整的目的，是彻底扭转严重失调的比例关系，把国民经济引上稳定健康发展的正确轨道。近期目标是尽快消灭财政赤字，实现财政收支平衡；消除财政性货币发行，实现信贷收支平衡；努力保持物价稳定；调整结构，挖掘潜力，提高效益。

实现财政收支平衡，首先要采取积极

措施,开辟财源,堵塞漏洞,增加国家财政收入。同时,将压缩基本建设规模作为进一步调整经济的中心环节。1981年,国家预算内的基本建设投资,计划由1980年的241亿元减为170亿元;地方投资130亿元,比1980年减少200亿元。全国基建投资规模,计划由1980年的500亿元减为300亿元。1981年各项事业费、行政管理费和国防费开支共减少64亿元。

调整结构,使农、轻、重比例更趋合理。进一步落实和放宽农村经济政策,争取在增产粮食的同时,多种经营有一个全面的发展;轻工业生产继续以快于重工业的速度发展,确保轻工业生产增长速度达到8%。要改变重工业内部的生产结构,冶金、化工、机械等重工业部门转向为消费品生产服务的轨道,努力为消费品生产提供适应需求的原材料和机器设备。

挖掘生产潜力。一是认真搞好现有企业的整顿;二是进行企业改组,按照专业化协作和经济合理的原则,把企业合理地组织起来;三是有计划有步骤地对现有企业进行设备更新和技术改造;四是建立正规的职工教育制度,有计划地实行全员培训,提高职工的政治、文化、技术和经营管理水平。

提高经济效益。1981年11月,五届人大四次会议上的《政府工作报告》中说,进一步调整国民经济的工作取得了显著成效,为求得国民经济的稳步前进、健康发展,要从中国实际情况出发,走出一条速度比较实在、经济效益比较好、人民可以得到更多实惠的新路子。这条新路子的核心是千方百计地提高生产、建设、流通等各个领域的经济效益。今后,我们考虑一切经济问题,必须把根本出发点放在提高经济效益上,使我国经济更好地持续发展。

为了提高经济效益,《政府工作报告》提出了中国今后经济建设的10条方针:①依靠政策和科学,加快农业的发展;②把消费品工业的发展放到重要地位,进一步调整重工业的服务方向;③提高能源的利用效率,加强能源工业和交通运输业的建设;④有重点有步骤地进行技术改造,充分发挥现有企业的作用;⑤分批进行企业的全面整顿和必要改组;⑥讲究生财、聚财、用财之道,增加和节省建设资金;⑦坚持对外开放政策,增强中国自力更生的能力;⑧积极稳妥地改革经济体制,充分有效地调动各方面的积极性;⑨提高全体劳动者的科学文化水平,大力组织科研攻关;⑩从一切为人民的思想出发,统筹安排生产建设和人民生活。这10条经济建设方针,是新中国成立以来经济建设经验的总结,特别是近三年来实践经验的总结。

经过进一步的调整,农业、轻工业、重工业的比例趋于协调,国民经济走上了健康发展的道路。但是,调整工作在前进过程中也出现了一些曲折,主要是基本建设规模时有膨胀。1981年基本建设规模得到了适当的控制和压缩,但1982年又出现了基本建设投资增长过快的问题。1983年,党中央、国务院采取紧急措施,使基本建设规模基本上得到控制,加强了重点建设。

为了把全部经济工作转到以提高经济效益为中心的轨道上来,这就需要进一步贯彻调整、改革、整顿、提高的方针。要在更高的水平上达到比较稳定的平衡,就必须对国民经济进行更加深入的调整,也就是要在统筹安排人民生活和生产建设的前提下,进一步调整农业、工业内部的产业结构和产品结构,调整企业的组织结构,使国民经济在提高经济效益前提下持续稳定发展。

国民经济深入调整的主要措施有：

1. 严格控制基本建设投资的规模

1982年预算内资金投资虽然得到了压缩，但又出现了预算外资金投资增长过猛的现象，以至积累率又回升到30％上下。国务院于1983年7月发出了《关于严格控制基本建设规模、清理在建项目的紧急通知》，要求各地区、各部门迅速把超过国家下达的基本建设计划的部分压缩下来。凡是计划外项目一律停下来。这些紧急措施，使1983年基本建设规模得到控制，到9月底，全国共停建缓建项目5360个。全年实际完成的投资额基本上控制在国家计划指标之内。

2. 重新调整积累和消费比例关系

1979年至1982年的四年中，共新增加国民收入1200多亿元，其中消费基金就占1060亿元，占新增国民收入的86％。显然，消费基金所占比例偏高。为了使国民经济的发展有足够的后劲，中共十二大确定，今后在保证人民生活继续有所改善的前提下，要多积累一些资金用于国家建设，特别是重点建设。1983年积累率回升到29.7％，1984年是31.2％，1985年是33.4％，从而保证了国家建设计划的完成。

3. 调整轻重工业的产品结构

几年来，由于大力发展消费品生产，并对轻工业实行"六个优先"的政策，我国的轻工业发展速度很快，但同时也出现了一些问题，有些轻工产品质量较差，花色品种单一，不适销对路。为了适应城乡市场变化的需要，必须调整轻工产品结构，在提高产品质量、增加花色品种的同时，开发新产品。重工业生产同样要抓品种质量以及产品结构的调整。由于政府采取了一系列的对策，轻重工业在产品结构调整上取得了重要成果。

4. 继续深入地抓好企业的调整、改组、联合

对于经营管理不善、物资消耗过大、产品质量差又不适销对路、长期亏损的企业，根据不同情况，分别进行了整顿提高和关停并转。

针对产品重复、工艺重复和"小而全"、"大而全"的状况，在工业比较集中的省和中心城市，对现有企业按照产品和零部件专业化的原则进行了改组。

围绕综合利用资源和能源，提高经济效益，组织了不同部门的重点企业的联合。同时打破了地区、部门的界限，发展了横向的经济联合。

我国国民经济前后经过七年的调整，出现了持续、稳定、协调发展的新局面：

第一，国民经济主要比例关系基本协调，改变了长期以来比例严重失调的局面。几年来，在经济发展较快的情况下，农轻重的比例关系大体上各占1/3。其他各项主要比例关系也保持基本平衡。尤其是长期以来发展缓慢的第三产业，在"六五"期间有较快发展。

第二，国民经济主要指标稳定、迅速增长。七年来国民经济主要指标增长率（％）见下表：

	社会总产值	工农业总产值	国民收入
1953—1978年平均	7.9	8.2	6.0
"六五"期间平均	11.0	11.0	9.7
1979年	8.5	8.5	7.0
1980年	7.9	7.5	6.1
1981年	4.6	4.6	4.9
1982年	9.5	8.8	8.3
1983年	10.3	10.2	9.8
1984年	14.7	15.2	13.5
1985年	16.5	16.8	12.3

第三，农村经济全面发展，打破了多年来的停滞局面，初步解决了十亿人口的吃饭穿衣问题。特别是农村产业结构的巨大变化，带来了农林牧副渔全面发展的好局面。

第四，经济发展速度与提高经济效益并举。突出表现在：全社会劳动生产率由过去28年年平均增长3.5％，提高到"六五"期间年平均增长6.3％；每百元积累新增加的国民收入，由过去28年平均的21.8元，提高到"六五"期间平均的39.3元；工业生产建设，由外延性扩大再生产为主开始转向内涵性的扩大再生产。"六五"期间累计共完成技术改造投资1495亿元，工业的技术水平有了大幅度的提高；财政收入从1982年起，已经扭转下降停滞的趋势，并开始增长，"六五"后三年都超过同期国民收入的增长幅度。1985年实现了财政收支平衡并略有结余，改变了连续六年出现财政赤字的状态。

总之，七年来贯彻执行调整、改革、整顿、提高的方针，使我国社会主义现代化建设取得了巨大成就，为"七五"时期和90年代的经济发展奠定了较好的物质基础。

这一个时期经济建设的经验教训告诉我们，要保证国民经济的长期稳定、协调发展，须解决好以下几个问题：①必须把加强农业放在发展国民经济的重要战略地位，从而为工业生产以至整个国民经济的发展创造重要条件。②必须把消费的增长切实建立在生产发展可能的基础之上。③建设规模要同国力相适应。为了进一步改变建设规模过大和投资结构不合理的状况，国务院在1987年初制定了对基本建设实行"三保三压"的方针，即保计划内建设，压计划外建设；保生产性建设，压非生产性建设；保重点建设，压非重点建设。④必须努力做到财政收支和信贷收支的基本平衡。这是国民经济工作的重要原则，也是稳定经济的重要保证。⑤必须继续防止盲目追求过高增长速度的倾向，确定长期稳定增长的战略方针。只有讲求按比例和高效益的增长速度，才能促进国民经济的协调持续发展。

农村经济体制改革

一

农村试行责任制

粉碎"四人帮"后，我国进入了新的历史发展时期，广大干部和群众以极大的热情投入到各项革命和建设工作中。但是，在开头两年，由于历史原因和指导思想上继续犯"左"的错误，在农业战线上的拨乱反正遇到了种种阻力。1977年底还继续提出要10％的生产队向以生产大队为基本核算单位过渡。广大干部和社员对于农村中"左"的错误政策迟迟不改很不满意，强烈要求改变生产队没有自主权、生产没有责任制、多劳不能多得等状况，要求发还自留地，准许搞家庭副业，开放集市贸易。1978年，在全国关于真理标准问题讨论的推动下，各地干部、群众解放思想，开始在基层恢复和试验实行农业生产责任制，特别是在安徽、四川等省区，由于领导支持，各种形式的生产责任制的试点就更为广泛地开展起来。

在恢复实行农业生产责任制方面，安

徽省走在了最前列。这里有深刻的社会和历史原因。从全国来看,安徽是一个生产力落后的农业大省,乡村人口占全省人口的比例长期以来都在88%以上,农民的状况如何,对于安徽省的社会主义建设事业关系极大。建国初期,由于土地制度的改革和农业互助合作运动的发展,解放了生产力,农业生产发展比较快。1958年,安徽农村迅速实现人民公社化。"左"倾错误严重泛滥,导致农业连续三年减产,农民生活极端困难。错误和曲折教训了人们,安徽省的领导和广大农民开始寻找出路。1961年2月,中共安徽省委在合肥郊区大蜀山公社新庄生产队进行"田间管理责任制加奖励办法"(简称"责任田",即包产到户)试点。3月中旬,这个办法一出台,就受到广大农民的欢迎,到秋末全省就有85.4%的生产队实行"责任田"的办法。但是,这个办法试行一年即被当做"单干风"而强行纠正,随之而来的是农村"四清"和十年"文化大革命"。人民公社管理体制的种种弊端严重挫伤了农民的生产积极性,农业生产长期陷入低水平缓慢增长的困境。到1977年,全省人均粮食占有量仅342公斤,比1955年人均还少18公斤,农民人均分配收入仅60元。人民公社"一大二公"的体制已经到了山穷水尽的地步,安徽农民不得不再一次探索农业的发展道路。

1977年6月,中共中央解决了安徽省委的领导问题。省委在万里的主持下,拨乱反正,使安徽工作发生了根本变化,经济工作中"左"的错误开始得到纠正。1977年11月,省委在深入农村调查研究的基础上,制订了《关于当前农村经济政策几个问题的规定(试行草案)》,提出要减轻农民负担,恢复自留地和家庭副业,实行按劳分配和建立农业生产责任制。

安徽省恢复实行农业生产责任制是从1978年秋种开始的。从实行农业生产责任制的直接动因看,是从不起眼的借地给农民进行秋种开始的。1978年,安徽省遭到百年不遇的大旱,从4月到10月,一直没下过透雨,许多水库干涸了,不少地区人畜饮水都成了问题,粮食减产,农业减收。这给秋种造成了很大的困难,耕地龟裂,小麦、油菜种不下去,这将影响来年的麦收,影响几千万人民的生活。安徽省委经过调查研究,同干部群众充分商量之后,本着实事求是的精神,号召全省农民千方百计地每人种半亩"保命麦",并明确指出:集体无法耕种的土地,可以借给社员耕种,还鼓励社会开荒种麦,谁种谁收,国家不征公粮,不分配征购任务,即实行"借地度荒"的非常办法。六安地区肥西县山南区是旱情严重的一个区,当时安排种4.8万亩小麦,但因土地干硬,种不下去,到9月15日,才种了1000多亩。山南区委书记到黄华大队蹲点,发动群众讨论怎样把"保命麦"种下去。群众表示:实行"三包到底、责任到人"的老办法,就能把小麦种足、种好。区委书记没有表示同意,也没有表示反对。大队干部群众见领导默认了,就在下面搞了起来。这个队按劳力分配任务,每个劳动力包种1.5亩小麦,每亩给生产费3元,每亩定产200斤,记200个工分。群众非常拥护,积极性调动起来了。许多社员在犁不动的田里,硬是用大锹翻地,有的在晚上点着煤油灯干,一连在田里奋战三四个昼夜,把小麦种下去了。这个办法很快得到推广,大大加速了种麦的进度。10月10日全区种了5.9万亩,区委提出向10万亩进军。用这个办法,到11月底,全区共种了10万亩小麦,2.2万亩油菜,2.74万亩绿肥,几乎消灭了冬闲田,比往年超种近1倍。

麦子种下去了,产量也包到户了。但是,这个办法合不合法? 行不行? 当时干部和群众的心里没有底。不少干部怕因此又犯方向路线错误,心有余悸,群众怕这个政策变,兑不了现,种麦白花了力气。1978年底,山南区的干部和群众以紧张的心情,等待着上级明确表态。

1979年2月,安徽省委派工作队到山南区山南公社宣讲党的十一届三中全会的精神和两个农业文件(即党的十一届三中全会原则通过的《中共中央关于加快农业发展若干问题的决定(草案)》和《农村人民公社工作条例(试行草案)》)。工作队在讨论会上提出:怎样使农业生产发展得快一些? 社队干部和群众说:"真要把生产搞上去,1961年包产到户的办法最灵,最好!"会后工作队了解到,这里种麦时,已经搞了包产到户,想要领导承认。于是,工作队马上把情况和群众的要求报告省委。省委第一书记万里听取了工作队的汇报,并仔细研究了山南的情况后说,让山南公社搞个试点吧! 搞错了,只是一个公社没有关系,不收粮食,调粮食去。过去批过的东西,有的可能是错误的,也有的可能是正确的,到底正确与否,要靠实践来检验。万里提议,省政策研究室派人在山南搞包产到户责任制的试点,先搞一年看看。

后来,工作队到山南公社宣布了实行包产到户试点的决定。干部群众情绪高涨,正在进行的小麦田间管理和施肥追肥搞得热火朝天。周围公社闻风而动。也跟着搞起来,所以,山南区的七个公社实际上都成了试点。1979年4月,全区1006个生产队,已有610个实行包产到户,到麦收时发展到781个,占77%。

对于山南区实行包产到户,各方面反映强烈。安徽省委负责同志态度明朗,坚决支持山南区试点。在试行过程中,几次亲自下去,直接到社员家里了解情况,找干部、群众座谈,解除思想顾虑。

到1979年夏收,山南区包产到户试点取得了出人意料的好成果。麦子总产2010万斤,比1978年的575.5万斤增长265%,一举创造历史最高纪录。到7月底,完成征购任务1149万斤,比1978年增长5.7倍。有的生产队小麦的产量是过去五六年的总和。

山南区包产到户试点成功的消息一传开,肥西县各区就跟着搞起来。1979年8月,全县已有50%的生产队实行包产到户,以后陆续扩大,到1979年底,达到96.7%。这时,邻近各县的干部和群众,也纷纷要求实行包产到户。

安徽省在六安地区肥西县山南区搞包产到户试点的同时,还在滁县地区凤阳县进行了大包干试点。

安徽省凤阳县在历史上就是个十年九荒的穷县。从1953年统购统销以来,到1978年为止的26年中,全县向国家交售粮食12亿斤。而国家供应返销粮食15.6亿斤,二者相抵。纯调进3.6亿斤;同一时期,国家发放救济款5200万元,各种贷款1800万元。这个出了名的"三靠县"(吃粮靠回销、花钱靠救济、生产靠贷款)1977年12月来了一位叫陈庭元的县委书记。就是这位叫陈庭元的县委书记拉开了凤阳农村改革、凤阳人民走向大包干道路的序幕。

1978年,是陈庭元在凤阳大抓改革的一年,也是凤阳农村全面推行"一组四定"的一年。"一组四定"是在坚持"三级所有、队为基础"的基础上以生产队为基本核算单位进行统一分配的一种生产责任制。"一组",即把全队分为若干个作业组;"四定"是定任务、定时间、定质量、定工分。"一组四定"较之"文化大革命"的"大呼隆"具有明显的优越性，所以一旦推行，就受到了群众的欢迎，但是群众并不满足，认为这种方法仍然不能克服劳动计酬上的平均主义，仍然不能完全调动他们的积极性，并存在不少无法克服的缺陷，他们总想把劳动计酬和产量直接联系起来，搞联系产量责任制。在全国轰轰烈烈进行"实践是检验真理的唯一标准"大讨论的有利形势下，马湖公社在全县第一个搞起了"分组作业、以产记工"的"联产计酬"生产责任制，即1978年3月马湖公社党委书记詹绍周在前倪生产队干部会议上决定实行的"分组作业，定产到组，以产记工，超产奖励，减产赔偿，费用包干，节约归组"的农业生产责任制。

前倪生产队的"联产计酬"刚一实行，就受到社员群众的欢迎，在短短一个多月中，马湖公社48个生产队中就有10个生产队实行了这种生产责任制。1978年7月19日，省委书记万里来凤阳检查工作，陈庭元和县革命委员会主任吉诏宏把马湖公社实行"联产计酬"责任制的情况向万里作了汇报。接着省委和中央政策研究部门先后派人来马湖调查，调查组的同志都对马湖公社的做法给予了肯定和支持。"联产计酬"责任制终于在马湖公社站住了脚。

马湖公社"联产计酬"责任制很快在全县传开了。自1978年9月以后，总卜公社小石塘生产队、宋集公社的43个生产队，以及江山、黄湾、石门山、梨园、黄泥卜等公社的部分生产队都先后实行了"联产计酬"。马湖公社的"联产计酬"为凤阳大包干的出现打开了大门。凤阳大包干的出现，正是从马湖公社"联产计酬"开始，跨出了关键的、决定性的一步。

1979年2月14日至20日，中共凤阳县委召开了县委工作会议。会上，詹绍周详细地介绍了马湖公社"联产计酬"的经验，大会肯定了马湖公社的做法。当代表们讨论马湖公社的具体做法时，大多数人认为这种办法虽然比"大呼隆"好，但是方法太繁琐，定工要搞几十项，分配要算许多弯弯账，不仅干部管不好，社员也会糊涂。梨园公社石马大队书记金文昌在讨论会上提出，他们大队有个小贾生产队，全队分4个作业组，年底分红时，该给国家的给国家，该留集体的留集体，剩下的归小组分配。大家认为，这种办法比"联产计酬"更好，干部群众更容易接受，但是必须给这种责任制起个名称。既然它是采用"包"到底的办法，干脆叫"大包干"。中共凤阳县委在1979年2月20日的县委工作会议总结报告中正式宣布在全县范围内推行大包干。闻名全国的大包干，就这样产生和推行了。

实现包干到组的凤阳，农业生产一片欣欣向荣。1979年，全县粮食总产量4.4亿斤，比1978年增长49.1％；油料产量1200多万斤，比1978年增长161％；征购任务超额完成54.4％，纯调出粮食4000万斤；集体积累比1978年增加82.6％，社员分配人均99.98元，比1978年增长48.7％。大包干到组实行后，虽然显示了巨大的威力，但是也出现了新的矛盾。作业组虽然只有几户，却像一个小型的生产队一样，有组长、会计、记工员，社员的劳动和分配，仍然要靠组长指派，仍然要采用评工记分的方法来计算劳动报酬。因此，生产"大呼隆"没有了，"小呼隆"又出现了；分配上"吃大锅饭"消除了，"吃小锅饭"依然存在。因此，到了1979年夏收以后，不少社队的社员纷纷要求调换作业组，也有的作业组"发叉"为两三个组。作业组的"发叉"和社员的"跳组"，便是另一种生产责任制——大包干到户诞生的前兆。

1979年，是大包干到组在凤阳推行的一年，也就是在这一年，在梨园公社小岗队却产生了一种更受群众欢迎的生产责任制——包干到户。小岗生产队有20户人家，115人。1979年农历正月的一天下午，副队长严宏昌召集全体社员在严立华家里开了一次"秘密会议"，20户社员除2户无人在家外，其余18户全部到齐。会议一致通过了三条规定：①实行大包干到户，"瞒上不瞒下"，不许任何人向外透露；②交纳粮油时，该是国家的给国家，该是集体的留集体，不准任何人到时候装孬；③万一走漏风声，严宏昌为此而蹲班房，全队社员共同负责把他的孩子抚养到18周岁。三条规定便成了小岗生产队包干到户的"章程"。"章程"写好后，社员们个个赌咒发誓，表示决不反悔，并在拟好的"章程"上按下了18颗手印。1979年4月10日，陈庭元前往梨园公社检查工作，公社干部便把小岗队包干到户的情况向陈庭元作了汇报。陈庭元再次采用了不公开的办法，将小岗生产队的包干到户保住了。小岗队的包干到户经过一年的实践，获得了自1957年来第一次空前的大丰收。这一年，粮食总产13.2万斤，等于以往五年的总和；油料总产35200斤，是过去20年的总和；向国家交售粮食2.5万斤，油料24933斤，超过征购任务20倍；并且第一次还国家贷款800元，社员分配人均200元，一跃成为全县的冒尖队。1980年1月24日，万里到小岗视察，当场就肯定了小岗人的做法。

为了总结全省实行多种形式生产责任制的经验，安徽省委在1980年1月召开了全省农业会议，交流各地的经验和情况。当时全省实行各种形式的联产责任制的生产队占61.6％，其中包产到组的占22.9％，大包干到组的占16.9％，包产到户的占10％。会上，代表们对一年的实践，作了总结，结论是："包产到户大增产，包产到组小增产，不包产不增产。"安徽省委书记万里在会议总结报告中明确指出：包产到户不是单干，而是责任制的一种形式。极大地支持和鼓舞了全省欢迎联产责任制、欢迎包产到户的4000万农民。从此，安徽省的包产到户走上了健康发展的道路。虽然1980年还出现过一些波折，但是全省农业会议后，包产到户的发展已经成为不可阻挡的潮流，发展的步伐也大大加快了。1980年10月，全省已有43％的生产队实行包产到户。1981年继续大发展，并且逐步都向包干到户演化。到1982年10月，安徽全省实行包干到户的生产队占总数95％，包产到户的占3.8％，两项合计共占98.8％。总的说来，安徽省在这次全国实行包产到户生产责任制过程中，由于省委的正确领导，起了开创、带头、试验、示范的作用。

二

农村经济体制改革的战略部署

如果说1978年在安徽部分地区试行责任制还带有群众自发的形式的话，那么，进入80年代以后的农村经济体制改革，则是在党的正确的农村政策的指导下进行的。

针对当时一部分人把包产到户视为分田单干的观点，1980年5月31日，邓小平在谈到农村政策时指出：农村政策放宽以后，一些适宜搞包产到户的地方搞了包产到户，效果很好，变化很快。有的同志担心，这样搞会不会影响集体经济，我看这种担心是不必要的。同年9月，中央75号文件《关于进一步加强和完善农业生产责任制的几个问题》对包产到户作了肯定。随着农村责任制的推广，不少地区又积极发展包干到户的责任制形式，这种形式利益最直接、责任最明确、方法最简便，因此更受群众的欢迎。保证家庭联产承包责任制长期稳定不变，是广大农民群众和党中央都十分关心的问题。1981年12月，《全国农村工作会议纪要》针对这一问题明确指出，"土地等基本生产资料公有制是长期不变的，集体经济要建立生产责任制也是长期不变的"。1982年12月，五届人大五次会议上的《政府工作报告》指出："目前联产承包责任制已从少数地区扩展到全国大多数地区，从农村扩展到城镇，从农业扩展到其他领域。这证明它是现阶段在农村发挥我国社会主义经济制度优越性的一种十分有效的形式。"1983年12月，万里在全国农村工作会议上的讲话中也指出："联产承包制作为八亿农民在党的领导下的伟大创造，已经在中国大地上扎下了根，它不是解决温饱问题的权宜之计，而是涉及整个农村经济体制的一项根本性改革，对建设具有中国特色的社会主义事业有着不可估量的意义。"

党对农业生产责任制和农村经济体制改革的及时指导和战略部署，集中反映在从1983年开始的几个一号文件上。

1983年中央一号文件《当前农村经济政策的若干问题》，就人们普遍关心的家庭联产承包责任制的性质指出：分户承包的家庭经营是合作经济中的一个经营层次，是一种新型的家庭经济。它与合作化前的个体经济有本质的区别。这是由于：第一，它是以土地这一主要生产资料公有制为基础的。承包者对土地只有使用权，不能出租、典当、弃置、毁坏。第二，承包者必须履行合同规定的对国家和集体的义务。这就使国家、集体、个人的利益得到统一，使困难的农户得到必要的照顾，从而避免两极分化。第三，这种承包制，在生产经营上是宜统则统，宜分则分，可以根据生产力发展的需要，不断调整统和分的关系，因而具有很大的灵活性和适应性，与合作化前狭小的个体经济限制生产力发展的情况有了质的区别。它能使集体经济的优越性与家庭成员的积极性都得到发挥。增加家庭经营这一层次，使责、权、利相结合。使劳动与劳动报酬直接挂钩，使农业经济获得了强大的内在动力。

1984年中央一号文件《关于1984年农村工作的通知》，及时肯定了1983年党在农村的方针、政策，提出1984年的农村工作重点是：在稳定和完善生产责任制的基础上。提高生产力水平，疏理流通渠道，发展商品生产；继续稳定和完善联产承包责任制，帮助农民在家庭经营的基础上扩大生产规模，提高经济效益；加强社会服务，促进农村商品生产的发展；流通是商品生产过程中不可缺少的环节，抓生产必须抓流通；制止对农民的不合理摊派，减轻农民额外负担，保证农村合理的公共事业经费；随着农村分工分业的发展，将有越来越多的人脱离耕地经营，从事林牧渔等生产，并将有较大部分转入小工业和小集镇服务业，这是一个必然的历史性进步；林牧渔业发展不足，商品供应紧张，这种状况必须扭转；加强对农村工作的领导。提高干部的素质，培养农村建设人才；党在农村的政策越放宽，商品经济越发展，就越需要加强农村思想政治工作和文化教育工作。尤其必须指出的是，为了鼓励农民向土地投资，发展适度规模的种植专业户，中央及时决定延长土地承包期。《通知》规定:"土地承包期一般应在15年以上。生产周期长的和开发性的项目,如果树、林木、荒山、荒地等,承包期应当更长一些。"并"鼓励土地逐步向种田能手集中",允许因无力耕种或转营他业的农户将土地转包给他人。

1985年中央一号文件《关于进一步活跃农村经济的十项政策》,针对农业生产不能适应市场消费需求,产品数量增加而质量不高、品种不全,商品流通遇到阻碍,生产布局和产业结构不合理,地区优势不能发挥,一部分地区贫困面貌改变缓慢等问题,下决心从国家对农村经济的管理体制上进一步推进农村经济体制改革。十项经济政策主要包括:①改革农产品统派购制度,实行合同订购和市场收购。②大力帮助农村调整产业结构。③进一步放宽山区、林区政策。④积极兴办交通事业。⑤对乡镇企业实行信贷、税收优惠。鼓励农民发展采矿和其他开发性事业。⑥鼓励技术转移和人才流动。⑦放活农村金融政策,提高资金的融通效益。⑧按照自愿互利原则和商品经济要求,积极发展和完善农村合作制。⑨进一步扩大城乡经济交往。加强对小城镇建设的指导。⑩发展对外经济、技术交流。中央明确指出,扩大市场调节,进一步放活经济之后,农民将从过去主要按国家计划生产转变到面向市场需求生产,国家对农业的计划管理,将从过去主要依靠行政领导转变到主要依靠经济手段。因此.必须有一个适应和重新学习的过程。

1986年中央又以一号文件形式发布了《关于1986年农村工作的部署》,提出1986年农村工作总的要求是:落实政策,深入改革,改善农业生产条件,组织产前产后服务,推动农村经济持续稳定协调地发展。为此,必须做好以下几方面的工作:第一,进一步摆正农业在国民经济中的地位,把农业是基础作为长期的战略方针。第二,依靠科学,增加投入,保持农业稳定增长。第三,深入进行农村经济体制改革,着重是对农产品统派购制度的改革、对农村产业结构的调整,促进农业生产服务社会化,实现并推动一部分地区和个人先富起来。第四,切实帮助贫困地区逐步改变面貌。第五,加强领导,改进领导。各级政府和部门都要维护党的政策的严肃性,提高执行政策的自觉性。

1987年1月,中共中央政治局通过《把农村改革引向深入》的决议。要求:第一,继续深化农村经济体制改革。农村经济体制改革的根本出发点,是发展社会主义商品经济,促进农业现代化,使农村繁荣富裕起来。经过几年的改革,农村经济新体制的框架已经初步显现出来,要做好充实、巩固、配套、提高工作,促进新体制的成长。第二,继续改革统派购制度,扩大农产品市场,这是农村第二步改革的中心任务。要对不同的农产品分别采取不同的改革方式和步骤。第三,要搞活农村金融,开拓生产要素市场。在宏观控制的前提下,通过市场调节农村资金、技术和劳动的分配,有利于合理配置资源,保持产业结构的优良状态,促进商品生产。第四,完善双层经营,稳定家庭联产承包制。第五,发展多种形式的经济联合。针对农民既有独立从事家庭经营、个体经营的积极性,又有联合起来扬长避短、共同发展的积极性,要善于引导,使两种积极性都能得到发挥。第六,对个体经济和私人企业要实行长期稳定的方针,保护其正当经营和合法权益。第七,调整产业结构,促进农业劳动力转移。只有使众多的劳动力从种植业转移出来,形成农工商综合发展的产业结构,才能提高种植业的劳动生产率,实行以工补农,提高农村收入,增强农业的自我发展的能力。第八,加强基层组织建设和思想建设。第九,有计划地建立改革试验区,使领导和群众相结合,在试验的基础上制定相应的章程和法规,使党和政府的政策具体化、完善化。

综上所述,我们不难看出,自从党的十一届三中全会以来,党中央连续发出了一系列指导农村改革的重要文件,对农村经济体制改革进行战略部署,推动了农村改革的深入和农村经济的发展。

农村经济体制改革的全面展开

1. 家庭联产承包责任制普遍推行

党的十一届三中全会以后开始的经济体制改革,首先在农村取得突破性进展。

在1979年以后,农村生产责任制经历了从联产到组到联产到劳,再到联产到户(即包产到户),最后发展到包干到户的演变过程,形成了以家庭承包为主要形式,兼有少数其他责任制形式的格局,以适应各种不同条件和地区的生产与管理水平。以家庭联产承包责任制为主要形式和内容的农业生产责任制,是一种既发挥集体经济优势,又发挥农民生产积极性的集体统一经营与农户分散经营相结合的双层经营体制。一方面,集体仍然承担着相当一部分为农民单家独户难以胜任的经营管理职能,如管理集体的土地、大型农机具和水利设施等,负责经营集体所有的工副业,为农户的生产经营提供服务,协助国家落实并监督完成生产任务;另一方面,农民家庭成为农村生产经营的主体,占有除土地以外的大部分生产资料,独立

从事生产经营,直接与市场发生关系,是农村中最基本的生产单位和经营单位。

家庭联产承包制在实践中显示了多方面的优越性。第一,明确划分了国家、集体、个人的权利、责任和利益关系,建立和健全了有效的生产组织和劳动组织形式,协调了人们在生产过程中的分工和协作关系。从而从根本上克服了以往生产劳动管理混乱和收入分配平均主义的弊端。第二,解决了多年来集体经济内部长期无法解决的诸如官僚主义瞎指挥、行政命令代替客观经济规律等问题,使经济效益直接与生产者自身利益相联系,从而调动了农民群众的积极性。第三,家庭联产承包责任制适合当时我国农业发展水平和特点,有利于充分利用我国农村各种经济社会资源,既能机动灵活地从事生产经营,又能充分发挥劳动力资源丰富的优势。

农村实行联产承包责任制情况

	单位	1983年	1984年
一、实行联产承包责任制的队数	万个	586.3	569.0
占全部生产队数比重	%	99.5	100.0
其中:实行大包干的队数	万个	576.4	563.6
占实行责任制队数比重	%	98.3	99.1
二、实行联产承包责任制的户数	万户	17 985.4	18 397.9
占乡(社)总户数比重	%	97.1	97.9
其中:实行大包干的户数	万户	17 497.5	18 145.5
占实行责任制户数比重	%	97.3	98.6

(资料来源:高尚全,《九年来的中国经济体制改革》,人民出版社,1987年版,第172页。)

家庭联产承包制的发生和蓬勃发展,是与党中央的及时肯定和大力支持分不开的。1980年9月在中央发出的《关于进一步加强和完善农业生产责任制的几个

问题》中，就明确提出：在"三靠"（吃粮靠返销、生产靠贷款、生活靠救济）地区实行包产到户，是联系群众、发展生产、解决温饱问题的一种必要措施，它依存于社会主义经济，不会脱离社会主义轨道，没有什么复辟资本主义的危险。1981年10月全国农业工作会议通过的会议《纪要》，高度评价了出现不久的农业生产责任制，明确指出农村实行的各种责任制都是社会主义集体经济的责任制。党的十二大的政治报告强调，生产责任制必须长期坚持下去，决不能违背群众的意愿轻率变动，更不能走回头路。为了及时解决农业生产和农村工作中出现的新问题，推动农村经济体制改革，中共中央于1982—1984年三年中，连续于1月发布关于农村政策和农村工作的"一号文件"。三个"一号文件"对于推动和引导农业生产责任制的健康发展起了重要作用。到1984年，我国农村基本上实现了家庭联产承包责任制。

为了促进家庭联产承包责任制长期稳定，鼓励农民增加对土地的投资。以培养地力，实行集约经营，1984年中央提出延长土地承包期，一般应在15年以上，同时允许承包地有偿转让。1990年，承包经营农户占农村总户数的96.3%；家庭承包经营的耕地面积占耕地总面积的98.6%；农村经济第一产业收入的95.4%来自家庭经营；在农村各经营层次中，家庭经营收入占农村经济总收入的58.6%。这一年，全国有208.9万户转包或转让了土地，不到总农户数的1%。稳定发展农业必须稳定农村政策，这一珍贵的历史经验已经成为党中央和广大农民的共识。

2. 人民公社体制的变革

在新的历史时期，人民公社体制的改革势在必行。

农村人民公社体制的变革，从1979年春由四川个别地方率先进行，到1984年底全国各地基本完成，前后共用了六年左右的时间，大体经历了三个阶段。从1979年3月开始试点，到1982年12月新宪法颁布为第一阶段，全国有9省（市）51县（区）的213个公社进行试点；第二阶段是1982年12月到1983年秋，新宪法正式确定设立乡政权，改人民公社为农村集体经济的一种组织形式。政社分设在全国广泛展开。全国有28个省（自治区、直辖市）967个市（县、区）的10693个公社开展建乡工作。1983年10月至1984年底为第三阶段，在《关于实行政社分开建立乡政权的通知》要求下，到1984年底，全国已有99%以上的农村人民公社完成了政社分设，建立了9.1万个乡（镇）政府，同时成立了92.6万个村民委员会。1984年1月，中央指出：为了完善农业统一经营和分散经营相结合的体制，一般应设立代表农民群众管理公有土地、为农户提供各种服务、兴办集体企业的地区性合作经济组织。农民可不受地区限制，自愿参加和组成不同形式、不同规模的各种专业合作经济组织。农村经济组织形式和规模可以多种多样，不要自上而下强行推行某一种模式。

在这一思想的指导下，我国农村多种形式的经济联合组织如雨后春笋般涌现出来。这种经济联合是在自愿、平等、互利的基础上，家庭、集体、国家不同经济主体之间为满足各自需要而建立起来的经济协作关系。大致有三种基本形式：①专业性经济联合，即从事同一种专业生产或经营的企业进行的联合；②农工商综合性联合，即农副产品的生产、加工和销售的联合；③产前产后社会服务性联合，即产前提供信息、原料和技术设备，产中进行技术指导，产后进行运输、贮藏、销售、反馈市场信息等。各种经济联合的大量涌现，反映了我国农业生产发展和农产品商品化的客观要求，也是联产承包责任制进一步发展的必然趋势。

3. 农业生产与农民生活的提高

农村经济体制改革带来了新中国成立以来我国农村从未有过的大好形势，农业生产迅速发展，农民生活显著改善，我国农村发生了历史性的变化。

农村经济体制改革的十多年，是我国农业发展最好的时期，也是农民得到实惠最多的时期。1980—1990 年农村社会总产值由 2792.1 亿元增至 16619.2 亿元；农业总产值由 1922.6 亿元增至 7662.1 亿元。1978—1990 年主要农产品产量也大幅度增加，其中粮食产量由 30477 万吨增至 44624 万吨，增长 46.4%；棉花产量由 216.7 万吨增至 450.8 万吨，增长 108%；油料产量由 521.8 万吨增至 1613.2 万吨，增长 209.02%；水果产量由 657 万吨增至 1874.4 万吨，增长 185.3%；大牲畜年底头数由 9389 万头增至 13021.3 万头，增长 38.7%；猪牛羊肉产量由 856.3 万吨增至 2513.5 万吨，增长 193.5%；水产品产量由 466 万吨增至 1237 万吨，增长 165.5%。随着农业生产的发展，农业机械的拥有量也大幅度提高，农业技术水平和技术装备已大为改观。1978—1990 年，农业机械总动力由 11750 万千瓦增至 28707.7 万千瓦；农用大中型拖拉机由 55.7 万台增至 81.3 万台；农用小型拖拉机由 137.3 万台增至 698.1 万台；联合收割机由 18987 台增至 38719 台；农用载重汽车由 73770 辆增至 624384 辆。农业中化肥施用量也由 884 万吨增至 2590.3 万吨。

农民生活水平提高的速度更是新中国成立以来所没有的。从 1949 年至 1978 年的 29 年间，由于农业发展缓慢且波动很大，农民生活水平很少提高，农民人均纯收入由 43.8 元升至 133.6 元，增加了 89.8 元，每年平均增加 3.1 元。扣除物价上涨因素，实际增加额更小。从 1978 年开始，农民生活水平开始有了明显的改变，农民人均纯收入 1990 年为 629.8 元。在总农户中，困难和特困户减少，富余和小康户增多。1978—1990 年，人均 200 元以下的农户由 82.6% 降为 1.4%；人均 500 元以上的农户由 1.6% 升至 57.4%。其中 500—1000 元的富余户为 42.3%，1000 元以上的小康户为 15.1%。农民的消费水平和消费结构已不能与过去同日而语。

4. 稳定家庭联产承包责任制，开创农业发展新局面

中共十三届八中全会通过的《中共中央关于进一步加强农业和农村工作的决定》指出：农业是经济发展、社会安定、国家自主的基础，农民和农村问题始终是中国革命和建设的根本问题。没有农村的稳定和全面进步，就不可能有整个社会的稳定和全面进步；没有农民的小康，就不可能有全国人民的小康；没有农业的现代化，就不可能有整个国民经济的现代化。

在现阶段，稳定、持久地发展农业，就必须稳定农村基本政策，特别是要稳定以家庭联产承包为主的责任制政策。我国农村的家庭联产承包责任制是在集体经济的框架中产生的，是在不改变土地这种基本生产资料集体所有制的前提下逐步发展和完善的。家庭承包仍然是集体经济的一部分，而不是搞分田单干私有化。这种责任制与人民公社体制的最大不同就在于由过去那种单一的集中经营变为统一经营与分散经营两个经营层次。家庭经营在集体经济双层经营中属于分散经营层次，仍然属于集体经济范畴之内，因此，党中央明确指出：必须把以家庭联

产承包为主的责任制、统分结合的双层经营体制,作为我国乡村集体经济组织的一项基本制度长期稳定下来,并不断充实完善。这两个经营层次相互依存、相互补充、相互促进,忽视任何一个方面,都不利于农村经济的健康发展。

在充分肯定农村经济体制改革的伟大成就的同时,我们还必须对农村经济和社会发展中存在的各种问题保持清醒的认识,诸如:人口增长过快和耕地减少的趋势并未得到有效控制;农业投入不足,物质技术基础薄弱,综合生产能力不高,抗御自然灾害的能力不强;双层经营体制和农业社会化服务体系不健全,工农业产品比价不合理和农产品流通不畅问题突出,卖粮难、卖猪难、卖棉难等相继发生,增产不增收或多增产少增收问题严重,使农民负担过重;一些地方农村基层组织软弱涣散,社会主义正气和精神文化被侵蚀,封建迷信和陈规陋习重新蔓延。所有这些问题都要求我们在进一步深化农村经济体制改革过程中不断总结经验,切实贯彻落实各项行之有效的方针政策,并从经济上、行政上、思想上采取相应措施,认真加以解决。为此,《中共中央关于进一步加强农业和农村工作的决定》提出了在90年代建设有中国特色社会主义新农村,进一步巩固工农联盟所必须遵循的8项基本原则。这是开创90年代我国农村经济和农业生产新局面的根本依据。正像《决定》所指出的那样:农村改革,必须继续稳定以家庭联产承包为主的责任制,不断完善统分结合的双层经营体制,积极发展社会化服务体系,逐步壮大集体经济实力,引导农民走共同富裕的道路,切不可偏离这一深化农村改革的重点和总方向。

应该看到,当前我国农业和农村经济的形势还不令人乐观,近几年来,出现了一些值得注意的新情况、新问题。一是农业特别是粮棉生产的比较效益下降,农业与其他产业相比,本身就是一个社会效益高、比较效益低的弱质产业,因而政府的支持是必不可少的。国家对农业的投入和保护还远未达到发展农业的最低要求。比较效益低使粮棉生产缺乏持续动力,而农民收入和购买力水平低也制约着工业品市场容量的扩大,直接影响国家的资金积累。二是工农业产品价格剪刀差扩大。改革初期一度缩小了的工农业产品价格剪刀差又趋于拉大。据国家统计局资料,1989年、1990年、1991年工农业产品价格剪刀差分别扩大5%、8.4%、5.5%。工业的高速增长还带来新的工农业发展不协调,农业资源和资金大量外流。三是农民收入增长缓慢,城乡居民收入差距拉大。1978年城乡居民收入比为2.4:1,1984年下降为1.7:1,1992年又复为2.3:1。1985—1993年的九年间,农民人均纯收入增长率仅为2.2%左右。农业增产不增收的问题若不及时解决,势必从根本上动摇我国农业乃至整个国民经济发展的基础。

四

乡镇企业的崛起

乡镇企业是我国农村中的工业企业和其他非农产业,是由农村各级经济组织和个人举办的。十一届三中全会以后,特别是1985年以来,农村乡镇企业以迅猛的发展势头、兴旺发达的业绩、灵活多样的经营方式,对我国农村经济和农业生产的发展、农村经济结构和产业结构的转变,起了巨大的促进作用。

1. 乡镇企业的发展概况

发展我国农村工业和其他非农产业

的政策,是从 1958 年"大跃进"时在人民公社中推行的。当时发展的农村工业主要是对当地生产的农产品的简单加工和手工制造、农业生产工具的制作和修理、当地工业原料的开发和利用等。这时所办的工业企业不仅规模狭小,技术落后,而且主要是为满足本公社农民的需要。60年代,农村乡镇企业基本上处于停顿阶段。70 年代初,乡镇企业又一次复苏,有了缓慢发展。但是,在"左"的思想影响下,相当一部分乡镇企业被当做资本主义经济而被取缔。到 1976 年,社队两级企业总产值仅为 272 亿元。

十一届三中全会以来,随着党和政府对经济工作指导思想的转变以及一系列支持、扶助乡镇企业政策的贯彻实施,广大农村中形成了乡镇企业蓬勃发展的热潮。农村工业几乎遍及各种轻工业部门、相当一部分重工业部门和服务业领域。农村非农产业已经初具规模,成为我国农业工业化、农村现代化的重要力量。(见附表)

农村经济体制改革以 1984 年 10 月《中共中央关于经济体制改革的决定》为标志可分为前后两个阶段。前一阶段突出的成就是家庭联产承包责任制的迅速建立和普及;后一阶段显著的成就是农村乡镇企业的迅速兴起。1985 年国家明确提出调整农村产业结构,积极发展多种经营的方针,为乡镇企业的发展创造了前所未有的良好条件和环境。到 1987 年,乡镇企业的总产值已超过农业总产值,高达4 764.26亿元,占农村社会总产值的

50.43%;1990 年又增至 8 461.64 亿元,占农村社会总产值的 53.9%。乡镇企业中就业人数达 9 264.75 万人,其中乡办、村办两级企业的就业人数达 4 592.45 万人。乡镇企业不仅活跃在国内经济生活中,而且也开始走向世界市场,成为发展对外贸易的一支新型生力军。

乡镇企业是中国独创的农业工业化、农村现代化道路的重要特征之一。乡镇企业的蓬勃发展对于我国农村经济体制改革的深入、对我国农村的社会主义建设事业都具有重要作用。

2. 乡镇企业的发展历程

我国乡镇企业是在改革开放中蓬勃兴起的。1978 年以来,中国共产党和中国政府在改革土地经营制度、实行联产承包经营责任制的同时,调整农村产业结构,在不放松粮食生产的前提下,大力发展包括非农业在内的多种经营,推动了乡镇企业的蓬勃发展,取得了举世瞩目的成就,被赞扬为"异军突起","完全没有料到的最大收获","在世界上是一个独创","为实现有中国特色的工业化开辟了一条新路子","是对马列主义的新发展"。

乡镇企业向社会提供的有效商品大幅度增长,一些关系国计民生的产品在全国工业产品中所占的比重越来越大。例如,1990 年,原煤占 33.7%,水泥占31.5%,机制纸及纸板占 38.3%,呢绒占63%,服装占 60%,农机具占 80%,砖瓦占90%以上。乡镇企业的发展创造了巨大的物质财富,极大地丰富了城乡市场。

农村乡镇企业发展情况

	单位	1980 年	1985 年	1987 年	1990 年
一、乡镇企业单位数	万个	142.46	1 222.45	1 750.24	1 850.40
二、乡镇企业人数	万人	2 999.67	6 979.03	8 805.18	9 264.75
1. 按隶属关系分					
乡办企业	万人	1 393.81	2 111.36	2 397.45	2 333.24
村办企业	万人	1 605.86	2 215.69	2 320.78	2 259.21
2. 按国民经济部门分					
农业企业	万人	456.07	252.38	244.18	236.06
工业企业	万人	1 942.30	4 136.70	5 266.69	5 571.69
交通运输企业	万人	113.56	114.18	623.14	711.22
建筑业	万人	334.67	789.95	1 373.98	1 346.84
商业饮食业	万人	153.07	1 685.82	1 297.19	1 398.94
三、乡镇企业总产值	亿元	656.90	2 728.39	4 764.26	8 461.64
1. 按隶属关系分					
乡办企业	亿元	369.44	1 138.95	1 825.85	2 987.38
村办企业	亿元	287.46	910.54	1 411.55	2 441.81
2. 按国民经济部门分					
农业企业	亿元	39.38	58.70	88.72	141.80
工业企业	亿元	509.41	1 827.19	3 243.88	6 050.25
交通运输企业	亿元	24.52	40.99	360.48	647.95
建筑业	亿元	60.05	310.00	650.96	952.37
商业饮食业	亿元	23.44	482.51	419.87	669.27

（资料来源:《中国统计年鉴(1993)》,第395—396页。）

经过十几年的发展,乡镇企业的素质明显提高。到1990年年末,全国乡镇集体企业已经形成了一支有139.4万人的技术队伍,占职工总数的2.8%,每万名职工中有技术人员280名,而1986年年末,乡镇企业技术人员仅占职工总数的0.4%,每万名职工中仅有技术人员40名。与1986年相比,1990年乡镇企业技术人员总数增加7倍多,年均递增率达50%以上,截至1990年底,乡镇企业职工中具有初中以上文化程度的比例由1986年不足40%上升到近70%。随着人才队伍的壮大,乡镇企业对应用技术的研制和开发能力日益增强,对国内外新技术和新工艺的吸收、消化能力以及新产品的开发能力都有明显的提高。十多年来,乡镇企业充分利用国内外技术资源,提高了技术进步的起点,积极开展了技术改造、技术革新,推出了一批填补国内或省内空白的新产品。乡镇企业产品更新换代加快,质量稳定上升,整体技术水平有了较大的提高。从1986年至1990年,乡镇企业获国优产品 35 个,部优产品 1956 个,获国家质量管理奖 1 个,部质量管理奖 52 个。通过农业部申报,列入国家级重点新产品试产计划 72 项。从 1987 年至 1990 年,获农业部科技进步奖 139 次,在获得农业部个人科技进步奖证书的 737 人中,有 84.5% 是乡镇企业从业人员。同时,乡镇企业还获得了一批国家星火奖、国家科技进步奖、国家发明奖等。1986 年以来,乡镇企业系统有 117 个企业升入国家二级企业,有两个企业分别通过了国家一级企业正式考评和预考评;获省级先进企业 1387 家;600 多个外向型企业被批准为国家各类出口基地企业或扩权企业。1990 年 4 月,全国煤矿行业授予"安全生产先进单位"8 个,其中乡镇企业系统 1 个。

经过治理整顿,乡镇企业产业结构逐步趋向合理。"七五"期间,特别是在治理整顿中,根据国家产业政策进行了认真的调整,轻工业在产业结构中的比重为 58.8%,比 1980 年上升 10.3 个百分点;在重工业中,原材料工业的比重为 17.0%,比 1980 年上升 1.5 个百分点,加工工业占 69.7%,比 1985 年下降 8.8 个百分点;国家产业政策支持的行业和企业继续得到发展;国家产业政策限制的一些产品明显下降,对浪费能源、原材料、严重污染环境、经济效益差的企业进行了关停并转。同时,对乡镇企业固定资产结构进行了调整,更加重视技术改造和扩大老企业生产规模。企业组织结构也有了新的改善,规模不断扩大。1990 年,全员劳动生产率比 1978 年提高 5.9 倍,1986—1990 年平均每年增长 20.1%。

随着乡镇企业的发展壮大,它对国民经济和社会发展的贡献越来越大。仅在"七五"计划期间,在全国社会总产值净增量中,乡镇企业占 31.5%;乡镇企业总产值在全国社会总产值中所占的比重,由 1985 年的 16.6% 上升到 25%。在全国工业总产值净增量中,乡镇企业占 37.7%;乡镇工业总产值在全国工业总产值中所占的比重,从 18.8% 上升到 30%。在农村社会总产值净增量中,乡镇企业占 67%;乡镇企业总产值在农村社会总产值中所占的比重,从 43.4% 上升到 60%。我国农村经济初步形成了以农业为基础,以乡镇企业为主体,农工商建运服全面发展的新格局。在全国出口创汇净增量中,乡镇企业占 28%;乡镇企业创汇占国家外汇收入的比重,由不足 14% 上升到 21.6%。乡镇企业在"七五"期间共安排农村剩余劳动力 2220 万人,占全国就业人数(除农业家庭承包经营外)净增量的 57.6%;乡镇企业从业人员占农村劳动力的比重,由 18.8% 增加到 22%,造就了一代新型农民。"七五"期间,乡镇企业对农村各项事业建设投资 450 亿元,以工补农建农 270 亿元。农民净增收入的一半以上来自乡镇企业。总之,中国乡镇企业已成为国民经济发展不可替代的推动力量,成为农村经济的重要支柱,成为增加国家财政收入和农民收入的重要来源,成为国家出口创汇的生力军,成为稳定农村、稳定全局的重要因素,为巩固农村基层政权、巩固工农联盟、提高民族素质、缩小三大差别作出了重要的贡献。

中国乡镇企业在发展中也还存在着不少问题,主要是人们对乡镇企业的认识还需要进一步深化,乡镇企业经营的市场环境还不宽松,经济效益下降,社会负担重,企业管理落后,技术水平低,布点分散,宏观调控还要进一步加强。

3. 乡镇企业的地位与作用

80 年代以来,中国乡镇企业得到了长足的发展。它在国民经济和社会发展中的地位与作用越来越重要。

（1）乡镇企业的发展使农村产业构成得到调整。产品门类齐全，品种繁多，应有尽有，在整个国家工业中占有一定的比重。由于农村工业的发展，商品流通不再是工业品——下乡、农副产品——进城。现在，进城的不仅是农副产品，而且也包括工业品。乡镇企业输入城市的产品大致可分为三类：一类是为城市人民生活服务的产品，如服装、鞋帽、农用电器、日常生活所需要的小商品、经过加工的农副产品；二是为大工业配套的部件；三是矿产品原料。

（2）缩小了城乡居民生活水平的差距。乡镇工业的发展，提高了农民收入。1990 年，全国乡镇企业职工的工资总额为 1129.6 亿元，平均每个从业人员年工资为 1219.2 元。按当年全国 8.4 亿农村人口计算，平均每人为 134.5 元，占当年农民人均纯收入的 21.36％，比上年增加 7.7 元，占增加人均纯收入 28.28 元的 27.23％，成为农村人口增加收入的重要来源。由于乡镇企业的发展，农民收入增加了，从而使城乡人民生活水平的差距缩小了。1978 年，全国农民平均每人的纯收入为 134 元，等于同年城镇居民家庭平均每人生活费收入的 42.4％；1990 年增加到 629.8 元，增长了 3.7 倍，等于城市居民家庭人均生活费年收入的 45.4％，比 1978 年提高了 3 个百分点。在一些乡镇企业发展比较快的地方，来自乡镇企业的收入超过了农业收入的部分，也超过城市居民收入。

（3）加快了小城镇的建设，改善了集体福利事业。在乡镇企业的利润使用中，每年都有一部分用于支援农村各项建设，其中包括农村各项福利和小城镇建设。仅"七五"计划期间，乡镇企业利润用于支援农村各项事业建设的费用就达 400 多亿元，对加快农村集体福利和小城镇建设起了重要作用。凡是乡镇企业比较发达的地方，靠乡镇企业上缴的利润，农村公路、河道整修、电力、通讯，以及教育、卫生、文化、体育、科技等事业，都蓬勃发展，呈现出一片欣欣向荣的景象。

（4）促进了农业现代化建设。乡镇企业的发展，有利于促进农业机械化和现代化建设。乡镇企业不仅为农副产品提供市场，为农业生产提供运输、流通、储藏等产前、产后服务，而且承担了许多发展农业生产所必需的化肥、农药、农业机械及其配件、铁（竹、木）农具等生产资料的生产，还实行"以工补农"、"以工建农"，用乡镇企业的利润增加对农业生产的投入，搞农田水利建设，购置农业机械，建立良种基地，改良土壤等。据统计，"七五"计划期间，全国乡镇企业为发展农业生产提供的资金达 270 亿元。由于乡镇企业安排了大量农村剩余劳动力，为农业生产投入了大量资金，提供了农业生产资料，从而为农业生产的规模经营创造了条件。

中国共产党第十二次全国代表大会

一

中共十二大概述

1982 年 9 月 1 日至 11 日，中国共产党第十二次全国代表大会在北京隆重开幕。出席大会的正式代表 1545 名，候补代表 145 名，代表 3900 多万名党员。

会议由大会主席团和主席团常务委员会主持。开幕式大会邀请了各民主党派和无党派民主人士的代表列席。大会的主要议程有三项：第一，审议第十一届中央委员会的报告，确定党为全面开创社会主义现代化建设新局面而奋斗的纲领；第二，审议和通过新的《中国共产党章程》；第三，按照新的党章的规定，选举新的中央委员会、中央顾问委员会和中央纪律检查委员会。

邓小平主持了大会开幕式，并致开幕词。他高度地评价了这次大会的历史地位，认为这次大会将是党的第七次全国代表大会以来最重要的一次会议，他还总结了新中国成立以来的历史经验，正式提出了"建设有中国特色的社会主义"的新命题。

胡耀邦代表第十一届中央委员会向大会作《全面开创社会主义现代化建设的新局面》的报告。报告提出党在新的历史时期的总任务是：团结全国各族人民，自力更生，艰苦奋斗，逐步实现工业、农业、国防和科学技术现代化，把我国建设成为高度文明、高度民主的社会主义国家。从这次代表大会到下次代表大会的五年间，我们要根据上述总任务的要求，从当前实际出发，大力推进社会主义物质文明和精神文明建设，继续健全社会主义民主和法制，认真整顿党的作风和组织，争取实现国家财政经济状况的根本好转。同时，我们要同包括台湾同胞、港澳同胞和海外侨胞在内的全体爱国人民一道，努力促进祖国统一的大业。我们还要同全世界人民一道，继续为反对帝国主义、霸权主义和维护世界和平而斗争。

报告从我国实际出发，围绕总任务，制定了我国经济建设的战略目标、战略重点、战略步骤和一系列方针政策。

报告指出：在全面开创新局面的各项任务中，首要的任务是把社会主义现代化的经济建设继续推向前进，促进社会主义经济的全面高涨。从 1981 年到本世纪末的 20 年，我国经济建设总的奋斗目标是，在不断提高经济效益的前提下，力争使全国工农业的年总产值翻两番，即由 1980 年的 7100 亿元增加到 2000 年的 28000 亿元左右。为实现上述战略目标，重要的是解决农业问题，能源、交通问题和教育、科学问题，把它们作为战略重点。在综合平衡的基础上，把这些方面的问题解决好了，就可以促进消费品生产的较快增长，带动整个工业和其他各项生产建设事业的发展，保障人民生活的改善。

为了实现 20 年的奋斗目标，在战略部署上要分两步走：前 10 年主要是打好基础，积蓄力量，创造条件；后 10 年要进入一个新的经济振兴时期。这是党中央全面分析了我国经济情况和发展趋势之后作出的重要决策。

大会通过了《关于十一届中央委员会报告的决议》、《关于〈中国共产党章程〉的决议》，批准胡耀邦代表十一届中央委员会所作的报告，决定这一新党章自通过之日起生效。新的《中国共产党章程》除总纲外，共十章五十条。党章清除了 1977 年中共十一大党章中仍肯定"无产阶级专政下继续革命的理论"等"左"的错误，继承发展了中共七大、八大党章的优点。在中共十二大党章中，增加了党的干部、党的纪律、党的纪律检察机关、党组、党和共产主义青年团的关系等五章，其中党的干部一章，是历届党章所没有的。新党章具有以下的突出特点：第一，有了一个内容比较充实的总纲。总纲按照科学社会主义的理论，对世界历史的发展过程和我国当前所处的历史阶段，对社会主义制度的基本特征、优越性和必将在全世界逐步取得胜利的前景，作了扼要的论述。对党的性质、党的指导思想和党为实现共产主义而奋斗的最终目标，对现阶段我国社会的主要矛盾和党的总任务以及国内国际方面的基本政策，党的领导作用的基本原则和党在国家生活中如何正确地发挥领导作用，作了马克思主义的阐明和正确的规定。第二，党章对党员和党的干部在思想上、政治上和组织上的要求，比过去历届党章的规定都更加严格。第三，在民主集中制和党的纪律两个方面，都作了比较充分、具体的规定，强调集体领导的原则，禁止任何形式的个人崇拜。第四，对改善党的中央和地方组织的体制，对加强党的纪律和纪律检查机关，对加强基层党组织的建设，对密切党和共青团的关系等问题，都作了许多新的规定。新党章比我们党过去的党章更加充实和完善，给整顿党的组织和转变党的作风提供了强大的思想武器。

尤其值得一提的是，中共十二大党章在总纲中规定了加强党的建设的三项基本要求：全党思想政治上的高度一致，全心全意为人民服务，坚持民主集中制。三项基本要求既反映了马克思主义建党学说的基本原理，又有很强的现实针对性，完全符合党的状况和加强党的建设的需要。

经过充分准备，大会民主选出中央委员210人，中央候补委员138人，组成新的中央委员会。同时，成立了党史上过去没有过的中央顾问委员会，选出委员172人，他们都是具有40年以上党龄，对党有较大贡献，又有丰富领导工作经验的老同志。还选出中央纪律检查委员会委员133人。

中共第十二次全国代表大会的胜利召开，标志着中国共产党成功地实现了具有重大历史性意义的伟大转变。它开始把中国带入建设中国特色社会主义的崭新轨道，并以全面开创社会主义现代化建设的新局面而永远载入史册。

十二大通过对过去六年历史性胜利的总结，确定了继续前进的正确道路、战略步骤和方针政策，全面开创了社会主义现代化建设的新局面。

中国共产党第十二次全国代表大会，是中共八大以来的一次重要会议。它的历史意义在于，这次会议是在实现了历史性伟大转折并总结了拨乱反正的经验之后，在邓小平明确提出了"建设有中国特色社会主义"这一重要命题的指导下召开的。十二大总结了八大后社会主义革命和建设二十多年曲折发展的历史经验，确定了中国共产党对社会主义现代化建设的指导思想和党在新时期的任务与纲领，并为实现这个纲领和总任务制定了一系列正确的方针政策，从而揭开了中国社会主义现代化建设的新篇章。十二大的文件是从胜利与挫折的多次反复比较中得出的科学认识，也是从历史和现实上升到理论的光辉文献，反映了中国共产党对社会主义建设规律与共产党执政规律的认识，达到了新的科学的高度。在大会选出的新的中央委员会里，大批德才兼备、年富力强的中青年同志参加了中央委员会的工作，一部分德高望重、年迈体弱的老同志退居第二线，担负起支持和帮助中央委员会的重任。因此，十二大不仅是一个在政治上具有重要意义的大会，而且在组织上也是一个实现新老结合和交替的大会。

二

十二届一中全会

中国共产党第十二届中央委员会第一次全体会议于 1982 年 9 月 12 日至 13 日在北京举行。出席会议的中央委员 210 人，候补中央委员 138 人。中央顾问委员会委员 149 人，中央纪律检查委员会委员 128 人列席了会议。

全会选举万里、习仲勋、王震、韦国清、乌兰夫、方毅、邓小平、邓颖超、叶剑英、李先念、李德生、杨尚昆、杨得志、余秋里、宋任穷、张廷发、陈云、赵紫阳、胡乔木、胡耀邦、聂荣臻、倪志福、徐向前、彭真、廖承志为中央政治局委员。选举姚依林、秦基伟、陈慕华为中央政治局候补委员。

全会选举胡耀邦、叶剑英、邓小平、赵紫阳、李先念、陈云为中央政治局常务委员会委员。

全会选举胡耀邦为中央委员会总书记，万里、习仲勋、邓力群、杨勇、余秋里、谷牧、陈丕显、胡启立、姚依林为中央书记处书记，乔石、郝建秀为候补书记。

全会决定邓小平为中央军事委员会主席，叶剑英、徐向前、聂荣臻为副主席，杨尚昆为常务副主席。

全会批准邓小平为中央顾问委员会主任，薄一波、许世友、谭震林、李维汉为副主任，王平等 24 人为常务委员。批准陈云为中央纪律检查委员会第一书记，黄克诚为第二书记，王鹤寿为常务书记，王从吾、韩光、李昌、马国瑞、韩天石为书记，马国瑞、韩天石等 11 人为常务委员。

三

十二届二中全会

1983 年 10 月 11 日至 12 日在北京举行了中国共产党第十二届中央委员会第二次全体会议。出席全会的有，中央委员 201 人，候补中央委员 136 人；列席会议的有，中央顾问委员会委员 150 人，中央纪律检查委员会委员 124 人，中央机关和地方党委负责同志 11 人。中国共产党第十二次全国代表大会决定，从 1983 年下半年开始，用三年时间对党的作风和组织进行一次全面整顿，所以，这次会议中心议题是讨论整党问题。

全会讨论通过了《中共中央关于整党的决定》。《决定》明确规定了这次整党的基本方针、基本任务、基本政策和基本方法，内容包括：整党的必要性和迫切性，整党的任务，对党员和党员领导干部的要求，整党的步骤和基本方法，组织处理和党员登记，必须防止走过场，整党工作的领导，巩固和发展整党成果，各级党组织要坚决地、创造性地执行本决定。整党的基本任务是：统一思想，整顿作风，加强纪律，纯洁组织。整党的目的是：实现党风的根本好转，提高全党的思想水平和工作水平，更加密切党和人民群众的联系，努力把党建设成为社会主义现代化事业的坚强领导核心。整党的基本方法是：在认真学习文件，提高思想认识的基础上，开展批评和自我批评，分清是非，纠正错误，纯洁组织。整党的步骤是：从中央到基层组织，自上而下，分期分批进行。每个单位党组织的整顿，也自上而下，先领导班子、领导干部，后党员群众。这就要求党的各级领导干部，首先是第一批整党的中央和省、市、自治区两级以及解放军各总部、各军兵种、各大军区一级领导机关的领导干部，真正以身作则，严格剖析自己，勇于对自己的缺点、错误进行诚恳的、深刻的、实事求是的自我批评，并且勇于对其他领导干部的缺点、错误采取同样态度进行批评。《决定》指出，这次整党，是实现党的十二大确定的把我国建设成为现代化的、高度文明、高度民主的社会主义国家的根本保证。

为了保证整党工作的日常领导，全会选举产生了由16人组成的中央整党工作指导委员会。胡耀邦为主任，万里、余秋里、薄一波、胡启立、王鹤寿为副主任，王震、杨尚昆、胡乔木、习仲勋、宋任穷为顾问。

邓小平在会上作了题为《党在组织战线和思想战线上的重要任务》的讲话。他就整党不能走过场和思想战线不能搞精神污染的问题发表了意见。陈云也在发言中指出："这次整党必须把'三种人'清除出党。"他还指出：对于利用职权谋取私利的人，如果不给以严厉打击，对这股歪风如果不加制止，或制止不力，就会败坏党的风气，使党丧失民心。"执政党的党风问题是有关党的生死存亡的问题"。

对邓小平提出的加强思想战线工作的问题，全会决定，中央于1983年和1984年冬春专门召开会议，讨论作出相应的决定。

依照党章的规定，全会决定递补候补中央委员杨泰芳、郎大忠为中央委员。全会还决定增补魏文伯、奎壁、张苏、杜星垣、贾庭三为中央顾问委员会委员，并提请下届党的全国代表大会追认。

全会号召全体党员，认真学习《中共中央关于整党的决定》，积极参加整党。全会相信，经过各级党组织和广大党员的

共同努力，我们一定能够胜利地完成这次整党的伟大任务，一定能够实现党风的根本好转，一定能够把我国社会主义物质文明和精神文明的建设推向前进。

四

十二届三中全会

党的十一届三中全会后，我国经济体制改革首先在农村的改革取得了巨大成就。以城市为重点的整个经济体制改革进行了许多试验和探索，采取了一些重大措施，取得了显著成效和主要经验。

为了制订全面改革的蓝图，加快改革的步伐，推动以城市为重点的整个经济体制的改革，更好地开创社会主义现代化建设的新局面，1984年10月20日在北京召开中国共产党第十二届中央委员会第三次全体会议。出席这次全会的中央委员会委员和候补委员321人。中央顾问委员会委员，中央纪律检查委员会委员，以及地方、中央各有关方面的主要负责同志共297人，列席了会议。

全会一致通过了《中共中央关于经济体制改革的决定》。《决定》根据马克思主义基本原理同中国实际相结合的原则，阐明了加快以城市为重点的整个经济体制改革的必要性、紧迫性，规定了改革的方向、性质、任务和各项基本方针政策，是指导我国经济体制改革的纲领性文件。《决定》共分10个部分：①改革是当前我国形势发展的迫切需要；②改革是为了建立充满生机的社会主义经济体制；③增强企业活力是经济体制改革的中心环节；④建立自觉运用价值规律的计划体制发展社会主义商品经济；⑤建立合理的价格体系，充分重视经济杠杆的作用；⑥实行政企职

责分开,正确发挥政府机构管理经济的职能;⑦建立多种形式的经济责任制,认真贯彻按劳分配原则;⑧积极发展多种经济形式,进一步扩大对外和国内的经济技术交流;⑨起用一代新人,造就一支社会主义经济管理干部的宏大队伍;⑩加强党的领导,保证改革的顺利进行。

中共十二大在提出"计划经济为主,市场调节为辅"的同时,还强调计划经济是我国国民经济的主体,这表明当时的认识在总体上并没有冲破旧体制的框架。而这次全会通过的《决定》认为,商品经济是社会经济发展不可逾越的阶段,并指出:"改革计划体制,首先要突破把计划经济同商品经济对立起来的传统观念,明确认识社会主义计划经济必须自觉依靠和运用价值规律,是在公有制基础上的有计划的商品经济。"社会主义经济是公有制基础上有计划的商品经济这个提法,比"以计划经济为主,市场调节为辅"的提法又大大前进了一步。它从根本上否定了把商品货币关系看成是异己力量的传统理论观点,作出了对社会主义经济体制改革的基本选择。在此基础上,中共十三大报告进一步指出,"社会主义有计划商品经济的体制,应该是计划与市场内在统一的体制","社会主义商品经济同资本主义商品经济的本质区别,在于所有制不同","必须把计划工作建立在商品交换和价值规律的基础上","计划和市场的作用都是覆盖全社会的。新的经济运行机制,总体上说来应当是'国家调节市场,市场引导企业'的机制"。这实际上已经把计划和市场都看成是调节手段,并强调了市场机制、价值规律的作用,反映了商品经济发展的要求。这表明,经过长期的探索,确立了要把计划工作从产品经济基础上转移到商品经济的基础上来。这是摆脱长期教条主义束缚所取得的重要认识成果。

正是基于以上《中共中央关于经济体制改革的决定》对我国经济体制改革的突破性认识,邓小平才称它是中国式的政治经济学。

全会还一致通过了《中国共产党第十二届中央委员会第三次全体会议关于召开党的全国代表会议的决定》。全会决定于1985年9月召开党的全国代表会议,会议的议题是:讨论和通过关于国民经济和社会发展第七个五年计划纲要的建议,增选中央委员会成员等组织事项。

全会号召全党、全军和全国各族人民,认真学习《中共中央关于经济体制改革的决定》,以充分的信心和勇气,切实有效地进行工作,努力夺取改革的全面胜利,为更好地开创社会主义现代化建设的新局面而奋斗!

五

十二届四中全会

1985年9月16日在北京召开中国共产党第十二届中央委员会第四次全体会议。

出席这次会议的有,中央委员188人,候补中央委员129人;列席会议的有,中央顾问委员会委员130人,中央纪律检查委员会委员121人,不是上述三个委员会成员的中央党政军机关和各省、自治区、直辖市党委的主要负责同志40人。

全会决定,当年9月18日召开中国共产党全国代表会议。

全会讨论并原则通过了《中共中央关于制定国民经济和社会发展第七个五年计划的建议(草案)》,决定将这个文件提请党的全国代表会议审议。

全会讨论确定了关于进一步实现中央领导机构成员新老交替的原则。全会收到了一批老同志分别请求不再担任第十二届中央委员会委员和候补委员、中央顾问委员会委员、中央纪律检查委员会委员的信。全会高度评价这些老同志从党和人民利益出发，积极促进中央领导机构成员新老交替的表率行动，同意他们不再担任中央三个委员会成员的请求，并向党的全国代表会议报告。

全会给叶剑英同志和黄克诚同志写了致敬信，在他们由于健康原因请求不再担任中央领导职务的时候，以全会的名义表达全党同志对他们的崇高敬意和亲切问候。

全会确定了关于进一步实现中央领导机构成员新老交替的原则，决定局部调整三个委员会成员，对保证党的政策的连续性具有重大意义。

十二届五中全会

在中国共产党全国代表会议召开后不久，1985 年 9 月 24 日在北京召开中国共产党第十二届中央委员会第五次全体会议。中央委员 202 人，候补中央委员 128 人出席会议；列席会议的有中央顾问委员会委员 172 人，中央纪律检查委员会委员 127 人，还有这次党的全国代表会议同意不再担任中央三个委员会成员的老同志。

全会对中央政治局和中央书记处成员进行了局部调整。为适应新的形势和党的任务的需要，按照进一步实现中央领导机构成员新老交替的原则，全会对中央政治局常委提出，经中央政治局反复酝酿

的候选人名单，认真讨论后，局部调整了中央政治局和中央书记处成员。

全会增选田纪云、乔石、李鹏、吴学谦、胡启立、姚依林为中央政治局委员，增选和调整后的中央政治局由 22 人组成。政治局常务委员胡耀邦、邓小平、赵紫阳、李先念、陈云；政治局委员万里、习仲勋、方毅、田纪云、乔石、李鹏、杨尚昆、杨得志、吴学谦、余秋里、胡乔木、胡启立、姚依林、倪志福、彭真；政治局候补委员秦基伟、陈慕华。

全会根据习仲勋、谷牧、姚依林的请求，同意他们不再担任中央书记处书记；全会增选乔石、田纪云、李鹏、郝建秀、王兆国为中央书记处书记。增选和调整后，中央书记处由 11 人组成。总书记胡耀邦，书记胡启立、万里、余秋里、乔石、田纪云、李鹏、陈丕显、邓力群、郝建秀、王兆国。

全会批准了中央顾问委员会第五次全体会议增选的中央顾问委员会常务委员会委员和副主任人选；批准了中央纪律检查委员会第六次全体会议增选的中央纪律检查委员会常务委员会委员、第二书记、常务书记、书记人选。

十二届六中全会

1986 年 9 月 28 日在北京召开中国共产党第十二届中央委员会第六次全体会议。出席会议的中央委员 199 人，候补中央委员 126 人，中央顾问委员会委员 161 人，中央纪律检查委员会委员 122 人；有关负责同志 25 人，列席会议。

全会通过了《中共中央关于社会主义精神文明建设指导方针的决议》。《决议》

共分八个部分：①社会主义精神文明建设的战略地位；②社会主义精神文明建设的根本任务；③用共同理想动员和团结全国各族人民；④树立和发扬社会主义的道德和风尚；⑤加强社会主义民主、法制、纪律的教育；⑥普及和提高教育科学文化；⑦马克思主义在精神文明建设中的指导作用；⑧党组织和党员在精神文明建设中的责任。

什么是社会主义精神文明，怎样建设社会主义精神文明？这是精神文明建设被提到议事日程以后，全党和全国人民都在思考和探索的问题。随着社会主义实践的推进，人们在理论上对建设精神文明的认识不断丰富、不断深化，在实践上也不断地有所创造。六中全会通过的这个决议，总结了全党和全国人民的实践经验，集中了全党的智慧，也吸收了许多党外同志的意见，极有针对性地回答了很多实际工作中存在的问题，是一个很好的马克思主义的文件。

《决议》指出，以马克思主义为指导的社会主义精神文明建设是社会主义的重要特征。社会主义精神文明建设，是关系社会主义兴衰成败的大事。《决议》还指出，社会主义精神文明建设的根本任务，是适应社会主义现代化建设的需要，培育有理想、有道德、有文化、有纪律的社会主义公民，提高整个中华民族的思想道德素质和科学文化素质。《决议》阐明了马克思主义在社会主义精神文明建设中的指导作用，阐明了党的组织和党员在社会主义精神文明建设中的责任。邓小平在讨论《决议》草案的讲话中指出：反对资产阶级自由化，我讲得最多，而且我最坚持。这种自由化是什么东西？实际上就是要把我们现行的政策引导到走资本主义道路。反自由化还要讲十年二十年。这个决议对于推动我国物质文明建设和精神文明建设，促进全面改革和对外开放，建设具有中国特色的社会主义，产生深远的影响。全会认为，这个决议根据马克思主义基本原理同中国实际相结合的原则，阐明了社会主义精神文明建设的战略地位、根本任务和基本指导方针，是新时期加强我国社会主义精神文明建设的纲领性文献。

全会还通过了《中国共产党第十二届中央委员会第六次全体会议关于召开党的第十三次全国代表大会的决议》。决定1987年10月在北京召开党的第十三次全国代表大会，规定了党的第十三次全国代表大会的议程和代表产生的办法。

全会同意按照党章的规定递补尹长民同志为中央委员。

全体会议之前，举行了五天预备会议，就上述议题进行了认真的讨论。预备会议期间，还听取和讨论了姚依林同志代表中央财经领导小组作的关于当前经济形势和经济工作的情况通报。

全会号召全党、全军和全国各族人民，认真学习和贯彻落实《中共中央关于社会主义精神文明建设指导方针的决议》，坚持社会主义物质文明和精神文明建设一起抓，以现代化建设和全面改革的优异成绩，迎接党的第十三次全国代表大会的召开。

八

十二届七中全会

1987年10月20日在北京召开中国共产党第十二届中央委员会第七次全体会议。出席这次会议的有，中央委员202人，候补中央委员122人。列席会议的有,中央顾问委员会委员 161 人,中央纪律检查委员会委员 121 人,有关负责同志 39 人。

全会决定,1987 年 10 月 25 日在北京召开中国共产党第十三次全国代表大会。

全会讨论并通过了中央委员会向党的第十三次全国代表大会的报告,讨论并通过了《中国共产党章程部分条文修正案》,一致决定将这两个文件提请党的第十三次全国代表大会审议。

全会讨论并原则同意《政治体制改革总体设想》,决定将这个文件的主要内容写入中央委员会向党的第十三次全国代表大会的报告。

全会确认 1987 年 1 月 16 日中共中央政治局扩大会议关于接受胡耀邦同志辞去中央委员会总书记职务的请求的决定和推选赵紫阳同志代理中央委员会总书记的决定。

全会还确认 1987 年 7 月 14 日中共中央政治局关于撤销沈图同志中央委员职务的决定。

第六届全国
人民代表大会

第六届全国人民代表大会及其常务委员会是按照 1982 年宪法选举产生的。它从 1983 年 6 月召开六届全国人大一次会议到 1988 年 3 月召开七届全国人大一次会议,历经五年时间。在这五年里,六届全国人大及其常委会认真履行宪法赋予的职责,坚持按民主集中制的原则办

事,充分发扬民主,集体决定问题,为发展社会主义民主,健全社会主义法制,使民主法律化、制度化,做了大量卓有成效的工作。

六届全国人大按照宪法的有关规定,共召开了五次会议。每次会议都听取和审议了政府工作报告、国民经济和社会发展计划报告、国家预算执行情况、下年国家预算草案的报告以及全国人大常委会、最高人民法院、最高人民检察院的工作报告,并作出了相应的决议。六届全国人大一次会议选举和决定了新一届国家领导人员,重新设立了国家主席、副主席,第一次设立了中华人民共和国中央军事委员会。根据新宪法的规定,全国人大设立了民族、法律、财经、教科文卫、外事、华侨等六个专门委员会,作为全国人大及其常委会行使职权的助手。六届全国人大四次会议批准了国务院提出的国民经济和社会发展第七个五年计划。六届全国人大历次会议分别通过了《民族区域自治法》、《兵役法》、《继承法》、《民法通则》、《义务教育法》、《外资企业法》等六个法律以及关于批准中英两国政府《关于香港问题的联合声明》、关于授权全国人大常委会批准中葡两国政府《关于澳门问题的联合声明》等一系列重要决议、决定。

五年中,全国人大代表在会议上共提出议案 830 件,各种建议、批评和意见 14215 件。全国人大各专门委员会以及有关方面对这些议案进行了认真处理,采纳了许多重要意见,有的已由常委会通过了相应的法律或决定。对于代表的建议,有关部门都进行了认真研究并给予了答复。

六届全国人大常委会根据全国人民代表大会组织法的规定,共召开了 25 次会议。五年任期内,全国人大常委会加快了立法,特别是经济立法的步伐,制定了

一批重要的法律。六届全国人大及其常委会共通过了 37 件法律、10 件补充修改法律的决定、16 件有关法律问题的决定，共 63 件，其中 52 件是常委会审议通过的。在加强对宪法和法律实施监督的同时，全国人大常委会还逐步扩大了工作监督；进一步开展了外事活动；加强了常委会的组织制度建设和工作机构建设等。

总之，六届全国人大及其常委会认真履行了宪法赋予的职责，坚持以经济建设为中心，坚持四项基本原则和改革、开放，为发展社会主义民主，健全社会主义法制，促进社会主义现代化建设起到了重要的作用。

一

第六届人大第一次会议

六届全国人大一次会议于 1983 年 6 月 6 日至 21 日在北京举行，出席会议的代表共 2884 人。这次会议是按照新宪法选举产生的首届代表大会。会议的主要议程是：听取《政府工作报告》、姚依林的《关于 1983 年国民经济和社会发展计划的报告》、王丙乾的《关于 1982 年国家决算的报告》和杨尚昆、江华、黄火青分别作的全国人大常委会、最高人民法院、最高人民检察院的工作报告，选举和决定新的一届国家领导人，组成新的一届国家领导机构。

《政府工作报告》实事求是地肯定了过去五年工作的成绩，指出了工作中的缺点和目前存在的困难。《报告》指出，五年来，我们的国家取得了很大的成就，主要表现在以下几个方面：在全国范围内实现和发展了安定团结的政治局面，加强了社会主义民主和法制建设；国民经济扭转了

重大比例严重失调所造成的不稳定状态，逐步走上健康发展的轨道；农业摆脱了长期徘徊不前的困境，实现了持续的全面高涨；消费品工业扭转了长期落后的局面，重工业逐步端正服务方向，整个工业在调整中持续增长；城乡市场出现了新中国成立以来少有的繁荣景象，对外经济技术交流有了很大的发展；经济体制进行了初步改革，取得了明显的成效和有益的经验；长期存在的轻视知识和歧视知识分子的错误倾向逐步得到纠正，教育科学文化事业有了新的发展；在生产发展的基础上，城乡人民生活有了明显的改善；国防建设和国防力量有了新的加强，保卫了祖国的独立和安全；坚持执行独立自主的对外政策，外交工作取得了新成就。《报告》提出今后五年的主要任务是：动员全国各族人民全面完成和超额完成第六个五年计划，制定和执行第七个五年计划，把以经济建设为中心的各项建设事业继续推向前进，实现中国共产党第十二次全国代表大会提出的争取国家财政经济状况和社会风气的根本好转，在全面开创社会主义现代化建设新局面的斗争中取得重大胜利。

会议经过认真审议，通过了《关于〈政府工作报告〉的决议》，决定批准这个报告。

《关于 1983 年国民经济和社会发展计划的报告》指出，经过全国各族人民的共同努力，1982 年国民经济和社会发展计划的实际完成情况，比原来预计的要好，但也出现了一些值得注意和亟待解决的问题。主要是：固定资产投资增长过猛，大大突破国家计划；重工业生产回升过猛，使稍为缓和了的能源和原材料供应紧张的情况又紧张起来，运输能力更显得不足；虽然开始注意提高经济效益，但实际工作还不够扎实，许多单位仍存在着片面

追求产值的现象,生产、建设和流通领域中经济效益差的状况没有明显改善,许多经济效益指标没有完成计划。《报告》根据第六个五年计划的要求和实际情况,提出1983年国民经济和社会发展的主要任务是:继续贯彻执行调整、改革、整顿、提高的方针,把提高经济效益放在一切工作的首位,进一步巩固和发展稳定经济的成果,克服当前工作中存在的问题,使各项经济和社会事业持续和向前发展。《报告》对1983年前五个月计划的执行情况作了简单回顾,指出为了全面完成1983年计划,当前主要要做好三方面的工作:一是严格控制固定资产投资规模,切实保证重点建设和企业技术改造按计划完成;二是通过继续整顿和调整现有企业,改革经济体制,全面提高经济效益;三是适当控制重工业的增长速度,加快轻工业生产的发展。《报告》最后指出,为了确保1983年计划的完成,巩固和发展当前的好形势,关键是要全国上下统一思想,严明纪律,使国家制定的方针政策和各项具体规定真正成为各地区、各部门、各单位全体干部和群众的自觉行动。

会议经过审议,通过了《关于1983年国民经济和社会发展计划报告的决议》,决定批准这个报告。

《关于1982年国家决算的报告》指出,1982年,我国各族人民在中国共产党和人民政府的领导下,继续贯彻执行国民经济调整、改革、整顿、提高的方针,经济和社会发展都取得了新的成就。在工农业生产发展的基础上,国家财政状况继续好转。1982年,财政收入停止下降,支出比上年增加,财政收支继续保持基本平衡。根据1982年国家决算,总收入为1123.97亿元,完成国家预算的101.8%;总支出为1153.31亿元,完成国家预算的

101.7%;收入和支出相抵,财政赤字为29.34亿元,比预算所列的赤字30亿元略有减少。1982年,国家通过发展生产和加强税收管理等措施,财政收入开始回升,扭转了连续三年收入下降的局面;在收入增长的同时,财政支出比上年有所增加,支持了经济建设、国防建设和文教科学卫生事业的发展,保证了城乡人民生活的进一步改善。但是,在预算执行过程中,仍然存在不少问题:生产、流通和建设领域中经济效益差的状况还没有明显改善;固定资产投资增长过猛,特别是地方、部门和企业用自筹资金和各种贷款进行的基本建设控制不住,而国家集中的财力过少,资金过于分散,以致财政、信贷和物资的平衡都很紧张;财政管理不严,浪费国家资财、违反财经纪律的现象还相当严重。为了迅速改变这种状况,必须继续贯彻执行调整、改革、整顿、提高的方针,一方面要在发展生产、提高经济效益上狠下工夫,另一方面要逐步提高财政收入占国民收入的比重,适当集中资金,保证国家重点建设的需要,并支持文教科学事业的发展。《报告》最后简要回顾了1983年头几个月国家预算的执行情况,针对目前存在的问题,提出今后几个月必须在发展生产、提高经济效益的基础上,抓紧财政收入,适当集中资金;同时要按照批准的预算严格控制财政支出,坚决反对铺张浪费。《报告》要求各地区、各部门、各企业单位要认真搞好各项改革,特别是要按照国务院的部署,坚决做好利改税工作。

会议通过了《关于1982年国家决算的决议》,批准了王丙乾所作的报告。

《全国人民代表大会常务委员会工作报告》主要回顾了自五届全国人大五次会议以来常委会的工作。《报告》指出,五年来,常委会在全面开创社会主义现代化建

设新局面的方针指导下,遵循新宪法所规定的任务以及五届全国人大五次会议关于本届全国人大常委会职权的决议,以主持六届全国人大代表的选举和筹备六届全国人大一次会议的召开为中心,做了以下工作:一是在全国范围内开展新宪法的宣传教育工作,切实保证宪法的实施。在法制工作方面,常委会审议通过了《关于县级以下人民代表大会直接选举的若干规定》、《关于由对外经济贸易部行使原外国投资管理委员会的审批权的决定》和《关于地区和市合并后市人民代表大会提前换届问题的决定》。常务委员会法制委员会还同有关部门对一些法律草案进行了研究修改,准备提请常委会审议。为了维护法律的稳定性和严肃性,避免仓促制定,考虑不周,互不衔接,互相抵触,或者执行有问题,委员长会议决定:今后提到常委会上审议的法律草案,要先听取关于法律草案的说明,然后交全国人大法律委员会或有关的专门委员会审议修改,同时常委会组成人员也对法律草案进行研究,再提交常委会会议审议。这一措施进一步完善了立法程序。二是主持六届全国人大代表的选举和筹备六届全国人大一次会议的召开。常委会审议批准了《第六届全国人民代表大会少数民族代表名额分配方案》和《台湾省出席第六届全国人民代表大会代表协商选举方案》;召开了各省、自治区、直辖市人大常委会负责人座谈会,从法律上解决了各地在换届和选举工作中遇到的一些问题,保证了选举工作的顺利进行;主持了在北京举行的台湾省出席六届全国人大代表协商选举会议;审议了代表资格审查委员会的审查报告,确认各选举单位选出的2978名代表资格全部有效,并发表公告,公布全部当选代表名单。三是开展同各国议会的友好往

来活动,增强了同各国议会的相互了解和友好关系。常委会还通过决定,批准加入《禁止并惩治种族隔离罪行公约》、《防止及惩治灭绝种族罪公约》和《南极条约》。

会议通过了《关于第五届全国人民代表大会常务委员会工作报告的决议》,批准了这个报告。

《最高人民法院工作报告》对五年来各级人民法院的工作作了回顾,指出在这五年里,人民法院在组织上、工作上得到了充实、加强、健全和发展,走上了实事求是、依法办事的正确轨道,各项工作取得了显著的成绩。主要是:召开第八次全国人民司法工作会议,清算了林彪、江青反革命集团的罪行,初步总结了新中国成立以来人民司法工作的经验;解放思想、排除干扰,坚决复查纠正"文化大革命"期间判处的冤、假、错案;依法审判林彪、江青反革命集团案主犯;依法惩办反革命犯罪分子和严重破坏社会秩序的刑事犯罪分子,维护社会治安;严惩严重破坏经济的罪犯,保障社会主义经济建设的顺利进行;处理大量的民事案件,保护国家、集体和个人的权益;积极开展经济纠纷案件审判工作,调整经济关系,维护经济秩序;改革人民法院的机构,加强审判人员队伍建设。五年来,各级人民法院通过审判现行案件和复查纠正冤、假、错案,从正反两方面积累了丰富的审判实践经济,主要是:第一,必须坚持实事求是的原则,忠实于事实真相;第二,必须正确地执行国家的法律,严格依法办事;第三,必须贯彻群众路线,实行专门机关与群众相结合。人民法院的工作虽然取得了上述成绩,但仍存在一些缺点和问题,主要是:有些干部思想解放还不够,对复查纠正冤、假、错案认识迟,行动慢;处理某些刑事案件还存在不敢坚持依法办事的现象;有些人民法院

的负责干部对民事审判工作重视不够；法院干部数量仍不足，特别是法律专业知识和科学文化水平普遍较低，不能适应工作的需要；在设备、经费方面还存在不少困难。对这些缺点和问题，必须采取有效措施，切实加以纠正和解决。《报告》最后提出，今后要进一步加强和实行必要的改革，加强刑事、民事和经济纠纷案件的审判工作，维护社会主义法制，保障社会主义现代化建设的顺利进行。

会议通过了《关于最高人民法院工作报告的决议》，决定批准这个报告。

《最高人民检察院工作报告》指出，自五届全国人大一次会议以来的五年间，是检察机关重新建立和各项检察工作逐步开展时期。五届全国人大一次会议决定重新设置人民检察院。五年来，在党中央和各级党委的关怀和领导下，在各级人大常委会的监督下，各级人民检察院一边建设，一边工作。现在全国县以上都成立了人民检察院，已经有一支比较强大的检察队伍，基本上担负起了法律赋予检察机关的职责。检察机关的工作开始走上正常发展的轨道。五年来，各级人民检察院从政治经济形势出发，认真贯彻执行党的方针、政策，国家的宪法、法律和人民代表大会的决议；严格执行宪法赋予的职责，努力发挥法律监督机关的作用；坚持按照法律规定，积极办理国家工作人员中的违法犯罪案件；不断加强检察队伍的思想建设、组织建设和业务建设；在检察工作中坚持实行民主集中制的原则，提高办案质量，防止冤假错案。《报告》最后指出，今后各级人民检察院要坚决贯彻执行宪法，维护宪法的尊严，保证宪法的实施；继续参加整顿城乡社会治安，坚决打击经济领域和政治、文化领域中危害社会主义的严重犯罪分子，积极开展各项检察业务，履行法律监督机关的职责；加强对国家工作人员中的违法犯罪行为的斗争，积极查处国家工作人员违反刑法、需追究刑事责任的案件；进一步加强和改革检察工作，努力开创检察工作的新局面。

会议通过了《关于最高人民检察院工作报告的决议》，决定批准这个报告。

会议根据 1982 年宪法关于恢复设立国家主席的规定，选举李先念为中华人民共和国主席，乌兰夫为副主席；选举彭真为六届全国人大常委会委员长，陈丕显、韦国清、耿飚、胡厥文、许德珩、彭冲、王任重、史良、朱学范、阿沛·阿旺晋美、班禅额尔德尼·确吉坚赞、赛福鼎、周谷城、严济慈、胡愈之、荣毅仁、叶飞、廖汉生、韩先楚、黄华等 20 人为副委员长，王汉斌为秘书长；选举郑天翔为最高人民法院院长，杨易辰为最高人民检察院检察长；根据国家主席的提名，决定赵紫阳为国务院总理，决定任命万里、姚依林、李鹏、田纪云为副总理，方毅、谷牧、康世恩、陈慕华、姬鹏飞、张劲夫、张爱萍、吴学谦、王丙乾、宋平等 10 人为国务委员；会议还根据 1982 年宪法关于国家设立中央军事委员会的规定，选举邓小平为中央军事委员会主席，根据中央军委主席的提名，决定叶剑英、徐向前、聂荣臻、杨尚昆为中央军委副主席，余秋里、杨得志、张爱萍、洪学智为委员。会议还通过了全国人大民族、法律、财政经济、教育科学文化卫生、外事、华侨六个专门委员会的主任、副主任和委员人选，并任命了国务院各部委的负责人。

最后，新当选的中华人民共和国主席李先念和六届全国人大常委会委员长彭真分别作了讲话。

这次会议共收到代表或代表团提出的议案 61 件。经大会主席团审议通过，决定将其中 33 件交有关各专门委员会审议，提出是否由下次全国人大会议或者由全国人大常委会作为议案列入议程的意见，报告全国人大常委会；其余 28 件连同代表提出的 2331 件建议、批评和意见，分别交国务院有关部门研究处理，并负责答复。

六届全国人大一次会议成功地进行了换届选举，产生了新的一届国家领导人员，组成了新的一届国家领导机构，顺利地实现了新老交替和合作。这次选举，标志着中国的国家领导体制朝着制度化、正常化的方面迈进了一大步。这次会议热烈讨论、审议了《政府工作报告》和其他各项报告，始终洋溢着民主、团结的气氛，体现了不断进取的精神，是十亿人民团结一心的象征，是我国生动活泼政治局面的缩影。这次会议的成功，对于进一步调动全国各族人民和社会各方面人士的积极性，推进我国社会主义现代化建设的发展起了重要的作用。

二

第六届人大第二次会议

六届全国人大二次会议于 1984 年 5 月 15 日至 31 日在北京举行，出席会议的代表共 2709 人。会议的主要议程是：听取《政府工作报告》、宋平的《关于 1984 年国民经济和社会发展计划草案的报告》、王丙乾的《关于 1983 年国家决算和 1984 年国家预算草案的报告》和陈丕显、郑天翔、杨易辰分别作的全国人大常委会、最高人民法院、最高人民检察院的工作报告；审议、通过《中华人民共和国民族区域自治法》、《中华人民共和国兵役法》和《关于海南行政区建置的决定》；补选全国人

大常委会委员。

《政府工作报告》指出，今后经济工作中要着重抓好体制改革和对外开放两件大事，并做好五项工作，即认真地有步骤地改革城市经济中普遍存在的吃"大锅饭"的弊端，更好地调动企业和职工的积极性；改革建筑业和基本建设的管理体制，大力提高投资效益；改革流通体制，疏通流通渠道，做到货畅其流；积极办好经济特区和进一步开放沿海城市，打开对外经济技术交流的新局面；更加重视知识分子的作用，加强智力开发，不断提高职工队伍的素质。《报告》指出，一年来，我国外交工作取得了很大的成就，扩大了同各国的联系和交往，增进了相互了解和友谊，发展和改善了我国同许多国家的关系。《报告》就维护世界和平、坚持和平共处五项原则和加强同第三世界国家的团结三个方面，对我国的对外政策作了阐述，指出维护世界和平是我国对外政策的主要目标，我们要坚持不懈地为缓和国际紧张局势、停止军备竞赛、促进实现裁军、防止世界战争而努力；我们坚持在和平共处五项原则的基础上发展同世界各国的关系，并且主张世界上所有国家都应当遵循五项原则。使它真正成为国际关系的普遍准则；我们任何时候都把维护第三世界国家的权益作为自己的国际义务，坚决支持它们维护民族独立和发展民族经济的斗争，努力加强同它们的合作，积极促进它们之间的团结。《报告》在阐明祖国统一政策时指出，鉴于历史经验和台湾的现实，国家统一后可以实行"一个国家，两种制度"的设想，只要在和平统一问题上国共两党有共同语言，一切事情都好商量，台湾问题早解决比晚解决好，任何犹豫、拖延都是违背民心民意的；国家在 1997 年恢复对香港行使主权是坚定不移

的决策,为了继续保持香港的稳定和繁荣,恢复行使主权后,对香港将采取一系列特殊政策,并在50年内不予改变。

会议审议、通过了《关于〈政府工作报告〉的决议》,决定批准这个报告。

《关于1984年国民经济和社会发展计划草案的报告》首先回顾了1983年计划的执行结果。《报告》指出,1983年是国民经济和社会发展取得重大成就的一年。主要表现在:农业和工业、轻工业和重工业同时获得了大幅度的增长;重点建设有所加强,人民生活进一步改善;"六五"计划规定的1985年工农业总产值和粮、棉、煤、钢等主要产品产量,以及一部分改善人民生活的指标,已经提前两年达到,有的还有所超过。《报告》指出,在充分看到当前大好经济形势的同时,也要清醒地看到存在的一些值得注意的问题。主要是:经济效益改善较慢,国家财政仍然困难;能源和交通运输仍然十分紧张,钢材、水泥、木材等重要原材料供应不足的矛盾日益突出;工业的产品结构不能适应社会消费结构的变化和国际市场的需要;农村商品流通跟不上生产发展的需要。《报告》提出1984年国民经济和社会发展的主要任务是:继续坚持调整、改革、整顿、提高的方针,特别是抓好经济体制的改革和对外开放,进一步理顺经济关系,努力提高各方面的经济效益,促进国民经济协调稳定地发展。按照保证重点、适当照顾一般的原则,集中必要的力量把重点生产和重点建设搞上去。进一步搞活经济,改善人民生活。同时,继续控制固定资产投资规模,防止消费基金过快增长,保持财政、信贷收支基本平衡,保持市场物价基本稳定。《报告》最后指出,为了保证完成和超额完成1984年计划,最根本的是要进一步改革经济管理体制,调动各方面的积极

性,努力提高生产、建设、流通各个领域的经济效益。在计划工作和计划的执行方面,要注意抓好以下几项工作:改革计划管理体制,把大的方面管住管好,把小的方面放开放活;加强管理,严格财经纪律,努力提高各项技术经济指标的水平;大力增收节支、扭亏增盈,保持财政、信贷收支基本平衡;继续搞好企业的整顿和企业组织结构的调整,提高企业的素质。

会议审议通过了《关于1984年国民经济和社会发展计划报告的决议》,决定批准国务院提出的1984年国民经济和社会发展计划,批准宋平的报告。

《关于1983年国家决算和1984年国家预算草案的报告》指出,根据编成的国家决算,1983年国家财政总收入为1248.99亿元,国家财政总支出为1292.45亿元。收入和支出相抵,财政赤字为43.46亿元。这一年,为了完成国民经济与社会发展计划,实现国家预算,主要做了以下工作:狠抓企业扭亏增盈工作;认真落实集中资金的措施;实行税收制度的改革;积极支持文教科学卫生事业的发展;大力支持企业挖潜改造和技术革新;认真开展财务大检查。《报告》提出1984年国家预算安排的原则是:支持生产发展,活跃商品流通,加速技术进步,提高经济效益;适当集中资金,加强能源交通等重点建设和智力开发,促进各项事业的发展,继续改善人民生活;进一步改革财政税收制度,加强财政管理和财政监督,确保财政收支基本平衡。根据上述原则和国民经济计划的安排,1984年财政总收入为1338.5亿元,财政总支出为1368.5亿元。收支相抵,支出大于收入30亿元。《报告》分析了国家财政存在的困难,主要是在财力的需要和可能之间存在着比较突出的矛盾。一方面,财政收入占国民收

入的比例仍然比较低,财力有些分散,国家建设资金不足;另一方面,重点建设需要加强,各项事业需要发展,都要求供应更多的资金。《报告》最后提出,为了全面完成国家预算,要采取以下措施:大力促进生产发展,提高经济效益;进一步贯彻执行对内搞活经济、对外实行开放的政策,搞好财政税收制度改革;继续控制基本建设规模和压缩不必要的开支,提高资金的使用效果;切实加强财政管理和监督,严肃财经纪律。

会议审议通过了《关于 1983 年国家决算和 1984 年国家预算的决议》,决定批准国务院提出的 1983 年国家决算和 1984 年国家预算,批准王丙乾的报告。

会议于 5 月 31 日审议通过了《中华人民共和国民族区域自治法》,同日,由《中华人民共和国主席令》第 13 号令公布,自 1984 年 10 月 1 日起施行。《民族区域自治法》是实施宪法规定的民族区域自治制度的基本法律。除序言外,分总则、民族自治地方的建立和自治机关的组成、自治机关的自治权、民族自治地方的人民法院和人民检察院、民族自治地方内的民族关系、上级国家机关的领导和帮助、附则,共 7 章 67 条。其主要内容是:①民族区域自治制度是在国家的统一领导下,在各少数民族聚居的地方实行区域自治,设立自治机关,行使自治权;各民族自治地方是中国不可分离的部分,要维护国家的统一,保证国家总的方针政策和计划的贯彻执行,又照顾民族自治地方的特点和需要,保证民族自治机关充分行使自治权。②自治区、自治州、自治县的人民代表大会和人民政府,既是一级地方国家机关,又是民族自治机关,实行民主集中制;自治区主席、自治州州长、自治县县长和人大常委会主任或副主任,由实行区域自治的

民族的公民担任,人民政府的其他组成人员要尽量配备实行区域自治的民族和其他少数民族的人员,人民代表大会中实行区域自治的民族和其他少数民族代表的名额和比例,根据法律的规定,由省、自治区人民代表大会常务委员会决定;人口较少的少数民族在代表名额和比例的分配上都要适当照顾。③自治机关除行使一般地方国家机关的职权外,根据宪法规定可以制定自治条例和单行条例;在不违背宪法和法律的原则下,有权采取特殊政策和灵活措施;上级国家机关的决议、决定、命令和指示,如有不适合民族自治地方实际情况的,经该上级国家机关批准可以变通执行或停止执行;在国家计划的指导下,自主地安排和管理本地方的经济建设事业;自主地管理本地方的教育、科学、文化、卫生、体育事业。④国家帮助各少数民族地区加速经济和文化的发展,在开发资源、分配生产生活资料、投资、贷款、税收、技术等方面给予照顾。帮助培养少数民族干部、专业人才和技术工人。这些规定,既保障了民族自治地方各少数民族管理本民族事务的权利,又保障了各民族的平等、团结、互助关系的发展和实现各民族的共同繁荣。《民族区域自治法》的制定,是我国社会主义民主和法制建设取得的一项重要成就,标志着我国民族区域自治制度进入了一个新的发展阶段。

会议于 5 月 31 日通过了《中华人民共和国兵役法》,同日,由《中华人民共和国主席令》第 14 号公布,自 1984 年 10 月 1 日起施行。这次通过的《兵役法》,是在 1955 年《兵役法》的基础上进行修改的,在内容和结构上都作了较大的变动。《兵役法》分总则、平时征集、士兵的现役和预备役、军官的现役和预备役、军事院校从青年学生中招收的学员、民兵、预备役人员

的军事训练、高等院校和高级中学学生的军事训练、战时兵员动员、现役军人的优待和退出现役的安置、惩处、附则,共12章65条,比1955年的《兵役法》增加了5章,即军事院校从青年学生中招收的学员、民兵、预备役人员的军事训练、现役军人的优待和退出现役的安置、惩处。附则中增加了一条中国人民武装警察部队的兵役问题。《兵役法》的主要特点是:①规定我国实行义务兵役制为主体的义务兵与志愿兵相结合、民兵与预备役相结合的兵役制度。②规定中华人民共和国公民,不分民族、种族、职业、家庭出身、宗教信仰和教育程度,都有依法服兵役的义务,并对如何履行兵役义务作了明确、具体的规定。③对现役军人的优待和军人退出现役后的安置问题,作了相应的规定。新《兵役法》的颁布,对于进一步完善我国的兵役制度,增强全国军民的国防观念,加强武装力量的建设,保卫社会主义祖国的安全和四化大业的顺利进行,具有十分重大的意义。

《全国人民代表大会常务委员会工作报告》指出,近一年来,常委会加强了立法工作,审议通过了五个法律、五个关于修改、补充法律的决定、两个有关法律问题的决定,并审议决定将两个法律草案提请本次大会审议。为了加强对法律的审议工作,常委会在实践中逐步建立了审议、制定法律的一些必要制度。常委会加强了监督宪法和法律的实施工作,加强了法制宣传工作。常委会听取并审议了政府有关部门的一些重要的工作报告;全国人大民族、法律、财政经济、教育科学文化卫生、外事、华侨等六个专业委员会,逐步开展了工作。常委会还加强了同地方人大常委会的联系并积极开展对外友好活动,努力增进相互了解和发展友好合作关系。

在过去的一年里,常委会虽然做了一些工作,但是由于还缺乏经验,工作中还存在不少缺点和问题,这都需要在今后的实践中,逐步加以研究解决。

会议通过了《关于全国人民代表大会常务委员会工作报告的决议》,决定批准陈丕显的这个报告。

《最高人民法院工作报告》指出,一年来,全国各级人民法院坚决贯彻执行宪法、法律和政策,审判工作取得了显著的成绩。特别是在严厉打击严重刑事犯罪的斗争中,各级人民法院依照刑法、刑事诉讼法和六届全国人大常委会二次会议通过的两个决定,依法从重从快惩处了一批严重危害社会治安的犯罪分子,为争取社会治安的根本好转进行了紧张的、卓有成效的工作。在"严打"斗争中,人民法院刑事审判工作坚定地贯彻了以下各项方针、政策和原则:坚决贯彻依法从重从快的方针,严厉惩处严重刑事犯罪分子;坚持实事求是,依法办案,保证办案质量;坚持惩办与宽大相结合、区别对待的政策;坚决执行公民在法律面前一律平等的原则;加强法制宣传教育,促进综合治理。各级人民法院在集中力量进行刑事审判工作的同时注意了统筹全局,妥善安排力量,努力做好其他各项审判工作。人民法院从1979年下半年起逐步建立了经济审判组织,开展经济审判工作。截至1983年底,最高人民法院、各高级人民法院、中级人民法院(除个别边远地区外)和87%的基层人民法院都已建立了经济审判庭。经济审判工作的初步开展,对于维护社会经济秩序,保护当事人的合法权益,促进经济管理水平和经济效益的提高,起到了积极的作用。各级人民法院认真贯彻民事诉讼法(试行),积极开展巡回就地办案,加强对基层调解组织的业务指导,民事审判工作取得了较大的进展。人民法院处理申诉信访工作也取得了新的成绩。《报告》指出，人民法院审判工作中，仍存在着一些缺点和问题，主要是一些地方对少数刑事案件办得粗糙，有的定罪量刑不准；有些案件的审判执行程序法不够严格；有些法律文书质量不高。在民事审判、经济审判和处理申诉信访工作方面，对一些案件处理不及时，甚至造成积压。各级人民法院已经采取措施解决或正在解决。《报告》最后提出，人民法院要通过审判工作维护社会主义法制的统一和尊严；要一面继续坚决贯彻执行依法从重从快的方针，惩处严重刑事犯罪分子，并加强其他审判工作；一面抓紧队伍的建设和审判条件的改善，更加努力地贯彻党的十二大路线，为巩固人民民主专政，保卫社会主义现代化建设作出新的贡献。

会议通过了《关于最高人民法院工作报告的决议》，决定批准郑天翔的报告，对一年来最高人民法院的工作表示满意。

《最高人民检察院工作报告》指出，一年来，最高人民检察院和地方各级人民检察院、各级专门检察院，认真实施新宪法，坚决执行法律和政策，更加自觉地为建设良好的社会秩序，制裁犯罪行为，打击敌对势力的破坏活动，争取社会治安情况的根本好转，进行了紧张而艰巨的斗争。在这一年里，各级检察机关紧密结合政治经济形势，积极投入严厉打击严重刑事犯罪活动的斗争，继续抓紧打击严重经济犯罪活动，开展各项检察业务，认真履行检察机关的职责，努力开创检察工作的新局面，为维护社会主义法制，保卫和促进社会主义现代化建设，作出了积极的贡献。一年来，经过各方面的共同努力，"严打"斗争虽然取得了重大胜利，但是斗争的发展还不平衡。深挖隐藏较深的犯罪分子还不够，还有一批重大积案未破，社会治安还不稳定。今后，各级检察机关要依靠人民群众，坚持不懈地把这场斗争深入进行下去。要继续依法从重从严打击严重经济犯罪分子，维护经济秩序；认真办理侵犯公民民主权利方面的案件，保护公民的民主权利；加强信访申诉工作；加强检察机关和检察队伍的建设，开创检察工作的新局面，为发展社会主义民主，加强社会主义法制，尽快实现社会治安的根本好转，保卫社会主义现代化建设作出新贡献。

会议通过了《关于最高人民检察院工作报告的决议》，决定批准杨易辰的报告，对一年来最高人民检察院的工作表示满意。

会议审议通过了《关于海南行政区建置的决定》，决定设立海南行政区。这对于加快海南的开发建设，改善当地人民的物质、文化生活，支援全国的社会主义建设，加强民族团结，巩固祖国南海国防，都具有重大意义。

会议补选马万祺为六届全国人大常委会委员。

这次会议还收到代表和代表团提出的议案共114件。经大会主席团审议决定，将44件议案交有关专门委员会审议，提出是否列入全国人大或常委会的议程的意见，由全国人大常委会审议决定。其余70件连同代表提出的2697件建议、批评和意见，由全国人大常委会办公厅交有关部门研究处理，并负责答复。

六届全国人大二次会议是一次充满民主精神、吹拂改革春风的重要会议。这次会议高度评价了《政府工作报告》中重申的一个重要指导思想："我们要继续根据社会主义物质文明和精神文明建设一起抓的方针，艰苦奋斗，更加扎扎实实地做好各方面工作。而在各项工作中,中心任务仍然是要把经济建设继续推向前进。"指出经济建设是整个社会主义现代化建设的核心,这一点,任何时候都不能忽视,不能偏离;抓好体制改革和对外开放这两件大事,对于保证国民经济近期的稳定增长,打好90年代经济振兴的基础,促进社会主义经济建设全面高涨,具有重大的意义。这次会议通过的《民族区域自治法》和《兵役法》,对于进一步发挥民族区域自治制度的优越性,调动各族人民当家做主的积极性,加强民族团结和统一;完善我国的兵役制度,增强全国军民的国防观念,加强武装力量的建设,保卫社会主义祖国的安全和四化建设的顺利进行,都具有十分重大的意义。

三

第六届人大第三次会议

六届全国人大三次会议于 1985 年 3 月 27 日至 4 月 10 日在北京举行,2712 名代表出席了会议。这次会议是在以城市为重点的经济体制改革开始起步的情况下召开的,讨论经济体制改革是这次会议的重要内容。会议的主要议程是:听取了题为《当前的经济形势和经济体制改革》的政府工作报告、宋平的《关于 1985 年国民经济和社会发展计划草案的报告》、王丙乾的《关于 1984 年国家预算执行情况和 1985 年国家预算草案的报告》以及陈丕显、郑天翔、杨易辰分别作的全国人大常委会、最高人民法院、最高人民检察院的工作报告;审议、批准《中华人民共和国和大不列颠及北爱尔兰联合王国政府关于香港问题的联合声明》,通过《关于成立中华人民共和国香港特别行政区基本法

起草委员会的决定》、《关于授权国务院在经济体制改革和对外开放方面可以制定暂行的规定或者条例的决定》和《中华人民共和国继承法》;补选全国人大常委会委员。

《政府工作报告》指出,当前我国经济发展的总形势很好,连续几年出现了持续、稳定、协调发展的新局面。1984 年,我国农业生产大幅度增长,工业生产继续全面增长,重点建设取得了新的进展,技术改造的步伐明显加快。人民生活也显著改善。在积极搞活国内经济的同时,我们坚定不移地贯彻执行对外开放政策,推动了我国对外经济贸易特别是利用外资、引进先进技术工作的发展。但是,我国经济在发展中也还存在着一些不可忽视的问题。除了能源、交通、原材料供应仍然紧张,产业结构和产品结构还不够合理,预算外固定资产投资规模偏大以外,比较突出的问题是,部分商品价格上涨。《报告》分析了致使部分商品价格上涨的原因后指出,采取任何比较重要的改革措施时,都要周密考虑可能引起的各种反应,拟定出保证改革健康进行的相应的规定和办法。这是一条重要的教训。《报告》谈到关于经济体制改革问题时指出,当前,指导改革的行动方针应该是:坚定不移,慎重初战,务求必胜。今年的改革一定要继续把经济搞活,促进各方面的经济效益有一个较大的提高。迈出工资制度和价格体系改革的重要一步,同时切实加强和完善宏观经济的有效控制和管理,为今后的改革打下较好的基础,为进一步理顺经济关系创造更好的条件。同时要有领导有计划地开展科技体制和教育体制的改革。为了保证各项改革健康地、顺利地向前发展,有必要在以下五个重要问题上进一步统一认识:第一,必须坚持实事求是、稳步

前进的方针,坚决防止盲目追求和比赛增长速度的现象;第二,既要搞活经济,又要加强管理;第三,加强全局观念,克服本位主义;第四,必须继续坚持在发展生产的基础上逐步改善人民生活的方针,继续坚持艰苦奋斗、勤俭建国的方针;第五,必须继续纠正各种不正之风,排除对改革的干扰。

会议审议通过了《关于政府工作报告的决议》,决定批准这个报告。

《关于1985年国民经济和社会发展计划草案的报告》指出,1985年国民经济和社会发展取得了新的巨大成就。主要表现在以下几个方面:工农业生产持续高涨,主要产品产量都达到了新的水平;国家重点建设进一步加强,技术改造步伐加快;城乡市场更加活跃,各类商品零售额大幅度增长;科学技术和人才培养取得了新的成绩,文化、卫生、体育等事业有了新的发展;人民收入进一步增加,生活继续得到提高。但是也存在一些值得重视的问题,主要是能源、交通特别是电力供应和铁路运输仍然很紧张。原材料供应不足的矛盾日趋突出:产业结构和产品结构跟不上消费结构的变化;消费基金增长过猛,固定资产投资规模仍然偏大。《报告》提出1985年国民经济和社会发展计划的主要任务是:进一步贯彻执行对内搞活经济、对外实行开放的方针,积极而稳妥地进行经济体制改革,保持国民经济协调稳定地发展,全面完成和超额完成"六五"计划规定的各项任务,并为"七五"经济发展准备条件。在大力提高经济效益和增加国民收入的基础上,认真搞好财政信贷平衡,妥善安排积累和消费,保证城乡人民生活继续有所改善。为了全面完成和超额完成1985年计划和第六个五年计划,必须坚持体制改革,加强宏观管理。主要

采取以下措施:加强信贷管理,控制货币发行;加强消费基金的管理;控制固定资产投资的规模;加强外汇管理;严肃财经纪律,纠正不正之风。

会议通过了《关于1985年国民经济和社会发展计划的决议》,批准了国务院提出的1985年国民经济和社会发展计划,批准了宋平的报告。

《关于1984年国家预算执行情况和1985年国家预算草案的报告》指出,1984年,在国民经济持续、稳定、协调发展的基础上,国家财政状况继续好转,收入比上年有较大的增长。根据预计的数字,1984年国家财政总收入为1465亿元,总支出为1515亿元,收入和支出相抵,财政赤字为50亿元。这一年。为了完成国民经济与社会发展计划,实现国家预算,主要做了以下工作:大力发展生产,提高经济效益,国家财政收入有了较大的增长;合理分配资金,保证了国家重点建设和智力开发的需要;改革财政税收制度,增强了企业的活力;适应对外开放的需要,从财政上积极支持办好经济特区和开放若干沿海城市。1985年国家预算安排的主要原则是:在生产发展、经济效益提高的基础上,努力开辟财源,增加财政收入;根据量力而行的原则,保证重点建设和经济体制改革的需要,继续支持文教科学事业的发展,改善人民生活;通过加强综合平衡和财政管理,严格控制财政开支,继续确保财政收支的基本平衡。1985年的国家预算草案,财政总收入为1535亿元,财政总支出为1565亿元。收支相抵,支出大于收入30亿元。为了顺利地完成1985年的国家预算,要着重抓好以下几项工作:加强企业的经营管理,进一步提高经济效益;加强税收的征收管理,发挥税收调节经济和组织收入的作用;继续推进财政税

收制度的改革,巩固和发展改革的成果;严格控制基本建设投资和消费基金,节减行政经费支出;加强对经济的宏观控制,努力搞好资金综合平衡工作;严肃财政纪律,坚决刹住不正之风。

会议通过了《关于1984年国家预算执行情况和1985年国家预算的决议》,决定批准国务院提出的1985年国家预算,批准王丙乾的报告。

会议审议通过了《关于批准〈中华人民共和国政府和大不列颠及北爱尔兰联合王国政府关于香港问题的联合声明〉的决定》,决定批准1984年12月19日中国政府签署的《中华人民共和国和大不列颠及北爱尔兰联合王国政府关于香港问题的联合声明》,包括附件一《中华人民共和国政府对香港的基本方针政策的具体说明》,附件二《关于中英联合联络小组》和附件三《关于土地契约》。

会议还通过了《关于成立中华人民共和国香港特别行政区基本法起草委员会的决定》,决定成立香港特别行政区基本法起草委员会,负责香港特别行政区基本法的起草工作。并对香港特别行政区基本法起草委员会的组成作了规定。

会议通过了《关于授权国务院在经济体制改革和对外开放方面可以制定暂行的规定或者条例的决定》,决定授权国务院对于有关经济体制改革和对外开放方面的问题,必要时可以根据宪法,在同有关法律和全国人大及其常委会的有关决定的基本原则不相抵触的前提下,制定暂行的规定或者条例,颁布实施,并报全国人大常委会备案。经过实践检验,条件成熟时由全国人大或者全国人大常委会制定法律。

会议于4月10日通过了《中华人民共和国继承法》,同日由《中华人民共和国主席令》第24号公布,自1985年10月1日起施行。《继承法》分总则、法定继承、遗嘱继承和遗赠、遗产的处理、附则,共五章37条。《继承法》是民法的重要组成部分。它的主要内容是:①遗产的范围;②继承权男女平等;③法定继承人和继承顺序;④遗嘱继承;⑤遗产的处理;⑥少数民族的继承;⑦关于涉外继承。《继承法》的颁布和施行,有利于社会的安定团结,有利于促进社会主义经济的发展。

《全国人民代表大会常务委员会工作报告》指出,一年来,为了适应进一步搞活经济和对外开放的要求,常委会进一步加强了立法工作,特别是经济立法工作。常委会还听取和审议了政府有关部门的报告,和几个专门委员会逐步加强了研究、审议和拟订有关法律草案和其他议案方面的工作;组织常委会委员和全国人大代表围绕审议、决定各项议案进行了视察活动;召开了地方人大常委会负责人座谈会,研究了各级人大常委会的工作和建设。加强了法律监督工作,以保证法律的正确实施;指导地方各级人大顺利地完成了全国县、乡直接选举工作。全国人大和常委会的外事活动有了进一步的开展,增进了同其他国家议会和人民间的了解与友好合作。《报告》指出,常委会的工作虽然有了较大的进展,但同履行宪法赋予的职权和全国人民的期望还有差距,需要改进和加强。在进一步贯彻执行对内搞好经济、对外开放政策的新形势下,常委会要继续加强自身的组织和制度建设,加强立法工作、特别是经济立法工作,并加强对宪法、法律实施的监督和对行政、审判、检察工作的监督,充分发挥最高国家权力机关的作用,为发展社会主义民主,健全社会主义法制,保证和促进社会主义现代化建设而努力。

会议通过了《关于全国人民代表大会常务委员会工作报告的决议》，批准了陈丕显的报告。

《最高人民法院工作报告》指出，近一年来，全国各级人民法院和专门法院依照宪法的规定，坚决贯彻执行依法从重从快的方针，继续深入开展了严厉打击严重危害社会治安的犯罪分子的斗争，并着重打击了隐藏较深和流窜作案的犯罪分子，依法严惩了一批严重侵犯国家和集体利益、严重危害人民生命财产安全、严重扰乱社会秩序的罪犯。民事审判工作有了较大的进展。各级人民法院普遍重视加强基层人民法院的派出机构——人民法庭的组织建设和业务建设。经济审判工作取得了较大的成绩，全国中级人民法院，除个别边远地方以外，都建立了经济审判庭；全国基层人民法院有93％已建立了经济审判庭。多数人民法院注意了充实和加强经济审判力量。为了行使我国司法管辖权，及时审理海事案件和海商案件，维护我国和外国企业、组织和个人的合法权益，分别在广州、上海、青岛、天津、大连五个沿海港口城市设立了海事法院，审理国内与涉外的第一审海事案件和海商案件。对专利纠纷案件的管辖，最高人民法院根据民事诉讼法（试行）的规定和实际情况，作出了指定管辖。加强了法院系统的队伍建设，采取了多种途径提高法院干部的政治素质和业务素质。人民法院的审判工作也存在一些缺点，主要有：对少数民事案件、经济纠纷案件，特别是对一些申诉案件处理不及时；个别案件的办案质量不高；法院工作在某些方面还存在着官僚主义作风，深入群众、深入实际不够；等等。此外，在客观上也存在一些实际困难。这些都需要今后积极地、有步骤地得到解决。

会议通过了《关于最高人民法院工作报告的决议》，批准了郑天翔的报告，并对最高人民法院一年来的工作表示满意。

《最高人民检察院工作报告》指出，一年来，最高人民检察院和地方各级人民检察院、各级专门人民检察院做了许多工作，主要有：认真贯彻中共中央的方针、政策和全国人大的决议，进一步明确检察工作的指导思想，坚持四项基本原则，自觉地服从于和服务于社会主义四个现代化建设的总任务、总目标；继续严厉打击严重刑事犯罪活动，社会治安进一步好转；加强对经济犯罪行为的检察工作，保障经济体制改革和经济建设顺利进行；认真查处侵犯公民民主权利的犯罪案件，维护社会主义法制的尊严；加强检察队伍建设，不断提高干警的政治素质和业务素质。

会议通过了《关于最高人民检察院工作报告的决议》，批准了杨易辰的报告，对最高人民检察院一年来的工作表示满意。

会议还于4月10日补选黄玉昆为六届全国人大常委会委员。

这次会议共收到代表团或代表联合提出的议案128件。经大会主席团审议决定，将其中33件交有关的专门委员会审议，提出是否列入全国人大或全国人大常委会的议程的意见，由全国人大常委会审议决定。将其余的95件连同代表提出的2832件建议、批评和意见，由全国人大常委会办公厅交有关部门研究处理并负责答复。

六届全国人大三次会议发扬了民主的精神、实事求是的精神、改革的精神、锐意进取的精神。多年来，全国人代会一般是在年中或年末举行，这次改在春季举行，可以使全国人大及时讨论、决定一年的国家大计，更好地发挥最高国家权力机关的作用。关于《当前的经济形势和经济体制改革》的政府工作报告,突破了惯常的格式,集中论述了当前全国人民最关心的问题,对形势作了全面、精辟的分析,对成绩不夸大,对缺点不隐瞒,对困难不低估,实事求是,令人信服。《报告》对进一步改革经济体制提出了正确的方针和部署,对解决经济发展中出现的一些问题提出了适当的措施。会议通过的《关于授权国务院在经济体制改革和对外开放方面可以制定暂行的规定或者条例的决定》和《中华人民共和国继承法》以及批准的中英两国政府《关于香港问题的联合声明》,对于进一步巩固发展安定团结的政治局面,推动改革和四化建设,促进统一祖国大业具有重要的作用。

四

第六届人大第四次会议

六届全国人大四次会议于1986年3月25日至4月12日在北京举行,2687名代表出席了会议。这次会议主要是审议第七个五年计划。会议的主要议程是:听取《关于第七个五年计划的报告》、宋平的《关于1986年国民经济和社会发展计划草案的报告》、王丙乾的《关于1985年国家预算执行情况和1986年国家预算草案的报告》以及陈丕显、郑天翔、杨易辰分别作的全国人大常委会、最高人民法院、最高人民检察院的工作报告;通过中华人民共和国《民法通则》、《义务教育法》和《外资企业法》;补选全国人大常委会副委员长、委员;决定国务院副总理、国务委员人选;增补全国人大专门委员会副主任委员、委员。

《关于第七个五年计划的报告》分四部分,即"六五"计划执行情况的回顾、"七

五"时期的基本任务和主要建设方针、"七五"时期的经济体制改革、坚持独立自主的和平外交政策。《报告》在回顾"六五"计划执行情况时指出,五年来,在中国共产党的领导下,经过全国各族人民的共同努力,"六五"计划规定的工农业生产、交通运输、基本建设、技术改造、国内外贸易、教育科学文化、改善人民生活等方面的任务和指标,绝大部分都已提前完成或超额完成。我国社会主义现代化建设取得了巨大成就,全国经济和社会面貌发生了深刻变化。"六五"期间取得的各项巨大成就,充分证明了我们的路线、方针和政策是正确的。坚定不移地把全部工作重心转到社会主义现代化建设上来,努力推进社会主义物质文明和精神文明的建设,并坚持从实际出发制定各项政策,这是整个国民经济持续、稳定、协调发展的根本保证和重要前提。就经济工作来说,"六五"期间取得各项成就的根本原因是:在经济和社会的发展战略上,从片面追求工业特别是重工业产值产量的增长,开始转向以提高经济效益为中心,注重农轻重协调发展,注重经济、科技、教育、文化、社会的全面发展;在经济体制上,从管得过多、统得过死的僵化体制,开始转向适应在公有制基础上有计划发展商品经济要求的、充满生机和活力的新体制;在对外经济关系上,从封闭半封闭开始转向积极利用国际交换的开放型经济。《报告》指出,在充分肯定成绩的同时,必须清醒地认识到,工作上还存在一些缺点和问题:前几年虽然注意了国民经济的综合平衡和按比例发展,但对有效控制社会总需求过度增长有时还注意不够;在处理数量与质量、速度和效益的关系上,对提高经济效益特别是产品质量还缺乏有力的措施和有效的监督;在着重增强企业活力的时

候,加强和改善宏观管理的措施未能及时跟上;在两个文明建设中,在某些时候也有对精神文明建设重视不够的情况。特别是1984年第四季度以后,在经济形势好转的情况下,一度出现追求超高速现象,固定资产投资和消费基金增长过猛,货币发行过多。进口控制不严,经济生活中产生了某些不稳定因素。针对这些情况,国务院采取了一系列措施。《报告》提出"七五"时期的基本任务是:①进一步为经济体制改革创造良好的经济环境和社会环境,努力保持社会总需求和总供给的基本平衡,使改革更加顺利地展开,力争在五年或者更长一些的时间内,基本上奠定有中国特色的新型社会主义经济体制的基础。②保持经济的持续稳定增长,在控制固定资产投资总规模的前提下大力加强重点建设、技术改造和智力开发,在物质技术和人才方面为90年代经济和社会的继续发展准备必要的后续能力。③在发展生产和提高经济效益的基础上,继续改善城乡人民生活。"七五"计划在经济建设方面,贯穿着一个总的精神,就是要加强和改善国民经济的综合平衡,以保证我国经济进一步持续、稳定、协调地发展,保证各项改革的顺利进行。《报告》还特别强调,不断加强农业这个国民经济的基础,是我国现代化建设中的一项重要战略方针。《报告》指出,"七五"期间经济体制改革的主要内容有以下三个方面:①进一步增强企业特别是全民所有制大中型企业的活力,使它们真正成为相对独立的经济实体,成为自主经营、自负盈亏的社会主义商品生产者和经营者。②进一步发展社会主义的商品市场,逐步完善市场体系。③国家对企业的管理逐步由直接控制为主转向间接控制为主,建立新的社会主义宏观经济管理制度。为了完成"七

五"时期经济体制改革的任务,必须进一步明确六个认识问题,即充分认识经济体制改革必须适应发展社会主义商品经济的要求;充分认识新旧体制转换过程的艰巨性和复杂性;充分认识改革中兼顾当前利益和长远利益、局部利益和全局利益的必要性;充分认识改革的新形势对企业提出的严格要求;充分认识政府机构转变管理职能和改进工作作风的重要性;充分认识加强法制对于改革的促进作用和保证作用。《报告》指出,为了顺利实施"七五"计划,加快我国的现代化进程,我们必须继续坚持独立自主的和平外交政策,争取一个长期的和平国际环境。《报告》并对独立自主的和平外交政策的主要内容和基本原则作了阐述。

会议通过了《关于第七个五年计划和第七个五年计划报告的决议》,决定批准《关于第七个五年计划的报告》,原则批准国务院制定的《中华人民共和国国民经济和社会发展第七个五年计划》。

《关于1986年国民经济和社会发展计划草案的报告》提出,1986年计划的任务是:农业要在保证粮食稳定增产的前提下,因地制宜地发展多种经营;农业总产值比上年增长3%;工业生产要把确保产品质量、提高产品性能和降低能源、原材料消耗放到突出的位置上。保证工业的适当增长速度;在严格控制固定资产投资总规模的前提下,适当改善投资结构。加强能源、交通、通信和原材料等基础工业和基础设施的建设;安排好市场商品供应,保持物价基本稳定,妥善安排人民生活;大力增加出口,进一步扩展对外经济贸易和技术交流;进一步发展教育、科学和文化、卫生、体育等事业,大力加强社会主义精神文明建设。为了保证1986年计划的胜利实现,关键在于加强和改善宏观

管理,在进一步搞好工农业生产、改善供应的同时,对过度膨胀的需求要加以有效控制。因此,必须继续严格控制固定资产投资规模和消费基金的过快增长,切实管好银行信贷,认真加强外汇管理,继续改进计划体制。

会议通过了《关于 1986 年国民经济和社会发展计划的决议》,批准国务院提出的 1986 年国民经济和社会发展计划,批准宋平的报告。

《关于 1985 年国家预算执行情况和 1986 年国家预算草案的报告》在简要汇报了 1984 年国家决算情况后指出,在国民经济持续、稳定、协调发展的基础上,1985 年国家预算任务超额完成,财政收支都有较大幅度增长,并做到了当年收支平衡。根据预计数字,1985 年国家财政总收入为 1854.11 亿元,完成预算的 120.8%;总支出为 1825.94 亿元,完成预算的 116.7%。收支相抵,财政结余为 28.17 亿元。1985 年国家预算的执行情况表明,我国的经济工作和财政工作在坚持改革、开放、搞活方针的同时,认真加强对国民经济的宏观控制,国家财政状况出现了一些可喜的变化:国家财政由略有赤字,转变为收支平衡;在经济发展、财源扩大的基础上,财政收入进入稳定增长阶段;合理分配和使用资金,保证了国家重点建设和智力开发的需要;在生产发展的基础上,人民生活有了明显的改善;通过全面开展税收、财务、物价大检查,初步整顿了财经纪律。但是也存在着一些问题,一方面是经济上的某些不稳定因素尚未完全消除,如固定资产投资规模偏大,消费基金增长过快等;另一方面是财政收入中的跑、冒、滴、漏和支出中的损失、浪费还相当严重。这些都要在今后的工作中进一步改进。《报告》提出了 1986 年国家预算草案:财政总收入和总支出各为 2141.47 亿元,收支平衡。《报告》还就在编制 1986 年国家预算草案时,对财政收支结构和编列方法的改进以及拟定的若干政策性措施作了说明。《报告》最后指出,为了顺利完成 1986 年国家预算任务,必须统一思想,群策群力,认真做好以下几项工作:①狠抓增产节约,努力提高经济效益,确保财政收入继续保持稳定增长;②加强和改善宏观控制,坚持量力而行,尽力而为,注意控制和节约财政支出;③认真做好经济体制改革的填平补齐工作,继续完善财政税收制度;④加强财政监督,严肃财经纪律,认真纠正不正之风。

会议通过了《关于 1985 年国家预算执行情况和 1986 年国家预算的决议》,批准了国务院提出的 1986 年国家预算,批准了王丙乾的报告。会议授权全国人大常委会审查和批准 1985 年国家决算。

会议于 4 月 12 日通过了《中华人民共和国民法通则》,同日,由《中华人民共和国主席令》第 37 号公布,自 1987 年 1 月 1 日起施行。《民法通则》分基本原则、公民(自然人)、法人、民事法律行为和代理、民事权利、民事责任、诉讼时效、涉外民事关系的法律适用、附则 9 章 19 节,共 156 条。其基本原则是:民法调整作为平等主体的公民之间、法人之间、公民与法人之间的财产关系和人身关系;当事人在民事活动中的法律地位平等;民事活动应遵循自愿、公平、等价有偿、诚实信用的原则;公民、法人的合法的民事权益受法律保护,任何组织和个人不得侵犯;民事活动必须遵守法律,法律没有规定的,应当遵守国家政策;民事活动应当遵守社会公德,不得损害社会公共利益,破坏国家经济计划,扰乱社会经济秩序;在中华人民共和国领域内的民事活动,除法律另有规定外,适用于中华人民共和国法律。《民法通则》的具体规定体现了社会主义原则,反映了改革、开放、搞活的新情况和新经验,体现了中国社会经济的某些特色,是具有中国特色的社会主义民法。

会议于4月12日通过了《中华人民共和国义务教育法》,同日,由《中华人民共和国主席令》第38号公布,自1986年7月1日起施行。《义务教育法》共18条。它的主要内容是:国家实行九年制义务教育;国家、社会、学校和家庭依法保障适龄儿童、少年接受义务教育的权利;义务教育事业,在国务院领导下,实行地方负责,分级管理;禁止任何组织或者个人招用应该接受义务教育的适龄儿童、少年就业;任何组织或者个人不得侵占、克扣、挪用义务教育经费,不得扰乱教学秩序,不得侵占、破坏学校的场地、房屋和设备;禁止侮辱、殴打教师,禁止体罚学生;不得利用宗教进行妨碍义务教育实施的活动。《义务教育法》的颁布和施行,标志着我国普及基础教育工作进入了一个新阶段。

会议还于4月12日通过了《中华人民共和国外资企业法》,同日,由《中华人民共和国主席令》第39号公布施行。《外资企业法》共24条。它的主要内容是:①设立外资企业,必须有利于中国国民经济的发展,并且采用先进的技术和设备,或者产品全部出口或者大部分出口。②外国投资者在中国境内的投资、获得的利润和其他合法权益,受中国法律保护;外资企业符合中国法律关于法人条件的规定的,依法取得中国法人资格;外资企业依照国家有关税收的规定纳税并可以享受减税、免税的优惠待遇;外国投资者从外资企业获得的合法利润、其他合法收入和清算后的资金,可以汇往国外。③外资企业必须遵守中国的法律、法规,不得损害中国的

社会公共利益;应当在审查批准机关核准的期限内在中国境内投资;生产经营计划应当报其主管部门备案;雇用中国职工应当依法签订合同;必须在中国境内设置会计账簿,独立核算,按规定报送会计报表,并接受税务机关监督;各项保险应向中国境内的保险公司投保;外资企业终止,应当及时公告,按照法定程序清算,应当向工商行政管理机关办理注销登记手续,缴销营业执照。④外资企业的职工依法建立工会组织,开展活动,维护职工的合法权益;外资企业的外汇事宜,依照国家外汇管理规定办理;外资企业的经营期限由外国投资者申报,由审查批准机关批准。《外资企业法》的公布施行,有利于扩大对外经济合作和技术交流,促进中国国民经济的发展。

《全国人民代表大会常务委员会工作报告》指出,一年来,常委会按照宪法赋予的职权,加强了对宪法、法律实施的监督和对行政、审判、检察工作的监督,加强了立法工作,特别是经济立法工作,认真办理了代表提出的议案和建议,改进了全国人大代表视察办法,加强了同地方人大常委会的联系,进一步开展了同外国议会的交往和联系,并加强了常委会的组织、制度建设和工作机构的建设。《报告》最后指出,常委会的工作中还存在不少缺点和问题,主要是经济立法工作还跟不上社会主义现代化建设和经济体制改革的需要;如何加强法律监督和工作监督,还有待于继续探索和改进;如何加强常委会的组织建设,充分发挥各专门委员会的作用以及如何加强同代表、同地方人大常委会的联系,还存在一系列问题,需要在实践中逐步解决。

会议通过了《关于全国人民代表大会常务委员会工作报告的决议》,批准了陈

丕显的报告,对常委会一年来的工作表示满意。

《最高人民法院工作报告》指出,一年来,全国各级人民法院进一步明确了审判工作必须为党和国家的总任务、总目标服务,为社会主义现代化建设服务。最高人民法院主要抓了三方面的工作:一是在严厉打击严重危害社会治安的犯罪活动的斗争取得巨大胜利的基础上,适应形势的发展,把各项审判工作全面抓起来,并积极主动地参加对社会治安的综合治理;二是严肃执法,为健全社会主义法制而奋斗;三是加强人民法院革命化、专业化和现代化建设。《报告》提出,在今后的一年里,最高人民法院将依据形势的发展,在统筹兼顾、全面安排的前提下,突出"两打",即继续坚定不移地严厉打击严重危害社会治安的犯罪活动、坚决打击严重破坏经济的犯罪活动;抓好经济审判和民事审判。同时,继续为健全社会主义法制,提高法院干部素质而努力。

会议通过了《关于最高人民法院工作报告的决议》,批准了郑天翔的报告,对最高人民法院一年来的工作表示满意。

《最高人民检察院工作报告》指出,一年来,最高人民检察院和地方各级人民检察院、各级专门检察院,紧紧围绕社会主义现代化建设的总任务,坚持四项基本原则,继续深入开展了打击严重经济犯罪和其他刑事犯罪的斗争,全面开展了检察工作,为促进社会治安的稳定好转,保障经济体制改革和经济建设的顺利进行,作出了新的贡献。主要抓了以下工作:统一思想,不断提高对打击各种犯罪特别是打击经济犯罪重要性和紧迫性的认识;解决关键问题,推动斗争深入发展;集中力量,查处大案要案;坚持严格执法,做到敢于碰硬,善于碰硬,打破关系网、保护层;坚持

从严治警,加强检察队伍的自身建设。《报告》指出,检察工作中还存在一些缺点和问题,主要是最高人民检察院对下级检察机关的工作指导还不够及时有力;打击经济犯罪的工作发展还不平衡;有些地方对有法必依、执法必严、违法必究的原则坚持不够。这些都有待于进一步加以克服和解决。《报告》最后要求各级检察机关不断提高认识,统一思想,在绝不放松打击严重刑事犯罪的同时,把打击严重经济犯罪作为检察工作的主要任务;突出重点,集中力量查处大案要案;继续加强自身建设。

会议通过了《关于最高人民检察院工作报告的决议》,批准了杨易辰的报告,对最高人民检察院一年来的工作表示满意。

会议补选楚图南为六届全国人大常委会副委员长,多杰才旦(藏族)、郁文、陶大镛、鼓清源、程思远为六届全国人大常委会委员;任命乔石为国务院副总理,宋健为国务委员;并增补了全国人大各专门委员会组成人员。

这次会议共收到代表提出的议案265件,建议、批评和意见3341件。经大会主席团审议决定,将50件议案交有关的专门委员会审议,提出是否列入全国人大或全国人大常委会的议程的意见,由全国人大常委会审议决定,其余215件议案连同代表提出的建议、批评和意见,由全国人大常委会办公厅交有关部门研究处理,并负责答复代表。

六届全国人大四次会议是一次再展宏图,催人奋进的大会。会议通过的"七五"计划是建设的光辉蓝图,改革的宏伟纲领,两个文明一起抓的雄图大略,对于动员全国人民投身改革、献身四化起了积极的作用。会议通过的《民法通则》是一个重要的基本法律,对于保障公民、法人

在民事活动中的合法权益,调动各方面的积极性,维护社会经济秩序,保障经济体制改革和社会主义四个现代化建设事业的顺利进行,具有重大意义。《义务教育法》的制定、颁布和实施,标志着我国的基础教育发展到了一个新的阶段,为普及义务教育提供了法律保证,对于提高全民族的素质,推动社会主义物质文明和精神文明建设,具有重大的战略意义。《外资企业法》的制定有利于扩大对外经济合作和技术交流,促进我国国民经济的发展。

五

第六届人大第五次会议

六届全国人大五次会议于 1987 年 3 月 24 日至 4 月 11 日在北京举行,2831 名代表出席了会议。会议的主要议程是:听取、审议《政府工作报告》、宋平的《关于1987 年国民经济和社会发展计划草案的报告》、王丙乾的《关于 1986 年国家预算执行情况和 1987 年国家预算草案的报告》以及陈丕显、郑天翔、杨易辰分别作的全国人大常委会、最高人民法院、最高人民检察院的工作报告;通过《关于〈中华人民共和国村民委员会组织法(草案)〉的决定》、《关于第七届全国人民代表大会代表名额和选举问题的决定》、《关于授权全国人大常委会审议批准中葡两国政府关于澳门问题联合声明的决定》以及国务院和全国人大常委会的人事任免事项。

《政府工作报告》分四个部分,即当前国内形势和基本任务、坚持长期稳定发展经济的方针、深入改革经济体制和扩大对外开放、巩固和发展安定团结的政治局面。《报告》指出,1986 年是开始执行第七个五年计划并取得显著成就的一年,是我

国各族人民在中国共产党的领导下,继续沿着建设有中国特色的社会主义道路胜利前进的一年。全国安定团结,经济持续发展,社会主义事业繁荣兴旺。总的形势是好的。但是,在前进中还存在不少困难和问题,工作中还存在不少缺点,必须引起我们在思想上和工作上的高度重视。《报告》指出,当前我们要集中力量办两件大事:一是在经济领域,坚持正确的建设方针,广泛开展增产节约、增收节支运动,深入体制改革和扩大对外开放,努力保证整个国民经济的持续稳定发展;二是在政治思想领域,深入进行坚持四项基本原则的宣传教育,坚决反对资产阶级自由化,加强社会主义精神文明建设,进一步巩固和发展安定团结的政治局面。《报告》指出,为保证国民经济的长期稳定发展,必须着重解决以下问题:把加强农业放在发展国民经济的重要战略地位;按照建设规模同国力相适应的客观经济规律办事;把消费的增长切实建立在生产发展可能的基础之上;努力做到财政收支和信贷收支的基本平衡;继续防止盲目追求过高增长速度的倾向;坚定不移地全面推进经济体制改革。《报告》指出,无论是从当前还是从长远来看,要真正使经济建立在长期稳定发展的基础上,还必须广泛、深入、持久地开展增产节约、增收节支运动。《报告》提出,1987 年经济体制改革的主要任务是:以增强企业特别是全民所有制大中型企业活力为中心,着重改革企业经营机制和企业内部的领导体制,继续发展横向经济联合,适当加快金融改革步伐,进一步扩大生产资料市场,逐步改革和完善企业劳动工资和固定资产投资管理办法,并积极为下一步各方面的配套改革做好必要的准备。要继续扩大对外开放,在有效利用外资、引进先进技术和增加出口创汇等

方面打开新的局面,使对外开放政策在我国经济发展和实现社会主义现代化的过程中发挥更大的作用。《报告》指出,当前政治思想领域的中心任务,就是要广泛深入地进行坚持四项基本原则的教育,反对资产阶级自由化,同时切实加强社会主义精神文明的建设,以巩固和发展安定团结的政治局面,从根本上保证建设、改革和开放的顺利进行和健康发展。

会议通过了《关于〈政府工作报告〉的决议》,决定批准这个报告,对国务院一年来的工作表示满意。会议号召全国各族人民,在中国共产党的领导下,同心同德,团结一致,坚持四项基本原则,坚持改革、开放、搞活的方针,发扬艰苦奋斗、勤俭建国的优良传统,为巩固和发展全国的安定团结,保持国民经济的长期稳定发展,建设有中国特色的社会主义而努力奋斗。

《关于1987年国民经济和社会发展计划草案的报告》指出,1986年我国建设和改革都继续保持着良好的发展形势,各个方面都取得了新的成就,主要表现在:在粮食增产的基础上,农村经济继续发展;工业生产由上年的超高速转为正常发展,保持了适度的增长率;固定资产投资增长过快的势头得到初步控制,重点建设有所加强;国内市场繁荣,多数商品供求正常;对外经济技术交流继续扩展;科学、教育、文化、卫生、体育事业进一步发展;城乡人民的生活水平继续提高;经济体制改革,在巩固前几年已取得成果的基础上,有了新的进展。《报告》指出了国民经济中还存在的一些亟待解决的问题。主要是:全社会的固定资产在建总规模仍然过大,特别是投资结构不合理,重点建设的投资比重偏低;消费需求仍然增长过快;工业产品结构不适应市场需求的变化;国家财政出现赤字,部分商品价格上涨较多,外汇收支不平衡。对于这些问题,要严肃对待和认真解决。1987年国民经济和社会发展的任务,总的是通过大力开展增产节约、增收节支运动,通过深化改革进一步搞活大中型企业和增强农业后劲,争取实现社会总需求与社会总供给的基本平衡,保持国民经济的稳定发展。为此,要努力增加和改善社会供给,使国民经济保持适当的增长速度,生产、建设和流通领域的经济效益有较大改善,产品结构更好地适应需求结构的变化,国内市场继续保持稳定,出口创汇进一步增加。要继续控制社会总需求,使固定资产投资规模同国家的财力物力相适应,并切实调整投资结构,保证重点建设,推进技术改造,同时,使消费的增长切实建立在生产发展可能的基础上。要加强科学研究,大力开发新技术,推广应用科技成果;努力发展教育文化等事业,推进社会主义精神文明建设。《报告》指出,为了全面完成1987年计划任务,保证财政、信贷、外汇和物质的基本平衡,关键是抓好两个重要环节:一是压缩开支,在全国范围内,广泛开展增产节约、增收节支运动;二是以进一步搞活大中型企业为中心,深化经济体制改革。

会议审议、通过了《关于1987年国民经济和社会发展计划的决议》,批准了国务院提出的1987年国民经济和社会发展计划,批准了宋平的报告。

《关于1986年国家预算执行情况和1987年国家预算草案的报告》指出,根据预计数字,1986年国家财政总收入为2220.3亿元,完成预算的103.7%;国家财政总支出为2291.1亿元,完成预算的107%。收入和支出相抵,财政赤字为70.8亿元。财政赤字,除与财政工作管理不严、监督不力有直接关系外,最主要的是固定资产投资规模过大和消费基金增长过快,同国力不相适应。《报告》提出1987年国家预算草案是:财政总收入为2379.29亿元,财政总支出为2459.46亿元,收支相抵,支出大于收入80.17亿元。为确保各项建设事业和经济改革必不可少的资金需要,并把财政赤字控制在最低限度内,国务院拟定了若干有关财政收支的政策性措施。《报告》最后指出,为了保证1987年国家预算任务的圆满完成,使经济建立在稳定发展的基础上,必须广泛、深入地开展增产节约、增收节支运动,切实做好以下工作:提高认识,统一思想,开展增产节约、增收节支运动;抓住重点,明确目标,制定措施,把增产节约、增收节支工作落到实处;把增产节约、增收节支同深化改革结合起来,以改革促进经济效益的提高,以经济效益检验改革的成果;加强财政监督,严肃财经纪律,认真纠正各种不正之风。

会议审议、通过了《关于1986年国家预算执行情况和1987年国家预算的决议》,决定批准国务院提出的1987年国家预算,批准王丙乾的报告。会议授权全国人大常委会审查和批准1986年国家决算。

会议听取了吴学谦受国务院委托所作的关于《中华人民共和国政府和葡萄牙共和国政府关于澳门问题的联合声明》草签文本的报告,通过了《关于授权全国人民代表大会常务委员会审议批准〈中华人民共和国政府和葡萄牙共和国政府关于澳门问题的联合声明〉的决定》,并对我国政府为解决澳门问题所进行的工作和吴学谦的报告表示满意。会议决定授权全国人大常委会在《中华人民共和国政府和葡萄牙共和国政府关于澳门问题的联合声明》经中葡两国政府正式签署后予以审

议和决定批准。

会议通过了《关于〈中华人民共和国村民委员会组织法(草案)〉的决定》,原则通过了《中华人民共和国村民委员会组织法(草案)》,并授权全国人大常委会根据宪法规定的原则,参照大会审议中代表提出的意见,进一步调查研究,总结经验,审议修改后颁布试行。

会议通过了《关于第七届全国人民代表大会代表名额和选举问题的决定》。其主要内容是:七届全国人大代表的名额仍然保持六届全国人大代表2978人的名额;省、自治区、直辖市、中国人民解放军、少数民族、华侨选举的七届全国人大代表的名额,仍然和六届全国人大代表的名额相同;省、自治区、直辖市和中国人民解放军选举的七届全国人大代表,应在1988年1月底以前选出。

《全国人民代表大会常务委员会工作报告》指出,一年来,全国人大常委会按照宪法赋予的职权,制定了一些重要的法律和有关法律问题的决定,审议决定了一些重大事项,加强了对宪法、法律实施的监督和工作监督,任免了一批国家工作人员。同时,根据彭真委员长的意见,为了发展社会主义民主,健全社会主义法制,对加强人大的法律监督,加强同全国人大代表的联系,加强人大机关建设,以及人大干部学习法律等问题,进行了系统的调查研究,改进和加强了人大常委会的工作,并为以后做好人大工作进一步打下了基础。《报告》指出,常委会的工作中还有不少缺点和问题,主要是法律监督和工作监督不够有力;人大代表如何更好地行使职权,还没有很好地解决;常委会的组织、制度还不够健全和完善。这些问题,都需要进一步研究探讨,加以解决。

会议通过了《关于全国人民代表大会

常务委员会工作报告的决议》,批准了陈丕显的报告,并对常委会一年来的工作表示满意。

《最高人民法院工作报告》指出,一年来,最高人民法院遵照六届人大四次会议精神,对审判工作做了统筹兼顾,全面安排,突出了"两打",即严厉打击严重危害社会治安和严重破坏经济的犯罪活动的部署,同时继续加强了法院队伍的建设。《报告》提出今后的工作重点是:继续依法严厉打击严重危害社会治安和严重破坏经济的犯罪活动,保障和促进社会主义改革和建设的顺利进行;加强基层工作,加强民事审判和经济审判,促进社会安定团结,依法调节经济活动的正常运行;坚持严肃执法,为健全社会主义法制,发展社会主义民主而努力。《报告》指出,法院工作中仍存在一些缺点和问题,主要是:有些法院干部对宪法、法律、法规学习不好,有些案子办理质量不高;有的案件超过了审限;一些民事、经济案件应适用普通程序的,采用了简易程序;对有些纠纷的调解工作指导不力;有的判决和裁定没有得到执行等等。这些问题都需要在以后的工作中认真改进。

会议通过了《关于最高人民法院工作报告的决议》,批准了郑天翔的报告,并对最高人民法院一年来的工作表示满意。

《最高人民检察院工作报告》指出,一年来,最高人民检察院和地方各级人民检察院、各级专门检察院认真执行宪法和法律,坚持四项基本原则,坚持"一手抓建设,一手抓法制"的指导思想,围绕社会主义经济建设的总任务,积极开展各项检察工作。一是依法查处严重经济犯罪案件,保障改革、开放、搞活的顺利进行;二是依法坚决打击严重刑事犯罪活动,维护和促进社会的安定团结;三是依法查处渎职犯罪和侵犯公民民主权利的犯罪案件,保护国家的利益和公民的合法权益;加强社会主义精神文明建设,提高检察干警的政治素质和业务素质。《报告》指出,在今后的工作中,要继续深入开展打击经济犯罪和其他刑事犯罪的斗争,用"两打"推动综合治理的其他工作,推动各项检察工作的全面开展。

会议通过了《关于最高人民检察院工作报告的决议》,批准了杨易辰的报告,并对最高人民检察院一年来的工作表示满意。

会议还决定任命陈敏章为卫生部部长,免去崔月犁的卫生部部长职务;任命王芳为公安部部长,免去阮崇武的公安部部长职务;任命李铁映为国家经济体制改革委员会主任,免去赵紫阳兼任的国家经济体制改革委员会主任职务;任命曾宪林为轻工业部部长,免去杨波的轻工业部部长职务。

会议于1987年4月11日补选王金陵、叶笃正、蚁美厚、蔡子民、颜金生为六届全国人大常委会委员。

这次会议共收到代表提出的议案262件,建议、批评和意见3014件。经大会主席团审议决定,将39件议案交有关专门委员会审议,提出是否列入全国人大或全国人大常委会的议程的意见,由全国人大常委会审议决定。将其余的223件议案连同代表提出的建议、批评和意见,由全国人大常委会办公厅交有关部门研究处理,并负责答复代表。

六届全国人大五次会议是一次重要的会议。会议作出的各项决定对推进我国的改革开放和社会主义现代化建设事业具有重要的现实意义和深远的历史意义。

中国人民政治协商会议第六届全国委员会

一

政协第六届全国委员会第一次会议

1983 年 5 月 30 日，中国人民政治协商会议第五届全国委员会常务委员会第二十四次会议在北京举行。会议的主要议程是协商政协第六届全国委员会第一次会议的筹备工作。会议通过了中国人民政治协商会议第六届全国委员会第一次会议议程（草案）；协商通过了全国政协六届一次会议主席团和秘书长名单（草案）；通过了全国政协五届五次会议提案审查委员会关于政协五届五次会议以来提案工作情况的报告。

6 月 3 日，政协第六届全国委员会第一次会议举行预备会，通过了政协第六届全国委员会第一次会议主席团和秘书长名单。随后，又举行了主席团会议和常务主席会议，推举邓颖超同志致开幕词。

6 月 4 日至 22 日，中国人民政治协商会议第六届全国委员会第一次会议在北京举行。全国政协六届一次会议主席团常务主席邓颖超致开幕词。她指出：第六届全国政协具有空前广泛的代表性。委员总数共 2039 人，包括各民主党派、无党派民主人士、各人民团体、各界代表人物、少数民族、台湾同胞、港澳同胞、归国侨

胞、特邀人士等 31 个方面。委员的构成较之第五届政协有了很大的变化和发展。非共产党员占了委员的大多数；知识分子的数量大幅度增加，并新选进了一批在四化建设中作出显著成绩的比较年轻的代表人物；台胞联谊会和港澳同胞新列为政协的参加单位，台湾和港澳爱国同胞的委员人数是历届政协最多的；委员中还有台湾国民党当局在大陆上的爱国亲属；有著名历史人物的后裔；有为我国革命和建设事业长期工作的中国籍的原国际友人。

在回顾五届政协的工作时，邓颖超指出：在邓小平主席的卓越领导之下，五届政协进行了卓有成效的工作，制定了新的政协章程，积极参加了国家大政方针的协商和讨论，提出了许多兴利除弊的建议，发挥了民主监督的积极作用，为发展我国社会主义事业作出了重大贡献。在对外友好工作方面也取得了成绩。

她说，我国统一战线是中国人民在革命和建设中取得胜利的一大法宝。今后爱国统一战线的方针政策，就是要高举爱国旗帜，发展和加强中华民族的大团结大统一，为实现社会主义现代化建设、完成祖国统一大业、维护世界和平作出新的贡献。中国人民政协是我国爱国统一战线的组织，是我国政治生活中发扬社会主义民主的一种重要形式。它集中了各行各业的名流和专家，完全有条件在建设中国特色的社会主义事业中做出更加出色的工作。人民政协要更加发扬民主，广开言路，放手工作，充分发挥政协委员的积极性和专长，为中华民族的繁荣、富强和统一，作出更大的努力。

6 月 6 日和 7 日，全国政协六届一次会议全体委员列席了第六届全国人民代表大会第一次会议。听取了国务院总理的《政府工作报告》，副总理姚依林《关于

1983 年国民经济和社会发展计划的报告》、财政部部长王丙乾《关于 1982 年国家决算的报告》。6 月 8 日至 10 日，分组讨论了这些报告。

6 月 10 日，全国政协六届一次会议举行主席团会议，通过了政协第六届全国委员会主席、副主席、秘书长、常务委员候选人名单草案，交全体委员讨论。6 月 14 日，主席团又举行了常务主席会议，听取了分组讨论候选人名单情况。6 月 15 日，再次举行了主席团会议，通过了政协第六届全国委员会主席、副主席、秘书长、常务委员候选人名单，通过全国政协六届一次会议决议草案，通过提案审查委员会关于提案审查情况的报告草案。

会议在充分准备和反复协商的基础上，选举邓颖超为政协六届全国委员会主席，选举杨静仁、刘澜涛、陆定一、程子华、康克清、季方、庄希泉、帕巴拉·格列朗杰、胡子昂、王昆仑、钱昌照、董其武、陶峙岳、周叔弢、杨成武、肖华、陈再道、吕正操、周建人、周培源、包尔汉、缪云台、王光英、邓兆祥、费孝通、赵朴初、叶圣陶、屈武、巴金为政协六届全国委员会副主席，选举彭友今为政协六届全国委员会秘书长，选举丁玲等 266 人为政协六届全国委员会常务委员会委员。

会议通过了《中国人民政治协商会议第六届全国委员会第一次会议决议》。决议指出：国务院总理在《政府工作报告》中提出的今后五年的主要任务是积极的，实事求是的，鼓舞人心的，与会委员一致表示要为各项任务的实现而奋斗。会议热烈拥护六届全国人大一次会议选举和决定的新的一届国家领导人员。会议对政协第五届全国委员会的工作表示满意，认为政协第五届全国委员会在邓小平主席的卓越领导下，团结各方面力量，协助中

国共产党和人民政府拨乱反正，落实统一战线政策，巩固和发展统一战线，活跃政治生活，促进经济建设。开展人民外交，作出了重大贡献。会议要求，在今后五年中，各级政协要把协助有关部门发展以经济建设为中心的各项建设事业，实现中国共产党第十二次代表大会提出的三个根本好转，作为自己的重要任务，并把督促和协助有关部门全面落实统一战线政策和其他各项政策作为开创统一战线和人民政协工作新局面的关键。

政协第六届全国委员会第二次会议

1984 年 5 月 7 日至 9 日，中国人民政治协商会议第六届全国委员会常务委员会第五次会议在北京举行。会议通过政协第六届全国委员会第二次会议议程和日程草案；协商通过第六届全国委员会增补委员 41 人名单；通过常务委员会工作报告；通过提案委员会关于全国政协六届一次会议以来提案工作情况报告；通过全国政协六届二次会议分组办法和小组召集人名单等。

1984 年 5 月 12 日至 26 日，中国人民政治协商会议第六届全国委员会第二次会议在北京举行。本届现有委员 2030 人，出席会议 1780 人。邓颖超主席主持开幕并作了重要讲话。她说，我国统一战线在长期革命和建设的实践中形成了一套优良传统和作风，这主要是政治协商、民主监督、合作共事、广交朋友和自我教育的传统和作风。第一，政治协商，是我国发扬社会主义民主和正确处理统一战线内部关系的一种重要方式。第二，民主监督，就是在共同政治准则的基础上，互

相提意见,作批评。第三,党内外合作共事,是统一战线中最普遍、最经常的关系。第四,广交朋友,尤其是共产党员要同党外人士交朋友,交诤友,对于密切党内外同志的关系,沟通思想,增强团结,具有重要的意义。第五,要发扬自我教育、自我改造的优良传统。她说,人民政协是我国爱国统一战线的组织形式,政协机关的工作必须充分体现和发扬统一战线的优良传统和作风,认真改进自己的工作。

开幕会上,全国政协副主席胡子昂作了《中国人民政治协商会议第六届全国委员会常务委员会工作报告》。他说,一年来,本会常委会进行了许多有成效的工作,取得了显著的成绩。第一,认真落实政策,增强团结,调动各方面人士的积极性。全国政协会同中共中央统战部和民主党派、无党派民主人士组成调查组,对政协委员在知情、出力、落实政策方面的情况进行调查。本会还会同中共中央统战部召开落实政策工作座谈会。各省、自治区、直辖市也分别组织检查团和检查组,对落实政协委员以及其他方面统战政策的情况进行了多次大规模的检查,成立了领导机构和办事机构,使落实政策工作大大前进了一步。第二,通过政治协商、民主监督和多种方式,在四化建设中积极发挥作用。一年来,常委会举行了五次会议,15个工作组,围绕着国家政治生活、经济建设、文化教育、统一战线工作和群众关心的重要问题,组织专题座谈和调查,提出意见和建议。第三,帮助民主党派开展各项工作,联系、协调各民主党派进行经济咨询、智力支边、讲学办学等活动。第四,为早日实现祖国统一,积极开展工作。第五,积极开展人民外交活动,加强同各国人民的友好往来和合作。第六,加强机关建设,改进工作作风。

在谈到今后工作时,胡子昂说,第一,继续协助和督促各个地区和有关部门全面落实政协委员以及各方面的统战政策,把落实政策工作作为1994年本会工作重点之一。第二,不断发挥人民政协人才聚集的优势,对社会主义现代化建设中出现的新事物、新情况、新经验、新问题,特别是有关方针政策性的问题,通过专题调查、座谈会、报告会,反映情况,提出建议。第三,加强对经济特区和沿海开放城市政协工作的调查研究。第四,加强和开展同台湾同胞、港澳同胞和海外侨胞的联系。第五,进一步开展人民外交活动。第六,加强组织委员学习的工作。第七,扩大文史资料的征集范围和组稿对象,加强人民政协的宣传工作。第八,政协机关抓好机关建设。

与会委员列席了第六届全国人民代表大会第二次会议,听取并讨论了国务院总理所作的《政府工作报告》、国务委员宋平《关于1984年国民经济和社会发展计划草案的报告》、国务委员王丙乾《关于1983年国家决算和1984年国家预算的报告》。还听取并讨论了全国人大常委会副委员长阿沛·阿旺晋美关于《中华人民共和国民族区域自治法(草案)》的说明、中国人民解放军总参谋长杨得志关于《中华人民共和国兵役法(修改草案)》的说明。

5月25日,政协第六届全国委员会常务委员会举行第六次会议。协商通过增选全国政协第六届委员会副主席、常务委员候选人名单,讨论通过政治决议草案、关于常委会工作报告的决议草案和关于六届二次会议提案审查情况的报告草案。

5月26日举行了闭幕会。通过了《中国人民政治协商会议第六届全国委员会第二次会议政治决议》、《中国人民政治协商会议第六届全国委员会第二次会议关于常务委员会工作报告的决议》。决议完全赞同政府工作报告中提出的,在新的一年里,要继续贯彻社会主义物质文明和精神文明建设一起抓的方针,坚持在经济工作中着重抓好体制改革和对外开放两件大事;坚决支持我国政府于1997年恢复对香港行使主权以及对香港所采取的特殊政策。会议同意常委会的工作报告,认为一年来工作成绩显著。会议认为,邓颖超主席在开幕式上的讲话,是统一战线工作经验的总结,是做好政协工作的指针。会议增选了马文瑞等9人为常务委员会委员,马文瑞、茅以升、刘靖基为全国政协第六届委员会副主席。邓颖超主席就落实政策特别是落实知识分子政策和改进提案工作问题讲了话。

三

政协第六届全国委员会第三次会议

1985年3月15日至19日,中国人民政治协商会议第六届全国委员会常务委员会在京举行第八次会议。主要议题是讨论和筹备全国政协六届三次会议有关事宜。会议通过了六届三次会议议程草案、日程草案、常委会工作报告、常委会关于落实政策工作情况的报告和提案工作情况的报告等。

1985年3月25日至4月8日,中国人民政治协商会议第六届全国委员会第三次会议在京举行。本届现有委员2026人,出席开幕式的1691人。全国政协主席邓颖超主持开幕式并讲话。她说:今年是我执行经济体制改革决定的第一年。人民政协要继续发挥政治协商、民主监督的作用,坚定不移地协助中国共产党和政府将改革搞好,慎重初战,务求必胜。我

们的任务光荣而艰巨,希望大家在这次会议期间,积极为经济体制改革,为实现80年代至90年代的三大任务各抒己见,出谋献策。

全国政协副主席胡子昂作《中国人民政治协商会议第六届全国委员会常务委员会工作报告》。他在谈到上次会议以来的主要工作时说:第一,发挥政协政治协商、民主监督的职能,为经济建设和各项改革贡献力量。第二,进一步落实党的政策,调动各界人士的积极性。据今年1月底的调查,全国政协委员提出要求落实政策的376人,其中303人的问题已经得到解决,占要求落实政策人数的80%;各省、自治区、直辖市政协委员提出要求落实政策的有4470人,其中3666人的问题已经得到解决,占82%。第三,加强学习和宣传工作,巩固和发展爱国统一战线。第四,积极宣传促进祖国统一、台湾回归祖国的政策。第五,积极开展人民外交活动,加强与各国人民的友好与合作。

在谈到当年的工作时,胡子昂说,经济体制改革决定的第一年,人民政协要坚定不移地协助中国共产党和政府将改革搞好。要积极开展"有理想、有道德、有文化、有纪律"的学习和宣传,加强精神文明建设,坚持"五讲、四美、三热爱",坚决反对新的不正之风。要继续抓好落实政策工作,充分发挥委员和各方面人士的积极性。要尊重知识,尊重人才,充分发挥人才集中的优势,为经济体制改革服务,为80年代至90年代的三大任务服务。

开幕式上,杨静仁副主席作政协第六届全国委员会常务委员会落实政策工作情况的报告,肖华副主席作政协第六届全国委员会第二次会议以来提案工作情况的报告(书面)。

3月27日和28日,全国政协六届三

次会议全体委员列席第六届全国人民代表大会第三次会议,听取国务院总理的《当前的经济形势和经济体制改革》的报告,国务委员宋平《关于1985年国民经济和社会发展计划草案的报告》和国务委员王丙乾《关于1984年国家预算执行情况和1985年国家预算草案的报告》。

4月3日,全国政协六届三次会议列席全国人大六届三次会议,听取国务委员吴学谦《关于提请审议批准中英关于香港问题协议文件的说明》、陈丕显副委员长所作的全国人民代表大会常务委员会工作报告,王汉斌秘书长作的《中华人民共和国继承法(草案)》的说明,郑天翔院长所作的最高人民法院工作报告,杨易辰检察长所作的最高人民检察院工作报告。

4月5日,政协第六届全国委员会常务委员会举行第九次会议。彭友今秘书长汇报各组讨论和协商情况,协商通过增选政协第六届全国委员会副主席、常务委员候选人名单,通过六届三次会议政治决议草案、常委会工作报告的决议草案、关于落实政策工作情况的报告的决议草案和提案审查情况的报告草案。

4月8日,全国政协六届三次会议闭幕。会议增选华罗庚为政协第六届全国委员会副主席,增选郝诒纯等4人为政协第六届全国委员会常务委员会委员。会议通过了《中国人民政治协商会议第六届全国委员会第三次会议政治决议》、《中国人民政治协商会议第六届全国委员会第三次会议关于落实政策工作情况的报告的决议》。决议认为,国务院总理的报告对我国经济形势的分析是实事求是的,我国经济经过几年的调整和改革,走上符合我国国情的新路子,出现持续、稳定、协调发展的新局面;报告中提出的今年体制改革的主要任务和"坚定不移,慎重初战,务求必胜"的方针以及各项措施,对全国各族人民统一认识,振奋精神,加速建设具有中国特色的社会主义具有重大的意义。会议认为,"一个国家,两种制度"的构想和香港问题的圆满解决,使和平统一祖国的神圣事业向前迈进了一大步。决议还指出,一年来人民政协做了大量的工作,特别是在对政协委员落实政策方面取得了显著成绩,产生了很好的影响。各级人民政协要进一步发挥政治协商、民主监督的作用,围绕经济体制改革这个中心,充分发挥人才集聚的优势,团结各方面力量,积极为四化建设献计出力,进一步开创人民政协工作的新局面。

四

政协第六届全国委员会第四次会议

1986年3月13日至18日,中国人民政治协商会议第六届全国委员会常务委员会在北京举行第十一次会议。会议通过关于召开政协第六届全国委员会第四次会议的决定和会议议程、日程草案;协商决定增补委员名单;讨论通过常委会工作报告;通过全国政协六届四次会议分组办法和小组召集人名单以及政协第六届全国委员会第四次会议列席名单;通过了政协第六届全国委员会第三次会议以来提案工作情况的报告,外事工作情况的报告,文史资料工作情况和当前任务的报告。

1986年3月23日至4月11日,中国人民政治协商会议第六届全国委员会第四次会议在北京举行。本届现有委员2020人,出席开幕式的1674人。全国政协主席邓颖超主持了开幕式。胡子昂副主席作政协第六届全国委员会常务委会工作报告,提案工作委员会主任彭友今作政协第六届全国委员会第三次会议以来提案工作情况的报告。

3月24日,政协第六届全国委员会第四次会议举行大会。程子华副主席作政协第六届全国委员会外事工作组关于外事工作情况的报告,杨成武副主席作政协第六届全国委员会文史资料研究委员会关于文史资料工作情况和当前任务的报告。

3月25日至27日,政协第六届全国委员会第四次会议全体委员列席第六届全国人民代表大会第四次会议,听取《关于第七个五年计划的报告》、国务委员兼国家计划委员会主任宋平《关于1986年国民经济和社会发展计划草案的报告》、国务委员兼财政部部长王丙乾《关于1985年国家预算执行情况和1986年国家预算草案的报告》并进行分组讨论。

4月2日,政协第六届全国委员会第四次会议全体委员列席第六届全国人民代表大会第四次会议,听取全国人大常委会秘书长、法制工作委员会主任王汉斌关于《中华人民共和国民法通则(草案)》的说明,国务院副总理兼国家教育委员会主任李鹏关于《中华人民共和国义务教育法(草案)》的说明、对外经济贸易部部长郑拓彬关于《中华人民共和国外资企业法(草案)》的说明和全国人民代表大会常务委员会副委员长陈丕显所作的《全国人民代表大会常务委员会工作报告》。

4月8日,政协第六届全国委员会常务委员会举行第十二次会议。周绍铮代秘书长汇报政协第六届全国委员会第四次会议分组讨论和协商情况;协商通过增选政协第六届全国委员会副主席、常务委员和改选秘书长候选人名单;通过政协第六届全国委员会第四次会议政治决议草案;通过政协第六届全国委员会关于常务委员会工作报告的决议草案;通过政协第六届全国委员会提案工作委员会关于六届四次会议提案审查情况的报告草案等。

4月8日,全国政协六届四次会议列席全国人大六届四次会议。听取最高人民法院院长郑天翔所作的《最高人民法院工作报告》和最高人民检察院检察长杨易辰所作的《最高人民检察院工作报告》。

4月11日,全国政协六届四次会议闭幕。增选王恩茂、钱学森、雷洁琼为政协第六届全国委员会副主席,阎明复等16人为常务委员,选举周绍铮为政协全国委员会秘书长。通过了《中国人民政治协商会议第六届全国委员会第四次会议政治决议》、《中国人民政治协商会议第六届全国委员会第四次会议关于常务委员会工作报告的决议》。决议指出,会议完全赞同和拥护国务院总理所作的《关于第七个五年计划的报告》,认为它体现了我国各族人民的根本利益。切实完成这个计划,将为全面实现中国共产党第十二次代表大会提出的宏伟目标奠定牢固的基础。会议完全赞同国务院总理在报告中提出的,在加强社会主义物质文明建设的同时,大力加强社会主义精神文明建设的长期战略方针。一方面要加快教育、科学、文学艺术等各项文化事业的发展,另一方面要加强思想建设。在思想建设中特别要注意做好思想政治工作,以保证经济工作的顺利进行和健康发展。会议号召各级政协组织和委员为实施第七个五年计划,搞好经济体制改革,推动"两个文明"建设,促进祖国统一,开展人民外交作出新贡献。

五

政协第六届全国委员会第五次会议

1987年3月24日至4月8日,中国人民政治协商会议第六届全国委员会第五次会议在北京举行。本届现有委员2012人,出席开幕会议的1753人。邓颖超主席主持开幕式并讲话。费孝通副主席作《政协第六届全国委员会常务委员会工作报告》,提案工作委员会主任彭友今作《政协第六届全国委员会第四次会议以来提案工作情况的报告》。

3月25日至27日,全国政协六届五次会议列席全国人大六届五次会议,听取《政府工作报告》,国务委员兼国家计划委员会主任宋平《关于1987年国民经济和社会发展计划草案的报告》,国务委员兼财政部部长王丙乾《关于1986年国家预算执行情况和1987年国家预算草案的报告》。

4月2日,全国政协六届五次会议列席第六届全国人民代表大会第五次会议,听取国务委员兼外交部部长吴学谦《关于〈中华人民共和国和葡萄牙共和国政府关于澳门问题的联合声明〉草签文本的报告》,全国人大常委会副委员长陈丕显所作的《全国人民代表大会常务委员会工作报告》。

4月6日,政协第六届全国委员会常务委员会举行第十五次会议。协商通过增选政协第六届全国委员会副主席、常委候选人名单;通过《政协第六届全国委员会第五次会议政治决议》草案;通过《政协第六届全国委员会第五次会议关于常务委员会工作报告的决议》草案;通过《政协第六届全国委员会提案工作委员会关于政协六届五次会议提案情况和审查意见的报告》草案。

4月6日,政协第六届全国委员会第五次会议全体委员列席第六届全国人民代表大会第五次会议。听取最高人民法院院长郑天翔所作的《最高人民法院工作报告》,最高人民检察院检察长杨易辰所作的《最高人民检察院工作报告》。

4月8日,全国政协六届五次会议闭幕。增选汪锋、钱伟长为政协全国委员会副主席,张春男等12人为常务委员;通过《政协第六届全国委员会第五次会议政治决议》,通过《政协第六届全国委员会第五次会议关于常务委员会工作报告的决议》,通过《政协提案工作委员会关于政协第六届全国委员会第五次会议提案情况和审查意见的报告》。

决议指出,国务院总理的《政府工作报告》和《在政协第六届全国委员会常委会第十四次会议上的讲话》,正确分析了我国当前的形势,提出了今后工作的基本任务,并就做好政协工作等重要问题作了明确的阐述。决议认为,《政府工作报告》关于在整个反对资产阶级自由化的过程中,加强两个文明建设的总体布局以及各项方针政策不变的讲话,使委员们深受鼓舞,增强了信心。决议指出:当前正在进行的反对资产阶级自由化的斗争,关系到社会主义现代化建设的成败,关系到国家的前途命运,具有深远的重要意义。各级政协组织都要严格按照中共中央关于坚持四项基本原则、反对资产阶级自由化的方针政策,根据政协章程有关规定,组织和推动委员及各方面人士认真学习有关文件,加深理解,提高认识。与会委员对我国政府和葡萄牙政府草签《关于澳门问题的联合声明》感到欣欣鼓舞。决议提出:对于台湾、港澳地区和海外拥护祖国统一的人士，要在爱国的旗帜下，积极团结他们，为推进"一国两制"方针的实施，统一祖国、振兴中华贡献力量。

第六个五年计划的制定与完成

1981—1985 年是我国第六个五年计划时期，"六五"计划完成较好，大大推动了国民经济的发展。

一

"六五"计划的编制

1982 年 12 月 10 日，五届人大五次会议批准国务院提出的《中华人民共和国国民经济和社会发展第六个五年计划（1981—1985）》（简称"六五"计划）。

"六五"计划的编制，经历了近三年的周密调查和反复慎重研究的过程。1980 年 2 月 13 日，国务院发出《关于拟定长期计划的通知》。《通知》中传达关于着手制定 1981—1990 年发展国民经济的十年规划的规定，要求各省、市、自治区和国务院各部门在 1980 年内先搞出一个纲要草案。3 月 30 日至 4 月 24 日，国务院召开长期计划座谈会，主要讨论编制长期计划的方针政策问题，会后，国家计委拟出《制定长远规划的基本设想（汇报提纲）》。中共中央在批发《汇报提纲》时指出，科学技术的发展任务和方针，要体现在"六五"计划纲要和 10 年规划设想中。1981 年 3 月

16 日，国家计委提出拟定"六五"计划和 10 年设想的初步意见。根据中央工作会议精神，提出"六五"计划要贯彻进一步调整国民经济的方针；拟定"六五"计划，要从调查研究入手，弄清国情和国力，改变过去那种先定目标，然后围绕目标定指标、提方案的方法；在安排计划的顺序上，首先考虑人民生活最必需的改善程度，科学教育最必需的发展程度，还要考虑国防建设最必需的发展要求，以此来安排国民经济各部门，首先是农业和轻工业的发展速度；各项事业的发展都要在财政收支平衡、市场物价基本稳定的前提下来考虑。8 月底至 9 月初，赵紫阳多次就"六五"计划的制订发表意见。他同意国家计委提出的在"六五"期间，工农业总产值、国民收入年平均增长率都定为 4％，并强调要留有余地，要以调整为中心，争取国民经济根本好转。10 月 8 日至 13 日，中共中央政治局扩大会议讨论"六五"计划控制数字。会上，邓小平等认为，头一个五年和十年，速度不可能很高，计划指标定 4％，争取 5％。11 月，五届人大四次会议政府工作报告中指出，正在编制的"六五"计划，在指导思想上和具体安排上都要有一定的转变。要充分体现对国民经济进一步实行"调整、改革、整顿、提高"的要求，走出一条发展国民经济的新路子。1982 年 4 月 13 日，国家计委向中共中央财经领导小组《关于拟定"六五"计划中几个问题的请示汇报》，其中指出：第一，"六五"计划后三年财政收支要打平，关键要增收，要使财政收入占国民收入的比重保持在 28％左右，如果经济效益好，可以提高到 30％左右。第二，"六五"期间基本建设规模控制在 2200 亿元左右。第三，"六五"期间共借外资 150 亿至 200 亿美元，外汇库存保持在 50 亿美元左右。5—6 月

间,国家计委就"六五"计划问题三次向中共中央财经领导小组汇报,小组领导听取汇报时,就农业、能源、交通的发展,集中财力,利用外资,加强教育以及企业的调整和整顿等问题多次作了讲话。7月21日至8月17日,国务院召开全国计划会议,着重讨论"六五"计划草案,对国家计委原来提出的一些具体指标进行了适当的调整。会议提出了后三年集中200亿元资金用于重点建设问题,但对如何集中没有确定。会后,国家计委对"六五"计划作了部分调整。9月12日,国家计委向中共中央财经领导小组请示"六五"期间财政平衡问题时提出,用于重点建设的200亿资金尚未落实。为此,国务院领导于9月14日召集各省、市、自治区负责人座谈。会上,姚依林提出集中200亿元资金的四条办法:第一,从全民所有制单位和省、市、自治区以及地县属大集体企业的预算外资金中提取10%,三年共120亿元;第二,从人民银行中短期贷款中抽取一部分,三年共30亿元;第三,人民银行多上缴利润,三年共30亿元;第四,国家财政增拨基建投资,三年共20亿元。原来实行的发行国库券、向地方借款的办法,继续实行。11月30日,五届人大五次会议上的《关于第六个五年计划的报告》中说:"第六个五年计划是在调整中稳步发展的计划,是进一步推进我国现代化建设的计划,是使人民生活继续得到改善的计划。这个计划的实现,同整个国家现代化事业的前途和全国各族人民的利益有极为重要的关系。"[①]

"六五"计划是在认真总结中国社会主义建设经验,全面分析国民经济和社会发展的基础上,根据中共十二大提出的战略步骤编制的。它体现着以提高经济效益为中心,把中共十二大提出的20世纪末的经济建设的战略目标,战略重点和战略步骤加以具体化。这是在经济工作指导思想上进行拨乱反正后的第一个五年计划。

"六五"计划的指导思想和基本任务

编制"六五"计划的指导思想是:首先要求贯彻"调整、改革、整顿、提高"八字方针,切实改变长期以来在"左"的思想指导下形成的高积累、高速度、低效率和人民生活提高很慢的状况,贯彻以经济效益为中心的发展国民经济的10条方针,贯彻党的十二大提出的,在不断提高经济效益的前提下,从1981年到本世纪末20年内力争实现我国工农业年总产值翻两番,要求5年内争取实现国家财政经济状况的根本好转以及要求在普遍提高经济效益、保证经济文化建设费用逐步增加和人民生活逐步改善的条件下,实现财政收支的平衡。所以,第六个五年计划的基本任务是,继续贯彻执行"调整、改革、整顿、提高"的方针,进一步解决遗留下来的阻碍经济发展的各种问题,取得实现财政经济根本好转的决定性胜利。计划的具体要求主要有:

第一,在提高经济效益的前提下,1985年工农业总产值达到8710亿元,从1980年的7159亿元增加1551亿元。其中,农业总产值由2187亿元增加到2660亿元,工业总产值由4972亿元增加到6050亿元,都是每年平均递增4%,在执

---

① 《中华人民共和国第五届全国人民代表大会第五次会议文件》,人民出版社,1983年版,第66—67页。

行中争取达到 5%。计划要求,要着重于提高经济效益,产品质量要不断改善,花色品种要适应社会需要,单位产品的物资消耗要有较大的降低。

第二,"六五"计划期间,基建投资总额安排 2300 亿元,施工的大中型建设项目 890 个,计划全部建成 400 个;用于现有企业设备更新、技术改造的资金为 1300 亿元。在战略重点的基本建设方面:①煤炭工业,五年投资 179 亿元,煤矿建设总规模将达 2.2 亿吨,建成投产 8000 万吨。②石油工业,五年投资 154 亿元,新增原油开采能力 3500 万吨,天然气开采能力 25 亿立方米。③电力工业,五年投资 207 亿元,电站建设总规模 3660 万千瓦,建成投产 1290 万千瓦。④交通运输和邮电通信方面,五年投资 298 亿元,主要用于铁路和港口建设,新建铁路铺轨 2000 公里,建成复线 1700 公里,建成电气化铁路 2500 公里。全国沿海港口吞吐能力增加 1 亿万吨。⑤农业方面,重点是加强黄河、长江、淮河、海河的防洪能力;继续建设黑龙江三江平原、江西鄱阳湖地区、湖南洞庭湖地区、安徽淠史杭灌区等商品粮基地;继续开展全民植树运动。

第三,"六五"计划期间,安排教育、科学、文化、卫生、体育事业经费占国家财政支出总额的 15.9%。1985 年全日制高等学校招生数和在校学生数将比 1980 年分别增长 42.2% 和 13.6%。五年内大学毕业生共 150 万人,毕业研究生 45000 人。到 1985 年,争取全国大部分县普及或基本普及小学教育,城市普及初中教育。在科学技术方面,推广 40 项重大科技成果,围绕经济和社会发展的需要,对生产建设中带关键性的 38 个科技项目的 100 个课题进行攻关。在大力发展自然科学的同时,重视发展社会科学。文化、卫生、体育

事业要有相应的发展。

第四,进一步扩大对外贸易和经济技术交流。到 1985 年,进出口贸易总额将达到 855 亿元,其中,出口总额将达到 402 亿元,进口总额将达到 453 亿元。要积极利用国外贷款,吸收外商投资,要特别注意发挥沿海城市在扩大对外经济技术交流中的作用。除广东、福建实行特殊政策和灵活措施外,给上海、天津等沿海城市以更多的自主权,以使它们发挥更大的主动性和积极性。

第五,"六五"计划期间,通过发展国营经济、集体经济和个体经济,在城镇吸收 2900 万人就业。全国平均每户农民的纯收入由 1980 年的 191 元增加到 1985 年的 255 元,平均每年递增 6%。全国职工的工资总额由 1980 年的 773 亿元增加到 1985 年的 983 亿元,平均每年增加 42 亿元,增长 4.9%。到 1985 年,城乡居民按人口平均的消费水平,将比 1980 年增长 22%。五年内,预计农民新建住宅 25 亿平方米。城镇全民所有制单位建成住宅 3.1 亿平方米。"六五"期间,需严格控制人口增长,到 1985 年,29 个省、市、自治区的总人口必须控制在 10.6 亿左右,年自然增长率控制在 13‰ 以下。

第六,"六五"计划期内,财政收入合计为 5953 亿元,财政支出合计为 6098 亿元,计划安排平均每年有财政赤字 30 亿元左右,要保持市场物价的基本稳定,保障人民生活的安定。

三

"六五"计划完成情况

"六五"期间,由于认真贯彻执行了"调整、改革、整顿、提高"的方针,和对内

搞活经济、对外实行开放的政策,因而全面地、胜利地完成了"六五"计划,国民经济和社会发展取得了显著的成绩。社会总产值1985年达16039亿元,比"六五"计划规定数字超过6009亿元,比1980年增长了88%(1980年为8531亿元)。5年平均增长11%(计划规定4%,"四五"期间为7.3%,"五五"期间为8.3%)。其中工农业总产值,1985年达13336亿元,比1980年增长88%(1980年为7077亿元),5年内平均每年增长11%("四五"期间为7.3%,"五五"期间8.3%)。国民收入,1985年6822亿元,比"六五"计划规定数字超过2372亿元,比1980年增长85%(1980年为3685亿元),5年内平均每年增长9.7%(计划规定是4%,"四五"期间为5.5%,"五五"期间6%)。计划规定这几项指标,平均年增长速度为4%,都已超过大多数工农业产品产量,提前1—2年实现"六五"计划规定的1985年指标。在生产发展的基础上,国内市场繁荣,对外经济活跃,财政收入增加,人民生活改善,科教文化卫生事业也有新的发展,实现了计划要求。

1. 工业生产方面

工业生产在调整、改革中前进。1985年全国工业总产值8295亿元(按1980年不变价格计算),超过"六五"计划规定1985年应完成指标6050亿元的37%,比1980年增长66%。[①] 五年内工业总产值平均每年增长10.8%(计划规定4%,"四五"期间为9.1%,"五五"期间为9.2%)。[②]

"六五"期间,轻重工业之间的比例关系趋于合理,比较协调。轻工业平均每年增长12%,快于同一时期重工业增长9.0%的速度。[③] 产品结构也得到初步调整,轻纺产品花色品种显著增加,市场畅销的日用消费品成倍增长。重工业扩大服务范围,为农业、轻工业和出口提供的产品有较大增加。能源生产也由五年前的停滞状态转为持续稳定的增长,对国民经济的发展起了重要作用。

"六五"期间,主要工业产品产量大多数都完成或超额完成了计划规定的指标。如:钢产量,1985年4679万吨(比计划规定3900万吨多779万吨),比1980年增长26%(1980年为3712万吨);原煤产量,1985年8.72亿吨(比计划规定7亿吨多1.72亿吨),比1980年的6.20亿吨,增长41%;原油产量,1985年12490万吨(比计划规定年产1亿吨多2490万吨,比1980年的10595万吨,增长19%);发电量1985年4107亿度(比计划规定3620亿度多487亿度),比1980年的3006亿度增长37%。轻工业耐用消费品增长较快,如电视机1985年达1667.66万部,计划规定700万部(1980年才249.20万部),录音机1985年1393.1万台,计划规定450万台(1980年只74.3万台),电风扇1985年3174.0万台(1980年723.7万台),家用电冰箱1985年为144.81万台(1980年只4.9万台),[④]家用洗衣机1985年887.2万台,计划规定350万台(1980年只24.5万台)。不过,也有一些产品未完成计划,如缝纫机、自行车、布、纱、原盐等,这是因为这些产品供过于求,在年度计划中作了

---

① 《中国统计年鉴(1986)》,中国统计出版社,1986年版,第274页。

② 同上书,第275、451页。

③ 同上书,第275、451页。

④ 同上书,第296页。

削减。

2. 农业生产

"六五"期间，国家采取与民休养生息的政策，从多方面扶植农业生产，加上家庭承包责任制的全面推行，农村经济取得举世瞩目的成就。农业总产值1985年为3873亿元（按1980年不变价格计算），比计划规定农业总产值2660亿元，增加1213亿元，增加了46%，比1980年增长74%。5年中农业总产值，平均每年增长11.7%（含村办工业），大大超过"五五"期间年增长5.1%，和"四五"期间年增长4%的增长速度。主要农产品产量，粮食1985年达37911万吨，比计划规定1985年36000万吨，增加1911万吨，增加5.3%，比1980年增长18.3%（计划规定增长12.3%）。棉花1985年414.7万吨，比计划规定1985年360万吨，增加54.7万吨，增加15.2%，比1980年增长144万吨，增长53.2%（计划规定增长33%）。油料1985年1758.4万吨，比计划规定增加528.4万吨，比1980年增加了53.2%。① 此外，糖料、烤烟、黄红麻等经济作物的产量，也大幅度增加，林业、渔业、牧业也得到了较大发展（如1985年计划规定猪、牛、羊肉产量为1460万吨，实际完成1760万吨，比计划增加300万吨。水产品产量，1985年计划规定为510万吨，实际完成705万吨）。②

3. 交通运输和邮电事业方面

运输邮电部门改革管理体制，初步打破国营、"独家经营"的局面。同时，国家增加对运输邮电事业的投资，加强技术改造，并针对铁路运输负担过重，公路、内河航运的优势没有充分发挥的情况，逐步调整运输结构，提高了运输能力。铁路、公路、水运、民航、管道运输、沿海港口吞吐量以及邮电业务总量，都提前1—2年达到"六五"计划规定的1985年指标。1985年货运量总计为270570万吨，比1980年增长12.50%。其中铁路货运量总计为130708万吨，比计划规定12亿吨增加10708万吨，超计划增加8.9%，比1980年增长17.5%（计划规定10.5%）；货物周转量，8126亿吨公量，超过计划规定1526亿吨公量，超计划增加23%，水运货运量，1985年49965万吨，比1980年增长17%，水运货物周转量，1985年7584亿吨公里，比1980年增长50%。沿海主要港口货物吞吐量，1985年为311.54万吨，比计划指标26000万吨增长19.8%，比1980年增长43%。③ "六五"期间民用航空运输总周转量为13.3亿吨公里，比计划指标8亿吨公里增长66%，比"五五"期间总周转量5.1亿吨公里增长161%。1985年邮电业务总量29.60亿元，比计划指标23.7亿元增长25%，比1980年增长22%。④

4. 基本建设方面

"六五"期间，共完成全民所有制单位基本建设投资总额3410.09亿元，超过"六五"计划规定投资总和2300亿元的48.3%，更新改造投资合计1495.22亿元，也超过"六五"计划规定的投资总和1300亿元的15%。"六五"期间基本建设新建项目投资额共1591.87亿元，比"五五"期间多300.86亿元，改建扩建投资总额1622.96亿元，比"五五"期间增加712.17亿元。"六五"期间建成投产的大中型项目520个，比计划规定400个多

---

① 《中国统计年鉴(1986)》，第180页。
② 同上书，第180、188、194页。
③④ 同上书，第380、385、399、385、406、446、450、461页。

120 个,"六五"期间大中型项目建成投产率为 12.5%,"五五"期间为 7.4%。[①] 但属于"六五"计划内的项目只有 236 个。列入计划的 21 种新增生产能力,有发电装机容量、煤炭开采、原油开采、水泥、机制糖、棉纺锭、原盐、合成氨、磷肥、乙烯和港口深水泊位吞吐能力等 12 种完成或超额完成了"六五"计划,其余 9 种未完成。

"六五"建成投产的项目和单项工程中,属于能源、交通的约占 1/3。包括一批重点煤矿、洗煤厂、电站、油井和铁路、公路、港口码头、机场等交通措施。我国第一座具有先进技术水平的上海宝山钢铁总厂第一期工程,经过 7 年建设,已投入生产。

企业更新改造步伐加快。5 年内完成更新改造项目 20 多万个。冶金、机械、电子、轻工、纺织等行业已由过去搞外延扩大再生产为主转到以搞内涵扩大再生产为主的轨道上来。

5. 国内外贸易的发展方面

"六五"期间,由于农业、轻工业连年增产,商品货源充足,加上集体、个体商业的迅速恢复和发展,初步形成多种经济形式的多渠道商业网络,商品供应量逐年增加。社会商品零售总额由 1980 年的 2140 亿元增加到 1985 年的 4305 亿元,比计划指标 2900 亿元增长 48%(如扣除这 5 年物价上涨因素,则增长 26.8%),比 1980 年增长 101%,"六五"期间社会商品零售额平均每年增长 15.22%(计划规定 7%)。其中,农村商品零售额平均每年增长 16.3%(计划指标 7.5%),城镇商品零售额平均每年增长 13.8%(计划指标为 6.3%)。[②]

"六五"期间,城乡集市贸易获得突出发展。1985 年全国城乡集市有 61337 个,比 1980 年的 40809 个增长 50%;1985 年集市贸易成交额 705 亿元,比 1980 年的 235 亿元增长了两倍。1985 年全国城乡商业、饮食业、服务业网点达 1145.5 万个,比计划指标 440 万个增长 160%,比 1980 年增长 3.7 倍(计划指标增长 1.2 倍,从业人员 1985 年 3138.2 万人,比计划指标 1600 万人,增加 1583.2 万人,比 1980 年 1395.9 万人增长 125%)。[③]

6. 对外贸易方面

在"对内搞活经济,对外实行开放"的方针指引下,对外贸易也有很大发展。"六五"期间全国进出口总额为 2524.3 亿美元,比"五五"期间进出口总额 1260.3 亿美元增长 1 倍。1985 年全国进出口总额为 691.1 亿美元,比 1980 年增长了 84%。"六五"期间出口总额,共 1200.9 亿美元,比"五五"期间出口总额 561.3 亿美元,增加 639.6 亿美元;进口总额 1323.4 亿美元,比"五五"期间进口总额 599 亿美元,多 466.4 亿美元。[④]

"六五"期间,前四年的进出口总额共 1828.8 亿美元。其中,进口总额 927.3 亿美元,出口总额 900.9 亿美元,出超 26.4 亿美元。1985 年由于部分出口国际价格下跌,以及国内需求增加,影响出口货源,进口额为 273.6 亿美元,出口额为 422.5 亿美元,入超额达 148.9 亿美元,没有完成计划指标。

"六五"期间,吸收国外投资日益广泛展开。到 1985 年底,已建立一批中外合资经营企业、合作经营企业和外商独资企

①　《中国经济年鉴(1986)》,第 385、406、446、450 页。

②③　同上书,第 461、527、530、552、495、527、530 页。

④　同上书,第 552、495、563 页。

业。批准海洋石油勘探开发项目 35 个。我国新兴的对外承包工程和劳务出口，经营管理水平不断提高，业务不断扩大，已初步建立了良好的信誉。

7. 财政收支方面

"六五"期间国家财政总收入共6830.8 亿元，比"五五"期间总收入4960.7 亿元，增加 37.7%。实现财政经济状况的根本好转，是"六五"计划的基本任务之一。1982 年，我国扭转了财政收入连续 3 年下降的趋势而开始回升。1984年财政收入达到 1502 亿元，提前实现"六五"计划规定的 1985 年指标。但由于同期财政支出过大，特别是基本建设拨款，行政管理费用支出剧增，国家财政仍然入不敷出。因此，"六五"期间前 4 年，总收入为 4964.4 亿元，总支出为 5107.2 亿元，4 年累计财政赤字为 142.8 亿元。"六五"前 4 年由于入不敷出，只好向银行透支和借款，银行存贷差额达 203 亿元，靠增加货币发行来弥补。1984 年末，全国货币流通量比 1980 年末增加 1.3 倍。1985 年财政收入增加为 1866.4 亿元，比上年增长24.2%，财政支出 1844.8 亿元，收入相抵，尚余 21.6 亿元，实现了财政收支平衡有余。① 在国家财政收入增加的同时，预算外资金也大幅度增加，1985 年达到1430 亿元，预算内和预算外两项资金合计比 1980 年增加了 1 倍。

8. 人民生活方面

经济调整初期，一方面生产发展速度放慢，另一方面又迫切需要改善长期偏低的人民生活，新增国民收入几乎全部用于增加消费。1982 年以来，随着经济的发

展，国家有可能兼顾经济建设和人民生活。积累率虽然回升，由 1981 年的28.3%，回升到1983 年的 33.7%，但由于国民收入增长快，用于增加消费的绝对额比过去多，所以人民生活还是有了提高。1985 年全国居民每人每年消费水平为407 元，比 1980 年的 227 元增长 79%（除价格变动因素增长为 51.5%）。"六五"期间，居民消费水平平均每年增长 8.8%（"五五"期间为 4.8%），其中农民 10.1%，非农业居民 5.6%。②

"六五"期间，城乡人民收入共同增长，农民由于生产发展和农副产品提价，收入比城市职工增长更快些。农民平均每人纯收入 1985 年为 398 元，比 1980 年191 元增长 108.4%，（扣除价格变动因素，增长为 89.8%），职工收入，平均每年工资额 1985 年为 1148 元，比 1980 年的762 元增长 56.7%（扣除价格变动因素，增长为 22.9%）。③ 随着收入的增加，消费结构也在发生变化，有些居民的生活开始从"温饱型"向"小康型"过渡。但仍有少数农民尚未完全解决温饱问题，一些低收入负担重的职工生活还有困难。

"六五"期间，城镇住宅共建成 6.5 亿平方米，农民住宅 32 亿平方米。按计划口径计算分别超计划 85.7% 和 28%。1985 年城镇居民平均每人居住面积（抽样调查）为 6.7 平方米，比 1980 年的 5 平方米增长了 34%，农村居民平均每人居住面积 1985 年为 14.7 平方米，比 1980 年的9.4 平方米增长了 56.4%。④

"六五"期间，人民生活提高还表现在

---

① 《中国统计年鉴（1986）》，第 595 页。
② 同上书，第 647 页。
③ 同上书，第 465、645 页。
④ 同上书，第 645 页。

储蓄的增加上,1985 年底城乡居民储蓄存款余额 1622.6 亿元,1980 年只 399.5 亿元。在文化方面,1985 年每百人拥有电视机、收音机、录音机分别为 6.7 部、23.1 部、3.5 部,而 1980 年则只分别为 0.9 部、12.1 部、0.5 部。①

9. 科学技术和文教卫生方面

"六五"期间科学技术和文化卫生教育等各方面也有了很大发展。1985 年,国家财政支出的文教、科学、卫生事业费为 316.7 亿元,比 1980 年的 156.20 亿元增长 1 倍多,在国家财政支出中所占的比重也由 1980 年的 12.9%,上升为 1985 年的 17%。"六五"期间,有 900 多项科研成果的创造发明经国家批准,一批科研成果被应用到生产中去。全国高等学校,1980 年为 675 所,1985 年增加为 1016 所,高等学校在校生,1980 年为 114.4 万人,1985 年增加为 170.3 万人。培养研究生的单位,由 1980 年的 536 个,增加到 1985 年的 748 个。全国研究生的在学人数,1980 年为 21604 人,1985 年增长为 87331 人,增长了 3 倍多。中等学校在校生,普通中学在校生有所下降,由 1980 年的 5508.1 万人下降为 4706 万人,但职业中学和农业中学的在校生大量增加,由 1980 年的 45.4 万人增加为 1985 年的 229.5 万人。②这反映了随着我国大规模经济建设的开展,对技术专科的学生需要量的增加。

四

"六五"计划胜利完成的原因

"六五"期间,我国国民经济的发展取得了巨大的成就,使国民经济和社会发展出现了 10 个方面的重大变化。这些变化和成就是怎样取得的呢? 总结起来主要有以下原因。③

1. 把全部经济工作转到以提高经济效益为中心的轨道上来

"六五"期间开始扭转片面追求经济增长速度的倾向,注意了各项重要比例关系的协调发展,注意了经济、科技、教育、文化、社会的全面发展,并采取了一系列措施,狠抓了企业技术改造,提高企业管理水平,扭亏增盈,降低消耗,注意质量和品种,提高了经济效益。片面强调速度,忽视经济效益,往往造成极大的浪费。只有把速度和效益统一起来,经济发展才有更坚实的基础,国家和人民也才能得到更多的实惠。

2. 农村改革的成功,农村经济的繁荣

"六五"期间,进一步推进农村改革和一系列新政策的实施,在全面实行联产承包责任制的基础上,发展了专业户和各种经济联合体,改变了主要农产品的统购派购制度,并开始进行农村产业结构调整,使农村经济逐步向专业化、商品化、现代化转变,使农业持续发展,为国民经济的发展提供了原料、市场、资金和劳动力。农业是国民经济的基础,农业上去了,整个国民经济都活了。经验证明,加快农业的发展是保障和推动我国经济发展的关键。

3. 实行了对内搞活经济,对外开放的正确方针

在经济体制改革上,从管得过多、统得过死的僵化体制,开始转向适应在公有制基础上有计划发展经济商品要求的充

---

① 《中国统计年鉴(1986)》,第 645 页。

②③ 《"六五"期间国民经济和社会发展概况》,中国统计出版社,1986 年版,第 12—13 页。

满活力的新体制。多渠道、少环节的开放式市场逐步形成，国营企业自主权进一步扩大，在企业内部开始建立多种形式的责任制，横向经济联系日益加强，计划、财政、税收、价格、金融、商业、劳动工资等方面都进行了程度不同的改革。在对外经济关系上，以封闭半封闭开始转向积极利用国际交换的开放型经济，实行对外开放，建立经济特区，开放了沿海港口城市和地区，扩展了对外经济技术交流。所有这些，都有利于生产力的发展、经济生活的活跃和多种经营形式的共同发展。封闭的、僵化的经济模式不能适应经济发展的要求。只有改革和开放，才能加速我国社会主义现代化建设的进程。

4. 正确处理了积累和消费的关系

近几年根据"一要吃饭，二要建设"的基本原则，把提高人民生活水平放到一定的地位，调整了积累和消费的关系，纠正了过去片面强调积累的做法。职工和农民的收入增加，人民生活改善，产生了新的社会需要，开拓了广阔的市场，成为生产发展的强大推动力，生产的发展又为进一步改善人民生活创造了条件。片面强调生产建设，忽视人民生活，主观上想快一些，结果是挫伤了群众的积极性，破坏了国民经济的比例关系，实际上反而慢了。因此，只有兼顾生活和生产、消费和积累，经济才能有持续、协调发展的保证。

总之，"六五"期间，国民经济发展取得的成绩是巨大的，计划的绝大多数指标都是提前完成的。不过，仍然存在一些问题，有的发展相对慢了一些，出现了新的不平衡。"六五"期间，我国虽然注意了国民经济的综合平衡和按比例发展，但对有效控制社会总需求过度增长有时还注意不够；在处理数量和质量、速度和效益的关系上，在提高经济效益方面还缺乏有力

的措施和有效的监督；企业生产技术进步缓慢，产业结构和产品结构不合理等问题仍然存在；在着重增强企业活力的同时，加强和改善宏观管理方面注意不够，特别是"六五"后期，在经济形势好转的情况下，固定资产投资规模过大，消费基金增长过猛，货币发行过多、社会总需求急剧膨胀，刺激工业生产高速发展，加剧了能源、交通的供需矛盾，原材料供应也由缓和趋向紧张。同时，有些企业片面追求产值、利润的思想有所抬头、有些产品质量下降。这些状况不利于产品结构的调整和技术的进步。

城市体制改革初步实施

一

实行责任制和新财政体制

实行经济责任制，是工业企业管理体制改革的探索。它比扩大企业自主权试点前进了一步。这一改革从 1981 年春季开始，由山东省首先试行，主要内容是通过承包划分国家同企业之间、企业同职工之间的责权利的关系，贯彻按劳分配的原则，进一步调动企业和职工的积极性，在增收节支、提高财政收入方面，颇有成效，因而对全国工业企业发生很大的影响。1981 年 10 月，国务院将国家经济委员会、国务院体制改革办公室制定的《关于实行工业生产责任制若干问题的意见》转发各

地区各部门,要求在各工业企业中研究执行。这一文件提出实行经济责任制要抓好两个环节:一是国家对企业实行的经济责任制,处理好国家同企业之间的关系,解决企业经营好坏一个样的问题;二是建立企业内部的经济责任制,处理好企业内部的关系,解决好职工干好干坏一个样的问题。总的要求是通过经济责任制,把企业和职工的经济利益同他们所承担的责任和实现的经济效果联系起来,使广大职工以主人翁的态度,用最小的人力物力消耗取得最大的经济效益。经济责任制很快推行到全国 36000 个工业企业中去。经过一年的实践,涌现了首都钢铁公司等一批先进企业,取得了初步经验。首都钢铁公司,从 1981 年起在企业内部实行了经济责任制,从公司、厂矿到车间、班组、个人,层层包干,责、权、利相结合,有高标准的要求和考核奖惩办法。使经济效益进一步获得了提高。1982 年全国工业企业吸收了首钢经验,使经济责任制有了新的发展,从单纯重视抓生产转向重视经营和经济效益,并开始重视技术改造和新产品开发。这对 1981 年全国基本消除财政赤字和 1982 年工业产值超计划增长 4%,起了良好的作用。

在这期间,为了打破中央在财政上对地方统得过多、管得过死的弊端,调动地方增收节支的积极性,全国从 1980 年起实行了"分灶吃饭"的新的财政体制。这是改革国家预算制度的一种试验。这种新财政体制的特点是"划分收支、分级包干"。基本做法是:对大部分省划分中央与地方收入和支出的范围,再按照各省的情况确定地方上交比例或中央定额补助,一定五年不变。地方在这个范围内安排自己的财政收支,多收多支、少收少支,促使地方增收节支,同时,财政支出由"条条"下达改为地方统筹使用,地方能主动规划本地区经济的发展,不必事事报批。此外,还对五个民族自治区实行特殊照顾,中央补助的数额每年递增 10%。针对广东、福建两省在对外经济活动中实行特殊政策和灵活措施的情况,对两省在财政上实行"划分收支、定额上交(广东)和定额补助(福建)"的体制。只有对北京、天津、上海三大直辖市仍实行中央"统收统支"的体制。这种"分灶吃饭"的财政体制,打破了过去那种"统收统支,收支脱节"的状况,扩大了地方的财权,极大地调动了地方当家理财的积极性。

二

商业系统改革

与农业、工业体制改革相适应,商业系统开始进行的改革是建立多渠道、少环节、产销结合的流通体制。长期以来,我国流通体制存在着渠道单一、环节众多、产销脱节等弊端,很不适应农业、工业体制改革的需要和发展商品经济的要求。在农村,长期实行的农副产品统购统销制度使农副产品的购销渠道十分单调,在农村推行生产责任制,使农村经济活跃起来的情况下,出现了尖锐的农商矛盾。1979 年和 1980 年,江苏省农民养鸭大发展,可是商业部门只收购很少一部分,大部分不收购。农民说:"养鸭不容易,卖鸭气又急,烧香磕头没人理。"浙江省生猪大发展,猪调不出去,当地又缺少冷库,食品公司只好发票限量收购,卖猪得抓阄儿抽签。有的农民没有抓到卖猪的阄儿,伤心地哭了。四川省柑橘丰收,供销社收不了,又不让生产队和社员自己卖,还把生产队和外地签订的购销合同给废了,结果一年烂了柑橘近 2000 万公斤。青海省两年中农民养鹿养兔发展很快,但商业部门不收购,造成 1981 年农民的饲养者减少,鹿、兔产量大幅度下降。针对上述情况,国务院的有关部门从 1979 年起,先后重新限定农副产品的统购和派购范围,重申了三类产品和完成派购任务的二类产品可以自由上市。1980 年又进一步放宽农副产品的购销政策,三类农副产品(除棉花外),都可以自由运销。此外,还规定基层社可以出县出省购销,集体所有制商业、个体商贩和农民也可以长途贩运,以及提倡厂店挂钩、队店挂钩、产销直接见面等等。这就为多渠道、少环节、产销结合创造了条件。

在城市,长期以来工业品的购销形式主要是统购包销,这很不适应企业扩大自主权以后的购销关系。因此,在改革农村商品流通体制的同时,对城市商品流通体制也进行了"一少三多"的改革。即减少工业品计划管理的品种,发展多种经济形式,采用多种购销方式,开辟多条流通渠道,建立城乡互相开放的新流通体制。这一改革为多渠道地加快城乡商品流转创造了有利条件。

在上述改革措施的推动下,山东省1980 年在砍环节、调流向、多渠道组织商品流通方面取得了成效。该省调整了 220条不合理的运输线,减少了环节;供销系统调整了 7 种大宗商品流向,基层供销社实行跨区进货的由 310 处增加到 375 处;许多三级批发站、较大的零售店和基层供销社,突破原有进货渠道,积极到区外组织进货;实行厂店挂钩、队店挂钩、产销直接见面的品种范围不断扩大;积极支持工业按规定搞好自销,工不经商的现象有所改变;粮油议价购销也纳入正常经营渠道。这些都促使该省城乡市场日益活跃,

出现了淡季不淡的景象,社会商品零售额逐月上升,上半年完成 67.2 亿元,比上年同期增长 19.5%。上海市 1981 年出现了多种形式的工商联合销售,这使产销直接见面的产品增多,市场适销产品增产。如该市文化用品采购供应站和上海造纸工业公司共同组成纸张联合经营处,联合办公。实行产销一个计划,经营一个口子,除原来规定工业系统厂与厂之间内部调拨的纸张以外,市场销售统一由文化站负责。这样做推动了造纸厂超计划增产。对双方利润分成的超计划部分,工业得45%,商业得 55%。该市的针棉织品采购供应站和上海毛巾被单工业公司对工厂完成国家计划后的超产商品实行联合经营,打开了销路,增加了利润,丰富了市场。该市的文化站在原有销售渠道外,和制笔工业公司组成工商联营组作为补充渠道,开阔商品销路。它可以不通过省地级批发部,直接把钢笔、铱金笔、圆珠笔等商品供应县级商业批发单位。这种做法,使原来不能到文化站要货的县级批发单位,都可直接向上海进货,增加了一条销售渠道。四川省 1980 年在 14 个县 40 个供销社和 245 个公社试行基层供销社与生产队联合经营农副产品,密切了农商关系,促进了农副产品的生产、收购,收到了国家、企业、社队"三满意"的效果。此外,对于商业上的长途贩运,1980 年上半年还作为投机倒把活动加以查禁。那时云南省发生牟定县共和镇居民侯绍英长途贩运猪油被查禁而引起争论。可是到了1982 年,随着突破"左"的思想束缚,更多的人认识到长途贩运是自由贸易的一种形式,它对于互通边远地区的有无,把经济搞活有积极意义。因此,出现了许多长途运销的商贩和运销联合体。例如,1981年 6 月,福建省龙海县角美公社出现了一

个自愿组合、专门从事长途运销的联合体。这个联合体为疏通农村流通渠道,搞活市场,发挥了重要作用。这个联合体共有 9 名成员,他们采购计划外的新鲜海产品、水果、蔬菜等,就近通过火车托运到闽西北山区的沙县去销售。1982 年以来,他们运往沙县的各种海产品、水果、蔬菜等共 26 万多斤,销售总额 6.6 万多元。这个联合体开业以来,注意遵纪守法,文明经商。他们所经营的都是水产、果品部门和罐头厂不再收购的商品,没有冲击国家的收购计划。他们按国家规定,如数向有关部门缴纳各种税款和管理费。更重要的是,由于有这样的联合体长途运销,就为沿海地区建立责任制后增加的商品开辟了新的流通渠道,也使山区群众吃到了新鲜的海产品。

从全国看,疏理流通渠道的结果是初步搞活了流通体制。据 1982 年调查,除原国营商业的主渠道之外,集体和个体商业有很大发展。同时,生产自销、贸易货栈,各种联营商店、小商品批发市场、农工商联合企业等多种经营形式相继出现,城乡农贸市场也有很大发展。到 1982 年底,工矿、林区、铁路、农场办商业和农工商联合企业,军人服务社等部门共有商业网点 5 万个,商业服务人员 57 万人。城市机关、团体、企业、事业单位、街道以及社队办的集体商业,共有 22 万 3 千个,商业服务人员 208 万人。工业自销网点 2.2 万个,商业服务人员 18 万人。总计城市非商业部门办的国营和集体商业网近 30 万个,283 万人,分别占城市社会零售网点、人数的 20% 和 35.7%。集市 4 万多个。1982 年成交额相当于社会零售总额的 12.76%。随着社会商业的调整,网点大量增加。买东西、吃饭、住店、理发、做衣、修理难的状况有了一定程度的缓和。

商业系统改革的另一重要方面,是商业企业内部体制的改革。改革的主要内容是扩大自主权和实行经营责任制。为了增强商业企业内部的活力,从 1979 年开始,商业系统实行全行业利润留成制度,使各商业企业有了一定的财力,初步改变了国家对商业企业实行统收统支的局面。1980 年又在 8900 个国营商业企业、粮食企业和供销社扩大了自主权,使这些企业拥有了部分业务经营权、部分财权、部分产品的削价处理权等等。随之,1981 年更在商业系统推行经营责任制,实行这种责任制的商业企业 47550 个,占独立核算单位的 35%。这些改革措施,有力地冲击了平均主义的"大锅饭",调动了职工的工作积极性;推动商业企业的领导者改善经营管理,多渠道地争取货源,力求产销对路,满足群众需要;也使企业增加了"动力"和"活力",主动扩大经营范围,提高了经济效益。

三

发展多种经济形式

这一时期与农、工、商业体制改革同时进行的,还有所有制结构的局部改革。打破所有制的单一经济形式,积极发展所有制的多种经济形式,调动一切积极因素,发展社会生产力。

我国的所有制经济形式,过去在"左"的指导思想影响下,曾片面追求"一大二公",使所有制的经济形式越来越向单一的全民所有制转化。这种情况,给我国经济建设,劳动就业和人民生活带来很多困难和问题。从 1979 年起,中共中央和国务院,断然采取支持城镇集体经济和个体经济发展的方针,允许多种经济形式同时并存。这一方针的实行,最初是以开辟劳动就业渠道和搞活经济为目的,取得了成效。如辽宁省沈阳市,自 1979 年初至 1980 年上半年,由全民所有制企业扶持兴办了 655 个集体企业,安置待业青年 11 万人,占全市安置待业青年总数的 41%。又如陕西省西安市,在 1979 年采取劳动部门介绍就业和群众自谋出路就业的"两扇门"政策,兴办集体经济,一年安置 96000 人就业,占待业人员总数的 90.6%。江苏省常州市,从 1978 年 10 月至 1979 年底,在先后安置的 51600 名就业人员中,安置在集体企业的 42190 人,基本上解决了劳动就业问题。他们采取多种方法发展集体企业,诸如由城市街道兴办小集体企业,把部分全民所有制企业转为集体企业,大集体企业用"母鸡下蛋"的办法一厂变多厂,由市或局(区)直接投资办新的集体企业等等,为广开就业渠道创造了条件。山东省威海市,采取发展集体经济,扩散工业产品,吸收待业劳动力的方法,1979 年全市有劳动能力的人,全部得到安排。安徽省则在 1979 年选择蚌埠市进行开放小商品市场试验,活跃了经济。蚌埠市于 1979 年 11 月在市中心二马路开辟了小商品市场,不到一年就取得了成效。小商品市场发挥了五个方面的作用:一是发挥国营经济领导集体、个体经济,而集体、个体经济又补充调节市场的作用。开放市场以来,商业摊点不断增加,营业额逐月上升。日平均设摊点 129 个,其中国营 35 个,社队销售工副产品,工厂推销产品及农村社员、城镇居民出售自己编织的手工艺品的摊点 25 个,有证个体商贩 26 个,无证个体经营的摊点 43 个。上市的小商品有小百货、小五金、小文化用品及部分成衣、鞋帽、衣料、针织等 500 多个品种。绝大多数是适令紧俏商品,很受群众欢迎。二是发挥个体小商贩的补充作用。凡是国营、合作商店暂时没有的三类小商品和国营商业不便拆零供应或不愿经营的小商品、个体商贩就地在批发商店进货供应。他们还根据市场需要到外地进货。这就增加了市场上小商品花色品种,补充了国营商业供应的不足。三是打开了滞销、试销商品的出路,促进国营商业改变官商作风。四是吸引省内外许多社队企业来蚌埠参加竞争,开展了内外交流的场所。不到一年的时间,已有上海、江苏、浙江、山东、湖北、江西、河北等 15 个省、市近百家企业参加蚌埠小商品市场的竞争。他们运来的山东临沂县剪刀、河南永城县铝制炊具,江苏的小针织品,浙江的塑料、尼龙制品等,都很有竞争力。在一年中,人们围绕这条一百多米长的街道出现的交易情况,议论纷纷。有些人叫好,说"市场就应当这样活下去"。有些人惊呼,说"这简直是为资本主义复辟开绿灯",要求取缔。中共蚌埠市委和市人民政府认为,开放小商品市场的方向对头,它符合群众的需要,是发挥多种经济形式的作用、把商品流通搞活的主要措施。因此,坚持继续搞下去。

1980 年上半年召开了全国劳动就业会议,肯定了上述几个省市的正确做法,并在会后发布的《关于进一步做好城镇劳动就业工作》的文件中重申:解决城镇就业问题,必须实行劳动部门介绍就业、自愿组织起来就业和自谋职业相结合的方针。为此就必须大力扶植兴办各种类型的自负盈亏的合作经济和扶植城镇个体经济的发展。截至 1980 年底,通过兴办各种类型的集体经济,包括街道办集体企业和民办集体企业等形式,吸收了全国城镇待业人员 651 万人就业。其中全民所有制单位招工和补员 240 万人,占 37%;

各种类型的集体单位招工和补员 280 万人，占 43%；从事个体工商业的 40 万人，占 6%；从事临时工作的 91 万人，占 14%。长期遗留下来的插队知识青年就业这个老大难问题，逐步接近于解决。

在发展多种经济形式解决劳动就业取得显著成绩的情况下，中共中央和国务院又于 1981 年 10 月 17 日作出《关于广开门路，搞活经济，解决城镇就业问题的若干决定》。这个《决定》指出，从 1979 年以来，在发展多种经济形式、广开就业门路的方针指引下，全国安置了两千多万人就业。千百万人走上劳动岗位，对于发展经济，改善生活，锻炼青年一代，促进安定团结，起了重要作用。今后必须继续着重开辟在集体经济和个体经济中的就业渠道，争取在 1985 年以前大体上解决好历年积累下来的城镇待业青年的就业问题。《决定》还对发展多种经济形式的社会意义给予了新的评价。它指出："在社会主义公有制经济占优势的根本前提下，实行多种经济形式和多种经营方式长期并存，是我党的一项战略决策，绝不是一种权宜之计。只有这样，才能搞活整个经济，较快较好地发展各项建设事业，扩大城镇劳动就业。"这就是说，发展多种经济形式，不仅是为了广开就业门路、解决城镇就业人员的安置问题，而且是搞活整个经济、较快较好地发展各项建设事业的长期的战略决策。这一新概括，奠定了我国的经济结构应是公有制为主体，多种经济形式长期并存的基本政策思想。它符合我国还处于社会主义初级阶段、生产力水平低并且发展不平衡的实际情况。在这种新的政策思想指引下，集体经济、个体经济又有新的大发展。同时还出现全民、集体和个体联营的经济形式，在广东、福建省出现了中外合资、中外合作和外资独营的经济形式。据 1982 年底的统计，从 1978 年至 1982 年的 5 年中，在发展多种经济形式的正确方针下，城镇集体企业安置就业人员 1237.9 万人，城镇个体经济安置就业人员 147.1 万人。一批国营小商业、饮食服务业和小型工业企业开始实行国家所有、集体经营或由职工集体、个人承包的经济形式。

四

城市综合改革

国务院从 1981 年起，选择中小城市进行了城市综合改革试验。城市经济体制综合改革，是指对城市经济的生产、流通、交换、分配等各个方面进行配套改革。这年 10 月，经国务院决定，在湖北省沙市开始了工业管理体制、计划体制、财政体制、银行体制、商业体制、物资体制、价格体制、劳动工资体制、科技体制和城市建设体制等 10 个方面的综合配套改革。沙市的城市经济体制综合改革，经过一年多的时间，到 1982 年底和 1983 年初就开始见到成效。该市工业系统盈利较大的 40 多家大中型工厂对国家承担的经济责任，已陆续层层承包到班组和个人，把企业和职工的积极性调动到提高经济效益的轨道上来。商业全行业 160 多个国营企业已同商业局签订了经营承包合同，盈利企业分别比上年增利 5%—10%，政策性亏损企业也分别比去年减亏 3%—5%，参加市场调节价格的小商品，由原国家规定的 160 种扩大到 500 种。企业改革用工制度，实行了合同工、临时工、固定工等多种用工制度。对国家承担经济责任的企业，都开始实行浮动工资制，并在几个厂把单一的 8 级工资制改为等级工资制、岗位工资制、基本工资加工龄工资以及工作人员职务工资等多种形式并行的工资制度。银行信贷业务由"异地结算"改为"同城结算",每天节省在途资金 35 万元。该市已组建的 15 个工业经济联合实体,由生产经营型完善成经营性企业,纺织、化工、电子 3 个局,已改成全行业公司,其他工业局也撤销,改为全行业公司,实行由市经委直接领导公司、总厂的领导体制。改革的路子越走越宽。

1982 年 3 月,国务院进一步决定在江苏省常州市进行综合改革试点。常州市综合改革的特点是以搞活企业、搞活流通为中心,进行工业管理体制、计划体制、劳动工资体制、银行信贷体制、商业体制、外贸体制、财政体制和企业改组联合等 11 项配套改革。该市的实践证明,改革要配套就必须互相促进,必须立足于企业,围绕增强企业活力这个中心来进行。为此,他们主要进行了三个层次的改革。第一个层次是"三放三改"。在改善企业的外部关系上实行"三放",即经营方式放开,管理权限下放,经济政策放宽。经营方式放开是指纠正片面追求"一大二公"造成的所有制结构不合理状况,大力发展集体经济和个体经济,搞活了整个城市经济,顺利解决了劳动就业问题。管理权限下放,是指改变上级行政部门管得过多过死的情况,把综合部门应给企业的管理权限下放给企业。这些权限包括计划生产、经营、销售、产品定价、干部任免、奖金浮动和部分外贸权等等,以使企业成为责权利结合的、相对独立的商品生产者。经济政策放宽,是指否定原有"左"的或已经过时的政策,依据新的情况制定新的政策。放宽政策的出发点在于鼓励企业发展生产的积极性,包括鼓励企业引进国外先进技术和外资,加快老厂改造的积极性;鼓励

企业发展城乡联合,加快新产品开发的积极性;鼓励企业搞多渠道经营,参加各种竞争,进行开放式经营的积极性;鼓励企业进行人才培训,重视智力开发、利用科技成果的积极性等等。最终达到提高企业的经济效益,发展生产力之目的。

在发挥企业的内在动力上实行"三改"。首先是通过实施利改税,解决企业吃国家的"大锅饭"、职工吃企业"大锅饭"的问题,建立各种承包责任制,使责权利统一。这样,效益高的企业,在纳税以后有更多的自我发展的余地,劳动好的职工,得到更多的报酬,从而调动了企业和职工的生产积极性。其次是改革企业领导体制,实行厂长负责制。主要是选举或任命富有管理经验和开拓精神的人才担任厂长,通过厂长组阁,建立合理的管理机构和制度。由厂长负总责,理顺党政工三者关系,抓好生产,开展企业内部的配套改革,使企业成为效益好的先进单位。再次是改革企业内部的工资制度。在层层承包的基础上,实行工资收入同经济效益、劳动表现挂钩的浮动工资制,有的实行计件工资制,奖金也拉开了距离,以达到奖勤罚懒的目的。

第二个层次是围绕增强企业活力,搞活流通,进行四项配套改革。一项是改革流通体制,建立多渠道、开放型的流通体制。除原有的商品流通渠道外,建立了工业、农副业、粮油、生产资料四个贸易中心。通过贸易中心,实行经营与服务相结合、对内与对外相结合、大小批量相结合,大小城乡都可以到贸易中心去做买卖,改变了城乡分割的老式流通体制。二项是改革建筑业和基建管理体制,提高投资效益和工程质量。他们的做法是:开放设计市场,允许全民、集体、个体设计单位平等竞争,提高建筑设计水平。同时实行工程

招标承包，择优者承包建筑项目。再是改基建拨款为贷款。贷款要利息，促使基建按期完成，注重效益。三项是改革科技体制，发展多种形式的科研、教学、生产联合体。该市在十一届三中全会以后兴办了三所大学，又从外地引进一千多名科研人员，在此基础上搞科研、教学与生产联合体，确定一千多个科技攻关项目，实行科技成果投入生产的有偿转让。这样，每年有科研成果，每年就有新产品上马。四项是改革教育结构，建立大教育体系。这就是从经济发展的需要出发，建立从小学、中学、职业教育、大学的教育系统，注重对职工的定向培养，达到多出、快出人才的目的。

第三个层次是围绕增强企业活力和搞活流通，进行三项探索性改革。一是改革计划体制。把过去广泛推行的指令性计划，改为主要实行指导性计划；把以编年计划为主，改为中长计划为主；把计划编制的考核，由行政办法改为经济办法。二是改革经济调节手段，发挥价值规律作用。过去该市价格统得过多，价格背离价值。这次改革中放宽839种小商品价格，实行优质优价，推行质量差价、季节差价和地区差价。三是改革信贷。主要是使各银行起着吸收、分配、调剂资金的作用，实行同层结算，人民银行与工商银行分开。

常州市由于在改革方面走在全国中等城市行列中的前列，所以该市是一个工业发展经济效益较好，速度较快的先进城市，为全国中等城市提供了建设和改革的经验。

为了更好地发挥中心城市的作用，这个时期在一些省还进行了撤销专区行署，由市领导县的体制改革试验。我国原有的城乡体制割裂了城乡之间内在的经济联系，既不利于农村经济的发展，也不利于城市经济的繁荣。为了改变这种情况，必须在行政区划上撤销专区行署，将一些

经济实力较强的市与它所在地区的县合并成一个经济区，由市领导县，统一组织生产和流通，把行政区划与经济区域协调起来，以促进城乡经济的共同繁荣。这项改革是借鉴了辽宁省从1958年起就试行地市合并，由市领导县的历史经验，并于1982年开始在部分省份推开的。首先学习和吸取辽宁省市领导县经验的是江苏省常州市。该省于1982年3月将常州市所在镇江地区的武进县、溧阳县、金坛县划归常州市领导，实行城乡一体化，发挥中心城市的作用。常州市在试行市领导县的过程中，实行三个转变。即在指导思想上，从单纯抓市区、抓工业，转变为根据城乡结合的特点来规划经济的发展和安排人民的生活；在管理方式上，从单纯的行政管理转变为用经济手段管理经济。通过建立工业经济网络、科学技术网络、商品流通网络、金融信贷网，来协调发展城乡经济和文化；在工作方法上，从过去靠基层向上级机关汇报，转变为上级机关为基层服务，要求市工业公司同县工业公司挂钩，指导县级工业建设。继常州市领导三个县的体制改革之后，该省的南通市、无锡市、徐州市等也实行了市领导县的体制改革。南通市在地市合并后，提出立足城市，依托农村，建立以轻纺工业为主体，其他工业合理发展的工业经济网络，以粮棉生产为主体、农副工商运全面发展的现代农业结构，以港口为主体、水陆运输配套的交通枢纽，形成具有自己特色的江海平原经济区。无锡市在接管江阴、无锡、宜兴三县后，加强对县社队工业领导，统一规划、组织生产、给城乡经济发展带来一派生机。徐州市在地市合并后，加强了煤炭基地、商品粮基地、建材基地、工业原料基地、副食品基地的建设，通过这些基地建设，推动了经济的全面发展。

后来江苏全省确定由八个市领导各个县，完成了市领导县的体制改革。其他省也在若干城市进行了类似的改革。

从1979年至1982年进行的城市经济体制改革试点，是属于探索性的。虽然取得了一定的成绩，但从所要达到的改革目标来说只是良好的起步。城市的情况比农村复杂得多，城市经济体制存在的经济决策权过分集中、政企不分、条块分割、吃"大锅饭"等主要弊端，在四年改革中虽然不同程度地触及了，但远没有从根本上解决，因此城市经济继续改革的任务是艰巨的。

五

城镇个体经济兴起

党的十一届三中全会以来，在贯彻国民经济的"调整、改革、整顿、提高"的八字方针的同时，我国放宽了对个体经济的政策，并且把发展包括个体经济在内的多种经济成分当作建设有中国特色的社会主义的一个重要内容，曾先后为个体经济以及城镇个体经济的发展制定了一系列的方针政策。

1982年12月4日，第五届全国人民代表大会第五次会议通过的《中华人民共和国宪法》中明确规定："在法律规定范围内的城乡劳动者个体经济，是社会主义公有制经济的补充。国家保护个体经济的合法的权力和利益。"并指出：国家通过行政管理，指导、帮助和监督个体经济。这就从根本上肯定了个体经济在我国国民经济中的地位和作用。

1984年10月20日颁布的《中共中央关于经济体制改革的决定》中指出：我们要迅速发展各项生产建设事业，较快实现国家繁荣富强和人民富裕幸福，必须调动

一切积极因素，在国家政策和计划的指导下，实行国家、集体、个人一起上的方针，坚决发展多种经济形式和多种经营方式。"我国现在的个体经济是和社会主义公有制相联系的，不同于和资本主义私有制相联系的个体经济，它对于发展社会生产、方便人民生活、扩大劳动就业具有不可代替的作用，是社会主义经济必要的有益的补充，是从属于社会主义经济的。"这对个体经济的性质，个体经济在现阶段国民经济中的作用作了明确的阐述。

党的第十三次全国代表大会的报告《沿着有中国特色的社会主义道路前进》，明确指出："在初级阶段，尤其要在以公有制为主体的前提下，发展多种经济成分"，"目前全民所有制以外的其他经济成分，不是发展得太多了，而是还很不够。对于城乡合作经济、个体经济和私营经济，都要继续鼓励他们发展"。这一方面说明在社会主义初级阶段发展个体经济的必要性；另一方面，更为个体经济的发展展示了广阔的前景。

从上述可以看出，党和国家十分重视个体经济的发展。在上述有关个体经济的总的方针政策的指引下，为了切实保证个体经济在正确的轨道上顺利而健康地发展，国家及有关部门先后颁布了一系列有关发展个体经济的专门政策和规定，特别是专门制定了城镇个体发展的一系列政策规定。

1981年7月7日国务院颁布了《关于城镇非农业个体经济若干政策性规定》，首先，这个《规定》遵循宪法的精神，确立了个体经济在我国社会主义条件下的地位和作用，以及个体劳动者在全国全体劳动人民中的地位，对发展城镇非农业个体经济的必要性作了明确阐述。该《规定》指出：在我国社会主义条件下，遵守国家

的法律和政策,为社会主义建设服务,不剥削他人劳动的个体经济,是国营经济和集体经济的必要补充。从事个体经营的公民,是自食其力的独立劳动者。我国生产力发展水平不高,商品经济不发达,在相当长的历史时期内,多种经济成分和多种经营方式同时并存,是必然的。其次,对发展城镇非农业个体经济的有关细节作了阐述。如《规定》第十条:"个体经营户所需资金,自筹不足的,当地政府和有关部门可以设法帮助筹措;资金周转有困难的,可以向银行申请贷款。"《规定》第十一条:"为了鼓励个体经营户从事社会急需而又紧缺的修理、加工、饮食和服务业,国家税收方面可酌情给予适当减免。广大群众需要但经营确有困难和盈利微薄的,可以申请免税。"1983 年 4 月 13 日国务院又颁布了《〈关于城镇非农业个体经济若干政策性规定〉的补充规定》,《补充规定》进一步放宽了发展个体工商业的政策,对实际生活中原《规定》尚未明确的许多问题作出了详细明确的规定。如原《规定》中仅提到一部分退休职工可以从事个体经济,但没有明确他们的退休待遇如何。《补充规定》对此作了说明,经过批准从事个体工商业的退休职工,属于正常退休(不包括病退),并符合下列条件之一者,其退休待遇一般不变:①能够带学徒传授技艺或经营经验的;②有传统技艺,能够恢复发展名特产品的。又如,原《规定》中"凡经过严重投机倒把行为的分子,以及违法乱纪的犯罪分子,不得独自开业经营",这没有体现给出路的精神。《补充规定》中则放宽了这一界限,"刑满释放人员,劳教解除人员,凡有城镇正式户口、有经营能力的,都可以申请从事个体工商业"。再如,原《规定》中规定个体商业只能零售不能批量销售。个体运输业只能

使用非机动工具从事运输业,不能使用机动工具等等,这都不利于调动个体经营者的积极性和把整个国民经济搞活,为此,《补充规定》就这方面的规定作了调整,取消了部分限制,进一步放宽了政策。

1984 年 2 月 25 日国务院发布了《关于合作商业组织和个人贩运农副产品若干问题的规定》对个体经营者从事贩运活动提出了统一的要求。《规定》中指出,城镇有营业执照的商贩,经当地工商行政管理机关批准,可以下乡采购贩运农副产品,也可以在城市指定市场向贩运者批量进货,就地销售。国家保护农副产品贩运者的合法权益,并规定,贩运农副产品,不受行政区划和路途远近的限制,可以出县、出省。《规定》中还要求,公安、城建、交通、运输、卫生等部门,应当与工商行政管理机关密切配合,支持农副产品贩运活动。这个《规定》对促进商品经济的进一步发展,搞活商品流通、扩大城乡物资交流起了很大的积极作用。

1987 年 8 月 5 日国务院发布了《城乡个体工商户管理暂行条例》,这是一个城乡统一的比较完整的个体工商户管理法规,此《条例》的颁布,对于发展个体经济既是行动规范,又是法律保护。

自 1980 年以来,我国理论界对个体经济在我国现阶段存在和发展的客观必然性、性质、在国民经济中的地位和作用,以及它的发展趋势,进行了深入和广泛的探讨,发挥了正确的理论对于实践的指导作用。

在党和国家一系列方针政策的推动下,全国各地城镇个体经济开始有了恢复和发展。1978 年,全国城镇个体经济从业人员总数 15 万人,到 1988 年已达到 578.4 万人,是 1978 年的 38 倍还多。

这一个阶段城镇个体商业、服务业发展速度较快。其原因有三点:第一,它反

映了社会对这种分散零星的商业、服务业的需要，而多年来在这方面一直留有空缺；第二，这一阶段我国商业体制不够健全，如流通环节过多，流通渠道不畅，商业网点少，分布不合理等，使个体商业有可能以其灵活、分散的特点活跃在市场上；第三，个体商业、服务业的特点是需要设备少，投资小，资金周转快，风险小等，因而容易发展；第四，从事商业、服务业经营灵活，不受时间和季节限制，不需要较高的技术和专业知识，一般人都能经营。因此，当政策一旦放宽，便有一拥而上之势，容易得利的行业，发展更快。

1981—1988 年是我国城镇个体经济持续稳定发展的阶段。这一时期，城镇个体经济在经营内容上不断丰富，所经营的行业、品种、服务项目不断增多。传统的经营行业和项目有几百个，主要的行业和项目有：

（1）加工工业，包括家具制造、服务加工、编织毛衣、各种零配件、各种熟食品、糕点、制镜、眼镜等等；

（2）传统技艺手工业，包括劳动密集型的刺绣、地毯、雕刻、绘画、金属工艺、漆器、瓷器等；

（3）商业，包括百货、服装、干鲜果、日用杂品、蔬菜、肉禽蛋、水产、花鸟鱼虫、土产等；

（4）修理业，包括修理钟表、鞋、伞、自行车、钢笔、乐器、铜白铁、家具、房屋装修等；

（5）饮食业，包括饭店、茶馆、馄饨、烧鸡、冷饮、烤红薯以及各种传统风味小吃；

（6）服务业，包括浴池、理发、照相、洗染、弹棉花、磨刀、打字、包装、托运服务等；

（7）自由职业，包括医生、教师、画像等；

（8）运输业，包括三轮车、客货运输卡车、客货轮渡、小轿车等。

这一时期，随着我国社会主义商品经济的发展，城镇个体经济的发展显示了一些新特点：

首先，个体经济不仅是社会主义公有制经济的必要的有益的补充，而且是多种经济形式中的一个有机组成部分，是整个国民经济体系中的一个层次。它已经和社会主义公有制经济息息相关，紧密联系在一起，与资本主义私有制下的个体经济有根本的区别，并与我国"三大改造"以前的个体经济也有重大区别。

其次，个体经济不再仅仅与简陋的生产工具、简单的手工劳动相联系，它开始采用先进的生产技术和工具，并使传统的生产工艺同现代化的生产设备及科学技术相结合；经济规模扩大，经营方式日趋多样化、专业化、社会化，并开始出现了联合经营的趋向，具有广阔的发展前途。譬如，有的个体户已在从事大型电器、机械锅炉安装、房屋建筑、拆旧工程。

再次，出现了不少以脑力劳动为主体的个体经营行业，如科技开发与研究、技术咨询服务、技术贸易、职业培训以及商标装潢、广告设计、打字誊写、外文翻译、美容等新兴行业。虽然这些新兴行业的个体经营者的数量还比较少，但代表了一种新的发展势头。

另外，城镇个体经济的人员结构发生了很大变化。过去从事个体经营的大体上是社会闲散人员、待业青年和新中国成立前后一直从事个体经营的人员。这一个时期从事个体经营的队伍中新增加了大量的农村剩余劳动力（大批农民进入城镇经商、务工、搞劳务，并且还在发展，其中青年约占一半以上）、退离休人员、退辞职人员、留职停薪人员，尤其是，不少教师、科技人员从事个体经营，使城镇个体经济从业人员文化知识结构出现了新的变化。

实践证明，城镇个体经济的发展不是可有可无的，它在整个国民经济的发展中具有不可忽视的作用。它的存在和发展，对于发展社会生产力，方便人民生活，增加社会就业，增加国家资金积累和促进产业结构调整具有重要意义。1980—1985年，我国城镇有待业人员和社会闲散人员3700多万人，要求国家安置工作。按每年安置700万人计算，需要五年时间才可能安置完。这些劳动力的安置完全由国家安排到国营工矿企业，国家一年要投资700亿元；即使安排到全民所有制的轻工业部门，每年也需要增加280亿元。显然，这是我国财力所无法办到的；何况在安置现有待业人员就业的同时，仅城镇每年还会出现1000多万新的待业人员，这样从1980—1985年需要安置的待业人数就会更多。从1978年到1982年，全国一共安置了2900万人就业，有十个省、市、自治区已把1979年以前的待业人员基本上安置完毕。

企业管理体制改革

一

扩大企业自主权的试点

粉碎"四人帮"后，全国的经济得到了迅速的恢复和发展，但同时也使人们深切地感到，旧的经济管理体制不能适应工农业生产发展的要求。这主要表现在：管理权力的过于集中，利益分配的平均主义，压抑和束缚了企业与职工的积极性。为了完善社会主义的生产关系，探索经济体制改革的途径，四川的同志初步总结了近三十年的实践经验，进行了一番理论上的探讨。当时比较一致的看法是：我国的社会主义经济既是计划经济，同时又是商品经济；全民所有制企业是相对独立的商品生产者；只有按照商品经济的原则、社会化大生产的原则和社会主义的原则改革经济体制，把企业和劳动者的积极性和主动性调动起来，才能把经济搞活，使生产不断得到迅速发展。从这个认识出发，中共四川省委及时作出了从扩大企业自主权入手，改革不合理的经济体制的部署。

1978年10月，四川省最初选择重庆钢铁公司、成都无缝钢管厂、宁江机床厂、四川化工厂、新都县氮肥厂、南充织绸厂六个地方国营工业企业进行扩大企业自主权的改革，这就揭开了扩大企业自主权试点工作的序幕。当时的办法很简单，只是给这些企业分别定出当年增产增收的目标，允许他们在年终实现目标后提留少量利润作为企业基金，职工也可多得奖金。在六个试点企业很快获得了显著成效。1979年初，中共四川省委批转了省经委党组《关于扩大企业权力，加快生产建设步伐的试点意见》〔川委发(1979)10号文件，即"十四条"〕，决定扩大试点规模和试点形式，把试点范围扩大到100个工业企业。

根据"十四条"的规定，100个企业扩权试点的主要内容是：

所有试点企业都要全面完成国家计划，抓好产品质量，提高劳动生产率，增加利润。凡是没有完成产量、品种、质量、利润和供货合同的，不能提取或少提取企业基金和职工奖金。企业在全面完成国家计划的前提下，按照国内市场和出口的需要,可以挖掘潜力,组织增产和接受来料加工;也可以征得主管部门的同意后,销售商业、物质、供销部门不收购的产品和零次品;试制的新产品可以自己组织展销,接受用户检验,使企业逐步从以产定销转向以需定产。

企业完成国家下达的产量、质量、品种、利润计划和供货合同后,可以按计划利润或年工资总额(由企业任选)的5%提留企业基金;超过利润计划部分按15%—25%提留企业基金(石油、电力企业按15%,煤矿按25%,其余按20%)。固定资产折旧基金中企业留用的部分,由过去的40%改为60%,主管部门10%,上缴国家30%。企业更新改造资金不足时可与主管部门和财政部门商定,申请小额贷款。企业用更新改造资金和企业基金发展新技术、采用新工艺、新设备而新增的利润(简称"三新"利润),两年内全部留在企业作为企业基金使用(后改为:用企业基金进行挖、革、改而新增利润,自投产之日起两年内全部留给企业)。

除经常性生产奖外,企业还可根据超额完成主要技术经济指标的多少,按职工标准工资总额的5%或按人均6元、7元、8.5元提取超额奖金。企业可以恢复和改进一些单项奖。企业内的奖励办法不再报主管部门批准,由企业自己掌握。

凡是有条件增加出口产品和引进国外新技术、新设备的企业,经省主管部门同意后,可以与有关厂商进行联系,交流情况,商谈有关事宜。有条件的可以利用外资,以及对外装配加工和补偿贸易等办法,努力增加出口产品和引进新技术。出口产品的外汇收入,企业可按国家规定分成,用以进口奇缺的原材料和关键设备。

企业为完成某项紧急生产任务而必须组织职工加班的,可以自行确定,不再报主管部门批准。对生产、工作贡献大、技术业务水平高、劳动态度好的职工,可以试行提前晋级和提前转正(后修订为:按国务院有关规定办理)。对于违反劳动工作纪律、造成经济损失和严重危害的职工可给予警告、记过、降职、降薪直至开除、留用等处分。企业中层及中层以下干部由企业党委任免,报上级有关部门备案,不再报批。由于经营管理不善没有完成当年主要技术经济指标的,对党委书记、厂长等企业领导干部,要扣发不超过本人标准工资15%的工资。

概括起来说,这些试点企业开始有了部分计划权、利润留成权、资金运用权、部分产品销售权、部分劳动人事权等等。正是由于这些权力的获得,使企业迅速呈现出了前所未有的活力,试验的成效非常显著。1979年与1978年相比,100个试点企业中的84个地方工业企业,总产值增长14.9%,实现利润增长33%,上缴利润增长24.2%。

但是,执行"十四条"试点的100个企业,在取得了较大成功的同时,也遇到了一些问题。企业从计划利润(基数部分)和超计划利润(增长部分)按不同的比例留成,其中,按计划利润留成的比例小些,按超计划利润留成的比例大些。在这种情况下,企业从自身的经济利益考虑,总是力图把计划指标定得低一些,以便在执行中能有较大的超额,从而从超计划利润中得到更多的留成。因此,在制订计划时常常与上级部门"讨价还价"。同时,企业怕"水涨船高",怕当年计划超额太多了,第二年会把计划基数提高,使超额更加困难,减少企业的经济利益。因此,即使在原材料、动力有保证,产品有销路的情况下,企业完成计划,往往也适可而止,不愿充分挖掘潜力。

为了探索解决上述问题的办法，省委省政府于 1979 年 12 月 22 日发出了《关于进一步搞好地方工业企业扩大自主权试点工作的通知》〔川委发（1979）115 号文件，即"十二条"〕。决定从 1980 年起，把第一批试点的 100 个企业中的 54 家（后来调整为 52 家），从执行"十四条"，改为执行"十二条"。同时根据企业的要求和实际需要，新批准一批企业按原"十四条"规定的办法试点。1980 年省委发出了《关于地方工交企业实行"十四条试点办法"的通知》，执行"十四条"的试点企业扩大到 318 个。

"十二条"是在充分肯定"十四条"的基本原则和许多行之有效的办法的基础上制订的。"十二条"的新规定主要包括两个方面：

一是，"十四条"中没有正式规定，但在试点实践中已经普遍实行的办法，主要有：企业应该用利润留成资金建立生产发展基金、集体福利基金和职工奖励基金，三项基金的比例可根据企业的不同情况，由职工代表大会（或职工大会）讨论决定，原则上应当主要用于挖、革、改，其次用于集体福利和修建职工宿舍，小部分用于奖励。企业可将生产发展基金同固定资产折旧费、大修理费和固定资产转让出租费捆在一起用于挖、革、改（企业固定资产折旧费的留用比例照国务院规定改为：一般留用 70％，也可留用 60％）。企业能够自行解决材料、设备、用地和施工力量的挖、革、改项目，包括小型技措、危房改造和职工宿舍等由企业自行决定，只报主管部门备案。企业可以投资发展多种形式的联合经营。企业可以根据国家计划和市场需求来确定企业的生产计划和产品结构。在规定的浮动幅度内，企业有权决定产品的价格。

二是，根据"十四条"试行中产生的一些矛盾，对"十四条"的某些具体做法作了修改，主要是：将计划利润提成加超计划利润提成改为全额利润分成。这是两个试点条例的最主要的区别。按照"十二条"及有关补充规定，全额利润分成的具体做法是：

分成比例的确定：原则上以 1979 年各企业实际所得和实现利润为基数分别核定。其中企业实际所得为 1979 年下列五项费用与开支之和：①新产品试制费，凡有新产品试制任务的企业，按利润总额的 1％计算，新产品试制任务较多的少数企业可按利润总额的 2％计算；机械工业企业可按利润总额的 3％计算。没有新产品试制任务的企业不计算此项费用。②科研经费与职工技术培训费，按国家拨给企业的实际数额计算（不包括国家专项拨给的三项费用和措施费，也不包括从成本费用和营业外支出中列支的科研经费、职工技术培训费和技工学校经费等）。③从成本中提取的职工福利基金，按职工工资总额的 11％计算。④从成本中开支的职工奖金，按职工标准工资总额的 17％计算，或按人均每月 8.5 元计算。⑤从利润中提取的企业基金，一般按 1979 年实际提取数计算。以上五项费用和开支的总数为计算分成比例的分子，其分母即利润总额，应是 1979 年企业实现利润减去从利润中归还的各种专项贷款、留给企业的治理"三废"的产品盈利净额、"三新利润"等项目后的"应上缴利润数"。由于原来从成本中列支的职工福利基金、奖金改为从利润中提取，因此企业利润总额也应作相应增加（按以上方法计算、核定后，1980 年全省 54 户执行"十二条"的试点企业的分成比例为 18.67％）。

利润留成资金的提取：一律按核定的

比例,从"应上缴利润数"中按月提取,年终结算。如有欠缴利润应按欠缴的比例,相应少提。

利润留成资金的使用:主要用来建立生产发展基金、职工福利基金、奖励基金。实行利润全额分成后,凡属应在留成利润中开支的挖、革、改及新产品试制、职工福利、奖金等项费用,国家一律不再拨款,企业不得在成本中列支。

分成比例的调整:分成比例核定后,原则上三年不变,如遇到下列情况可以调整留成比例:国家调整价格和改革税制对企业利润有较大影响的;工业改组中对产品、部分生产车间进行调整或品种发生变化而对企业利润有较大影响的;国家投资新建、扩建车间、分厂投产后,企业利润有较多增加的。

上述这些"十二条"中的主要规定,显然是扩大企业自主权的进步。从实际执行情况来看,利润全额分成可以克服企业订计划时"讨价还价"、怕"鞭打快牛"等弊病,但是又产生了企业同上级主管部门争分成比例高低的问题。为了使责、权、利更紧密结合,在试验中探索到更适合我国实际情况的、适应经济迅速发展的企业经营体制,需要对国营企业实行相对自负盈亏的试点。1980年4月1日,中共四川省委发出了《关于在五个工业企业中进行自负盈亏试点的通知》〔川委发(1980)13号文件〕,在四川第一棉纺织印染厂、成都电线厂、重庆钟表工业公司、重庆印刷三厂和西南电工厂,进行以税代利、独立核算、自负盈亏的试点。1980年8月,经省委、省政府同意,又批准内江棉纺厂、自贡铸钢厂、宜宾化工厂、南充丝绸厂和宁江机床厂五个企业进行"国家征税、自负盈亏"的试点。

1980年,全省地方工业进行扩权试点的企业就由1979年100个企业中的84个地方工业企业扩大到422个。其中,执行"十四条"试点的企业有353个,执行"十二条"试点的企业有59个,实行自负盈亏试点的是10个。这些企业的工业产值约占地方工业产值的70%,实现利润约占地方工业实现利润的80%,上缴利润约占地方工业上缴利润的90%。到1980年底,412个执行"十四条"和"十二条"的扩权企业完成的工业总产值比1979年增长9.7%。实现利润增长7.9%,增长幅度普遍高于非试点企业;自负盈亏试点的十家企业。完成的工业总产值比1979年增长32.5%,扣除后的利润总额增长57.8%,上缴国家收入增长46.5%,成效是显而易见的。

1978—1981年四川试点扩大企业自主权有力地调动了企业和职工的积极性,促进了生产发展和经济效益的提高,也改善了职工的生活。但试点的成效还远不止这些,实践向我们深刻地揭示了:由于扩权,使企业在国民经济中的地位发生变化,它的素质得到了显著的增强,这正是扩权试点最重要且富有深远意义的效果。企业素质的增强,具体表现为增强了企业克服困难和发展生产的能力,增强了企业适应市场、满足社会需要的能力,增强了企业自我更新、自我增值的能力,增强了企业自主管理的能力。

与任何新生事物一样,四川扩大企业自主权试点工作,也存在着一些问题,主要是在搞活微观的同时,宏观的控制和指导没有及时地跟上,在国家、企业、职工之间,出现了利润分配不尽恰当的现象;在企业之间,出现了经济利润上的不合理差别的现象;在企业自主权经营中,出现了企业滥用定价权和盲目使用留用资金的现象;在试点过程中,有些既定的办法没有得到贯彻以及一些改革措施相互之间不够配套的现象,影响了改革的顺利进展。

总的来说,1978—1981年四川扩大企业自主权的改革试点工作,方向是对头的,效果也是显著的,为后来的改革提供了初步经验。

企业管理体制改革三个阶段

我国城市经济体制改革从一开始就始终以增强企业活力,尤其是国营大中型企业的活力为中心环节。广泛开展的企业改革目的就是要使国营企业逐步成为自主经营、自负盈亏的社会主义商品生产者和经营者,使企业具备自我改造、自我发展的能力。十多年围绕企业这个核心进行的改革,大体经历了三个阶段。第一阶段是探索阶段,从调整国家和企业的关系入手,开始实行各种形式的经济责任制;第二阶段则对企业从内部机制到外部环境等方面进行全面改革,对国家、企业、职工三者的责、权、利作了明确规定,完善企业经营机制;第三阶段是通过治理整顿,为企业改造和企业机制转换创造良好环境。

1.以企业改革为核心的城市经济体制改革的探索

从1978年12月中共十一届三中全会到1984年10月中共十二届三中全会,是我国以企业改革为核心的城市经济体制改革的酝酿与探索阶段。这一时期的企业改革,从扩大企业自主权、增强企业活力入手,改革企业管理体制。采取的主要措施包括:

第一,以扩权为突破口,围绕正确处理国家、企业和职工三者之间的经济关系,进行了以扩权、减税、让利为主要内容的企业改革。通过改革,使企业拥有了一定的自主权和经营权,并建立和实行了多种形式的经济责任制。

第二,实行厂长(经理)负责制,改革企业利润分配体制,打破企业吃国家"大锅饭"的局面。从1980年开始,我国开始试行厂长(经理)负责制,使企业的厂长(经理)在生产经营管理上享有实际的决策权,取得了积极成效。1983年后,在全国实行第一步利改税,对大中型国营企业实行利税并存,逐步把企业效益同企业经营状况联系起来。

第三,为推动企业改革向纵深发展,对价格、信贷、劳动工资制度等也进行相应改革。在这些方面,国家相继采取并实施了一些重要措施,包括实行国家定价、企业定价和自由定价相结合的作价方法,允许部分产品实行浮动价格;基本建设投资由财政拨款改为银行贷款,企业流动资金收归银行统一管理;恢复奖金制度和计件工资制,试行企业工资改革;试行劳动用工合同制,公开招聘职工等。

第四,调整产业结构,推动企业改组联合。从1978年开始,先后在部分省市开展了工业改组的试点工作。1980年7月国务院通过《关于推动经济联合的暂行规定》,要求根据自愿、平等、互利原则,打破行业、地区和所有制、隶属关系的限制,从生产需要出发组织各种形式的经济联合体。

第五,开始进行城市经济体制综合改革试点,探索全面改革的道路,为国营大中型企业创造良好的经济环境。城市综合改革是对城市经济的生产、流通、交换、分配等各个方面进行配套改革,这项改革涉及面大,所以在1984年以前主要是进行试点。与此同时,以中心城市为依托,各种类型、层次和规模的地区经济综合体或经济网络开始建立。

第六,改革科技及教育体制,增强企业自身科技进步和运用科技的能力,推动企业走上依靠科技进步赢得发展的道路。这些措施包括:改革科技领导体制,制订科技发展规划和政策,奖励发明创造,实行专利制度和技术有偿转让,建立科技市场及科研生产联合体,加强对职工的多种培训等。

通过上述各项改革,我国经济生活开始出现多年未有的活跃局面,推动了社会生产力的迅速发展,为全面改革打下了基础。

2. 城市经济体制改革的全面展开和不断深化

第二阶段是从 1984 年中共十二届三中全会到 1988 年 9 月中共十三届三中全会,这是以企业改革为核心的城市经济体制全面展开和不断深化阶段。

1984 年 10 月,党的十二届三中全会通过了《中共中央关于经济体制改革的决定》,在《决定》的指导下,城市经济体制改革围绕着搞活大中型企业这个中心全面展开,主要措施有:

第一,进一步扩大企业自主权,企业开始获得内在发展的动力和活力。1985年 9 月,国务院批准颁布《关于增强大中型国营企业活力若干问题的暂行规定》,即"扩权十四条"。针对企业普遍存在的管理、技术、效益及自我发展能力低下等问题,按照政企分开、简政放权的原则,从提高经营管理水平、强化职工队伍素质、制订经营发展战略等十四个方面扩大企业自主权,为进一步搞活企业创造条件。

第二,进一步发展横向经济联系,促进横向经济联合。1986 年 3 月,国务院颁布《关于进一步推动横向经济联合若干问题的规定》,指出:发展横向经济联合是发展社会主义商品经济的客观要求,也是经济体制改革的重要内容。坚持在自愿的基础上遵循扬长避短、形式多样、互利互惠、共同发展的原则,以企业间的联合为重点,提倡以大中型国营企业为骨干、以优质名牌产品为龙头的多种形式的经济联合。

第三,进一步改革国家和企业的分配关系,完成第二步利改税。1984 年 10 月,在实施第一步利改税的基础上,普遍推行第二步利改税,即国营企业过去上缴国家的财政收入改为分别按所得税、产品税、增值税、营业税、盐税、资源税、房产税、土地使用税、车船使用税、城市维护建设税和调节税等 11 个税种向国家交税,企业留利比率提高到 26.3%。把企业与国家的关系用法律的形式固定下来,较好地解决了企业吃国家"大锅饭"的问题,也保证了国家财政的稳步增长。

第四,进一步贯彻厂长(经理)负责制。1986 年 9 月,国务院颁发了《全民所有制企业厂长工作条例》及《中华人民共和国全民所有制工业企业基层组织工作条例》《全民所有制工业企业职工代表大会条例》,进一步明确了企业中厂长、党的组织和职工代表大会的职责、任务和权限。

第五,进一步改革劳动工资制度,推行多种形式的经济责任制。国家对企业工资实行分级管理,即国家核定一个地区或部门企业的工资总额和浮动比例。每个企业的具体情况则由各地区、各部门逐级核定。在国家规定的工资总额和政策范围内,把职工的工资、奖金分配权交给企业,由企业自主决定分配形式和方法。同时,广泛推行合同制,实行待业社会保险;颁布《企业破产法》,促进企业经济效益提高。

以扩权、减税、让利为基本思路的企业改革在发展中遇到了不容忽视的困难。主要表现为：企业在自主权扩大的同时，缺乏内在约束机制，出现了严重的行为短期化问题；市场调节机制已经启动，但市场约束乏力；直接控制削弱了，间接控制并未相应加强；改革面临的是一个并不宽松的环境，总需求大大超过总供给。根据这种情况，在1986年3月六届人大四次会议上，国务院《关于第七个五年计划的报告》明确规定：

第一，进一步增强企业特别是全民所有制大中型企业的活力，使它们成为相对独立的经济实体，成为自主经营、自负盈亏的社会主义商品生产者和经营者。从外部和内部两个方面采取切实有效的措施，进一步扩大企业的生产经营自主权，使企业真正具有自我积累、自我改造、自我发展的能力，完善企业的行为机制，加强企业的自我约束。

第二，进一步发展社会主义的商品市场、金融市场和劳务市场，逐渐理顺价格关系，建立和发展市场流通组织，建立各种商业法规，加强工商行政管理，促进正常的市场秩序的形成，逐步完善市场体系。

第三，国家对企业的管理逐步由直接控制为主转向间接控制为主，建立新的社会主义宏观经济管理体系。

党的十三大对改革开放作了新的战略部署，也重申了经济体制改革应该遵循的原则：我们一方面要进一步解放思想，以更大的决心，加快改革的步伐；另一方面，又要充分认识改革的艰巨性、复杂性，立足于现实条件，按照经济发展的客观要求和体制改革的内在逻辑，确定改革重点，分阶段配套改革，使改革不断取得实质性进展。

3. 治理经济环境、整顿经济秩序、全面深化改革

第三阶段是从中共十三届三中全会到1991年9月中央工作会议，这是治理整顿阶段。这一阶段的一项重要任务，就是要消除过高的通货膨胀，扭转市场混乱局面，为企业发展创造良好环境。

改革开放10年的时间，我国各个方面都发生了巨大的历史性变化，社会生产力有了很大发展。国家的经济实力显著增强，人民生活水平明显提高。但是，也存在一些问题：第一，最突出的问题是通货膨胀加剧，物价上涨过猛。全国零售物价总指数1985年、1986年和1987年分别比上年上升8.8%、6.0%和7.3%，而1988年则比1987年上升18.5%。第二，一度在全国范围内掀起严重的挤兑和抢购风潮。一些单位和个人也乘机谋取私利，非法倒买倒卖，层层盘剥，推动物价上涨，加剧了经济秩序的混乱。

上述情况的产生，与我国长时间以来经济过热、投资需求和消费需求双膨胀、社会总需求超过总供给有密切的关系；与我国新旧体制转换时期还不可能很快形成一套自我调节、自我约束的新机制分不开；也与我们在工作指导上的失误，在经济建设中急于求成的倾向有一定关系。

十三届三中全会，正确地分析了当时我国的经济形势，提出了"治理经济环境、整顿经济秩序、全面深化改革"的方针，要求把今后几年建设和改革的重点放到治理整顿上来，把稳定、改革和发展统一起来，在稳定中推进改革和求得发展。党和政府做了大量工作，主要包括：大力压缩固定资产投资规模；控制信贷规模、增加储蓄和稳定金融；压缩社会集团购买力；开展全国性的财务、税收、物价大检查；整顿流通领域的秩序；努力增加有效供给。

1989年11月召开的党的十三届五中

全会通过了《中共中央关于进一步治理整顿和深化改革的决定》,提出用三年或者更长一点的时间,基本完成治理整顿任务。治理整顿的主要目标是:逐步降低通货膨胀率,使全国零售物价上涨幅度逐步下降到10%以下;扭转货币超经济发行的状况,逐步做到当年货币发行量与经济增长的合理需求相适应;努力实现财政收支平衡,逐步消灭财政赤字;在着力提高经济效益、经济素质和科技水平的基础上,保持适度的经济增长率,争取国民生产总值平均每年增长5%—6%;改善产业结构不合理状况,力争主要农产品生产逐步增长,能源、原材料供应紧张和运力不足的矛盾逐步缓解;进一步深化和完善各项改革措施,逐步建立符合计划经济与市场调节相结合原则的,经济、行政、法律手段综合运用的宏观调控体系。

这次会议提出治理整顿必须抓住四个环节:一是继续压缩社会总需求,坚持执行紧缩财政和信贷的方针,解决好国民收入超额分配问题,下决心过几年紧日子。二是大力调整产业结构,增加有效供给,增强经济发展后劲。特别是要迅速在全党全国造成一个重视农业、支援农业和发展农业的热潮,齐心合力把农业搞上去。确保粮食、棉花等主要农产品的稳定增长。三是认真整顿经济秩序,继续下大力气清理整顿各种公司特别是流通领域的公司,克服生产、建设、流通、分配领域的严重混乱现象。四是深入开展增产节约、增收节支运动,下工夫改进企业的经营管理,挖掘内部潜力,提高科技水平,走投入少、产出多、质量高、效益好的经济发展路子。

经过三年的治理整顿,我国的经济形势明显改观,治理整顿所要达到的目标基本实现,使国民经济摆脱了剧烈波动的困难,促进了政治与社会稳定,创造了一个相对宽松的经济环境,为改革开放事业的进一步发展奠定了一个比较好的基础。

搞好国营大中型企业

1991年9月召开的中央工作会议明确指出:搞好国营大中型企业有着重大的现实意义。国营大中型企业是国民经济的重要支柱,是国家财政收入的主要来源。解决好国营大中型企业问题,才能巩固公有制经济的主体地位,坚定广大人民群众走社会主义道路的信心,使我国社会主义制度立于不败之地。

国营大中型企业经济效益比较低,与新中国成立以来长期实行的传统经济体制和传统经济发展战略直接相关。传统经济体制和传统发展战略的基本特点,就是以经济增长速度为中心,盲目追求经济的高速增长,忽略甚至根本不计经济效益。党的十一届三中全会以后,经济效益问题才被提出并引起各方面的重视。1981年五届人大四次会议明确提出:提高经济效益,是社会主义建设的一个核心问题,是考虑一切经济问题的根本出发点。经济体制改革虽然在80年代上半期使我国国营大中型企业的经济效益有所提高,但是在80年代中期以后,由于传统体制和战略的影响仍未完全消失,加以两种体制转换时期各种矛盾的发展,使得我国经济效益提高的进程再次遇到严重挫折,国营大中型企业和国民经济低效益发展的面貌并没有多少改变。

1989年治理整顿以来,各级政府为解决经济效益不高问题,相继采取了许多措施,虽取得了些成效,但是经济效益仍无明显提高,甚至在相当长的一段时间内,经济效益还持续下降,特别是国营大中型企业经济效益的下降更为剧烈,集中表现在生产流通领域的盈利水平大幅度下降,成本超支,费用增加,亏损上升。1990 年同 1988 年相比,全民所有制独立核算工业企业实现利税总额由 1775 亿元减少到 1503 亿元,下降 15.3%(其中利润由 892 亿元减少到 388 亿元,下降 56.5%);可比产品成本超支 30.8%;亏损面由 10.9% 扩大到 27.6%,亏损企业亏损额由 81.9 亿元增加到 348.8 亿元,增长 3.3 倍。国营合作社商业实现利润由 123 亿元下降到 67 亿元,下降 94.6%;销售百元商品费用由 6.45 元增加到 7.66 元,提高 18.8%;亏损面由 9.9% 扩大到 26.7%,亏损企业亏损额由 48 亿元上升到 100 亿元,增长 1.08 倍。1991 年 1—9 月预算内国营工业实现利税比上年同期增长 10.4%(其中实现利润下降 5.3%);亏损企业亏损额增长 19.3%;亏损面高达 36%。1—6 月国营合作社商业实现利润下降 2.6%;亏损企业亏损额为 45 亿元。以上数据还不包括相当一部分虚盈实亏的企业。

国营大中型企业经济效益不高,是我国经济发展中长期存在的一个严重问题。除了传统体制和战略的影响外,主要因素还包括:宏观上经济结构不合理,重复生产、重复建设严重,许多企业达不到规模效益;价格关系和价格体系扭曲,能源、原材料价格偏低、下游企业承受不了上游企业产品价格上调的冲击;"大锅饭"和"铁饭碗"机制仍没有得到根本改变,人浮于事,生产效率不高;企业职工收入增长速度高于生产增长速度,挤占了技术改造和新产品开发所需资金;企业商品经济意识和市场观念不强,也使企业在变化了的市场供求关系中茫然无措;市场疲软和企业负担过重,使企业缺少提高经济效益的客观环境和能力。此外,若干治理整顿、紧缩经济的措施,也制约了经济效益的提高。

总之,从根本上说,国营大中型企业经济效益不高,是经济体制和企业机制还不合理的必然反映。企业缺乏必要的经营自主权和约束机制,优胜劣汰机制不健全,分配上过分向个人倾斜等等,都造成了企业效益大量流失。

为搞好国营大中型企业需要从以下几个方面进行深入细致的工作,使企业的积极性真正调动起来。

第一,继续推进和深化经济体制改革,按照发展社会主义市场经济的要求,使企业获得实际的生产和经营决策权,具有自我改造和自我发展的能力,在国家的全力支持下,走向国际国内市场,经受商品经济和市场机制的考验。

第二,要保持国家对国营大中型企业政策的连续性和稳定性,尤其要坚持和完善企业的承包经营责任制。1991 年的中央工作会议要求国营大中型企业把着眼点放在自身力量的基点上,要从坚持完善企业承包责任制、坚持贯彻《企业法》健全内部领导体制、推进劳动工资制度改革、投身国内外市场、全心全意依靠工人阶级、加快技术进步、坚持从严治厂和加强企业内部各项管理制度八个方面下苦工夫、花大力气,特别是要做好企业经营机制的转换工作。

第三,现代经济发展越来越依赖科学技术的进步,为了调动企业利用科学技术的积极性,全面推进企业技术进步,国家采取了十二条政策措施:三年内全部免掉从国营大中型工交企业折旧基金中上缴的"两金"(能源交通重点建设资金和预算调节基金);加快对国营工交企业固定资产重估的步伐;降低国营大中型企业的所得税率;适当调整财政信贷政策;增加企业新产品开发资金;增加外汇引进国外先进技术,并用于引进技术改造企业;实行压缩产成品资金占用与增加技改贷款、流动资金贷款挂钩的办法;建立国家和地方两级新产品开发和消化吸收专项资金;增加国家重点技术改造贷款比重;在大型企业和企业集团中建立技术中心、对中间试验产品定期减免所得税;加强宏观调控,防止重复建设;完善约束机制,用好技术进步的自有资金。

第四,为国营大中型企业的发展创造良好的外部条件。中央工作会议提出了十二条措施:增加企业技术改造的投入;逐步缩小对国营大中型企业的指令性计划;适当提高企业折旧;增加新产品开发基金;继续补充企业流动资金;对利率再做适度调整;抓紧落实给予部分企业外贸自主权;继续对国营大中型企业实行"双保";抓紧清理"三角债";进一步做好组建大型企业集团的试点工作;坚决治理"三乱";逐步降低国营工业企业的所得税率。

四

《企业法》的制定和实施

《中华人民共和国全民所有制工业企业法》(以下简称《企业法》)是全民所有制工业企业行为的规范,它主要是规定企业内部和企业外部经济关系的行为准则。《企业法》的主要任务是:第一,确立国家和企业之间的正确关系,扩大企业自主权,使企业真正成为独立的经济实体,成为自主经营、自负盈亏的社会主义商品生产者和经营者,具有自我改造和自我发展的能力,成为具有一定权利和义务的法人。其二,确立职工和企业之间的正确关系,保障劳动者在企业中的主人翁地位,保障职工行使民主管理的权利,建立经营者和生产者之间密切合作的新型关系。第三,确立厂长在企业工作中同各个方面的正确关系,明确厂长在企业处于中心地位,起中心作用,有经营决策权、生产指标权和人事决定权,对企业的物质文明建设和精神文明建设负全面责任,是企业的法人代表。

1.《企业法》的起草过程

《企业法》是在经过较长时间的酝酿、调查、讨论、试点过程中产生的,前后经历了十个年头,草案修改近二十稿。时间之长,易稿之多,在我国经济立法史上是为数不多的。

《企业法》的酝酿拟订工作是1980年开始的,当时叫《工厂法》。1978年12月,邓小平同志在中央召开的一次工作会议上提出要制定《工厂法》的建议。在这次会议上,邓小平同志提出尤其要注意研究和解决管理方法、管理制度、经济政策这三个方面的问题,涉及经济管理体制、下放管理权、明确责任制、打破平均主义大锅饭的分配方式的论述,实际上就是制定《企业法》的指导思想及理论基础。

根据邓小平同志上述思想,1980年,在彭真同志领导下,开始组织各方面的力量成立了《工厂法》(即《企业法》)起草小组,拟订了第一个《工厂法(草案)》,鉴于当时邓小平同志关于实行厂长负责制的思想在一些同志中还没有被完全接受,企业体制改革的几种方案如企业委员会领导下的厂长负责制、职工代表大会领导下的厂长负责制和厂长负责制等都正在试点,如果《工厂法》以党委领导下的厂长负责制为主体拟订,一旦通过,必将给下一步改革带来新的问题。为了使企业在经营管理中有所遵循,决定将《工厂法(草案)》内容,暂用行政法规的形式,由中共中央、国务院颁发执行。这就是 1981、1982、1983 年先后发布的《国营工业企业职工代表大会暂行条例》《国营工厂厂长工作暂行条例》《中国共产党工业企业基层组织工作暂行条例》和《国营工业企业暂行条例》。这四个暂行条例的发布执行,实际上是《工厂法(草案)》即《企业法》若干原则规定的试验。它的实施,不仅为以后制定《企业法》提供实践根据,而且也有力地配合了党中央、国务院当时正在开展的对国营工业企业进行全面整顿工作。由于当时全党贯彻国民经济调整、改革、整顿、提高的八字方针,重点是放在调整和整顿上,改革企业领导体制、改变党委领导下的厂长负责制的条件尚不成熟,因此,四个条例对企业实际存在的党政不分、职责不清、多头领导、责权分离等问题,基本上没有触及。特别是邓小平同志关于实行厂长负责制的思想,一时还没能够贯彻实施。当然,通过这一阶段《工厂法(草案)》的讨论,许多问题取得了一致意见。例如,企业是经济组织,必须以生产为中心;企业必须建立以厂长为首的生产指挥系统;在不改变当时企业领导体制的前提下,也必须明确党组织、厂长和工会组织各自的职责范围和相互关系;要明确企业的责任,同时必须赋予相应的权利;企业的直属上级只能是一个。四个条例的实施,发挥了积极的作用,并为《企业法》在制订工作中正确解决这些问题奠定了一定的基础。

《企业法》拟订工作的第二阶段是从 1984 年开始的,中央明确提出要改革企业领导体制,实行厂长负责制。以彭真同志为首的调查组通过广泛的调查研究,在认真总结了新中国成立以来的有关经验,特别是在总结了四个条例实施经验的基础

上,并注意参照了国外一些好的做法,起草了《企业法》草案,由中共中央办公厅、国务院办公厅于 1984 年 5 月印发各省、市、自治区,作为进行厂长负责制试点的依据。同时,中央指定北京、天津、上海、沈阳的部分工业企业,常州、大连的全部工业企业作为中央直接抓的改革企业领导体制的试点单位。

改革企业领导体制,是城市经济体制改革的一个重要组成部分,也是《企业法》的一个核心问题。《企业法》关于企业领导体制改革的基本内容是:企业党政分开,实行厂长负责制;明确企业党组织不再对本单位的工作实行“一元化”领导,只行使保证监督的职能;进一步健全职工代表大会制度和各项民主管理制度,改善和发挥工会的作用,调动广大职工的积极性和创造性。党的十二届三中全会《关于经济体制改革的决定》,肯定了上述企业领导体制改革的基本内容。为了扩大试点,在《企业法》未正式出台之前,中共中央、国务院于 1986 年根据上述基本内容,重新修订发布了《全民所有制工业企业厂长工作条例》《全民所有制工业企业职工代表大会条例》和《中国共产党全民所有制工业企业基层组织工作条例》。同年 11月,又发出了贯彻三个条例的“补充通知”。三个条例和补充通知,同 1982 年先后发布的那个暂行条例,最大的不同点是改变了企业领导体制,实行厂长负责制,明确厂长在企业中处于中心地位,起中心作用,对企业负有全面责任;企业党组织要搞好保证监督和党的自身建设;通过职工代表大会实行民主管理等重要原则。这些原则的确定,把《企业法》的制定工作向前推进了一大步。特别是中国共产党第十三次代表大会通过的政治报告,为统一各方面的认识,进一步修改《企业法》提

供了理论依据,也为加快《企业法》的出台,增加了新的动力。《企业法》就是这样一步一步形成的。

《企业法》未正式提请全国人民代表大会审议前,公开登报征求全国人民意见,在我国已颁布的法律中还是第一次,说明中央对这个法律草案的重视。《企业法》草案的拟订工作,自始至终都是在中央和全国人大常委会的直接关怀下进行的。仅1984年至1987年,中央政治局两次讨论《企业法(草案)》,中央书记处、国务院常务会议先后四次听取调查组汇报,全国六届人大常委会第九次、第十八次、第二十次、第二十四次和第二十五次,共五次会议进行了审议,这期间,除了印发给一些全国性会议征求意见外,还先后数次将修改稿印发各省、市、自治区征求意见。特别是全国六届人大委员长会议决定将《企业法(草案)》公开登报征求意见后,各地人大常委会和人民政府对《企业法(草案)》的讨论、修改十分重视,召开了各种类型的座谈会,广泛地征求了各方面的意见。

2.《企业法》的主要内容

(1)企业的性质和任务

《企业法》对企业的性质作了两项规定:第一,企业是"依法自主经营、自负盈亏、独立核算的社会主义商品生产和经营单位";第二,"企业依法取得法人资格,以国家授予其经营管理的财产承担民事责任"。这两项规定,一是明确了企业的性质,即自主经营、自负盈亏、独立核算的社会主义商品生产和经营单位。二是明确了企业的法律地位,即企业依法取得法人资格后,就成为具有民事权利能力和民事行为能力的法律主体,享有民事权利,承担民事义务。《企业法》在明确企业性质的基础上,规定了企业的任务为:"根据国

家计划和市场需求,发展商品生产,创造财富,增加积累,满足社会日益增长的物质和文化生活需要。"把发展商品生产作为企业的任务之一,这就突破了长期以来人们认为企业只是产品生产单位的僵化观念。明确把创造财富,增加积累作为企业的任务,有利于加强企业的经济实力和提高国家资产的整体效益。

(2)所有权和经营权分离的原则

所有权与经营权分离是《企业法》的灵魂。《企业法》规定:"企业的财产属于全民所有,国家依照所有权和经营权分离的原则授予企业经营管理权。企业对国家授予其经营管理的财产享有占有、使用和依法处分的权利。"《企业法》的这一规定,包括两个方面的含义:一是企业财产的所有权仍属于全民,不能改变,但全民所有不可能由全民来经营,必须把经营权交给企业经营者来掌握;二是两权分离要强化经营权,强化所有权。国家在保持对企业财产所有权的条件下,赋予企业广泛的经营权,即包括对企业财产的占有权、使用权和依法处分权。在"两权分离"这一原则下,企业本身如何经营、如何发展,应由企业依法自行决定。企业的生产经营活动以不违背国家的有关法律、法规为限。政府主管部门的责任是为企业提供服务,并在各自的职责范围内对企业实行管理和监督,而不再是直接经营企业,干预企业正常的生产经营活动。

(3)企业的权利和义务

自从党的十一届三中全会决定扩大企业自主权以来,党中央和国务院先后颁发了一系列的扩权规定,重要的有:1979年7月颁发的《关于扩大国营工业企业经营管理自主权的若干规定》,1984年5月颁发的《关于进一步扩大国营工业企业自主权的暂行规定》等。这几个规定主要是

规定了企业经营管理的一些基本权利,如经营计划权、产品销售权、资金使用权、机构设置权、人事权等等。1985年2月,国务院又颁发了《关于推进国营企业技术进步若干政策的暂行规定》,这个规定主要是规定了企业有关推进技术进步的自主权。1985年9月,国务院还批准了《关于增强大中型国营工业企业活力若干问题的暂行规定》,这个规定鼓励企业开展一业为主,多种经营,发展横向联系,并首次开放了部分大型企业的直接对外经营权。

《企业法》在总结实施这些行政规定经验的基础上,将企业改革中有关扩权的成果,用法律形式固定下来,再加以规范化,使之具有权威性和法律效力。企业的权利归纳起来有:生产计划权、物资采购权、产品销售权、资金支配权、物资管理权、劳动人事权、机构设置权、外贸权、反摊派权、横向经济联合权等等。

在规定企业享有权利的同时,也规定了企业应履行的义务。这些义务是:完成指令性计划,履行依法签订的合同;保障固定资产的正常维修、改进和更新设备;遵守国家财务、劳动工资和物价规定并接受其监督;提高产品质量,降低物资消耗;加强劳动保护和环境保护,搞好安全保卫工作;提高职工队伍素质等等。

(4)企业领导体制

《企业法》总结了企业领导体制改革的经验,确立了以"厂长全面负责、党委保证监督、职工民主管理"为基本原则的企业领导体制。

关于厂长全面负责。《企业法》在第七条规定:"企业实行厂长(经理)负责制。"第四十五条规定:"厂长是企业的法定代表人。""企业建立以厂长为首的生产经营管理系统。厂长在企业中处于中心地位,对企业的物质文明建设和精神文明建设负有全面责任。"根据责权一致的原则,在规定厂长对企业负有全面责任时,又赋予了厂长经营决策、生产指挥和人事管理三方面的权力。

关于党委保证监督。搞好企业的党政分开,明确企业中党组织的地位和作用,是《企业法》的一个重要问题。中共十三大通过的党章部分条文修改案,明确了企业党组织"不再对本单位实行'一元化'领导"。据此,《企业法》第八条规定:"中国共产党在企业中的基层组织,对党和国家的方针、政策在本企业的贯彻执行实行保证监督。"监督的内容主要有两方面:一是监督企业遵纪守法,坚持社会主义生产经营方向;二是监督企业及其领导人正确执行党和国家的各项方针、政策。并且企业党组织要以主要精力加强党的组织建设,发挥党支部的战斗堡垒作用和党员的先锋模范作用,做好思想政治工作和群众工作,支持厂长充分行使职权,并对重大问题提出意见和建议。

关于职工民主管理。《企业法》把确立职工的主人翁地位,保障职工行使民主管理权利,作为重要内容之一,在总则第九条、第十条、第十一条分别规定:"国家保障职工的主人翁地位,职工的合法权益受法律保护。""企业通过职工代表大会和其他形式,实行民主管理。""企业工会代表和维护职工利益,依法独立自主地开展工作。企业工会组织职工参加民主管理和民主监督。"并在第五章具体地规定了职工和职工代表大会的权利和义务。

(5)企业和政府的关系

根据中共十三大报告关于政企分开的精神,《企业法》主要在强化政府部门对企业服务、监督和削弱直接管理企业职能方面作了规定。政府对企业的权利是:"依照国务院规定统一对企业下达指令性计划,保证企业完成指令性计划所需的计划供应物资,审查批准企业提出的基本建设、重大技术改造等计划;任免、奖惩厂长,根据厂长的提议,任免、奖惩副厂级行政领导干部,考核、培训厂级行政领导干部。"政府对企业的义务是:"为企业提供服务,并根据各自的职责,依照法律、法规的规定,对企业实行管理和监督。"其主要内容是:①制定、调整产业政策,指导企业制订发展规划;②为企业的经营决策提供咨询、信息;③协调企业与其他单位之间的关系;④维护企业正常的生产秩序,保护企业经营管理的国家财产不受侵犯;⑤逐步完善与企业有关的公共设施等。

3. 企业法的贯彻实施

《企业法》自 1988 年 4 月 13 日颁布,8月 1 日生效实施后,全国各地掀起了学习、宣传《企业法》的热潮。许多省市领导和有关主管部门都举办了不同形式、不同层次的《企业法》培训班、研讨班,编写出版了《企业法》的学习辅导资料,制订了有关实施《企业法》的办法。总的看来,无论是主管部门,还是企业,对《企业法》的颁布普遍持欢迎态度,认为《企业法》的实施,克服了原有企业领导体制中无人负责的弊端,适应了现代化大生产的需要,对于巩固改革成果,促进企业改革进一步深化起了积极作用。

十三届四中、五中全会以后,为了加强党的领导,中央先后召开了全国宣传工作会议和全国组织部长会议,下发了关于加强宣传思想工作的通知和关于加强党的建设的通知,提出了在坚持和完善厂长负责制的同时,要进一步加强企业思想政治工作,密切企业党政关系,重视纠正任意侵害企业权利的行为,切实维护企业享有的各项权利。

如何在坚持厂长负责制的同时,加强

党对思想政治工作的领导,正确处理党政关系,根据《企业法》和中央两个通知精神,可以从以下三方面理解:

第一,坚持厂长中心地位的同时,确保党组织的政治核心地位。厂长的中心地位是指,企业作为经济组织,与其他组织相比,作为企业的法定代表人,只有厂长对内对外代表企业。厂长对企业的生产经营和决策指挥依法全面负责。党组织的核心地位是指政治核心,主要是搞好党的思想、组织、作风建设,领导企业的思想政治工作,在重大问题上把握社会主义方向,监督企业和厂长执行党的方针政策和国家的法律、法规,两者是不相矛盾的。关于谁领导精神文明建设的问题,由于精神文明建设内容广泛,既包括思想建设,也包括文化建设和环境建设;既有理想、道德、政治思想方面的内容,也有科技进步、职工文化、业务培训、文明安全生产、环境美化等多项内容。因此,精神文明建设由党政方面各负其责是适宜的。

第二,关于重大问题的决策权问题。厂长对企业的重大问题有决策权,是厂长负责制的重要内容之一。《企业法》第四十七条规定:"企业设立管理委员会或者通过其他形式,协助厂长决定企业的重大问题,厂长任管理委员会主任。"企业管理委员会由党政工团各方代表和职工代表组成。这样规定,一是明确了厂长对重大问题的决策权,二是明确了决策的民主形式。重大问题是指:经营方针、长远规划和年度计划、基本建设方案和重大技术改造方案,职工培训计划,工资调整方案,留用资金分配和使用方案,承包合租经营责任制方案,工资列入企业成本开支的企业人员编制和行政机构的设置、调整方案等等。厂长在主持讨论这些重大问题时,要多听取各方意见,经过充分讨论后再行决定。而企业党组织作为中国共产党在企业基层组织参与上述重大问题的讨论时，要主动提出意见和建议，在政治原则、政治方向和重大政策上把关，以保证监督党的路线、方针、政策的贯彻落实。

第三，处理好党管干部与厂长用人权的关系。《企业法》规定了厂长对厂级行政副职有提名权，对部分中层行政干部有任免权和奖惩权，与党管干部的原则不矛盾。党管干部，在企业主要是指企业党组织在任免奖惩干部时，要从政治上进行审查监督，提出意见和建议，厂长要尊重党组织的意见。因此，厂长在任免奖惩干部时，要先经党、政主管干部的部门共同考察，经党组织和行政领导集体讨论决定后行使决定权。党政意见不一致时，厂长有决定权，但对后果负责，并可同时将不同意见报上级党、政部门。企业党组织在对业务干部和人员的配置上，也要尊重厂长的意见。

总之，贯彻实施《企业法》，有力地推动了企业改革的深入发展，使我国企业改革和管理逐步走上法制的轨道。

财政体制改革

试行利改税

长期以来，国营企业实现的利润，除一部分采取利润留成制度、企业基金制度和盈亏包干等办法归企业自己支配外，大部分是以利润的形式上缴国家。这样，企业利润多，可以多分成；利润少，则往往通过"调整"利润指标的办法加以照顾；企业发生亏损，也不承担多少经济责任。这使得财政收入难以保证，国家与企业之间的分配关系难以稳定下来。为了改变这一状况，从1979年起开始试行利改税办法，即把国营企业向国家缴纳利润，改为由国家征税。

1. 1979年至1982年利改税试点

利改税的酝酿是在1978年开始的，该年财政部在研究改革工商税制问题时，就提出了一些初步设想，指出：为了适应我国经济管理制度的改革，对我国财政收入制度作相应的改变，把国营企业的收入，改为基本上用税收形式缴纳，更大地发挥税收作为组织收入手段的积极作用。对国营企业由上缴利润改为征税是一件新的工作，牵涉面广，政策性强，为了取得经验，以便推广，从1979年起开始试点。试点在18个省、市、自治区的456户工交企业中进行。各地从本地的实际情况出发，探索利改税的路子，在做法上具有许多不同的特点。

湖北省光化县（现老河口市）实行五级超额累进税。从1979年1月1日起，首先在湖北省光化县的15家地方国营工业企业进行了由上缴利润改为征收所得税的试点，即对企业增长利润留给企业20%以后的剩余部分，连同正常利润，实行按五级超额累进税率征收所得税：全年利润在1万元以上至5万元的，税率为50%；5万元以上至10万元的，税率为60%；10万元以上至20万元的，税率为65%；20万元以上至50万元的，税率为70%；超过50万元的，税率为75%。企业税后留利形成企业生产发展基金、主管部门提取的调剂资金、职工福利和职工奖励基金。后来湖北省黄陂、南漳、均县、汉川等县也试行这种办法。

广西柳州市实行"两税一分红"办法。广西柳州市从1980年1月1日起，对全市74户市属工交企业进行利改税试点，即"两税一分红"：收入调节税、所得税和资金分红。确定柳州市的平均销售利润率为15%，超过15%的，每超过1%，征收0.6%的收入调节税，所得税税率为50%。资金分红实际上就是征收企业固定资金占用费和流动资金占用费，即按企业资金利润率实行分红，投资各方按投资额的比例参加分红，按月预分，年终决算总分。另外还规定今后企业在税后留利中用于购建固定资产和增加流动资金的，可作为企业投资参加分红。

上海市实行"四税两费"办法。经财政部批准，上海市于1980年1月1日起在上海柴油机厂、彭浦机器厂和轻工业机械公司进行"四税"（收入调节税、所得税、房地产税、车船使用牌照税）"两费"（固定资金占用费和流动资金占用费）试点。收入调节税和所得税的征收办法与柳州市的办法相同；房地产税则是按房屋、建筑物的原值每年征税1.2%；固定资金占用费为月率8‰；流动资金占用费为月率4.2‰。企业缴纳"四税两费"后的留利中，用于生产发展占41%，用于职工集体福利占32%，用于职工奖励占27%。从1981年起，上海市在10个郊县的50家县属国营工业企业试行征收八级超额累进所得税和资金占用费。

四川省于1980年1月1日起在第一棉纺印染厂、成都电线厂、西南电工厂、重庆钟表公司、重庆印刷三厂五家企业进行"独立核算、国家征税、自负盈亏"的试点，即征收所得税和固定资产税。所得税税率是一户一率，最低为40%，最高为78%，一定三年不变。原由成本列支的工资改在留利中支付，福利基金和奖励基金同留利挂钩。固定资产税是按固定资产原值，每月征2‰。后来四川又选定五家工业企业，实行征收"两税两费"加奖惩的办法。所得税税率为70%。收入调节税按月征收，凡销售利润率超过13%的，每超过1%，征收0.6%的收入调节税。固定资金占用费按国家统一规定征收。流动资金占用费按月费率2.1‰征收。企业利润总额比上年增长1%，按工资总额的0.4%给予奖励；每下降1%，按工资总额的0.1%在税后留利中扣缴给国家。与此同时，四川在88家国营零售商业企业和七家供销社贸易货栈进行试点，对商业企业征收六级超额累进所得税（65%—84%）和固定资产税（月率2‰），对供销社等只征收所得税。在重庆市，对一轻、电子仪表两行业征50%的所得税和调节税，调节税率按行业确定。

北京市于1980年下半年起，在扩权试点的基础上，在北京光学仪器厂等十家企业实行了"三税"（调节税、城市建设税、所得税）"两费"（固定资金占用费、流动资金占用费）办法。调节税采用"倒轧账法"，即企业利润减去所得税，城市建设税按征收调节税后的利润额5%征收，作为地方性财政收入；所得税按征收调节税后的利润额40%征收；流动资金占用费为月率4.2‰，固定资金占用费为月率2‰—5‰。

从包括上述五省市的各地试点情况看，全国约有30多种利改税的具体办法。总的说来，是以所得税为主要税种，参与利润分配。所得税税率有的采用超额累进税率，有的是比例税率，税负在50%左右。各种办法的共同之处在于体现"独立核算、国家征税、资金付费、自负盈亏"的管理体制。试点情况表明,实行利改税,可以较好地处理国家、企业、职工三者的利益关系,扩大企业自主权,调动企业和职工的生产积极性,提高宏观和微观的经济效益。试点企业在产量、质量、花色品种、劳动生产率、成本、资金周转、上缴税费等方面,一般都比未试点的企业要好,也比本企业试点前的情况要好。据统计,1981年与1980年相比,456家试点企业的总产值增长2.48%,销售收入增长8.93%,实现利润增长17.89%,上缴国家税费增长13.59%。实现利润和上缴税费的增长,大大高于总产值和销售收入的增长,经济效益是好的。这四项指标与全国国营工业企业同期平均增长水平相比,分别高0.21%、6.25%、18.98%、22.09%。再从试点企业利润分配增长情况看,1981年利润总额比上年增长23619万元,其中,国家财政收入增加14201万元,占增长额的60.13%;企业留利增加9418万元,占增长额的39.87%。在企业留利中,生产发展基金占41.7%,职工福利基金占30.69%,职工奖励基金占22.62%,后备基金占4.28%,职工工资基金占0.71%。国家和企业总的实现利润的分配比例是国家收入占76.82%,企业留利占23.18%(包括归还技措贷款和财政不再拨款的因素),基本上体现了国家得大头、企业得中头、个人得小头的原则。不可否认,在利改税试点中也出现了一些问题,即由于对企业的增产潜力估计不足,在设计所得税率、调节税率时从保企业"既得利益"出发,出现了以下现象:税软留利硬,对有些企业"让利"过多,部分企业的增长利润中国家得了小头,而企业和职工得了大头;所得税和调节税的税率按一户一率设计,也不符合税收的统一性、固定性的要求;

企业之间留利苦乐不均等等。

2.1983年至1984年第一步利改税

第一步利改税是根据1982年11月召开的第五届全国人民代表大会第五次会议的决定实施的。在这次会议上作的《关于第六个五年计划的报告》全面地阐述了利改税的主要内容、实施步骤和重大意义。《报告》指出:"把上缴利润改为上缴税金这个方向,应该肯定下来。这项改革需要分别不同情况,有步骤地进行。对国营大中型企业,要分两步走。第一步,实行税利并存,即在企业实现的利润中,先征收一定比例的所得税和地方税,对税后利润采取多种形式在国家和企业之间合理分配。这一步在'六五'计划期间就开始实施。第二步,在价格体系基本趋于合理的基础上,再根据盈利多少征收累进所得税。对小型国营企业,准备在今后三年内分期分批推行由集体或职工个人承包、租赁等多种经营方式,实行国家征税、资金付费、自负盈亏的制度。同时,要根据经济发展的需要,适当调整部分产品的工商税率,开征一些必要的新税种,进一步发挥税收集聚资金和调节生产、流通和分配的作用。实现了税收制度的这些改革,将使企业的经营管理发生深刻的变化,把实行企业经济责任制和扩大企业自主权的工作推进一步,使企业的利益同企业的经营和发展更好地结合起来。"

根据全国人大五届五次会议和《关于第六个五年计划报告》的精神,财政部于1983年初组织三个调查组赴上海、天津、济南等地同当地有关部门的同志一起进行利改税的调查研究和测算工作,在掌握大量数据的基础上,并结合过去各地试点的经验,于1983年4月12日向国务院提出了《关于国营企业利改税试行办法(草案)》的报告。1983年4月24日,国务院批转了财政部《关于国营企业利改税试行办法》，决定从1983年1月1日起在全国实行第一步利改税，征税工作从1983年6月1日开始办理。

财政部《关于国营企业利改税试行办法》规定，凡是有盈利的国营大中型企业，均根据实现利润，按55％的税率缴纳所得税。企业缴纳所得税后的利润，一部分上缴国家，一部分按照国家核定的留利水平留给企业。上缴国家的部分，可根据企业不同的情况，分别采取：递增包干，固定比例上缴，缴纳调节税（即按企业应交国家的利润部分占实现利润的比例确定调节税税率，基数利润部分按调节税率缴纳，比上年增长利润部分减征60％）和定额包干四种办法。凡是有盈利的国营小型企业（按照1982年底的数据，固定资产原值不超过150万元，年利润额不超过20万元的为小型工业企业），根据实现的利润，按八级超额累进税率缴纳所得税。缴税以后，由企业自负盈亏，国家不再拨款。但对税后利润较多的企业，国家可收取一定的承包费，或者按固定数额上缴一部分利润。对于亏损的企业，凡属国家政策允许的亏损，继续实行定额补贴，超亏不补，减亏分成。凡属经营管理不善造成的亏损，由企业主管部门责成企业限期进行整顿。在规定期限内，经财政部门审批后，适当给予亏损补贴，超过期限的一律不再贴补。国营企业所得税的管理工作，由税务机关办理。

利改税第一步改革的规模很大：实行利改税的工交商业企业共107145家，占盈利企业总数的92.7％。成效显著：1983年实行利改税的国营工交商业企业共实现利润633亿元，比1982年增加11.1％；新增加的利润收入，以税金和利润形式上缴国家的部分约占70％左右，企业所得约

占30％左右，其中用于职工奖励基金的部分约为8％。

但是，第一步利改税还是不完善的。其主要问题，一是还没从根本上解决好国家同企业的分配关系。"税利并存"的办法，企业纳税后还保留一块税后利润，国家同企业还得用包干或分成等办法进行再分配，因此还不能真正体现企业的盈亏责任制；二是由于价格体系不合理，行业与行业、企业与企业之间利润水平悬殊，苦乐不均，还没有完全起到鼓励先进、鞭策落后的作用；三是企业所得税和税后利润的分配，仍然是按照企业的行政隶属关系划分的，行政领导仍然是企业的真正主宰者。为了克服第一步利改税的各种弊端，进一步完善税制，更充分地运用税收的调节作用，国务院决定试行第二步利改税。

3.1984年以后的第二步利改税

1983年8月初，国务院成立了"利改税研究小组"。同年9月，财政部组织十二个省、市和一些部门进行第二步利改税的调查研究和数据测算，并对全国8万家各类企业1983年的财务、税收数据进行了普查。在此基础上，先后设计和测算20个方案，进行反复论证，到1984年4月21日，经国务院讨论，第二步利改税方案被原则上确定了下来。5月召开的六届人大二次会议，提出要加快城市改革的步伐，进一步加快利改税第二步改革的准备工作。6月，财政部召开第二步利改税工作会议，总结利改税第一步的经验，研究部署第二步利改税，讨论制订《国营企业第二步利改税试行办法》，产品税、增值税、盐税、营业税、资源税和国营企业所得税6个税收条例（草案），国营企业调节税征收办法，以及城市维护建设税、房产税、土地使用税和车船使用税4个地方税条

例(草案)。9月18日,国务院批转财政部《关于在国营企业推行利改税第二步改革的报告》和《国营企业第二步利改税试行办法》,颁布《关于发布产品税等六个税收条例(草案)和调节税征收办法的通知》,决定从1984年10月1日起在全国推行利改税的第二步改革。

利改税第二步的基本内容是:将国营企业原来上交给国家的税款和利润,按产品税、增值税、营业税、盐税、资源税、城市维护建设税、土地使用税、房产税、车船使用税、所得税和调节税11个税种向国家依法交税,也就是由"税利并存"逐步过渡到完全的"以税代利",税后利润归企业自己安排使用。主要办法是:国营大中型企业按55％的比例税率交纳所得税,然后再按照企业的不同情况,征收调节税;对国营小型企业按新的八级超额累进税率缴纳所得税。盈利的国营大中型企业在缴纳所得税后,按照核定的调节税税率,计算缴纳调节税(核定的调节税税率,自1985年起执行);对利润增长部分继续实行减征,减征70％的调节税(利润增长部分按定比计算,一定七年不变)。对某些采掘企业开征资源税,以调节因资源条件的不同而形成的级差收入。开征房产税、土地使用税、城市维护建设税及车船使用税,以促使企业合理利用土地、房产,适当解决城市维护建设的资金来源。适当放宽国营小型企业的划分标准,使之逐步过渡到国营所有、自主经营、依法纳税、自负盈亏。

第二步利改税是在价格不合理、短时期又难以解决的情况下进行的。通过增加税种,合理确定税目、税率,实行多次调节,对于促进价格体系、劳动工资制度和分配关系的调整和改革,充分发挥税收的经济杠杆作用,起了很大作用。第二步利改税还有不完善的地方,主要是如何合理地确定调节税问题还未很好解决,因此对一些先进的大中型企业调节税征收得过高,致使企业留利少,"鞭打快牛"的问题也未解决,使进一步搞活大中型企业受到影响。

发行国家债券

1. 新中国成立后发行国家债券概况

新中国成立后,尽管在发行国家债券的道路上有过曲折与反复,然而从国家债券发行和流通的实践来看,它对我国经济的稳定与发展起了重要作用。

1950年,国家发行人民胜利折实公债,拉开了新中国公债发行的帷幕。新中国成立时,国民经济处于崩溃状态,财政赤字不断上升,以致增发通货来弥补,货币的大量发行使得原已十分严重的通货膨胀更为严重,因此,迫切需要寻找另外的弥补财政赤字的渠道。公债就是在这种条件下发行的。当时通货膨胀已经十分严重,为了顺利推销公债,并且保护购买者的利益,采用了"折实"公债的形式,即公债的募集与还本付息均以实物为计算单位,折合成人民币的价值。为了防止公债券的发行扩大货币流通量,还明确规定它不得代替货币进入市场流通,不得向银行抵押贴现,也不允许公债买卖。人民胜利折实公债的发行为国家筹集了大量资金,减少了财政赤字,并且回笼了大量货币,减轻了物价上涨的压力。

"一五"期间是我国进行有计划大规模经济建设的时期,为了加快社会主义建设,建立我国社会主义工业化的基础,需要大量的建设资金("一五"计划规定,全国经济建设和文教建设的支出总额为766.4亿元,它显然超过了我国财政收入能够提供的可能)。为了解决这一矛盾,国家在1954—1958年连续发行了国家经济建设债券。"一五"期间国家建设债券的发行使国家筹集了35.44亿元巨额建设资金,对于第一个五年计划的完成和我国社会经济建设的发展起了十分重要的作用。

然而,由于"左"的思想的影响,从1959年开始,我国长达二十多年没有再发行公债。

2.1981年开始发行国库券

党的十一届三中全会所产生的思想解放效应,使我国开始重视利用国内公债加快经济建设。1979—1981年的财政困难则又加速了利用国内公债的进程。财政收入1978年为1121.12亿元,1979年降为1103.27亿元,1980年再降为1085.23亿元,导致了1979年170.67亿元和1980年127.50亿元的财政赤字和财政向银行透支170.23亿元、物价大幅度上升的严重局面。为了改变这种财政困难的局面,基本上做到财政、信贷收支的平衡和物价的稳定,1981年1月16日国务院会议通过了《中华人民共和国国库券条例》,确定从1981年开始,发行中华人民共和国国库券,这标志着我国公债发行的正式恢复。

1981年的国库券主要向国营企业、集体企业、企业主管部门和地方政府分配发行,其他单位和个人也可以自愿认购。国库券的发行数额由国务院确定,从当年1月1日起至6月30日止为交款期,7月1日起开始计息。国库券利率定为年息4厘,在偿还本金时一次付给,不计复利。国库券面额分为10元、50元、100元、500元、1000元、1万元、10万元、100万元8

种。自发行后共6年起,一次抽签,按发行额分5年作5次偿还,每次偿还总额的20%。国库券不得当做货币流通、不得自由买卖、不得向银行贴现和抵押。这期国库券,根据1986年财政部颁发的还本付息办法,于1986年7月1日起开始还本付息,到1990年偿还完毕。国库券还本付息事宜,由中国人民银行和专业银行负责办理。每年7月1日至9月30日为国库券兑付期。为了照顾持券人的利益,凡本年应还本的国库券未在兑付期领取的,可以继续在下年兑付期内领取。但所有的1981年国库券均应在1990年9月30日以前兑取完毕。每年应还本的国库券,当年兑取时利息一律计至6月30日止,至期末兑取的,其本金仍按原定利率继续计算利息,直到1990年6月30日为止。

国库券和50年代的公债券一样,都是政府的债券,都必须还本付息,因此两者的本质是一样的,都是政府发行国内公债时所支付公债购买者的债务凭证,但在具体细节上有一些差别:①从发行对象看,50年代的公债基本上只对居民个人发行,而1981年发行的国库券则主要对单位、部门和地方政府发行。其原因在于国家财力分配格局发生了很大变化。50年代财力主要集中在中央,地方、部门和单位在统收统支的财政体制下,几乎没有什么机动财力,能发行的对象只能是居民个人。而1981年国库券的发行则面临着财力分散的格局,因而可以预算外资金为主要的发行对象。②从发行方式看,50年代的公债主要采取自愿认购的方式推销,而国库券则采取分配与认购相结合的发行方式。对国营企业、集体企业、企业主管部门和地方政府采取"分配发行"的方式,由上级主管部门根据购买单位的财力情况分配购买国库券的任务,购买单位必须完成分配任务,只能超过,不能减少;对机关、团体、部队、事业单位和农村富裕社队则采用了"适当认购"的方式,由各单位根据自身财力的情况,本着为国家分担困难的积极态度,量力认购。上报主管部门可以分配参考性任务,也可以不分配任务;对居民个人来讲,则采取自愿认购的方式,由个人按照自愿的原则认购。③从公债的偿还时间看,50年代发行的公债从发行后的第二年即开始还本付息,胜利折实公债5年,经济建设公债或8年,或10年还清。而国库券则从发行后第六年开始还本付息,分5年作5次偿还。这样实际上是延长了公债的使用时间,从筹集资金的角度上看,是较为有利的。

1982年1月8日,国务院常务会议通过了《中华人民共和国1982年国库券条例》,同年1月18日国务院又发出通知,决定1982年国库券总额为40亿元,其中全民所有制单位和集体所有制单位购买20亿元,城乡人民购买20亿元。这表明国库券的发行对象重点已开始转移。1982年国库券各发行事项基本同于1981年的国库券。但有以下几点具体差别:①发行目的,是适当集中各方面的财力进行社会主义现代化建设,而不再如1981年国库券那样用于弥补赤字;②1982年国库券由单位购买的,仍定为年息4%。而由个人购买的,则利率提高到8%,开始纠正1981年国库券个人购买时低于5年期银行储蓄存款利率的状态。这种改变有利于从经济利益上调动群众购买公债的积极性,适应了国库券发行对象重点向居民转变这一趋势;③1982年国库券的还本付息,个人购买的,如1981年国库券那样一次抽签,按发行额分五年作五次偿还。而单位购买的,则不举行抽签,按单位购买总额平均分五年作五次偿还;④单位购买

的,发给了国库券收据,可以记名,可以挂失。个人购买的,发给国库券,面额作了改变,分为1元、5元、10元、50元、100元和1000元6种。这种改变,符合单位和个人这两种不同的购买对象的特点,因而也便利了国库券的发行工作。这期国库券,根据财政部1987年颁发的还本付息规定,于1987年至1992年分5年偿还。

此后,1983年、1984年我国继续按1982年发行办法发行了国库券,所不同的仅仅是:①在计划年发行总额40亿元中,规定由单位购买18亿元,由城乡居民购买22亿元,国库券的发行对象重心进一步向城乡居民这一方倾斜;②国库券的面额,改为5元、10元、50元、100元4种。

1984年11月27日,国务院重新发布了《中华人民共和国1985年国库券条例》。旧条例在很大程度上忽视了购买者应有的经济利益,新条例作了变更,在一定程度上纠正了以往的缺陷,提高了购买者的积极性,变动内容如下:①利率有所提高。单位、部门和地方政府购买的国库券,利率从年息4%提高到5%。居民认购的国库券的利率,从年息8%提高到9%。这样,使得国库券的利率高于同期银行定期储蓄存款的年利率;②国库券的还本付息,从以往的在购买后第六年开始分5次于5年内还清,改为在购买后的第六年一次还清;③国库券从不准改为可以向银行抵押贷款,个人购买的可以向银行贴现。但仍然不准作为货币流通,不准自由买卖;④提高了国库券的年计划发行额,增加到60亿元,其中对单位、部门和地方政府发行20亿元,而对城乡居民则增加到40亿元,表明国库券发行对象的重心已完全转向城乡居民;单位购买的和个人购买的在1000元以上的,发给国库券收据,可以记名,可以挂失。个人购买在1000元

以下的发给国库券。同时,国务院还决定由中国工商银行办理国库券代保管业务,中国人民保险公司也开始办理国库券保险业务。这一系列改进措施,都是旨在使国库券"更加优惠、更加灵活、更加安全可靠,从而更加具有吸引力"。

1985年11月22日,国务院又发布了《中华人民共和国1986年国库券条例》,确定1986年继续发行60亿元的国库券,其中仍对单位等安排20亿元的任务,对城乡居民安排40亿元的任务。1985年对比往常又作了如下改进:①利率又有所提高。单位购买的定为年息6%,比银行的单位存款3年期年利率5.76%略高。个人购买的定为年息10%,比银行的个人5年期储蓄存款年利率9.36%略高;②明确规定国库券发行任务采取"合理分配"办法。也就是对单位,按预算外资金或集体企业税后留利的一定比例分配任务。对职工的推销任务,则应在做好思想政治工作的基础上,按职工的工资总额和不同个人的工资水平,分配到单位,单位可根据自报认购或能力大的多买、能力小的少买的原则,把任务落实到班组或个人。对农村国库券的推销,继续采取普遍动员和重点推销相结合的办法。这种也对城乡居民的个人收入按一定比例分配购买国库券任务的做法,是更能保证国库券推销任务的完成的,但也存在着一定的问题。

1987年国家继续发行国库券,发行办法与1986年相同。但国务院发出的《中华人民共和国1988年国库券条例》,对1988年国库券的发行,除了基本与1986年和1987年的国库券相同外,还作了以下几点更动:①国库券的计划发行数额,由前两年的60亿元提高到90亿元,其中分配给单位购买任务35亿元,分配给个人购买55亿元。这表明,在财政困难的

情况下,国家更依赖于国库券的收入。②1988年国库券的偿还期限缩短了,从过去的5年缩短为3年,即在发行后的第四年一次偿还本息。这样,尽管公债的利率没有变动,仍维持在单位年息6%,个人年息10%的水平以上,但由于偿还期限的缩短,实际利率比上年提高了。以个人购买的国库券为例,实际利率比同期银行的3年期定期储蓄存款高20%,使购买国库券变得更为有利,这一变动,将有利于发行数额提高50%以后的发行任务的完成。③1988年国库券可以转让,但不得作为货币流通。这就进一步解决了国库券持有者急需用钱时能将国库券转换为现金的问题,也有利从经济利益上调动群众认购国库券的积极性。这一规定连同偿还期限的缩短,明显提高了国库券的收益性和流通性,使国库券在发行条件上具有同金融债券相同的竞争力,而这点在过去的国库券发行上是不具备的。不过,这次还对国库券的转让初步地作了一些限制:①转让工作必须在国家指定的交易所内按照国家的有关规定进行。任何在指定场所以外进行的国库券买卖活动都是违法的,要受到取缔,防止一些票贩用国库券搞投机,低价收、高价卖、坑害群众。②经办国库券交易业务的单位,必须是经过国家批准允许开办交易业务的金融机构。③国库券不得作为货币流通,以防止变相增发货币,加大原已过多的货币流通量,影响物价的稳定。

总之,从1981年开始发行的国库券,到1987年为止,每年的实际发行额都超过了计划发行额:1981年实际发行48.66亿元,超计划21.65%;1982年43.83亿元,超计划9.58%;1983年41.58亿元,超计划3.95%;1984年41.50亿元,超计划3.75%;1985年60.61亿元,超计划

1.02%；1986 年 62.51 亿元，超计划 4.18%；1987 年 63.07 亿元，超计划 5.12%。七年中总共发行国库券收入 361.76 亿元，扣除已经还本的部分，尚余 336 亿元，如果加上 1988 年的国库券计划发行数 90 亿元，余额合计为 426 亿元。通过国库券的发行，将相当数额的预算外资金、人民群众手中的部分购买力以及其他一部分社会财力集中起来，增加了国家重点建设投资，这有利于国家对固定资产的投资规模、结构、方向进行宏观调节和引导，有利于抑制消费总量的过度通货膨胀势头。

3. 其他国家债券的发行

（1）国家重点建设债券。为了保证能源、交通、原材料等重点项目的资金需要，财政部于 1987 年首次发行了 55 亿元国家重点建设债券，期限为 3 年，到期一次还本付息。其中，向企事业单位发行 50 亿元，年利率为 6%；向个人发行 5 亿元，年利率为 10.5%。由中国人民建设银行及其分支机构代理发行和办理还本付息等事宜。

1988 年又发行国家建设债券 30 亿元，向城乡个人、基金会组织以及金融机构发行，期限为 2 年，到期一次还本付息，年利率为 9.5%，由中国人民银行总代理，各专业银行及其他金融机构办理发行和还本付息事宜。

（2）财政债券。为了筹集国家建设资金，弥补财政赤字，财政部于 1988 年发行了财政债券 66 亿元。发行对象为各专业银行、综合社银行以及其他金融机构。财政债券计单利，到期一次还本付息。其发行和还本付息事宜由中国人民银行及其分支机构办理。截至 1990 年底，财政债券共发行 137.16 亿元。

（3）基本建设债券。为了更好地筹集建设资金，保证国家重点建设的需要，由国家的能源投资公司、国家交通投资公司、国家原材料投资公司等国家专业投资公司及石油部、铁道部，于 1988 年发行 80 亿元基本建设债券。发行对象为各专业银行，债券偿还期为 5 年，年利率 7.5%。到期一次还本付息。债券的发行和还本付息事宜由中国人民建设银行代理。截至 1990 年底，基本建设债券共发行 95 亿元。

（4）保值公债。为了进一步调整经济结构，筹集经济建设所需的资金，1989 年和 1990 年分别发行保值公债 87.43 亿元和 37.40 亿元。发行对象为城乡职工、居民、个体工商业者、各种基金会、保险公司以及有条件的某些公司。债券偿还期 3 年。期满后由财政部一次还本付息，债券利率随人民银行规定的 3 年定期储蓄利率浮动，加保值贴补率，外加一个百分点，债券由各级人民政府组织各专业银行、财政、邮政等部门办理推销，若未完成分配推销任务，由各级政府用地方财政预算外资金认购。

（5）特种国债。为了适当集中各方面财力，支援国家建设，促进经济协调发展，1989 年发行特种国债 43 亿元。发行对象为经济条件较好的全民、集体和私营企业，金融机构。企业主管部门，事业单位，社会团体及全民企业职工退休养老基金、待业保险基金、交通部车辆购置附加费等。债券偿还期 5 年，利率为年息 15%，到期一次还本付息，各单位的认购任务分别由财政部及地方政府分配，还本付息事宜由各地财政部门组织办理。特种国债统一采取收款单形式发行。1990 年我国又发行特种国债 32.39 亿元。

根据国家计划安排，我国 1991 年计划发行了各类债券 260 亿元，其中：国库券计划发行 100 亿元，财政专项债券计划发行 70 亿元,转换债券计划发行 70 亿元,特种债券计划发行 20 亿元。

4. 国库券等国债转让市场的发展

随着我国国家债券发行量的逐年增大,我国以国债交易为主的证券转让市场相应出现。1986 年 8 月 5 日,经中国人民银行沈阳市分行批准,沈阳市信托投资公司首先开办了有价证券的柜台转让业务。至 1987 年底,我国已有 41 个城市的证券公司、信托投资公司和城市信用社开办了有价证券的转让业务,有价证券的交易金额超过 1 亿元,其中自营买卖占 90%,代理买卖占 10%。

1988 年 4 月,经国务院批准,我国开始进行开放国库券转让市场的试点。试点工作分两批进行,首批试点在沈阳、上海、重庆、武汉、广州、哈尔滨和深圳七城市进行。1988 年 6 月又批准 54 个城市进行国库券转让试点,允许 1985 年和 1986 年发行的国库券上市转让。国库券交易一跃成为证券转让市场的最大转让券种。同年,经人民银行批准设立证券公司 34 家,专营有价证券业务,初步形成由证券公司、信托投资公司和其他金融机构组成的、专营与兼营并存、自营与代理相结合的证券交易体系。

1988 年,有价证券交易额达 26.3 亿多元,其中自营买卖额达 24.1 亿,占 91.3%;代理买卖额达 2.2 亿,占 8.7%。按交易券种划分,国库券交易额达 23.8 亿,占 91.1%;企业债券交易额 1.16 亿,占 4.1%;股票交易额 0.09 亿元,占 0.5%;金融证券交易额 0.70 亿元,占 2.5%;基本建设债券交易额 0.38 亿元,占 1.3%;大额可转让存单交易额 0.13 亿元,占 0.5%。

到 1988 年底,国库券转让业务基本上在全国铺开,100 多个城市办理了此项业务。1988 年在自营买卖中,买入金额为 15.1 亿元,卖出金额为 7.7 亿元,卖出额占买入额的 51%。

1989 年有价证券交易总额为 23.01 亿元,比 1988 年减少 13%。其中国库券交易额为 20.94 亿元,比上年减少 12%。1989 年证券交易减少的主要原因是没有允许新的券种上市转让,国库券转让限制为 1985 年和 1986 年发行的国库券。另外,1989 年开始对证券公司、信托投资公司等证券中介机构进行大规模清理整顿,砍掉了一批交易机构,对活跃国债交易也有一定影响。

1990 年,我国的国债转让市场全面开放。2 月,上海、重庆等地率先开办了 1987 年和 1988 年发行的国库券转让业务,并取得了很大成功,买卖活跃,价格稳步上升。5 月,武汉、青岛、西安、沈阳、北京、南京等城市和黑龙江、吉林、湖南、福建、广东、浙江、云南、安徽、江西、四川、河北、内蒙古等省、自治区陆续开办了 1982 至 1984 年、1987 年和 1988 年发行的国库券转让业务。在重庆、武汉、厦门、南京、沈阳、哈尔滨等地,1989 年发行的国库券和保值公债也进入转让市场交易。

1990 年国库券转让市场全面开放具有如下特点:

一是突破性。过去国债发行部门一直担心全面开放国债转让市场的条件不成熟、投资人没有投资兴趣、国债交易价格将长期低于面值出现大量抛出现象,影响国债声誉,因此,不同意增加上市券种。经过几年的国库券转让试点后,这种顾虑逐步消除,对个人发行的国债全部进入市场交易,可以办理国债转让的地区也扩大到全国范围。

二是交易活跃。据统计,1—4 月证券交易总额达 18.3 亿元,比上年同期增长 2

倍。其中,国债交易额达 17.1 亿元,比上年同期增长 2.2 倍。上海市国库券交易最为活跃,1—4 月累计成交 7.54 亿元。武汉和大连开办 1987 年和 1988 年发行的国库券转让业务头一个月,交易额分别达 3300 万元和 1000 万元。

三是买卖没有出现一边倒的局面。1—4 月交易机构国库券卖出占买入额的 66%,与 1988 年首次开办国库券转让时相比,高出 25 个百分点。宁波市 1988 年开办国库券转让业务的头半个月,交易机构卖出 155 万元,买入 419 万元,卖买比为 37%。而 1990 年国库券转让业务扩大后的头半个月,卖出 224 万元,买入 333 万元,卖买比为 67%。

四是新上市国库券转让价格基本维持面值以上。国库券转让业务扩大前,黑市交易价格仅为国库券票面价值的七八折,甚至低到五折。而扩大开放后,国库券价格已大幅度提高,并不断稳定上升,有效地保护了群众利益。4 月 30 日,上海 1985 年国库券百元券价格为 142.13 元,年收益率为 12.1%;1986 年百元券价格为 125.15 元,年收益率为 17%;1987 年百元券价格为 107.7 元,年收益率为 18.1%;1988 年百元券价格为 108.4 元,年收益率为 17.1%,按可比价格口径,价格已大幅度提高,收益率明显下降,开始接近同期银行储蓄存款利率。

五是全国统一的国库券交易网络开始形成。随着转让业务的扩大,各地转让市场发展不平衡的矛盾日益明显。上海、广州、武汉、沈阳等大城市证券交易发达,二手国库券供不应求,而内地和偏远省份的群众对投资国库券认识不足,抛出大于买入。对此,各地国库券交易机构通过业务往来,调剂国库券库存余缺。同时人民银行建立了初步的国债交易价格信息反馈制度,为逐步形成全国统一的证券市场创造了条件。

据统计,1990 年各种债券总成交额达 118.5 亿元,是 1989 年以前历年证券交易总额的两倍多,其中国债券交易额达 116 亿元。1990 年 12 月 15 日,上海 1986 年国库券百元交易价格为 140.97 元,年收益率为 11.8%;1987 年国库券百元券价格为 124.77 元,年收益率为 13.12%;1988 年国库券百元券价格为 122.49 元,年收益率为 11.3%;1989 年国库券百元券价格为 119.3 元,年收益率为 12.5%,全国各地交易价格开始相互接近。

金融体制改革

一

改革金融体制的必要性

我国原有的高度统一、规模庞大、机构遍及全国的金融体系,基本上是模仿苏联的单一国家银行体制建立起来的。这种体制以行政办法管理银行,银行没有独立性,附属于党政机关,是国家财政的金库,执行国家政策。这使得货币、信贷、利率等经济杠杆难以发挥调节宏观经济的职能,也使得银行本身的发展与完善受到影响。特别是在"文化大革命"中,许多专业银行被撤销,从中央到地方只有中国人民银行及其分支机构,从而使整个金融活动紧紧地固定在一个垂直的金融系统中。

在计划经济体制下,这种垂直的金融体制日益显露出自身的局限性。其主要表现是:

第一,财政金融职能合一,金融成了财政的金库。特别是实行财政统收统支的制度,存在着"大财政、小银行"的问题。国家筹集和分配建设资金,主要是通过财政渠道实现,银行只能对企业发放超定额流动资金贷款。银行只能起到会计、出纳的作用。"文革"中将银行和财政机关合并,更使金融体系受到冲击和破坏。由于财政和银行捆在一起,货币发行不是根据国民经济发展的需要,而成为消极弥补财政赤字的手段,从而造成"基建挤财政、财政挤银行、银行发票子"的局面。

第二,长期实行单一的国家银行体制,缺乏竞争和活力。各类专业银行被撤销,或成为人民银行的下属局、处,由人民银行包揽一切银行业务,实行"大一统"的银行体制。而政企职责不分又使人民银行难以发挥作用,它既是对全面金融进行行政管理的国家机关,又是从事货币和信贷业务的经济组织。这样一来,一方面人民银行陷入了繁重的具体业务中,不能很好地行使中央银行的宏观控制职能;另一方面由于银行业务基本上是一家经营和管理,没有竞争和压力。

第三,用行政方法管理金融业务,也难以发挥货币、信贷和利率的经济杠杆作用。这种高度集中管理使信贷资金全部由人民银行总行统收统支,一切存款上缴总行,一切贷款由总行分配指标。这虽然有利于集中人力、物力和财力,保证重点建设和信贷总平衡,但也使各地方银行没有自主权,没有搞好业务经营的压力、动力和活力。在利率上一降再降,无法发挥利息的调节作用;农贷中则长期存在存贷利率倒挂问题。

第四,由于货币发行和信贷职能合一,不利于控制货币投放。中国人民银行既管货币发行,又办信贷业务,其结果,一是贷款有货币发行为后盾,不能促使银行控制贷款发放;二是贷款发放增加又导致货币投放增加。

二

金融体制改革的进程

十一届三中全会以来,随着经济体制改革的不断深入,我国金融体制也开始了根本性的一系列改革。主要内容包括:

第一,初步建立了政企职责分开的银行体系。在党的十一届三中全会以前,我国银行是"大一统"体制。中国人民银行是我国唯一的银行。它既是国家的货币发行银行,又办理工商信贷、保险等各项业务。1979年2月,中国农业银行恢复,成为中国农村金融方面的专业银行。1984年分设的中国工商银行,成为办理工商企业存款、放款、结算业务和城镇储蓄业务的专业银行。同年又分设了中国人民保险公司,自成系统,独立经营。中国人民建设银行从1985年11月起,全部资金纳入中国人民银行综合信贷计划,在业务上受中国人民银行领导和管理。此外,还成立了中国国际信托投资公司和地方的(或地区的)信托投资公司,成立了中国投资银行,主要办理世界银行的贷款业务。在18个省、自治区、直辖市还试办了城市信用合作社和其他金融组织。

1983年9月17日,国务院发布《关于中国人民银行专门行使中央银行职能的决定》,明确中国人民银行是国务院领导和管理全国金融事业的国家机关,不对企业和个人办理信贷业务,集中力量研究和做好全国金融的宏观决策,加强信贷资金管理,保持货币稳定。初步形成以中央银行为中心,以专业银行为主体,其他金融机构并存,政企职责分开的新型社会主义金融体系。

第二,改革了信贷资金管理体制。过去,信贷资金实行统存统贷的管理办法,各级银行吸收的存款全部集中总行统一分配,贷款由总行核批指标,各级银行存款贷款不挂钩,各项贷款指标之间不能调剂使用,不利于调动各级银行多吸收存款、用好贷款的积极性。1979 年信贷资金管理改为"统一计划、分级管理、存贷挂钩、差额包干"的办法,各地区在不突破差额的情况下,多吸收存款,多收回贷款,可以多发放流动资金贷款,各项贷款之间可以调剂使用。1985 年起实行了"统一计划、划分资金、实贷实存、相互融通"的信贷资金管理办法,在统一计划下,中央银行与专业银行划分了资金,专业银行根据资金来源发放贷款,若资金不足,可以在银行间拆借,也可向中央银行借款。中央银行根据宏观控制的要求和资金的可能,对专业银行发放贷款。

第三,扩大了贷款范围,改变了单一银行信用形式。从 1979 年开始,银行开办了固定资产投资贷款,到 1985 年,余额达到 432.7 亿元,占当年各项贷款余额的 8%。银行固定资产贷款,主要支持投资小、见效快、收益大的技术改造项目和国家特殊批准的少量基建项目。银行在扩大贷款范围的同时,也开始改变单一银行信用,试办了多种信用形式。如:商业信用、卖方信贷、票据贴现、消费信用和信托业务等。此外,各地出现了多种集资形式,银行也发行了金融债券。

第四,提高利率水平,重视发挥利率作用。利率是银行对国民经济发挥促进和调节作用的重要经济杠杆。过去利率档次少、差别小、长期不变。1979 年以来银行对利率进行了多次调整,除增加档次外,还扩大了计息范围,提高了存贷款利率水平,增加了企事业单位、机关、团体、学校定期存款。同时也实行了区别对待的政策。专业银行和基层银行在规定利率的基础上,有了一定的利率管理权。

第五,改革外汇管理体制和外汇信贷制度。党的十一届三中全会以来,外汇管理体制实行了政企职责分开,中央银行加强了外汇的集中管理,经营外汇的金融机构也由一家变为多家经营。改变了汇率长期不变的状况,调整了汇率。实行了外汇留成办法。

第六,恢复国内保险业务,开始建立保险的经济补偿制度。新中国成立初期开办过国内保险业务,后于 1958 年取消。党的十一届三中全会以后,迅速恢复和发展了停办多年的国内保险业务。到 1985 年,保险种类已由恢复初期单一企业财产保险增加到运输工具保险、货物运输保险、家庭财产保险、养殖业保险、种植业保险以及人身保险和集体企业职工养老金保险等 100 多种。

第七,加强了经济核算,初步改变了全国银行统收统支的财务管理制度。改革以前,银行财务管理实行统收统支的办法,全国银行的收入集中于中国人民银行总行,各项支出由中国人民银行总行统一审批。从 1979 年开始,银行初步建立了经济核算制,1983 年又实行了利润留成制度,按照存款增加、资金周转、资金损失、成本、费用及利润等指标考核工作成绩,并与提留各种基金挂钩。

第八,建立信息网、加强调查研究。改革以前,银行主要是按计划贷款。随着有计划商品经济的发展,市场调节范围扩大,银行贯彻"区别对待、择优扶植"的信贷政策,及时掌握经济信息成为必需。几年来,银行加强了调查研究工作,开展了信息工作,建立了各种信息网,搜集、传递、贮存了大量信息,进行了预测预报工作。

第九,把建设银行的拨款改为贷款,提高资金使用效益。长期以来,我国的基本建设一直采用财政拨款、无偿使用的办法。从1980年开始,银行在十多个行业试行拨款改贷款。1985年国务院决定,将国家预算内基本建设拨款主要部门改由建设银行贷款。1986年起进一步实行拨款和贷款,对盈利项目实行贷款。

第十,金融市场的开辟与发展。创立金融市场,提高资金使用效率,增加筹资渠道,开发多种金融资产是金融体制的重大改革之一。1984年以来,资金的横向融通得到迅速发展,初步形成了银行同业拆借市场。之后,随着各种债券的发行和股票的试点,有计划有领导地开办了一些长期资金市场试点,初步形成了具有一定规模市场。同时,开办了一些外汇调剂中心。

第十一,加强了银行的法制建设。国务院于1986年颁布了《中华人民共和国银行管理条例》,还制定了《借款合同》、《中华人民共和国金银管理条例》、《中华人民共和国金库管理条例》、《保险企业管理暂行条例》、《中华人民共和国财产保险合同条例》等。中国人民银行还专门设立了条法司,金融法规体系逐步完善。

第十二,改革加强了银行的内部管理。中央银行逐步加强和完善了宏观调控手段,专业银行在实行企业化管理方面也进行了探索,实行了利润留成制度。各银行之间联行分办,独立自主经营。在人事上实行"条条"管理为主,"块块"管理为

辅,加强了职工队伍建设,发展了金融教育,加快了银行系统电脑化的步伐。

经过改革,银行对外金融业务得到了进一步的发展。1980年我国恢复了在国际货币基金组织和世界银行的代表权,1985年5月,人民银行正式加入非洲银行集团,1986年3月,人民银行正式成为亚洲银行成员。银行已成为我国经济建设筹集和分配资金的一条重要渠道。

价格体制改革

价格管理体制是国家对价格实施管理的组织和制度。改革开放以来,我国的价格管理体制的改革是从1979年开始的。从某种意义上讲,中国的经济改革正是以价格改革开始的,1979年政府大幅度提高农产品收购价格,这是我国经济改革的第一个重要步骤。尽管这种对计划价格的调整还不是严格意义上的市场取向的经济改革,但是在当时的情况下,却对经济改革和经济发展起了巨大的推动作用。

一

价格和价格管理体制改革的历程

从1979年至1991年,我国的价格和价格管理体制改革经历了以下三个阶段:

第一阶段,1979—1984年。党的十一届三中全会原则上作出提高农产品收购价格的决定,在1979年付诸实施,这是价

格改革起始的标志。这个阶段价格改革的主要内容是价格体系的结构性调整，"以调为主"是这一阶段价格改革的主要特征。当时比较重要的出台项目有：① 1979 年较大幅度地提高了农产品的收购价格，并对粮食、棉花等重要农产品实行超购加价，其中粮食提高幅度较大，统购粮部分提高 20％，超购部分在这个基础上再加价 50％。以后几年又陆续提高农产品收购价格，产品收购价格总指数全国提高了 54％。② 从 1979 年 11 月份开始，又相应提高了猪、牛、羊、奶、蛋、禽、鱼、菜 8 种重要副食品和相应制品的销售价格。③ 1979 年还提高了煤炭的出厂价格，每吨原煤提价 5 元。1981—1983 年又陆续提高了生铁、焦炭、铁矿石、钢锭、部分钢材、水泥、平板玻璃等原材料和采掘工业产品的出厂价格，同时，适当下调了部分工业产品的出厂价格，如机械、电子产品等。从 1983 年开始，在辽宁、山东等 6 个省区生产统配煤的矿务局试行超产加价，规定凡在当年实际产量超过 1980 年矿井核定生产能力的部分为超产煤，超产部分加价 30％。④ 1981 年末提高了高档烟、酒的销售价格，降低了涤棉布等产品的价格。1983 年较大范围地调整了纺织品的价格，提高了棉布价格，降低了化纤布价格。⑤ 1983 年底提高了铁路货运价格和水路客、货运价格。全国铁路货运价格，平均每吨公里提价 21.6％，即由原来的 0.0144 元提高到 0.017 元。⑥ 初步改革了单一指令性计划价格管理体制，放开了一些小商品、三类农产品和完成交售任务后的一、二类农产品的价格。1982 年 2 月 2 日，国务院颁布《物价管理暂行条例》，给了企业一定范围的定价权。在价格管理形式方面，除了国家指令性价格之外，出现了国家指导价格、议购议销价格、浮动价格、自

由价格等多种形式，开始在价格体制中引进了市场机制。

第二阶段，1985—1988 年。1984 年召开的十二届三中全会，作出了关于经济体制改革的决定，经济体制改革全面推开，价格改革进入第二阶段。价格改革由单一的价格体系调整转向改革价格管理体制和调整价格结构两个方面。"调放结合，以放为主"是这一时期改革的主要特征。在这一阶段，出台的重要价格改革项目有：① 1985 年粮食、棉花统购改为合同定购。定购的粮食，国家确定按"倒三七"比例计价（即三成按原统购价，七成按原超购价）。定购以外的粮食可以自由上市。如果市场粮价低于原统购价，国家仍按原统购价敞开收购，保护农民的利益。定购的棉花，北方按"倒三七"，南方按"正四六"比例计价。② 截至 1985 年 5 月，全国全部放开了生猪的收购价格，已有 26 个省、自治区和直辖市放开了猪肉的销售价格，实行有指导的议购议销。随即又放开了牛、羊、禽、蛋、水产品的价格，大中城市的蔬菜价格也已全部或部分放开。③ 1985 年 1 月，放开工业生产资料超产自销产品价格，取消原定的不高于定价 20％的规定，生产资料价格"双轨制"正式合法化。④ 1985 年放开手表、缝纫机、照相机等 5 种重要工业消费品价格。1986 年放开黑白电视机、电冰箱、洗衣机等 8 种工业消费品价格。⑤ 1988 年，推出在全国城镇分期分批推行住房制度改革的实施方案，方案对房租、房价改革作了重要规定，并在全国许多城市试点。⑥ 1988 年 7 月，放开名烟价格和提高部分高中档卷烟价格；同时，放开名酒价格和适当提高其他粮食酿酒价格。

第三阶段，1989—1991 年。由于上一阶段出现了经济过热，出现了严重的通货

膨胀,1988年党的十三届三中全会作出了治理经济环境、整顿经济秩序的决定,从而价格改革进入第三个阶段。这个阶段的主要内容是消除通货膨胀的影响,在通货膨胀尚未根除的情况下适当调整价格结构。这个时期价格改革的主要措施是,配合双紧方针,严格控制物价总水平,同时不失时机地推出缓解价格矛盾的措施。这个阶段出台的价格改革项目主要有:①1989年大幅度提高了铁路、水路、航空和地方公路长途客运票价,其提价幅度分别为112%,96%,77%和60%;继续提高了粮、棉、油等农产品的合同定购价格;提高了原油、原盐等产品的出厂价格和食盐、报刊、胶鞋、部分药品等商品的零售价格;进一步扩大了进口商品实行代理作价的范围;调整了汇率,人民币对美元汇率下调21.2%。②1990年继续提高棉花、油料、糖料、烤烟的收购价格;上调平价原油的出厂价格和铁路、水路的货运价格;对中央外汇进口的纯碱、牛皮等6种商品实行了代理作价;提高民用燃料、洗衣粉、肥皂、棉纺织品、食糖的零售价格;提高统配煤炭、北方统配木材的出厂价格;提高了邮政资费;上调部分黑色、有色金属的部分产品计划内出厂价格,同时下调了人民币汇率。③为了配合双紧方针的贯彻,着力推行在上一阶段已被采用的通货膨胀下的价格管理措施,如提价申报制度、差率控制制度、集中价格审批权限、指令性地控制物价总水平等。

经过十四年的价格改革,我国的价格运行机制发生了深刻变化,以市场形成价格为主的价格机制已初步形成。1991年与1978年相比:在社会商品零售总额、社会农副产品收购总额和生产资料销售总额中,政府定价的比重分别由97%、94.4%、近100%,减少为20.9%、22.2%

和36%,其余部分基本放开,由市场调节。

价格体制的合理化促进了价格体系的合理化,通过十四年放调结合的改革,基础产品价格严重偏低的状况有了明显改善,价格结构逐步趋于合理。1991年同1978年相比,农副产品收购价格累计提高168.5%,农村工业品零售价格累计提高77.4%,农民用同样数量的产品交换的工业品增加了49.1%,有效地调动了农民的生产积极性。在工业品内部,采掘工业品价格累计提高163%,原材料工业品价格累计提高127%,加工工业产品价格累计提高100%,这种价格上升的梯形格局有利于合理配置资源。

价格改革的成功大大推动着市场化的进程,使价格的市场化与商品生产和流通的市场化相一致。随着商品价格的放开,大多数商品的生产和流通被纳入了市场调节的行列,市场机制已在经济运行中占据了主导地位。

二

价格改革的主要方法

我国价格改革的基本方式是调放结合。"调",主要是指有计划地调整国家管理的价格,使国家管理的价格符合价值规律的要求和市场供求的变化。"放",主要是放开搞活一些商品价格,实行市场调节。

改革不适应有计划商品经济发展的价格管理体制和价格体系,建立新的价格机制,如果单纯用"调"的方式,在一定时期内,在一定条件下,可以促进价格结构的合理,但是,不可能建立新的价格形成机制;单纯靠"放"的方法不符合我国计划经济和市场调节相结合的经济运行机制的要求,不利于保证价格改革的计划性、可控性,不利于社会的安定和经济的持续稳定与协调发展。因此,价格改革的方式必须是有"调"有"放"、调放结合。调放结合的方式,是在价格改革的实践中摸索出来的,人们经历了一个从不自觉到自觉的认识过程。在改革初期,主要采用了"调"的方式。通过调整不合理价格推进价格改革,对于支援农业发展,加强基础产业的建设,改革不合理的价格体系,都发挥了主要作用。但价格体系中的深层次矛盾,只靠调价是不可能解决的。因此,相应改革不合理的价格管理体制,促进价格形成机制的转换,也是非常重要的。价格管理体制改革的基本方向是引进市场机制,缩小国家定价的范围,放开大部分商品价格。改革开放以来,我国价格改革放开的范围由小到大、放开的品种由少到多。80年代初期,先对三类农副产品实行议购议销,小商品价格逐步放开。1985年放开计划外生产资料价格,以后又逐步放开一大批消费品价格。采取对重要商品有计划调价的同时,有控制地放开一部分商品价格,不仅可以促进价格体系的调整,减少价格改革的阻力,而且有利于新的价格机制的形成。

三

1986 年和 1988 年价格改革方案

在我国价格和价格体制改革历程中,曾经实施了多个价格改革方案,其中以1986年价格改革方案和1988年价格改革方案较为重要。

1. 1986 年价格改革方案

1986年3月,国务院成立了经济体制改革方案研究领导小组,开始了中华人民共和国成立以来规模最大的一次配套改革方案的设计和研究。价格改革方案设计是这个配套改革方案的"龙头",其他改革方案设计与此配套进行。价格改革涉及面广、难度极大,究竟怎样进行,经历了较长时间的议论。最初的方案是大幅度提高以煤炭、石油、电力、钢材、交通运输为主体品种的生产资料价格的多价联动方案。这种多价联动方案可以集中解决生产资料价格中存在的严重不合理问题,比价能够得到合理调整,行业的利益差别有所改善;可以使短线部门增强自我发展能力,改善企业经营的外部环境;由于计划内外价格差距缩小,可减少新旧两种体制并存的摩擦;综合改革还可以避免连续不断出台的价格改革对市场物价的消极影响;便于税收、财政、金融、工资、计划和物资等方面改革的综合配套设计。但是,在实际操作中,这种多价联动方案,则由于提价金额大,牵涉面广,很难顺利推行。也就是说,在改革环境并不宽松的情况下,这种多价联动方案很难出台。之后,价格改革方案多次变动。首先,提高计划钢材价格,煤炭、石油、电力、交通运输价格改革下年跟上;其次钢材调价方案列入"待议",1987年只解决粮食等少数已经严重影响生产的突出不合理的价格问题,价格改革小步走;最后,除个别粮食品种收购价格小幅度调整外,其他任何方案均不出台,以稳定物价。至此,1986年价格改革方案,特别是生产资料价格改革方案几经设计,均未付诸实施。

2. 1988 年价格改革方案

1988年6月间,国务院组织有关部门对价格改革方案进行设计。这次方案的设计,以放开钢材价格、提高旅客运输票价为重点,农产品价格改革迈出一步,并且调整少数亟待解决的不合理价格。为了保证这一改革方案的实施,要求努力使城市副食品价格和煤炭、电力、石油等主要能源价格保持基本稳定。当时之所以如此设计,其出发点:一是从生产资料供求矛盾最突出的产品入手,二是为了压缩基本建设规模,三是想尽早形成新的价格形成机制。这一改革方案虽获中共中央政治局原则通过,但未能付诸实施。其原因主要有以下几个方面:

(1)该方案对价格改革的社会经济环境估计不足。价格改革需要一个较为宽松的宏观社会经济环境,然而,我国的价格改革是在短缺经济"紧环境"下进行的。短缺资源总量不足、结构失衡、效率不高,一直是困扰我国经济的主要"病症";加之1984年以来出现的经济"过热"现象日趋严重,财政收不抵支,赤字增加,通货膨胀明显存在,市场物价急剧上涨,特别是1988年8月后一些地区出现了抢购,整个经济处于十分困难的境地。在此情况下,企图一两年内在价格改革上迈出关键的步伐,以尽快消除新老体制交叉并存的局面,是难以实现的。

(2)部门、企业经济承包,地方财政"分灶吃饭",使承包部门、企业和地方的经济利益刚性化,给价格改革方案的设计和实施带来了很大的困难。价格改革本来就是经济利益的调整,价格改革受益的地区、部门、企业为多得实惠,而起劲地讨价还价,利益受损的地区、部门、企业则为了少受损失而拼命喊叫,从而使价格改革方案的设计和实施举步维艰。

(3)方案设计本身也不够完善。例如,放开钢材价格,将因需求拉动而急剧上涨,这样,行业间的利益差距将会拉大,为以后比价关系的调整增加了新的困难;同时,钢材价格放开,会使小钢厂纷纷上马,恶化行业的规模经济效益;在国民收入超分配,固定资产投资规模膨胀的情况下,单靠放开钢材价格难以达到压缩基本建设规模的目的,特别是在预算外资金比重增大、企业预算软约束的情况下,就更难做到了。

劳动制度改革

一

劳动计划体制改革

劳动计划体制改革既是劳动体制改革的重要组成部分,又是国民经济计划体制改革的一项重要内容。这种双重相关性,决定了劳动计划体制改革的地位之重要及任务之艰巨。

1.传统劳动计划体制的弊端

传统劳动计划体制的一个最根本的特征是强调中央集中统一管理,即所谓劳动工资大权在中央。

传统劳动计划体制的另一个显著特征是指令性计划一统天下,排斥指导性计划,更排斥市场调节的作用。企业只能无条件地执行上级下达的劳动工资计划,而不能根据自身需要及生产经营状况决定招工计划和工资计划。由于整个传统经济体制是排斥市场机制的,因而在劳动计划制定过程中当然也不考虑价值规律的要求。

传统劳动计划体制的第三个特征是,所有劳动工资计划指标都是下达绝对额计划。职工人数、工资总额、劳动生产率三项指标，都是绝对额，从不下达弹性计划。在这三项指标中，职工人数计划是核心，工资总额计划是根据职工人数下达的，而劳动生产率计划则在很大程度上靠限制职工人数的增加来完成。

传统劳动计划体制还有一个特征，就是计划管理范围狭窄，覆盖面很窄。劳动工资计划长期仅限于职工人数、工资总额和劳动生产率三项指标，后来又加上了一个技校招生数，变成四项指标，四项指标之外的领域则不在计划管理范围之内。一方面是在计划管理手段可及的范围之内实行指令性计划一统天下，另一方面却是许多该纳入劳动计划管理范围的事业被排斥在外。

历史地看，传统劳动计划体制在当时的历史背景下是合理的，并且它也曾发挥过积极的作用。它是与整个传统经济体制相配套的，与传统经济运行方式是协调的。这套劳动计划体制在保障职工人数增加、工资水平提高与生产发展和劳动生产率相协调方面，的确起到了不可抹杀的作用。

但是，从另一方面看，传统劳动计划体制的弊端也很明显。最为突出的是集中过多、控制过死。集中过多，必然伤害地方、部门和企业的利益，造成计划指标与实际需要脱节；控制过死，则不利于微观搞活，是企业缺乏活力的原因之一。

2. 劳动计划体制改革

改革以来，为适应整体改革大势的需要，在劳动、工资、社会保险制度改革的推动下，逐步对传统劳动计划体制进行了改革，并取得了一些经验和成效。

(1)对经济特区和外商投资企业实行了新的劳动计划体制

1984 年 12 月，劳动人事部、国家计划委员会发布了《经济特区劳动工资计划和劳动力管理试行办法》。《办法》规定，经济特区可以根据生产、建设发展的需要，自行编制劳动工资计划。特区所属全民所有制单位的职工人数、工资总额、劳动生产率和技工学校招生人数计划，由单位提出，经特区劳动局、计划部门综合平衡后报特区人民政府和省劳动局、省计委，由省单列并汇总报劳动人事部、国家计委，纳入国家的劳动工资计划。国家对特区不下达劳动工资计划。

在特区的国务院部属企业、省属企业，以及国内其他全民所有制单位联营企业的劳动工资计划，由企业提出，报企业所在地的特区劳动局、计划部门审核，纳入特区的劳动工资计划。

特区的企业，其现有来自城镇的计划外用工，属定员以内或生产确实需要，本人又符合条件的，经劳动部门审核，报特区人民政府批准，可以纳入计划，实行劳动合同制。

这样一种新的劳动计划管理体制，赋予了经济特区较充分的劳动计划管理权限。由于国家对特区的劳动工资计划实行单列管理，并且国家不向特区下达劳动工资计划，由特区自行编制劳动计划，这就为特区根据当地实际情况编制合理的、符合实际需要的劳动计划创造了条件，从而也就避免了中央下达的劳动计划指标与地区实际需要脱节的矛盾。在特区内部，则是在政府宏观调控的前提下，由企业自主确定用人规模、自主招用职工，自行确定工资标准，自行安排职工增资。这样一来，就改变了传统劳动计划体制对企业控制过死的弊端，赋予了企业充分的用人自主权与工资分配自主权，劳动工资计划只起平衡、协调和监督作用，即宏观调控作用。

对外商投资企业实行特殊的劳动计划管理办法。1979年7月全国人大通过的《中华人民共和国中外合资经营企业法》规定,合营企业的一切重大问题都由董事会讨论决定,其中包括劳动工资计划等事项。

1984年1月劳动人事部发布的《中外合资经营企业劳动管理规定实施办法》明确规定,合营企业的劳动计划,经董事会决定后,报企业主管部门和所在地区劳动人事部门备案,专项纳入国家劳动计划。

1986年11月劳动人事部发布的《关于外商投资企业用人自主权和职工工资、保险福利费用的规定》指出,外商投资企业可根据生产经营的需要,自行确定机构设置和人员编制。

对外商投资企业工资水平,国家没有规定"上限",而是规定由董事会按照不低于所在地区同行业条件相近似的国营企业平均工资的120%的原则确定本企业职工工资水平。职工工资增长,按照合营合同、章程的规定和企业的生产、经营情况,由董事会决定,不必与国营企业同步进行。

上述规定表明,对外商投资企业的劳动计划管理,基本上是完全由企业自主决定劳动工资计划,决定权在董事会,国家不下达劳动工资计划。这就在用人和工资分配方面赋予了外商投资企业充分的自主权,为外资企业根据生产经营状况合理吞吐劳动力和调整工资水平提供了前提条件,这对吸引外资和促进外商投资企业的发展起到了积极的作用。

(2)在近百个县市进行劳动计划体制改革试点

职工人数是劳动计划的一项重要指标,长期以来一直由中央按绝对额向地方下达指令性计划,计划指标缺乏弹性,往往脱离地方的实际需要。

为改变传统的职工人数计划管理办法,从1984年开始进行改革试点,试行职工人数增长同生产增长按一定比例挂钩浮动的新的管理办法。

1984年10月,劳动人事部批准湖北省沙市、江苏省无锡市、安徽省蚌埠市等首批进行劳动计划体制改革试点。试点的具体做法是全地区全民所有制单位职工人数同全民所有制工业总产值挂钩浮动。试点头两年,进展比较顺利。到1986年,试行职工人数增长同工业总产值增长挂钩的县、市达46个,分布在8个省。

为了推广劳动计划体制改革试点经验,1987年6月,劳动人事部、国家计委决定扩大劳动计划体制改革试点范围,批准湖南省株洲市、汨罗县、沅江县、江苏省扬州市、盐城市,河北省辛集市、新乐县,山东省潍坊市,贵州省遵义市,山西省榆次市、新绛县进行劳动计划体制改革试点。

劳动人事部和国家计委在关于同意湖南、辽宁等省扩大劳动计划体制改革和清理、解决计划外用工试点的批复中强调,劳动计划体制改革试点的挂钩指标,应根据各地的具体情况,选择能够比较全面反映经济发展的情况的综合性指标,职工人数同工业总产值、基建投资、交通运输周转量、商品零售额等加权计算的综合系数挂钩。为促进劳动生产率提高,合理控制职工人数增长,挂钩比例实行分档递减。批复还指出,没有进行职工人数增长同工业总产值挂钩试点的省,也可以同工业总产值挂钩。

该批复件还强调指出,在劳动计划体制改革试点县、市中,全民所有制单位里以各种形式增加的职工,都必须纳入挂钩浮动控制比例之内。要切实根据生产需要增加人员,切忌不管生产需要与否,都按最高控制比例增人。并且规定,当年限额以内未增加的人数,不能转到下年使用。

1987年,劳动计划体制改革试点范围得以进一步扩大,当年全国有18个省的89个县、市进行了这项改革试点。

1984年以来的试点情况表明,这项改革办法是成功的。它改变了以往下达绝对额计划指标的方式,代之以挂钩这种弹性计划,从而增强了计划的灵活性。借助于这样一种弹性计划控制职工人数增长,既有利于客观控制,又避免了控制过死,在控制的同时赋予了地方和企业一定的自主权。尽管这种计划管理办法还具有某些问题,但比之改革前的老办法仍然是一种进步,受到了地方和企业的欢迎。

与劳动计划体制改革相配套,一些地区还进行了清理、解决计划外用工的探索。主要做法是:在定员以内,生产确实需要本人又符合条件的计划外用工,纳入国家计划管理,实行劳动合同制;在定员以外,生产不需要或本人不符合条件的,则予以清退。清退部分一般占计划外用工总数的20%以上,这对压缩计划外用工起到了积极的作用。试点过程中遇到的突出问题是计划外用工纳入计划管理后的养老保险和待业保险费用问题。

3. 工资计划体制的改革

如前所述,改革以前,我国对工资基金的管理实行严格的指令性计划,并且是以绝对额的方式下达。对企业下达指令性工资总额计划指标的主要依据是人头,即有多少职工就相应地下达多少工资总额。这样一种工资计划管理体制,虽然可以防止发生工资基金膨胀问题,然而却使企业工资总额与企业经营状况不发生任何联系,职工工资高低与劳动贡献严重脱节,这就不能不极大地挫伤企业和职工的积极性,必须加以改革。

早在1979年7月,国务院就颁布了关于扩大国营工业企业经营管理自主权,实行利润留成的规定。实行利润留成以后,奖金的多少同企业的经济效益联系起来了。特别是在1984年实行第二步利改税以后,企业奖励基金由过去的限额控制,改为按企业留利的一定比例提取,超额征收奖金税的办法。在奖励基金的使用上,企业也拥有了更大的自主权。

1984年《中共中央关于经济体制改革的决定》提出,要使企业职工的工资和奖金同企业经济效益的提高更好地挂起钩来。同年国家计委在《关于改进计划体制的若干暂行规定》中提出,除了实行租赁、承包等自负盈亏的小型企业以外,企业的工资总额,根据完成国家计划的情况和经济效益的好坏,按国家规定的比例增加或减少。

1985年1月,国务院发出《关于国家企业工资改革问题的通知》,决定从1985年开始,在国营大中型企业中,实行工资总额同企业经济效益按比例浮动的办法。国家对企业的工资,实行分级管理的体制。

根据企业经营性质不同,选择不同的挂钩指标:工业企业一般实行工资总额同上缴税利或实现税利挂钩,产品单一的企业同最终产品的销量挂钩,交通运输企业同周转量或运距运量挂钩,商业服务企业同销售额或营业额、上缴税利挂钩。

企业工资总额随同经济效益浮动的比例一般在1:0.3至1:0.7之间,也有个别情况特殊的企业挂钩比例低于1:0.3或高于1:0.7。

企业实行工资总额同经济效益挂钩以后,国家对省、自治区、直辖市和国务院有关部门,除新建、扩建项目和国家政策规定必须安排的复员退伍军人、转业干部和大中专毕业生所需增加的工资总额外,原则上实行增人不增工资总额,减人不减工资总额。各地区对企业也实行增人不增工资总额,定员内减人不减或少减工资总额。从这一角度看,这同时也是对职工人数计划体制的改革。

自1985年以来,这项改革稳步推进。产业部门所属全部企业工资总额同经济效益总挂钩到1990年已基本上普遍实行了。实行地区总挂钩难度稍大一些。

实行工资总额同经济效益挂钩浮动,既是工资体制的改革,同时又是工资计划体制的改革。它在变革企业工资决定机制的同时,也改变着工资计划管理方式,甚至同时也改变着职工人数计划管理方式。

通过上述改革,职工工资总额实际分成了两部分。一部分是随经济效益浮动的工资总额,对这一部分,国家通过确定浮动比例和核定两个基数来进行管理,年终根据实际完成情况进行结算。另一部分是按国家原有政策列入成本开支或由国家财政开支的工资,如未实行挂钩企业的标准工资以及机关、事业单位的工资、奖金等,对这一部分,国家仍以指令性绝对额工资计划进行控制,国家下达的工资总额指标不得突破。这样一种二元化的工资计划管理体制无疑只是一种过渡模式,需要通过深化改革建立起新的工资计划管理体制。

4. 进行国营农场职工人数计划体制改革试点

长期以来,国营农林牧渔场职工子女到达劳动年龄即自然增长为职工,职工增长无计划,致使绝大多数农林牧渔场职工过剩,劳动效率低下。

为改变这种状况,从1987年开始,在安徽进行了国营农场职工人数计划体制改革试点,1990年已在全省国营农场全面铺开。改革的方向是改职工人数自然增长为计划增长。改革的具体做法是:

(1)做好劳动计划管理基础工作。根据土地面积、经营规模和生产需要、设备及条件,制定平均先进的定员定额标准。主管部门已颁发标准的,按主管部门颁发的标准制定。主管部门没有颁发标准的,结合本单位近3年实际,参照同行业平均先进水平制定。

(2)国营农场增加职工不再采取自然增长的做法。在定员标准内,需要增加职工,应在生产发展和劳动生产率提高的基础上,按劳动工资计划管理体制及隶属关系报批。招工实行面向社会,公开招收,全面考核,择优录用。

试点经验表明,这一改革的方向是正确的。以计划管理取代自然增长,改变了农场增人无计划、定员无标准、职工人数增长过快的不合理状况。它还促进了农场职工子女学文化的积极性,增强了就业竞争意识。

除上述四个方面进展之外,劳动计划体制改革还与其他改革相配套出台了一些改革措施。如国家对广东、福建等综合改革省份,实行了指导性的劳动计划,对国家下达的劳动计划,允许两省结合实际情况作适当调整。又如在青岛、株洲、盐城等劳动工资社会保险综合配套改革试点的城市,也都相应地改革了劳动计划体制。1988年,兰溪市、上海市、济南市等城市还曾试行过"无上级、无级别"企业,当时称之为"特区企业",对这些企业在劳动计划管理方面赋予了比较充分的自主权。

二

改革企业劳动制度　　推行劳动合同制

企业劳动制度改革是劳动体制改革的核心内容，同时也是企业经管制度改革的重要组成部分。改革以前，企业长期实行以固定工为主的用工制度，这种用工制度的特征在于：国家是用工的主体，企业无用工自主权，职工是"国家职工"而不是"企业职工"；劳动关系的建立不是通过法律方式，而是通过计划统配的方式；职工有充分的就业保障，企业无权辞退职工，但职工亦无流动的自主权，微弱的劳动力流动亦是通过行政调配实现的。通常，人们把这套用工制度喻为"铁饭碗"。历史地看，这套用工制度曾经在强化职工主人翁意识、调动职工积极性方面发挥过积极的作用，曾经在相当长的时期内被看做社会主义制度的优越性所在。但是，随着时间的延续，企业用工制度日趋单一化，这种用工制度的弊端逐渐暴露出来。特别是随着企业自主权的逐步扩大，企业从自身的经营管理需要出发，强烈要求改革能进不能出、用工形式单一的用工制度。

1. 改革招工制度

改革前，与高度集中统一的计划经济管理体制相适应，企业招工所采取的是按计划统分统配的办法，企业只是无条件地接受按计划配给的人员，对所招用的人员不进行也无权进行必要的考核，这就难以保证企业职工队伍素质的提高。针对这一问题，1978年4月，邓小平在全国教育工作会议上提出要求：各部门招用工人要逐步实行德智体全面考核的办法，择优尽先录用。根据这一要求，各地在招工时开始进行考核。1979年3月，国家劳动总局

发出了《关于招工实行全面考核的意见》，规定全民所有制单位和区、县以上集体所有制单位，在招工时都要逐步实行德智体全面考核的办法，择优录用，保证招工质量。到1981年，全国大部分市县实行了新的招工办法，这项改革措施，克服了过去招工不进行考核的弊端，提高了招工质量，有利于激发青年好学上进。

为进一步完善招工考核办法，在总结各地经验的基础上，劳动人事部于1983年2月颁发了《关于招工考核择优录用的暂行规定》，规定：全民所有制单位在劳动计划内招收新工人时，都要实行德智体全面考核，择优录用；招收新工人，应当从技工学校、职业学校毕业生和经过培训的城镇待业青年以及其他城镇待业青年中招收，经省级人民政府批准方可从农村招收；经考核录用的工人有3—6个月的试用期，试用期内发现不符合招工条件的可以辞退；凡是适合女青年做的工作，应尽可能招收女青年，体现男女平等。

从1983年开始，对"子女顶替"进行限制。70年代后期，在城镇就业压力很大的情况下，企业普遍实行了增加新职工实行内部招收，职工退休实行"子女顶替"的办法。这种办法虽然在当时条件下有利于促进企业职工更新和缓解就业压力，但弊端也十分明显，不仅因企业在内招时不注重考核及一部分技术骨干提前退休以便子女尽早顶替就业而造成职工队伍素质下降，而且也助长了职工待业子女的依赖思想，同时还使企业出现了复杂的亲缘关系，增加了企业管理的难度。针对这些问题，1983年2月颁布的招工考核办法，取消了部分单位的内招。同年9月，国务院又发出《关于认真整顿招收退职职工子女工作的通知》，大大缩小了子女顶替的范围，而且严格限制了招收退休退职职工

子女的条件,并要求对过去顶替进厂的子女进行清理,不符合条件的予以清退。

1986年7月,国务院发布了《国营企业招用工人暂行规定》,进一步强调了面向社会、公开招收原则,并完全废除了内招和子女顶替。明确规定:国营企业招用工人,必须在国家劳动工资计划指标内,按先培训、后就业的原则,面向社会、公开招收、全面考核、择优录用;废止内部招工和子女顶替的办法;招工工作由劳动行政部门负责管理,审批下达招工计划,执行招工政策,确定招工地区,审查招工简章,对招工工作进行监督和检查;企业需从农村招工时,除国家规定的以外,须报省级人民政府批准。这一《暂行规定》的发布实施,意义在于废除了内招和子女顶替,但还只是限于招工办法的改革,仍未赋予企业招工自主权。

2. 整顿企业劳动组织和劳动纪律

在"文化大革命"时期,企业劳动管理遭到严重冲击,造成管理制度不健全、劳动纪律涣散、人员结构不合理、劳动效率低下等问题。为克服这种状况,从1978年开始,有些部门和地区就开始把整顿劳动组织和劳动纪律作为企业进行恢复性整顿、改善企业劳动管理的一项重要内容来抓,并取得了明显的效果。但在1982年以前,这项工作发展很不平衡,多数企业没有进行认真的整顿。1982年1月,中共中央、国务院发布了《关于国营工业企业进行全面整顿的决定》,从1982年到1985年,所有国营企业都分期分批地进行了整顿,整顿劳动组织和劳动纪律是这次企业整顿的重要内容。1982年4月,国务院发布《企业职工奖惩条例》,对职工应尽的职责及奖励与处分的条件、程序都作了原则规定。根据上述规定,各地区、各部门在进行企业整顿中,普遍对劳动组织和

劳动纪律进行了整顿,做了大量的工作,精减并安排了一批富余人员,劳动纪律涣散的现象有所克服。但是,这一阶段的整顿工作主要是采取行政手段推动的,企业本身缺乏内在的动力,加之对富余人员难以安排等原因,所以,并没有也不可能从根本上解决企业中长期存在的劳动组织不合理、人浮于事、劳动纪律涣散等问题。

1985年以后,随着企业承包经营责任制的落实,企业整顿劳动组织的动力增强了,企业从自身经营管理需要出发,开始自觉地减少用人,精简机构。企业劳动组织的整顿逐步与企业用工制度的改革结合在一起,发展成为优化劳动组合、合同化管理、全员劳动合同制等多种改革形式。

1986年7月,国务院发布了《国营企业辞退违纪职工暂行规定》,对于辞退违纪职工的原则、条件、程序以及对辞退不服等问题,作了原则规定,这便为企业加强劳动纪律提供了法律依据,扭转了企业对一些严重违反纪律但又不够开除、除名条件的职工没有辞退权力,不利于加强劳动纪律的状况。根据这一《规定》精神,多数企业都结合本单位实际情况制定或修订了厂规厂纪,规定了辞退违纪职工的具体条件。这对加强企业劳动纪律收到了一定的效果。

3. 在新招工人中实行劳动合同制

1986年,劳动制度改革迈出了关键性的一步,这便是在新招工人中实行劳动合同制,这是企业劳动制度的一项重大改革举措。

从历史渊源上讲,它是对50年代后期所实行的"两种劳动制度"的继承和发展。1957年2月劳动部在考察借鉴苏联劳动力管理经验的基础上,提出对新招收的工人,特别是从农村新招收的工人,应

签订劳动合同,推行劳动合同制度。刘少奇对这一意见表示同意,并且在1958年5月召开的中共中央政治局扩大会议上提出两种劳动制度同时并存的意见。从1958年开始,新的劳动制度很快推行开来,企业从农村招收农民合同工,实行亦工亦农制度;从城市招工实行临时工,签订劳动合同。这项制度一直持续到60年代中期。"文化大革命"开始后,随着对刘少奇的错误批判,新的用工制度遂告夭折,大批临时工转为固定工,固定工制度进一步强化。

"文化大革命"结束后,先是在一些县办五小工业和乡镇企业中自发地采用了亦工亦农制度,随后国家劳动总局在1977年1月正式确定在县办工业中恢复试行亦工亦农制度,当年底全国亦工亦农人员即达到近2000万人。1981年6月,中共中央《关于建国以来党的若干历史问题的决议》重新肯定了刘少奇提出的"两种劳动制度"的观点。同年10月,中共中央、国务院作出的《关于广开门路,搞活经济,解决城镇就业问题的若干决定》中指出,目前国营企业的一大弊端就是"铁饭碗",必须逐步改革企业劳动制度,实行合同工、临时工、固定工等多种形式的用工制度,逐步做到人员能进能出。

在此以后,开始在一部分行业进行用工制度改革的试点,主要是在矿山、建筑、安装、装卸搬运行业推行农民轮换工制度和招用农民合同工人。

与此同时,积极组织劳动合同制的试点,先是在深圳特区的外资企业中试点劳动合同制,而后扩大到在国营企业实行。1983年2月,劳动人事部发出《关于积极推行劳动合同制的通知》,要求各省、自治区、直辖市都要积极进行试点。1983年底,进行劳动合同制试点的省、自治区、直辖市由上年的8个增加到29个,有些省还在所辖范围内普遍试行了劳动合同制,全国劳动合同制工人总数比上年翻了两番,从16万人增长到65万人。1984年,试行劳动合同制的范围进一步扩大,并且广东等十多个省、自治区、直辖市明确规定从社会上招收的新工人,原则上都招收合同制工人,一般不再招收固定工。这意味着由试行转为强制推行,极大地推动了劳动合同制的发展,全国劳动合同制工人总数达到78万人。有的地区在试行劳动合同制的过程中,还对工资制度和保险福利制度进行了配套改革,如规定劳动合同制工人工资待遇可以高于固定工,还研究制定了合同制工人的退休养老保险制度。经过几年的实践,不仅积累了相当丰富的经验,而且提高了各方面对改革企业用工制度,实行劳动合同制的必要性的认识,为1986年在新招工人中全面推行劳动合同制奠定了良好的基础。

1986年7月12日,国务院同时发布了关于劳动制度改革的四个规定,即《国营企业实行劳动合同制暂行规定》、《国营企业招用工人暂行规定》、《国营企业辞退违纪职工暂行规定》和《国营企业职工待业保险暂行规定》,决定于同年10月1日开始实施。这是改革以来继1985年工资改革后,在劳动体制改革方面进行的又一次重大改革,并且是一次以改革用工制度为中心的劳动制度配套改革。

实行劳动合同制的根本目的,就是要改变原有的用单纯行政手段分配和录用职工的办法,实行企业和职工双向选择,平等协商,通过签订劳动合同这种形式,用法律手段来确立和调整劳动关系。这代表着企业劳动制度的发展方向。但是,从当时的实际情况出发,这次改革仍采用老人老办法、新人新办法的做法,没有强行统一取消固定工制度,而是只在新招工人中实行劳动合同制,对现有固定工人仍维持原有制度不变。这种做法虽然具有不彻底的弱点,但却是一种切合实际的策略。

劳动合同制的内容主要是:①企业在国家劳动工资计划指标内招用常年性工作岗位上的工人,除国家另有特别规定者(指统一分配的技工学校毕业生和由国家安置的城镇退伍兵)外,统一实行劳动合同制。用工形式由企业根据生产、工作的特点和需要确定,可以招用五年以上的长期工、一年至五年的短期工和定期轮换工。不论采取哪一种用工形式,都应按规定签订劳动合同,以书面形式明确规定双方的责任、义务和权利。招用一年以内的临时工、季节工,也应签订劳动合同。劳动合同一经签订,就受到法律保护。②劳动合同的内容包括:在生产上应当达到的数量指标、质量指标,或应当完成的任务;试用期限(政策规定为三至六个月,由企业根据不同工种具体确定)和合同期限;生产、工作条件;劳动报酬和保险、福利待遇;劳动纪律;违反劳动合同者应当承担的责任;双方认为需要规定的其他事项。③劳动合同期限由企业和工人协商确定。劳动合同期满,即终止执行。由于生产、工作需要,经双方同意,可以续订合同。但轮换工的劳动合同期满按规定必须终止。按照规定,企业和劳动合同制工人都可以解除劳动合同,但必须符合一定的条件。④劳动合同制工人与所在企业原固定工人享有同等的劳动、工作、学习、参加企业民主管理、获得政治荣誉和物质鼓励的权利。按照规定,劳动合同制工人的工资和保险福利待遇,应当与本企业同工种、同岗位原固定工人保持同等水平,其保险福利待遇低于原固定工人的部分,用

工资性补贴予以补偿。工资性补贴的额度为劳动合同制工人标准工资的15%左右。⑤国家对劳动合同制工人退休养老实行社会保险制度,退休养老待遇包括退休费、医疗费、丧葬补助费、供养直系亲属抚恤费、救济费等。劳动合同制工人待业期间,按照规定可以领取待业救济金和医疗补助费。

1986年关于劳动制度改革的规定出台以后,贯彻实施比较顺利,到1987年,全国29个省、自治区、直辖市全民所有制单位从社会上新招工人中,已全部实行劳动合同制,全国全民所有制单位招用的劳动合同制工人总数1987年底达到726万人,比1986年底增加208万人,占1987年新增职工总数的65.8%。

1987年以来,劳动合同制的实施范围逐步扩大,由全民所有制企业,扩大到集体企业、国营农场、外资企业和私营企业招用的工人,1988年以来入学的技工学校毕业生也实行劳动合同制。与此同时,不断改进和完善劳动合同签订办法,加强了对劳动合同履行情况的监督检查,加强对劳动合同制工人的思想教育和业务技术培训,并不断落实各项配套改革措施。统计资料表明,1986年以来,劳动合同制工人总数逐年增加。

4. 从优化劳动组合到推行全员劳动合同制

1986年劳动制度改革措施出台后,对新招工人实行了劳动合同制,但原有固定工制度没有触动。在当时,为了新制度的推行,采取这种"新人新办法、老人老办法"的策略是有道理的。但是,如何对固定工制度进行改革,毕竟是一个绕不开的问题。当时,在全民所有制单位职工中,固定职工占80%,居于主体地位。同时,新招工人中仍有一部分人由国家统包分

配,继续实行固定工制度,对劳动合同制有很大的冲击。如果不对固定工制度进行改革,企业的用工制度就难以发生根本变化。而且,如果劳动合同制与固定工制度长期并存,也会引起许多矛盾和摩擦,不仅给企业劳动管理造成困难,甚至新的劳动合同制也有被侵蚀的危险。鉴于这种状况,对原有固定工制度的改革(当时的提法是搞活固定工)便被适时地提到了议事日程上来。

严格地说,搞活固定工问题的提出,并不是在1986年以后,而是在1986年以前劳动合同制试行过程中有些地方就已经开始提出这一问题并付诸实践了,如黑龙江、河南的一些企业在1984年就曾采取劳动组合、择优上岗、合同化管理等形式和办法,进行了搞活固定工制度的初步尝试。1984年11月,劳动人事部在郑州市召开的全国试行劳动合同制经验交流会上,就明确提出,要在推行劳动合同制的同时采取积极措施搞活固定工制度。只不过当时进行这项改革的范围极为有限,没有形成应有的气候。直到1987年以后,随着劳动合同制的推行,搞活固定工才在更大范围内逐步开展起来。

1987年2月,劳动人事部在桂林召开劳动制度改革座谈会,专门研究了搞活固定工制度问题。会后,实行优化劳动组合的试点范围有所扩大。为进一步推动这项工作的开展,1987年9月,劳动人事部在青岛市召开了全国搞活固定工制度试点工作会议,总结交流了搞活固定工制度的经验,讨论研究了搞活固定工制度的理论和政策问题,并部署了在全国范围内全面开展搞活固定工制度试点工作。这次会议之后,搞活固定工制度的试点范围进一步扩大,到1988年底,全国全民所有制单位实行优化劳动组合的企业已有36万多家,职工1300多万人。除少数边远地区外,大多数省、自治区、直辖市都进行了这项改革试点。北京、沈阳、青岛、株洲、盐城、安阳等市,在全市范围内各个行业普遍开展了这项工作。

1987年以前,各地搞活固定工制度的基本形式是实行优化组合。通过优化劳动组合,收到了良好的效果。一是缓解了新老用工制度之间的矛盾,实行优化劳动组合,固定工、合同制工人都与企业签订劳动合同,固定工的"铁饭碗"观念开始淡化,一些单位过去存在的固定工看、合同工干的现象已开始扭转。二是通过引入竞争机制,实行择优竞争上岗,精简了机构和非生产人员,使长期存在的"一线紧、二线松、三线肿"的状况有所改变。三是把优化劳动组合与落实承包经营责任制结合起来,把经济承包任务层层分解到车间、班组和个人,促进了承包经营责任制的落实。四是在优化劳动组合过程中,企业结合各自的实际情况,制订和修改定员定额标准,建立有关规章制度,提高了企业管理水平。五是打破了干部与工人的界限,干部能上能下的制度开始形成。

从1988年开始,搞活固定工的形式又有新的发展。一是实行了合同化管理。不少企业在实行优化劳动组合后,企业与上岗职工按照平等、自愿和协商一致的原则签订了上岗或聘用合同。未上岗的在厂内待业。对合同期满的重新进行考核,择优上岗。合同期内的职工,如不胜任本岗工作,可解除合同下岗。未被组合上岗的职工,经考试合格可以要求组合上岗。比较典型的合同化管理是湖南省株洲市实行的企业职工制度。

二是出现了全员劳动合同制这种新的形式。北京市从1988年9月开始在优化劳动组合的基础上进行全员劳动合同制试点,其指导思想是,通过签订劳动合同确定企业和职工的劳动关系,明确双方责、权、利,运用劳动合同这一法律手段,保障企业和职工双方的合法权益。显然,这种形式比合同化管理又前进了一大步,合同化管理的"合同"是上岗合同,而全员劳动合同制的"合同"则是确立劳动关系的合同,它从劳动关系这一根本问题上触及了固定工制度。北京市实行全员劳动合同制的基本做法是:企业与所有职工签订劳动合同,根据生产岗位特点和职工本人的具体情况,分为长期(10年以上)、中期(2—5年)、短期(1年)三种不同的期限。在确定合同期限时,体现照顾老职工,保护、依靠中年职工,激励青年职工的原则。企业干部与工人一样以企业职工的身份与企业签订劳动合同。实行全员劳动合同制以后,企业内部仍坚持实行动态的优化劳动组合,并签订上岗合同,把双方的责权利具体落实到每个岗位和个人。全员劳动合同制的实行,基本上解决了用工制度上存在的"一厂两制"问题,实现了两种制度的统一,消除了许多矛盾和摩擦。

1991年5月,劳动部转发了北京市实行全员劳动合同制的经验材料,并要求有条件的地区积极进行全员劳动合同制试点。

在推行优化劳动组合、合同化管理、全员劳动合同制的过程中,企业富余人员问题逐渐暴露出来,并且成为制约劳动制度改革的一大难题。企业富余人员问题是在统包统配、能进不能出的旧的劳动制度下形成的,是几十年积累下来的老问题。大量富余人员的存在,不仅造成劳动力资源的巨大浪费,而且导致企业人浮于事、劳动效率低下,妨碍劳动制度改革的深化。各地在优化劳动组合、合同化管理

和实行全员劳动合同制过程中,通过引入竞争机制,择优上岗,在各个试点企业中都或多或少地有一些下岗待业的职工。其实,这只是企业富余人员的一部分,大量的富余人员仍然在岗位上。然而,即便是这少量的下岗人员,如何安置也已构成一大难题。各地在改革过程中,从实际情况出发,通过多种渠道安置下岗富余人员,使绝大多数下岗人员得到了妥善安置,基本生活得到了保障。归纳起来,各地采取的安置富余人员措施主要有三类:一类是生产性安置,比如拓展多种经营门路,组织劳务活动,发展第三产业,综合利用资源等;另一类是生活性安置,如对老职工实行提前退休,对富余职工实行有限的放假;再一类是实行厂内待业,组织转岗培训,开展厂际间余缺调剂,鼓励职工自谋职业等。在这三类方式中,生产性安置占主导地位,而生产性安置又以多种经营、发展第三产业为主。

在改革中,各地为鼓励企业安置富余人员,相继出台了不少地方性政策规定。在总结各地经验的基础上,1983年4月,国务院发布了《国有企业富余职工安置规定》。《规定》指出,企业安置富余职工,应当遵循企业自行安置为主、社会帮助安置为辅、保障富余职工基本生活的原则。

5. 劳动仲裁制度的恢复和发展

1986年实行劳动合同制的同时,恢复了劳动仲裁制度,这标志着劳动争议处理从此走上法制化轨道。

劳动仲裁制度在新中国成立初期就已建立,并在处理私营企业劳资争议中发挥过巨大作用。1956年私营工商业社会主义改造基本完成以后,劳动争议处理机构被撤销,劳动争议从此由信访部门解决。三十多年的实践表明,信访工作固然有其特殊的作用,但由于信访部门没有仲

裁权,处理问题不具有法律效力,因而使许多争议不能得到及时解决,导致矛盾激化。特别是改革以来,随着企业劳动用工制度改革的逐步深化,劳动关系由国家与职工的关系转变为企业与职工的关系,劳动争议日趋增多,引起广泛的关注,企业、社会、职工都呼吁尽快恢复劳动仲裁制度。在这种情况下,1986年4月中共中央、国务院在《关于认真执行改革劳动制度几个规定的通知》中,要求各地区注意做好劳动争议处理工作。同年7月,国务院在《关于发布改革劳动制度四个规定的通知》中进一步提出要建立劳动争议仲裁机构。根据这一要求,一些地方在推行劳动合同制的同时,成立了劳动争议仲裁委员会。

1987年5月3日,武汉市汉阳区劳动争议仲裁委员会依法裁决了一起职工因被除名不服而引起的劳动争议案,这是劳动仲裁制度恢复后的第一案,引起了巨大的反响。

为维护企业和职工双方的合法权益,及时处理劳动争议,1987年7月,国务院发布了《国营企业劳动争议处理暂行规定》,对处理劳动争议的范围、机构、程序和工作原则等都作了明确规定。鉴于劳动法规不完善,人力和经验不足,全面开展劳动争议处理工作尚有一定的困难等原因,所以《规定》只处理国营企业中因履行劳动合同发生的争议,以及因开除、除名、辞退违纪职工发生的争议,其他劳动争议仍由信访部门处理。

随着形势的发展,特别是随着国有企业劳动争议案的增多,迫切需要扩大劳动争议处理范围。1993年7月,国务院发布《中华人民共和国企业劳动争议处理条例》,适用范围扩大到了各类企业中的下列四种劳动争议:①因企业开除、除名、辞退职工和职工辞职、自动离职发生的争议;②因执行国家有关工资、保险、福利、培训、劳动保护的规定发生的争议;③因履行劳动合同发生的争议;(4)法律、法规规定应当依照本条例处理的其他劳动争议。

按《企业劳动争议处理条例》规定,处理劳动争议的机构包括劳动争议调解委员会、劳动争议仲裁委员会、人民法院。劳动争议调解委员会设在企业,由职工代表、企业代表和企业工会组成,负责调解本企业发生的劳动争议。调解不成的,向劳动争议仲裁委员会申请仲裁。当事人也可以直接向仲裁委员会申请仲裁。仲裁委员会设在县、市和市辖区,由劳动行政主管部门、工会、政府指定的经济综合管理部门三方代表组成,负责处理本行政区域内发生的劳动争议。处理劳动争议实行仲裁员、仲裁庭制度。处理劳动争议,由三名仲裁员组成仲裁庭。简单的劳动争议案件可以由仲裁委员会指定一名仲裁员处理。对重大的或者疑难的劳动争议案件的处理,可以提交仲裁委员会讨论决定,仲裁委员会的决定仲裁庭必须执行,仲裁庭处理劳动争议先行调解,调解不成的进行裁决,当事人对裁决不服的,可以向人民法院起诉。

1987年以来,各地积极组建劳动争议处理机构,配备培训仲裁工作人员,并及时处理了一批劳动争议案件。劳动仲裁制度的恢复和发展,既是劳动制度改革的重要保障措施,同时也是劳动管理走上法制化轨道的一个重要标志。

分配制度改革

一

全面推行工资改革

中国的经济改革是从利益刺激起步的,这种改革的次序选择,与东欧国家经济改革的次序选择是相同的。正如有的经济学家所分析的那样,这种从利益刺激起步的选择虽然不是最佳的,但它却是改革前20年冻结工资的必然结果。不过,改革初期所采取的利益刺激措施,很多还不能算是工资改革范畴,而属于工资调整或恢复性措施。属于工资改革的探索性举措只有1981年起试行的浮动工资办法及1984年第二步利改税后实行的奖金不封顶、超额征收奖金税办法。真正意义上的全面工资改革是从1985年开始推开的,1985年的工资改革在工资改革历程中具有重要的意义和深远的影响。

1. 改革初期的工资调整和恢复性措施

改革初期工资调整和恢复性措施的出台,是以理论上的拨乱反正,即重新确定按劳分配是社会主义分配原则为先导的。众所周知,"文化大革命"时期,按劳分配原则遭到严重冲击,计件工资制、奖励制度被取消,加之长期冻结工资,使工资分配上的平均主义现象日趋严重。粉碎"四人帮"以后,首先对按劳分配原则进行了拨乱反正。1978年3月28日,邓小平在同国务院政策研究室负责同志谈话时指出,"按劳分配的性质是社会主义的,不是资本主义的","我们一定要坚持按劳分配的社会主义原则。按劳分配就是按劳动的数量和质量进行分配。根据这一原则,评定职工工资级别时,主要看他的劳动好坏、技术高低、贡献大小"。他还指出:"过去行之有效的各种措施都要恢复,奖金制度也要恢复。"[①]同年5月,《人民日报》发表题为《贯彻执行按劳分配的社会主义原则》的特约评论员文章,理论界就按劳分配问题进行了一场大讨论,先后召开了五次讨论会,从而进一步统一了认识,重新确立了按劳分配原则,为在实践中进行工资调整和恢复计件工资制、奖励制度奠定了理论基础。

为逐步解决由于长期冻结工资而积累下来的工资问题,国家采取积极措施,从1977年开始,分期分批地调整职工工资。1977年的工资调整,重点是为工龄较长、工资偏低的职工增加工资,增资面近60%。1978年给工作、生产成绩优异、贡献较大的职工升级。1979年安排40%的职工升级,强调按照劳动态度、技术高低、贡献大小进行考核,并以贡献大小作为主要考核依据,不搞平均主义。后来在调整工资时较多地采取那种普遍调整工资,一人升一级的方式,这种方式通常称为"普调"。从1981年起,连续三年普遍调整工资,以解决工资水平普遍偏低,特别是中年知识分子工资水平偏低的问题。经过连续七年的工资调整,较大幅度地提高了职工工资水平。职工平均工资由1977年

---

① 《邓小平文选》(1975—1982年),第98—99页。

的 576 元提高到 1983 年的 826 元,增长 43.4%。

在调整工资同时,从 1978 年开始,逐步恢复并改进了计件工资制和奖励制度。1978 年 5 月,国务院发出《关于实行奖励和计件工资制度的通知》,要求在调查研究和总结经验的基础上,有条件地实行计件工资制和奖励制度。在试点的基础上,计件工资制和奖励制度到 1979 年已基本上得到了全面恢复。在当时这些措施对调动职工劳动积极性起到了很显著的作用。但是,由于在恢复实行奖励制度的初期没有把奖金与企业经济效益和个人劳动成果联系起来,因而产生了平均发放以及多发、滥发奖金的问题。

2. 对企业工资制度改革的初步探索

在改革初期,工资改革还没有触及整个工资制度,而是根据当时的实际需要和可能,先从改革奖金制度着手进行的。改革奖金制度的基本思路,是把奖金与企业的经济效益联系起来。这一思路不仅在改革奖金制度的过程中得到了一贯坚持,而且被延伸应用到了整个工资改革之中,发展成为企业工资总额同经济效益挂钩。

奖金制度恢复之初,奖金是按工资总额的一定比例提取的。自 1979 年 7 月开始,实行利润留成制,企业奖励基金改从留成利润中提取。这样一来,奖金就开始与企业经济效益联系起来,企业经济效益好,留成利润多,提取的奖励基金也就多,反之亦然。这种体制上的变化,为企业探索改革分配办法提供了余地。在这一时期,企业工资改革最具有普遍性的做法是实行"浮动工资",主要有小浮动、半浮动、全浮动、浮动升级、浮动工资标准、集体浮动等几种具体形式。浮动工资的实行,开始突破了工资分配上的平均主义"大锅饭"格局,职工收入的一部分或大部分与其劳动成果联系起来了。

1981 年起,在实行工业生产经济责任制过程中,各地把改进奖金制度与加强经济责任制结合起来,并创造了多种行之有效的具体形式。而最具有探索意义的是在总结企业内部集体浮动经验的基础上,在一部分企业试行工资总额包干浮动的办法。其基本做法是:确定工资总额包干基数和经济技术指标基数,工资总额随经济技术指标的实际完成情况按一定比例浮动,并规定在生产规模不变的情况下,企业增减人员不增减工资总额的包干基数。实行工资总额包干办法,比之浮动工资前进了一大步。它意味着开始承认企业是一个相对独立的实体,是分配的一个重要环节,企业工资的增长要取决于经济效益的提高。这不仅是对旧的企业工资管理体制的巨大冲击,而且构成了后来所实行的企业工资总额同经济效益挂钩办法的雏形。

实行"利改税"以后,奖金与企业经济效益的联系更加紧密。1983 年,国务院批准国营企业实行第一步"利改税",以法律的形式将国家与企业之间的利益关系固定了下来,这为加快企业内部工资制度改革的步伐创造了更宽松的条件。在这种条件下,各地选择了若干企业进行"自费工资改革"的试点,即用从企业税后留用利润中提取的奖励基金进行企业内部工资改革,新增加的工资不计入成本,或经批准部分进入成本。但是,按当时的规定,奖金的发放是封顶的,即国家规定奖金发放每人每年不得超过两个月标准工资,这就给企业进行"自费工资改革"以很大的限制。

1984 年国营企业实行第二步"利改税"以后,国家与企业之间的分配关系更加明确,已经具备了取消奖金"封顶"的条件。在这种情况下，1984年4月，国务院发出《关于国营企业发放奖金有关问题的通知》，进一步扩大了企业自主权，并且取消了对企业奖金发放实行"封顶"的限制，奖金完全与企业经济效益挂钩浮动，企业完成国家计划、税利比上年增长，奖金可以适当增加，反之则减少甚至停发。取消奖金"封顶"后，为合理控制消费基金的增长，开征奖金税。

这一改革措施的意义，一是使职工收入与企业经济效益及本人劳动成果的联系更加紧密；二是扩大了企业奖金使用自主权，为企业改革内部分配制度提供了更大的余地；三是开始运用税收这种经济手段调控企业奖金分配，比之用行政手段进行"封顶"限制前进了一大步。

1984年10月20日，中共十二届三中全会通过的《中共中央关于经济体制改革的决定》提出，增强企业活力是经济体制改革的中心环节，围绕这一中心环节，在工资改革上，要采取必要的措施，使企业职工的工资和奖金同企业经济效益的提高更好地挂起钩来。在企业内部，要扩大工资差距，拉开档次，以充分体现奖勤罚懒、奖优罚劣、多劳多得、少劳少得，尤其要改变脑力劳动者报酬偏低的状况。国家机关、事业单位工资制度改革的原则是使职工工资同本人肩负的责任和劳绩密切联系起来，这就为全面进行工资改革明确了基本方向和原则。

3.1985年开始进行全面工资改革

根据《中共中央关于经济体制改革的决定》精神，在初期工资改革探索的基础上，1985年对企业、机关、事业单位的工资制度和工资管理体制进行了全面改革。这项改革连同价格改革被作为1985年经济体制改革的两大任务。

（1）企业工资改革

1984年实行奖金不"封顶"以后，企业奖金基本上同经济效益挂起了钩，职工奖金收入这一块同企业经营状况联系起来了。但是，奖金在工资总额中只占较小的比例，作为工资总额大头的基本工资这一块，还没有同企业经济效益联系起来，因此，企业工资同经济效益的联系是不完全的。1985年企业工资改革的重点，就是在1984年奖金制度改革的基础上再前进一大步，把企业工资同经济效益相联系这一原则从奖金部分延伸到全部工资总额，实行企业工资总额同经济效益挂钩浮动的办法。这是国营企业职工工资制度的一项重大改革。主要内容是：

从1985年开始，在国营大中型企业中逐步实行企业工资总额同经济效益按比例浮动的办法。即将企业职工工资总额的增长与企业经济效益的提高挂起钩来，按政府核定的比例浮动，企业当年实际发放的工资总额超过上年工资总额基数的7%以上的部分，要缴纳工资调节税，不再征收奖金税。这一办法一提出，当时基层劳动部门和企业的积极性很高，相当多的企业要求进行试点。但当时为了稳妥地进行改革，严格限制了试点范围。

当时还提出企业与国家机关、事业单位的工资政策和工资调整脱钩。企业实行工资总额随同本企业经济效益浮动办法以后，企业职工工资的增长依靠本企业经济效益的提高，国家不再统一安排企业职工的工资改革和工资调整。在实际执行过程中，这一点实际上没有做到。而且经验表明，在条件不具备的情况下提出并实行"脱钩"，而不进行通盘考虑，必然会诱发矛盾。

企业工资总额同经济效益挂钩办法从1985年开始试点，以后又经历了扩大试点和不断改进完善挂钩办法的过程。

改革企业内部分配制度。国家在推行企业工资总额同经济效益挂钩办法的同时，要求企业认真进行内部的工资制度改革，贯彻按劳分配原则，克服平均主义，促进经济责任制的落实。文件规定，在企业内部工资改革中，要认真贯彻按劳分配原则，体现奖勤罚懒、奖优罚劣，体现多劳多得、少劳少得，体现脑力劳动和体力劳动、复杂劳动和简单劳动、熟练劳动和非熟练劳动、繁重劳动和非繁重劳动的差别。在此原则下，企业有进行内部工资改革的自主权，企业采取什么分配形式，实行何种工资制度，由企业根据实际情况自行制定。但是，同时也规定了一些约束条件和要求。

1985 年以后，在着重推行企业工资总额同经济效益挂钩办法的同时，不断扩大企业内部分配自主权，促进了企业内部分配制度改革。1986 年 12 月，国务院发布的《关于深化企业改革增强企业活力的若干规定》进一步明确了企业内部分配自主权。1987 年 3 月，六届人大五次会议的《政府工作报告》进一步明确提出：在国家与企业的分配关系上，除近期内国家还将规定大体统一的工资参考标准以外，今后国家只规定企业工资、奖金增长的限额、幅度或同经济效益挂钩的定额和比例，企业内部分配的具体形式和办法，由企业自主决定。随着企业内部分配自主权的不断扩大，绝大多数企业都对内部分配制度进行了改革，采用了灵活多样的工资分配形式，而将等级工资作为"档案工资"处理，只在退休或调动工作时适用。

在企业内部分配制度改革过程中，一部分企业实行了岗位结构工资制。通过改革，这些企业取得了比较一致的效果，即调动了职工钻研技术、努力工作的积极性，稳定了生产第一线队伍，促进了生产

要素的合理配置，增强了企业的内在活力，提高了经济效益。上述企业的实践经验为研究岗位技能工资制提供了可靠的基础。1990 年以来，有关部门对此进行了广泛的调查研究、论证分析和理论探讨，形成了一个推行岗位技能工资制改革的初步方案。岗位技能工资制主要包括以下几方面的内容：①岗位劳动评价体系，由评价指标、评价标准、各项指标的权数比重和评价的基本方法等子系统组成。通过测试和评定不同岗位的劳动技能、劳动责任、劳动强度和劳动条件等基本劳动要素，科学地评价不同岗位的规范劳动的差别，并以此作为确定劳动报酬的主要依据。②工资单元的设置，岗位技能工资制由技能工资、岗位（职务）工资两个单元构成，这是国家确认的职工基本工资。除了基本工资单元以外，企业根据实际情况，在按照国家规定核定的工资总额和工资计划之内，还可以自主决定辅助工资单元的设置及发放办法。③岗位技能工资标准的确定，即从行业、企业岗位劳动测评和资金税利率、人均税利率、劳动生产率高低等情况出发，兼顾国家和地方财政承受能力及多数企业经济承受能力，并结合考虑现行工资关系，合理确定岗位技能工资标准水平。④其他，包括现行国家规定的各种津贴、补贴等内容。

1991 年 3 月召开的第七届全国人民代表大会第四次会议审议通过了《中华人民共和国国民经济和社会发展十年规划和第八个五年计划纲要》，其中明确提出，在企业要"逐步实行以岗位技能工资制为主要形式的内部分配制度"。这是继实行工效挂钩后改革企业工资制度的又一重要决定。为了帮助试点企业搞好改革，劳动部于 1991 年 5 月和 8 月陆续印发了太原橡胶厂、上海宝山钢铁总厂、福建漳州

糖厂等7个企业工资改革的经验,要求各级劳动部门和企业根据实际情况,认真研究和借鉴,以便通过典型引路的办法把岗位技能工资制予以推广,把企业工资改革逐步推向深入。但是,在推行岗位技能工资制过程中,也存在"一刀切"倾向,按一个模式要求企业照此执行,这实在是有悖企业内部分配制度改革的初衷。在贯彻《全民所有制工业企业转换经营机制条例》过程中,这一问题得到解决。企业实行岗位技能工资制以后,职工学习技术的积极性大有提高,企业内部分配中工资等级与技术等级脱节、劳动报酬与劳动贡献分离及平均主义等问题得到缓解。

提出了国家对企业的工资实行分级管理的体制。1985年1月国务院《关于国营企业工资改革问题的通知》规定:国家负责核定省、自治区、直辖市及计划单列市和国务院有关部门所属企业的全部工资总额及其随同经济效益浮动的比例,每个企业的工资总额和浮动比例,由省、自治区、直辖市及计划单列市和国务院有关部门在国家核定给本地区、本部门所属企业的工资总额和浮动比例范围内逐级核定。

为适应企业工资制度改革的需要,劳动人事部于1985年7月重新拟定印发了《国营大中型企业工人工资标准》和《国营大中型企业干部工资标准表》,供各地区和部门在企业工资改革中审批国营大中型企业工资标准时参考,通常又叫参考工资标准。但是,在实际执行过程中,已经不是参考性的,而是变成了硬性的标准。1985年,各地区、各部门的国营企业,都按照新拟的参考工资标准进行了工资套改,简化归并了工资标准,并将企业的工资区类别与机关的工资区类别统一起来,同时还安排了大部分职工升级。通过这些措

施,使职工工资有较多的增加。

但是,这次改革中让企业增加工资从效益工资和奖励基金中解决,仍搞"自费改革",不允许进入成本,使企业挤占了一部分奖金,冲击了经济责任制。企业对此意见很大,讽刺这种做法是"猪八戒啃猪蹄——自己吃自己"。针对这一问题,从1986年起允许将1985年增加工资的一部分资金进入成本或进入工资总额基数。

(2)机关、事业单位工资制度改革

改革前,机关、事业单位实行的是职务等级工资制。这套工资制度是1956年工资改革时建立起来的,虽然在建立之初曾经起到过积极的作用,但由于长期未作改进,产生了许多问题,已经不能适应新的情况了。根据当时的分析,这套工资制度的主要问题是:①没有建立起正常的升级或增长工资的制度。②不能充分体现按劳分配的原则。工资和责任、职务、能力、贡献严重脱节,形成干多干少、干好干坏、干和不干一个样。③工资能上不能下,能增不能减,实际上成了终身待遇。这些问题的存在,严重影响了广大干部和工作人员的积极性和工作效率,亟待改革。1985年,国家财政状况有所好转,改革的条件和时机基本成熟,因此,中共中央、国务院决定对机关、事业单位工资制度进行改革。

1985年6月4日,中共中央、国务院发出《关于国家机关和事业单位工作人员工资制度改革问题的通知》。《通知》提出,这次工资改革的原则是:①贯彻按劳分配原则,适当体现奖勤罚懒、奖优罚劣;体现多劳多得、少劳少得;体现脑力劳动和体力劳动、复杂劳动和简单劳动、熟练劳动与非熟练劳动、繁重劳动和非繁重劳动之间的差别。②把工作人员的工资同本人的工作职务、责任和劳绩密切联系起

来。③使工作人员的工资普遍有所增加，中小学教师和职级不符的中年骨干的工资要适当增加一些。④通过改革，建立起正常的晋级增资制度。

根据上述原则，这次工资改革，国家机关行政人员和专业技术人员均改行以职务工资为主要内容的结构工资制。所谓结构工资制，就是按照工资的不同职能，分为基础工资、职务工资、工龄津贴、奖励工资四个组成部分。

基础工资是国家对工作人员最低生活实施保障的部分。基础工资的数额是按当时大体维持工作人员本人的基本生活费计算的，六类工资区定为 40 元，从领导干部到一般工作人员，都执行相同的基础工资。

职务工资是结构工资制的主要内容，是按工作人员的职务（包括行政职务和技术职务）高低、责任大小、工作繁简和业务技术水平确定的。每一职务设几个等级的工资标准，上下职务之间适当交叉。职务工资标准由国家统一制定。

工龄津贴属于年功工资，按照工作人员的工作年限逐年增长，每工作一年每月发给 0.5 元（后来，又提高到每工作一年每月发给 1 元），计发工龄津贴的年限从参加革命工作和社会主义建设工作时开始计算，到本人离、退休为止。

奖励工资，是用于奖励在工作中做出显著成绩的工作人员的部分。按规定，有较大贡献的可以多奖，不得平均发放。这一点在实际执行中并没做到，平均发放现象十分普遍。

至于事业单位工作人员实行何种工资制度，《通知》规定，允许根据各行各业的特点因行业制宜，可以实行以职务工资为主要内容的结构工资制，也可以实行以职务工资为主要内容的其他工资制度，实行结构工资制的可以有不同的结构因素。但实行其他工资制度的事业单位，其工资标准的水平不得超过国家规定的结构工资标准的总水平。在实际操作过程中，除体育部门对运动员采取了不同的工资制度外，其他事业单位都实行了以职务工资为主要内容的结构工资制，而且结构因素也与机关相同。

经过 1985 年工资改革，机关、事业单位实行了以职务工资为主要内容的结构工资制，长期存在的一些突出矛盾和问题得到了缓解。通过改革，机关、事业单位各类人员都不同程度地增加了工资，其中各类专业技术人员，特别是高中级专业技术人员工资增长幅度是新中国成立以来最大的一次，在一定程度上改善了机关、事业单位工作人员工资较低的状况。这次改革还简化、统一了机关、事业单位工作人员的工资标准，为进一步理顺工资关系创造了有利的条件。

这次改革也存在许多问题，其中最突出的问题是，这次工资改革是在原工资制度基础上进行套改的，这就将原工资制度的一些矛盾带入了新工资制度，使各类人员中都有一部分人对自己的工资有意见。同时，由于这次改革中，不分工作年限长短，相同职务的工作人员都进本职务工资的最低档，这就造成了职务工资"平台"这种新的平均主义现象。从 1986 年开始，又相继采取了许多补充和完善的措施，1986 年建立了各类专业技术人员职务序列，实行专业技术职务聘任制，并相应解决专业技术人员的职务工资问题。1986 年和 1987 年，两次集中解决部分知识分子工资上的突出问题，一次是解决担任高中级专业技术职务人员的工资问题，另一次是提高中小学教师的工资水平。并且先在正副处级这个层次上采取措施，解决职务工资"平台"问题。1988 年提高护士的工资标准,1989 年提高专业技术人员的工资标准。

但是,在后来的运转过程中,这套工资制度仍然显得缺乏应有的激励作用,以至逐渐变得运转不灵。基础工资长期维持在 40 元的水平不动,已失去其保障工作人员基本生活的功能。职务工资标准长期不作大的调整,又没有建立正常的晋级增资制度,使机关、事业单位工作人员工资提高缓慢,脑体收入倒挂日趋严重。奖励工资在实际执行中也普遍采取平均发放的方式,平均主义问题比企业更为严重。为弥补物价上涨的影响而采取的一些增加奖金、书报费等名目收入的措施,不仅造成结构工资制的混乱,而且加重了平均主义。正因为如此,后来在实行国家公务员制度的同时,对国家公务员实行了新的工资制度——职级工资制。

二

实行企业工资总额同经济效益挂钩

实行企业工资总额同经济效益挂钩浮动办法,是改革以来对企业工资管理体制进行的一项最重大的改革。这项改革自 1985 年开始组织试点,从 1987 年开始逐步扩大实行范围,在推行过程中,相继采取了一些改进和完善措施,并由对单个企业实行挂钩发展为对地区、部门实行总挂钩。这期间,也有过理论上的争论和实践上的曲折反复。

1. 企业工资总额同经济效益挂钩改革方案出台

将企业工资与经济效益联系起来,是自改革初期就已确立的一个基本原则。这一原则不仅在改革初期所出台的工资改革措施中有明显的体现,而且在有关文件中也有比较明确的表述。1981 年 10 月,国务院批转的《关于实行工业生产经济责任制若干问题的意见的通知》中,就提出要把企业与职工的经济利益同他们所承担的责任和实现的经济效益联系起来。1983 年 6 月,国务院领导同志在六届人大一次会议所作的《政府工作报告》中,更加明确地提出,要逐步改革工资制度,贯彻按劳分配原则,克服平均主义,使职工收入同社会经济效益、企业经营好坏和个人的劳动贡献密切联系起来。

企业工资总额同经济效益挂钩作为一种具体的改革方案,是直接从 1984 年第二步利改税后实行的奖金不封顶、征收奖金税的办法发展而来的。关于这一点,1984 年 10 月中共十二届三中全会通过的《中共中央关于经济体制改革的决定》中,实际上已经讲得比较清楚了。《决定》指出,围绕增强企业活力这一中心环节,应该解决好两个方面的关系问题:一是确立国家和全民所有制企业之间的正确关系;二是确立职工和企业之间的正确关系。并且指出:"这方面已经采取的一个重大步骤,就是企业职工奖金由企业根据经营状况自行决定,国家只对企业适当征收超限额奖金税。今后还将采取必要的措施,使企业职工的工资和奖金同企业经济效益的提高更好地挂起钩来。"显然,这里所讲的"已经采取的一个重大步骤",就是指根据 1984 年 4 月国务院发布的《关于国营企业发放奖金有关问题的通知》所实行的奖金不封顶、征收奖金税办法;而还将采取的"必要措施",则是指即将在 1985 年推出的企业工资总额同经济效益挂钩办法。

为什么在奖金不封顶、征收奖金税的办法实行还不到一年时间的情况下,又推出企业工资总额同经济效益挂钩这种新的改革方案呢？这是有其一定的原因和背景的。国务院《关于国营企业发放奖金有关问题的通知》下发后，并没有达到预期的目的，除了个别地区、个别行业和少数企业外，大部分地区和企业的奖金发放水平并没有达到原来设想的相当于标准工资总额四个月的水平，大多数企业由于奖励基金较少，奖金发放不到四个月，有的企业奖励基金较多，但为了免征奖金税，奖金发到两个半月就不发了。这种情况表明，这个步骤还没有根本解决问题，迫切需要对企业工资制度进行全面改革。

另一方面，1984 年 11 月，中共中央决定，国家机关、事业单位的工资制度要加快改革，因为当时机关事业单位工作人员的工资收入显得偏低，同时，机关事业单位中工作人员的工资也极不合理，劳酬不符的现象很严重。在中央研究机关事业单位工资改革方案时，也考虑到大多数企业的奖金水平达不到四个月，如果机关事业单位改革工资制度一年增加两个半月的标准工资，担心会引起企业"反馈"，企业会认为机关事业单位改革后，就会轮到企业了。当时考虑为了不致引起企业的"反馈"，必须先对企业实行工资改革，即实行企业工资同经济效益挂钩，才能防止企业的攀比和"反馈"。

再一方面，已经有了不少实行"工效挂钩"的经验。间接的经验是 1983 年企业实行"两挂钩"、"一浮动"、"调改结合"的经验。更直接的经验，就是 1984 年以来，一些部门和地区对所属企业进行的工资总额包干浮动试点，并逐渐扩展开来。到 1984 年底，绝大多数省、市、自治区都搞了工资总额包干浮动试点，试点单位的经验直接为制定企业工资总额同经济效益挂钩办法提供了可靠的依据。

上述情况表明，到 1985 年，实行企业工资总额同经济效益挂钩办法的条件已经成熟。在这种条件下，1985 年 1 月 5 日，国务院发出《关于国营企业工资改革问题的通知》，同年 7 月，劳动人事部、财政部、国家计委等部委联合印发了《国营企业工资改革试行办法》，企业工资总额同经济效益挂钩开始在全国范围内推行。

2. 企业工资总额同经济效益挂钩的基本内容和主要形式

企业工资总额同经济效益挂钩的基本内容是，由政府部门核定企业基础工资总额基数、经济效益指标基数，并确定工资总额随同经济效益浮动的比例，企业工资总额随经济效益指标的增减情况按比例挂钩浮动。工资总额基数的核定一般以上年度统计报表中反映的实际发生的企业工资总额为基础，适当核减或核增某些项目后予以确定。核定经济效益指标基数的基本方法，一般是按上年实际完成数确定。对于上年实际完成数低于前三年实际平均数的，一般按前三年的实际完成情况酌情核定。挂钩比例一般在 1：0.3 至 1：0.7 之间，即上缴税利增长 1%，工资总额增长 0.3%—0.7%，某些特殊行业和地区也有高于 0.7% 的，但最多不得超过 1%。当企业当年增发的工资总额超过国家核定的上半年工资总额 7% 时，超过 7% 以上的部分要缴纳工资调节税，按超率累进税率计征。

企业工资总额同经济效益挂钩的类型多种多样。①按挂钩指标划分，可以分为三种类型：同价值量指标挂钩；同实物量、销售量或实际工作量指标挂钩；同两个或几个经济效益指标复合挂钩。②按参与挂钩的工资总额结构划分，可以分为"总挂"和"分挂"两种形式。"总挂"即全部工资总额同经济效益挂钩；"分挂"即基本工资部分同经济效益挂钩,奖励基金仍按第二步利改税的规定,随企业利润浮动。③按挂钩浮动比例划分,可分为系数比例法和工资含量法两种类型。系数比例法即确定工资总额与经济效益增长的比例关系,工资总额按确定的比例随经济效益指标增长或下浮,但下浮幅度最多不超过工资总额的20%。工资含量法一般是按基期挂钩的经济效益指标和工资总额计算出单位价值量或实物量工资含量,单位价值量或实物价值量增长时,工资即随之相应增长。④按挂钩适用对象划分,可分为企业挂钩和地区、部门全部企业总挂钩两种。

1985年开始进行企业工资总额同经济效益挂钩试点时,所采用的最主要的挂钩形式是工资总额同上缴税利挂钩。上缴税利挂钩这种形式在保证财政收入稳定增长方面的作用是其他挂钩形式无法比拟的。然而,这种挂钩形式也有无法克服的问题,即上缴税利受价格变动和税收政策调整的影响甚大,极易因此而导致企业工资的大起大落及企业之间严重的苦乐不均。

鉴于工资总额同上缴税利挂钩形式的突出问题,1985年以后,各地区自行批准的挂钩企业,较少采用这种形式,而一般采用同实现税利挂钩。同实现税利挂钩虽然在保证税收增长方面的作用不及同上缴税利挂钩,但由于这种形式将企业留利计算在效益之中,对企业流转税率较低、利润水平较高、留利比较大、技术改造任务重的企业较为适用,受税收政策调整的影响较小。

3. 企业工资总额同经济效益挂钩的推行和完善

企业工资总额同经济效益挂钩的推行可谓步履维艰。自1985年开始,边试点,边改进,边推进,其间曾出台过许多改进和完善措施,也经历过一些曲折。

按最初的设想,挂钩办法将很快普遍推行。1985年1月国务院《关于国营企业工资改革问题的通知》中,就曾明确要求多数大中型国营企业在1985年实行企业工资总额同经济效益挂钩的办法。这一文件下发后,地方和企业对试行挂钩办法的积极性甚高。遗憾的是,由于一些部门对这一改革持有不同意见,加上其他种种原因,结果在1985年7月劳动人事部、财政部等部委联合下发的关于印发《国营企业工资改革试行办法》的通知中,一改初衷,不再提使多数大中型企业在1985年实行挂钩办法,而是提出1985年先在条件成熟的国营大中型工交企业中试点,试点的面不要太宽。为防止试点面太宽,在审批试点过程中采取了严格的限制(掌握在15%),大批积极要求进行挂钩试点的企业未能获准,结果使企业和地方劳动部门的积极性受到了很大的挫伤。

"巴山轮"会议对挂钩办法的推行产生了更为不利的影响。1985年9月,"宏观经济管理国际讨论会"在长江巴山轮上举行。在会议期间,当中方代表介绍到中国正在推行的企业工资总额同上缴税利挂钩办法时,有的外国专家认为,对国营企业实行工资增长与税利挂钩不是好办法,因为,国营企业税利的增长,同国家投资多少和资源条件等外部因素有直接关系,而扭曲的价格也会造成利润的悬殊,如果由此而使部分企业工资增长过快,其他企业的工人会认为是不公平的,一些企业就会把工资成本的提高转移到产品价格上去,推动工资全面上涨,酿成通货膨胀。这一见解对当时的工资改革决策产生了不可忽视的影响。因此,国务院决定1986年的主要任务是巩固、消化、补充、改善已经出台的改革方案,不再扩大试点面,并且允许少数企业退出试点,但同时规定,各地区、各部门在部分企业退出试点后,也不要再补充新的试点企业。

实际上,"巴山轮"会议上,外国专家所评论的是作为挂钩形式之一的工资与税利挂钩,不是整个挂钩办法。但由于当时所批准的挂钩试点企业都是采用的工资总额同上缴税利挂钩这种形式,因此,对工资与税利挂钩的批评就被当成了对挂钩办法的批评来对待了。就专家们对工资与税利挂钩办法的分析而言,的确是有道理的。如果要接受这种意见,那就应当转而积极探索实行其他的挂钩形式。遗憾的是,当时没有这样做,而是采取了停步的方式。

1987 年开始,继续扩大挂钩试点,但有关文件中仍然要求采取积极慎重的方针,不能操之过急,更不能一哄而起,将试点范围控制在大中型企业(不包括煤矿和建筑施工企业)总户数的 30% 左右。在扩大试点的同时,采取了一些改进措施。主要是进一步完善了指标考核体系,规定除主要挂钩指标外,还要考核能够反映企业综合经济效益的其他标准:无论实行何种挂钩形式,都要考核质量、成本、消耗、安全等指标;同实物量或实际工作量挂钩的,要以国家下达的上缴所得税、调节税、利润计划作为主要考核指标;商业企业必须考核经营品种、服务质量等指标。凡考核指标达不到要求的,扣减当年新增工资。在挂钩基数和浮动比例、工资含量系数的确定上,也采取了一些改进措施。经过努力,1987 年经国家审批实行挂钩的企业达 3300 户,占国营大中型企业的 26%,试点企业职工人数达 1400 多万,占 38%,各地区还自行批准了一些企业进行挂钩试点。

1988 年,对推行企业挂钩采取了更为积极的政策,而且开始进行地区、部门全部企业工资总额同经济效益总挂钩的试点。全地区工资总额同经济效益总挂钩办法,1987 年就已开始在湖南省湘潭市进行试点,所选择的是工资总额同非农业国民收入挂钩浮动办法。1988 年,试点范围进一步扩大。

在总结各地区、各部门试行总挂钩经验的基础上,1989 年,劳动部、财政部、国家计委等部门对总挂钩制定了比较系统的政策规范,并曾设想要大面积推行。按照规定,实行地区、部门总挂钩的范围为全民所有制企业,对地区以上缴税利或实现税利作为挂钩指标,对部门既可以以上缴税利、实现税利作为挂钩指标,也可以将上缴税利或实现税利与实物(工作)量复合作为挂钩指标,但上缴税利或实现税利所占复合指标的比重分别不得低于30% 和 50%。1988 年,全国企业实行挂钩的范围也进一步扩大,达到 35%,试点企业职工人数占职工总人数的比例提高到 55%。

不过,1990 年以来的实践表明,地区、部门总挂钩,远不像最初想象的那样易于推行,没有取得多大进展,实行地区总挂钩的只有福建、云南两省。这与其说是因为地方、部门积极性不高,倒不如说是这项改革措施本身存在弱点。从 1992 年开始,地区总挂钩的改革思路已经为地区劳动工资动态弹性计划所代替,这是一种新的工资总量调控办法。

社会保障制度改革

一

社会保险制度改革

社会保险制度的建立和发展,是社会进步的结果和标志,同时又是经济和社会发展的重要保障。正因为如此,社会保险才享有社会稳定的"安全网"和"减震器"之称。也正因为如此,社会保险制度改革不仅在劳动体制改革而且在整个经济体制改革中,就不能不具有十分重要的地位。

作为"安全网"和"减震器",理论上的逻辑应当是社会保险制度改革先于其他改革到位,或者至少应当同步进行。然而,由于改革之初缺乏对改革的总体设计,加之客观条件的限制,实际动作中的顺序是其他改革先摸到了石头走在了前面,社会保险制度改革到1984年才从试行企业职工退休费用社会统筹开始起步,时间上明显地滞后了。

不过,社会保险制度改革的重要性在得到广泛认同以后,此项改革的进展还是比较快的。1986年进行劳动制度改革的同时,配套地推出了国营企业职工待业保险制度和劳动合同制工人养老保险制度改革方案。尤其是自1988年以来,治理整顿过程中出现的停止待工、企业兼并难以推行、企业破产难以实施等问题,使原

有社会保险制度的弊端暴露得更明显,加快社会保险改革步伐的呼声很高。在这种情况下,适时地采取了一系列加快社会保险制度改革步伐的措施:主要是扩大职工退休费用社会统筹的覆盖面,同时开始进行工伤保险、医疗保险制度改革试点。进入"八五"时期以后,社会保险制度改革作为经济体制改革的重点内容,开始对养老保险、失业保险、医疗保险、工伤保险制度进行全面改革。

1. 社会保险制度改革的背景

要叙述改革以来社会保险制度改革的过程,不能不对改革前的劳动保险制度有一个简单的交代。不然,我们便无法把握这项改革的历史背景。

改革前,社会保险制度称作劳动保险制度。早在1951年2月,政务院就公布了《中华人民共和国劳动保险条例》,1953年1月又作了一些修订并重新予以公布。这部法规共七章三十二条,内容包括养老待遇、疾病或非因工负伤待遇、工伤及残废待遇、生育待遇、死亡待遇、优异劳动保险待遇等劳动保险项目,同时对劳动保险金的支配、劳动保险事业的执行与监督内容都作出了具体的规定。这一《条例》主要在国营企业实行,城镇"大集体"企业参照执行。至于国家机关和事业单位的保险制度,则是通过颁布单项法规建立的,其内容同劳动保险《条例》的规定大致相同。

在其后的几年中,这套劳动保险制度的部分内容有所变化,但基本特征没有变化。其最主要的特征是"企业保险",各项费用全部由企业负担。最初还规定企业缴纳相当于工资总额30%的费用建立劳动保险基金,用以举办集体劳动保险事业,但1969年以后,不再提取基金,各项劳动保险待遇全部由企业直接支付。这种做法在企业不搞独立核算,国家实行统

收统支的情况下,似乎不存在多大问题。

但是,改革以来,随着企业改革的深化,企业不再作为国家大工厂的一个车间,而且是作为独立的实体参与竞争,这种"企业保险"的弊端便显现出来了。社会保险制度改革就是在这种背景下逐步开展的。

2.改革养老保险制度

"企业保险"的弊端最初在老企业暴露得最为明显。一些老企业因退休费用开支过大,影响企业留利进而影响企业技术改造及职工的奖金和福利,同时也影响职工的积极性,不利于企业公平竞争。甚至有不少退休费用负担重的企业,因无力支付退休费用而影响退休职工的生活,进而影响到社会安定。

为平衡企业退休费用负担,从1984年开始,在部分地区进行了职工退休费用社会统筹的试点工作。职工退休费用社会统筹是一种由社会专门机构统一征集、统一管理、统一调剂退休费用资金的制度。即由社会保险机构按照规定的工资总额或标准工资总额的一定比例向企业统一征收退休费用资金,作为退休基金由该机构统一管理,并按实际需要返还企业,使企业平均负担退休费用。这项试点最初是在江苏省泰州市、广东省东莞市、江门市,辽宁省黑山县等少数市、县自发进行的,取得了较好的效果,其经验受到重视并得到中央领导同志的肯定,很快便在其他地区推广实行,统筹范围发展到省级统筹。

从各地实行职工退休费用社会保险统筹的情况看,统筹的项目一般主要包括退休费、离休费、退职生活费等。多数地区还将因工致残人员护理费、供养直系亲属抚恤费和救济费、丧葬补助费,以及离退休人员的各种补贴也纳入了统筹项目。

但是,绝大多数地区都没有将医疗费列入统筹项目。统筹基金筹集的基本原则是"现收现付、略有积累",又称为"以支定收、略有节余",各市县所建立的积累金一般占全部退休基金的5%左右。在各级政府设有退休费用社会统筹管理委员会,办事机构设在劳动部门。实行统筹的地区还建立了退休基金业务管理机构。

这一改革举措打破了职工退休费用完全由本企业负担的格局,较好地解决了企业之间退休费用负担畸轻畸重问题,不仅使离退休人员的生活有了更为可靠的保障,而且也为企业进行公平竞争平衡了负担,对推进企业改革创造了有利的条件。存在的问题是基金调剂范围不大,只有三分之一左右的地区实行了省级统筹。同时,统筹中还存在管理服务滞后的问题,大部分地区仍由企业发放退休金,由企业管理退休职工的生活服务,这不利于减轻企业负担。

养老保险制度改革的另一项重要举措,是在1986年劳动制度改革中配套建立了劳动合同制工人养老保险制度。1986年7月国务院发布的《国营企业实行劳动合同制暂行规定》提出,国家对劳动合同制工人退休养老实行社会保险制度。这一制度适用于国营企业劳动合同制工人,机关、事业单位和社会团体的劳动合同制工人比照执行。

劳动合同制工人的退休养老待遇包括:退休费、医疗费、丧葬补助费、供养直系亲属抚恤费、救济费。在劳动合同制工人退休后,按月发给退休费,直至死亡。退休费标准,根据缴纳退休养老基金年限长短、金额多少和本人一定工作期间平均工资收入的不同比例确定。对缴纳退休养老基金年限较短的工人,退休养老费可以一次发给。医疗费等待遇按规定执行。

劳动合同制工人的退休养老工作由社会保险专门机构管理,其主要职责是筹集退休养老基金,支付退休养老费用和组织管理退休工人。

劳动合同制工人养老保险制度的建立,标志着在劳动合同制工人养老保险这一块上真正打破了"企业保险"格局,解除了劳动合同制工人的后顾之忧,起到了保证劳动合同制顺利推行的作用。问题主要在于它与国家职工退休养老制度相互脱节,结果有可能出现劳动合同制工人退休养老基金积累不断增长,而固定职工退休费用统筹基金不敷使用的局面。事实上,这种现象已经发生。针对这一问题,1991年6月国务院发布的《关于企业职工养老保险制度改革的决定》规定,实行职工退休费用省级统筹以后,原有固定职工和劳动合同制职工的养老保险基金要逐步按统一比例提取,合并调剂使用。

从1992年开始,在辽宁省锦西市、江西省南昌市等地进行了养老金计发办法改革的试点。锦西市退休待遇计发办法改革的主要内容是实行结构养老金制。基本养老金由基础养老金和附加养老金两部分组成。基础养老金按单位和职工缴纳基本养老保险费期间本人月平均缴费工资和年限计发,附加养老金按省上年度职工平均工资的一定比例计发,同时建立起退休待遇正常调整的机制。南昌市实行的新的基本养老金计发办法,也是采用结构性方式,由社会性养老金和缴费性养老金组成。社会性养老金按全省上年度社会月平均工资的25%计发,缴费性养老金以职工本人指数化月平均工资为基数,缴费每满一年发给1.5%。同时,建立了调整机制,职工基本养老金可以按照全省上年度月平均工资增长率的60%增加,每年7月1日调整一次。但平均工资负增长时不做调整。锦西、南昌养老金计发办法改革的具体做法虽然不尽相同,但基本原则是一致的。从1993年开始,四川、山西等省的部分市、县也进行了养老金计发办法改革。

3. 建立并逐步完善国有企业职工待业保险制度

如前所述,中国在50年代初曾实行过失业救济制度,这实际上就是一种失业保险制度。但是,在1958年宣布消灭失业现象以后,便自然取消了这一制度。其后的几十年,一直不曾恢复。在实行单一的固定工制度的条件下,也确实没有恢复失业保险的必要。

到了80年代中期,劳动制度改革势在必行,改革的方向是改固定工制度为劳动合同制,劳动合同制的实行,意味着劳动者将面对失业的风险。为保障职工在失业(待业)期间的基本生活,国家决定在实行劳动合同制的同时,建立国营企业职工待业保险制度。1986年7月12日,国务院在发布《国营企业招用工人暂行规定》《国营企业辞退违纪职工暂行规定》的同时,发布了《国营企业职工待业保险暂行规定》。待业保险的适用范围包括:宣告破产企业的职工;濒临破产企业法定整顿期间被精简的职工;企业终止、解除劳动合同的工人;企业辞退的职工。1989年4月,劳动部又发布了《关于国营企业职工待业保险基金的管理办法》,对待业保险基金的筹集、管理、开支项目、发放标准等问题作了具体规定。

在实施过程中,一些地区根据劳动制度改革的需要,将待业保险的实施范围扩大到了其他所有制企业职工以及全民所有制企业前述四种待业人员以外的职工。北京、上海、山东、浙江、江苏省及大连、杭州、株洲、长沙、厦门、佛山、深圳、东莞等市,将范围扩大到县区以上集体企业职工。杭州、青岛、盐城等市扩大到临时工。株洲、福州等市扩大到企业优化劳动组合后未能在企业自我消化安置的富余人员。大连、沈阳等市扩大到开除和除名的人员。还有一些城市扩大到辞职、辞退的职工,以及私营企业职工和个体劳动者。

国有企业职工待业保险基金的来源有三个:①企业缴纳的待业保险费。1986年规定,企业按全部职工标准工资总额的1‰缴纳。待业保险基金不足或者结余较多的,经省、自治区、直辖市人民政府决定,可以适当增加或者减少企业缴纳的待业保险费,但是企业缴纳的待业保险费总额最多不得超过企业职工工资总额的1‰。企业缴纳的待业保险费在所得税前列支。由企业的开户银行按月代为扣缴。②待业保险费的利息收入。待业保险基金存入银行后,按照城乡居民储蓄存款利率计息,所得利息纳入待业保险基金。待业保险基金管理部门可对待业保险基金的储备金采取多种形式的保值和增值,但不能用于购买股票、风险投资、长期生产项目和基建投资。③地方财政补贴,即当待业保险基金不敷使用时,由地方财政补贴。

待业保险基金由企业开户银行按月代为扣缴,转入所在市、县主管职工待业保险机构所在银行开设的"职工待业保险基金"专户。对逾期不缴者,从逾交之日起按一定的比例收取滞纳金,并入待业保险基金统筹使用。对滞纳金的收取比例,没有作全国统一的规定,由各省、自治区、直辖市分别确定。待业保险基金实行市、县统筹,省、自治区、直辖市可以集中部分待业保险基金调剂使用。直辖市可以统筹使用全部或者部分待业保险基金。按照规定,待业保险基金不得用于平衡财政

收入,国家对待业保险基金及其管理费不计征税、费。

职工待业保险基金由管理单位按国家规定项目开支,专款专用,任何部门都不能以任何名义挪用。年终结余部分存入职工待业保险机构在银行开设的"职工待业保险基金"专户,转入下年度使用。按照规定,职工待业保险基金的开支项目包括:①待业职工的待业救济金;②待业职工在领取待业救济金期间的医疗费、丧葬补助费,供养的直系亲属的抚恤费、救济费;③待业职工的转业训练费;④扶持待业职工的生产自救费;⑤待业保险管理费;⑥经省、自治区、直辖市人民政府批准,为解决待业职工生活困难和帮助其再就业确需支付的其他费用。

符合享受待业保险条件的待业职工,需要先向企业所在地的待业保险机构办理待业登记后,才能领取待业救济金。待业救济金是以职工离开企业前两年本人月平均标准工资为基数,根据待业原因不同及工龄的不同,分别发放的。

职工待业救济金在保证支付国家规定的待业职工各项待遇和留足储备金的前提下,可以用于转业训练(包括建立培训设施)和扶持待业职工开展生产自救(包括建立生产自救基地),开辟就业门路。

国有企业职工待业保险制度的建立和发展,有利于深化企业劳动制度改革,有利于保障待业职工的基本生活,维持社会安定。其突出问题是实施范围仍然显得偏窄。

4. 积极探索医疗保险制度改革的路子

从50年代初期开始,我国对企业职工实行劳动保险医疗制度,对机关事业单位工作人员实行公费医疗制度。这种制

度对保护职工身体健康曾起过一定的作用。但由于医疗费用完全由国家或单位负担,个人仅负担挂号费及营养滋补药品费(这少量的负担也从 1965 年以后才开始实行),加之管理不善,造成药品浪费,医疗费大量超支,而且超支额逐步增大,国家财政难以负担。

为控制医疗费超支,从 70 年代末期开始,一些单位和地区在加强管理的同时,进行了改革医疗保险制度的初步探索。改革一般采取门诊医药费与个人经济利益挂钩的办法,但具体改革办法不尽一致。有的单位一度曾采取把医疗费发给职工个人包干使用的办法,1982 年国务院有关部门联合发出通知,指出这种做法使患重病的职工得不到医疗保障,使年老体弱的职工产生后顾之忧,要求予以纠正。

1984 年 4 月,国务院有关部门联合发出《关于进一步加强公费医疗管理的通知》,除了对加强公费医疗作出了规定之外,还提出要改革公费医疗制度,在保证看好病、不浪费的前提下,各种改革办法都可进行试点。同年 6 月,劳动人事部和全国总工会转发北京市扩大劳保医疗制度改革试点的通知,提出劳保医疗制度改革应该在保证医疗、克服浪费的原则下积极进行,各地可结合自己的情况,进行改革试点,并注意创造和总结新经验,逐步把我国的劳保医疗制度改革好。自 1984 年以后,各地对劳保医疗制度和公费医疗制度改革进行了一些探索,取得了一些经验。

1988 年开始,在四平、丹东、黄石、株洲四市以及海南省和深圳市进行医疗保险制度改革的试点,取得了明显的效果。

总结各地医疗保险制度改革的经验,概括起来,主要有以下四个方面:

(1)一些地区试行了企业职工大病医疗费统筹办法。针对企业职工医疗费超支严重,企业特别是中小企业难以承受的问题,北京市东城区蔬菜公司于 1987 年 5 月开始试行职工大病医疗费统筹办法,不久以后,天津、河北、辽宁、河南、四川等省市的一些地区也相继试行这一办法。大病医疗费统筹基金,一般由企业在税后留利中的福利基金中按职工人数每人每月提取 2—3 元,上交所属公司或主管局统一管理,即在一个地区同行业内部进行统筹。参加统筹的企业,其职工一次看病医疗费用在规定数额以内的由企业负担,超过规定数额的部分,由统筹管理机构从统筹基金中按比例拨给企业。

(2)一些地区开展了退休职工医疗费统筹试点。试行这一办法的地区有河北省石家庄市、河南省平顶山市、吉林省通化市、江西省瑞昌县、山西省晋城市、辽宁省锦县等。统筹的具体办法不尽相同,概括起来,主要有两种:一是全面统筹管理,企业向社会保险机构缴纳退休职工医疗保险基金,由社会保险机构自办门诊部为患病退休职工看病。二是统筹的同时让个人负担少量医药费。企业向社会保险机构缴纳退休职工医疗保险基金,退休职工患病就医时,个人负担少量药费,大部分药费由社会保险机构负担,不仅节约了医疗费用,还保证了退休职工看病就医。

(3)四平等市城市医疗保险制度改革试点获得初步成功。为探索全面改革医疗保险制度的路子,国务院批准在四平、黄石、株洲、丹东四个城市,以及海南省和深圳市两个社会保险综合改革试点省市,进行医疗保险制度改革试点。四平市于 1990 年 4 月迈出第一步,即改革机关事业单位的公费医疗制,代之以医疗社会保险制。具体做法是:设立医疗保险机构,调整医疗定点,由保险机构按受保对象人均80元预算包给定点医院;承担医疗保险的医疗机构实行"三统一、五专"的办法,"三统一"即统一数据、统一病历、统一处方,"五专"即专诊、专医、专门记账、专门收款、专门药房;看病时个人负担医疗费,门诊自负10%,住院自负5%,年负担超过70元部分仍从保险金中报销。深圳市医疗保险制度改革的特点是建立个人医疗账户和共济医疗账户,看病时先以个人账户支付,医疗费超支个人账户不足以支付时,由共济账户支付。个人账户当年用不完可以积累并有利息,年轻少病时可以多积累一些,到年老体弱多病时便有了基金准备。

(4)重庆市璧山、合川两县医疗保险制度改革另有特色。其做法是由财政辅助和个人缴纳保险费建立保险基金,基金分为普通基金和特殊基金两种,普通基金用于偿付一般医疗费用,特殊基金用于解决离休人员、二等乙级以上革命残疾军人、工伤残疾人员和五种大病(精神分裂症、癌症、活动性结核病、特大手术、典型抢救)的费用,超过人均普通基金以上部分,由财政追加补助。

5.工伤保险制度的改革

工伤保险制度是社会保障制度的**重要组成部分**。我国企业职工工伤保险制度建立于50年代初期。几十年来,这项保险制度对于保障伤残职工和死亡职工家属的基本生活,对于维护社会安定和促进安全生产都起到了重要作用。但是,这项制度自建立以来,除因工伤残待遇随着退休待遇和矽肺病待遇的调整有所提高,遗属抚恤在1985年给予困难补助以外,多数待遇标准仍执行政务院1951年公布、1953年修订的《中华人民共和国劳动保险条例》的规定。随着社会的发展和十几年的改革开放,原有制度在保险范围、待遇标准、管理方式等方面已不适应新时期多种经济形式、多种经营方式、多种用工制度的需要,不适应新时期的物价水平和生活水平,不适应社会保险事业发展的要求。为此,1988年底,劳动部要求各地要做好工伤保险改革的准备工作并选择有条件的地区进行试点,同时研究形成了工伤保险改革的基本框架。

1989年1月,海南省海口市率先起步,开始了工伤保险改革试点探索。接着,辽宁省东沟县、广东省东莞市于1989年8月和12月也先后制定了各自的改革办法,加入了工伤保险改革试点行列。1990年,深圳经济特区、福建省将乐县和霞浦县、辽宁省铁法市和铁岭等地区,在当地人民政府的领导下,也陆续采取了改革措施。到1991年11月,全国已有海南全省和广东、辽宁等8个省的28个市县进行了工伤保险制度改革的试点工作。

各地改革的基本做法是:①扩大保险范围。把全民、集体、外商投资企业纳入统一的保险制度中,适用于固定工、合同工和临时工。广东、海南还包括私营企业和实行企业管理的事业单位。海口市还包括个体工商户,东莞市包括乡镇企业职工。②调整待遇标准。丧葬费在现行规定基础上,结合地方情况普遍做了适当调整;对因工死亡遗属一般按当地居民生活水平发生活补助费,改变了按工资比例发待遇的办法;普遍建立了因工死亡一次性抚恤待遇,各地标准不一。③实行差别费率,建立工伤保险基金。对于企业长期支付的工伤待遇项目,实行费用统筹,一般按工资总额的一定比例提取,平均为1‰左右;但为了体现部门行业工伤危险程度的区别,工伤保险基金的征收采取差别费率办法,少的定2个费率,多的定6个费率,各地情况不同。④实行企业管理和社会管理相结合,逐步走向社会化管理。社会保险机构统筹的项目包括:一次性抚恤费、定期残废金、遗属抚恤费、护理费、丧葬费等,而医疗费、治疗期间工资、丧事处理和生活福利等一般仍由企业管理。此外,通过协助安全监督,建立工伤档案,健全劳动鉴定机构,加强争议仲裁工作等等,使工伤保险逐步走向规范化、制度化。

为了推动工伤保险改革工作顺利开展,1990年10月,劳动部在辽宁省营口市组织召开了全国工伤保险改革理论讨论会,并交流了各地试点的经验体会。1991年11月,劳动部又在湖北省宜昌市召开了全国工伤保险立法研讨会,提出今后工伤保险改革的重点是:扩大试点区域及保险覆盖面;调整工伤保险待遇;建立工伤保险基金,实行社会调剂和储备;健全劳动鉴定和各项管理制度,由企业管理逐步过渡到社会化管理;制定全国统一的伤残鉴定标准和政策法规,使工伤保险工作逐步走向法制化、规范化、科学化的轨道。

二

城镇住房制度改革

长期以来,我国把住房视为福利,实现低租金、高补贴的实物分配制度,住房不能作为商品,也不能作为财产。党的十一届三中全会前的29年间,国家花了近370亿元,投资建成5.3亿平方米住房,但远远赶不上城市人口增长的需要。到1978年,人均居住面积仍滞留在新中国成立初期4.5平方米的水平,缺房户有869万户,占城市总户数的47.5%,住房制度改革尝试走住房商品化的路子。

1. 住房制度改革的历程

早在1978年9月,邓小平就提出,解决住房问题能不能路子宽些,比如允许私人建房,或者私建公助,分期付款,要从多方面考虑。在党的十一届三中全会拨乱反正、解放思想方针的指引下,理论界和新闻界对如何解决我国住房问题,"住房制度要不要改革"、"住宅的商品属性"、"低租金制的弊端"、"住房如何改革"等问题展开了热烈讨论,从而为日后进行的住房制度改革作了思想上、舆论上、理论上的准备。

1980年,在全国城市房屋住宅工作会议上,住房商品化作为今后工作设想被提了出来,国家作出规定:"准许职工私人建房、私人买房、准许私人拥有自己的住宅。要有计划地由国家建设一批住宅,向私人出售";职工买房可分期付款等。

1982年,国家有关部门设计了"三三制"补贴出售住房的方案(即个人购买住房,只支付售价的三分之一,其余分别为企业和国家各补贴三分之一),经国务院批准,郑州、常州、四平、沙市作为全国首批试点城市。通过试点,得出了职工群众有购房的欲望,也有经济潜力,国家公房可以卖给个人的结论。但由于这种补贴出售住房的办法未能触动低租金制,从整体上缺乏买房的动力,又由于个人负担小,未能体现商品化的原则,住房建设资金不能自身循环,国家和企业都负担不起。因此,国家有关部门于1985年发出通知,要求各地停止这种试点办法。

1982—1984年,理论界和实际工作者对"住房制改革的目标模式"、"如何启动改革"等问题再一次展开了热烈讨论。至此,住房商品化的观念已被更多的人所接受,住房制度必须从改革低租金入手的认识也渐趋一致;于是,在一些地区、单位开始了局部性的租金改革试验。

1985年，赵紫阳对住房制度改革问题，多次发表重要讲话，把住房制度改革作为一项事关国民经济发展全局的大改革提了出来。国务院有关部门组成了租金改革领导小组，组织力量进行研究，设计住房租金改革方案，先后提出了"暗贴改明贴"和"明贴和暗贴并存，新房新办法，旧房老办法"两种方案。方案的基本点是，每平方米使用面积的月租金，从目前全国平均0.13元，提高到按折旧费、维修费、管理费、投资利息四项因素计租的1.05元，以达到能初步促进买房的水平；同时，把原来的暗贴改为明贴，按职工平均使用面积计算，发给职工。方案经过16次写稿后正式上报，并着手在武汉、石家庄、兰州、重庆、镇江、锦州、邢台、佛山8个城市试点。由于方案本身回避了许多矛盾，对资金来源和增加支出房的负担缺乏有效的政策措施，因而未能出台。

1986年初，赵紫阳对住房改革形成了这样一条基本思路：提高房租，同时按租金占工资的比例相应地给职工增加工资，并采取优惠价格、低息贷款等政策措施，促进职工个人买房。概括地说，就是提租增资，一手发出去，一手收回来，并把房子卖出去。同年1月，赵紫阳指出：10亿人口的住房问题是个大政策，住房制度改革难度确实很大。但这个问题回避不得，再拖下去难度更大，更难改，改得越迟越困难。根据这一指示，迅速成立了国务院住房制度改革领导小组，由国家体改委牵头，有关部门参加，下设国务院房改办作为办事机构，着手组织调查研究，设计制定方案和配套政策，并选定唐山、烟台、蚌埠、常州4个城市进行住房制度改革试点。同年9月，赵紫阳视察山东时，专门听取了烟台市关于住房制度改革的汇报，并与烟台市领导一起研究"提高租金、相

应发住房券，促进买房的具体路子"，这就是以后形成的烟台市"提租发券，空转起步"的方案。随后，国务院下发了纪要，原则上同意烟台市汇报的方案。其基本点是：把房租提高到按折旧费、维修费、管理费、投资利息和房产税五项因素构成的租金水平，同时按工资的一定比例发给职工住房券。"空转"是指提租后发给职工的住房券没有资金作后盾，产权单位通过职工交租收回的住房券，要返还给发券单位，继续用于向职工发券。"空转起步"只是把暗贴明朗化，国家和企业不增加新的负担，产权单位也未增加租金收入，但可以初步理顺国家与职工个人的关系，谁多住房谁多交租，在一定程度上抑制了不合理的住房需求。同年11月1日，国务院办公厅印发了国务院住房制度改革领导小组《关于烟台、唐山、蚌埠、常州、江门五城市住房制度改革试点工作会议纪要》，由国家首次正式确定了住房制度改革的试点城市。同时指出：住房制度改革是城市的一项重大综合改革，涉及面广、政策性强，要加强对试点工作的领导，积极吸取新经验，努力为在全国范围进行住房改革开辟道路。

1987年5月，赵紫阳批示同意国务院秘书长陈俊生同志在《关于住房制度改革问题的调查汇报》中提出的政策性意见。同年7月，试点城市完成了方案的测算、论证、模拟运转等阶段性工作，国务院房改领导小组在京召开全国城镇住房制度改革试点工作座谈会，会议交流和总结了烟台、蚌埠、唐山、常州、沈阳等试点城市的经验，部署了1988年扩大试点的工作，原则确定武汉、石家庄、重庆、兰州、镇江、锦州、邢台、南平等12个市为国家试点市，并要求各省、市、自治区选1至2个城市进行试点。同年8月，烟台市的住房制

度改革方案经国务院批准率先出台试行。随后,蚌埠、唐山和沈阳市部分大企业的改革方案也相继出台。这项改革出台后,社会安定,群众拥护,宣告了住房制度改革首批试验取得了成功。

1987年12月,赵紫阳主持中央财经领导小组会议,听取了国务院住房制度改革领导小组组长陈俊生关于住房制度改革工作的汇报。赵紫阳指出:住房制度改革在政治上经济上都有重大意义,要下决心搞好这项改革。进度要适当加快。1988年起,要把这项改革正式纳入中央和地方的计划,加以推行。会议作出了住房制度改革有计划地分期分批在全国推开的重要决策。

1988年1月,国务院召开全国住房制度改革工作会议,批准印发了国务院制度改革领导小组《关于在全国城镇分期分批推行住房制度改革实施方案》,同时指出,国务院决定:从1988年起,用3—5年的时间,在全国城镇分期分批把住房制度改革推开。实施方案中明确了第一步的改革任务,即全国所有公房按折旧费、维修费、管理费、投资利息、房产税五项因素的成本租金计租,抑制不合理的住房要求,促进职工个人买房,初步实现住房商品化。下一步改革的任务是,随着工资的调整,逐步把住房券的分配纳入工资,进入企业成本,把住私房和家住农村的职工纳入住房制度改革范围;在逐步增加工资和住房由成本租金提高到商品租金的基础上,进一步实行住房商品化,推动住房的社会化、专业化、企业化经营。

2. 明确住房制度改革的目标和内容,探索适合我国国情的实施方案

按照党中央和国务院关于逐步实现住房商品化的方针,借鉴国外的有益经验,结合我国的实际情况,经过反复论证,国家有关部门提出了我国住房制度改革的目标和内容。

我国城镇住房制度改革的目标是:按照社会主义有计划商品经济的要求,实现住房商品化。从改革公房低租金制度着手,将现在的实物分配逐步转为货币分配,由住房通过商品交换,取得住房的所有权或使用权,使住房这个大商品进入消费品市场,实现住房资金投入产出的良性循环,从而走出一条中国特色的,既有利于解决城镇住房问题,又能够促进房地产业、房地产金融业、建筑业和建材工业发展的新路子。

住房制度改革的内容如下:

一是改变资金分配体制。住房消费基金的分配渠道,要从原来的二次分配转换到一次分配,使目前实际用于职工建房、修房等资金所体现的大量暗贴转化为住房券明贴,发给职工,并逐步纳入工资,进入成本。

二是改革流通领域,从现行供给制形式的实物分配转变为商品交换,即按商品交换的原则,由职工用货币到市场上去购买或租赁,取得住房以供消费。

三是改革现行的住房建设作为固定资产投资的计划管理体制,确立住房建设作为有计划商品生产的指导性计划管理体制。

四是通过财政、税收、工资、金融、物价和房地产管理体制等方面的配套改革,在理顺目前围绕住房所发生的各种资金渠道的基础上,分别建立城市(县镇)、企业事业单位、个人三级住房基金,逐步形成能够实现住房资金良性循环的运行机制。

五是调整产业结构,开放房地产市场,建立和发展包括房地产开发、建设、装饰、维修、经营、服务在内的房地产业和服

务业。相应地改革现行房地产管理机构，实行政企分开，使房产和地产的经营管理向社会化、专业化、企业化方向发展。

六是发展房地产金融业。鉴于住房是一种价值比较高、生产周期长的大商品，建房和职工个人买房都需积攒资金，因此，必须发展房产金融，为住房生产、流通、消费筹集和融通资金。银行要调整信贷结构，扩大购建住房的贷款，把原来的无回收的建房投资作为低息购房贷款，扶持职工个人买房。要相应地改革金融机构，建立股份制的住房储蓄银行，办成自主经营、自负盈亏、资金自求平衡、利差自行消化的金融企业，使之在住房制度改革中成为住房信贷和核算的中心。

烟台、蚌埠、唐山、沈阳按照"提租发券"的思路，并根据各自的经济、社会条件，创造性地走出了"空转"、"实转"、"分步到位"等多种起步的做法。归纳起来，有三种类型：一是烟台、蚌埠的"提租发券、新房实转、旧房空转"的做法。蚌埠又有不同于烟台的特点，对沉淀住房券采取"分步兑现"做法，第一年定为20%的兑现率，以后随减免补比例的降低，相应地提高沉淀券的兑现率。这样做，既体现了"少住房可得益"的原则，也体现了从实际出发，减轻了财政的负担，而且有利于过渡到实转。二是唐山"提租发券，新房实转一步到位，旧房实转分步到位"的做法。其特点是旧房的提租和补贴分步到位，但对超标面积的租金，按一步到位的新租金缴纳。三是沈阳"提租发券，新旧房同时实转"的做法。其特点是在全市全面规划下，先从部分大企业起步，逐年分批向全市各单位推开。

烟台、蚌埠、唐山、沈阳试行方案实施以来，价格机制起了作用，初步显示了效果：一是抑制了住房不合理的需求，出现了多余住房退出和大房换小房的新气象，烟台市有1500多户要求换房，已换了200多户，唐山市改革方案出台一个月，就有215户换了房；沈阳机器制造公司住房改革后，9户职工退出了多占的住房。二是过去用行政办法刹不住的盖房越盖越大的问题，现在自行控制住了。例如烟台市幸福河小区新建三居室套房已卖不掉、分不出，后来只得把两套房改为三套房，每套房面积减少了，才卖了出去。烟台市的建房设计改进后，每套面积比以前减少10平方米，全市推算，一年可节约投资2500万元。三是促进了职工个人买房，形成了买房的小气候。烟台市有4000多户申请买房，已买了220多套；蚌埠市和唐山市申请买房的分别为3500户和1285户。

3. 加强领导，发扬民主，搞好科学测算和协调配套

住房制度改革是难度较大的一项改革，涉及千百万群众的切身利益，又涉及财政、金融、物价、工资、城建等部门的工作，可谓"牵一发而动全身"。住房改革走了一段曲折的道路。前七年基本上做了准备工作，后几年取得了一些实质性进展，完成了制订方案和试点试验的任务，初步理出了头绪，摸清了路数，并按照分解矛盾，分段推进，争取大多数人支持改革的方针，提出了全国分批分期推开的第一步改革实施方案。总结当时住房改革的经验，大致有如下几个方面：

第一，加强对住房改革工作的领导，把住房改革工作提到领导干部的议事日程上来，组织强有力的工作班子，是推行住房制度改革的重要保证。试点的实践证明，上至国务院有关部门的领导，下到地方城市的各级领导干部，都能亲自抓住房改革，深入到工作第一线，组织调查、测算、制订方案和政策，搞好宣传动员等工

作,特别是一些试点城市的市长、主管副市长,亲自参与调查研究,做到了心中有底,决策及时、协调得法,因而在各种困难中闯出了一条路子。实践证明,回避矛盾,观望等待,只会贻误时机,增加改革的难度。

第二,要发扬社会主义民主,让人民群众参政议政。烟台、蚌埠、唐山试点城市的房改方案和配套政策,都是通过座谈会、对话、问卷、走访等多种形式,广泛吸引群众参加议政,充分听取他们的意见后制订的,这样做,可以吸取群众智慧,集思广益,并能及时发现问题,不断修改和完善方案,解决群众的实际困难,有针对性做好宣传舆论工作,从而形成群众自我教育的良好风气,赢得群众的普遍支持。例如,唐山市首次动员进行住房改革时,支持改革的群众仅占30%;第二次在14个单位开展模拟运转动员时,支持和赞成的占50%;第三次全市开展模拟运转动员时,支持和赞成的扩大到80%;方案正式出台时,群众基本上都赞成或接受了这项改革。

第三,必须应用科学的方法,进行调查、研究、测算、比较和模拟运转。这样可以做到底数清、透明度高、方法对,有可能取得较高的效率和较好的成果。烟台市共有8万居民户。他们先后两次调查了4万户和7万户,用计算机测算处理了780万个数据,比较了12个方案,从中筛选出3个方案,又请各界人士、专家们反复论证,市委、市政府多次开会讨论,最后才作了决策。这样既避免了决策的失误,又取得了各界人士的广泛支持。烟台市首先将工程科学试验的模拟运转方法移植运用于住房改革的社会实验。随后,各试点城市也相继采用,都取得了很好的效果。它起到"探听虚实"、"预测风险"、"动员群众"的作用,能够从中发现大量事先未曾想到的问题,也为一些过去总认为很难解决的问题找到了解决的办法。这对减少工作失误,完善改革方案和增强群众对改革的适应能力,都具有重要意义。

第四,各部门要协调做好配套改革的工作。一些试点城市在住房改革的开始阶段,把有关部门人员组织在一起,共同承担整体方案设计任务,并作为各部门的代表,搞好协调配套工作。对于需由各部门解决的问题,则分头去落实,实践证明,这是一种有效的办法。

第七个五年计划的制定和完成

一

"七五"计划的制订

1986年到1990年是我国社会主义现代化建设的第七个五年计划时期,是我国经济发展战略和经济体制进一步由旧模式向新模式转换的关键时期。我国的第七个五年计划,是按照建设有中国特色的社会主义的总要求和对内搞活,对外开放的总方针,来部署整个社会主义现代化事业的发展的。它是一个建设和改革结合起来的五年计划,是一个经济、科技、社会全面发展的五年计划,是一个进一步实行对外开放的五年计划。总的来说,"七五"时期是按照建设有中国特色的社会主义的总要求,全面推进我国社会主义现代化事业的极为重要的时期。其所以重要,是由以下几方面的原因来决定的。

第一,"七五"时期是我国社会主义经济体制由旧模式向新模式转换的关键时期。而经济体制模式的转换,对于我国经济的长期稳定发展具有决定性的意义。新中国成立30多年来,我国社会主义建设取得了很大成绩,社会生产迅速发展,人民生活显著改善。这是确定无疑的事实,也是人们从自己的切身感受中可以体会到的。但是,在过去一个相当长的时期内,我国经济的发展并不顺利,曾经多次遭到挫折,因而,同付出的代价相比,我们取得的成绩很不相称,社会主义制度的优越性没有能够得到始终一贯的充分发挥。造成这种状况的原因,首先是政治上不安定。"左"的指导思想渗入经济工作本身,造成生产关系方面的"急于过渡"和生产建设上的"急于求成"。其次是不合理的经济体制束缚了生产力。过度集中的管理,既严重压抑了企业的积极性、主动性,又不可避免地使经济工作产生主观随意性和官僚主义,以致经济生活缺乏应有的生机与活力,各项经济活动达不到良好的效益。党的十一届三中全会及时把全党全国的工作重心转移到社会主义现代化建设上来,并且在经济工作中重新实行了符合我国国情的方针政策,这就为我国经济的持续发展提供了良好的政治前提,与此同时,我们从农村到城市逐步展开了经济体制的全面改革。改革已经取得了巨大成绩,但以城市为重点的全面经济体制改革还只开了一个好头,要取得成功尚需做大量工作。因此,坚持把改革进行下去,达到预期的目标,就成为保证以后经济顺利发展的根本条件。"七五"时期要全面推进改革并且要取得改革的决定性

胜利,其所以在我国经济和社会发展的历史进程中居特殊重要的地位,根本的原因就在这里。

第二,"七五"时期的重要性,还在于这个时期也是我国经济发展战略进一步朝着符合我国国情的方向转变的时期。长期以来,同僵化半僵化的经济体制相联系,我国的经济发展战略也存在脱离国情的严重缺陷,其主要表现是:片面追求工业特别是重工业的产值,产量的增长,而忽视提高产品质量和增进经济效益,忽视农、轻、重的协调发展;单纯注重经济的发展,而忽视科学教育的重要作用,忽视其他社会事业的发展。在这种战略支配下,生产的增长主要靠大量的投入,重基建、轻改造。企业的生产技术水平长期停滞不前,重工业过重,而且为自身服务的部分过多,农业,轻工业落后,长期不能适应人民生活改善的需要。为生产和生活服务的第三产业十分薄弱,生态平衡和环境保护得不到应有的重视。这样,经济的发展就经常受到不合理的经济结构的制约,即使一时上去了,也难以持久,曾经几次由于经济比例关系严重失调而不得不退下来。从长期来看,我们的积累率很高,发展速度也不低,但效率和效益很差,人民生活得不到应有的改善,整个国民经济不能稳固地形成各方面相互协调、相互促进的良性循环。"六五"期间,我们在改革经济体制的同时,在经济战略上也开始实行重大转变。我们明确提出,经济建设必须从我国实际出发,走出一条速度比较实在,经济效益比较好,人民可以得到更多实惠的新路子,并且制定了以提高经济效益为中心的十条建设方针。实践证明,这些决策是正确的,取得了良好的效果。在短短的几年中,我国经济结构有了明显改善,经济效益得到提高,经济建设、科学技

术、文化教育和各项社会事业都出现了蓬勃发展的好形势。同时也要看到，经济发展战略和建设方针上的这些转变，在执行中还落实得不够，有些时候、有些方面还很不自觉，传统的做法和习惯时有干扰。因此，"七五"期间我们一定要更加自觉，更加全面和更加深入地实行这些转变，使我国经济进一步转到符合我国国情的发展战略与建设方针的轨道上来。这对于我国现代化事业的长期稳定发展，具有十分重要的意义。

第三，从物质技术和人才方面为经济的长远发展准备条件来看，"七五"时期也是一个非常重要的时期。能源、交通、原材料等基础设施和基础工业薄弱，现有企业特别是骨干企业的技术水平落后，人才短缺，这是几个严重制约我国经济发展的因素。而无论基础设施和基础工业建设，骨干企业的技术改造，还是各类专门人才的培养，都要有一个过程，需要一定的时间。如果在这些方面不及早地予之为谋，那就会严重影响经济发展的后劲。为了90年代经济的振兴和繁荣，胜利实现到本世纪末的奋斗目标，"六五"期间在加强重点建设、技术改造和智力开发等方面已经做了不少工作，但这些方面的许多条件还需要在"七五"时期继续创造。如果我们不抓紧这五年时间作好准备，就会贻误时机，将来想抓也来不及了。机不可失，时不再来。"七五"时期所以对我国经济成长具有关键性意义，这又是一个重要原因。

"七五"计划的首要任务，是积极推进以城市为重点的经济体制的全面改革，争取在五年或者更长一些的时期内，基本上奠定具有中国特色的新型社会主义经济体制的基础。在体制改革的推动下，进一步加强重点建设、技术改造和智力开发，

在物质技术条件方面为90年代经济和社会的继续发展准备必要的后续能力。同时，在生产发展的基础上，使人民生活继续有所改善。根据经济和社会发展的现实情况以及到二十世纪末的奋斗目标，第七个五年计划草案提出的基本任务是：

1. 进一步为经济体制改革创造良好的经济环境，努力保持社会总需求与总供给的基本平衡，使改革更加顺利地展开，力争在五年或者更长一些的时间内，基本上奠定有中国特色的新型社会主义经济体制的基础

所谓奠定新型社会主义经济体制的基础，包括三方面的内容。

（1）进一步增强企业特别是全民所有制大中型企业的活力，使它们真正成为相对独立的经济实体。成为自主经营、自负盈亏的社会主义商品生产者和经营者。这就要坚持以公有制为主体，继续发展多种所有制形式和多种经营方式；进一步从外部和内部采取措施，扩大企业的经营自主权，使企业真正具有自我积累、自我改造和自我发展的能力，同时完善企业的行为机制，加强企业的自我约束。到"七五"末期，除极少数企业外，绝大多数企业要实行真正的自负盈亏。在这个过程中，要特别重视发展企业之间的横向经济联合，逐步形成不同形式，不同层次的企业群体或企业集团，以促进工业组织结构的合理化，并为打破条块分割、实现政企职责分开创造条件。

（2）进一步发展社会主义的商品市场，逐步完善市场体系。要继续减少国家统一分配调拨产品的种类和比重，完善农副产品定购制度，积极发展跨地区部门的商品流通，不断扩大消费品市场和生产资料市场。与此同时，有步骤地开拓和建立资金市场、技术市场和促进劳动力的合理

流动。建立和完善社会主义市场体系,关键在于进一步改革价格体系和价格管理制度。"七五"期间价格改革的重点,是有步骤地解决能源、原材料等生产资料价格偏低的问题,使目前国家定价和自由议价两种价格的水平趋于接近。同时,结合工资调整,研究确定合理的房租和住房销售价格,促进住宅商品化;逐步合理调整劳务收费标准,促进社会服务事业的发展。经过改革,逐步建立起极少数重要商品和劳务由国家定价,其他大量商品和收费分别实行国家指导价格和市场调节价格的制度。价格改革将继续坚持稳步前进、调放结合的原则,充分考虑各方面的承受能力,保持物价总水平的基本稳定。

(3)国家对企业的管理逐渐由直接控制为主转向间接控制为主,建立新的社会主义宏观经济管理制度。国家计划是从宏观上引导和控制经济正确发展的主要依据。因此,建立新的宏观经济管理制度,首先要继续改革计划体制,确立新的计划管理制度。要适当减少指令计划的比重,扩大指导性计划和市场调节的范围,把计划工作的重点逐步转到主要运用经济政策和价格、税收、信贷、利率、汇率、工资等经济杠杆全面管理与调节宏观经济的轨道上来。要特别加强银行在宏观经济管理中的职能,通过金融体制改革逐步建立起完善的金融控制和调节体系。进一步完善财政税收制度,按照税种划分中央、地方的财政收入,明确中央、地方的财政支出范围。逐步实行宏观经济的分层次管理,提高地方特别是中等以上城市对搞好宏观控制的积极性和责任心。继续加强经济法制和监督,建立健全各项经济法规和经济司法工作,形成完善的经济监督体系。

上述三方面的改革,是互相联系的整体。其目的是要使经济体制转到适应有计划商品经济要求的模式上来。为了取得良好的效果,这三方面的改革必须配套进行,使之相辅相成,决不能孤立地突出某一个方面而忽视另一个方面。经济体制的改革是一项艰巨复杂的任务,考虑到社会经济条件和干部条件的制约,"七五"时期要把上述这些改革工作全部做完是不可能的,因此计划只要求在这个时期大体形成新的经济体制的框架,使经济的运行基本上纳入新体制的轨道。这是从实际出发提出的要求。

2. 保护经济的持续稳定的增长,在控制固定资产总规模的前提下大力加强重点建设、技术改造和智力开发,在物质技术和人才方面为90年代经济和社会的继续发展准备必要的后续能力

如果说第一个任务是推进改革,那么第二个任务就是发展生产建设。在这方面,首先是要促进"七五"期间经济的持续稳定增长。这是进一步增强国家经济实力和继续改善人民生活的保证,也是为以后的经济发展准备条件的基础。鉴于"六五"后期经济生活中出现的某些不稳定因素要在"七五"期间继续消除,同时考虑到"七五"时期社会需求和生产条件的变化,"七五"计划规定,五年内全国工农业总产值增长38%,平均每年增长6.7%,其中农业增长4%(加上村办工业为6%),工业增长7.5%(扣除村办工业为7%);国民生产总值增长44%,平均每年增长7.5%。这个增长速度虽然比"六五"期间实际达到的增长速度低一些,但它以提高经济效益为前提,以协调比例关系为基础,是扎扎实实的,保证经济持续发展的速度。实现了这个增长速度,到1990年,按1980年不变价格计算,我国工农业总产值将达到16770亿元,比1980年增长1.3倍;国民

生产总值将达到 11170 亿元,比 1980 年增长 1.6 倍。这样,国家的经济实力将会进一步得到显著增强,人民生活也将得到继续改善。

为了保持"七五"期间经济的稳定增长,为了给 90 年代经济的发展准备必要的后续能力,就必须在控制固定资产投资总规模的前提下,大力加强能源、交通、原材料等重点建设,加快企业技术改造,强化智力开发。能源、交通、原材料等基础设施和基础工业薄弱,企业技术水平落后,以及科学、教育事业不能适应形势发展的需要,是我国经济和社会发展中带根本性的制约因素。因此,"七五"时期一定要下决心改善它们的状况,为 90 年代经济的振兴和繁荣准备必要的物质基础,保证"七五"期间经济稳定增长的实现。几十年的建设实践证明,上述这些方面是经济发展的基本条件,搞上去的难度也最大。只要真正花力气把这些基本条件搞上去了,其他方面的问题就比较容易解决,经济效益的提高和发展速度的加快就有了坚实的基础。同时也要看到,这些方面的建设特别是能源、交通、原材料等基础设施和基础工业的建设,是需要大量投资的,而一定时期国家的财力物力有限,不可能无限制地增加投资,特别是"六五"后期固定资产投资规模已经偏大,影响了经济的稳定,必须加以解决。因此,"七五"期间重点建设,技术改造和智力开发的加强,也要从国力的可能出发,在严格控制固定资产投资总规模的前提下,区分轻重缓急,有步骤地进行。

3. 在发展生产和提高经济效益的基础上,继续改善城乡人民生活

我们推进社会主义现代化建设,根本目的是要促进社会生产力发展,不断改善人民的物质和文化生活。根据到 20 世纪末全国人民生活达到小康水平的目标和今后五年生产发展的可能,计划规定,全国农民的纯收入平均每年增长 7%,职工实际平均工资平均每年增长 4%;5 年内,要通过多种渠道广开就业门路,使需在城镇就业的 3000 万劳动力基本得到就业。随着国民经济的发展和居民收入的增加,城乡人民的消费水平将进一步提高。到 1990 年,全国居民人均实际消费水平将由 1985 年的 404 元提高到 517 元,平均每年增长 5%,基本上同人均国民收入的增长同步。

随着居民收入水平、消费水平的提高,消费结构将进一步改善,消费内容日趋多样化,人们的生活质量不断提高。在吃的方面,营养价值高食品、动物性食品、方便食品、老人和儿童等特需食品,以及各种饮料、低度酒特别是啤酒的消费量,会有较多的增加;在穿的方面,服装成衣的比重上升,新款式的各类纺织品的消费增加;在用的方面,一般日用消费品品种增多、质量提高,自行车、缝纫机、手表的使用更加普及,电视机、电冰箱、洗衣机等家用电器,以及成套家具等耐用消费品,将进入更多的家庭。居住条件将继续改善,五年内城镇居民平均每人增加居住面积 1 平方米,农村居民平均每人增加住房面积 2 平方米左右。在物品性消费增加的同时,各种文化的和服务性的消费将有明显扩大。医疗条件、生活环境和劳动环境,也都会继续得到改善。

为了全面实现"七五"计划的各项任务,中共中央和国务院制定了一系列新的战略布局的方针政策,在逐步实现国民经济的生产、流通分配、消费和扩大社会主义再生产的良性循环中迈进了一大步。在经济建设方面,基本方针有以下几点:

(1)坚持社会总需求与总供给的基本

平衡,保证国民经济的稳定增长。

所谓社会总需求与总供给的平衡,在我国是以国民生产总值为代表的总供给同通过它的分配所形成的社会总需求之间的平衡。两者之间不平衡,将会影响生产资源的充分利用和人们生产积极性的发挥,妨碍经济应有的增长。

因此,保持社会总需求与总供给的基本平衡,关系到经济发展的全局,是我们在经济建设中必须坚持的一项基本方针。在"七五"期间,我们必须继续从控制社会总需求和努力改善供给两个方面入手,使社会总需求与总供给之间逐步趋于平衡,这样才能促进改革和建设健康地向前发展。

(2)坚持把提高经济效益特别是提高产品质量放在突出的位置,正确处理质量和数量、效益和速度的关系。

这也是我们必须长期坚持的一条基本方针。我们的经济发展战略能不能从旧的模式转到新模式上来,我国的经济发展能不能稳固地走上良性循环的轨道,最主要的就在于我们能不能始终坚持把提高质量和效益放在首位并取得确实的成效。"七五"期间,既要全面推进改革,又要保持必要的生产建设规模,还要继续提高人民的生活水平,统筹兼顾这些任务,就必须使产品质量和经济效益有一个显著的提高,把蕴藏在社会经济中巨大的潜力真正有效地发挥出来。这种情况,客观地要求我们在"七五"时期必须更加自觉地坚持把质量和效益放在首位的方针,在提高质量和效益的基础上去增加数量,求得适当的增长速度,从而使全部经济工作进一步转到以提高经济效益为中心的轨道上来。

(3)严格控制固定资产投资特别是基本建设投资规模,合理调整投资结构,提高投资效果。

这是顺利实现"七五"计划的一个关键。它既关系到"七五"期间经济的稳定增长和产业结构的合理调整,又关系到90年代以至更长时期经济发展的后续能力。

历史的经验证明,投资规模同国力相适应,是保持社会供求总量平衡,保证经济稳定的决定性因素。超过国家财力物力的可能,把投资规模搞得过大,必然引起经济生活全面紧张,导致重大比例关系失调,使经济发展出现大的起伏和曲折。因此,要控制社会总需求的增长并使之与社会总供给趋于平衡,首先必须控制投资过快增长,这是关系改革与建设全局的大事。基于这种要求,计划规定,"七五"前两年固定资产投资规模只能大体保持1985年的水平,后三年再适当增加一些,但也不能增加太多。

既要控制投资规模,又要加强重点建设、技术改造和智力开发,以便为经济发展增强后劲,这是一个矛盾。正确处理这个矛盾的关键,在于合理调整投资结构,努力提高投资效益。目前投资结构中存在的主要问题,是能源、交通、原材料等基础设施和基础工业的投资比重偏低,一般加工工业和非生产性建设的投资比重偏高;更新改造投资不足,而相当一部分更新改造投资又被用于基本建设。这种结构不改变,就不可能在控制投资规模的前提下加强重点建设、技术改造和智力开发,增强经济发展的后劲。

控制投资规模,合理调整投资结构,要落实到建设项目的正确安排上。真正按照调整结构的原则和财力物力的可能确定建设项目,按合理工期组织施工。这是使投资结构合理化的保证,也是缩短建设周期,提高投资效益的核心。

(4)把科技进步和智力开发放在重要

战略地位,更好地发展科学、教育事业。

在我们这样一个发展中的社会主义国家,实现现代化的关键,在于科学技术的现代化。我们经济建设中所面临的许多重大的问题能不能得到有效解决,归根到底有赖于在科学技术方面取得重大突破,我们的经济发展能不能具有强大的后劲,最深厚的源泉也是来自科技技术的进步。特别是在当今世界新技术革命蓬勃兴起,许多国家都把主要注意力转向科技发展的情况下,如果我们不采取正确的战略和有力的措施把科学技术搞上去,那就会扩大与发达国家在技术上的差距,使在技术上、经济上赶上发达国家水平的任务更加艰巨。就"七五"时期来说,无论是产业结构的调整,重点建设的增强、技术改造的推进,以及各项社会事业的发展和人民生活的改善,都有一系列科学技术问题需要解决。正因为这样,我们必须把发展科学技术放在十分重要的战略地位,使经济的增长进一步转到依靠科技进步的轨道上来。基于这个方针,"七五"计划对于大力开发和普遍推广科技成果,集中力量进行科技攻关,积极开拓新兴技术领域,以及继续加强应用研究和基础研究,都给予了高度重视和认真安排。

科技进步的基础是人才培养,是教育。重视科技进步,必须重视发展教育事业。"七五"期间,一定要从各方面采取措施,使各级各类教育事业有一个更好的发展。一是要大力加强基础教育,逐步实行九年制义务教育,并抓紧扫除青壮年中文盲的工作;二是要继续调整中等教育结构,在办好普通高中的同时,积极发展职业技术教育;三是要整顿,提高普通高等教育和成人教育,调整专业科类层次结构,培养更多的符合社会需要的高级合格人才。各级各类教育都要努力提高教学

质量,在这个基础上稳步地发展数量。为此必须积极推进教育体制改革,在扩大学校自主权的同时,加强教育事业的管理。要认真办好师范教育和加强教师的培训,逐步建设一支在质量、数量和结构上基本适合需要的稳定的教师队伍。

(5)以增强出口创汇能力为中心,推动对外经济贸易和技术交流进一步向纵深发展。

对外开放是我们的基本国策,也是"七五"期间必须进一步贯彻执行的一项基本方针。实践证明,正确地坚持对外开放,使我国经济从封闭半封闭状态转向积极利用国际交换的开放型经济,就可以取别人之长补我之短,加速我国现代化建设的进程,不但不会妨碍而且只会增强我们自力更生的能力。

"七五"时期的关键就在于增加出口,创造更多的外汇收入。我们是一个发展中的社会主义国家,外汇短缺是相当长时期内的一个突出问题。而出口贸易是我国外汇收入的主要来源。因此,出口创汇能力的大小,决定着我国对外经济技术交流的范围和程度,制约着国内经济建设的规模和进程。

为了把出口搞上去,必须在提高出口产品质量,改善出口商品结构,健全出口生产体系以及开拓国际市场等方面,采取正确的战略和有效的政策。这里最重要的是要充分发挥各个方面特别是企业增加出口的积极性。这就要求实行一系列扶持政策和奖励政策,使出口创汇多的企业和职工能够得到相应的权益,由于价格体系不合理而造成的外销不如内销的现象必须坚决加以改变。

在增加出口创汇,提高偿还能力和吸收能力的基础上,我们要通过多种形式适当扩大利用外资的规模,并大力提高外资

使用的经济效益。

我国政治安定，经济日趋繁荣，投资环境逐步改善，对外资的吸引力不断增加；而世界经济增长缓慢，资金过剩，大量游资急于寻找出路。我们应当抓紧这个有利时机、尽可能多用一些外资，以弥补国内资金的不足，促进生产建设发展。这个要求能不能实现，关键在于我们的工作，在于我们能不能使外资利用的经济效益有一个显著的提高。如果利用的外资能取得远高于外资利率的资金利润率，并直接、间接地大大增强出口创汇能力或进口替代能力，那么利用外资的规模就可以大一些，否则就会受到制约，即使有外资可借也利用不了。这就要求我们在正确确定外资使用方向和提高外资使用效益方面下工夫，真正为多利用一些外资创造条件。

（6）兼顾生产建设和生活消费，从我们的国情和国力出发安排人民的消费水平和调节消费结构。

我们国家人口多，底子薄，在这种条件下进行社会主义现代化建设，正确处理建设与民生的关系始终是一个关系全局的根本问题。在这个问题上，我们的方针是，统筹兼顾，根据国力的可能使生产建设与人民生活相互协调地向前发展。我们是社会主义国家，任何时候都不能忽视人民生活。同时，人民消费本身也是经济过程的有机组成部分。它不仅是生产、流通的归宿，也对生产和流通的发展起着巨大的促进作用。消费的主要对象是生产的成果，消费的增长只有以生产的增长为前提，才有现实的保证。由于我国人口众多，每年仅城镇就有几百万人需要就业，而在相当长时期生产技术和劳动生产率还处于较低水平。我国平均国民收入只有300美元，每年新增国民收入也只有五

六百亿元，扣除了用于新增人口的部分，能够用于改善生活和发展生产的资金为数有限。在这种条件下，如果生活消费增长过快，势必要挤占用于生产建设的资金，影响经济的不断发展，这对人民生活的持续改善是不利的。

所以，"七五"计划安排五年内人均消费水平的增长，基本上与人均国民收入的增长同步，这是完全合理的。

在确定消费基金恰当增长幅度的同时，在社会分配方面，要继续实行让一部分人先富起来的政策，着重克服企业内部的平均主义，以促进生产的发展。同时，应当注意防止企业之间和社会成员之间收入差距不合理的过分悬殊，以保障社会的安定团结。由于价格扭曲和占用资金量不同等原因，企业间经营收入的差别并非都取决于他们的主观努力，因此不宜于完全按照这种差别来确定职工和收入差距。从宏观的角度考察，现在我国人均国民收入的水平不高，社会主义社会又必须保证人民的基本生活水平，这就从总体上决定了社会成员之间的收入差别不能过分悬殊，否则会引起许多社会矛盾，既不利于社会安定，也不利于生产的稳定增长。

在生活消费问题上，还应当采取正确的政策引导居民的消费方向，使消费结构的变化符合我国的社会性质、资源条件和民族特点。

二

"七五"计划的完成

1986—1990 年是我国国民经济和社会发展的第七个五年计划时期。在这五年中，全国各族人民在党中央和国务院的

领导下,艰苦努力,克服了一个又一个的困难,取得了巨大成就。国民经济总量指标超额完成了计划指标,提前实现了第一步战略目标,主要工农业产品产量跃上了新的台阶;经济结构,比例关系有所调整;新增一批生产能力,增添了经济发展后劲;对外开放迈出了新的步伐;国内市场供应充足,居民生活进一步改善;科技事业硕果累累;教育、文化、卫生、体育事业有了新发展。

经济和社会发展的主要成就表现在以下几个方面:

1. 国民经济增长较快,高于计划要求

"七五"时期年均增长率			%
	计划	实际	"六五"时期
国民生产总值	7.5	7.81	10.1
国民收入	6.7	7.5	10.0
工农业总产值	6.7	11.3	11.0
农业总产值	4.0	4.6	8.1
工业总产值	7.5	13.1	12.0

从上表可以看出,"七五"时期经济平均增长率高于计划要求,也高于同期世界经济平均增长3%的水平,是世界上少数几个保持较高增长速度的国家和地区之一。

2. 农村经济全面发展,粮食、油料、糖料生产创新的历史纪录

1990年全国农村社会总产值达到16253亿元,按可比价格计算,比1985年增长87.8%,平均每年增长13.4%。

以粮、棉、油、糖为主要标志的种植业生产,"七五"前期处于徘徊阶段,后一两年开始出现转机,特别是粮食生产连续两年丰收,1990年粮食总产量达43500万吨,比1985年增加5590万吨,扭转了粮食生产多年的徘徊局面。1990年棉花产量达到447万吨,比1985年增加32万吨,超过了计划指标。油料、糖料、烤烟、蚕茧、茶叶、水果等产品也有不同程度增产。牧业、渔业生产稳步发展,居民的菜篮子比较丰盛。

林业和绿化工作取得新的进展。"七五"时期,人工造林总面积超过4亿亩,造林质量不断提高。其中用材林建设增长较快。经济林的主要产品产量大幅度增长,核桃、板栗、松脂等名特优产品均创历史最高纪录。全国900多个平原、半平原县,已有500多个接近或达到平原绿化标准。

科技兴农有了良好的开端。优良品种,模式化栽培,配方施肥,地膜覆盖等农业科技成果的推广应用已显示出巨大的生产潜力。在畜牧业生产方面,由于推广良种繁殖,进行科学饲养,疫病防治,使用配合饲料,畜禽生产技术水平明显提高。

农业物质装备水平有所提高。1990年末农村生产性固定资产原值达3886亿元,比1985年末增长82.4%;农业机械总动力达2854亿瓦特,增长36.5%,化肥施用量增长46.8%,农药、农用塑料薄膜等的使用量也有所增加,科技兴农有了良好的开端。但农业综合生产能力仍然较低,突出表现在:一是耕地大量减少,1990年末全国耕地面积比1985年末减少1854万亩;二是有效灌溉面积,机耕地面积近两年虽然有所恢复,但还没有达到历史最高水平;三是水土流失,沙化碱化的情况仍在发展;四是农业抗御自然灾害能力依然薄弱。

以乡镇企业为主体的非农产业发展迅速,形成农村产业结构的新格局。"七五"时期非农产业产值增长1.6倍,年均增长20.9%,在农村社会总产值中所占比

重已由 1985 年的 42.9％上升为 1990 年的 54.6％。1990 年乡镇企业的出口创汇额已达到 130 亿美元，占全国出口创汇总额的 21.7％。

3. 工业经济主要计划指标提前实现，重要工业品产量在国际上的位次上升

工业生产增长较快但波动较大。1990 年全国工业总产值 23851 亿元，比 1985 年增长 85.3％，平均每年增长 13.1％，超过计划增长 7.5％的目标，是继"一五"、"六五"之后，第三个高速增长时期。但是发展不平衡，出现了明显的起伏，轻工业增长快于重工业增长。"七五"时期，轻工业年均增长 14.1％，重工业年均增长 12.2％。按所有制看，全民工业年均增长 7.3％，集体工业年均增长 17.6％，"三资"工业年均增长 74％，全国和集体工业占全部工业的比重由 1985 年的 97.7％下降到 1990 年的 91.4％（含全民和集体合营）。

列入"七五"计划的 28 种主要工业产品，有原煤、发电量、钢材、水泥、乙烯、纯碱、化肥、电视机、化纤、纱、布、纸、合成洗涤剂等 23 种产品提前达到或超过了计划的要求。钢产量登上了 6000 万吨新台阶，原煤突破了 10 亿吨大关，发电量越过 6000 亿千瓦小时，表明我国工业生产进入了一个新时期，工业经济实力明显增强。汽车、家用电冰箱、家用洗衣机因受市场制约，1990 年控制了生产，原油、木材受资源限制，未完成计划。

与 1985 年相比，目前我国的布、水泥产量继续保持世界第一位，煤、电视机由第二位上升到第一位，发电量、化学纤维由第五位上升到第四位，生铁、铁合金由第四位上升到第三位，原油、化肥、钢、糖等产量也在世界上名列前茅。但应该看到，由于我国人口多，底子薄，人均水平仍很低，与发达国家的差距还比较大。

工业生产能力扩大，技术水平提高。"七五"时期，工业部门全民所有制企业完成基本建设和更新改造投资 7000 亿元，比"六五"时期增长 1 倍多，平均每年有上百个大中型工业建设项目竣工投产，一些重要生产能力逐年扩大。为国民经济生产技术装备的机械工业，平均每年开发新产品达上千种，基本上依靠国内的力量，为能源、原材料、交通、尖端科学等部门提供了上百种高水平的成套设备。到 1990 年底，全国独立核算工业企业拥有固定资产原值 1.4 万亿元，比 1985 年扩大 1 倍。

但是，工业结构失衡，地区结构趋同的状况没有明显好转，经济效益低下问题日益突出。1989 年和 1985 年相比，在全国重点企业考核的指标中，有 48％的质量指标下降，52％的消耗指标上升。每百元资金实现利税由 23.8 元降至 16.8 元，每百元销售收入实现利润由 11.8 元降至 6.3 元。

4. 固定资产投资形成一批新的生产能力，增强了经济发展的后劲

固定资产投资增加。"七五"时期全社会固定资产投资完成额达到 19746 亿元，超过计划指标，比"六五"时期增加 11748 亿元，年均增长 15％（"六五"时期年均增长 19.4％）。其中全民所有制单位投资 2771 亿元，增加 1759 亿元，个人投资 4473 亿元，增加 2818 亿元，投资结构有所改善，基础产业、基础设施建设和更新改造投资增加，比重上升。全民所有制单位用于能源、原材料工业和运输邮电方面的投资共计 6514 亿元，比"六五"时期增加 4030 亿元，占全部投资的比重为 52.1％，比"六五"时期上升 5.5 个百分点，企业技术改造进一步加强。"七五"时期全民单位更新改造投资完成 3975 亿元，比"六

五"时期增长 1.7 倍,占全民单位固定资产投资的比重由 28% 提高到 31.8%。

重点建设步伐加快,取得一批新成果。"七五"时期,国家安排重点建设项目 306 个,总投资规模达 2955 亿元。已建成投产项目 122 个,主要有山西大同、古交、河北开滦和山东兖州矿区的 4 个年产原煤 400 万吨的矿井,总装机容量 271.5 万千瓦的湖北葛洲坝水电站,建成投产 4 台 32 万千瓦机组的青海龙羊峡水电站,装机总容量 120 万千瓦的山西大同第二电厂一期工程和上海石洞口一电厂,6 条 50 万伏超高压输变电工程,年产纯碱 60 万吨的唐山碱厂,扬子、齐鲁、大庆、上海四大乙烯工程,宝山钢铁总厂一期工程,上海耀华玻璃公司的浮法玻璃生产线,大同至秦皇岛双线电气化铁路一期工程,年吞吐量 3000 万吨的秦皇岛煤码头三期工程。此外,北京亚运会工程、北京图书馆、中央电视台彩电中心、中国科技情报中心、气象卫星资料接受处理系统等一批科学文化设施项目也相继建成投入使用。

新增一大批生产能力,增添了经济发展后劲。"七五"时期,全社会新增固定资产为 16400 亿元,建成投产大中型项目 532 个,限额以上更新改造项目 354 个,全民所有制单位建成小型基本建设项目和限额以下更新改造项目各 20 多万个。"七五"时期,全国基本建设新增加的主要生产能力有:煤炭开采 12374 万吨,发电装机容量 4628 万千瓦,石油开采 7751 万吨(含更新改造和其他投资增加的能力),炼铁 665 万吨,炼钢 512 万吨,铁矿开采 2342 万吨,化肥 123 万吨,塑料 80 万吨,水泥 1862 万吨,机制纸 28 万吨,机制糖 58 万吨,新建铁路交付运营里程 2307 公里,新建公路 18092 公里,沿海港口吞吐能力 13740 万吨。

建筑业施工力量增强,技术水平提高。1990 年全社会建筑施工队伍达到 2432 万人,比 1985 年增长 17.5%;建筑业技术装备进一步加强,设计施工技术有新的突破。如岩土工程技术,工程结构抗震技术,桥梁与隧道的设计和施工技术,大型结构与设备安装技术、高层建筑结构设计等已接近或达到国际先进水平。

城市建设取得显著进步。"七五"时期,城市基础设施建设投资比"六五"时期增长一倍,一大批与城市功能和人民生活密切相关的给排水、煤气、热力、道路、环境卫生等设施相继建成使用。

5. 交通运输、邮电事业继续发展

"七五"时期,运输基础设施有所改善,运输能力增强,运输量全面增长。1990 年末,铁路复线里程占营业总里程的比重,由 1985 年的 19.2% 提高到 24.4%,其中主要干线复线率已达 90% 以上。新增电气化铁路里程 2790 公里,铁路电气化里程占营业里程的比重达 13%。公路质量不断提高,高速公路建设开始起步。沿海港口新增吞吐能力 1.38 亿吨。

1990 年,各种运输工具完成的货物周转量 26322 亿吨公里,比 1985 年增长 45.2%;旅客周转量 5612 亿人公里,比 1985 年增长 26.5%。为减轻铁路负担,组织水陆运输合理分流运输结构有所调整。在货物周转量中,铁路所占比重由 1985 年的 44.8% 下降到 1990 年的 40.3%;公路所占比重由 9.3% 上升到 13.1%;水运所占比重由 42.5% 上升到 44.3%。

"七五"时期地方办交通积极性增强。1985 年我国只有 10 个省、区、市拥有 49 条地方铁路,正线长 2934 公里。1990 年末,已有 16 个省、区、市拥有 64 条地方铁路,正线长 4454 公里。地方航空公司从无到有，已形成一定的运输能力。个体运输得到较快发展。

邮电通信事业发展迅速。1990年完成邮电业务总量81.56亿元，比1985年增长1.76倍，平均每年增长22.5％。其中国际通信业务量年均增长50％，已有296个市、县电话可直拨世界180多个国家和地区。传真用户、电报、特快专递等新兴邮电业务成倍增长。市内电话建设由于多渠道筹措资金，发展迅速，"七五"时期增加301万户，增长1.37倍。但运输邮电发展同经济和社会的需要相比仍不适应。

6. 对外开放迈开新的步伐

"七五"时期，我国继续贯彻对外开放的基本国策，以特区、开放城市、开放地带构成的沿海开放区进一步发展，1990年中央又作出开放、开发上海浦东的战略决策，内地对外开放也逐步展开，特别是边境地带的双边往来有新的突破。

进出口增长快，商品结构有所调整。1990年海关进出口总额达1154.1亿美元，比1985年增长65.8％。年均增长10.6％。其中，出口总额达620.6亿美元，进口总额533.5亿美元，年均增长分别为17.8％和4.8％。我国已与世界上180多个国家和地区建立了贸易关系，出口在世界贸易中的位次，由1985年的第16位上升到目前的第14位，缩短了我国与世界主要国家贸易水平的差距。进出口商品结构有所改善，进口的高档耐用消费品大幅度下降，初级产品比重则由12.5％提高到18.5％；出口中金额在1亿美元以上的商品由32种增加到83种，工业制成品比重由49.4％上升到74.5％。

利用外资增长较快。"七五"时期全国实际利用外资达到462.8亿美元，比1979—1985年7年间累计增长1.1倍。我国批准的外商直接投资项目已达2.9

万项，投产开业的企业已超过1万家。

7. 市场供应充足，人民生活水平进一步提高

随着生产的发展，国内市场商品货源充裕，消费者挑选余地明显扩大。1990年，社会商品零售总额达8300亿元，比1985年增长92.8％，平均每年增长14％，扣除物价上涨因素，实际增长3.5％。主要商品销售有较大增长，高档耐用消费品销售尤多。一度出现的市场波动与疲软经过努力都在较短的时间内得到改变。

多种经济成分的商品流通渠道逐渐形成。1990年和1985年相比，社会商品零售总额中，全民所有制经济所占比重由40.4％下降为39.6％，集体所有制经济所占比重由37.2％下降为31.7％，合营经济所占比重由0.3％上升为0.5％，个体经济由15.3％上升为18.9％，农民对非农业居民零售由6.8％上升为9.3％。

城镇就业进一步扩大，人民生活进一步改善。"七五"时期，共安置城镇待业人员2070万人。居民收入增加，1990年城镇居民人均生活费收入1387元，比1985年增长1倍，平均每年增长15.2％，扣除物价上涨因素，实际增长4.1％；农民人均纯收入630元，平均每年增长9.6％，扣除商品性支出价格上涨因素，实际增长4.2％。城乡居民实际消费水平平均每年提高3.4％。1990年城乡居民储蓄存款余额达到7034亿元，比1985年增加5411亿元，增长3.3倍。

8. 科技、教育、文化、卫生、体育事业又有新发展

"七五"时期，我国获得一批重大科学技术成果，有的已接近或达到了国际先进水平。正负电子对撞机、重离子加速器、同步辐射装置等大型科研工程相继建成投入使用，长征二号捆绑式火箭、"亚洲一

号"通信卫星、"风云一号"气象卫星发射成功,标志着我国尖端科技领域取得了新的突破。

教育事业按照实际需要和提高教育质量的要求进行了结构调整。"七五"时期国内培养毕业研究生15.8万人,比"六五"时期增长近三倍,其中取得博士学位的有6927人,取得硕士学位的有14.1万人。大学本科、专科毕业生266.8万人,增长73.8%。平均每万人口拥有大专以上文化水平的人数由1982年的61.5人提高到1990年的142.2人。中等专业学校毕业生292.2万人,比1985年增长31%;培养农业、职业中学毕业生389.5万人,增长2.4倍。普及初等教育取得新进展,全国经验收合格的已普及初等教育的县由1985年的731个增加到1990年的1459个。扫盲工作取得新的成效。文盲、半文盲人口所占比重由1982年的20.37%下降到1990年的15.88%。

文化事业在整顿中保持繁荣,基本达到"七五"计划要求。广播、电视事业突飞猛进,日益成为城乡人民精神生活的一个重要方面。为提高出版物的质量,清理和整顿了一些书刊的发行,1990年出版总印张522亿印张,比1985年减少7.2%。

卫生事业继续发展,医疗条件进一步改善。1990年末医院病床数达262.4万张,比1985年增长17.7%,达到"七五"计划的要求。

体育事业取得新成就,群众性体育运动蓬勃展开。特别是在1990年,我国承办的第十一届亚洲运动会获得圆满成功,我国运动员夺得奖牌总数名列第一,其中获得金牌183块。

"七五"时期,国民经济和社会发展取得的成就是显著的,但也存在一些矛盾和问题,影响了宏观经济的稳定与协调。突出表现在以下几个方面:

1. 经济发展起伏较大,出现前快后慢的不稳定状态

受"六五"后期经济高速增长惯性作用的影响,"七五"初期尽管提出了"软着陆"的方针,但实际执行结果并不理想,经济发展仍然处于一种过热状态。前三年(1986—1988年),国民生产总值年均增长10.1%,与高速发展的"六五"时期基本持平,高出计划2.6个百分点;国民收入年均增长9.7%,高出计划3个百分点;固定资产投资年均增长20.2%,高出计划17.2个百分点。由于经济发展过热,"七五"后期进行治理整顿,使增长速度明显减慢。1989—1990年,国民生产总值年均增长4.5%,国民收入年均增长4.2%,均比前三年分别低5.6和5.5个百分点;固定资产投资扣除物价上涨因素,实际为负增长。五年间,国民生产总值、国民收入、固定资产投资增长速度的最大落差分别为7、7.7和31.5个百分点。

2. 经济效益滑坡较大

一是社会产品物耗率上升。五年来,农、工、建、运、商各业在社会总产值中的比重没有大的变化,但物耗率却由1985年的57.7%上升为1990年的61.9%。二是全部独立核算工业企业资金利税率由1985年的23.8%下降为1989年的16.8%,成本急剧上升,企业亏损大幅度增加。三是建设领域中,建设工期拖长、投资超概算、盲目建设、重复建设的现象相当突出。由于经济效益不高和分配关系的变化,以至国家财政相当困难,赤字由"六五"时期的平均每年25亿元上升到"七五"时期平均每年94.4亿元的水平。

3. 信贷、货币投放一度失控,出现了较明显的通货膨胀

随着经济体制改革的推进,经济货币

化进程加快,金融杠杆的作用明显增强。但由于宏观调控不力,信贷和货币投放一度增长过快。"七五"时期,信贷资金运用增加 10686 亿元,货币投放量达 1657 亿元。增幅不仅明显高于计划,而且也明显高于经济增长,出现了较明显的通货膨胀。加上价格改革因素,全社会零售物价总水平大幅度上升,年均涨幅达 10.1%,比"六五"时期平均涨幅高 2 倍。其中 1988 年曾高达 18.5%,1989 年为 17.8%,是新中国成立以来少有的。

4. 收入分配过于向个人倾斜,宏观调控能力削弱

居民收入相当于国内生产总值的比重由 1985 年的 58.7% 上升到 1989 年的 62.9%。财政收入中,中央财政所占比重由 80 年代初期的 57.6% 下降到 1989 年的 45.2%。中央掌握的外汇由 60% 降低到 40%。1989 年预算外资金达 2659 亿元,比 1985 年增长 73.8%,相当于国内财政收入的比重由 83.3% 上升到 94.8%。由于预算外收入增长过快,中央掌握的财力所占比重明显降低,使国家宏观调控乏力,难以有效地矫正地方、企业偏离宏观目标的行为,使经济健康发展受到严重影响。

5. 人口增长过快,对经济和社会发展构成新的压力

"七五"时期,由于我国正处在新中国成立以来的第三次生育高峰,加之计划生育工作发展不平衡,使 1990 年人口达到 114333 万人,平均每年增长 1.55%,比计划高 0.31 个百分点。由于人口超生,增加了今后人口控制的难度,加重了经济和社会的负担。

政治体制改革

一

加强党风建设

拨乱反正千头万绪,百端待举,从何入手?中共十一届三中全会以其突出的贡献作出了回答。这就是:从中国共产党自身的建设做起,充分发挥共产党的领导核心作用。在这方面,十一届三中全会的主要功绩,一是重新确立了党的实事求是的思想路线,二是恢复发扬了党内民主的优良传统。三中全会讨论了一系列加强党的建设的措施,决定健全党规党纪,恢复被取消多年的纪律检查机构,重新成立中共中央纪律检查委员会,并明确提出,纪律检查委员会的根本任务,就是维护党规党纪,切实搞好党风。

为了具体贯彻三中全会提出的健全党规党纪,切实搞好党风的任务,1979 年 1 月 4 日至 22 日,中共中央纪律检查委员会举行了首次全体会议。会议着重研究了维护党规党纪,搞好党风的问题。中纪委第一书记陈云在会上讲话指出:党的中央纪律检查委员会的基本任务,就是要维护党规党纪,整顿党风。邓颖超在讲话中指出:如果我们党没有严格的纪律来巩固它的战斗力,使它步调一致,就不可能完成它担当的任务。黄克诚讲话指出:我们中央纪律检查委员会是党中央维护党规

党法和整顿党风的一个重要助手,我们要同败坏党风的人、组织和现象作斗争。

会议经过讨论,明确规定:党的纪律检查工作的基本任务是,维护党规党法,保护党员的权利,发挥党员的革命热情和积极性,同一切违反党纪、破坏党的优良传统的不良倾向作斗争,切实搞好党风。

会议在总结历史经验教训的基础上,围绕如何维护党规党法、搞好党风,讨论并拟定了关于党内政治生活的一系列准则。与会同志认为,这些准则,就是我们党内的法律,是搞好党风的依据。

会议以后,为搞好党风、党纪,中共中央和各级党委进行了不懈的努力,做了大量工作。

自中央纪律检查委员会成立后,各省、市、自治区党委很快陆续恢复了各自的纪律检查机构,并且边建立组织,边开展工作,克服了许多困难,排除了各种干扰。据《人民日报》1979年8月23日报道,福建、内蒙古、湖北、广东、安徽、天津、北京等20个省、市、自治区党委纪律检查委员会成立以来,共收到来信和接待来访49万多件(次),这些来信来访者所提出的问题,已经处理的和正在处理的约占90%,其中包括党员违纪案件34400多起。

为了制止部分高级干部生活特殊化的现象,恢复党的艰苦奋斗,联系群众的传统作风,1979年11月中共中央纪律检查委员会,会同有关方面共同起草了《关于高级干部生活待遇的若干规定》,重申了"文革"前一些行之有效的章程,中共中央准备以此为开端,再逐步作出关于各级干部的生活待遇问题的一些规定,由高级干部带头,逐步克服干部特殊化现象。

11月2日,邓小平在中央党、政、军机关副部长以上干部会议上,作了《高级干部要带头发扬党的优良传统》的报告。他说:为了整顿党风,搞好民风,先要从我们高级干部整起。实行《关于高级干部生活待遇的若干规定》会带来很多好处,首先官僚主义自然而然会减少一些。这个规定一经中央和国务院下达,就要当作法律一样,坚决执行。我们的历史经验是,越是困难的时候,越要关心群众,不仅不搞特殊化,而且同群众一块吃苦,任何问题都容易解决,任何困难都能够克服。现在需要全国的干部,首先是高级干部起模范带头作用,把我们党的艰苦朴素,密切联系群众的传统作风很好地恢复起来,坚持下去。

1979年11月13日,中共中央、国务院下发了《关于高级干部生活待遇的若干规定》。从此坚持艰苦奋斗的传统,反对脱离群众的斗争开始有章可循。

1980年1月,邓小平在中央召集的干部会议上再次讲了要坚持党的领导,改善党的领导的问题。他指出:为了坚持党的领导,必须努力改善党的领导。现在应该说,我们党在人民当中的威信不如过去了,所以现在我们提出,要恢复党的优良传统和作风,要在教育的基础上进行整顿。要严格地维护党的纪律。

1980年1月7日至25日,中共中央纪律检查委员会第二次全体会议再一次讨论和修改了《关于党内政治生活的若干准则》,并且把协助各级党委监督、保证《准则》以及《关于高级干部生活待遇的若干规定》的贯彻执行,作为纪律检查工作的重要任务。

1980年2月,中共十一届五中全会通过了《关于党内政治生活的若干准则》,并于3月15日,向全党公布。《准则》一共包括12条规定:①坚持党的政治路线和思想路线;②坚持集体领导,反对个人专断;③维护党的集中统一,严格遵守党的纪律；④坚持党性，根绝派性；⑤要讲真话，言行一致；⑥发扬党内民主，正确对待不同意见；⑦保障党员的权利不受侵犯；⑧选举要充分体现选举人的意志；⑨同错误倾向和坏人坏事作斗争；⑩正确对待犯错误的同志；⑪接受党和群众的监督，不准搞特权；⑫努力学习，做到又红又专。中共中央指出：《准则》是党的重要法规，全体党员要认真学习，自觉遵守，排除各种干扰和阻力，把维护党规党纪，搞好党风这件关系到党和国家前途和命运的大事做好。

《准则》公布后，中纪委在一年内先后三次召开座谈会，排除干扰和阻力，促进《准则》的贯彻施行。陈云提出了"执政党的党风问题是有关党的生死存亡的问题"的重要意见。各级纪委和党委也都依照《准则》的规定，做了大量工作。

尽管党风的根本好转并不是依靠几次会议，制定几个文件所能解决的，但是《准则》的制定和公布，以及中国共产党在此期间进行的种种努力，毕竟表明了党规党纪在逐步健全，表明了中国共产党为使党风根本好转而准备进行长期不懈的努力的决心。

二

加强干部队伍建设

整顿党风，需要从领导干部做起；建设四化，需要各级领导干部带头。在新的历史时期，在党和国家的工作重点转移以后，拨乱反正的繁重工作，现代化建设的艰巨重任，不论从能力上、智力上，还是从精力上、体力上，都对各级干部们提出了更高的要求。为适应历史提出的要求，全面提高中国共产党干部队伍的素质，十一届三中全会以后，中共中央把党的干部队伍建设列入了重要议事日程，并为此进行了坚持不懈的努力。

为加强中共中央的领导力量，一批老一辈革命家和在拨乱反正中作出重大贡献的同志先后进入了中央领导机构。继十一届三中全会增选陈云为中央副主席，邓颖超、胡耀邦、王震为中央政治局委员之后，1979年9月，中共十一届四中全会又增选了薄一波等12位老同志为中共中央委员，并且把当时的四川省委第一书记赵紫阳，以及担任全国人大法制委员会主任的老一辈革命家彭真增选为中央政治局委员。1980年2月，中共十一届五中全会又把胡耀邦、赵紫阳增选为中央政治局常委，并决定重新设立中央书记处，选举万里、王任重、方毅、谷牧、宋任穷、余秋里、杨得志、胡乔木、胡耀邦、姚依林、彭冲为中央书记处书记；胡耀邦为中央委员会总书记。上述人事变动使中共中央的领导机构不断得到加强，从而保证了十一届三中全会路线的贯彻。

邓小平等一批老一辈革命家在中共十一届三中全会解决了党的思想路线、政治路线以后，就反复提醒全党，特别是提醒老同志，要注意培养、选拔合格的接班人，使我们的事业能够不断前进，后继有人。

1979年7至8月，邓小平视察山东、上海、天津等省市，一路上反复强调要解决接班人问题。在一次会议上他指出：现在党的思想路线和政治路线已经确立，但组织路线问题还没解决。解决组织路线，最大的问题，也是最难、最迫切的问题，是选好接班人。现在摆在老同志面前的任务，就是要有意识地选拔年轻人，选一些年轻的身体好的同志来接班。这个问题解决不了，我们见不了马克思。

1979 年 9 月 29 日，叶剑英在庆祝中华人民共和国成立 30 周年大会上的讲话中，也讲了各级领导班子的建设问题，他指出：我们一定要选拔新的优秀分子来充实和加强各级领导班子，使我们的组织状况同实现四个现代化的政治任务相适应。我们的老干部毕竟年纪大了，体力差了；而现有的各级领导班子中，中年、青年干部太少。我们要认真总结过去在干部选拔方面的经验教训，下决心在一定时期内，把大批经过实践考验、得到群众拥护的年富力强的优秀干部提拔到领导岗位上来。他还具体提出了选拔接班人的三条标准：一是坚决拥护党的政治路线和思想路线；二是大公无私，严守法纪，坚持党性，根绝派性；三是有强烈的革命事业心和政治责任心，有胜任工作的业务能力。

11 月 2 日，邓小平在中央党政军机关副部长以上干部会上，再次指出：现在我们面临的问题，是缺少一批年富力强的，有专业知识的干部。而没有这样一批干部，四个现代化就搞不起来。我们老同志要清醒地看到，选拔接班人这件事情不能拖。否则，搞四个现代化就会变成一句空话。这是一个战略问题，是关系到我们党和国家长远利益的大问题。

1980 年 1 月，邓小平把建设一支坚持走社会主义道路的、具有专业知识和能力的干部队伍，作为实现四个现代化的四个必要前提之一，并且提出，老同志最主要的任务，第一位的任务就是选拔、培养接班人。

1980 年 2 月，中共十一届五中全会重新成立了中央书记处，以此作为中央领导集体交接班的一种形式。叶剑英在全会指出：重新建立书记处，既是组织上拨乱反正，恢复我党的传统，又是适应新时期的需要，为接中央领导集体的班作准备。

1980 年 8 月，邓小平在中共中央政治局扩大会议上，又进一步提出了逐步实现各级领导人员的革命化、年轻化、知识化、专业化，这种对干部"四化"的要求被中共中央所采纳。成为全党选拔接班人的标准。

此后，邓小平和陈云等人几乎一有机会就提醒老同志，强调培养、选拔接班人问题的重要性，而且越讲越尖锐、越紧迫。

在这个问题上，广大的老同志、老干部面临着严峻的考验，他们大都在"文革"中长期受迫害，被迫"靠边站"，离开了领导岗位。在拨乱反正中刚刚落实了政策，恢复了领导工作不久，他们无不渴望能在有生之年为党为人民作出更多更大的贡献，以弥补过去荒废的岁月，损失的时间。然而，事业的发展和无情的自然规律，却要求他们在刚刚可以大显身手的时候就准备退出领导岗位，就要考虑交接班的问题。适应这样急剧的转变，对任何人来讲都不是一件容易的事。但是，事业的发展和国家的长远利益却要求他们必须这样做，而且一定要做好。在邓小平等人的一再号召下，一批老同志在这个问题上作出了表率。

1980 年下半年，原水电部长刘澜波力排众议，不顾各方阻力，几次推荐年纪较轻、文化程度较高的水电专家李鹏担任电力部长，自己要求退居二线。他的推荐最后终于获得通过。刘澜波的这一举动在党内产生了强烈反响，受到了许多人的称赞，被誉为"开明之士"。邓小平、陈云都号召老同志向他学习。

1980 年底，深孚众望的邓小平在中共中央政治局会议上主动表示，自己不担任中央主席，而推荐比较年富力强而又能坚持正确政治方向的胡耀邦来担任这一职务。

1981 年 2 月 20 日,中共中央作出《关于建立老干部退休制度的决定》。此后,在中央号召下,一批老干部主动离休,退休或退居二线。到 1982 年底,中共中央直属机关和中央国家机关已有 7260 多名老干部办理离休手续,占应离休人数的 81%。与此同时,一批经过考验的中青年干部纷纷走上领导岗位。到 1982 年 6 月底,在中共中央和国务院各部门的新的领导班子中,新选拔的中青年干部占 66%,领导班子的平均年龄由 64 岁降到 60 岁。

由于干部队伍的老化问题由来已久,过去又长期重视不够,再加上我们干部制度中的一些缺陷,使得干部新老交替工作仍然不时遇到各种阻力,不尽如人意。但是,无论如何,中国共产党已在下决心解决这个问题,并且有了初步的成绩,党的干部队伍的素质已在开始逐步提高。

三

改革党和国家领导制度

中共十一届五中全会以后,全党广泛讨论了《中国共产党章程》(修改草案)和《关于党内政治生活的若干准则》,结合讨论对改革党的领导制度进行了酝酿。在此期间,全国人民正在积极筹备召开五届人大第三次会议,筹备期间,有关部门对改革国家领导制度也进行了酝酿和讨论。正是在上述酝酿和讨论的基础上,中共中央政治局于 1980 年 8 月 18 日至 23 日召开了扩大会议,讨论党和国家领导制度的改革及其有关问题。邓小平代表中共中央政治局常委在会上作了《党和国家领导制度的改革》的重要讲话。讲话对我国政治体制改革的核心即党和国家领导制度的改革问题进行了全面论述,系统阐明了改革的必要和目的,现行制度中的弊端和产生的原因,以及怎样进行改革等重大问题。

邓小平指出,十一届五中全会决定成立中央书记处,是改革党中央领导制度的第一步。这次中央政治局常委建议的国务院领导成员的变动,将是改革政府领导制度的第一步。调整国务院领导成员应遵循四原则,即:权力不宜过分集中;兼职、副职不宜过多;着手解决党政不分、以党代政的问题;从长远着想,解决好交接班的问题。他强调说,我们过去发生的各种错误,固然与某些领导人的思想作风有关,但是组织制度、工作制度方面的问题更重要。这些方面的制度好,可以使坏人无法任意横行;制度不好,可以使好人无法充分做好事,甚至会走向反面。即使像毛泽东这样伟大的人物,过去也受到一些不好的制度的严重影响,以至对党对国家对他个人都造成了很大的不幸。这个教训是极其深刻的。因此,我们只有对这种制度上的弊端进行有计划、有步骤而又坚决彻底的改革,才能有利于我国的长治久安,才能保证我国四个现代化的实现。这样,邓小平就从改革同现代化建设的关系,改革同国家长治久安的关系上,论述了改革的必要性、紧迫性和目的。

邓小平在讲话中,还进一步指出我们现行制度存在哪些弊端,以及存在的原因。他说,存在于我们党和国家领导制度和干部制度中的主要弊端是官僚主义现象,权力过分集中的现象,家长制现象,干部领导职务终身制现象和形形色色的特权现象。

为了革除上述弊端,邓小平在讲话中向全党提出肃清封建主义和资产阶级思想影响的任务,并着重提出对党和国家领导制度实行 6 项重大改革措施。这些措施主要是:建议修改宪法,切实保证人民享有当家做主的各项权利,不允许权力过分集中的原则将在宪法中体现出来;建议设立党中央顾问委员会,连同中央委员会都由党的全国代表大会选举产生,并明确划分各自的任务和权限;要真正建立起从国务院到地方各级政府从上到下强有力的工作系统,认真解决党政不分的问题;要有准备有步骤地改革党委领导下的厂长、经理、校长、所长负责制,分别实行工厂管理委员会、公司董事会、经济联合体的联合委员会领导和监督下的厂长负责制、经理负责制,并实行院长、所长负责制;要求各级党委真正实行集体领导和个人分工负责相结合的制度。

这样,邓小平的讲话就提出了改革党和国家领导制度的根本纲领。纲领的实质,是通过对现行具体制度的改革来扩展社会主义民主,为建设完善的社会主义民主政治服务。纲领体现了党中央对建设有中国特色的社会主义民主政治的构想,它的实施,使十一届三中全会以后开展的改革向政治领域的深层发展。这个有历史意义的纲领的提出,是党和国家在付出了"文化大革命"的高昂代价之后所取得的伟大进步之一,它将推动党和国家领导制度的改革和完善向前发展。

邓小平讲话后,政治局扩大会议对党和国家领导制度改革问题进行了认真讨论。与会同志一致同意邓小平讲话的内容,并分别发表了自己的意见和看法。在我国,封建主义和资产阶级思想影响,特别是封建残余的思想影响,是改革与完善党和国家领导制度的主要阻力。因此,要贯彻党中央关于改革党和国家领导制度的重大措施,就必须肃清封建思想的影响,同时批判资产阶级思想。与会同志还提出,为了解决权力过分集中、兼职副职过多、以党代政的问题,必须向全国人民代表大会建议:中共中央主席华国锋不再兼任国务院总理,由赵紫阳接替。华国锋一身兼任中共中央主席、中央军委主席和国务院总理,不仅他的条件不具备,就时间和精力来说,一人也难以挑起这三项重任。其次,建议邓小平、李先念、陈云、徐向前、王震、王任重等老革命家不再兼任国务院副总理,由精力较强的同志接任。会议通过了邓小平的讲话,并将其发至全党。

这次中共中央政治局扩大会议,是我国政治体制改革由浅层次向深层次发展的一个转折点。邓小平的讲话和会议讨论的改革内容,已不限于直接接受"文化大革命"的教训,医治由这次大动乱而造成的政治体制上的创伤,而是更深入地研讨了新中国成立以来党和国家领导体制中的正确方面和问题,针对它的主要弊端,提出了从中央到基层的重大改革措施。这是中国共产党和中国人民探索如何通过改革建设民主化的社会主义政治体制的一个理论和政策成果。

四

改变权力过于集中的措施

中共中央政治局扩大会议结束后,为实施改革党和国家领导制度的根本纲领,从 1980 年 10 月至 1982 年底,党和政府为逐步革除权力过分集中这个总弊端,采取了若干措施。主要是实行党政分权,增加地方的权利,扩大基层的民主权利,切实保障司法、检察机关依据宪法而享有的审判和检察权等等,以探索党和国家政治生活民主化的实现形式。这期间进行的主要活动和采取的主要措施是:第一,1980

年8月30日至9月10日，五届人大第三次会议在北京召开。这次会议接受中共中央关于调整国务院领导成员的建议，决定当时身兼国务院总理的华国锋，不再担任国务院总理职务，由赵紫阳接任；同意邓小平、李先念、陈云等老革命家不再兼任国务院副总理和人大常委会副委员长的辞职请求，另由适当的人选担任。这就从中央政府机构着手，自上而下地逐步改变党政领导干部兼职、副职过多的状况，这是改革党政权力过分集中于少数甚至个别领导干部的体制所迈出的重要一步。这次会议，还作出了修改《中华人民共和国宪法》的决议，要求修改后的宪法，要体现改变权力过分集中的状况，切实保障人民民主权利的原则。这次会议在发扬人民民主精神鼓舞下，人民代表把人民的意见带到会上来，不仅肯定一年来政府工作的成绩，还对因经济工作的失误而出现大量财政赤字提出批评和质询。为此，国务院一些部门的负责人就代表们的质询作出回答。会议期间，一些领导人作为普通代表在小组会上同大家一起讨论问题，而不是像过去那样，以领导人的身份去小组"探望代表"。这些小小的变化，是"于细微处见精神"，使与会代表感到民主化的春风正拂面而来。两年以后，于1982年11月召开了五届人大五次会议。这次会议通过了新的《中华人民共和国宪法》、《中华人民共和国全国人民代表大会组织法》、《中华人民共和国国务院组织法》、《中华人民共和国地方各级人民代表大会和地方各级人民政府组织法》等重要文件。这些文件按照党政分权的要求，扩大了人大常委会的立法等职权，恢复设立国家主席和副主席，并规定国家领导人连续任职不得超过两届；设立国家的中央军事委员会，领导全国武装力量。按照增加地

方权利的要求，将原"地方组织法"规定省、自治区、直辖市的权力机关有权制定地方性法规，扩大为省、自治区所在地的市和国务院批准的较大的市的人大常委会，也可以制订本市需要的地方性法规草案，提请省、自治区的人大常委会审定、公布。这些规定的实施，对加强权力机关人大和建立强有力的行政工作系统以及增加地方权利是个推动。

第二，除在中央和省市两级采取改革措施外，在基层这时进行改革工作主要是由选民直接选举县级人民代表，再在代表中选出县人大常委会和人民政府的领导人。早在1980年上半年，全国除北京市外，有28个省、自治区、直辖市的460个单位进行了县级直接选举试点，下半年逐步在全国铺开，到1981年完成了县级直接选举任务。这是我国选举制度和地方政权建设的一大改革，是改进和完善我国人民代表大会制的重大措施，它推进了我国社会主义民主与法制建设的发展，表明了基层民主权利的扩大。

五

试行党政企分开

改革党和国家领导制度，必然要求基层组织解决党政企不分的问题，也要求消除各级党政机关机构臃肿、办事效率低的积弊。解决这些问题不但有利于从政治上改善党政领导，也适应了工业企业和农业社的扩大自主权和简政放权的需要，因而带有明显的为经济体制改革开路的特点。基于上述认识，从1980年起，我国在少数企业中分别试行厂长负责制和公司董事会领导下的经理负责制等新的领导制度。新的企业领导制度，使企业中的共

产党党委能够摆脱行政和经济事务,集中力量抓大政方针的贯彻,做好职工的思想政治工作,初步解决了党政企分开的问题;同时,也使厂长、经理有职有权,建立起强有力的生产指挥系统,改善了企业的经营管理。1981年7月,中共中央和国务院又转发了《国营工业企业职工代表大会暂行条例》。在转发的通知中指出,改革企业的领导制度,是改革党和国家领导制度的一个重要组成部分。这一改革的基本内容是:发挥共产党的领导作用,特别是加强和改善党对企业的思想政治和方针政策的领导;发扬职工群众主人翁的责任感和当家做主的积极性,实行民主管理;企业的生产、行政工作由厂长(经理)负责统一指挥。这是一项牵动全局的艰巨任务,应该经过试点、认真总结经验、有步骤地加以实施。通知还指出,职工当家做主,民主管理企业是社会主义企业同资本主义企业的根本区别。职工代表大会是职工参加企业决策、管理和监督工作的权力机构,是发挥职工当家做主积极性,办好社会主义企业的基本组织形式。每个企业必须按照《条例》的规定,有准备地、切实地把职工代表大会制度建立起来,并使其发挥作用。这样,由厂长(经理)统一指挥企业的生产和行政工作,党委实施对企业的思想政治和方针政策领导,职代会参与企业决策和管理的新领导体制的雏形,就在少数试点企业中逐渐形成。

1980年至1982年上半年,我国还在四川省的广汉、邛崃、新都3县,进行撤销政社合一的人民公社,实行党政企分开改革试验。到1982年6月,这项大胆试验已创造出取消人民公社旧体制,形成农村基层组织的党政企分开的新体制,取得了改革的成效。中共四川省委和省人民政府,在长期的实践中深深地感到,人民公社实行的政社合一,把国家基层政权与农民集体经济组织合为一体的体制,容易助长强迫命令和瞎指挥,不利于维护集体经济的权益和发展农业生产力。因此,从1984年起他们把3县的86个人民公社改成86个乡,分别成立了乡党委、乡人民政府和乡经济组织(多数叫乡农工商联合公司)。在原来的大队范围设村,原大队的中共支部改为村支部,并设立村长的行政职务,取消原大队一级的经济组织,由乡级经济组织协调村级生产活动。将原来的生产队改为农业生产合作社,成为统一协调各承包农户生产活动的独立经济实体。这种撤销人民公社改建乡、村、农业生产合作社的领导管理体制,使人民公社存在的"党政企"不分,"以党代政"、"一平二调"等弊端得以克服,初步实现了用经济手段管理经济,促进了生产的发展,也加强了农村基层的党政工作。

与上述改革并行开展的是中央一级的机构改革。1982年1月11日和13日,中共中央政治局召开会议,讨论中央机构精简问题。邓小平在会上作了《精简机构是一场革命》的重要讲话。他指出,精简机构是一场革命,如果不搞这场革命,让党和国家的组织继续目前这样机构臃肿重叠、职责不清,许多人员不称职、不负责,工作缺乏精力、知识和效率的状况,这是不可能得到人民赞同的。这场革命不搞,让老人病人挡住比较年轻、有干劲、有能力的人的路,不只是四个现代化没有希望,甚至要亡党亡国。当然这场革命不是对人的革命,而是对体制的革命。他还说,这一次精简机构,不但要注意出的问题,还特别要注意进的问题。进,最关键的问题是选比较年轻的、德才兼备的干部进领导班子。1月19日,中共中央将邓小平的讲话印发给党中央各部委和国务院各部委党组。随之，中共中央和国务院的机构改革迅速展开。截至6月28日，中央党政机关机构改革第一阶段结束。经改革，国务院所属部委、直属机构和办公机构，由100个裁并为60个，工作人员编制缩减1/3左右。仅据38个部委的统计，除兼职的部长、主任以外，正副部长、正副主任由原来的505人减至167人，减少67％。在新组成的领导班子中，新选拔的中青年干部占32％。平均年龄由64岁降到58岁。国务院本身的领导体制也进行了改革，副总理由13人减为2人，新设国务委员10人，改善和加强了国务院日常领导机构。中共中央直属单位，局级机构减少11％，工作人员总编制缩减17.3％，各部委的正副职减少了15.7％。在新组成的领导班子中，新选拔的中青年干部占66％，平均年龄由64岁降为60岁。

这次国务院和中共中央直属单位的机构改革，为各省、市、自治区的机构改革做了榜样，积累了经验。存在的问题是，没有采取巩固这次机构改革成果的措施，以致后来又出现了新的机构臃肿的现象，给改革留下了深刻的教训。

前述从1978年底至1982年的政治体制改革，经历了由医治"文革"创伤性质的浅层次改革到着重改革党和国家领导制度的历史发展。后者按照《改革党和国家领导制度》的根本纲领，本应该开展得更深入一些，然而并没有深入下去。这是因为，在客观上说，当时经济调整是压倒一切的任务，非常繁重，改革只能在服从于调整和有利于调整的局限下进行，不仅政治体制改革难以有很大的动作，就是城市经济体制改革也未能采取很大的步骤。从主观上说，是对改革党和国家领导制度缺乏深刻认识，没有把革除现行制度中的弊端作为社会主义制度自我完善的战略问题来考虑，因而较多地从拨乱反正的角度来考虑改革，较少地从建立与现代化经济相适应的政治结构来考虑改革。这就使政治体制改革未能深入地开展下去。

加快机构改革

1986年9月3日，邓小平在会见日本公明党委员长竹入义胜时再次强调指出，现在我们的经济体制改革进行得基本顺利。但是随着经济体制改革的发展，不可避免地会遇到障碍。对于改革，在党内、国家内有一部分人反对，但是真反对的并不多。重要的是政治体制不适应经济体制改革的要求。所以不搞政治体制改革就不能保障经济体制改革的成果，不能使经济体制改革继续前进。

邓小平发表的上述讲话说明，政治体制改革的地位和必要性问题，已经不只是理论家和学者案头中的东西，而是已经成为党和国家领导人领导意识中的重要组成部分了。

邓小平再次提出政治体制改革问题，切中了改革进程的要害。中共中央和国务院的决策层立即活跃起来，理论界及一些实际工作部门也都从各自的角度展开了理论研究和调查工作从而使政治体制改革问题一度成为中国改革和政治建设中的突出问题。当然，这一时期各项工作的中心，都是围绕着政治体制改革的必要性、可行性、突破口等理论问题展开的。它为改革蓝图的总体设计打下了基础。

邓小平在提出政治体制改革问题的同时，就提出了这项改革的目的、原则及主要内容。1986年9月13日，他在听取中共中央财经领导小组汇报时,比较具体地谈到这项改革的目的和内容。他说:"我想政治体制改革的目的是调动群众的积极性,提高效率,克服官僚主义。改革的内容,首先是党政要分开,解决党如何领导,如何善于领导的问题。这是关键。第二个内容是权力要下放,解决中央和地方的关系,同时地方各级也都有一个下放权力问题。第三个内容是精简机构,这和权力下放有关。还有一个内容是提高效率。政治体制改革包括什么内容,要找人理一下,理出个头绪。改革总要有一个期限,不能太迟,明年党的代表大会要有一个蓝图。我想要把党政分开放在第一位。在改革中,不能照搬西方的,不能搞自由化。过去我们那种领导体制也有一些好处,决定问题快。如果过分强调互相制约的体制,可能也有问题。"而后,他在一次谈话中再次明确提出,政治体制改革"要本着三个目标进行。第一个目标是始终保持党和国家的活力",并说这和干部的年轻化有关,他发出感慨,"哪一天中国出现一批三四十岁的优秀的政治家、经济管理家、科学家、文学家和其他各种专家就好了"。"第二个目标是克服官僚主义,提高工作效率",他认为效率不高固然与机构臃肿等有关,"但更主要的是涉及党政不分,在很多事情上党代替了政府工作,党和政府很多机构重复。我们要坚持党的领导这一中国的特点,不能放弃这一条,但是党要善于领导"。"第三个目标是调动基层和工人、农民、知识分子的积极性。"强调"领导层有活力,克服了官僚主义,提高了效率,调动了基层和人民的积极性,四个现代化才真正有希望"。邓小平的这些话,定下了理论探讨和方案设计的基调。

根据邓小平的建议,中共中央于1986年9月决定成立中共中央政治体制改革研讨小组。这个小组由赵紫阳、胡启立、田纪云、薄一波、彭冲等五人组成,在中共中央政治局常委会直接领导下工作。研讨小组下设办公室负责具体工作。同时,组织了各方面作理论工作和实际工作的人员,就党政分开,党内民主、机构改革、干部人事制度、社会主义民主、社会主义法制改革的基本原则等专题组成了七个小组,进行各个专题的调查研究和论证工作。

与这种有组织的研讨相呼应,政治学界、经济学界、法律学界及历史、文化、哲学界的理论工作者也都根据各自学科的特点和优势,投入了政治体制改革有关问题的探讨工作,有关部门还举行了多种形式的讨论会、征文等活动,促进这方面工作的交流和发展。有不少人还将自己的研究成果或设计方案上书有关领导部门或有关领导,以作为决策时的参考,忧国忧民的思绪跃然纸上。

在各专题研讨小组和理论界广泛研究的基础上,中共中央政治体制改革研讨小组办公室数易其稿,形成了政治体制改革总体设想的初步方案。这个方案经中共中央政治局原则同意,于1987年10月提交给中共十二届七中全会讨论。

经过充分讨论,中共十二届七中全会原则同意了《政治体制改革总体设想》,决定将这个文件的主要内容写入中共十三大报告。1987年10月25日,中共十三大召开,中共中央提出了进行政治体制改革的蓝图。大会的政治报告指出,"进行政治体制改革,就是要兴利除弊,建设有中国特色的社会主义民主政治。改革的长远目标,是建立高度民主、法制完备、富有效率、充满活力的社会主义政治体制";"改革的近期目标,是建立有利于提高效率、增强活力和调动各方面积极性的领导体制"。报告从七个方面描绘了政治体制改革蓝图的大致轮廓：

关于实行党政分开。报告指出，党的领导是政治领导，即政治原则、政治方向、重大决策的领导和向国家政权机关推荐重要干部。党对国家事务实行政治领导的主要方式是，使党的主张经过法定程序变成国家意志，通过党组织的活动和党员的模范作用带动广大人民群众，实现党的路线、方针、政策。报告强调，中央、地方、基层的情况不同，实行党政分开的具体方式也应有所不同。报告就此提出了原则意见。

关于进一步下放权力。报告针对权力过分集中的弊端，提出这项改革措施的一个总的原则是，"凡是适宜于下面办的事情，都应由下面决定和执行，这是一个总的原则"。在中央和地方的关系上，要在保证全国政令统一的前提下，逐步划清中央和地方的职责，做到地方的事情地方管，中央的责任是提出大政方针和进行监督。对于政府同企事业单位的关系，党、政府同群众组织的关系等，报告也提出了处理原则。

关于改革政府工作机构。为了避免重走过去"精简—膨胀—再精简—再膨胀"的老路，报告强调，这次机构改革必须抓住转变职能这个关键。要按照经济体制改革和政企分开的要求，合并裁减专业管理部门和综合部门内部的专业机构，使政府对企业由直接管理为主转变到间接管理为主。适当加强决策咨询和调节、监督、审计、信息部门，转变综合部门的工作方式，提高政府对宏观经济活动的调节控制能力。

关于改革干部人事制度。要对"国家干部"进行合理分解，改变集中统一的管理现状，建立科学的分类管理体制；改变用党政干部的单一模式管理所有人员的现状，形成各具特色的管理制度；改变缺乏民主法制的现状，实现干部人事的依法管理和公开监督。报告强调，这项改革的重点，是建立国家公务员制度，即制定法律和法规，对政府中行使国家行政权力、执行国家公务的人员，依法进行科学管理。

关于建立社会协商对话制度。其基本原则是，发扬"从群众中来，到群众中去"的优良传统，提高领导机关活动的开放程度，重大情况让人民知道，重大问题经人民讨论。对全国性的、地方性的、基层单位内部的重大问题的协商对话，应分别在国家、地方和基层三个不同的层次上展开，以便及时地、畅通地、准确地做到下情上达、上情下达、彼此沟通、互相理解。

关于完善社会主义民主政治的若干制度。应继续完善人大及其常委会的各项职能，加强立法工作和法律监督，加强自身建设。加强人民政协组织的建设，逐步使国家大政方针和群众生活重大问题的政治协商和民主监督经常化，发挥民主党派和民主人士的作用。理顺党和行政组织同群众团体的关系，使各种群众团体能够按照各自的特点独立自主地开展工作，能够在维护全国人民总体利益的同时，更好地表达和维护各自代表的群众的具体利益。继续完善选举制度，促进基层民主生活的制度化。

关于加强社会主义法制建设。一方面，加强立法工作，改善执法活动，保障司法机关依法独立行使职权，提高公民的法律意识；另一方面，法制建设又必须保障建设和改革的秩序，使改革的成果得以巩固。逐步形成政治、经济和社会生活的新规范，做到：党、政权组织同其他社会组织的关系制度化,国家政权组织内部活动制度化,中央、地方、基层之间的关系制度化,人员的培养、选拔、使用和淘汰制度化,基层民主生活制度化,社会协商对话制度化。

以上是中共中央为政治体制改革规划的基本蓝图和总体设计。它引起了国内外的极大关注,国内许多人对政治体制改革方案的出台表示了浓厚兴趣,国外一些评论家认为中共政治体制改革的步骤和内容出乎意料地详细。中共十三大政治体制改革的方案提出标志着中国政治体制改革面临着新的起点。它的逐步付诸实施,将使中国的改革事业进入一个新的发展阶段。

教育体制改革

一

教育的状况与问题

新中国成立以来,中国教育事业的发展走过了曲折的道路。经过解放初期的接管改造和以高等学校院系调整为中心的教育改革,我们把旧中国的半殖民地半封建教育事业转变成为社会主义教育事业。三十九年来,依靠广大教育工作者的辛勤努力,教育事业取得了中国历史上从来没有过的巨大的发展,成绩是显著的。在中国各条战线上工作的广大有文化的

劳动者和各方面工作的骨干力量,绝大部分都是共和国成立以后培养出来的。但是,另一方面,从50年代后期开始,由于全党工作重点一直没有转移到经济建设上来,由于"阶级斗争为纲"的"左"的思想的影响,教育事业不但长期没有放到应有的重要地位,而且受到"左"的政治运动的频繁冲击。"文化大革命"更使这种"左"的错误走到否定知识、取消教育的极端,从而使教育事业遭到严重破坏,广大教育工作者遭受严重摧残,耽误了整整一代青少年的成长,并且使我国教育事业同世界发达国家之间在许多方面本来已经缩小的差距又拉大起来。

十一届三中全会以后,经过指导思想的拨乱反正,党中央对教育工作作出了一系列新的论断和决策,我国教育事业得到了恢复,开始走上了蓬勃发展的道路。但是,轻视教育、轻视知识、轻视人才的错误思想仍然存在,教育工作方面的"左"的思想影响还没有完全克服,教育工作不适应社会主义现代化建设需要的局面还没有根本扭转。特别是面对着我国对外开放、对内搞活,经济体制改革全面展开的形势,面对着世界范围的新技术革命正在兴起的形势,我国教育事业的落后和教育体制的弊端就更加突出了。改革前教育的主要问题是:

1. 按人口平均拥有的大学生、科技人员很少

衡量一个国家人才规模的大小,往往用每万人口中大学生所占的比例指标。比例越高,表明这个国家的高层次人才越多,经济发展的后劲越足。1980年,中国每万人口在校大学生16.4人,同期美国为542人,日本为207人,法国为201人,苏联为197人,南斯拉夫为185人,印度为

66人。① 1985 年我国每万人口拥有科技人员 75 人，苏联（1980 年）为 1100 人，南斯拉夫（1978 年）为 1400 人，匈牙利（1980 年）为 2000 人，新加坡（1980 年）为 300 人，瑞典（1979 年）为 2600 人。②

2. 各级教育学生入学率低，义务教育还没有普及

目前，发达资本主义国家已经普及初等、中等教育，而中国各级学生入学率还很低。1985 年，有 4.1％的儿童未入学，32.6％的小学毕业生不能升初中，60.6％的初中生不能升高中。1980 年美国、日本、苏联、波兰的中小学入学率分别达到 99％、97％、97％和 92％。在高等教育方面，1983 年中国高等院校学生入学率为 1％，同期美国为 36％，苏联为 21％，匈牙利为 15％，印度为 9％，世界平均则为 11.9％。

3. 高层次人才短缺

国际上通常把具有中等文化程度的劳动力在就业人口总数中的比例，作为衡量一国劳动者素质的标志。1982 年，中国劳动者总数中仅有 10.5％的人具有高中文化程度，而日本 1979 年在 5471 万名就业者中，具有高中以上学历的人达到 60％以上。1976 年联邦德国就业人员 2575.2 万人，其中受过各种程度职业教育的人员占 68％左右。据统计，我国第一、二、三产业直接生产者和服务人员中，初中、小学文化程度占 70％左右，文盲和半文盲占 10％，第一线生产工人素质较低，已成为影响经济效益的重要原因。据全国第三次人口普查资料统计，全国还有占人口 23.6％的文盲半文盲，即每 100 人中就有 24 个文盲半文盲。在中国各类专业技术人员中，高层次人才短缺，1984 年底，中国

八级工仅占 1.4％，而美国高级技工的比例为 38％，日本为 32％，苏联为 29％。中国人口的各类从业人员科学文化素质低下，已成为四个现代化建设的严重障碍。

4. 教师水平不高

据统计，全国小学教师具有中师或普通中学学历的只占 4.7％，初中教师具有大专学历的只占 10.6％，高中教师具有大学本科学历的占 50.8％。而中国的师范院校毕业生在数量上和质量上都不能满足发展基础教育的需要。由于教师水平不高，学生的质量令人担忧。据《中国教育报》1987 年 10 月 1 日公布："1986 年，我国小学入学率达 96.4％，学生巩固率在 97.1％，毕业率 94.7％，而经验收审批，全国仅有 1052 个县达到了普及初等教育的标准（其中包括学生的学业合格率），只占全国总县数的 52％，有近一半县的初等教育质量不合标准。"

5. 教育经费不足，影响教育发展

据联合国教科文组织和国际货币基金会组织的统计，一般人均国民生产总值接近 300 美元的国家，当年教育拨款约占国民生产总值的 3.3％，300—500 美元的占 4.2％。500—1000 美元的占 4.4％，1000—5000 美元的占 4.5％，5000 美元以上的占 5.8％。而中国教育经费占国民生产总值的比例平均为 2.5％，除个别年份外，从未突破 3％，远远低于同等经济发展程度的国家的平均水平（3.3％）。

虽然 1977 年以来中国教育投资的绝对量逐年递增，增长速度也较快。但是，1983 年以前和 1984 年以后，情况相异很大。1977—1983 年，教育投资平均增长 17.3％，高于国民收入的年均增长

① 资料来源：《中国经济年鉴》（1986）《教育与经济》1983 年第 3 期，《国际经济与社会统计资料》（1950—1982）。
② 不包括社会科学。资料来源：《中国劳动工资统计资料》《世界经济年鉴》（1983—1984）。

（11.6％）和财政支出的年均增长（6.4％）。而1984—1987年，教育投资年均增长16.9％，低于同期国民收入的平均增长（18.3％）和财政支出的平均增长（17.6％）。

6.教育投资效益不高，高等教育专业门类狭窄

在中国教育体制中，由于条块分割，多头管理，造成教育结构布局不合理，投资效益不高，教育经费有限的增长弥补不了人头费的增加。"七五"规划中，教育事业费比"六五"增加72％，但其中77.7％是人头费，用于改善教育的经费不到1/3。截至90年代初，中国大学人头费平均占教育经费的38.6％，中学占68.8％，小学占80.07％。

中国师资利用率和发展中国家相比明显偏低，1983年初等教育的师生之比为1∶25，而其他发展中国家平均为1∶35；中等教育的师生之比为1∶17.6，而其他发展中国家平均为1∶21；高校教师与学生之比国家教委规定应为1∶6.6，而世界高校平均师生之比为1∶14。

由于中国高等教育受苏联教育模式的影响较深，与高度集中的计划经济体制相适应，按照产业部门、行业设置专业门类狭窄的学校、学科、专业，重理轻文，重政治轻经济，以致出现"专业不对口"现象，一方面，形成专门人才的浪费，另一方面是缺少能够适应商品经济发展的新型管理人才。

由于中国用人制度上的原因，使中国具有高级专业技术职称人员年龄偏大，而一大批精力、智力最旺盛的中、青年人，其水平得不到承认，造成智力资源的自然性浪费。据1984年对全国专门人才的调查，具有高级职称的专门人才，50岁以上的占85.36％，50岁以下的仅占14.64％。据1984年10月公布的数字，全国高等学校教授的平均年龄超过66岁；中国科学院374名学部委员平均年龄为70岁。教师队伍和学术队伍的老化，在一定程度上会造成学术思想、学术空气、教育内容的沉闷和陈旧，成为迈向现代化的一个滞后因素。

另外，根据美国哈佛大学两位经济学家对75个国家进行的7项教育指标的分析估算，中国列倒数第26位，即第50位，位次排在印度、埃及和泰国的之后。[①]

中国本来就穷，过去在相当长的时间内又不肯在教育方面多投资，所以在人均教育经费上与发达国家的差距简直无法相比。在151个国家及地区中，中国人均教育经费列为第149位。现在发达国家的人均教育经费为1000美元左右。[②] 中国人均教育经费1986年才达到20元人民币。

此外，中国的教育事业还存在着以下的主要问题：

一是在教育事业管理权限的划分上，政府有关部门对学校主要是对高等学校统得过死，使学校缺乏应有的活力；而政府应该加以管理的事情，又没有很好地管起来。

二是在教育结构上，基础教育薄弱，学校数量不足，质量不高，合格的师资和必要的设备严重缺乏，经济建设大量急需的职业和技术教育没有得到应有的发展，高等教育内部的科系、层次比例失调。

三是在教育思想、教育内容、教育方

---

① 宋健等：《迎接新的技术革命》，湖南科学技术出版社，1984年版，第362页。

② 钱伟长等：《我国社会经济和科技发展战略问题》，知识出版社，1987年版，第180页。

法上,从小培养学生独立生活和思考的能力不够,发扬立志为祖国富强而献身的精神不够,生动活泼地用马克思主义思想教育学生不够,不少课程内容陈旧,教学方法死板,实践环节不被重视,专业设置过于狭窄,不同程度地脱离了经济和社会发展的需要,落后于当代科学文化的发展。

二

中共中央关于教育体制改革的决定

　　1985年5月15日至20日,中共中央和国务院在北京召开了全国教育工作会议。会议主要讨论和部署教育体制改革问题。5月19日,邓小平在会上作了题为《把教育工作认真抓起来》的讲话,指出:我国的经济,到建国一百周年时,可能接近发达国家的水平。我们这样说,根据之一,就是在这段时间里,我们完全有能力把教育搞上去,提高我国的科学技术水平,培养出数以亿计的各级各类人才。我们国家,国力的强弱,经济发展后劲的大小,越来越取决于劳动者的素质,取决于知识分子的数量和质量。一个10亿人口的大国,教育搞上去了,人才资源的巨大优势是任何国家比不了的。有了人才优势,再加上先进的社会主义制度,我们的目标就有把握达到。现在小学一年级的娃娃,经过十几年的学校教育,将成为开创21世纪大业的生力军。中央提出要以极大的努力抓教育,并且从中小学抓起,这是有战略眼光的一着。如果现在不向全党提出这样的任务,就会误大事,就要负历史的责任。还指出,一个地区,一个部门,如果只抓经济,不抓教育,那里的工作重点就是没有转移好,或者说转移得不完全。忽视教育的领导者,是缺乏远见

的、不成熟的领导者,就领导不了现代化建设。各级领导要像抓好经济工作那样抓好教育工作。

　　5月27日,经过全国教育工作会议认真讨论,《中共中央关于教育体制改革的决定》正式公布。

　　文件提出:

　　1.教育体制改革的根本目的是提高民族素质,多出人才、出好人才

　　党的十二届三中全会关于经济体制改革的决定,为我国社会生产力的大发展,为我国社会主义物质文明和精神文明的大提高,开辟了广阔的道路。今后事情成败的一个重要关键在于人才,而要解决人才问题,就必须使教育事业在经济发展的基础上有一个大的发展。教育必须为社会主义建设服务,社会主义建设必须依靠教育。社会主义现代化建设的宏伟任务,要求我们不但必须放手使用和努力提高现有的人才,而且必须极大地提高全党对教育工作的认识,面向现代化、面向世界、面向未来,为90年代以至21世纪初叶我国经济和社会的发展,大规模地准备新的能够坚持社会主义方向的各级各类合格人才。

　　2.把发展基础教育的责任交给地方,有步骤地实行九年制义务教育

　　实行九年制义务教育,实行基础教育由地方负责、分级管理的原则,是发展我国教育事业、改革我国教育体制的基础一环。基础教育管理权属于地方。除大政方针和宏观规划由中央决定外,具体政策、制度、计划的制订和实施,以及对学校的领导、管理和检查,责任和权力都交给地方。为了保证地方发展教育事业,除了国家拨款以外,地方机动财力中应有适当比例用于教育,乡财政收入应主要用于教育。地方可以征收教育费附加,此项收入

首先用于改善基础教育的教学设施,不得挪作他用。由于我国幅员广大,经济文化发展很不平衡,义务教育的要求和内容应该因地制宜,有所不同。全国可以大致划分为三类地区:

一是约占全国人口 1/4 的城市、沿海各省中的经济发达地区和内地少数发达地区。在这类地区,相当一部分已经普及初级中学,其余部分应该抓紧按质按量普及初级中学,在 1990 年左右完成。

二是约占全国人口一半的中等发展程度的镇和农村。在这类地区,首先抓紧按质按量普及小学教育,同时积极准备条件,在 1995 年左右普及初中阶段的普通教育或职业和技术教育。

三是约占全国人口 1/4 的经济落后地区。在这类地区,要随着经济的发展,采取各种形式积极进行不同程度的普及基础教育的工作。对这类地区教育的发展,国家尽力给予支援。

3.调整中等教育结构,大力发展职业技术教育

根据大力发展职业技术教育的要求,我国广大青少年一般应从中学阶段开始分流:初中毕业生一部分升入普通高中,一部分接受高中阶段的职业技术教育;高中毕业生一部分升入普通大学,一部分接受高等职业技术教育。在小学毕业后接受过初中阶段的职业技术教育的,可以就业,也可以升学。凡是没有升入普通高中、普通大学和职业技术学校的学生,可以经过短期职业技术培训,然后就业。发展职业技术教育要以中等职业技术教育为重点,发挥中等专业学校的骨干作用,同时积极发展高等职业技术院校,优先对口招收中等职业技术学校毕业生以及有本专业实践经验、成绩合格的在职人员入学,逐步建立起一个从初级到高级、行业配套、结构合理又能与普通教育相互沟通的职业技术教育体系。

4.改革高等学校的招生计划和毕业生分配制度,扩大高等学校办学自主权

高等学校担负着培养高级专门人才和发展科学技术文化的重大任务。我国高等教育发展的战略目标是:到 20 世纪末,建成科类齐全,层次、比例合理的体系,总规模达到与我国经济实力相当的水平;高级专门人才的培养基本上立足于国内;能为自主地进行科学技术开发和解决社会主义现代化建设中重大理论问题和实际问题作出较大贡献。为了实现这个目标,当前高等教育体制改革的关键,就是改变政府对高等学校统得过多的管理体制,在国家统一的教育方针和计划的指导下,扩大高等学校的办学自主权,加强高等学校同生产、科研和社会其他各方面的联系,使高等学校具有主动适应经济和社会发展需要的积极性和能力。

5.加强领导,调动各方面积极因素,保证教育体制改革的顺利进行

在教育体制改革中,必须尊重教育工作的规律和特点,坚持实事求是,一切从实际出发。大政方针必须集中统一,具体办法应该灵活多样,决不可一哄而起,强制推行。改革既要坚决,又要谨慎,注重试验。

乘改革的东风振兴教育事业

根据《决定》精神,各级各类学校在前几年调整、恢复和发展的基础上,迈出改革的步伐。一是适应客观要求改革教育管理体制。1985 年 6 月,六届全国人大常委会第十一次会议,决定撤销教育部,成

立国家教育委员会。第一届国家教委主任由国务院副总理李鹏兼任。地方省市教育局也相应改为教委。在学校内部,逐步推行校长负责制,设立由校长主持的,人员精干的,懂得教育科学的人组成校务委员会,审议学校教学工作。建立和健全以教师为主体的教职工代表大会,实行民主管理和民主监督。这些措施,使学校工作从过去那种党组织包办一切的状态解脱出来。另一方面,在广大教师中实行专业职务聘任制,高等学校教师分为教授、副教授、讲师、助教,中等专业学校教师分为高级讲师、讲师、助理讲师、教员,中小学教师分为中小学高级教师、中小学一级教师、中小学二级教师、中小学三级教师,技工学校教师分为高级讲师、讲师、助理讲师、教员,高级实习指导教师、一级实习指导教师、二级实习指导教师、三级实习指导教师。据1988年初的统计数字,全国已聘任教授1.5万人左右,其中近两年已取得教授任职资格并受聘的,约占任职教授总人数的65%;聘任副教授7.5万人,其中近两年取得副教授任职资格并受聘的,约占聘任副教授总人数的60%。1990年各级各类学校专任教师达1036.8万人,比1980年增加了138.9万人。

二是把教育发展纳入法制轨道。1986年4月,六届全国人大四次会议通过了《中华人民共和国义务教育法》,各地区从实际出发,分别不同情况,制订了普及义务教育规划。1987年有1240个县普及了小学教育,占全国总县数的60%。进入90年代,这个数字发展到71%。1990年全国小学学龄儿童入学率达到97.8%,比1980年提高了4.8个百分点。多数城市普及了初中教育。1993年小学在校学生1.24亿人,小学学龄儿童入学率达到97.7%。小学毕业生升学率由1992年的

79.7%提高到81.8%。全国初中在校学生4082万人。1993年扫除青壮年文盲500万人左右,全国青壮年文盲率已下降到7%左右。国家教委建立了基本扫除文盲工作的评估验收制度,到1993年底已有26个省、自治区、直辖市对350多个县(市、区)进行评估验收。此外,1994年1月1日起正式实施《教师法》。一批重要的政策性文件和各地制定的一些地方性法规也在1993年相继颁发。《残疾人教育条例》、《民办学校条例》和《优秀教学成果奖励条例》已由国家教委提交国务院,《教育法》起草工作正在进行之中。

三是调整中等教育结构,大力发展职工技术教育。职业教育与普通教育双轨制的格局已经形成。1987年中等职业技术学校占高中阶段学生的40%。1990年全国中等职业技术学校达到1.7万所,在校学生653万人,分别比十年前的1980年增长75.5%和172.4%。其中,高中阶段职业技术学校在校学生总额达到605万人,占整个高中阶段学生总数的45.7%,比1980年提高了26.8个百分点,比1987年提高了5.7个百分点。1990年中等专业学校毕业生和农业、职业中学毕业生分别达到292.2万人和389.5万人。1993年各类中等职业技术学校在校学生762.3万人(其中技工学校学生173.9万人),占高中阶段在校学生总数1419万人的53.7%。一个从初级到高级、行业配套、结构合理又能与普通教育相沟通的职业技术教育体系正在逐步完善。

四是调整高等教育的结构,改革招生计划和毕业生分配制度,扩大高等学校的办学自主权。高等教育逐步形成多层次、多形式、多学科门类齐全的体系。1989年全国普通高等学校1079所,比10年前的1979年增加446所,提高幅度45.8%。改

革开放 14 年,高校本专科生共 521 万人,约为前 30 年的 2 倍,培养研究生近 22 万人,约为前 30 年的 8 倍。各种形式的成人教育得到较快发展,对提高社会劳动者素质发挥了重要作用。1990 年全国成人高等学校在校学生 174 万人,1993 年达到 186.3 万人,增加 12.3 万人。成人中等教育 1990 年在校学生 152.9 万人,1993 年达到 206.8 万人,增加 53.9 万人。

五是办学体制正在由国家包办向以政府投资办学为主体、社会各界共同参与的方向转变。

科技体制改革与科技进步

现代科学技术是新的社会生产力中最活跃和最具决定性的因素。随着世界科学技术日新月异的发展和一系列新兴科学的产生,科技进步推动社会经济发展的作用和效果愈加显著,科学技术日益渗透到社会物质生活和精神生活的各个领域,成为提高劳动生产率的重要源泉。中国要实现经济腾飞的宏伟目标,缩小同发达国家的差距,必须以科学技术为动力。

中国原有的科技管理体制是伴随经济体制一同建立起来的。曾经显示过可以集中人力、物力、财力攻取某项重大科技问题的优势,如自行研制并生产了大批成套设备,包括 30 万吨合成氨、50 万伏超高压输变电设备,原子弹和氢弹的生产制造技术以及仅为世界上极少数国家所掌握的卫星回收技术等等。但是这种科技

体制也存在许多弊端,主要表现在:科学研究与生产和现代化建设相脱节;科研项目多为低水平重复,信息不灵,渠道不畅,浪费了有限的人员和经费;科研周期长,效率低,科技成果转化为现实生产力过程慢,甚至不少科研成果只是参展,送样品和评奖后就束之高阁。根本没有转化为生产力;科研机构内部"大锅饭"现象严重,科研成果与科研人员收入脱节,不利于调动科研人员积极性;不承认科研成果的商品属性;科技人才不能流动,学非所用和用其所短现象难以解决等等。这些问题不从根本上予以解决,科学技术将不能适应社会主义现代化建设的要求,也无法面对世界新技术革命的挑战。

一

科技体制改革的根本任务与步骤

十一届三中全会以后,科技体制改革一直在进行探索与试验。1984 年 5 月,全国科技体制改革座谈会在河北涿县召开。会议指出,今后改革的指导思想,是改革要有利于促进科技与经济相结合;有利于充分发挥科技人员的积极性和创造性,打破"大锅饭";有利于促进科研单位的社会化,打破部门所有制;提倡多样化发展,既加强发展全民所有制研究所,也允许建立和发展集体和个人研究所。这次座谈会为中共中央实施科技体制战略决策作了准备。

经济体制改革全面推开后,中共中央和国务院便着手科技体制改革的尝试和推广工作。1985 年 3 月 2 日至 7 日,全国科学技术工作会议在北京召开,专门讨论科技体制改革问题。邓小平发表讲话,强调指出,"现在要进一步解决科技和经济

结合的问题。所谓进一步，就是说，在方针问题、认识问题解决之后，还要解决体制问题"，"经济体制，科技体制，这两个方面的改革都是为了解放生产力。新的经济体制应该是有利于技术进步的体制。新的科技体制，应该是有利于经济发展的体制。双管齐下，长期存在的科技与经济脱节的问题，有可能得到比较好的解决"。中共中央总书记胡耀邦也指出，如果说过去的七年是初试锋芒，那么现在可以大显身手了。中国共产党要更好地为发展科学技术扫清道路，更充分地发挥科技人员的聪明才智。这次会议讨论并通过了《中共中央关于科学技术体制改革的决定》。《决定》提出："我们应当按照经济建设必须依靠科学技术、科学技术工作必须面向经济建设的战略方针，尊重科学技术发展规律，从我国的实际出发，对科学技术体制进行坚决的有步骤的改革。"

科学技术体制改革的主要内容是：在运行机制方面，要改革拨款制度，开拓技术市场，克服单纯依靠行政手段管理科学技术工作，国家包得过多、统得过死的弊病；在对国家重点项目实行计划管理的同时，运用经济杠杆和市场调节，使科学技术机构具有自我发展的能力和自动为经济建设服务的活力。在组织结构方面，要改变过多的研究机构与企业相分离，研究、设计、教育、生产脱节，军民分割、部门分割、地区分割的状况；大力加强企业的技术吸收与开发能力和技术成果转化为生产能力的中间环节，促进研究机构、设计机构、高等学校、企业之间的协作和联合，并使各方面的科学技术力量形成合理的纵深配置。在人事制度方面，要克服"左"的影响，扭转对科学技术人员限制过多、人才不能合理流动、智力劳动得不到应有尊重的局面，造成人才辈出、人尽其

才的良好环境。

根据中共中央和国务院的战略部署，科技体制改革大体上分三个阶段进行。

第一阶段，革除原有科技体制的弊端，在运行机制方面，在组织机构方面，在领导体制方面，在人事制度方面，在科技成果商品化方面，在体现科技人员按劳分配方面等，都有明显改变和突破，逐步建立起科技新体制的基本框架。建立科技新体制基本框架的工作应力争在"七五"计划时期或者稍多一些时间完成，以便为90年代的科技发展和振兴经济打下良好的基础。

第二阶段，在科技新体制基本框架的基础上，使科技体制改革进一步向纵深发展，初步形成经营管理型的充满生机和活力的科技新体制。改革的重点应该是：在进一步理顺科技系统内部关系的同时，理顺同经济、政治、教育等方面的关系；在强化国家对科技工作宏观管理的同时，又必须在微观上把对科研单位和科技人员的管理真正搞活。为此，必须自觉运用价值规律，并把竞争机制引入科技管理系统，真正承认科学技术研究的生产属性，真正承认科技成果的商品属性，形成比较健全的技术市场。要切实改善科技人员的工作条件和生活条件，真正承认科学技术研究是创造性的劳动，在收入分配上适当拉开脑力劳动者与体力劳动者的档次，鼓励那些对科学技术研究作出重要贡献的人先富起来；不然的话，尊重知识和尊重人才只能是一句空话。要切实加强科技立法工作，健全法制，运用经济手段、法律手段和必要的行政手段管理科技工作。只有实现了上述这些深化改革的步骤和措施，才能建立起具有自我发展能力和自动为社会主义现代化建设服务的科技新体制。这个阶段的科技改革，应当力争在

"八五"计划时期或者稍长一些时间内完成。这就是说,从1981年算起,经过"六五"、"七五"和"八五"三个五年计划或者稍多一些时间的科技体制改革,基本上建立起具有中国特色的社会主义科学技术体制。

第三阶段,继续巩固和不断完善社会主义科技管理新体制,及时调整科学技术管理系统内部不相协调的那些关系和矛盾,及时调整它与经济、政治、教育等外部环境不相协调的关系和矛盾,使中国的科技体制真正成为促进科学技术发展,成为促进社会主义现代化建设发展,成为促进社会主义商品经济发展的最有效的科技管理制度和形式。这既是一项经常性的科技体制改革工作,又是一种长期性的科技体制改革的任务,因为科技体制同经济体制、教育体制、政治体制等各种体制一样,不是静态的,而是动态的,即使新体制建立起来以后也需要不断完善和发展。社会主义是在改革中前进的。改革是社会主义生产关系和上层建筑的自我完善,是推动一切工作前进的动力。

科技体制改革初见成效

科技体制改革的前奏曲如同其他领域的改革一样,是从拨乱反正,正本清源开始的。

1978年3月,中共中央在北京召开全国科学大会。邓小平作了重要讲话。他说,四个现代化,关键是科学技术的现代化。党中央决定召开这次全国科学大会,目的就是动员全党全国重视科学,制订规划,表彰先进,研究加速发展科学技术的措施。他提出三个问题。第一,对科学是生产力的认识问题。他说,科学技术是生产力,这是马克思主义历来的观点。现代科学技术的发展,使科学与生产的关系越来越密切了。科学技术作为生产力,越来越显示出巨大的作用。当代社会生产力的巨大发展,劳动生产率的大幅度提高,最主要的是靠科学的力量、技术的力量。他指出,劳动者只有具备较高的科学文化水平和先进的劳动技能,才能在现代化的生产中发挥更大的作用。承认科学技术是生产力,就连带要答复一个问题:怎样看待科学研究这种脑力劳动?从事科学技术工作的人是不是劳动者呢?他说,在社会主义社会里,无产阶级自己培养的脑力劳动者,与历史上的剥削社会中的知识分子不同了。在我国社会主义改造的过程中,毛主席曾经指出过,从旧社会过来的知识分子,有一个依附在哪张"皮"上的问题。在整个社会主义历史时期中,始终存在着阶级矛盾和阶级斗争,在知识分子面前,始终存在着依附在哪张"皮"上的问题。但总的说来,他们的绝大多数已经是无产阶级自己的一部分。他们与体力劳动者的区别,只是社会分工的不同。从事体力劳动的,从事脑力劳动的,都是社会主义社会的劳动者。正确认识科学技术是生产力,正确认识为社会主义服务的脑力劳动者是劳动人民的一部分,这对于迅速发展我们的科学事业有极其密切的关系。

第二,邓小平指出,我们向科学技术现代化进军,要有一支浩浩荡荡的工人阶级的又红又专的科学技术大军,要有一大批世界第一流的科学家、工程技术专家,要打破常规去发现、选拔和培养杰出人才。这里,一个重要的问题,是对又红又专要有一个正确的理解、合理的要求。毛主席提倡知识分子又红又专,鼓励大家改造资产阶级世界观，树立无产阶级世界观。世界观的根本问题是为谁服务。一个人，如果爱我们社会主义祖国，自觉自愿为社会主义服务，为工农兵服务，应该说这就是初步确立了无产阶级世界观，按政治标准来说，就不能说他们是白，而应该说是红了。社会主义事业是有分工的。各行各业的同志在坚持社会主义的政治立场的条件下，努力做好自己的岗位工作，这不但不是脱离政治，而且正是为无产阶级政治服务的具体表现，是有社会主义觉悟的表现。

中国科技队伍的绝大多数科学技术人员应该说是站在工人阶级立场上的。这样的革命知识分子，是我们党的一支依靠力量。他们不应当自满，不能就此停步不前，而要继续努力，在政治上、业务上都要不断求得新的进步。

第三，科学技术部门中怎样实现党委领导下的分工负责制。他说，能不能把我国的科学技术尽快地搞上去，关键在于我们党是不是善于领导科学技术工作。他指出，为了适应我国社会主义革命和社会主义建设的新的发展时期的需要，我们党的工作重点、工作作风也都应当有相应的转变。今天，在进一步消除"四人帮"的流毒、继续深入开展思想战线政治战线社会主义革命的同时，全党都要认真地抓紧现代化建设，完成历史赋予我们的伟大的政治和经济的革命，伟大的科学技术革命的任务。各级党委应当真正做到阶级斗争、生产斗争和科学实验三大革命运动一起抓。党的领导，主要是政治上的领导，保证正确的政治方向，保证党的路线、方针、政策的贯彻，调动各个方面的积极性，同时，是通过计划来领导，要抓好科学研究计划，要知人善任，把力量组织好。还必须做好后勤保证工作。科学技术任务的

工作，应当放手让所长、副所长分工去做。对于学术上的不同意见，必须坚持百家争鸣的方针，展开自由的讨论。在科学技术工作中，认真听取专家的意见，充分发挥专家的作用，是我们少犯错误，做好工作所必需的。这是我们科学研究机构党委实行群众路线的一个重要方面。

邓小平重申科学技术是生产力的马克思主义观点，对于确立科学技术在国民经济中的重要地位，促进科技界的思想解放，具有振聋发聩的作用。

1980年3月，中国科协召开第二次全国代表大会。中共中央总书记胡耀邦在闭幕式的讲话中提出动员全国人民向科学进军的三大措施：第一，建立一支能够真正坚持社会主义道路，具有专业知识和能干的干部队伍；第二，大规模地培养中国科学技术的生力军和后备队；第三，全党都要充分支持科学家和科学工作者大展宏图。胡耀邦还谈到如何改善和加强党对科技工作领导的问题。

1981年5月，国家科委在全国科学技术工作会议上提出，今后一个时期科学技术发展的方针是科技与经济、社会协调发展，并把促进经济发展作为首要任务；加强生产技术的研究，正确选择形成合理的技术结构；加强厂矿企业的技术开发和推广工作；把学习、消化、吸收国外科学技术成就作为发展我国科学技术的重要途径。

上述会议分别从不同方面突破了长期以来"左"的指导思想在科学技术领域的藩篱，为科技体制改革作了必要的思想理论准备。

与此同时，在组织路线和组织结构上也采取了一些重大措施。1983年1月，中共中央、国务院决定成立国务院科技领导小组，由国务院总理赵紫阳任组长，国务委员、国家科委主任方毅和国家计委副主

任宋平任副组长,国家计委、经委、国防科工委、中国科学院、教育部、劳动人事部等部委的领导同志兼任领导小组成员。领导小组的任务是:统一组织和管理全国的科技队伍,按需要调动集中使用;统一领导科技长期规划,使各个规划之间能互相渗透,互相衔接,协调各部门的科技工作;研究重大技术政策的决策,决定重大技术的引进和消化。1984年7月,全国科技干部管理工作改革座谈会确定五条促进人才流动的措施:试行科技人员聘用制,把计划调配和聘用制结合起来;成立全国科技人才开发交流中心;建立博士后流动站;改进回国的大学毕业生和进修生分配制度;调整使用不当的科技人员。

借鉴国际上多数国家的做法,1981年,中共中央和国务院根据中国科学院89名学部委员的建议,决定从1982年起设立面向全国的自然科学基金——中国科学院科学基金。基金由国家拨专款,采取自由申请、专家评审、择优支持、按课题拨款等办法,资助基础研究和应用研究中的基础性工作。国家自然科学基金制的实施,有利于科学研究工作中的纵深配置,保护基础性研究的稳定发展,为国民经济的发展增添后劲;使国家加强对基础性研究的宏观调控,既提高了经费使用效果,提高了科研人员的责任心和荣誉感,又在相当程度上克服了科研项目在低水平上重复研究的弊病,为科研工作注入了活力和动力。

中共中央《关于科学技术体制改革的决定》公布以后,科技体制改革作为关系中国现代化建设全局的一个重大问题提上议事日程,科技体制改革迈出坚实的步伐。主要表现在以下几个方面:

1.扩大科技研究所的自主权,实行所长负责制

中共中央在《决定》中指出,"独立的研究机构要面向社会,成为自主的研究开发实体。除国家委托的研究课题,以及由上级任命或聘任的院、所长外,计划、经费、人事的管理和内部的组织结构等,都由研究机构在国家法令规定范围内自主决定。研究机构在上级拨给的事业费以外的纯收入,应以大部分用于事业的发展,余下的部分视事业费自立程度核定额度,用于集体福利和奖励。已经做到事业完全自立的机构,可以享受国务院规定的企业自费发放奖金、改革工资的权利","研究所实行所长负责制"。1986年4月19日,国务院又专门作出了《关于扩大科学技术研究机构自主权的暂行规定》,指出:"研究所在保证完成国家任务的前提下,根据社会、经济和科学技术发展的需要,从各自的特点和条件出发,有权面向社会承接各种科学技术任务,并根据自愿互利的原则,同企业、设计单位和高等学校等建立各种协作关系和各种形式的联合,上级部门应当给予鼓励和扶持,不要限制。研究所可以与其他单位就技术开发、技术转让和利用技术为社会服务订立合同,获得合法收入。""研究所实行所长负责制。所长主持研究所的业务和行政工作,副所长协助所长工作。所长由上级部门任免,副所长由所长提名,按规定程序报上级部门任免。所长、副所长均实行任期制,可以连任。所长可以任免本单位中层行政干部。"

由于扩大了研究所的自主权,实行了所长负责制,使研究所的活力明显增强。经济建设发展的需要成为科研工作的根本出发点,到生产中去找课题,到四化建设的第一线去找任务,正在成为广大科研单位和广大科技工作者的自觉行动。这几年重大科技成果大幅度地增加了,根据

国家统计局的统计,1980 年为 2687 项,1985 年为 10476 项,1986 年为 14915 项,1987 年为 11800 项。科技成果的应用率也大幅度提高,仅就"六五"期间国家的 38 项重大攻关项目取得的成果看,到 1986 年底已有 80% 以上得到了应用,并收到了相当可观的经济效益。这种情况在过去是很少见的。整个"六五"期间,国家发明奖 937 项,发明项目应用后取得了重大经济效益,累计增收节支约 300 亿元。其中累计 1 亿元以上的项目 32 项,累计值 266.12 亿元。国家财政 1985 年用于科学卫生事业的费用为 132.5 亿元,累计值是它的两倍。

2.改革科技拨款管理制度

改革科技拨款管理制度之所以成为科技体制改革的主要内容,是因为这对于加强科技经费的宏观管理,合理和有效地使用科技拨款,推动科学技术工作面向经济建设,搞好科学研究的纵深配置,保护国家科学技术规划的实施,促使科学技术机构具有自我发展的能力和自动为经济建设服务的活力是不可忽视的重要一环。

1986 年 1 月 23 日,国务院发布了《关于科学技术拨款管理的暂行规定》提出改革的基本原则是:①科研事业费实行归口管理,即由科技管理部门承担起管好用好这笔经费的责任;②对科研机构实行分类管理,即按照不同类型科技活动的特点,实行不同的管理办法;③广开经费来源,实现科研事业费来源的多渠道化;④经费和任务挂钩,实行部分有偿使用;⑤打破条块分割,提倡竞争,择优支持。

改革拨款管理制度给科研机构注入了活力,首先带来了人们的思想观念的变化。过去科研机构靠国家财政拨款,科研人员靠吃"皇粮"过日子,价值观念十分淡薄,人们不屑或羞于谈钱;现在由于削减

事业费,并在若干年内减完,产生了压力,也激发了动力,价值观念增强了,经济问题成为本单位的生存大计。其次科研管理由封闭型逐步向开放型转变。多数科研机构设置了业务科、开发部、推广应用部等专管横向联系的部门,沟通了与外界的经济联系。1986 年,国务院部属技术开发类型科研机构,共取得纯收入 3.4 亿元,占当年财政拨款的 111%,与 1985 年相比,增长 11.5%。在科研机构内部,通过承包合同和岗位责任制把任务落实到人,把贡献与收入直接挂起钩来,促进了向开发型转变。第三,迈开了经济自立的步伐。多数技术开发型的科研机构所取得的横向收入,超过了事业费的削减数。随着技术市场的发展,科研与生产联系的日益密切以及企业吸收科技成果积极性的增强,技术开发型科研机构自我发展和自我武装的能力必然日益增强。

3.实行专业技术职务聘任制度

中国过去实行的是学衔制度,学衔既与职责分离,又作为工资晋升的依据,既有称号的性质,又有职务的因素,它不受数量限制,没有任命期限,一旦获得终身享有。这显然不利于实行各类人员的岗位责任制,不利于贯彻按劳分配的原则,也不利于充分调动广大专业技术人员的积极性。改革就是要把职务和称号分开,根据实际工作需要和岗位职责,确定专业技术职务,任职人员必须履行相应的岗位职责,任职期间领取职务工资。专业技术职务是根据实际工作需要设置的有明确职责、任职条件和任期,并需要具备专门的业务知识和学术水平才能担负的工作岗位,享受相应的待遇。它不同于一次获得后而终身拥有的学位、学衔等各种学术、技术称号。

实行专业技术职务聘任制激发了一

部分专业技术人员奋发向上的进取精神,促进了专业技术人员之间竞争的紧迫感和担心落后的危机感,工作积极性进一步提高。一批优秀的中青年专业技术骨干优先得到了晋升和聘任,中青年科技英才得以脱颖而出。它也有利于人才的合理流动,有助于各项任务的更好完成。这一制度同时也加强了各级领导和专业技术人员的岗位责任制,并有利于离、退休工作。

4.开拓技术市场

这是承认技术成果的商品属性,是疏通技术成果流向生产的渠道,改变了单纯采用行政手段无偿转让成果的做法。这一科学技术系统运行机制的改变,促进技术交易金额逐年增长,技术成果的推广应用率大幅度提高。据科学技术白皮书第2号提供的资料,中国技术交易金额1983年为5000万元,1984年为72000万元,1985年为230000万元,1986年为206000万元。4年增长了40倍。随着技术成果商品转化率的提高和技术商品流通的搞活,中国科技成果的推广应用率大幅度提高。1981年以前,科技成果推广应用只有10%。1981—1984年为40%,1985—1986年上升到80%～90%。技术市场经营网络也因此而不断扩展。到1986年,全国初步形成了一个多层次、多渠道、多形式的技术市场经营网络体系。各类技术开发、经营机构的情况为:全国地、县以上各类经营贸易机构5000个,各种形式的科研生产联合组织10000个,各类民办集体和个体科学研究、技术开发机构10000个,农民兴办的专业技术学会72000个。开拓技术市场还出现了技术流向以大、中型企业为主的趋势和实现了四个转移。1984年技术市场发展初期,流向中、小企业的技术,一般占60%。随着大、中型企业进入技术市场的活力不断增强,技术流向更多地转向了大、中型企业。据对天津市1986年9—12月技术合同的抽样分析,在登记的2454份合同中,流向大、中型企业的1645份,占合同总数的67%。四个转移,即科技成果从实验室到工厂的转移,从沿海到内地的转移,从军用到民用的转移,从技术密集度高的地区到低的地区的转移,技术转移使乡镇企业获得生机。技术市场也增强了科研单位自我发展的能力,促进了人才的合理流动。据前两年的不完全统计,全国共有16万多名专业技术人才实现了合理流动。

科技体制改革极大地推动了科学技术事业的发展,80年代中国科技成就引人注目。基础理论和基础性研究方面,1981年最先完成酵母丙氨酸转移核糖核酸的全人工合成,标志着中国在人工合成生物大分子方面居于世界领先地位。1980年数学家廖山涛提出了三维无奇点常微系统和二维离散系统二者的三维离散系统结构稳定推测,廖在微分动力系统研究中的突出贡献,获得了1985年第三世界科学院数学奖。1988年北京电子对撞机建成,并于10月16日首次对撞成功。该装置是由高能物理试验和同步辐射光应用研究的大型高技术装备,其制造技术、安装调试、计算机控制和数据处理技术都达到国际水平。应用科学和工程技术方面,1983年6月,中国自行设计制造的30万千瓦秦山核电站破土,广东大亚湾核电站也正在建设。同时,还设计了核供热堆,开展了受控核聚变和快中子增殖反应堆的研究。1984年9月,受控核聚变试验装置中国环流1号顺利启动。1988年,中国"试管婴儿"平安降生,发育正常,标志着中国的生殖医学工程已达到同类技术世界先进水平。1984年和1985年,中国首次组队进行南大洋和南极洲考察,建立了中国第一个南极科学考察"长城站",1988年,根据联合国教科文组织有关全球海平面观测系统的要求,在中国南海建立了"南沙海洋站"。1989年2月26日,中国在东南极建立了"中山站"。80年代我国还研制了一大批精密仪器,如200千伏超高压电子显微镜、心脏体外起搏器、大型工程图纸复印机、缩微阅读系统等,并在自动化和电工仪表方面开发了微机单回路多回路调节器和小规模分散控制系统等第四代产品。

与此同时,1986年在全国实施了以依靠科学进步振兴地方经济为目的的"星火计划"。其宗旨在于把科技"星火"送往乡镇企业,推动乡镇企业科技发展。据不完全统计,到1987年底,完成星火计划项目2500多项,新增产值74亿元,新增利税16亿元。筹建近百个星火企业联合体和集团,在引导和带动地区规模经济方面,起了示范作用。1988年7月,国家科委根据党的十三大提出的"注意发展高技术新兴产业"的指示开始实施"火炬计划",旨在对传统的产业结构进行调整,在原有技术基础上大力发展技术和资金更加密集、产品增值巨大的高尖新技术产业。经过三年的孕育,包括北京电子一条街的一批以技术扩散为模式的技术服务在全国各地出现民办科技实体如雨后春笋。1988年"火炬"项目已有部分进入试产阶段,实现产值2500万元,利税650万元。我国还在沿海和内地大城市建立一批新技术产业开发区,作为实施"火炬"计划的基地。到80年代末全国已有20多个城市相继建立新技术开发区。据对13个区的统计,已认定1500多个新技术企业。1988年到1989年上半年销售收入达41亿元,其中70%以上为高科技产品收入。在建立开发区的同时,全国还建成20多处科技创业服务中心,为小型科技企业提供支撑服务。

军队的改革与现代化建设

一

军队建设指导思想的战略性转变

军队建设指导思想上的战略性转变,不是指建立一支什么性质的军队的指导思想,而是对战争环境、战争样式以及如何在和平时期进行军队建设的新认识,是从临战应急建设到有计划的长远建设的转变,有着极为丰富的内容。

一是从临战状态下的应急性建设转向相对稳定形势下的从根本上谋求军队发展的建设。国防建设重点是从加强现实力量转向国防潜力的积蓄。以保持国防建设持续发展的后劲。

二是从侧重军队建设转向全面抓国防建设。军队建设是国防建设的主要组成部分,但不是国防建设的全部。国防建设包括对军队这一进行战争的直接力量的建设,也包括对进行战争的间接力量的建设;既要求重视国防实力的建设,也要求重视国防潜力的建设。这样,才能在不是以军力而是以综合国力定胜负的现代战争中立于不败之地。

三是从单目标的国防建设和军队建

设转向服从国家经济建设大局的整体建设。军队建设要立足于国防建设的总目标,要服从国家四化建设的大局,增强整体效益。军队建设指导思想实行战略性转变要求把军队建设纳入国防建设、国家建设的大系统中,加强以现代化为中心的根本建设,赢得未来可能发生的战争。

我军建设指导思想上的战略性转变,不是消极被动的措施,而是积极主动的决策。目的既是为了加强经济建设,也是为了加强国防建设和军队建设。

对于战争与和平问题,从 50 年代后期开始,我们的观点一直是战争不可避免,而且是紧迫的,总认为战争因素在不断增长,战争危险日渐迫近。

粉碎"四人帮"后,中国历史进入了一个新的时期。国际上,美苏两个超级大国在全球争霸的战略态势也在发生微妙变化。美苏双方在军事对抗的同时开始谋求通过对话来解决它们之间的争端。世界政治的多极化趋势正在逐步代替第二次世界大战后形成的两极格局。和平与发展成为当今世界的主题。邓小平审时度势,透过国际关系错综复杂的表象,用马克思主义的立场、观点、方法,对国际形势作出了科学的分析和判断。早在 1975 年邓小平就讲过,大仗五年打不起来。1980 年又讲,大仗五年打不起来。1984 年他又指出:仗打不起来这个话,我们多次讲过。过去讲十年,现在过了几年,还可以说十年。1985 年五、六月间的军委扩大会议上,他在论述军队建设指导思想实行战略性转变时又对这个问题作了进一步分析。他认为讲世界战争只有两家有资格,一个是美国,一个是苏联。他们两家东西都多,特别是原子弹,常规武器也是一样,都多,都有毁灭对手的力量。因此,谁也不敢先动手。也就是说,双方实

际上是军事上的平衡。

后来,邓小平又说:"我们希望至少二十年内不打仗,更希望七十年内不打仗。那我们就可以有时间从从容容地搞我们社会主义四个现代化。""如果真是二十年、三十年不打仗,五十年之间不打仗,这个战争就有可能避免"(《邓小平纵论国内外形势》1985 年 9 月 18 日《解放军报》)。他还在同外国客人的谈话中多次指出,"从当前总的形势看,战争可以制止,如果工作做得好,是可以避免的"(邓小平《同美国前副总统蒙代尔的谈话》1986 年 2 月),从而"改变了过去认为战争不可避免的观点,认为战争是可以避免的,和平是可以赢得的"(邓小平《会见新西兰总理朗伊时的谈话》1986 年 4 月)。

这个改变,关系十分重大,有利于和平、有利于制止战争的战略性的改变。根据独立自主的外交政策,我们改善了同周边国家的关系,加强了同各国人民的联系。并且在同霸权主义的斗争中,有着坚定的立场。不管对中东问题也好,非洲问题也好,拉丁美洲问题也好,更不用说亚洲问题,都表示了我们坚定的立场。这就增强了中国在国际上的地位,增强了中国在国际问题上的发言权,就有利于我们大胆地一心一意地来搞我们的四个现代化建设。

一个是对国际形势的分析,一个是根据这个分析所作出的判断相应地调整了对外政策。这是两个大的变化。正是在这样的分析、判断和这样的政策的基础上,邓小平提出将军队建设从过去那种随时准备打仗的指导思想,转到和平时期建设的轨道上来。扎扎实实地搞好军队的现代化建设。

这就说明,军队建设指导思想战略性转变的提出,是党中央和邓小平将马克思

主义军事理论同当代世界和我国实际相结合的产物,是建立在对国际战略格局的科学分析和战争与和平问题的正确估计的基础之上的,因而是顺应了国际形势的发展变化,符合客观规律的正确决策。

军队建设指导思想实行战略性转变的另外一点,就是军队建设适应党和国家工作重点的转移,服从经济建设大局需要的一个重大决策。党中央把经济建设摆到社会主义现代化建设总体布局的中心位置上,军队自然应当服从并服务于这个中心。邓小平多次强调,军队要服从国家经济建设这个大局。照顾这个大局,不能妨碍这个大局,不能违背这个大局,不能拖这个大局的后腿。要紧密配合这个大局。在大局下面行动,为大局出力。他说:"现在就是要硬着头皮把经济搞上去,就那么一个大局。我们所谓照顾大局,第一个大局就是这个,一切都让路!"

军队服从国家经济建设大局,也是加速我军现代化建设的需要。经济建设是国防建设的物质基础,军队建设和国防建设的规模、质量、速度等都要受国家经济实力的制约。在国家的财力物力有限,军费不可能有很大增加的情况下,要真正想把我军的现代化尽快搞上去,就必须转变军队建设的指导思想,树立服从国家经济建设大局的观念,主动让路,自觉忍耐,而且要准备忍耐一段时间,主要顾一头,先把经济建设搞上去。经济建设搞上去了,军队现代化建设也就有了物质基础。

根据这一要求,用改革体制、精简整编的办法,减少兵员数量,提高兵员质量,把部队搞精干,节省人头维持费,增加装备费,把有限的国防费用在刀刃上,用于改善更新武器装备,用于军队智力投资;简化军队结构,在体制、编制上实行诸兵种合理组编,以求最佳作战效能,从而把

我军建成机构精干,指挥灵便、装备精良、训练有素、反应快速,效能很高,战斗力很强的现代化革命军队。

军队建设要以现代化为中心,是新时期邓小平军队建设思想的一个基本点。邓小平多次指出,现代化不是加人,而是减人,这是一个标志。那种认为军队兵员越多,武器装备数量越多,战斗力就越强的想法,是一种陈旧的、落后的观念。

现代战争说到底是国家经济实力竞赛。战争胜负在很大程度上取决于兵员的素质和武器装备的精良。兵精武器好,军队才可能打胜仗。

但是,长期以来我军随时准备应付全面战争,在自身现代化建设上确实存在着一些需要解决的问题。规模过大、装备落后、机构臃肿、体制不顺、制度不健全等一类问题,同现代战争的要求很不适应。这就要求我们,必须在军队建设指导思想上来一个转变,积极解决这些问题,不然,和平时期再长,给的钱再多,军队现代化建设也搞不好,一旦打起仗来,就难以很好地完成任务。

二

裁军一百万

1984年11月,中央军委座谈会对邓小平主席提出的全军员额再减少100万的设想进行了讨论。之后,总参谋部着手拟制具体方案。1985年5月23日至6月6日,中央军委在北京召开扩大会议,讨论贯彻我国政府关于减少军队员额100万的战略决策,研究制订了落实这一决策的措施和步骤。会议确定,搞好体制改革、精简整编,是军队今后两年的中心任务。改革体制、精简整编的目的,是要逐步把

我军建设成为一支机构精干、指挥灵便、装备精良、训练有素、反应快速、效率很高、战斗力很强的精兵，成为具有中国特色的现代化正规化革命军队。体制改革、精简整编的主要原则是：既要继承我军的优良传统，又要不断研究探索现代化条件下军队建设的新路子；实行精兵政策，减少数量，提高质量，加强合成；精简人员与调整体制编制、改革有关制度结合进行；改善武器装备，提高人员素质，实行科学编组。精简的重点是各级机关、直属单位，尤其是各总部、大军区、军兵种和国防科工委机关。

按照中央军委的部署，全军体制改革、精简整编工作，从1985年下半年开始，依照先机关，后部队、院校和保障单位的顺序，自上而下地组织实施。

第一，精简机构，减少人员。各总部、军兵种和国防科工委机关及直属单位，撤并业务相近的部门和重叠机构，降低部分单位的等级，减少层次，人员精减40%左右。同时，撤并了部分军队院校。军事院校、政治学院、后勤学院合并为国防大学。

第二，裁减部队，淘汰陈旧装备，加强部队的合成，提高部队的技术程度。为此，将原来的11个大军区合并减少为7个大军区。保留北京、沈阳、济南、兰州、成都、广州、南京军区，撤并武汉、昆明、福州、新疆4个军区。同时减少军级单位31个，师团级单位4054个。海军和空军淘汰了陈旧落后的飞机和舰艇，相应地减少了人员。一些担任内卫、执勤任务的部队移交公安部门，改为人民武装警察部队。2592个县和相当于县的市人民武装部划归地方建制，工作人员改为地方干部，任务不变，实行地方和军队双重领导。这是精简的主体部分。1982年，已经撤销军队铁道兵建制，将十几万铁道兵划归铁道部

统辖；撤销基建工程兵，近20万人转业地方工作；将独立的炮兵、装甲兵、工程兵兵种总部撤销，其领导职责改由总参谋部炮兵部、装甲兵部和工程兵部行使；军队的国防科学技术委员会和科技装备委员会同国务院国防工业办公室合并为国防科学技术工业委员会。1985年开始的大裁减、大合并，是在1982年大幅度裁减的基础上进行的，它也触及中国人民解放军的主力部队。一批在战争年代组建，战功卓著，声威远震的军、师、团建制部队，在这次百万大裁军中被撤销建制，从人民解放军的战斗序列中消失了。

第三，减少军官数量，改变官兵比例不合理的状况。在确定实行义务兵和志愿兵相结合的服役制度后，军队中原先由军官担任的行政管理、技术领导等76种职务，已改由军士长担任，其中包括连队的司务长、电影队长及电台台长、各类修理技师等。这次精简，为减少军官数量，除精简机关、裁减部队外，还减少了副职，使指挥系统更加精干。

第四，提高合成程度。较大幅度地调整各兵种的编成比例，加强特种兵部队，凡保留下来的陆军全部整编成合成集团军。装甲兵的全部，炮后、高炮部队的大部及部分野战工兵部队，划归集团军建制，同时开始建立一些新的技术部（分）队，大大提高了现代条件下的合成训练和作战能力。

第五，调整军队院校体制编制。全军院校数量精简12%，人员数量减少20%以上。全军指挥院校实行指挥军官初、中、高三级培训体制。初级指挥院校按中专、大学专科、大学本科三个层次培养各军兵种初级指挥员。中级院校主要培养合成军指挥员。全军最高学府为国防大学。

第六，已经组建的预备役师、团正式

列入人民解放军的建制序列,并授予番号和军旗,形成了常备军与后备力量相结合的新体制,解决了平时少养兵,战时多出兵这一重大问题。

第七,结合体制改革、精简整编,按照革命化、年轻化、知识化、专业化的方针调整配备领导班子,一批德才兼备、年富力强的干部走上领导岗位,使领导班子的年龄、知识结构得到改善,干部素质有新的提高。

第八,有计划有步骤地妥善安置60万编余干部转业到地方工作或离休、退休,加强国家建设力量。

全军的体制改革、百万大裁军,到1987年底基本完成,到1990年7月1日全军现役军人为319.91万。军队的建设开始出现一些重要的变化。军队规模缩减,可以集中经费用以研制和发展现代化武器、技术装备,加快了军队的现代化步伐;精简机构,减少层次,精干领导班子,使指挥更加灵便,也促使机关改进工作作风和工作方法,克服官僚主义,提高工作效率。后勤供应体制的改进,不仅能节省人力、物力、财力,而且使部队平时和战时的后勤保障更为有效。百万大裁军,标志着军队建设真正实现了战略性转变,向着建设具有中国特色的现代化、正规化革命军队的目标奋进。建设的重点,已经放在提高人员素质、改善武器装备和科学编组上。

这次百万大裁军和体制改革,是我军历史上一次大的变动,涉及面广、工作难度大,但进展比较顺利。这首先是由于党中央、中央军委决策科学。《军队体制改革、精简整编方案》和一系列方针、原则、措施,都经过反复论证,符合我军实际,受到广大官兵坚决拥护。其次是各级领导决心大,抓得紧,精心计划,周密组织,像指挥打仗一样抓整编工作。再次是加强了整编中的思想教育工作,把官兵的思想统一到中央军委的决策上来,自觉做到讲党性、顾大局、讲团结、守纪律,正确对待单位的撤、并、降、改和个人的进、退、去、留。然后是重视并抓紧精简整编中的管理工作。最后是地方党政机关和人民群众大力支持,尤其是安置转业干部、离退休干部,保证了百万大裁军按期完成。

实行新军衔制

1965年军衔制被废止后,在二十多年的时间里,中国人民解放军成为世界上没有实行军衔制的为数不多的军队之一。

恢复军衔制的动议,最早可以追溯到1979年的西南战争。红领章、红帽徽的单一标志,无法明确地区军人的等级和上下级关系,给战场上汇聚到一起的不同兵种、不同建制部队的管理和指挥带来很大的困难,曾一度出现某种程度的混乱状态。当时,军委的老帅们即开始考虑我们军队需要恢复军衔制的问题。

1980年3月12日,邓小平在军委扩大会议上明确提出,在体制、制度问题中,很重要的是建立军官服役、退役制度。并说,军队究竟搞不搞军衔制,也是组织路线问题,有相当多的同志主张恢复军衔制。

从此,制定军官服役条例,恢复军衔制,就作为总参谋部、总政治部的一项重要工作,提到日程上来。总政治部和各军区、各军兵种均组建了条例起草小组,分别起草军官服役条例、文职干部条例和预备军官条例。1981年10月15日,中国人民解放军军官服役条例草稿仍仿照1955

年和 1963 年制定军衔制度的做法,将"军官的军衔"作为军官服役条例的组成部分,列为第三章。1982 年初,军委常务会议正式作出"恢复军衔制"的决定。

1983 年 5 月,军委常务会议决定成立恢复军衔制领导小组,余秋里、杨得志、萧克、王平、朱云谦为召集人,负责实行军衔制的准备工作和军官军衔的评定授予工作。领导小组初步确定:第一,军官军衔制纳入军官服役条例,与文职干部条例的制定同步而行。第二,因为是恢复军衔制,所以关于军官军衔等级的设置,同1955 年大体一样。此外,领导小组还初步提出和探讨了与实行军衔制相关的一些问题,如:进一步消肿的问题,实行军士制度的问题,调整领导班子的问题,离休干部授不授衔的问题,处理超编干部的问题等等,认为只有妥善解决这些复杂的问题才能为实行军衔制创造条件。

到 1984 年底,恢复军衔制的准备工作已初步完成。军委曾考虑在 1985 年恢复军衔制。正在这时,军委召开了扩大会议,根据国际形势的发展变化,作出了军队建设指导思想实行战略性转变的重大决策,确定精简军队员额一百万。为了完成这一艰巨任务,各项工作都必须进行调整,因此,恢复军衔制的计划推迟进行。这个重大决策的制定和实施,却为现在实行军衔制创造了极其重要的前提条件。

1986 年下半年,军委常务会议对实行新军衔制的若干重大问题进行了多次讨论,确定了新军衔制的基本原则:第一,不要再提"恢复军衔制",而是"实行新的军衔制"。之所以叫实行新军衔制,一是因为我军已走上和平时期建设的轨道,军官军衔等级的设置和军官职力等级编制军衔等,与 1955—1965 年实行的军衔制有很大不同,是借鉴前者,而不是照搬照套;

二是因为实行新的军衔制,可以割断五、六十年代实行军衔制时遗留的历史问题,以减少纠葛和矛盾。第二,把军官军衔条例和军官服役条例分别立法。制定军官军衔条例,必须从我军目前的实际情况出发,并适当借鉴外军的有益做法和我军 50年代实行军衔制的经验。第三,确定了新军衔制的主体内容:军官军衔设 3 等 11级。第四,确定将官在军官总数中所占的比例以千分之四以内为宜。第五,实行军衔制,军官工资制度也考虑随之进行改革,军官的工资由职务工资、军衔工资、军龄工资三部分构成。第六,对军官军衔制度,既要积极准备,又要谨慎从事,在切实做好理顺编制体制、建立文职人员制度、精干现役军官队伍等各项准备工作基础上实行。通过军衔制的实行,增强内外团结,调动各级军官的积极性,提高我军正规化的水平。第七,给军队离休干部授勋,对 1955—1965 年期间所授的军官军衔重新予以确认,以协调在职干部和离退休干部的关系。

1987 年 3 月 4 日,中央军委副主席杨尚昆和总政治部主任余秋里,就军衔等级的设置、职务等级编制军衔、将官数量、离休干部授勋、实行文职干部制度等重大原则问题,向中央军委主席邓小平作汇报,邓小平表示原则同意汇报的内容。为慎重起见,军委再一次将军官军衔条例的送审稿发各大单位党委常委征求意见。1987 年 8 月 12 日,军委常务会议对意见进行了反复研究,再次肯定了 1986 年 12月 8 日军委常务会议确定的基本原则,保持了所拟军官军衔条例的基本框架,同时也吸取了一些好的建议,原则通过了军官军衔条例草案。

1988 年 6 月 25 日到 7 月 2 日,第七届全国人大常委会第二次会议在北京召开。委员们对军官军衔条例草案修改稿进行了认真的审议。委员们认为,修改稿比较成熟,同意通过。同时,对修改稿又作了若干修正,主要是两个问题:第一,修改稿第十条规定,中央军委主席、副主席的编制军衔为一级上将至上将,基准军衔为上将;第十五条规定,一级上将军衔由全国人大常委会决定,中央军委主席授予。根据委员们的意见,从我国我军当前实际情况出发,对中央军委主席、副主席的职务编制军衔暂不在本条例中具体规定,将中央军委组成人员的编制军衔单写一条:"中央军事委员会主席、副主席的职务编制军衔,由全国人民代表大会常务委员会另行规定。""中央军事委员会委员的职务编制军衔为上将至中将,基准军衔为上将。"同时,将第十条中的"中央军事委员会委员、总参谋长、总政治部主任:一级上将至中将,基准军衔为上将",修改为:"人民解放军总参谋长、总政治部主任:上将至中将,基准军衔为上将。"将第十条中"(一)一级上将,由全国人民代表大会常务委员会决定,中央军事委员会主席授予"的规定修改为:"一级上将的授予权限,由全国人民代表大会常务委员会规定。"第二,将专业技术军官编制最高军衔由少将改为中将。委员们又对修改稿作了个别文字订正。

1988年7月1日下午,第七届全国人大常委会第二次会议,以122票赞成,1票反对,4票弃权,通过了《中国人民解放军军官军衔条例》,由国家主席杨尚昆颁布,自即日起开始施行。从而标志着中国人民解放军新的军官军衔制度的诞生。

新军衔制的主要内容包括:

1.军衔等级的设置。这是军衔制的核心

军官军衔设3等11级:将官:一级上将、上将、中将、少将;校官:大校、上校、中校、少校;尉官:上尉、中尉、少尉。士兵军衔设3等7级:士官:军士长、专业军士、军士;上士、中士、下士;兵:上等兵、列兵。同五六十年代我军的军衔制相比,军官军衔取消了中华人民共和国大元帅、中华人民共和国元帅、大将、大尉、准尉5衔,增设了一级上将衔。士兵军衔增设了专业军士和军士长两衔。军官军衔虽与美军层次相同,都是3等11级,但我军未设准将衔,而设大校衔。外军大多有准尉衔,我军未设。

2.职务等级编制军衔。这是确定军衔的授予、晋级和降级的重要依据

军官职务等级编制军衔,就是从军委主席至排职军官每一职务等级从编制上规定的军衔等级。我军军事、政治、后勤军官职务由高级到初级分为15个等级:军委主席、副主席、军委委员、大军区级正职、大军区级副职、副军、正师、副师(正旅)、正团(副旅)、副团、正营、副营、正连、副连、排。专业技术军官的专业技术职务分为3个等级:高级、中级、初级。

《中国人民解放军军官军衔条例》规定的职务等级编制军衔是:

中央军事委员会主席、副主席的职务编制军衔,由全国人民代表大会常务委员会另行规定。

中央军事委员会委员的职务编制军衔为上将至中将,基准军衔为上将。

军事、政治、后勤军官实行下列职务等级编制军衔:

人民解放军总参谋长、总政治部主任:上将至中将,基准军衔为上将;

大军区级正职:上将至少将,基准军衔为中将;

大军区级副职:中将至大校,基准军衔为中将;

正军职：中将至大校，基准军衔为少将；

副军职：少将至上校，基准军衔为少将；

正师职：少将至上校，基准军衔为大校；

副师职（正旅职）：大校至中校，基准军衔为上校；

正团职（副旅职）：上校至中校，基准军衔为上校；

副团职：中校至少校，基准军衔为中校；

正营职：中校至少校，基准军衔为少校；

副营职：少校至上尉，基准军衔为上尉；

正连职：上尉至中尉，基准军衔为上尉；

副连职：上尉至中尉，基准军衔为中尉；

排　　职：中尉至少尉，基准军衔为少尉；

专业技术军官实行下列职务等级编制军衔：

高级专业技术职务：中将至少校；

中级专业技术职务：上校至上尉；

初级专业技术职务：少校至少尉；

军官职务等级编制军衔与军官职务编制军衔的概念不同。军官职务编制军衔，是指每一军官职务的编制军衔。由于每一军官职务等级中包含着若干相同等级而不同名称的职务，所以军官职务等级编制军衔与军官职务编制军衔二者的关系是种属关系。如正团职军官中，有团长、团政委，还有大军区级单位机关二级部中和集团军机关的处长等。军官职务编制军衔将随着条例的贯彻实施，在各种关系理顺之后制定。

士兵编制军衔是：军士长军衔，授予原编制军官职务改为士兵职务人员；专业军士军衔，授予担任专业技术职务志愿在军队长期服役的士兵；军士军衔，主要授予班长、副班长、训练和技术骨干，服役时间较长的兵也可晋升至军士军衔。

3.军衔的首次授予和晋级。这是军衔管理工作中的两个基本环节

授予军官军衔以军官所任职务、德才表现、工作实绩、对革命事业的贡献和在军队中服役的经历为依据。初任军官职务者授予军官军衔的规定是：①军队中等专业学校毕业的，授予少尉军衔；大学专科毕业的，授予少尉军衔，可以按照总政治部的有关规定授予中尉军衔；大学本科毕业的，授予中尉军衔，可以按照总政治部的有关规定授予少尉军衔；获得硕士学位的，授予上尉军衔，可以按照总政治部的有关规定授予中尉军衔；研究生班毕业，未获得硕士学位的，授予中尉军衔；获得博士学位的，授予少校军衔，可以按照总政治部的有关规定授予上尉军衔。②战时士兵被任命为军官职务的，按照军官职务等级编制军衔，授予相应的军衔。③军队文职干部和非军事部门的人员被任命为军官职务的，按照军官职务等级编制军衔，授予相应的军衔。首次授予军官军衔的批准权限是：①上将、中将、少将、大校、上校，由中央军委主席批准授予；②中校、少校，由各总部、大军区、军兵种或者其他相当于大军区级单位的正职首长批准授予；③上尉、中尉、少尉，由集团军或其他有军官职务任免权的军级单位的正职首长批准授予。一级上将的授予权限，由全国人大常委会规定。

平时军官军衔晋级的期限，少尉晋升中尉为3年，中尉晋升上尉、上尉晋升少校、少校晋升中校、中校晋升上校、上校晋

升大校各为 4 年；大校以上军衔晋升为选升，以军官所任职务、德才表现和对国防建设的贡献为依据。战时军官军衔晋级的期限可以缩短。军官由于职务提升，其军衔低于新任职务等级编制军衔的，提前晋升至新任职务等级编制军衔的最低军衔。军官在作战或者工作中建立突出功绩的，其军衔可以提前晋级。

士兵军衔的授予。上士授予服现役第 4 年的班长，服现役第 5 年的副班长；中士，授予服现役第 3 年的班长，服现役第 4 年的副班长，服现役第 5 年的下士；下士，授予服现役第 2 年的副班长，服现役第 3 年的上等兵；上等兵，授予服现役第 2 年的列兵；列兵，授予服役第一年的兵。

4.军衔的降级、取消和剥夺

军官因不胜任现任职务被调任下级职务，其军衔高于新任职务等级编制军衔的最高军衔的，应当调整到新任职务等级编制军衔的最高军衔；军官违犯军纪的，按照中央军委的有关规定给予降衔处分。对撤销军官职务并取消军官身份的人员，取消其军官军衔；军官被开除军籍的，取消其军衔。军官犯罪，被依法判处剥夺政治权利或者 3 年以上有期徒刑的，由法院判决剥夺其军衔。士兵违犯军纪，根据规定给予降衔处分。士兵被除名、开除军籍、劳动教养或判处徒刑的，应当根据具体情况，取消或者剥夺其军衔。

新的军衔制度颁布后，全军依照有关法规和文件对官兵进行了军衔评定和授予工作。1988 年 9 月 14 日，中央军委在中南海怀仁堂隆重举行授予上将军官军衔仪式。中央军委副主席杨尚昆宣读了邓小平主席签署的授予上将军官军衔的命令。有 17 位军官被授予上将军衔，他们是：中央军委副秘书长洪学智、刘华清，中央军委委员、国防部长秦基伟，中央军委委员、总参谋长迟浩田，中央军委委员、总政治部主任杨白冰，中央军委委员、总后勤部部长赵南起，副总参谋长徐信，总政治部副主任、中央军委纪律检查委员会第一书记郭林祥，中央军委纪委第二书记尤太忠，军事科学院政治委员王诚汉，国防大学校长张震、政治委员李德生，北京军区政治委员刘振华，南京军区司令员向守志，成都军区政治委员万海峰，海军政治委员李耀文，空军司令员王海。9 月 16 日，驻京各大单位隆重举行授衔仪式，授予中将、少将和部分校官、尉官军衔，中央军委委员洪学智、刘华清、秦基伟、迟浩田、杨白冰、赵南起分别出席各大单位的授衔仪式。此外各大军区也相继举行了授衔仪式。值中华人民共和国诞生 39 周年之际，全军官兵换新装，戴军衔，以新的军容出现在人民面前。

四

实行文职干部制度

我军实行文职干部制度的动议，开始于 80 年代初。1980 年 3 月 12 日，邓小平在中央军委扩大会议上的讲话中指出："军队有些方面的工作人员可以改成文职人员、雇佣人员，不穿军服。军事院校的好多教员，也可以用文职人员，不一定用军人。教数理化的为什么一定要军人呢？该当教授的就当教授，该当讲师的就当讲师。军队医院也可以实行医院人员的制度，定技术职称，搞那么多行政职务干什么？这些问题都要制度化。"1982 年 3 月军委办公会议认为：为使我军干部队伍达到革命化、知识化、专业化、年轻化的要求，适应现代化、正规化革命军队建设的需要，实行军衔制和文职干部制度，制定军官服役条例、文职干部条例是必要的。有关部门根据军委指示,组织人员起草条例。鉴于当时国家和军队干部制度正处于改革之中,我军实行文职干部制度还没有经验,加上我军干部制度在历史上形成的一些问题,实行文职干部制度需要一个逐步完善的过程,因此,军委决定先制定一个暂行条例,采取一些过渡性的政策和办法,既要积极,又要稳妥地实行这一重大改革。

1988年4月27日,中华人民共和国中央军事委员会主席邓小平发布命令,颁布《中国人民解放军文职干部暂行条例》。这一条例,是根据《中华人民共和国兵役法》的有关规定和全军文职干部均由现役军官改任的实际制定的。条例共8章27条,规定的内容包括文职干部的性质地位、编制范围、来源、培训、职务等级、任免、晋升、奖惩、待遇、服务年限、转业和退休等。①中国人民解放军的文职干部是军队编制定额内不授予军衔的干部。由现役军官改任的文职干部保留军籍。文职干部承担着与现役军官基本相同的义务,也享有与现役军官同等的工作、学习、参加政治生活、获得政治荣誉和物质鼓励的权利。文职干部与现役军官依隶属关系和所任职务,构成上下级或同级关系,工作需要时也可以改任现役军官。②文职干部编制范围,主要是科学研究、工程技术、医疗卫生、教学、新闻、出版、文化艺术、体育等单位的部分专业技术干部职务,以及为机关、院校、医院等单位内部服务的部分行政事务、生活保障干部职务。师以下作战部队、试验训练部队和保障部队,原则上不编制文职干部。③文职干部的政治待遇和粮油定量、住房、医疗、休假、家属随队、优抚等生活福利待遇,按照现役军官的有关规定执行,由现役军官改任的文职干部,工资水平与现役军官相同。④文职干部实行任命和聘任相结合的制度。从事专业技术工作的文职干部的专业技术职务设高、中、初三级;从事非专业技术工作的文职干部的职务名称按编制执行,其职务等级为正局级、副局级、正处级、副处级、正科级、副科级、一级科员、二级科员、办事员。文职干部职务的任免权限对应于同级职务的现役军官任免权限的有关规定。⑤各级文职干部在军队服务应达到规定的最低年限。根据国防建设需要,转业地方工作的文职干部,纳入当年现役军官转业计划办理。文职干部达到退休年龄或基本丧失工作能力,按规定办理退休手续,其待遇和安置管理办法,按现役军官的有关规定执行。

依据文职干部暂行条例和中央军委、总部的有关文件,全军由现役军官改任文职干部的工作于1988年4月开始,经过动员教育、定编定位、审批公布、总结经验等步骤,7月底前基本完成。

实行文职干部制度,是中国人民解放军干部制度的一项重大改革。它对干部实施分类管理,稳定专业技术干部队伍,加强国防建设和军队建设具有重要作用。

五

实行经院校培训提拔干部的制度

1980年5月,总参谋部、总政治部发出《关于选拔培养基层干部的通知》,确定从这一年开始,实行招收青年学生和军队的优秀战士,经过院校培训考试合格,才能提拔为干部的制度。1988年颁布的《中国人民解放军现役军官服役条例》,将这一制度用法律形式加以固定,明确规定:"人民解放军实行经院校培训提拔军官的制度。"对指挥干部,实行"三级制"和"两股绳"的培养体制。"三级制"是指军事、政治、后勤干部,担任营级以下指挥职务的,应当经过初级指挥院校培训;担任团级和师级指挥职务的,应当经过中级指挥院校培训;担任军级以上指挥职务的,应当经过高级指挥院校培训;在机关任职的干部,应当经过相应的院校培训。"两股绳"就是把各类干部的院校培养分为培训和轮训两种方式,将普及与提高有机地结合起来,系统培训结束后,适时安排干部入院校短期轮训。这样,指挥军官由排职晋升至集团军(军)领导职务,将逐次接受初、中、高三级培训和数次进修教育,使其知识、专业水平和组织指挥能力随着职务的晋升而不断增长。对专业技术干部,实行"两等"、"五层次"的培训体制。即按中等和高等教育两类设置专业,分别按中专、大专、本科、硕士研究生、博士研究生五个层次培养。为适应工程技术与指挥专业之间的互相渗透,在一些院校进行指挥与技术合训的试点。

军队院校教育,贯彻"面向现代化、面向未来"的指导方针。旨在为军队的革命化、现代化、正规化建设培养红、专、健全面发展的合格人才,使干部队伍实现革命化、年轻化、知识化、专业化。1986年3月中央军委《关于军队院校教育改革的决定》规定:未经院校培训不能提拔为军官,未经本级院校培训不能进相应的领导班子,因作战需要直接提拔的军官,战后也要进相应院校培养提高;在培养全面发展的新型人才中,要特别注意提高军官的政治素质,防止和纠正轻视政治理论学习和思想教育的偏向;院校教育贯彻理论联系实际的原则,改革政治理论课程的教育内容和方法,实施系统的马列主义理论教育,引导全体学员和教职员工自觉坚持四项基本原则;所有院校,尤其是初级指挥院校和专业技术院校,要把学员是否具有为国防事业献身的精神作为检验培养人才是否合格的重要标志之一。

党的十一届三中全会以来,中、高级指挥院校对全军营以上军事、政治、后勤军官中的大多数人进行了培训和轮训,特别是作战部队团以上军官绝大部分得到了训练,使他们适应军队现代化建设和未来反侵略战争所需的指挥、管理能力和政治素质均有明显提高。初级指挥院校和专业技术院校为部队培育40万干部,基本上满足了军队干部队伍补充的需要,使干部队伍的革命化、年轻化、知识化、专业化达到一个新的水平。

为使军队生长干部的选拔有一个良好的基础,总政治部规定:军队院校招收的对象,必须热爱中国共产党、热爱祖国、热爱社会主义、热爱人民,志愿献身国防事业,身体健康,具备培养为军队干部的基本素质。招收的士兵学员,必须是服现役满2年、并在建制连战斗班任职满1年的优秀正副班长,以及服现役满2年的特种兵分队的优秀专业技术骨干;招收对象必须参加入学文化考试、军事科目考试和体格检查。择优录取,军事科目的考核成绩占录取总分数的1/2;选拔士兵考生,须经基层党支部提名,群众评议,营级党委批准,团(旅)级机关职能部门考核,报同级党委审批;院校对学员实行严格的筛选制度,育优汰劣,完善优等生制度,择优荐贤,优才重用;院校对边远、艰苦地区的部队实行定向招生、定向分配的办法培养生长干部,陆军学院普遍实行定向培训。

六

实行民兵与预备役相结合制度

实行民兵与预备役相结合，是加强我军后备力量建设的重要措施，也是我国40年来兵役制度实践经验的总结。我军实行民兵与预备役相结合的后备力量建设制度，是经过多次反复，走过弯路，直到1984年才确定下来的。我国实行民兵制度，是中国人民政治协商会议第一届全体会议通过的《中国人民政治协商会议共同纲领》规定的。1951年3月，中央军委决定地方县以上政府设立人民武装部，乡或行政村设民兵队部。1955年我国由志愿兵役制改为义务兵役制后，重点抓了预备役建设。1957年6月中央军委决定将民兵和预备役合而为一。1958年全国大办民兵师，从而又否定了预备役制度。在认真总结经验的基础上，1984年5月第六届全国人大第二次会议通过的新兵役法，确立了民兵与预备役相结合的后备力量建设制度。

民兵是不脱离生产的群众武装，是我军的助手和后备力量，是我国武装力量的组成部分。民兵的任务是：积极参加社会主义现代化建设，带头完成生产和各项任务；担负战备勤务，保卫边疆；维护社会治安工作；随时准备参军参战，抵抗外来侵略，保卫祖国。按照1984年10月1日起施行的《中华人民共和国兵役法》规定，乡、镇和企事业单位都建立民兵组织。凡年满18—35岁、符合服兵役条件的男性公民，除应征服现役以外，都编入民兵组织。民兵分为基干民兵和普通民兵。28岁以下的退出现役的士兵和经过军事训练的人员，编为基干民兵；其余18—35岁符合服兵役条件的男性公民，编为普通民兵。根据需要，可吸收女性公民参加基干民兵。民兵作为群众武装组织，其编组原则是与他们所在的行政组织和生产组织相适应，按军队编制序列编成班、排、连、营、团等，便于领导、便于活动、便于战时就地配合军队作战和担负各项作战勤务。在民兵建设中强调基层组织落实和基干民兵建设。民兵组织受各级地方党委（支部）和军队的双重领导，民兵要按规定进行军事训练和政治教育。经过长期建设，民兵不仅在保卫祖国，参加社会主义建设中作出了重大贡献，而且队伍更加强大。现已由单一的步兵发展成为包括高炮、地炮、通信、工兵、防化、侦察以及海军、空军等专业技术分队在内的强大的群众武装。

实行预备役制度，是保证战时我军能够迅速动员扩编应付突发事件的重要措施，是加强国防后备力量建设的重要组织形式。预备役由服满现役的退伍军人和未被征集服现役的符合兵役条件的人员充任。他们平时在各自的岗位上生产和工作，接受定期的军事训练，国家一旦需要，应召到军队服现役。新兵役法规定，士兵预备役分两类：第一类，包括基干民兵和经过预备役登记的28岁以下的退伍士兵与专业技术人员；第二类，包括普通民兵和经过预备役登记的29—35岁的退伍士兵以及其他符合条件的男性公民。军官预备役，包括退出现役转入预备役的军官、确定服军官预备役的退伍士兵、专职人民武装干部、民兵干部、非军事部门的干部和专业技术人员，以及经过军事训练考试合格的高等院校毕业学生。现行的预备役制度主要内容包括：进行预备役军人登记，对预备役军人进行军事训练，组建预备役部队和组织在校学生军训。

从1983年开始，各军区普遍组建了

预备役部队。预备役部队的最大特点是平时寓兵于民,战时可以用最快的速度动员集结转为现役部队,成建制地补充野战军或单独进行作战任务。它既区别于现役部队,又不同于一般的民兵组织。其具体组织形式和训练方式是:①它是以现役军人为骨干,以预备役军官、士兵为基础,按照我军的统一编制组建起来的师或团级部队。师、团、营和部分连队的主官以及机关部门、科室的主要干部是现役军人,其余是地方干部、退伍军人、基干民兵和经过登记的预备役人员。②凡按照中央军委计划,经总参谋部批准组建的预备役师、团,属于中国人民解放军建制序列,分别是我军的师、团级单位,授有番号、军旗,实行统一的编制。平时隶属于省军区,战时归指定的野战部队指挥(海、空军预备役师归海、空军建制,平时受海、空军和省军区双重领导)。③按照总参制定的军事训练大纲要求,有计划成建制地分期分批进行军事训练,并定期进行动员演练。④就地就近储备相应的武器装备和各类后勤物资,对战时所需的车船、马匹、工程机械等军民通用的装备物资,平时都制定了计划,作好征用准备。⑤预备役部队同其他一切武装力量一样,置于党的绝对领导之下。预备役部队都建有党委,受省军区党委和同级地方党委的领导,实行党委统一的集体领导下的首长分工责任制。经过几年的建设,预备役部队已初具规模,已形成了有步兵、炮兵、工程兵、通信兵、防化兵等兵种部队在内的一支武装力量。这些部队除按计划完成军事训练外,还在振兴当地经济,参加抢险救灾中发挥了重要作用。

对高等院校和高中学生进行军事训练,是加强后备力量建设的一个重要方面。学生参加军训,则是公民履行兵役义务的一种形式。我国从1955年第一部兵役法颁布时,开始进行学生军训试点。由于当时高校普遍实施军训的条件不够成熟,1957年6月高教部、国防部等单位联合发出通知,暂停军训试点工作,至1983年,学生的军训工作一直没有进行。1984年新的兵役法重新规定,对高等院校、高级中学和相当于高级中学的学校学生实施军事训练。从1985年起,国务院有关部委和军队三总部决定,在全国一些高校和高级中学进行学生军事训练,进行了试点和更大范围的军训工作。颁发了训练大纲,对学生军训的目的、内容、时间和要求等作了具体规定。通过军训,使学生开阔了眼界,增长了知识,明确了责任,养成了守纪律、听指挥的好作风。

总之,实行民兵与预备役相结合的制度,弥补了民兵在补充兵员工作方面的不足,使后备力量建设体制更加完善,更有利于加强对后备力量建设实行统一的领导和管理,使国家的动员体系更符合我国的国情军情。是既节省军费开支,又能保持相应的国防实力和应变能力的好办法。搞好预备役部队建设也是精简常备军的重要保证。

培养军地两用人才

从70年代末开始,中国人民解放军为适应国家和军队现代化建设需要,着手把干部、战士培养成为既能保卫祖国又能建设祖国的具有双重能力的人才。这项工作,是在邓小平倡导下开展起来的,并被作为新时期军队训练工作和政治工作的一项重要内容。

1977年12月28日,邓小平在中央军

委全体会议的讲话中,第一次提出了培养军地两用人才这个课题。他说:军队的教育训练,"只着眼于军队本身建设的需要是不够的,还要着眼于干部、战士转业复员到地方的需要","办法就是为他们创造到地方工作的条件。在教育训练上要增加这方面的内容"。"要使我们的干部和战士,经过训练以后,既能打仗,又能搞社会主义建设"。他要求使干部既学到现代战争知识,又学到现代科学知识和生产知识,还要学会做政治工作和管理工作,成为军队和地方合用的干部。对战士的教育训练要做到一兵多能,要学政治、学军事、学技术,还要学点数理化,学点工农业知识,学点外语,这样,战士到地方就会发挥很大作用。

南京军区某师、成都军区某团、中央警卫团等部队,率先开展起培养军地两用人才的工作。这些单位主要采取营、连办班的方式,让干部、战士学习科学文化知识和一些简单的民用技术。1982年党的十二大提出:"人民解放军不仅要成为保卫社会主义祖国的钢铁长城,而且要成为建设社会主义物质文明和精神文明的重要力量。"这一要求对全军学习科学文化的热潮和培养军地两用人才的工作是一个强大的推动力。在1982年12月8日召开的中央军委座谈会上,军委领导肯定了各部队培养军地两用人才的作法和经验。在中央军委的号召下,培养军地两用人才的工作在全军普遍兴起。

1983年5月,总政治部主任余秋里在浙江金华主持召开第一次全军性的培养两用人才经验交流会(又称第一次金华会议)。会议推广和交流了南京军区某师等三十多个单位的经验。余秋里在会议讲话中指出:培养两用人才符合历史潮流,符合建军方向,符合广大干部、战士和人民的愿望,是利国、利军、利民、利兵的大好事。他要求全军把这项工作认真开展起来。是年八一建军节前夕,总政治部在中国人民革命军事博物馆举办了学习科学文化知识、培养军地两用人才展览。邓小平、叶剑英、徐向前、聂荣臻、杨尚昆等军委领导为展览题了词。邓小平的题词是:"大力培养既能打仗又能搞社会主义建设的军地两用人才。"从此,培养军地两用人才的活动得到全面发展。到1983年底,全军已办起了各种专业知识和技术学习班(组)12.1万多个,有172万多人参加学习,其中62万人学会了一两项民用技能;涌现出先进军级单位16个、师级单位44个,团级单位115个。翌年,活动规模进一步扩大,全军参加民用技术训练的干部战士超过200万人,其中有43万多人获得结业证书、技术等级证书。

1984年9月,海军在舟山群岛某地召开"学习科学文化、培养两用人才现场经验交流会"。总政治部通知各大单位派人参加。会议总结推广了东海舰队某支队"发扬海军优势,立足本职成才"的经验,还介绍了空军地空导弹某旅、广州军区某师、驻新疆某边防团、北京军区某团的经验,提出了"普及、坚持、提高"的总方针。各大单位为贯彻这一方针,分别召开了经验交流会或表彰会。舟山会议以后,培养军地两用人才工作在全军进一步开展起来。各部队在实践中,逐步摸索出了一些比较切合实际的培训内容和培训方式。

培养两用人才的工作在取得很大成绩的同时,也出现了一些新的问题,主要是民用技术训练与军事训练、政治教育在人员、时间、场地、经费等方面的矛盾越来越突出,制约了培养军地两用人才工作的深入发展。为解决这些矛盾,各先进单位都作了有益的探索,创造出了军、政、文、民"一体化教育训练"的经验。南京军区某师的做法更为系统：①把民用技术训练作为新时期教育训练的组成部分，列入教育训练计划，使军、政、民、文教育训练融为一体，在党委统一领导下，统一制定计划，统一安排时间，统一使用经费，统一组织实施，其中用于民用技术训练的时间能够落实100个训练日。②党委统一领导，司、政、后机关各司其职。司令部门会同政治、后勤部门制订计划，组织实施；政治部门组织协调，掌握信息，实施政治教育、文化学习和有关民用知识的学习，搞好军民共育；后勤部门负责民用技术训练的经费、物资、技术等保障工作。从而使职能部门形成合力。③依托军事训练场所、专业分队、生产经营单位等，建立一定数量的比较稳固、比较完备的培训基地和培训点。培训基地普遍有组织领导，有培训计划，有教员队伍，有发证条件，使育才工作有组织和物质保证。④坚持以军为主的原则。教育干部战士增强国防观念，首先做保卫祖国的合格战士。为保证这一原则的落实，采取三种办法：一是实行考核升级，军事训练考核合格后才能升入培养两用人才基地或培训点学习民用技术。二是对优秀班长、训练尖子、部队建设的标兵模范实行优先学习热门技术的奖励。三是在训练内容上按军地通用、半通用、不通用三种类型进行安排。军地通用的，要求战士把专业学深学精；半通用的，进行补差训练，既可掌握民用技术，又能提高军事技术水平；不通用的，在完成军事训练任务的前提下，安排学一两门适用的民用技术。

1986年5月，南京军区在金华召开了"军地两用一体化教育训练现场会"（也称第二次金华会议），总参谋部、总政治部、总后勤部的有关领导出席会议，并通知全军各大单位派人参加会议。余秋里主任、韩怀智副总参谋长、赵南起副部长在会议讲话中，对南京军区某师的经验给予充分肯定。会后，中央军委于1986年8月1日下发了《印发余秋里、韩怀智、赵南起同志在南京军区军地一体化教育现场会上的讲话和南京军区党委关于推广步兵某师军地两用一体化教育训练经验的报告》的文件，指出一体化训练是部队教育训练的重要改革，是把培养两用人才工作经常化、制度化的有效措施，要求全军认真贯彻执行。此后，全军参照该师的经验，普遍实行军、政、民、文一体化教育训练，把培养军地两用人才的工作推进到正规化的高级阶段。

到80年代末，全军先后参加民用技术训练的多达600万人以上，有近300万人经过考评获得相应的证书。从1980年到1988年，全国农村开发使用的退伍军人两用人才中，已有62万人进入乡镇企业，38万人成为厂长、经理，2600人被誉为乡镇企业家，从事种植业或其他各业的专业户34万人。全国以两用人才为主兴办的商品经济联合体达5.5万多个，约占全国此类联合体总数的5％，总产值98亿元，不但实现利税15亿元，还为国家创外汇4.8亿元，扶贫帮困47万人，拿出扶贫资金1.3亿元。

为引导培养军地两用人才的工作沿着健康轨道发展，1988年2月，总参谋部、总政治部、总后勤部联合发出《关于进一步做好培养军地两用人才的通知》，9月又转发了南京军区党委《批转军区工作组〈关于培养军地两用人才的调查和改进意见〉的通知》。这两个文件在充分肯定前段工作的同时，强调培养两用人才工作要认真贯彻"以军为主"、"以干部为重点"的原则，要求各级领导机关把培养军地两用人才作为新的历史条件下加强部队建设的一项重要措施继续抓好，并不断总结经验，进一步推向深入。1989年1月8日至11日，国家民政部与总政治部在厦门市联合召开了全国培养和开发使用军地两用人才福建现场经验交流会。会议总结交流了经验，表彰了在培养开发使用军地两用人才中作出突出成绩的先进单位和先进个人。全军根据中央军委领导同志关于培养军地两用人才"方向要坚持、方法要改进、内容要调整"的指示和厦门会议精神，使培养军地两用人才的工作在改进和调整中继续坚持下来。

八

开展军民共建精神文明活动

军民共建社会主义精神文明活动，是人民解放军自80年代以来参加全国精神文明建设的一种主要形式。党的十一届三中全会以后，随着工作重点的转移，中共中央提出：在建设高度的物质文明的同时，一定要努力建设社会主义的精神文明。1980年12月，邓小平强调指出："我们要建设的社会主义国家，不但要有高度的物质文明，而且要有高度的精神文明。"党中央要求军队不仅要成为保卫祖国的钢铁长城，而且要成为社会主义物质文明和精神文明建设的重要力量。1981年5月，胡耀邦在视察济南军区部队时，号召部队努力做社会主义精神文明建设的光荣标兵。正是在上述战略方针和号召的鼓舞、启迪下，各部队开始与驻地群众进行共建精神文明的有益探索。

军民共建样式繁多，但最初创造的样式是共建文明村。1981年6月，驻山东省文登县某师，与地方政府共同研究了建文明村的四条要求，即：村容整洁环境美，群众文化活动有场所，移风易俗见成效，军民之间团结好。组织所属部队分头搞"文明村"试点。这是我军与驻地人民群众共建社会主义精神文明活动中建设的第一批文明村。同年9月，北京军区和空军参加华北张家口地区军事演习的部队，主动和驻地群众开展了军民共建文明村的活动。当时，共建244个村，占全部驻训点的92％，曾出现几个搞得比较好的共建村。10月，总政治部召开全军拥政爱民抓落实会议，肯定和推广他们的经验，要求全军大力开展以建设社会主义精神文明为主要内容的群众工作。

1982年9月，党的十二大要求人民解放军不仅要成为保卫社会主义祖国的钢铁长城，而且要成为建设社会主义物质文明和精神文明的重要力量。这进一步推动了军民共建活动的开展。在"文化大革命"的重灾区保定地区，北京军区某军为消除"文化大革命"的后遗症，改善军民关系，认真组织和开展军民共建活动。他们首先在新城县崔中旺村进行军民共建精神文明村试点，接着和保定地委联合召开现场会，推广他们的经验，使共建活动扩展到28个村庄。1983年初发展到108个。这年1月，河北省委、北京军区在保定市召开军民共建精神文明现场会。4月，中共中央办公厅、国务院办公厅、中央军委办公厅联合转发了北京军区和中共河北省委《关于保定军民共建精神文明现场会的情况报告》，对军民共建社会主义精神文明活动给予充分肯定。1983年8月1日，在北京举办了军民共建社会主义精神文明成果展览，中央军委主席邓小平和叶剑英、徐向前、聂荣臻、杨尚昆等领导人为展览题词。邓小平的题词是："发扬我军拥政爱民的光荣传统，军民共建社会主义精神文明。"11 月,总政治部召开了全军军民共建精神文明汇报会,会议总结交流了军民共建精神文明的经验,并且转发了《全军军民共建精神文明汇报会纪要》,要求全军各单位结合自己的实际,作出规划,使军民共建点确实起到示范作用。从此,军民共建活动迅速普及到全军、全国,由点到面,由农村到城市,不断向广度和深度发展。

军民共建精神文明的主要任务,是适应社会主义现代化建设的需要,培养有理想、有道德、有文化、有纪律的社会主义公民,促进提高整个中华民族的思想道德和科学文化素质,促进全面改革和实行对外开放,推动社会主义现代化建设,建立和发展平等、团结、友爱、互助的社会主义新型的军民关系。

1981 年以来,军队已在全国形成军民共建点 4 万多个,其中文明村庄 2 万多个,学校 7000 多个,工厂 3000 多个,其他共建单位 1 万多个。

全国著名的共建文明会,除保定的崔中旺村外,尚有:①西北高原上青海省湟源县东峡乡灰条沟村。该村位于海拔3500 米的山顶,全村 468 人,由过去国家不征收统购粮,变为一年向国家卖余粮近5 万斤、油菜子近 4 万斤,成为文明富裕的山村。②辽宁省沈阳市于洪区杨士乡宁官村。该村通过共建活动后成为计划生育先进村,群众在银行存款 200 多万元,盖起了有 16 个教室的学校,有 200 多人参加各种文化教育班、科学技术班学习。③云南省开远市大庄村。该村居住着回、汉、彝、苗、壮等七个民族的群众,经过军民共建,民族和睦,教育发展,生活富足,被云南省评为"民族团结"和"军民共建文明村"先进单位,被称誉为西南民族团结一家亲的文明村。④中南物质精神双丰

收的文明村——湖北省应山县叶家店。经过军民共建,村里人均年收入由 200 元上升至 500 多元,涌现出一批文明家庭,参与共建的防化连也荣立集体二等功,成为"建设精神文明标兵连"。⑤东南文明侨乡——福建省南安县梅山镇。军民共建使这个有 8000 多居民的大镇变成美丽文明、富饶的乐园。⑥山东省荣成县石岛镇大鱼岛村。海军某部在岛上与渔民共建,使渔业生产和岛上精神文明实现双跃进,吸引了 50 多个国家的驻华使节上岛参观,被誉为海岛上的一颗明珠。

军民共建精神文明一条街,是城市开展军民共建活动的基本形式之一。1982年初,驻城市的部队与街道办事处、居民委员会一起,借鉴军民共建文明村的经验,分别在武汉、北京、天津、沈阳、徐州等城市开展起军民共建文明街的活动。当时影响较大的几条文明街是:①武汉军分区军民共同建设门前一条街。军分区各营区与武汉市 83 条街道和路段相连,即组织 183 个执勤服务小组,广泛开展"我爱营区门前一条街"活动,与办事处、居委会共建文明一条街,其中有 16 个街道单位被市、区评为精神文明先进单位。②北京"柳荫军民文明街"。1983 年初,北京卫戍区某团 1 连,响应军委副主席徐向前关于"军民携手,同建柳荫文明街"的号召,与该街道居委会和 3000 余名居民一起,开展共建活动,使该街区在市、区 10 项工作评比中,获 9 项先进,成为首都第一条文明街。③天津市军民共建四面钟文明街。这个街区的党支部工作、妇女工作,以及治保、民事调解、计划生育、市容卫生、文体活动等均被市、区评为先进。1983 年,总政治部将上述三街区的情况和经验通报全军,军民共建文明街活动在全国各城市迅速开展起来。军民共建文明

街的主要内容和成果是：①改变街容院貌，建立优美环境。②建设文明大院，树立互助新风。③帮助失足青年转变，建立良好的社会秩序。1983年11月和1984年6月，中共中央宣传部先后在江苏省苏州市和福建省三明市召开建设文明村（镇）和文明城市会议。总政治部召开了军民共建座谈会。会后，军民共建文明街活动又跃升到一个更高的层次。在形式上，由军民共建发展到军、警、民共建或军、街、企共建等多种形式；在内容上，纳入到整个城市的治理和建设之中，实行两个文明一起抓，深入进行思想教育，努力培养"四有"公民，全面建设居民区，并开展了争做文明市民、争创文明单位、文明城市的活动；在组织领导上，形成统一领导的多层次的领导机构，驻城市的部队各级组织同市、区、街及共建单位层层成立了以地方为主的共建领导小组，各市、区都设立了负责组织实施军民共建的办事机构。到80年代后期，全国各城市的军民共建点已有1万多个，涌现出一批很有影响的文明街、文明区、文明市。

此外，军队还广泛开展了多种共建形式。部队先后派出8万余名干部、战士，同8000多所学校开展共建文明学校活动，积极协助学校创造优美的学习环境，建立良好的教学秩序，坚持用爱国主义、社会主义思想教育学生，提高了学生的政治觉悟，增强了组织纪律观念，保证了教学任务的完成。一些部队同盲人学校、社会福利院、少年管教所、工读学校等单位开展共建活动，由"最可爱的人帮助最需要帮助的人"，产生很好的社会效果。在部队驻地周围，特点各异的军民共建文明商店、文明工厂、文明车站、文明交通线、文明旅游区、文明岛、文明特区等，也都在文明村、文明街之后相继涌现出来，犹如一朵朵山花，点缀着祖国的大好河山。

到80年代末、90年代初，军民共建活动已坚持10年之久，取得了令人瞩目的成就。全军的数万共建点，有1.4万个被评为县以上文明建设先进单位。军民共建，促进了社会的物质文明建设和精神文明建设的发展，密切了军民关系，改善了人民解放军在人民群众中的形象，促进了部队自身建设和各项任务的完成，产生了广泛的社会影响。

扩大对外开放

对外开放是社会主义现代化建设新时期最重要的战略抉择。十几年来，我国的对外开放以坚定而有力的步伐，冲破了传统计划经济体制的束缚，走出了一条成功而光辉的道路。

一

设立经济特区

1.邓小平提出开放战略

经济特区，是指在一个主权国家或地区内划出的特定区域，在对外经济活动中，采取比一般地区更加开放的特殊政策，用减免关税等优惠措施，吸引外资和引进外国技术设备，以达到一定的经济目的。在中共领导人中，邓小平最早提出了建立经济特区的构想。1979年4月的中共中央工作会议期间，当广东省委主要负责人习仲勋、杨尚昆谈到要发挥广东的优势时,邓小平提出了建立经济特区的问题。他说,可以划出一块地方,叫特区。陕甘宁就是特区嘛,中央没有钱,要你们自己搞,杀出一条血路来。

中共中央和国务院根据邓小平的倡议,经研究,派谷牧带领工作组赴广东、福建考察,同两省领导共同研究办特区的问题。考察组经过认真调查研究,确认在深圳、珠海、厦门建立经济特区的诸多便利条件:地处亚热带、气候温和、雨量充沛,物产丰富,风景秀丽,对发展旅游、住宅业,对吸收侨资、外资具有较强的吸引力;位于东南沿海,港口良好,厦门有通商的基础,深圳、珠海毗邻港澳,对引进外资和先进技术,扩展对外贸易,获取国际经济信息,考察现代资本主义都非常便利;华侨之乡,对吸引华侨回国办企业,投资,支援祖国建设影响深远。

1979年7月,中共中央和国务院正式批准广东、福建两省在对外经济活动中实行特殊政策和灵活措施,决定在深圳、珠海、汕头、厦门四个市划出部分地区试办特区,作为吸收外资的一种特殊方式,当时称“出口特区”。1980年3月,中共中央在广州召开广东、福建两省会议,提出将“出口特区”定名为“经济特区”,会议形成的《纪要》指出:“特区主要是实行市场调节。”“主要是吸收侨资、外资进行建设。”同年5月,中共中央和国务院发出文件,正式定名为“经济特区”。并进一步要求将深圳特区建成兼营工业、商业、农牧业、住宅、旅游等项事业的综合性的经济特区。1980年8月,五届人大常委会第15次会议决定:批准国务院提出的在广东省的深圳、珠海、汕头和福建省的厦门设置经济特区。会议批准的《中华人民共和国广东省经济特区条例》,完成了设置特区的立法程序。1981年7月,中共中央批准

的广东、福建两省经济特区工作会议纪要中,规定了办好经济特区的10条政策措施。1982年3月,中共中央批转的广东、福建两省座谈会纪要,指明了特区的发展方向。其后,中共中央、国务院就特区工作又陆续批转了一系列会议纪要和文件,从而保证了特区工作的顺利开展,加速了特区经济建设的步伐。

经济特区之“特”,主要是指它实行的特殊的经济政策和不同于内地的经济管理体制。在经济上的基本特征主要有以下方面:

第一,特区建设资金以引进外资为主,所有制结构以中外合资、合作经营企业和外商独资经营企业为主,产业结构以工业为主,产品以出口外销为主。

第二,特区的经济活动,在国家宏观指导下实行以国际市场调节为主。特区的产品以外销为主,这就决定了它们与国际市场息息相关,其所需的设备及原材料要从国际市场上进口,产品到国际市场上竞争,国际市场完全是市场经济,商品的价格要完全放开。

第三,经济特区实行不同于内地的管理体制,有更大的自主权。除投资规模在一亿元以上项目要报国务院审批、轻工业投资3000万元以上,重工业投资5000万元以上项目要报国家计委审批外,其余项目不需国家综合平衡,特区可以自己审批。外汇实行包干上缴,超额留用。财政体制也实行大包干。还可以自主经营进出口业务。企业享有充分的经营自主权。

第四,对前来特区投资的外商,在税收、出入境等方面实行优惠政策和灵活措施。特区企业所得税率只有15%,而香港是18.5%,与内地相比也低得多。对于投资额在500万美元以上,或技术先进、资金周转长的项目给予特别优惠的待遇,特

区企业的产品出口,免征出口税。进口生产所需的设备、生产资料和自用的生活资料除烟、酒等少数物品外,均免征进口税。让出部分国内市场行销特区企业生产的内地短缺产品。对土地使用费区别行业给予优惠待遇。大大简化出入境手续,依法开展各种为客商和外来人员提供方便的业务。

我国的特区,是经济特区,而不是政治特区,也不是祖国统一后台湾、香港那样"一国两制"下的特别行政区。创办经济特区,是我国经济体制改革进程中的大胆创新,大胆实践。自从它诞生的那一天起,就受到了党和国家领导人以及国内外企业家、热心人士的极大关注。邓小平多次对特区的工作给予肯定。陈云十分强调总结经济特区的经验,他在1981年底,1982年初,两次提到:"广东、福建两省的特区及各省的对外业务,要总结经验。"他在文件中批示指出:"特区要办,必须不断总结经验,力求使特区办好。"自1980年以来,每年中共中央和国务院都召开专门会议,研究和解决特区建设中的问题,并相应制定一些方针政策。为加强对特区工作的领导和协调,还成立了国务院特区领导小组和国务院特区办公室。国际舆论热情赞誉经济特区是中国开放改革政策催生的"伟大圣婴"。1982年11月,中共中央、国务院批转的《当前试办经济特区工作中的若干问题的纪要》对特区的性质及其战略地位,作了进一步阐述。《纪要》指出,我国试办经济特区,是根据对外开放的要求,参考国外经验提出来的。它是我国人民民主政权管辖下的一个行政区域,在政治、思想、文化上坚持社会主义方向,在经济上坚持以社会主义经济为领导,允许多种经济成分存在,在对外经济活动中采取更加开放的方针,吸收外资,引进技术,发展生产,扩大出口,改善人民生活,稳定边境地区秩序。特区是利用国外资源和国际市场的一条特殊渠道。办好经济特区,对收回香港、促进台湾回归,实现祖国统一大业,也具有重要意义。

1983年春节前夕,胡耀邦在深圳考察时非常高兴地对当地领导干部说:"你们已经闯开了一个新的局面。我对你们总的评价是:比较出色地完成了中央交给的任务。"他指出,经济特区是个新生事物,要勇于探索,大胆创新,"特区要新事新办,特事特办"。他说:"新事新办就是:立场不变,方法全新。共产党员的立场不能变嘛!"

1984年1月24日至2月17日,邓小平和杨尚昆、王震去南方,特地访问了深圳、珠海、厦门三个经济特区。邓小平说他要亲自看一看特区是不是能够成功。他对特区取得的成就表示满意,并在这三个特区都高兴地题了词,"深圳的发展和经验证明,我们建立经济特区的政策是正确的","珠海经济特区好","把经济特区办得更快些更好些"。邓小平回北京后,于2月24日同中央有关领导就对外开放和特区工作问题,提了几点重要意见。邓小平概括了特区的作用,强调指出:"特区是个窗口,是技术的窗口,管理的窗口,知识的窗口,也是对外政策的窗口。"

我国经济特区的窗口作用表现在三个大的方面:通过利用外资增强特区自身的经济实力促进特区经济的繁荣、其外向型经济主体构架基本形成。兴建特区以来,吸收了来自美、日、英、法、联邦德国等20多个国家和港澳台地区的资金,到1987年6月底止,4个经济特区与客商签订合同协议投资额达64.6亿美元,约占全国实际投入使用外商直接投资总额的1/4。4个经济特区7年中同外商签约兴建的中外合资,合作企业和外商独资企业3000多家,已建成投产的工业企业1700多家。1988年,深圳特区外商投资企业的工业产值已占全特区工业总产值的63%,珠海占35%,汕头占59%,厦门占41%。这些外商投资的生产型企业大部分都是属于"两头在外"企业。1988年4个经济特区城市共计新签外商投资合同1168项、总投资额达12.3亿美元,其中生产型项目占90%以上,产品70%出口,技术也比较先进。日本的日立、美国的通用、法国的汤姆逊等一批实力雄厚的跨国公司已到深圳等地洽谈业务,有的已经签订了投资协议。自产产品出口已超过一半。每个经济特区都有一批出口的"拳头"产品和出口的主导行业,包括电子、纺织、轻工、食品、机械等。深圳已有数百种产品进香港、澳门和日、美、英、新西兰等20多个国家和地区。深圳生产的800多种工业品中有一半已经进入了国际市场,汕头工农业产品出口比重平均超过75%。4个特区在海外建设了一批厂点。深圳已在欧美、东南亚、中东、中非等20多个国家和地区设立了90多个生产厂和销售网点;1988年远洋贸易额达1.5亿美元,比1987年增长一倍多,为进一步开拓海外市场创造了条件。1987年4个特区工业总产值达112亿元,比1986年增长52%,是创办特区前(1979)的12倍。1988年4个特区工业总产值达157亿多元,比1979年增加了16倍以上。

通过内联外辐增强了特区的枢纽作用,特区成为我国对外开放的滩头前哨。特区在利用外资,引进先进技术的过程中,可以随时掌握国际市场的行情变化,及时组织产品的生产和出口,增强了我国对外经济活动的主动权,提高了参与国际生产和国际竞争的水平。同时,在劳动人事方面的劳动用工合同制,工资浮动制、干部招聘制;在基建方面的投资由国家拨款改为银行贷款,基建工程的招标、投标、承包责任制;在金融体制方面的业务交叉和信贷、利率的改革,成立外汇调剂中心,逐步放开外汇市场;在企业管理方面的承包、租赁经营、股份制试验,组建投资管理公司;在国有土地方面的实行有偿使用等等,都给内地以巨大的影响和推动。而且特区还为内地培养了大批参与改革的各方面人才数万人。

2.经济特区迅速发展

深圳经济特区　深圳经济特区原属宝安县,位于广东的沿海地区。东南临大鹏湾、西连珠江口,南与香港接壤、北与宝安县相连。这里三面环海,自然环境优美,气候属亚热带,年平均气温22.4℃。1979年2月国务院发出文件,要当时的宝安县在若干年内"建设成为吸收港澳游客的游览区,建设成为新型的边界城市"。3月,又批准将宝安县改为深圳市。

深圳经济特区是从一个极其落后的边陲小镇起步的。兴办特区以前,深圳的工业基础极为薄弱,仅有20多家生产小农具、小五金和粗加工农副产品的小工厂,基本上是封闭型的乡镇工业,属于支农工业和农副产品加工工业,而且经营水平低,需要财政补贴。当时深圳所在的宝安县的工业生产是广东省最落后的县份之一。商业也很落后,全年的社会商品零售额不过一亿人民币多一点。道路、通讯、电力等基础设施都很落后,楼宇基本上是二三层的旧房,镇上九条小道两侧,均是低矮的旧式平房,全镇只有一座五层的旅馆大楼,旅游业得不到发展。

为了改变这种落后状况,深圳市委、市政府根据中共中央和国务院的有关指示,在多方听取内地和香港专家意见的基础上制定了《深圳经济特区社会经济发展规划》，确定了规划一片，开发一片，收益一片的建设方针。到1983年底，市委、市政府重点抓了罗湖、上步区共24平方公里的"七通一平"（即道路、供水、供电、通讯、排水、排污、供气和平整土地）基础设施建设。市区新建和扩建了55条道路，共长84公里。蛇口货运码头和赤湾港万吨泊位，以及南头直升飞机场都已先后建成使用，初步形成了陆、海、空运联成一体的交通网。扩建了3万门市内电话，兴建了25万千瓦的火力发电厂，蛇口、上步、沙河三个工业区已初具规模，八卦岭、水贝两个工业区正大规模地建设。同时已建成了一大批工业厂房、职工住宅、商品楼宇和拥有现代化设备的酒楼、宾馆、商场，以及一批风景秀丽、设备完善、各具特色的旅游度假胜地，新建的特区与非特区之间的管理线84公里，一条巡逻公路和6个海关边检站，从1984年9月份开始试管。这为特区的发展创造了一个良好的投资环境。

1984年，邓小平视察深圳特区后，对特区的工作给予了极大的肯定。特区建设也加快了步伐。到1985年底，深圳特区已开发了新城区46.7平方公里。新建和扩建市内道路115条，总长达100多公里。建成了住宅区14个，工业区8个，以及一批商业区、仓库区和文化教育区，新建了各种楼宇2000多幢，已竣工和正在兴建的18层以上的高层建筑97幢，其中最高的一幢达53层。市内电话达12000门，国内长途线从13条发展到105条，可与国内27个大中城市直拨长途电话。通港澳的线路从9条发展到250条，可随时直拨到港澳，并开通了直拨美国等国家的长途电话线。一大批具有80年代现代化设施的高级酒楼、宾馆、商场和10个风景秀丽、设备完善、各具特色的旅游度假村已投入使用。工业企业发展到907家，总产值达26.5亿元，1985年国民生产总值达33亿多元，国民收入达26.5亿元，全市人均收入达4100元。建区前的宝安县1979年一年外流香港3万多人，到1985年，人口不仅不再外流，而且已有1000多人从香港回来定居。

1986年社会总产值已达到74.58亿元。办特区前，1979年的工业总产值仅有6061万元，到1986年，工业总产值猛增到35.65亿元，7年增长57.8倍。1986年深圳全市出口总值为7.25亿美元，比办特区前的1979年增长31.7倍，在出口产品总值中，深圳自产产品达到5.1亿美元，占70.3%。社会商品零售总额、1986年高达28.63亿元，相当于1979年的23倍。1987年上半年，工业生产以每月递增12.3%的速度上升，总产值比1986年同期增长67.7%。工业产品出口产值比1986年同期增长74.55%。出口总额达4.4亿美元，比1986年同期增长73.4%，仅1987年7月一个月，工业产值即接近5亿元，4天的产值就超过办特区前的1979年全年的工业总产值。深圳的腾飞，受到了国内外的关注，美国人称誉深圳为"一夜崛起之城"。1987年末统计，特区内有人口60万人（其中常驻户口和暂住户口约各占一半）。深圳陆续建起了罗湖商业城、蛇口工业区、上步工业区、八卦岭工业区、沙头角工业区、华侨城工业区、南油工业区、水贝工业区、南头工业区等8个工业区和一个深圳科学工业园。在深圳市西30公里的南头半岛，与香港毗邻的一块荒滩秃岭上，崛起了一座现代化的海滨城市蛇口工业区，百余家"三资企业"陆续建成投产。产业结构以工业为主，办企业资金以外资为主，产品市场以外销为主的经济结构和"时间就是金钱,效率就是生命"的竞争意识,使蛇口工业区充满了勃勃生机,她的资金回收率超过香港,人均占有外资额超过亚洲任何一个加工出口区。它被誉为我国改革开放的"探路船",经济特区的"发轫地"。在建设具有中国特色的社会主义的道路上,创立了一个不靠国家投资、高速度、高效益的"蛇口模式"。当时的香港总督尤德感慨地说:"蛇口的变化节奏比香港还快!"

蛇口工业区的名望大振也给整个深圳特区带来了巨大的荣耀,在国内形成了向深圳特区取经的热潮。

珠海经济特区　珠海经济特区位于广东省珠海市南部,是从珠海市划出来的一块地方,于1980年8月依据全国人大常委会批准的《广东省经济特区条例》正式成立。该特区南面与澳门陆海相连,道路相通,近在咫尺,东距香港中区36海里,北距广州151公里,水路80海里。现有特区面积15.16平方公里,包括九州港、吉大、拱北、银坑等地。特区海岸线长13公里,港湾较多,依山傍水,山峦起伏,奇峰怪石、环境优美,四季如春,气候宜人,沿海有大小岛屿11个,有15个风景点,是一个天然美好的旅游胜地。

特区自筹建以来,大力抓好通航、通电、通讯、通煤气、排污、平整土地等"七通一平"基础工程,固定资产总投资达24.4亿元、基建竣工面积348.4万平方米,等于建市前20年总和的14倍多。特区以旅游业较为有影响。兴建了一批宾馆、旅店、商场、车队等旅游企业和一批娱乐项目,基本上形成了一个环境优美、设备先进、管理完善、服务优良的旅游度假体系。尤其是特区内的石景山旅游中心,珠海宾馆、拱北宾馆、珠海度假村等高水准的旅游宾馆,方便了国内外游客,也为参与南

海油田开发的外国员工提供了理想的休憩胜地。珠海市非农业人口仅8万人,1986年接待国外游客创利达2.2亿元,比1980年增长7倍多;旅游业的发展也促进了外贸出口工业的发展,一个以工业为重点,包括商、农、牧、住宅、旅游等多种行业的综合性的经济特区正在勃勃兴起,人民生活显著改善。年收入大幅度增加,许多人已达"小康水平"。

汕头经济特区　汕头经济特区位于广东省汕头市的东部,是从汕头市划出的一部分地区。1981年底起步筹建时,范围只有位于现在龙湖区片内的1.6平方公里,这里远离市区、交通不便,电讯落后,能源缺乏。国家对经济特区基本上没有拨款。特区根据人力、财力的具体情况,进行了总规划,先建设了龙湖工业区。并由此扩大建设范围,特区面积由1.6平方公里逐步扩大到52.6平方公里。

汕头特区地处亚热带海洋性气候带。年平均温度为摄氏21.3度,年平均降水量1514毫米,土地肥沃,十分适宜种植水果、蔬菜等经济作物。同时,面临朝江、榕江、练江出海口,海洋资源十分丰富,具有发展现代化大农业的优越条件。汕头特区在腾不出相当建设资金的情况下,量力而行,因地制宜,在地势低洼的珠池一带建立了农业区,创造性地把发展农业当作特区经济发展的组成部分。该农业区包括园艺、蔬菜、畜牧、蜜柑4个示范场和"中华特种农艺开发中心",其后又逐步将园艺场等独立出来。特区农业紧紧抓住农副产品深加工和引进保鲜技术等方面,走农贸相结合的路子。以农业区为中心,通过试验、示范,波浪式地向潮汕平原和其他地区推广优良品种先进科技。以养鳗业为代表的水产养殖业发展十分迅速。

汕头特区原是全国有名的侨乡,600

多万潮籍华侨分布于世界 34 个国家和地区，还有 100 多万同胞旅居港澳。随着我国侨务政策和其他各项政策的逐步落实，在海外的广大侨胞和港澳同胞掀起了爱国爱乡，关心和支持家乡建设的热潮，特区在引进外资和兴办特区各项事业上，得到了不少华侨的帮助。香港地产界超级巨富李嘉诚先生捐赠巨款创办汕头大学和潮州医学院就是其中有影响的突出事例。

汕头特区建设以来，本着自力更生、艰苦创业的精神，"采取开发一片，建设一片，投产一片，获益一片"的办法，力求创造一个良好的受外商欢迎的投资环境。至 1986 年底汕头特区已有企业 400 多家，从起步之初的出口加工区发展成为具有工业、农业、华侨住宅、交通运输、旅游、商业等多种行业的具有侨乡特色的综合性的经济特区。

厦门经济特区　厦门经济特区位于福建省东部沿海的厦门岛，1980 年 10 月经国务院批准在厦门湖里建立经济特区。1984 年 3 月又决定厦门经济特区的范围扩大到整个厦门岛，实行更加开放的政策。1985 年 6 月，国务院批准在厦门特区逐步实行自由港某些政策，进一步明确了厦门特区将向国际港口型的经济发展。

厦门经济特区的兴建与发展有许多有利条件：一是厦门有优良的港口，交通比较方便。厦门海岸线长，港湾宽阔，主航道水深在 12 米以上，5 万吨级轮船可以自由出入。二是厦门科学文化教育比较发达。厦门特区及其附近的集美镇内有厦门大学等 7 所大专院校，10 余所中等专业学校，以及 20 多个科学研究机构。这为特区提供了充足的智力资源和人力大军。三是厦门有极美的旅游环境，山环水绕，风光秀丽，紧靠厦门岛的鼓浪屿，有海

上花园之称，扬名国内外，尤为外商看中。厦门是我国著名的侨乡，居住在世界各地的华侨、华裔有 400 多万人。他们中的许多人都对家乡有着密切的联系和浓厚的感情。

厦门特区的有利条件素为国外投资者青睐，为了抓好引进工作，特区从创办开始，除重点抓好湖里工业区的建设外，还加紧抓外部配套工程的建设。东渡新港已交付使用，厦门国际机场于 1984 年 10 月通航。22 万伏变压输电工程投入使用，引水进岛和制水设施的扩建工程已完成，厦门至鼓浪屿也铺设了海底输水管道。960 路微波通讯设备和从日本引进的程控电话机已投入运行。许多外商看到了厦门的前途光明，纷纷到厦门特区投资设厂。还有外资和侨资银行在厦门特区设立了分行。据统计，"三资"企业的资金投向和兴建项目，70% 以上都是生产性、技术型，主要发展电子、建材、轻工、纺织等工业项目。这些工业项目技术和产品多数都具有当前国内外先进水平，有不少填补了国内空白，产品全部或大部分出口。这是厦门特区在引进项目中，坚持"要与国家需要相结合，要起点高，以生产性为主，以外向型为主"的方针的结果。经过引进国内外先进技术和设备，特区原有 400 余家设备陈旧，工艺落后的老企业，已有半数以上得到了不同程度的改造，正日益发挥作用。在外引的同时，厦门特区还采取了内联的措施，积极开展以工业为主的对内横向经济技术合作，建立了 600 多家内联企业，大大增强了厦门特区的吸引力，同时也使引进的技术尽快向内地扩散拓宽了渠道。

海南省经济特区　海南特区是我国目前最大的特区。海南特区的范围，是海南省所辖区域除西沙群岛、南沙群岛、中

沙群岛外的整个海南岛,它包括两个地级市和17个县、市。现有面积3.4万平方公里,环岛海岸线长1500公里,人口600万。

海南岛是我国面积仅次于台湾岛的第二大岛,自古以来就以"南疆之重镇,两广之门户"而著称。海南岛在历史上没有得到应有的开发,经济基础很差,直到新中国成立前夕,全岛基本上没有工业。1950年5月海南岛解放后,随着热带作物基地的建设,陆续开办了采铁、制盐、制糖和其他轻工、纺织、建材等厂矿,经济、文化和其他各项事业均有了一定的基础。1979年以来,中共中央、国务院和广东省陆续采取措施,给予海南行政区较多的自主权,加快了海南岛经济发展的速度。1986年工农业总产值40亿元,1987年45.6亿元。按人口平均,1986年的国民生产总值为744元,约为全国平均893元的83%,1987年增至845元,仍落后于全国多数省、市、自治区。1986年财政收入仅2.58亿元,入不敷出,需由国家补贴近4亿元。全岛近1/6人口还处于贫困线下,脱贫任务非常艰巨。

海南有着丰富的自然资源和独特的地理位置优势,众多的劳力和广阔的土地构成了开发建设的现实基础,其众多的海外关系可以成为开发的重要积极因素。但由于长期以来产业结构原始,经济基础薄弱,基础设施严重短缺,能源、电力突出不足,资金缺乏,人才过少,台风、干旱等自然灾害频繁,水利设施严重不足,农业生产不够稳定,加之缺乏活力的经济和政治体制的束缚,经济发展水平比较低,不仅与台湾比相差悬殊,与全国相比,仍落后于沿海地区和广东等省。富饶的资源,巨大的潜力和贫穷落后的现实,形成了鲜明而又强烈的对照。海南人民期待着海南岛有个大的发展,希望中央给海南行政区以更大的自主权。

1987年8月28日,第六届全国人民代表大会常务委员会第22次会议在北京举行。国务院向六届全国人大常委会提出议案,建议撤销海南行政区,将海南行政区所辖区域从广东省划出,单独建立海南省。第六届全国人大常委会第22次会议审议了国务院关于提请审议设立海南省的议案,于9月5日通过决定,提请第七届全国人民代表大会第一次会议审议批准,并授权国务院成立海南建省筹备组。9月23日,海南建省筹备组正式宣布成立,组长许士杰、副组长梁湘、组员姚文绪、孟庆平、王越丰,开始了海南建省的筹备工作。

1988年4月13日,第七届全国人民代表大会第一次会议通过了设立海南省的决定:

①批准设立海南省,撤销海南行政区。海南省人民政府驻海口市。

②海南省管辖海口市、三亚市、通什市、琼山县、琼海县、文昌县、万宁县、屯昌县、定安县、澄迈县、临高县、儋县、保亭黎族苗族自治县、琼中黎族苗族自治县、白沙黎族自治县、陵水黎族自治县、昌江黎族自治县、乐东黎族自治县、东方黎族自治县和西沙群岛、南沙群岛、中沙群岛的岛礁及其海域。

同日,第七届全国人民代表大会第一次会议还通过了建立海南经济特区的决定:

①划定海南岛为海南经济特区。

②授权海南省人民代表大会及其常务委员会,根据海南经济特区的具体情况和实际需要,遵循国家有关法律,全国人民代表大会及其常务委员会有关决定和国务院有关行政法规的原则制定法规,在海南经济特区实施,并报全国人民代表大

会常务委员会和国务院备案。

海南建省并办成最大的经济特区,是党中央、国务院和全国人大反映了海南人民的长期愿望,总结了海南开发建设的历史经验教训,分析了海南的岛情,针对束缚海南优势发挥的实际情况,坚持改革、开放而作出的一项重大的战略决策。它将有利于中央对海南的直接领导;有利于集中全国力量支援海南;有利于海南实行更加开放、灵活的政策;有利于简政放权,减少中间环节,提高办事效率。这对于加快海南的开发建设,改善人民的物质文化生活,进一步增强民族团结,巩固边防,支援全国建设,促进祖国统一,都具有深远的意义。

1988年5月4日,国务院颁发了26号文件《国务院关于投资开发建设海南岛的规定》,紧接着又批转了《关于海南岛进一步对外开放加快经济开发建设的座谈会纪要》。8月1日,海南省人民政府发布了《关于贯彻国务院[1988]26号文件,加快海南经济特区开发建设的若干规定》。9月1日,许士杰在中国共产党海南省委第一次代表大会上作了激动人心的《放胆发展生产力开创海南特区建设的新局面》的报告,报告指出:"海南建省办大特区,目的采用国际国内行之有效的具体制度和管理方法,大力发展生产力,充分发挥海南的资源地理优势,使海南在当今中国改革、开放和实现'一国两制'中发挥重要作用。"

海南是继深圳、珠海、汕头、厦门特区建立后,宣布对外开放的特区,实行以开放促开放的方针,采取了更加开放的特殊政策。主要"特"在三个方面:

第一,经济运行是市场调节。海南将在国家宏观计划指导下,建立有利于商品经济发展,主要是市场调节的新体制框架。全省的国民经济管理,将逐步形成国家调节市场、市场引导企业的经济运行机制。建立以间接管理为主的宏观调节体系,主要运用经济手段、法律手段和必要的行政手段调节市场供求关系,引导企业正确进行经营决策。培育生产资料市场、资金市场、技术市场、房地产市场、劳务市场和其他生产资料市场,积极稳步地推进价格改革,加强市场管理,建立开放型的市场体系和正常的市场秩序,搞活企业,保护竞争。除少数对国计民生有重要影响的企业和公用设施企业外,所有企业都实行自主经营,自负盈亏。

第二,建立多元化经济所有制结构。海南省将加速改变现有的僵化的单一所有制结构,建立多种经济成分并存发展和互相竞争的多元化经济所有制结构,外商独资、中外合资、中外合作企业占较大的比重。允许海南和国内其他地区群众,以个人集资或合股经营的方式在海南举办生产企业,从事社会服务业和商品零售业。允许举办以私有资金为主、雇用农业工人的农场。各种所有制互相渗透,彼此联合的混合经济将占重要地位。多种投资来源及不同组合,将导致各种股份企业、企业集团和跨国公司的发展。在多元化的经济结构中,各种经济成分处于平等的地位、政府保护其合法利益。

第三,海南对外交往自由。海南将逐步实行"第二关税区"的做法,在"二线"海关管好的情况下,"一线"海关逐步放开,使境外人员进出自由,资金进出自由,货物进出基本自由。全国人大给海南省人大及其常委会以更大的立法权、国家也扩大海南省政府的自主权。海南岛内属于国家统一管理的外事、公安、边防、税务、海关、金融、邮电、民航等方面工作,由国务院各有关主管部门根据海南的特殊情况,制定专项管理办法,报国务院核准实施。此外的业务,海南省政府可按国家法律、法规和有关方针政策,结合当地实际情况灵活处置。

自1987年9月海南建省筹备组宣布成立以来,海南已成为中国改革开放中的一个热点。海南在机遇与挑战并存、困难与希望同在的现实土壤上,以中国最大经济特区的形象,迈出了历史性的第一步。

转换政治体制,制定更加特殊的政策和法律,成为建省中的核心。面对百废待兴,百业待举的海南实际,建省筹备组及后来的海南省政府根据中共中央和国务院的指示精神,以"精干、高效"为目标,郑重地推出了"小政府,大社会"的干部制度改革方案,把政治体制上的超前理论变成了实实在在的改革实践:缩小政府对社会经济的微观管理职能,扩大社会经济实体的自我管理和市场适应功能,建立和完善外向型综合性的经济实体。新的省政府严格按照政治保障、行政事务管理、经济杠杆和社会经济发展与组织四大系统仅27个厅的内部机构进行设置,并很快投入正常运行。所有的局机关和行政性公司均撤销,组建企业性公司,群众团体组织也不再端"铁饭碗"。原有的海南黎族苗族自治州撤销,改建7个自治县,建立省直接领导市、县的地方行政体制。与体制转换同时进行的是特区政策、法规的制定,建省筹备组及后来的海南省政府与国家有关部委一起起草了海南特区建设的一系列基本政策,在外资、金融、财政税收、环境保护、国土资源开发、基建项目审批、航空管理、人事制度、人员出入境等方面实行比其他经济特区更加特殊、更加灵活、更加优惠的政策规定,初步制定了海南的地方法规和实施细则,在"特"与"稳"上取信于海内外。海南省领导集中了岛

内外有识之士的智慧,及时制定了《海南社会经济发展战略》,提出海南经济发展的战略目标是:"坚持以开放改革促开发的方针,建立实行社会主义市场经济的特区省,最终建成以工业为主导,工农贸旅并举、三大产业协调发展的、外向型的综合性的经济特区,力争以20年左右的时间,达到人均国民生产总值2000美元以上,赶上国内最发达地区的水平。"截至1988年9月底,境内外的投资者在海南省新成立的企业达2100家,合同计划投资和注册资金达人民币47亿多元,外汇3亿多美元。其中,外商投资企业319家,合同计划投资和注册资金为人民币5亿多元,外汇3亿多美元。10月份以后,投资额继续增长。欧美以及亚洲的一些大公司,或在海南投资,或来考察、洽谈、兴趣甚浓。泰国五大集团分别与海南省农业开发总公司和海南建材工业总公司,签订了投资3亿美元兴办大型养虾场和合资2.5亿元人民币兴建大型水泥厂的合同。这家公司还将投资数十亿美元,利用海南岛及其周围海域丰富的石油、天然气资源,发展化工工业。1988年11月,海南省省长面对一些投资者的观望,明确宣布出了"五个不会",认为海南要在整顿经济秩序治理经济环境中求发展。海南确有些公司仍在观望,甚至歇业、撤走。有的是在等待海南能源、交通、通讯、土地等方面的情况进一步改善,暂时不愿放手大干。更多的属于一些拥挤在流通领域里的贸易性公司,甚至是作空头买卖的"官倒"、"私倒"。但由于僧多粥少,买卖成交率并不很高,倒爷们失望而去,经济专家们多数认为这并不是坏事。他们认为,随着海南投资者们把重点逐渐移向生产实业方面来,这将促进经济结构的良化,促进海南实质性的经济开发,而避免某种经济

"虚肿"现象。

二

建立沿海开放城市和经济开放区

1. 建立 14 个沿海开放城市

深圳等 4 个特区的建设,为我国进一步对外开放积累了有益的经验。但由于特区经济毕竟占我国工农业生产总值的比重很小,还不足以带动全国经济的迅速发展。广东、福建两省实行特殊政策,对两省经济搞活是一大推动,但由于经济腹地历来有限,闽南金三角、珠江三角洲的发展均受到严重制约。只有自南向北拓展,进一步在长江流域,黄淮流域和东北三省的前沿地带打开窗口"透气",才能形成我国对外开放的广阔的前沿地带。充分认识沿海地区的经济发展对于西部地区经济的发展所起的作用,以及怎样发挥沿海地区的优势,便提到议事日程上来了。

早在 1981 年 4 月,国务院全体会议就提出,现在世界上有个"南北对话"问题,可以说,在我们国内也有个"东西对话"问题。东部沿海地区经济比较发达,西部内地比较起来要落后一些。如何使东西地区之间在经济上有个合理分工,发挥所长,从而使全国整个经济发展得更快,这是长规划必须考虑的问题。同年 11 月中下旬,国务院召开沿海 9 省、市、自治区对外经济贸易工作座谈会,讨论了如何发挥沿海省、市、自治区的优势,加强经济贸易工作、促进国民经济发展的问题。中共中央、国务院在批转会议形成的《纪要》的通知指出:"正确处理沿海与内地的关系,是我国社会主义经济建设中的一个战略问题。在新的形势下,沿海地区特别是沿海重要城市,应当充分发挥优势,加强对外经济贸易工作,善于利用国际市场、国外资源、资金和先进技术,加速沿海地区经济的发展,并且加强同内地的经济联合和技术协作,有效地带动内地经济的发展,这是当前需要和可能采取的一个切实步骤,是贯彻实施对外开放政策、促进整个国民经济发展的重要部署。"

1984 年初,邓小平视察经济特区后,高度赞扬了特区具有四个窗口的作用,他在中共领导座谈会上强调,建立特区,实行对外开放,指导思想不是收,而是放;可以考虑再开几个点,增加几个港口城市,实行特区的某些政策。并认为厦门特区划得太小了,要把整个厦门岛搞成特区。这个座谈会开得非常热烈。在座的中共领导人都很赞同邓小平的倡议,认为进一步开放部分沿海城市,是继续实行开放政策的重要部署。随后,中共中央书记处和国务院开始筹备部分沿海城市座谈会,进行具体的设计、安排。

1984 年 3 月 26 日至 4 月 6 日,中央书记处和国务院在中南海怀仁堂召开了沿海部分城市座谈会,着重研究了沿海部分港口城市如何进一步开放的问题。

在座谈会上,来自各沿海港口城市和有关省、市、自治区的负责人,论证了各自实行进一步开放的优势,以及必要性和可能性,谈了创建经济技术开发区的初步设想。并提出开展对外经济工作,关键在于要有一批懂得业务的、精明强干的干部、行家。4 月 6 日下午座谈会将结束时,国务院负责同志就与会者提出的问题,作了扼要的说明:

——小平同志这次提出沿海城市要进一步开放确实是个大政策。这对于我们进一步发挥沿海地区的优势,加快沿海地区的经济发展,对于迎接新的技术革命,以及促进整个国家现代化的建设,都具有十分重大的深远意义。我们一方面要坚决贯彻进一步开放的方针,另一方面也一定要把它搞好,搞成功。

——我们虽然已经实行了几年开放政策,但不能说经验已经很丰富。沿海城市的开放,总的说来还是刚刚起步。今后的趋势,是还要进一步开放,要分步骤地按实际情况采取三种不同形式:经济特区,经济技术开发区,进一步扩大沿海港口城市利用外资进行技术改造、技术合作的自主权。

——沿海地区的开放,主要是靠政策。在目前国家的财政情况下,要中央拿出较多的投资来支援沿海开放,确有困难。因此,主要还是靠政策,加上中央的必要支持。

——政策放宽,主要是两条:第一,税收、市场对外资、外商有吸引力。第二,扩大沿海地区对外经济技术合作的权力,即扩大自主权。

——沿海港口城市建设应当把重点首先放到老企业的技术改造上,或者兴办一些投资少、见效快、经济效益比较高的中小企业。当然,也不是不搞大的,但大量的还是搞中小企业。

——沿海地区一定要利用进一步开放的条件,搞一些知识密集、技术密集的企业,在迎接新的技术革命中作出贡献。

会议最后形成的《纪要》提出了许多重要的论点和具体政策。值得注意的是,《纪要》对国际经济形势的分析同70年代末80年代初的观点相比,有了新的发展和突破。《纪要》指出:"当代世界范围内的贸易往来,资金融通和技术转移的规模日益扩大,新的技术革命正在世界范围内兴起。绝大多数国家(地区),都把自身经济的发展同对外经济技术交往的扩展密

切联系起来。"《纪要》对于国际经济技术发展动向,作这样的分析,有助于克服"左"的思想影响和自给自足的经济观点,加快对外开放的步伐。

5月4日,中共中央、国务院批转了这个《纪要》,正式确定开放大连、秦皇岛、天津、烟台、青岛、连云港、南通、上海、宁波、温州、福州、广州、湛江、北海14个沿海港口城市。中央批转《纪要》的通知指出,邓小平同志2月24日关于对外开放和特区工作的重要讲话,以及沿海部分城市座谈会就此提出的贯彻落实的意见,是发挥沿海大中港口城市的优势,开创利用外资、引进先进技术的新局面,加速社会主义现代化建设的一个重要步骤,是关系到争取时间,较快地克服经济、技术和管理落后状况,实现党的十二大确定的奋斗目标的一项大政策。中央的通知还指出:开放沿海城市和办好经济特区,一是给前来投资和提供技术的外商以优惠待遇,使其有利可图;二是扩大沿海港口城市自主权使其有充分活力开展对外经济活动。这样做,实际上是对我们现行经济管理体制进行若干重要的改革。这个论点比过去关于"中央对广东、福建两省在对外经济活动中实行特殊政策和灵活措施,是改革经济体制的一种试验"的提法,表述得更为明确和肯定。

中共中央、国务院批转《纪要》后,随之又制订和实行了一系列特殊政策,使这些城市的建设在1984年获得较快发展。全年工业总产值合计1589.6亿元,比上年增长11.5%,其中签订的利用外贸合同数目及协议金额相当于1983年以前5年的总和。国际舆论认为,"开放整个海岸,意味着实际开放半个中国",这个战略决策是35年以来"采取的最大胆的行动","是中国从明朝以后第一次开放"。

为了发挥沿海港口城市的作用,提高我国经济发展的前锋线的发展水平,沿海港口城市着重解决了城市基础设施,原有工业的技术改造和新技术开发三个方面的问题。

沿海港口城市基础设施的落后,引起了许多人的忧虑和不安,已经到了非下大气力改观不可的时候了。在中央的统一布置下,14个沿海港口开放城市和经济开放区雷厉风行地开展了这一工作。为增强秦皇岛港口的吞吐能力,开通了北京至秦皇岛电气化复线铁路和大同至秦皇岛重轨铁路,并建成投产了煤码头及散装、集装箱码头、矿石专用码头和杂货码头。青岛市兴建了青岛新港及青岛至胶县铁路,增设了万门电子程序控制自动电话项目,并将青岛民航机场改建为国际机场,增设了国内外航线。上海市加强了市政建设投资,新建了火车新客站、国际电信大楼、虹桥国际机场以及高水平的旅馆,引进了贝尔公司的先进通风设备生产线,等等。14个沿海城市改建城市基础设备具有共同特点的是:加强通讯、交通、能源等基础设施建设,兴建宾馆、旅游设施,发展商业,服务业第三产业,等等。在这个过程中,由于个别城市贪大、贪全,也出现了高级宾馆热,滥建旅游点和旅游设施等问题。

沿海港口城市企业技术改造是关系到这些城市经济能否起飞的关键。属于传统工业基地的上海、天津、大连、青岛、广州,根据各自的优势工业,突出了重点改造的部门,而不是一下子铺开来搞。采取了重化工业的进口替代战略,以此带动轻纺和新兴工业,在此基础上一步步推开,从而避免了摊子过大而无力经营的局面。在改造老企业技术过程中,采取了易地改造和就地改造相结合的办法,并将三种类型的传统产品进行易地改造:①把一部分高能耗、高物耗的产品陆续转到能源和原材料充裕的地方设厂生产(如铁合金、电石、化肥等);②在传统产品热销的地方设厂生产,就地销售,以减少运输成本和损耗(如自行车、台钟、半导体等);③以农副产品为主要原料、加工较简单的轻纺产品向农村集镇扩散(如植物油、屠宰、磨粉、制茶、水产加工等)。属于传统工业基础较薄弱的地方,如北海、海南岛、福州、烟台、秦皇岛等改变了小修小补的做法,采取了跳跃性地引进外资进行技术改造,如福州市引进彩电、录像生产线就是成功的例子。引进外资和外技推动企业的技术改造为这些城市的发展奠定了良好的基础。技术设备引进是一项十分细致又复杂的工作,在起初的引进中出现的问题,主要是:计划性不强,重复引进多;科学性不强,引进项目的水准偏低;经济消化吸收工作不够,产品创新能力不强。这些问题也带来了不小的经济损失。随着经验的逐渐丰富,鉴别水平的提高以及通讯设备的加强,问题逐渐得到了一定的克服和纠正。

2.经济技术开发区的兴建

经济技术开发区是指经国家批准、由沿海各开放城市兴办、管辖,依靠其特殊的资源条件和优惠政策,集中地吸引外资,引进先进技术、进行各种开发性经济技术活动,以达到一定的经济目的独立的经济区域。经济技术开发区同经济特区有着一定的区别,经济特区行政上是相对独立的,是在独立的发展规划指导下进行建设的,它以市场经济为主体。它的建设是综合性的,集工业、商业、金融、信息服务等为一体,生产和生活合二为一;而经济技术开发区是在沿海开放城市管辖之下,构成开放城市总体建设的一部分。它是以生产、科研和转口贸易为主的经济区域。其基本特点是：①资金来源以外资为主；②经济成分以"三资"企业为主；③产业结构以工业为主；④产品以外销为主；⑤经济机制以市场调节为主。经国务院批准，从1984年开始兴办的经济技术开发区，在14个沿海开放城市中，厦门、北海两市全部市区都是经济特区或经济技术开发区，上海建3个（虹桥、闵行、漕河泾），其他11个城市大连、秦皇岛、天津、烟台、青岛、连云港、南通、宁波、福州、广州、湛江各1个。经过5年发展的经济技术开发区，已完成了起步期，进入抓项目、抓管理、抓经济效益的新阶段，形成了有利于吸收和利用外资的"小气候"，正向综合开发型、贸易为主型、港口运输型、出口基地型方向发展。

1984年10月，中共十二届三中全会作出关于经济体制改革的决定后，我国加快了开放的步伐。全会结束不久，国务院有关部门的负责人去珠江三角洲、长江三角洲地区进行实地考察，同当地负责人、基层干部、技术人员进行了多次座谈，听取了各方人士的意见，考察结束后，于12月20日写了《关于沿海地区经济发展的几个问题》的考察报告，就如何迎接开放沿海14个港口城市后的新形势，促进沿海地区的经济更快发展问题，提出了许多重要意见。报告将特区、开放城市、经济开放地区的作用、地位形象地比喻为"对外开放的桥头堡，要起跳板作用"。上海、广州等大城市应当是"两个扇面、一个枢纽"。为了加强这种功能，报告提出必须坚持"外引内联"的方针。并建议"应该开放珠江三角洲和长江三角洲，进而陆续开放辽东半岛、胶东半岛，北起大连港，南至北海市，构成一个对外开放的经济地带"。邓小平对此报告给予了肯定，他说，沿海

连成一片了，这很好嘛！其后，国务院一些领导又提出了再开放泉州、漳州、闽南三角洲的建议，并布置有关负责人进行对策研究。

根据邓小平等领导人的意见，1985年1月25日至31日召开了长江、珠江、闽南厦漳泉三角地区座谈会。会议一致认为，先将长江三角洲、珠江三角洲和闽南厦漳泉三角地区，继而将辽东半岛、胶东半岛开辟为沿海经济开放区，是我国在进一步实行改革与开放的新形势下，加速沿海经济发展，带动内地经济开发的重要战略部署，有着重大的意义。中共中央、国务院于2月18日发出了批转会议纪要的通知，并指出：这三个经济开放区应逐步形成贸—工—农型的生产结构，即按出口贸易的需要发展加工工业，按加工的需要发展农业和其他原材料的生产。要围绕这一中心，合理调整农业结构，认真搞好技术引进和技术改造，使产品不断升级换代，大力发展出口，增加外汇收入，成为对外贸易的重要基地。同时，还要加强同内地的经济联系，共同开发资源，联合生产名牌优质产品，交流人才和技术，带动内地经济的发展，成为扩展对外经济联系的窗口。中共中央、国务院的这一决策是继创办4个特区，开放沿海14个港口城市和海南岛后的又一重要战略步骤。这一决定一出台，就在国内外引起了强烈反响。

长江三角洲经济开放区　地处长江下游平原，包括江苏省的无锡、苏州、常州市及所属全部县（市）以及南京市、镇江市、扬州市、盐城市、南通市、连云港市及所属部分县（市），浙江省的杭州市、绍兴市、嘉兴市、湖州市、宁波市、温州市、椒江市、临海市及所辖的若干县市和上海市所属各县。这一地区缺少港口城市、人多地少、水网密布、不适合走发展贸易和农业

为主道路的思路基本成为人们的共识。面对着现实,该区采取了发展外向型工业,走"出口创汇—引进提高—扩大出口创汇"的道路。工业化已成为这个地区的明显趋势。

珠江三角洲经济开放区　地处东江、西江、北江汇合的冲积平原。包括广东省的佛山市、江门市及所属部分县,和广州市、深圳市、珠海市、惠阳等地区所属的部分市县。该区是历史悠久的华侨之乡,属南亚热带海洋性气候,土壤肥沃,水陆交通发达,农副产品丰盛,有靠近港澳国际市场的天然地理优势,为多形式、多渠道、多层次利用外资,大办"三资"企业和"三来一补"企业奠定了基础。该区充分利用本地区的优势,加快了农村商品生产和销售的步伐,其大量的鲜活农副产品在港澳市场已初露头角。

厦、漳、泉经济开放区　位于福建省东南沿海,九龙江下游和晋江下游,包括福建省厦门市的同安县,漳州市和龙溪地区部分县,泉州市、莆田市、福州市等部分市、县。该区是著名的华侨之乡,在国外的华侨和外籍华人约 400 多万,加之温暖湿润的气候,便利的交通运输网络和闻名中外的旅游风景古迹,为该区发展轻工业、商业、旅游业、金融业提供了极大的方便。该区正以出口为导向,以拳头产品为中心,在经济一体化的基础上实行专业化分工协作生产,以发挥外向型食品加工业的明显优势。

辽东半岛经济开放区　位于渤海与黄海之间,包括辽宁省的丹东市、营口市、盘锦市、锦州市、鞍山市、辽阳市、大连市所辖的部分县(市、区)以及沈阳市。该区钢铁、机器制造、石油化工、有色冶金、轻纺工业、水产资源、水果生产等较有影响,便利的陆海空交通加强了该区与全国各地及日本的经济往来,为探索引进先进技术和外资,改造老企业,大力发展出口产品提供了条件。

山东半岛经济开放区　位于渤海与黄海之间,包括山东省的威海市、潍坊市、淄博市、青岛市、烟台市所辖的部分县(市)以及莱州市和日照市。该区工业、农业、水产业、海运业、旅游业都很发达,黄金、石油、水产、陶瓷、花生等生产驰名中外,有极强的竞争力。

1988 年 4 月,全国人大七届一次会议决定在广东、福建、海南建立改革、开放综合试验区,把海南办成全国最大的经济特区,为进一步改革和开放积累经验。至此,在我国从南到北形成了拥有一亿多人口,由 4 个经济特区、14 个沿海开放城市、长江珠江三角洲、闽南三角地区、海南岛特区省构成的宽阔的沿海经济开放地带,迎接着滚滚而来的大潮。

加快浦东开发

1.开发浦东的决策

1988 年 5 月,上海市人民政府召开"开发浦东新区国际研讨会",当时任上海市委书记的江泽民同志、上海市党政领导以及来自国内外的 140 多位专家、学者共商开发浦东大计。在这个会议上,江泽民同志从总结历史经验的高度,阐明了开发浦东的必要性:上海作为全国最大、位置最重要的一个开放城市,应该进一步改革、开放、开发浦东,加快向外向型经济发展,建设国际化、枢纽化、现代化的世界一流新市区,是完全符合党的十三大精神的,我们一定要把这件事办成。此后,上海市加速了关于浦东开发的前期研究工作,逐步形成了浦东新区城市形态规划的雏形。

1990年初,邓小平、杨尚昆、乔石、邹家华等中央领导同志先后来上海,关怀并支持浦东建设。在中央领导同志的关怀下,1990年2月26日,上海市委、市政府正式向中央上报了《关于开发浦东的请示》。李鹏总理立即指示,由邹家华同志主持国务院有关部门研究。3月28日至4月8日,姚依林副总理率领国务院特区办、国家计委、财政部、人民银行、经贸部、商业部、中国银行的负责同志来上海,对浦东开发问题进行了专题研究、论证。上海方面也分成特区、投资、财政、外贸、商业、金融六个专题组,与国务院有关部门对口进行了详细汇报和深入讨论,探讨了对浦东开发的规划设想、政策设计、资金筹措的模式,初步形成了中央对开发浦东的十项优惠政策。北京来上海的同志起草了向党中央、国务院汇报的《关于上海浦东开发几个问题的汇报提纲》。党中央、国务院专门听取汇报并原则同意了这个专题报告。

1990年4月18日,国务院总理李鹏于上海视察工作期间,在上海大众汽车公司的庆典会上向中外宣布:"最近中共中央、国务院决定,要加快上海浦东地区的开发,在浦东实行经济技术开发区和经济特区的政策。这是我们为深化改革、扩大开放作出的又一重大部署。"同年5月10日,中共中央总书记江泽民同志题词:"把上海建成外向型多功能现代化的国际城市。"从此,开发浦东成了举世瞩目的一件大事。

开发浦东是加快改造、振兴上海的客观要求。进入90年代以后,由于日趋激烈的国际、国内市场竞争所带来的双重挑战,以及新旧体制转换所引起的双重困扰,上海正面临着衰落还是振兴的关键抉择。国际经济形势变化对上海对外开放带来新的困难等各种因素,上海所面临的只能是两种选择:一种是现有的综合优势继续削弱,经济日益萎缩,在全国的地位不断下降;另一种则是充分发挥自身的优势,利用投资环境逐步改善的有利条件,进一步深化改革,扩大开放,加速发展外向型经济,走出振兴的路子,争取把上海建设成外向型、多功能、现代化的国际城市。正确的结论只能是后者。中共中央关于开发浦东的战略决策正是这一关键抉择的决定性步骤。

开发浦东是树立我国对外开放形象的重大决策,向世界人民表明了我国对外开放的坚强决心,是进一步树立我国对外开放形象的重要战略措施。邓小平在视察上海时谈到,我们说上海开发晚了,要努力干啊!那一年设四个经济特区,主要是从地理条件考虑的。上海人聪明,素质好,如果当时就确定在上海设经济特区,现在就不是这个样子。14个沿海开放城市有上海,但那是一般化的。浦东如果像深圳经济特区那样,早几年开发就好了。开发浦东,这个影响就大了,不只是浦东的问题,是关系上海发展的问题,是利用上海这个基地发展长江三角洲和长江流域的问题。抓紧浦东开发,不要动摇,一直到建成。只要守信用,按照国际惯例办事,人家首先会把资金投到上海,竞争就要靠这个竞争。金融很重要,是现代经济的核心。金融搞好了,一着棋活,全盘皆活。上海过去是金融中心,是货币自由兑换的地方,今后也要这样搞。中国在金融方面取得国际地位,首先要靠上海。那要好多年以后,但现在就要起步。要克服一个怕字,要有勇气。什么事情总要有人试第一个,才能开拓新路。试第一个就要准备失败,失败也不要紧。希望上海人民思想更解放一点,胆子更大一点,步子更快一点。

2.开发浦东的模式

浦东新区开发模式的特点之一将是从初级城市向一流城市发展的城市化过程。在我国特大城市上海的边界开发浦东新区,这件事本身就意味着它的不同特点,它不可能是我国其他开发区发展轨迹的简单延伸。它不是在荒漠的地域开发,而是向更高起点的城市化冲刺。城市化过程将把金融启动、贸易启动和基础设施完善作为首要的任务。

特点之二是将贸易推动战略置于首要地位,走贸易兴区之路。这里所指的贸易是一个广义的市场交易,它包括资金贸易、投资贸易、商品贸易、房地产贸易、运输贸易、信息贸易、技术贸易等现代化大贸易、大流通的格局。设想经过较长期的努力,在浦东新区形成万商云集、远客悦来的超级市场。

特点之三是金融业先行发展并为新区提供资金来源。众所周知,浦东开发目标之宏伟、工程之浩大与资金之紧缺将是一个长期的深层次矛盾。解决这一矛盾的一条重要途径,就是促进金融业的优先发展。为此,中央在上海浦东新区的十条优惠政策中就专门有一条:"允许外商投资兴办第三产业。对现行规定不准或限制外商投资经营的金融和商业零售等行业,原则上可以在浦东开发区试办。"与此相应,在1990年9月10日公布的上海浦东新区的9个政策法规中,就专门有一个《上海外资金融机构、中外合资金融机构管理办法》。中央还同意建立上海证券交易所。在浦东新区实质性启动的短短数月中,金融业在浦东的发展已见端倪。已经成立了农业、建设、交通、工商、中国、招商等多家中国金融各银行在浦东设立的分行,宣布今后五年在浦东新增贷款150多亿元。此外还新办了保险公司、上海证券交易所和两家中外合资的财务公司。

特点之四将是"以东带西、以西促东、东西联动"。即充分发挥浦东的政策优势,努力在浦东建立起同国际市场相衔接的新体制,以东带西;与此同时,也逐步相应地扩大浦西的开放度,加快浦西新旧体制的转换过程,以形成有层次的改革、开放格局,逐步建立起外接国际市场、内联长江流域和整个国内市场的新的运行机制,以西促东、东西联动。这将更有利于浦东开发。

3.浦东开发的实施步骤和启动

第一步,"八五"期间的开发起步阶段。主要是编制规划、整治环境和着重解决交通问题。积极为吸引外资创造条件。建设越江工程和主要干道以及其他市政设施;建设外高桥港口、电厂;分步、分片建设总面积5—10平方公里的发展出口加工和转口贸易的保税区。

"八五"期间,浦东新区已确定建设的基础设施项目有宁国路大桥、杨高路及内环线道路工程、煤气厂、自来水厂、程控电话(5万门)及中小学、医院、商业等公共设施,连同保税区开发需要的投资,计划投资50亿元,资金来源由国家拨款、银行贷款、地方自筹和利用外资等多渠道解决。建设规模和各类资金均纳入国家"八五"计划总盘子。

第二步,"九五"期间为重点开发阶段。继续建设内骨干道路和市政公用设施,初步形成基础设施比较配套的浦东新区的大格局,为以后发展打下基础。

第三步,2000年后的二、三十年或更长一些时间,为全面建设阶段。届时通过浦东的建设和浦西城区的改造,上海将成为设施配套比较齐全,以外向型为主的现代化基地和金融、贸易、科技、文化、信息中心。

开发浦东对长江流域经济加速发展的意义:浦东开发对长江流域经济的发展关系同80年代深圳开放对珠江流域经济大面积发展类似,具有很大的推动作用。邹家华同志在江苏视察时说,以上海浦东开发开放为龙头,把长江三角洲和整个沿江经济地带带起来,这是一个十分重要的经济发展战略。他在考察上海时说,上海经济发展的辐射面要大,不仅辐射到长江三角洲,还要辐射到整个长江流域。不仅要向外辐射,也要向内辐射。上海发展了,必将带动两翼江浙等省经济的发展。开发开放浦东要与开发开放长江三角洲和长江沿江地区结合考虑。上海有非常强大的工业基础以及人才、技术优势,再与相关地区的优势统筹互补,密切联合,上海的经济发展一定会更快更好。可以说,开发开放浦东在改革开放的渗透作用、产业的影响和市场的扩大等方面更具有直观的促进效果。

(1)浦东新区开放的渗透作用。浦东新区处在我国黄金海岸和黄金水道的交汇点上,既是世界经济进入中国的主要门户,又是中国经济特别是长江流域经济走向世界的直接通道。浦东新区的高度开放,将为外国投资者进入中国、进入中国最富庶的经济区域打开了一扇大门,提供了一块基地。浦东开发宣布两年以来,邻近上海及长江三角洲的外国投资者接踵而来,十分踊跃,形成极为明显的带动作用。党中央和国务院在浦东开发进入实质性启动以后,也因时顺势地作出沿(长)江开放的重要决策。实践表明,长江流域经济和上海经济的天然联系,决定了浦东开发开放必然会对长江流域各地区的对外开放起到渗透作用。同样,浦东新区欢迎和鼓励沿江地区及企业前来设立各种机构和经营窗口,有利于利用浦东的政策,信息优势为本地区本企业捕捉商业机会,发展商品和劳务出口以及主动走向世界提供服务。

(2)浦东开发对长江流域经济的产业提升作用。上海是一个高度工业化的大城市。根据经济和城市发展的内在规律以及新形势下国家对上海的要求,今后上海的经济发展重点将主要是第三产业。因此,上海的工业将走上控制发展总量,积极调整结构,提高附加值的新路子。上海经济和城市发展的重新定位对沿江的产业发展会产生直接影响。一是很大一批传统行业的工业产品将逐步西移到长江流域去生产,特别是具有原料优势和运输条件的地区。二是上海要发展的新兴技术工业,将对长江流域经济的发展提供更多的高质量装备,促进沿江工业的健康成长。三是浦东新区商业贸易的大发展,特别是出口转口贸易的高度发展,将为沿江地区的加工工业发展和农村剩余劳动力就业增加大量的机会,从而加速农业地区的工业化进程。

(3)浦东开发的市场扩大作用。开发浦东的实质就是城市化不断扩大的过程,其间孕育着对消费、生产等各种需求的几何级上升。规划到2000年,浦东新区的总人口将达180万人左右,另外将有100万左右的流动人口进入新区,这意味着消费资料市场的巨大潜力。同时,工业总产值的规模也将达600亿元以上,城市基础设施及各种固定资产的投资规模将超过1000亿元,这又意味着需要大量的能源、原材料和各种建筑材料,这一切都表明在浦东将造就一个很大的国内市场,也将给长江流域经济的发展提供一个巨大的需求空间。

长江流域是中国经济的一条主动脉，它向东以最大的经济中心城市上海为枢纽，在长江三角洲呈扇面展开，构成中国人口最稠密，经济最发达的一个区域，直接面向太平洋；它向西又蜿蜒数千公里，深入中南西南各省，构成中国物产矿产资源最丰富，开发潜力最大的一片腹地。长江流域经济依托着良好的自然条件和雄厚的经济科技基础，在我国的工业化和经济发展中占据了举足轻重的地位。改革开放以来，长江流域经济虽然得到了长足的发展，但仍由于交通基础的落后、市场的分割以及长江中西部开放程度不足等原因，致使一条长江仍然存在东、西、中三段的巨大差异。党中央、国务院决定开发开放浦东，并提出以浦东为龙头，带动长江流域经济发展的开发目标，这一战略决策，完全符合我国经济发展的实际情况和客观需要，将对长江流域经济一体的发展带来意义深远的影响。

外贸体制改革

党的十一届三中全会确立了改革开放的基本国策，给中国的外贸事业带来了具有深远影响的重大变化。

一

外贸体制改革逐步深化

1979—1987年，我国对外贸易体制进行了探索性局部改革，主要内容有：

第一，调整国家对外贸易的管理机构，进一步理顺关系。1980年，经国务院批准，将海关管理局改为中华人民共和国海关总署，收归国务院直属；将商品检验管理局改为中华人民共和国进出口商品检验局，收归国务院直属；明确中国国际贸易促进委员会建制，对内相当于国务院直属局。为了加强对进出口贸易、外汇平衡、引进技术和利用外资的管理，1979年成立进出口管理委员会和外国投资管理委员会。1982年3月，由原对外贸易部、对外经济联络部、国家进出口管理委员会、国家外国投资管理委员会合并成立对外经济贸易部。经过调整，基本上理顺了政府部门管理外经外贸的关系。

第二，部分下放了外贸经营权。一是逐步下放外贸进出口总公司的经营权，扩大了地方的外贸经营权。二是决定各地方经过批准可以成立地方外贸公司，经营本地区的进出口业务。三是批准19个中央有关部委成立了自己的进出口公司，即工贸公司。并陆续批准了一批大中型生产企业经营本企业产品的出口业务和生产所需的进口业务。1979年以来成立的"三资"企业也拥有与本企业生产有关原材料进口、产品外销业务经营权。

第三，实行了一系列鼓励出口的措施。根据国内外物价变动和外贸发展的需要，对人民币汇率作了多次调整，调整出口收汇留成比例和实行留成外汇的调剂业务等；实行出口商品退还国内转税（产品税或增值税）；实行出口收汇留成制度；对外贸企业和出口生产企业实行出口收汇奖励金制度，等等。同时，鼓励各类外贸企业和生产企业开展来料加工、来样加工、来件装配、进料加工和补偿贸易等灵活贸易业务。

第四,逐步改革了外贸计划体制。改革了过去的全面指令性外贸出口调拨计划,逐步缩小了计划列名的进出口商品范围。

第五,实行了出口配额和进出口许可证制度,并在此基础上加强了经贸部的行业综合管理职能,增设了驻口岸的特派员办事处机构,加强了海关、商检、外汇管理等外贸管理机构。

1988—1991年,我国又对外贸体制进行了两次重大改革。

第一次是1988年至1990年在外贸企业中普遍推行承包经营责任制,并对轻工、工艺、服装三个外贸行业实行自负盈亏的试点。这一轮改革大大调动了地方和企业发展外贸的积极性,从而在国内物价明显上涨、国家出口补贴冻结的情况下,保证了外贸出口和国家外汇储备每年都有较大幅度增长,经济效益有了提高。同时,对进口商品的补贴也取消了,这也给国家财政减轻了负担。但是,由于这一轮改革未能完全取消不平等的出口补贴和外汇留成,再加上在我国市场机制还很不健全、外贸人才和适销优质货源又不足的情况下,一度成立的外贸公司过多,因此外贸经营秩序问题未能有效解决,抬价争购、低价竞销的现象仍时有发生。

第二次重大改革是从1991年1月1日起,通过调整汇率、统一外汇留成等措施,创造平等竞争环境,取消了对外贸企业的出口补贴,打破了实行多年的"大锅饭"体制,使我国的外贸企业开始走上了自负盈亏、自主经营、自我发展、自我约束的道路。经过一年多的实践,证明这一轮改革也是成功的,不仅为国家财政再一次卸掉了沉重的负担,而且使外贸出口又有了较大的增长,经济效益有了进一步提高,外贸秩序也有了明显的好转,抬价争购、低价竞销的现象显著减少。

1992年1月1日起,我国《海关进出口税则》开始采用《商品名称及编码协调制度》这一国际通用的商品分类目录。在转换采用新的税则目录时,根据国家产业政策,并为有利于进一步扩大对外开放,促进对外经济贸易的发展,有利于争取必需物资的进口,对原材料性商品、农用生产资料、机器设备及零部件等225种商品调低了进口税率。此后,又降低了3371种进口商品关税,关税总水平下降了7.3%。

为加快外贸体制改革,适应社会主义市场经济的要求,履行有关的双边协议,中国将按照国际贸易规范在保护少部分幼稚工业产品的同时,于1993—1996年内将逐步取消现有53种进口许可证商品中的大部分许可证管理,进一步开放中国市场。

1993年12月31日取消进口许可证管理的商品:钢材、钢坯、废钢、南药、聚碳酸酯、咖啡及其制品、民用飞机、组装加工设备、黑白显像管。

1994年12月31日取消进口许可证管理的商品:烟草制品、石油、化纤单体(除聚酯切片)、民用爆破器、ABS树脂、合成胶、木材、胶合板、木浆、化学纤维(除涤、腈纶)、化纤布料(除长丝类布料)、烟滤嘴、化纤服装、洗衣机、电子计算机、断层成像装置、电冰箱,大于1000mL的往复式活塞发动机、大于5千瓦的制冷压缩机、大于4千大卡/小时的空调器。

1995年12月31日取消进口许可证管理的商品:汽车车壳和驱动桥、复印机、不带制冷装置的空调器。

1996年12月31日取消进口许可证管理的商品:碳酸饮料、农药等。

二

贸易规模迅速扩大

改革开放的 1978 年，我国外贸总额为 206.4 亿美元，其中出口 97.5 亿美元，进口 108.9 亿美元，出口额占世界出口的比重为 0.75％，在世界出口国中的排位为第 32 位。到 1992 年，我国外贸总额已达 1656.3 亿美元，其中出口 850 亿美元，进口 806.3 亿美元。出口额占世界出口的比重提高到 2.3％，创历史最高水平，在世界出口国中的排位也上升到第 11 位。在中国进出口贸易中，以下经营做法对进出口贸易的发展起了重要作用。

1. 以进养出

以进养出即发挥国内劳动力优势，进口原材料在国内加工后出口半成品或成品，以增加出口创汇。我国 1957 年开始有计划地开展以进养出业务。

1979 年改革开放后，进一步加强了"以进养出"的业务，逐步建立了一套管理制度和办法。1979 年 3 月国务院批准的《以进养出试行办法》，规定"以进养出"的范围包括四个方面：一是进口原料加工成品出口；二是进口主件或零配件加工装配出口；三是以国产原料为主，进口辅料加工成品出口；四是进口饲料、肥料、种子、种畜等养殖和种植农副土特畜产品出口，以及进口某些商品调换国内农副产品出口。同时，还明确"以进养出"的外汇纳入国家进口用汇计划；"以进养出"商品纳入国家生产计划和外贸计划；"以进养出"的进口和出口商品不参加国内平衡分配；"以进养出"商品实行外汇留成制度；专为制造外销产品而进口的料件可免征关税和工商税等政策。1980 年通过"以进养出"的方式，增加出口货源 154.1 亿元，实际出口 57 亿美元，分别占全国外贸收购和出口总额的 41.1％和 31.2％。1988 年"以进养出"的出口额为 76 亿美元，占全国出口总额的 18.6％。

2. 定期举办的中国出口商品交易会

1957 年春季我国在广州正式举办首届中国出口商品交易会（广交会）。此后，每年春、秋两季各举行一次。1978 年广交会出口成交总值为 43.31 亿美元，1991 年已增至 118.13 亿美元，占当年我国出口总值 719.1 亿美元的 16.4％。

3. 建立出口商品生产基地

中国 1960 年开始建立出口商品生产基地和工厂。1973 年国务院批准、国家计委重新下达了关于基地、厂的管理办法。1978 年，五届人大一次会议又提出要建设一批出口工矿产品和农副产品的基地。1980 年，经国务院批准，国家进出口委员会又发出了关于《出口农副产品生产基地试行办法》和《出口工业品生产基地试行办法》的通知，使出口商品生产基地得到进一步发展。

截至"六五"计划期末的 1985 年，全国共建立各种类型的出口商品生产基地 3242 个。

进入"七五"计划时期，为适应深化改革、扩大开放、发展出口的需要，我国着手开展建立出口生产体系的工作。出口生产体系是出口商品生产基地建设的延伸和发展，是在改革开放的形势下建立的一种新的组合形式。出口生产体系的建立，把出口商品生产基地建设推向了一个更高的阶段。按照国务院的部署，从 1986 年开始，出口生产体系按大类商品来建立，即分为机电产品生产体系、农副产品出口生产体系和轻纺产品生产体系，并根据各类出口商品的生产和外销特点，分别制订规划，由有关部门共同组织实施。1988 年,国家又采取了建立"贸工农"联合出口商品生产基地、扶持发展外向型乡镇企业的措施,这是出口生产体系建设的一个组成部分。截至 1990 年,4 个出口生产体系共投入专项资金 50 多亿元,安排建设项目 3348 个,形成新增创汇能力 60 亿美元。

在出口商品生产基地的建立与发展过程中,国家制订了一系列扶持政策和措施。主要的经济措施有:出口工业品生产专项贷款,出口产品生产技术措施投资,出口新产品试制费,扶持出口商品生产周转资金,短期外汇贷款和引进外国技术设备国内配套贷款,奖售粮食、化肥和分配钢材等物资,出口基地外汇额度,外贸自属生产企业技术改造贷款,出口生产体系建设专项贷款,轻纺重点出口企业发展基地等。国家运用这些经济措施,重点是对出口商品生产基地企业进行技术改造,扩建、改建厂房,引进先进技术和关键设备等,取得了显著的经济效益。据统计,平均每投入 1 元人民币,新增外贸收购额约 2 元;平均每投入 1 美元基地外汇额度,新增出口创汇约 3 美元。与此同时,各地方政府也采取多种形式,对本地区出口商品生产基地建设给予积极扶持,如有些省设立了出口基地建设基金,为全国出口商品生产基地的巩固和发展作出了贡献。

截至"七五"计划期末的 1990 年,我国外贸出口商品生产基地已发展到 10984 万个,其中外贸自属生产企业 1990 个,工(农、技)贸联营合营企业 7293 个,外贸公司参股的中外合资(合作)企业 1701 个。基地提供的出口货源达 910 亿元,占当年全国外贸出口商品收购总额的 45.6%;出口创汇额为 198 亿美元,占当年全国出口创汇总额的 38.1%。

进出口市场的发展变化

1978 年,我国进出口市场的分布是:西方发达国家占 56.0%,发展中国家占 16.5%,社会主义国家占 14.1%,港澳地区占 13.3%。进入 80 年代,中国进出口市场的重要变化之一是对香港市场的进出口迅猛增长,进出口总额从 1978 年的 27.4 亿美元(对港澳)增至 1991 年的 496.0亿美元(仅对香港),列第一位,占我国外贸总额的 36.6%,其中对香港出口 321.4亿美元,进口 174.6 亿美元,分别占我国出、进口总额的 44.7%和 27.4%。其次是对日贸易的迅速发展。我国对日贸易总额、出口和进口额 1978 年分别为 90.8亿、44.6亿和 46.2 亿美元,1991年分别增至 202.8 亿、102.5 亿和 100.2 亿美元,均列我国对外贸易的第二位。按 1991 年进出口总额排列,其他主要市场依次为:欧共体(151.4 亿美元)、美国(142.0亿美元)、东盟(79.6 亿美元)、中国台湾(42.3 亿美元)、苏联(39.0 亿美元)、韩国(32.5 亿美元)。改革开放以来,我国进出口市场更趋多元化,目前同我国有贸易关系的国家和地区已超过 200 个。

1.出口商品结构变化

1978 年,我国出口商品以初级产品为主,占 53.5%,工业制成品占 46.5%,70 年代后半期中国石油出口迅速增长,约占出口总额的 15%—20%,成为出口的"拳头"产品。石油是初级产品,石油出口比重的上升抵补了农副产品比重的下降,但初级产品在中国出口总额中所占的份额仍维持在 50%以上。80 年代前半期石油出口继续增长,同时价格上升至高点,

1985 年石油出口额达 69 亿美元,在出口总额中的比重上升至 26%,居出口商品首位。这个时期农副产品的出口比重继续降为 20%—25%,但工业制成品的比重也没有明显提高。

为优化出口结构,国家在"七五"计划时期提出要实现"两个转变":由主要出口初级产品向主要出口制成品转变;由主要出口粗加工制成品向主要出口精加工品转变。自 1986 年开始,制成品出口大幅度增长,尽管当年国际石油市场价格暴跌,中国石油出口收汇减少一半,但制成品出口的增长完全弥补了石油出口收入的减少。到 1988 年,初级产品出口比重已降至 35.0%,工业制成品的比重上升至 64.4%,完成了向主要出口制成品的第一个转变。1977 年机电产品出口总额仅 2.96 亿美元,1985 年上升到 16.8 亿美元,此后出口额迅猛增长,1991 年达 141 亿美元,占出口总额的 20%,成为继轻纺产品出口之后的第二大类出口创汇支柱商品。

2.进口商品结构变化

1976 年"文革"动乱结束以后,针对农业生产停滞、粮食供应紧缺的情况,为了支援国内市场,安排好人民生活,使农民休养生息,以利农村经济改革和发展,中国扩大了粮食、食用油、糖等食品和一些消费品的进口,使 80 年代初期生活资料在进口总额中所占比重一度上升到 29%。1983 年和 1984 年农业连续丰收,粮食进口一度减少,生活资料的进口所占比重又降为 20% 左右。但是,从 1985 年开始,为适应社会主义现代化建设日益增长的需要,机械设备的进口又出现大幅度增长。1985—1988 年,机械设备平均进口额约比 80 年代前期增长一倍,在进口总额中所占比重上升到 30% 以上;工业原材料的进口也迅速增长,所占比重约 45%;农用物资所占比重仍保持 5% 左右;生产资料所占比重大体维持 20%,其中粮食的进口因农业生产出现多年徘徊而再次增加,1988 年进口量超过 1600 万吨,同时高级消费品的进口也有显著增长。中国进口商品结构的一个重要特点,是原材料和粮油食品的进口约占进口总额的一半以上,而且集中于少数大商品,主要是钢材、铝、铜、铁砂、天然橡胶、化肥、化纤、化工原料、羊毛、棉花、木材、纸浆、小麦、植物油和糖等十几种商品。1991 年,我国进口总额中,工业制成品占 83.0%,初级产品占 17.0%。

3.边境贸易蓬勃发展

80 年代初期,我国边贸主要是恢复"文化大革命"时期曾一度中断了的边民互市和边境小额贸易。边疆省区成立了边贸管理机构和边贸公司,开放了一些边境口岸和通道以及传统的边民互市点;鼓励边境地区的公司和边民从事小额贸易和互市贸易。随着中苏关系正常、中越边境形势趋向缓和,北方省区的边贸公司开始大力拓展对苏边贸,南方的云南、广西重开了对越南、老挝的边境贸易。

1988 年全国边贸进出口额 6.5 亿美元,1989 年增至 10.6 亿美元,1991 年达 15.6 亿多美元。

利用外资发展经济

一

利用外国直接投资

1.我国关于外国直接投资的立法

直到党的十一届三中全会确定对外开放方针以后,我国才开始允许吸收外商的直接投资。1979年7月,全国人民代表大会通过了《中华人民共和国中外合资经营企业法》。1982年12月通过的《中华人民共和国宪法》总纲第18条规定:"中华人民共和国允许外国企业和其他经济组织或者个人依照中华人民共和国法律的规定在中国投资,同中国的企业或者其他经济组织进行各种形式的经济合作。在中国境内的外国企业和其他外国经济组织以及中外合资经营的企业,都必须遵守中华人民共和国的法律。它们的合法的权利和利益受中华人民共和国法律的保护。"这样,在我国的根本大法中,就确定了外国投资的合法地位。

与此同时,国务院各有关部门先后制定并颁布了与建立中外合资企业相关的条例和法令,其中包括《中外合资经营企业法实施条例》、《中外合资经营企业劳动管理暂行条例》、《中外合资企业会计制度》、《中外合资企业注册登记管理办法》等。

为实现投资方式多样化,1986年4月12日,中国政府又颁布了《中华人民共和国外资企业法》,这是一部允许外商在中国境内设立全部资本,由外国投资者投资的企业的法律。1988年4月13日,中国政府又颁布了《中华人民共和国中外合作经营企业法》,依照此法的规定,中外双方可以各自的法人身份,按照合同约定的标的、责任和权利进行合作而不必在中国建立合法人;如符合中国民法关于法人条件规定的,也可以依法取得中国法人资格。鉴于国际合作开采石油资源的一些特殊方式,为鼓励国际石油公司前来投资开采中国的近海石油,中国政府于1982年1月30日发布了《中华人民共和国对外合作开采石油资源条例》,这个条例所确定的基本方式和原则,也适用于随后对外开放的中国南方10省区陆上石油的对外合作开采。

为了促进社会主义商品经济的发展,加强商标管理,保护商标专用权,其中包括外商和外商投资企业在中国注册登记的商标专用权,第五届全国人民代表大会第24次常务委员会议于1982年8月23日通过了《中华人民共和国商标法》,并立即予以公布,于1983年3月1日起付诸施行。

为了保护发明创造专利权,其中包括保护外商、外国发明人和外国公司在中国专利局申请并获得批准的专利权,第六届全国人民代表大会第四次常务委员会于1984年3月12日通过并颁布实施《中华人民共和国专利法》。

为促进中国同其他国家在工业产权领域的交流与合作,第六届全国人民代表大会第八次常务委员会通过中国加入《保护工业产权巴黎公约》的决定。根据此项决定,中国政府承担了在联盟国家间保护工业产权的义务。

外商投资企业如何做到自身外汇收支平衡是一个较为普遍性的被关注的问题,为此,政府制定专项立法予以扶持。1986年1月15日,国务院发布了《关于中外合资经营企业外汇收支平衡问题的规定》,规定中首次提出了在企业之间可以调剂使用外汇;企业产品可以实行进口替代;企业可以利用外国合营者的销售关系,推销国内产品出口,实行综合补偿,向有外汇支付能力的企业销售产品,允许以外币计价结算等。这些规定为企业平衡外汇收支开辟了多种渠道。

1986年10月11日,国务院发布了《关于鼓励外商投资的规定》,重点鼓励兴办出口企业和先进技术企业。这两类企业,可享受以下优惠:①除按照国家规定支付或者提取中方职工劳动保险、福利费用和房屋补助基金外,免缴国家对职工的各项补贴。②减收场地使用费。③优先提供生产经营所需的水、电、运输条件和通信设施,按照当地国营企业收费标准计收费用。④优先贷放短期周转资金以及其他必需的信贷资金。⑤外国投资者将其从企业分得的利润汇出境外时,免缴汇出额所得税。⑥减缴所得税。⑦外方以分得的利润再投资,期限不少于5年的,全部退还其投资部分的已缴纳的企业所得税税款。规定还包括其他对外商投资的优惠办法。为了贯彻《国务院关于鼓励外商投资的规定》,国务院各有关部门相继制订了实施细则和实施办法,其中包括:《劳动人事部关于外商投资企业用人自主权和职工工资、保险福利费用的规定》(1986年11月26日公布);《中华人民共和国海关对外商投资企业履行产品出口合同所需料件管理办法》(1986年11月28日公布);《对外经济贸易部关于外商投资企业购买国内产品出口解决外汇收支平衡的办法》(1987年1月20日公布);《对外经济贸易部关于外商投资企业申领进出口许可证的实施办法》(1987年1月24日公布);《对外经济贸易部关于确认和考核外商投资的产品出口企业和先进技术企业的实施办法》(1987年1月27日公布);《财政部贯彻国务院〈关于鼓励外商投资的规定〉中税收优惠条款的实施办法》(1987年1月30日公布);《中国银行对外商投资企业贷款办法》(1987年4月24日公布);《国家计划委员会关于中外合资、合作经营企业产品以产顶进办法》(1987年10月公布);《国家经济委员会关于中外合资、合作经营企业机电产品以产顶进管理办法》(1987年10月公布)。

1990年4月,我国修改了《中外合资经营企业法》。这是总结了10年来引进外资的实践经验并参照国际上的一些习惯做法后作出的必要修改和补充,从而为外商创造了更好的投资环境,增强了来我国投资的信心和安全感。修改后的《中外合资企业法》对中外合资企业不实行国有化问题、减免税收问题、企业董事长任职问题、合营企业的合营期限问题都作了具体规定。1990年5月,我国颁布《城镇国有土地使用权出让和转让暂行条例》,使外商投资开发经营成片土地有法可依;1990年8月,我国颁布《关于鼓励华侨和香港、澳门同胞投资的规定》;9月,国务院又批准《关于上海浦东新区鼓励外商投资减征、免征企业所得税和工商统一税的规定》;10月,经贸部公布《外资企业法实施细则》。这些政策措施充分说明我国对外开放的决心和进一步保护外国投资者的合法权益的诚意。除了加快制定有关中外合资经营企业的法规外,我国还积极同外国谈判,签订避免双重征税协定和两国间相互鼓励与保护投资协定,以保证外商投资活动得以顺利进行。

2.对外商投资实行优惠政策

我国对外商投资采取了以下优惠政策。

(1)允许外商以货币、机器设备、原材料、运输工具等实物,以及工业产权(专利、商标)、专有技术等无形财产作为资本投资。

(2)中国政府对外商以实物投资进口的设备、器材、原材料和以货币投资在国际市场上购买的设备及其他生产用物资的进口,免征关税和进口环节的工商统一税。

(3)允许外商在除了涉及国家安全的有关部门、影响国家传统出口产品和外国政府有进口配额限制的产品以外的行业进行投资。

（4）对外商投资兴办出口企业和先进技术企业给予特别优惠。1986年10月11日，国务院为了正确引导外资投向，使之进一步适应我国经济建设的需要，公布了《国务院关于鼓励外商投资的规定》。该规定宣布，国家对下列外商投资企业给予特别优惠：①产品主要用于出口，年度外汇总收入额减除年度生产经营外汇支出额和外国投资者汇出分得利润所需外汇额以后，外汇有结余的生产型企业（以下简称产品出口企业）；②外国投资者提供先进技术，从事新产品开发，实现产品的升级换代，以增加出口创汇或者替代进口的生产型企业（以下简称先进技术企业）。它们在法定减免税期满以后，先进技术企业继续减半征税3年；产品出口企业凡当年出口达产值70％的，减半征税。二者的利润汇出税，均减半征收。

（5）中国对外国资本在合资企业里所占的股份比例没有限制，并允许外商举办全部资本属于国外投资者的外资企业。关于外国资本的出资比例，我国《中外合资经营企业法》中只规定了外资比例的下限，即规定在合资企业的注册资本中，外国合营者的投资比例一般不低于25％，而未规定上限。而且我国法律允许在中国境内设立全部资本由外国投资者投资的企业，即独资企业。这些规定与其他发展中国家的有关规定比较起来要宽一些。但是我国对中外合资经营企业注册资本与投资总额的比例是有限制的，这在《中外合资经营企业注册资本与投资总额比例的暂行规定》（1987年3月1日公布）中作了明确说明。该暂行规定指出，中外合资经营企业的注册资本，应与生产经营的规模、范围相适应。合营各方应按注册资

本的比例分享利润和分担风险及亏损。允许外方股东担当合资企业的法人代表，如任合资企业的董事长等。

（6）对外商的投资年限，一般不加限制。即使在有限制的行业投资，经营者在合同期满前，还可以向政府申请延长经营期限。

（7）允许外商投资企业直接向国际市场采购原材料并销售自己的产品。

（8）中国政府鼓励外商投资企业在国内雇佣所需要的职员、工人，也允许他们从国外聘用技术专家和高级经营管理人员。

（9）中国政府对外商投资企业实行低税政策。关于对外商投资企业的税收及其税收优惠，我国法律均作了详尽规定。在所得税率方面，中外合资企业采用固定比例税率。合营企业所得税税率为30％，另按应纳所得税附征10％的地方所得税，实际总税负为33％；外国企业（指在中国境内设立机构，独立经营或者同中国企业合作生产、合作经营的外国公司、企业及其他经济组织）所得税采用累进税率，即按应纳税的所得额超额累进计算，其税率最低为20％（全年所得额不超过25万元的），最高为40％（全年所得额不超过100万元的），另按各应纳税的所得额缴纳10％的地方所得税，实际税率为30％—50％。在经济特区，这两种企业所得税率一律为15％。这样的比例与其他发展中国家比较是中等偏低的。

法律还规定，外国合营者从合营企业分得的利润汇出国外时，应按汇出额缴纳10％的所得税。在特区内予以免除。这一比例也比其他国家为低。

在税收优惠方面，主要体现在对所得税、关税及工商统一税的减免上。仅以在所得税方面的优惠为例，法律规定：①对

新办的合营企业,合营期限在 10 年以上的,经企业申请,税务机关批准,从开始获利年度起,可享受第一、二年免税,第三、四、五年减半征税;②对农业、林业等利润较低的合营企业,或设立在经济不发达的边远地区的合营企业,除按上述规定实行减免税外,经财政部批准,还可以在以后的 10 年内继续减征所得税 15%—30%;③对于外国合营者分得的利润用于再投资时,期限连续不少于 5 年者,退还再投资部分已缴纳所得税款的 40%;④对外国合营者向我方提供的某些专有技术所收取的使用费(包括与转让技术使用权有关的图纸资料费、技术服务费和人员培训费),可以按 10% 征收所得税,其中对那些技术先进、条件优惠的,可以免征、减征所得税。

3.加强对外商投资方向的政策指导

在鼓励外商投资的同时,我国也不断加强对外资投向的政策指导。

1986 年 3 月 25 日,在六届全国人大四次会议上提出的我国政府《关于第七个五年计划的报告》指出,要通过多种形式适应扩大利用国外资金的规模,重点用于能源、交通通讯和原材料,特别是电力、港口、石油等方面的建设,以及机械电子等行业的技术改造;用于发展出口产品和实行进口替代,以增加外汇收入和节约使用外汇。上述这些行业,在 1986 年 4 月 16 日通过的《中华人民共和国国民经济和社会发展第七个五年计划》中都被列为重点。

根据国务院有关政策精神,和第七个五年计划提出的外资投向重点,我国政府在第七个五年计划期间(1986—1990 年)鼓励外商投资的行业包括:

(1)能源开发,包括海洋石油开发和江苏、浙江、安徽、福建、湖南、江西、云南、贵州、广西、广东 10 个省(区)的陆上石油开发、煤炭开发、核电站、热电站、各种新能源开发、节约能源的新技术;

(2)建筑材料工业,包括浮法玻璃制造业等;

(3)化学工业,包括烧碱、纯碱、硫酸、磷肥、无毒高效农药、各种复合肥料、工程塑料;

(4)冶金工业,包括有色及黑色金属矿产开采、冶炼、钢材轧制、采矿设备、运输设备、洗选设备、冶炼设备、金属轧制等设备制造;

(5)机械制造工业,包括仪器仪表、自动化控制系统、海上石油开采设备、重型卡车、重型机械制造;

(6)电子工业,包括大规模集成电路、计算机硬件及软件、通讯设备、导航设备;

(7)以扩大出口为目标的轻工业、纺织工业、食品工业、医药和医疗器械工业、包装工业;

(8)农业、牧业、养殖业;

(9)旅游业。

1987 年,国家计委编制了《1987—1989 年指导吸收外商投资方向目录》,列举了政策鼓励优先发展的投资项目计 30 类 165 项。

4.我国利用外国直接投资的发展

从 1979 年至 2001 年,我国利用外商投资经历了三个发展阶段。

(1)准备阶段(1979—1983 年)。初期,我国先在经济特区举办"三资"企业,继而在一部分沿海城市试办。由于当时投资环境尚不够完善,经济法规也不健全,外商来华投资心存疑虑,所以只搞些"三来一补"加工装配业务,后来逐渐发展到试探性小额投资。在这期间,来华洽谈投资项目的外商不多,谈成的项目也较少。这一时期,中国主要围绕创造有利的投资环境进行准备,这包括开办经济特区,作为吸引外资的窗口;建设沿海主要口岸的基础设施,解决水电供应、交通运输和电讯联络等问题;培训人才,制定法规,采取优惠政策措施等。到1983年已有了40多个涉外经济法规,以及有关税收、外汇、专利、劳动管理等条例。1979年到1982年,我国共批准外商投资项目922个,协议外商投资金额60亿美元,实际投入金额11.68亿美元。1983年来华外商增多,批准外商投资项目470个,协议外商投资金额17.31亿美元,实际投入金额6.35亿美元。这一阶段,最大的实际利用外资项目为海洋石油资源合作勘探和开发,占7.8亿美元,合作经营7.5亿美元,股权式合营仅占1.7亿美元。

(2)发展阶段(1984—1988年)。1984年我国开放14个沿海港口城市,总结了前一阶段吸收外资工作的经验,进一步改善基础设施、交通运输、通讯、能源和供水条件,实施各项减税让利优惠政策。简化项目审批手续,因此,来华洽谈投资项目的外商越来越多。这一年,批准的外商投资企业项目1856个,协议外商投资金额26.5亿美元,实际投入金额12.57亿美元。在此基础上出现了1985年外商直接投资高潮,批准的外商投资企业项目3073个,协议外商投资金额为59.31亿美元,实际投入金额16.58亿美元。1986年10月,我国政府制定了《鼓励外商投资的规定》(即"二十二条")。各地、各部门相继制定措施贯彻实施以更大的优惠鼓励外商投资于产品出口型和技术先进型的项目。该年我国批准的外商投资企业项目1498个,协议外商投资金额28.34亿美元,实际投入18.75亿美元。1987年外商来华投资企业项目较上一年又有增长。1988年4月我国制定《中外合作经营企业法》,并组织实施沿海地区经济发展战略,各地竞相颁布对外商投资的优惠规定,出现了又一次外商投资高潮。这一年,我国批准的外商投资企业项目为5945个(1987年为2233个),协议外商投资金额为52.97亿美元(1987年为37.1亿美元),实际投入金额为31.94亿美元(1987年为23.14亿美元)。

这样,从1979年到1988年底,我国共批准外商投资企业项目15997个,其中合营企业8539个,合作企业6815个,独资企业594个,合作开发项目29.26亿美元;实际投入金额123.01亿美元,其中合资企业53.73亿美元,合作企业41.03亿美元,外商独资企业3.78亿美元,合作开发24.47亿美元。

(3)调整阶段(1989—1991年)。1988—1990年,我国进入国民经济治理整顿时期,调整产业结构,压缩社会总需求,整顿流通秩序。在这种经济形势下,国内利率升高,信贷紧缩,配套资金短缺,内销市场不旺,制约了利用外资的规模。同时,1989年6月的政治风波和西方国家对中国实施的所谓制裁,也影响了外资的流入。1989年和1990年,实际利用外资金额分别只比上年增长了4%和0.6%,几乎陷于停滞。1991年才开始恢复增长势头。1989年批准外商投资项目5784个,比1988年减少166个,协议外商投资金额56亿美元(比1988年增长5.6%),实际投入金额33.52亿美元,比1988年增加近3亿美元。1990年新批准外商投资企业7276家,协议外商投资金额65.7亿美元(比上年增长17.3%)。

5.外商投资的地区分布

1979年以来,外商一直以沿海地区为主要投资场所。我国广东省吸收外商直接投资最早,外商投资项目也最多,协议外资金额最大,约占全国吸收外商投资的50%。该省从1979年至1989年批准的外商投资企业达11213家,已登记注册的有9508家,实际利用外资51.88亿美元,约占全国的35%。其中已投产经营的"三资"企业有5291家,约占全国60%以上。其次是上海、北京、福建、天津、辽宁、江苏、山东、广西、河北、浙江、海南、河南、四川等省、市、自治区。内地省、自治区吸收外商直接投资较东南沿海地区为少。

外商投资的区域分布在80年代末90年代初开始出现从沿海各省、市地区向内陆省份逐渐延伸的趋势,其投资的重点虽仍然相对集中在沿海,但投资于内地的增长速度明显加快。

6.外商投资的产业结构

外商投资企业项目的投向,其中生产性企业占80%左右(技术先进型和产品出口型企业已逾1000多家)。分布在我国石油、煤炭、交通、电力、冶金、通讯、汽车、电子、化工、机械、轻工、纺织、建材、医药、农林牧渔、房地产和旅游宾馆、服务行业、卫生文化教育、金融保险等行业部门,投资渐趋合理。但是应看到我国批准的外商投资项目中:中小型项目多、大型项目少;一般加工项目多、技术密集型项目少。制造业1988年以后才成为吸收外资的最大部门,这意味着工业生产项目占了主要地位。1988年以来,规模较大、技术较先进的外国制造企业也日益增多,在汽车、能源、化工等部门中表现最为明显,一些大跨国公司来华投资项目开始增多,外商投资结构趋于改善。

7.外商投资规模

1979—1991年,外国直接投资协议金额累计为523.28亿美元,项目总数42027个,每个项目投资金额平均为125万美元,规模较小。主要原因是台资大量涌入,其中以劳动密集的小型项目居多。可以说这段时期,中国利用外国直接投资以小型项目为主。以1991年为例,1000万美元以上的项目仅占当年协议金额的2%,50万—100万美元的项目金额占24%,50万美元以下的项目金额占52%。小型项目主要来自港台,而来自欧美的项目,其规模就较大。

8.开拓利用外资的新渠道和新形式

我国在引进外资中不断开拓新的渠道和方式,对推动外商投资起了积极的作用。

(1)出让土地使用权。1987年9月,深圳特区首先出让土地使用权(简称出让土地)。此后,沿海许多地区相继展开了这方面的试点。1990年5月,国务院公布了《城镇国有土地使用权出让和转让暂行条例》和《外商投资开发经营成片土地暂行管理办法》,使土地出让政策在改革开放中逐步深化。据不完全统计,到1990年底,沿海地区共出让土地732幅,折合1978公顷,成交地价19.5亿元。其中外资受让土地占很大部分。

(2)发行面向境外投资者的人民币特种股票(B股)。

(3)放宽投资领域,有步骤地在商业、金融、旅游、房地产等领域进行了试点。

利用外国间接投资

我国吸收外国间接投资的主要形式有:向外国政府、国际金融机构筹措条件优惠的外国贷款;利用中国银行和国外的分支机构向外国银行借款和吸收外资存款;利用外国出口信贷;通过发行国际债券筹措资金。

向我国提供贷款的国际金融组织有：世界银行、国际农业发展基金会、国际货币基金组织、亚洲开发银行等。世界银行1981年起开始向我国提供贷款，是混合贷款，其中软贷款约占35%，国际农业发展基金会也是从1981年开始向我国提供贷款的。国际金融组织向我国提供的贷款中，绝大部分是世界银行的贷款。

1979年11月23日，比利时政府第一个向我国承诺提供政府贷款；接着，日本政府也于12月7日向我国承诺提供贷款。1978年下半年以来，中国银行与美国、法国、意大利、加拿大、瑞典、澳大利亚、比利时、挪威等国家所签订的出口信贷协议，利率比较优惠。贷款期在5年以内的贷款利率为7.25%，5年以上的为7.5%。进入80年代，随着我国国际信誉的提高和国际金融业务水平的提高，间接利用外资日益多样化，发行国际债券已成为中央和地方金融机构筹措外汇资金的重要方式。自1982年1月中国国际信托投资公司第一次在日本东京证券市场发行100亿日元债券以来，我国在一些国际金融中心已发行十几次国际债券，发行市场除东京外，还有香港、法兰克福、新加坡等。截至1986年末，我国发行国际债券总额已近27亿美元。

我国利用国外贷款的管理是按照统一政策、统一计划、归口管理，既分工负责，又加强协调的原则，参照历史情况进行分工管理。国家计委负责制定利用国外贷款的规划，制定年度利用国外贷款的总规模和使用方向；对外经济贸易部归口管理双边政府贷款（含混合贷款）、赠款；财政部负责管理世界银行贷款；农业部归口管理国际农业发展基金组织的贷款；中国人民银行归口管理国际货币基金会的贷款和亚洲开发银行的贷款；中国银行负责日本输出入银行能源贷款。借用国际商业贷款，国务院已确定由中国银行、交通银行、中国国际信托投资公司、建设银行、中国投资银行和广东、福建、海南、上海、天津、大连等六省市对外办理此项业务；其他经过中国人民银行批准可在境外筹款的金融机构，如需向外借款，必须逐笔向中国人民银行申报批准。可对外发行债券的有财政部、中国银行、中国国际信托投资公司，以及广东、福建、上海等省市。

1979—1985年，我国新签对外借款协议共189项，合计借款金额205.1亿美元，实际使用157.3亿美元。1986—1990年的"七五"期间，新签借款协议累计金额达365.8亿美元，实际使用300亿美元，均大幅度增长。1991年我国新签对外借款协议金额为63.7亿美元，实际使用70.2亿美元。

我国从1979年起开始借用国外贷款，构成我国的外债。为增强我国对外借款的透明度，不断加强和完善外债管理。我国所借外债以1985—1988年比较集中，这一期间各年末外债余额分别为158亿、215亿、302亿、400亿美元，年平均递增36%。1989年以后外债余额增长速度减慢，我国外债结构基本合理。1985年，我国外债中，短期债务占42%，1989年降至10.3%。我国的外债币种构成也是合理的。

对外双边和多边经济技术合作

一

对外经济技术援助的发展

1979年以来,在改革开放总方针的指引下,我国对外经济技术援助工作有了新的发展,具体体现在以下5个方面:

1. 统筹安排,合理调整对外援助的规模、布局和结构,向更多的国家提供了力所能及的援助

1979年至1982年4年间,在国家财政经济困难的情况下,根据国家的财力、物力和对外签订的协议,严格掌握了对外援助支出和新签援款的数额,对援助的国别和援款使用都作了调整。1979年到1987年的9年间,随着我国对外关系的发展,在向64个老的受援国继续提供援助的同时,又向24个新的受援国提供了经济技术援助,并且重点加强了对世界上最不发达国家的援助。1983年至1987年,每年向34个最不发达国家所承诺的援款额和实际交付额,比前期(1979—1982年)的年平均额分别增加63%和46%。9年中,成套项目和技术援助在对经济技术援助支出中所占比重由前一阶段的37%提高到75%。"七五"期间,我国对外援助工作健康发展。5年间共帮助60个国家建成150多个项目,为一大批已建成项目提供了技术合作和管理合作,使这些项目发挥了较好的经济效益和社会效益。同时为10个国家在华培训126名技术人员,继续向42个国家派遣援外医疗队。实行开放政策以来至1990年,我国先后为发展中国家援建成了391个项目,并对近300个建成项目(1979年以前建成的一些援建项目)进行了巩固。

2. 采取灵活多样的经援方式

在继续搞好传统方式援助的同时,采取了一些新的合作方式,使我国对外经济技术援助的方式更加灵活多样,可适应各种不同的需要。一是我国政府的援助同联合国机构的多边援助相结合,双方共同出资,向其他发展中国家提供援助,并由我国派人实施。这类项目大多为技术援助,一般花钱少,执行期限不长,有的是派遣专家讲学,传授技术,或进行发展项目的可行性研究;有的是提供小型示范设备,并派人安装,教会使用;有的是接受国外人员来华考察学习、接受技术培训。二是我国政府的援助同开展承包劳务合作相结合,帮助第三世界国家实施某些发展项目。三是我国援建的成套项目建成后的合作,由过去单纯的技术合作(即我国专家只负责技术指导和培训,帮助生产管理)发展为管理合作,我国专家不仅负责技术指导,还参与经营管理,或应聘担任企业领导职务,全面负责经营管理;还有的项目建成后,受援国政府委托我有关公司代管或租赁经营,或采取补偿贸易方式由我国公司提供部分流动资金、维修配件和技术服务;也有的建成项目,根据受援国方面的要求,同我国有关公司合资或合作经营。

3. 建成了一批效果好,影响大的项目

1987年,我国共帮助67个国家建成了306个成套项目。其中有些大中型项

目经营和社会效益显著,对受援国发展民族经济、改善人民物质文化生活具有重要意义,并产生了良好的国际影响。例如,我国帮助朝鲜于1981年建成的年处理150万吨原油的燃料——润滑油型炼油厂,生产的汽油、航空煤油、润滑油等多种油料广泛用于朝鲜国民经济和国防的各个领域。1984年建成的突尼斯麦热尔德至崩角水渠,全长120公里,实现了该国西水东调的规划,不仅可满足1.9万公顷土地的灌溉用水,挽救了干旱缺水的6000多公顷柑橘园,为崩角半岛的经济发展奠定了基础,并且满足了首都突尼斯市的用水。

4.帮助受援国管理好企业,巩固了一批项目的建设成果

60年代以来,我国帮助第三世界新独立的国家建设的一大批成套项目,特别是生产性项目,建成移交后,根据受援国的要求,由中国专家继续提供技术援助,使这些项目发挥了应有的经济效益。但是,过去我们对巩固项目成果的长期性、复杂性认识不足,思想不解放,在合作中,中国专家一般多注重于技术指导,对企业经营管理较少过问,更不敢大胆参与管理。有些项目技术合作结束,中国专家离开后,由于受援国缺乏管理人才,技术力量薄弱,且职工队伍不稳定,或政府对新兴工业未能采取相应的保护政策和扶持措施,以致这些企业生产不正常,经济效益下降,有的甚至长期亏损,难以维持。随着建成项目日益增多,如何有效地帮助受援国巩固项目成果,成为对外援助工作中一个日渐突出的问题。1982年,对外经济贸易部总结了多年来成套项目建成后技术合作的经验教训,提出了《关于巩固建成经援项目成果的意见》。把这项工作摆在同援建新项目同等重要的位置,对一大批

已建成移交项目的状况作了全面调查了解,分别制定了工作规划。至1987年,已对110多个已建成的生产型项目进行了多种形式的合作,其中部分项目已从单纯技术指导发展为参与管理、合作管理或代管等合作方式,使这些项目发挥了较好的效益。有些移交多年的老项目,我国重新派专家帮助管理后,迅速扭亏为盈,恢复了生机。同时,改进和加强了零配件供应工作,还承担了一部分老项目的设备大修或更新改造。例如,举世闻名的坦赞铁路,1976年建成通车后,双方一直进行技术合作,头几年中国专家人数较多,既负责技术指导,又协助管理,铁路运营情况尚好。后来,根据协议中国专家人数逐渐减少,只负责技术指导,不参与管理。由于多方面的原因,铁路运量下降,连年出现亏损。1983年初,中坦赞三国政府签订了第四期技术合作协议,确定中国专家人数增加到250人,直接参与铁路局9个部门的管理工作。中国专家组协助铁路局从组织货源、改进装卸、加快车辆周转、加强机车维修保养、整治薄弱路段、开展经济活动分析,到建立健全各种规章制度等,采取了一系列措施,使铁路运营管理得到改善,运量增加,事故减少,扭亏为盈。

5.改革经援项目管理体制,调动了建设单位的积极性,促进了管理水平和经济效益的提高

党的十一届三中全会以后,原对外经济联络部按国内经济体制改革的精神,开始探索用经济手段管理经援项目的途径。从1980年开始,先后对30多个新上马的经援项目试行投资包干制,克服经济责任不落实、经费实报实销、"吃大锅饭"等弊病。对外经贸部总结了三年来试点经验,对投资包干办法作了修改、补充,于1983

年12月颁发了《对外经援项目承包责任制暂行办法》。同投资包干制相比，承包责任制更好地贯彻了责、权、利统一的原则，进一步明确了承包单位的经济技术责任；扩大了承包单位的自主权；承包方式和承包范围比较灵活；承包单位由国务院有关部门和地方政府改为部门或地方所属的国际经济技术合作公司，或其他具有法人地位的国营企业、事业单位，实行政企分开。有利于真正实现独立经营，自负盈亏；以项目选价、工期、技术能力为主要考核因素，择优选定承包单位。1984年以来，除了少数由于各种原因不宜实行承包制的项目外，大多数新上马项目普遍实行承包责任制。几年来的实践表明，管理体制的改革较好地调动了承包单位的积极性，有效地促进它们加强经济核算，提高管理水平，在降低工程成本、缩短建设周期等方面取得了较显著的成效。为了加强工程质量的监督，对一部分投资较多、技术较复杂的项目，已派出监理工程师常驻施工现场。

从上述5个方面可以看到，我国对外经济技术援助工作，经过调整、改革，不断总结经验，取得了新的成效，走上了健康发展的道路。

二

接受发达国家的经济技术援助

1. 我国接受经济技术援助的基本情况

接受发达国家提供的无偿技术援助，是中国在资金短缺的情况下，吸收国外先进技术和现代化管理科学成果的一条有效途径。1979—1987年，中国政府先后接受了11个发达国家和欧洲共同体的技术援助，其中正式签署发展合作协定或保持长期援助的有：日本、加拿大、联邦德国、澳大利亚、欧洲共同体、比利时。这6个国家和组织承诺的援款总额约合人民币28.94亿元，援款项下签订的项目149个，接受中国派出的进修人员2537名。此外，意大利、英国、挪威、瑞典、丹麦和荷兰也给予了一定数额的无偿经济技术援助。到1990年底，我国接受发达国家的技术援助，安排了351个项目，获得了良好的经济效益。发达国家向发展中国家提供的技术援助，通常采用无偿的方式，其主要内容是应聘派遣专家顾问，传授技术，培训人员，进行技术咨询服务，接受受援国专业人员进修、学习，以及提供为技术援助所必需的少量设备、仪器。援助国以这种方式沟通和扩大同受援国的经济贸易关系。

援助国各有其技术特长，提供援助的重点与方式也不尽相同。

2. 我国同日本的合作关系

中日发展援助合作关系始于1976年，合作的优先领域是医疗卫生、文化教育、水利、农业基层科技发展。至1987年末，日本政府承诺的技术援助总额456亿日元，约合人民币13.98亿元，在援款项下共签订了18个项目，其中金额较大的项目有中日友好医院、中日青年交流中心、中国伤残人康复中心、北京蔬菜中心、长春净水厂等。

3. 我国同加拿大的合作关系

中加发展援助合作关系始于1981年。1982年4月，对外经贸部同加拿大国际发展署商定，双方合作的优先领域为农业、林业、能源和人才开发。1983年10月，中加两国政府正式签订了《中国政府和加拿大政府关于发展合作的总协定》。至1987年末，加拿大政府承诺的援款总额为 16748.7 万加元,援款项下签订了 33 个项目,接受中国进修人员 770 名。

除了上述 4 个优先领域的 33 个项目外,中加双方有关机构还开展了合作。至 1987 年,两国的高等院校、研究单位、公司举办的小型机构间合作项目近 30 个。

4.我国同联邦德国的合作关系

中国与联邦德国发展援助合作关系始于 1981 年。1982 年 10 月,双方签订了技术合作协定,商定合作的优先领域包括农业、能源、交通、标准化、职业培训以及企业技术改造等。

在援款项下安排的项目中,金额较大的有:"促进中国专利事业"、"上海企业管理培训中心"、"北京农业大学综合科学实验和发展中心"、"煤炭管理干部学院"和"山西煤炭的可行性研究和合作设计"等。在人员培训方面,除了提供奖学金,为中国培训各类专业技术人员外,每年还举办多种不同类型的讲习会和训练班等。至 1987 年末,联邦德国政府承诺的技术援助总额为 2.7 亿马克,约合人民币 5.7 亿元;援款项下签订了 45 个项目,接受中国进修人员 1200 名。

特别值得一提的是,在我国大兴安岭发生火灾之后,联邦德国政府向我国提供总计为 3000 万马克的经济技术援助,为灾区人民生产自救和重建家园发挥了很大的作用。此外,联邦德国有些州政府也向中国有关地区提供了技术援助。

5.我国同澳大利亚的合作关系

中澳发展援助合作关系始于 1980 年。当年 11 月,中澳双方签署了有关促进技术合作的纪要,商定了合作方式与程序。1981 年 10 月,两国政府签订了技术合作促进发展计划的协定,双方商定合作的优先领域为土地开发、农林牧业、能源、交通运输、城市发展、教育、建筑材料等。

至 1987 年来,澳大利亚政府承诺的技术援助总额为 5973.9 万澳元,约合人民币 1.7 亿元,援款项下签订了 31 个项目,接受中国进修人员 297 名。除上述双边援助外,1983 年起,澳大利亚政府每年还向中国提供约 500 万澳元的无偿援助,用于世界银行贷款项目的前期咨询和部分技术服务费用。至 1987 年末,澳方已投入 1968 万澳元,用于京津唐公路、林业研究、上海城市研究等 7 个项目。

6.我国同欧共体的合作关系

中国与欧洲共同体发展援助合作关系始于 1983 年。当年 11 月,欧洲经济共同体委员会主席托恩访华时承诺,该组织将从援助非联系国的款项中提取部分金额援助中国。1985 年 5 月,双方就第一笔援款达成协议,总额 600 万欧洲货币单位。援款项下安排的合作项目侧重于农作物种植、水果贮存、养殖业技术等。

至 1987 年末,欧洲共同体向中国承诺技术援助总额为 2400 万欧洲货币单位,约合人民币 11136 万元。援款项下签订了 11 个项目。

除援款项下安排的项目以外,欧洲共同体还于 1986 年向中国提供了一定数量的粮食援助。

7.我国同比利时的合作关系

中比发展援助合作关系始于 1983 年。当年 11 月,中比两国政府签订了《合作发展议定书》。双方已进行的合作活动主要有:为中比合资经营或合作经营项目的技术培训提供资助;接受中方专业人员实习、进修;开展技术、研究人员交流活动;通过联合国开发署为中国海南岛农村发展(椰子利用、农村医疗)提供援助。至 1987 年末,比利时政府承诺的技术援助总额为 27000 万比利时法郎,约合人民币 2700 万元;援款项下签订了 1 个项目——

"铁路科技干部培训中心",接受中国进修人员 270 名。

三

多边经济技术合作

1. 我国多边经济技术合作的基本情况

对外多边经济技术合作,是我国同联合国发展系统和其他国际组织开展经济技术合作的简称。长期以来,我国对外经济技术合作主要以双边形式进行,多边经济技术合作是作为双边经济技术合作的一种辅助。1971 年,联合国第 26 届大会恢复了我国在联合国合法席位。我国从 1972 年开始相继同联合国开发计划署、联合国工业发展组织、联合国人口基金、联合国儿童基金会等一系列联合国多边合作机构建立了联系,开展了多边经济技术合作。1978 年以前,我国主要是派代表出席联合国发展业务机构会议,参与审议发展决策,并向其提供捐款,同时也开展了同其他发展中国家的技术合作。从 1978 年起,除了继续参与上述活动外,我国改变了前一时期只提供捐款不接受援助的做法,实行了有给有取的方针,开展有来有往的双向合作。

我国同联合国开展的多边经济技术合作主要包括提供多边经济技术援助、接受多边经济技术援助和参加国际发展业务机构会议三个方面。

(1)我国对外提供多边经济技术援助始于 70 年代初。从 1973 年到 1987 年,我国向联合国开发计划署、联合国工业发展组织、联合国资本发展基金、联合国人口活动基金、联合国儿童基金会、联合国志愿人员方案等组织捐款。我国的捐款除由各联合国组织统筹安排使用外,还用来为发展中国家在我国举办各种类型的参观、考察、专业培训、讨论会、讲习班等活动,同时也承助其他发展中国家的小型项目、提供单项设备、派遣专家提供技术服务。

(2)我国接受多边经济技术援助的工作始于 1978 年底。党的十一届三中全会以后,为了全面、正确地贯彻执行自力更生为主、争取外援为辅的方针,我国的多边经济技术合作开始改变过去作为"纯捐助国"只提供援助的做法,采取"有给有取"的方针,即一方面继续通过向联合国机构捐款对第三世界国家提供多边援助,另一方面也接受联合国机构提供的无偿经济技术援助。

(3)出席联合国发展业务机构会议,参与审议各机构的决策,是我国对外多边经济技术合作的一项重要内容。多年来,我国曾先后并连选连任为联合国开发计划署理事国、工业发展组织理事国和儿童基金执行局成员国。我国每年都派代表团出席这些机构的理事会和大会,参与这些机构的政策制定、财务管理以及援助计划的审议工作。

2. 我国同联合国开发计划署的合作关系

联合国开发计划署(简称开发署)是联合国多边经济技术合作的主要筹资和中心协调机构。开发署的援助属于无偿经济技术援助。援助项目涉及受援国经济与社会发展的各个领域,方式主要是专家服务、培训人才和提供少量仪器设备及援建试验性或示范性项目。

我国从 1972 年开始同开发署建立合作关系。1972 年 10 月,我国首次派代表参加了联合国发展系统"1973 年度认捐会议",向开发署提供了第一笔捐款。到

1987年,我国向开发署共捐款1368万美元和1480万元人民币。我国的捐款支持了开发署的多边援助活动。

1978年,我国政府对联合国多边经济技术合作决定采取"有给有取"方针,开始接受开发署提供的援助。从1979年到1986年,我国接受开发署援款共9310万美元,安排了192个项目。

1986年,开发署理事会第33届会议通过了开发署援助我国的第二个国别计划(1987—1991年)。第二个国别计划不仅在合作规模上有所扩大而且在合作内容上已从单纯解决具体行业的技术援助,发展成为配合国家发展政策的援助,从技术引进逐步转向智力引进,从微观领域逐步进入宏观领域。

在同开发署的合作中,我国根据平等互利、讲求实效、形式多样、共同发展的原则,还积极参与了多边领域的经济技术合作,举办了一系列促进发展中国家技术合作的活动,在我国建立了针灸、养鱼、沼气、小水电、农村综合发展等区域培训中心,为培训发展中国家的专业人才作出了贡献。

3.我国同联合国人口活动基金的合作关系

联合国人口活动基金是国际上最大的对发展中国家提供人口方案援助的国际组织。我国政府从1979年开始参加人口基金的经济技术合作活动。1979年5月,人口基金派代表团来华,在北京同我国政府签署了《谅解备忘录》,初步确定了双方在人口普查,人口学训练与研究,计划生育科学研究等方面的合作领域和范围。1980年,联合国开发计划署理事会通过人口基金等一周期(1980—1984年)援华方案。同年9月,人口基金代表团访问我国,同我国政府签订了方案协定。协定规定了人口基金提供技术援助的细节和内容,以及双方分别应承担的责任与义务。

联合国人口基金在1980—1988年期间,共向我提供1亿美元的援助款,安排了58个项目。人口基金援华方案主要用于以下优先领域:计划生育,避孕药器具生产,人口普查与调查统计,人口学训练与研究,老年人研究等。

4.我国同联合国儿童基金会的合作关系

早在1948年,儿童基金会就曾为我国儿童提供过保健和食品援助。1978年,儿童基金会提出愿同我国开展合作关系。

1979年4月,儿童基金会派高级官员来华考察,了解我国儿童状况,并就该基金会同我国发展合作关系交换了意见。1980年初,我国当选为儿童基金会执行局成员并开始接受儿童基金会的援助。

我国与儿童基金会的合作项目都是紧紧围绕我国的发展计划和优先领域,集中在妇女、儿童的卫生保健、教育和福利事业方面。由于这些项目都是我国政府发展的重点领域,因此,项目的地方投入就得到保证,从而使儿童基金会的援助资金起到催化剂的作用。

联合国儿童基金会为中国兴办的最大项目为计划免疫项目,共资助1850万美元。这一项目促进我许多地区改变了过去靠冬季一次接种的落后做法,保证儿童按国家规定的免疫程序接种疫苗,有效地降低了多种疾病的发病率。据统计,1986年我国儿童麻疹、白喉和百日咳的发病率较历史上最低纪录的1985年又减少了40%—50%,这大大降低了儿童的死亡率和致残率。

四

参与国际竞争　发展海外投资

新中国成立初期,中国在国(境)外就有少量的投资活动。从50年代至1978年,在境外举办了一些金融、海洋运输、贸易等合营或独资企业。特别是国内一些外贸专业公司以公司代表处的名义在境外投资设点,其职能主要是了解市场和客户,沟通信息,为总公司对外成交创造条件及提供方便。党的十一届三中全会后,这项事业在改革开放政策指引下,作为对外经济技术合作的重要形式逐步地发展起来。外贸公司代表处逐步转为具有法人地位,经营进出口贸易业务的当地企业,经营方式也逐步多样化,经营范围不断扩大。同时,对外经济技术合作公司和大型工业企业也逐步走向国际市场,以独资、合资和合作经营的形式,举办多种行业的企业。

贸易性企业以经营进出口贸易业务为主,分布在五大洲,除港澳地区外,大多分布在北美、欧洲和亚洲,规模普遍较小。

非贸易性企业则是改革开放以来的一项新兴事业,从发展现状看,具有如下主要特点:

(1)起步晚,发展快。1979年至1984年6月底,共批准在34个国家和地区举办非贸易企业144家,中方投资1.38亿美元。1985年以后,随着我国对外开放的进一步深入,许多条件较好,具有一定经营管理和技术水平的大型企业参与国际竞争,投资领域从建筑工程承包、资源开发、餐馆、旅游业逐步发展到金融保险、咨询服务、农牧业养殖、交通运输、医疗卫生、化工、轻纺、石化、冶金、机电等行业,在国外的投资规模逐年扩大。

(2)投资行业涉及面广但大多数集中于生产和资源开发业。十几年来,在境外举办的非贸易企业所涉及的行业有工农业生产、资源开发、各类工程承包、金融保险、技工贸结合、医疗卫生、咨询服务、房地产、餐馆旅游业等。按投资额计算,工农业生产和资源开发型分别占我国对外总投资的30%和50%。

(3)投资区域广但大多集中在北美和亚太地区。非贸易性投资企业已遍及世界120多个国家和地区,投资重点逐步从最初的发展中国家发展到北美、西欧和亚太一些比较发达的国家,而且在这些地区的投资无论是企业数,还是投资额,所占比例都较大。

(4)投资以发展中小型项目为主,总体实力薄弱。从投资规模看,中方投资在100万美元以上的企业不到100家,占项目总数的8%,绝大多数项目的投资在100万美元以下。从对外投资额看,投资在100万美元以下的项目,投资总数仅占对外总投资的24%。海外生产型企业平均投资额约为287万美元,其中中方平均出资123.7万美元,只有少数项目投资水平达上亿美元,说明资金能力尚且不足。

(5)效益显著。据初步调查,贸易性企业尽管规模小,经验不足,管理薄弱,但绝大多数盈利。非贸易性企业,已开业的项目80%以上不同程度获利或持平。而从总体水平看,所创社会效益却更为显著,主要体现在:

①在境外举办的一些海洋渔业、林业开发和矿产开采等资源开发企业,可以利用国外资源弥补国内资源短缺。中国冶金进出口公司在澳大利亚投资与澳方合作开采铁矿,1990年投产,当年即超额完成年生产300万吨矿石的计划,所生产矿

石已全部运到国内,预计在 30 年合作期间,将运回高质量铁石砂 2 亿吨,为我国钢业的发展提供高质量的铁矿资源。

②工贸结合的境外企业,在当地生产、当地销售,对于避开一些国家的进口限制和高额关税,绕过贸易壁垒,扩大出口,引进先进技术都发挥了积极的作用。

③通过在国际金融市场融资发展境外企业,利用外国人的钱赚外国人的钱。1986 年,中国国际信托投资公司通过国际融资购买了澳大利亚波特兰炼铝厂 10% 的股份,1987 年至 1988 年,连年盈利,投资效果明显。

④在发达国家和地区举办的技术密集型合资、合营企业,通过直接参与生产和经营管理,我方人员学习、掌握了先进技术和经验,对于国内企业进行技术革新,改善企业内部管理水平,引进竞争机制,提高经济效益发挥了重要作用。

⑤除了投入少量外汇和国际融资,大多以技术、设备入股,带动了国内技术、设备和劳务输出及国内相关部门的发展。

⑥通过境外企业这一窗口,随时掌握国际市场动态,拓宽了信息渠道。

此外,十多年来我国派往境外企业的工作人员,涉及经营管理、生产技术、贸易、法律和财会专业,培养和锻炼了一批从事国际经济技术合作的人才。

我国企业海外投资的主体有四大类:

(1)已实行跨国经营的外贸专业总公司和驻港澳地区的中资大型贸易集团(如华润、南光集团公司)。上述公司的海外企业多数属于贸易性公司。它们将借鉴日本综合商社的模式,即以贸易为主,逐步走实业化道路,一则与国内大、中型生产企业联合组建综合型企业集团,一则在海外创建或合资经营生产性企业。

(2)以大型工业企业集团(如首钢、二汽)为主导,拓展对外经贸集约化经营,聚合成群体优势。

(3)大型工贸、技贸、农贸、银贸公司或集团(如中信公司、四通、赛格集团),发挥其在资金、技术、市场、人才等方面的竞争优势。

(4)大型金融机构、多功能服务公司(如中国银行、中国人民保险公司、中国建筑工程总公司、中国冶金建设公司)。

我国企业国外直接投资的资金构成,直接投入的外汇资金约占 1/3,以设备、技术、劳务、商标作价投资占 2/3。在资金投入中,由我国用现汇汇出的部分不到 10%,其余的 90% 是从国际金融市场集资。

我国海外企业的融资方式有:国内担保国外贷款、境外商业企业贷款、国外银行贷款参股、金融租赁、海外企业项目抵押贷款、国际银团贷款等。以下是海外融资的主要方式。

(1)举债收购国外企业——"借鸡下蛋"。80 年代中期,中国国际信托投资公司在加拿大利用当地银行贷款,以参股的方式,与加一家公司合资购买了塞尔加纸浆厂,仅 2 年多就收回了全部投资。1991 年,中信公司以该厂资产作为抵押,取得了 6 亿多美元的当地银行贷款,用以改造老厂,扩大生产规模。

(2)国际金融租赁——"草船借箭"。金融租赁是企业筹措资金的一种方式。1986 年中信公司与中国有色金属工业总公司以国际金融租赁的方式在澳大利亚投资 1.2 亿美元,购买了皮特兰炼铝厂的部分股权。该项目的具体做法是由澳大利亚、英国、日本、美国等 12 家大银行组成银团买下一部分股权,然后租赁给中信和有色总公司,由它们经营管理。将铝厂的销售收入以租金的形式偿还银行的股本贷款和利息。债务还清时，该厂的这部分股权和股益归承租公司所有。

（3）利用国际银行承包海外工程——"借花献佛"。通过国际银行参与解决海外工程的资金问题，是国际工程承包商普遍采用的做法。我国的一些大国际经济合作公司在承包海外工程的实践中，开始逐步地运用国际融资的手段。以中国冶金建设总公司在菲律宾承建吴得斯戈购物中心为例，该项目的业主由于缺乏资金，要求中冶建垫资承包，而我方的财力也难以支撑。为了拿下该项目，中冶建引来一家美国的国际银行出面担保，并通过当地的银行取得了价值 2000 万美元的当地货币贷款。这种安排使业主成了承担利息和还本的借款人，而我方无需再垫付资金。

（4）与海外银行联盟拓展融资渠道——"借船出海"。我国一些企业集团积极探索与海外银行联合，"借船出海"，走向世界之路。如深圳赛格集团与三和国际信托、东方汇理、渣打银行、巴黎国家银行等建立了良好的业务关系，广开了海外融资渠道。该集团通过海外融资。以直接投资、合资经营、收购股权、委托经营、独资经营等方式在世界 30 多个国家和地区建立了自己的子公司或分支机构。

（5）建立海外金融机构，充分利用外资——"自我滚动"。在海外成立由企业集团兴办的财务、金融保险机构，也是扩大海外融资能力的有效手段之一。如中国五金矿产进出口总公司于 1985 年在香港成立了香港企荣财务有限公司，运用金融手段把海外资金集中起来，发展一些大的项目。

五

对外承包工程和劳务合作

1. 我国对外承包工程和劳务合作的起步

我国的对外承包工程和劳务合作是在我国对外经济技术援助、帮助第三世界友好国家建设成套项目的基础上发展起来的。

新中国成立以后，我国对外经济合作，主要是对外提供经济技术援助。30 多年来，我国以贷款和赠款的方式，向广大第三世界友好国家提供了多种形式的经济技术援助，先后建成一千多个成套项目，对于受援国家争取和维护民族独立、发展民族经济作出了贡献。对外经济援助产生的深刻影响，为我国在国际上开展承包工程和劳务合作创造了有利的条件。70 年代初期，一些发展中国家曾向我国提出，由它们自筹资金，希望我方以承包方式为其建设工厂、体育中心、居民住宅、中国式园林等工程，或以提供劳务的方式派专家担任其政府部门的顾问。当时受"左"的思想束缚，我们未能应诺。1976 年以后，仍有一些友好国家提出类似要求，我们开始承担一些由其自筹资金的建设项目，并在中国成套设备进出口公司内部设立了"自费项目办公室"执行这项工作任务。但由于诸多原因，步子迈得不大，到 1978 年共承担了 7 个小项目，总计金额为 222 万美元。虽然数额很小，但标志着长期僵化的观念开始有所转变。通过这些项目的实践，也为我国公司以后参与国际承包市场的竞争作了有益的探索，起到了引路的作用。

党的十一届三中全会，制定了对外开

放、对内搞活的经济政策,鼓励积极开展各种形式的对外经济合作。1980 年 3 月,原对外经济联络部召开全国外经工作会议,讨论制定了新的历史时期对外经济合作的方针,会后在向国务院报告中提出:"外经工作,由过去的基本只搞援外,只出不进,发展为有出有进,有给有取,以多种形式扩大业务范围。"

同年 5 月,国务院批准了这个报告,并要求把对外承包工程和劳务合作,作为对外经济合作的一项重要内容,强调"平等互利,有进有出",对于推动我国对外经济技术合作的发展起了重要的作用。这一时期,国际承包劳务市场活跃和兴旺的形势,也为我国对外承包工程、劳务合作的兴起,从客观上提供了良好的环境。

我国的劳务合作中输出的劳务,不包括中国在国外投资开办的金融、保险、远洋运输、工商企业的从业人员,也不包括受政府派遣到国外执行援外任务的人员和自行办理出国手续在国外就业的中国公民。因此,劳务合作只是我国劳务输出的一部分。我国对外提供劳务主要有两种方式。一种是由中国公司直接同雇主签订派遣劳务人员的合同,另一种是通过对外承包工程作为载体,相应输出劳务。

2.我国对外承包劳务的指导方针

"平等互利、讲求实效、形式多样、共同发展"四项原则,是我国经济合作包括对外承包工程、劳务合作的指导方针。根据这一原则,我国公司在对外业务活动中,提出了"守约、保质、薄利、重义"的经营原则,即:信守合同,遵守所在国的法律、法令;保证工程质量和派出劳务人员素质;不追求高利润;重视同合作国家政府和人民的友谊。

中国公司开展对外承包劳务,是在政府的统一指导下进行的。只有经过批准,具备这项业务经营权的公司,才能直接对外签订合同、开展业务。这样做是为了确保每个进入国际承包市场的中国公司,都具有与它的经营范围相适应的能力,维护中国公司在国际上的信誉,保证我国对外承包工程和劳务合作事业的健康发展。

3.对外承包工程与劳务合作的发展

从 1978 年起,我国陆续批准组建了一批从事对外承包工程、劳务合作的专业公司,同时批准了一些具备条件的工贸公司兼营这项业务。从 1979 年以来的十几年间,我国的对外承包劳务工作打开国门,走向世界,从无到有,从小到大,业务已拓展到 100 多个国家和地区,其行业包括建筑、冶金、港口、公路、电力、通讯、机械、石油、水利、广播、海洋捕捞、地质勘探、林业、纺织、轻工、船舶以及航天、核能、军工等高、精、尖行业。我国的对外承包工程与劳务合作取得了可喜的经济效益和社会效益。主要表现在以下几个方面:

(1)国际公司为国家创出相当数量的外汇,为公司本身也积累了一笔可观的实业与固定资产,形成了一定的再生产能力。此外,开展对外承包和劳务合作,还具有明显的综合社会效益,如民航、银行、保险、远洋运输、邮电等部分,增加了新业务,扩大了营业额。此外,还加深了国与国之间人民的友好往来,促进了经贸关系的发展。承包劳务人员在国外学到先进的技术和管理方法,回国后用于国内建设;大批人员经受锻炼,业务和技术素质都有提高。

(2)初步建成了一支可在国际承包劳务市场上参与竞争,承揽工程和劳务项目的公司群体。各公司在承包劳务上继续向高层次、高技术方向发展。1990 年我国成功利用国产长征 3 号火箭,把"亚洲 1

号"和澳星通讯卫星送入轨道。此外,还承揽了大型机场建设工程以及和平利用原子能技术工程等项目。

(3)培养了一批从事国外经济合作的人才。我国开拓国外经济合作事业的基本队伍已初步建立起来。

(4)带动国产设备材料出口,促进对外贸易发展。

多年经营已初见成效。各公司在国内外,以承包劳务为龙头,发挥各自优势,形成了贸易、房地产开发、兴办实业、人才培训中心,以至旅游、出租车队等几路大军,相辅相成,开拓奋进。

4. 我国对外承包劳务的主要地区分布

我对外承包劳务业务主要分布在亚洲、欧洲、非洲、美洲四大市场。

亚洲是当今世界最大的国际承包劳务市场,其发包额曾多次位居世界六大国际承包市场的首位。同时亚洲也是我国历年最大的对外承包劳务市场。中东地区是70年代后期至80年代前期国际上最大的承包劳务市场,也是我国开展对外承包劳务的创始地。1979年,中国建筑工程总公司、中国公路桥梁工程公司、中国土木工程公司和中国成套设备出口公司等四家公司率先进入这一地区的伊拉克和阿拉伯也门,首次开展了我国对外承包工程与劳务合作业务。后来,由于国际政治、经济形势急剧变化,国际承包劳务市场的格局随之发生演变,传统的中东市场渐趋萎缩,我国最大的对外承包、劳务市场已由原来的西亚地区转移到东亚、东南亚地区。

我国在欧洲的承包劳务在80年代末90年代初发展迅速,后来居上,成绩显著,已成为仅次于亚洲的对外承包劳务的第二大市场。非洲是我国开展对外承包劳务合作最早的地区之一。我国在非洲开展业务的国家占我国在世界开展承包劳务业务国家总数的1/3,对扩大我国影响、加强我国同第三世界国家的友好起着重要作用。我国在非洲的项目,绝大多数是好的或比较好的,获得一定的经济和社会效益,受到所在国政府和人民的好评,影响较好。我国在美洲最大的市场为美国。

中国共产党第十三次全国代表大会

一

中共十三大概述

1987年10月25日至11月1日,中国共产党第十三次全国代表大会在北京召开。参加这次大会的正式代表1936人,特邀代表61人(出席大会开幕式的共1953人),代表着全国4600多万名党员。

此外,全国人大常委会党外副委员长、全国政协党外副主席、各民主党派、全国工商联负责人和无党派爱国民主人士、少数民族和宗教界人士96人列席了大会,并有中外记者(其中包括1名台湾记者)400多名采访了大会。这些,在此前的历届代表大会上,均属首次。

大会的主要议程有五项:①听取和审查党的第十二届中央委员会的报告;②审查中央顾问委员会的报告;③审查中央纪律检查委员会的报告;④审议《中国共产

党章程部分条文修正案》；⑤选举第十三届中央委员会，新一届的中央顾问委员会，新一届的中央纪律检查委员会。

邓小平主持了大会开幕式。中央主要负责人代表第十二届中央委员会作《沿着有中国特色的社会主义道路前进》的报告。

报告的突出贡献，是系统地阐述关于社会主义初级阶段的理论和党在社会主义初级阶段的基本路线及相关问题。

报告指出，十一届三中全会以后不久，党中央在总结历史经验教训的基础上，开始逐步认清了我国社会主义社会所处的发展阶段——初级阶段。我国处在社会主义的初级阶段这个论断，包括两层含义：第一，我国社会已经是社会主义社会，我们必须坚持而不能离开社会主义；第二，我国的社会主义社会还处在初级阶段，我们必须从这个实际出发，而不能超越这个阶段。在近代中国的具体历史条件下，不承认中国人民可以不经过资本主义充分发展阶段而走上社会主义道路，是革命发展问题上的机械论，是右倾错误的重要认识根源；以为不经过生产力的巨大发展就可以越过社会主义初级阶段，是革命发展问题上的空想论，是"左"倾错误的主要思想根源。

报告对当前我国社会状况作了深刻的分析，指出，一方面，以生产资料公有制为基础的社会主义经济制度、人民民主专政的社会主义政治制度和马克思主义在意识形态领域中的指导地位已经确立，剥削制度和剥削阶级已经消灭，国家经济实力有了巨大增长，教育科学文化事业有了相当发展。另一方面，人口多，底子薄，人均国民生产总值仍居于世界落后国家的行列。生产力的落后，决定了在生产关系方面，发展社会主义公有制所必需的生产

社会化程度还很低，商品经济和国内市场还很不发达，社会主义经济制度还不成熟不完善；在上层建筑方面，建设高度的社会主义民主政治所必需的一系列经济文化条件很不充分，封建主义、资本主义腐朽思想和小生产习惯势力在社会上还有广泛影响，并且经常侵袭党的干部和国家公务员队伍。这种状况说明，我们今天仍然远没有超出社会主义初级阶段。

报告指出，在社会主义初级阶段，我们党的建设有中国特色的社会主义的基本路线是：领导和团结全国各族人民，以经济建设为中心，坚持四项基本原则，坚持改革开放，自力更生，艰苦创业，为把我国建设成为富强、民主、文明的社会主义现代化国家而奋斗。这条基本路线，简称为"一个中心、两个基本点"，即以经济建设为中心，坚持四项基本原则，坚持改革开放。报告强调指出，四项基本原则是立国之本，改革开放是强国之路，两者缺一不可。四项基本原则为改革开放保障正确的方向，改革开放为四项基本原则注入新的时代内容。它们统一于建设有中国特色的社会主义的实践。

十三大从社会主义初级阶段的实际出发，确立了我国现代化建设三步走的经济发展战略。"三步走"战略的第一步，到80年代末，实现国民生产总值比1980年翻一番，解决人民的温饱问题；第二步，到2000年，使国民生产总值再增长一倍，人民生活达到小康水平；第三步，到21世纪中叶，人均国民生产总值达到中等发达国家水平，人民生活比较富裕，基本实现现代化。

报告指出，六十多年来，在马克思主义与我国实践相结合的过程中，有两次历史性的飞跃。第一次飞跃发生在新民主主义革命时期，中国共产党人通过总结成

功和失败的经验,找到了适合中国情况的农村包围城市、武装夺取政权的革命道路,把新民主主义革命引向了胜利;第二次飞跃发生在中共十一届三中全会以后,中国共产党人在总结新中国成立三十多年来正反两方面经验的基础上,在研究国际经验和世界形势的基础上,开始找到一条建设有中国特色的社会主义的道路,开创了社会主义建设的新阶段。沿着这条道路前进,是把我们的事业引向胜利的根本保证。

大会通过了《中国共产党第十三次全国代表大会关于十二届中央委员会报告的决议》、《关于〈中国共产党章程部分条文修正案〉的决议》、《关于中央顾问委员会工作报告的决议》和《关于中央纪律检查委员会工作报告的决议》。大会选举了由175名委员和110名候补委员组成的中央委员会,选举了由200名委员组成的中央顾问委员会和由69名委员组成的中央纪律检查委员会。

中国共产党第十三次全国代表大会对党的十一届三中全会以来九年间十亿人民丰富生动的实践经验进行了创造性的理论概括,第一次系统地阐明了社会主义初级阶段的理论,明确提出党在社会主义初级阶段的基本路线,确定今后经济建设、经济体制改革和政治体制改革的基本方针,确定在改革、开放中加强党的建设的基本方针,并在总结丰富实践经验的基础上进行创造性的理论概括,是一次具有重大意义和深远影响的会议。

二

十三届一中全会

1987年11月2日,中国共产党第十

三届中央委员会第一次全体会议在北京召开。到会的中央委员173人,中央候补委员106人。中央顾问委员会委员、中央纪律检查委员会委员列席了会议。

全会选举产生了(按姓氏笔画为序)万里、田纪云、乔石、江泽民、李鹏、李铁映、李瑞环、李锡铭、杨汝岱、杨尚昆、吴学谦、宋平、赵紫阳、胡启立、胡耀邦、姚依林、秦基伟为中央政治局委员。选举丁关根为中央政治局候补委员。

全会选举赵紫阳、李鹏、乔石、胡启立、姚依林为中央政治局常务委员会委员。选举赵紫阳为中央委员会总书记;根据中央政治局常务委员会的提名,通过了胡启立、乔石、芮杏文、阎明复为中央书记处书记,温家宝为中央书记处候补书记。

全会决定了邓小平为中央军事委员会主席,赵紫阳为第一副主席,杨尚昆为常务副主席。

全会批准陈云为中央顾问委员会主任,薄一波、宋任穷为副主任,王平等27人为常务委员。批准乔石为中央纪律检查委员会书记,陈作霖、李正亭、萧洪达为副书记。

三

十三届二中全会

1988年3月15日至19日,中国共产党第十三届中央委员会第二次全体会议在北京召开。中央委员171人、候补中央委员107人出席会议。中央顾问委员会委员、中央纪律检查委员会委员和有关负责人列席会议。

全会审议通过了赵紫阳代表中央政治局《在中国共产党第十三届中央委员会第二次全体会议上的工作报告——谈中

央政治局四个多月来的主要工作及今后进一步贯彻十三大精神的思路和布局》。号召全党同志要继续贯彻十三大确定的党的基本路线,加强党的自身建设,紧密团结全国各族人民,进一步解放思想,进一步深化和加快改革,为建设富强、民主、文明的社会主义现代化国家,进行坚韧不拔的努力。

四

十三届三中全会

1988年9月26日至30日,中国共产党第十三届中央委员会第三次全体会议在北京召开。出席会议的有中央委员165人,候补中央委员103人;列席会议的有中央顾问委员会委员184人,中央纪律检查委员会委员67人,不是上述三个委员会成员的有关方面主要负责人63人。

全会听取并审议通过了赵紫阳代表中央政治局作的工作报告,原则通过了《关于价格、工资改革的初步方案》和《中共中央关于加强和改进企业思想政治工作的通知》。

全会指出,为了保证治理经济环境、整顿经济秩序和深化改革任务的顺利完成,必须加强党的领导,充分发挥我们党的政治优势。要特别强调党的领导核心作用和党的纪律,特别强调局部利益服从全局利益。同时,通过治理环境、整顿秩序和深化改革的实践来加强党的建设,提高党组织的战斗力,发挥党员的先锋模范作用。要以治理环境、整顿秩序和深化改革为中心内容,进行一次广泛、深入的形势教育,并以此作为加强和改进思想政治工作的新起点。要充分发挥民主监督的作用,并运用法律的、制度的、纪律的、教

育的手段,综合治理,克服腐败现象,保持党政机关的廉洁。

全会强调,发展生产力是社会主义的根本任务,四项基本原则是我们立国之本,改革开放是我们的总方针总政策。任何时候都必须牢牢掌握党的基本路线的一个中心和两个基本点。

五

十三届四中全会

1989年6月23日至24日,中国共产党第十三届中央委员会第四次全体会议在北京召开。出席这次全会的中央委员170人,候补中央委员106人。列席会议的中央顾问委员会委员184人,中央纪律检查委员会委员68人,有关方面负责同志29人。

全会之前,中央政治局于6月19日至21日召开了扩大会议,为四中全会的召开作了必要的准备。

全会分析了近两个月来全国的政治形势,对中央领导机构的部分成员进行了必要的调整:选举江泽民同志为中央委员会总书记;增选江泽民、宋平、李瑞环同志为中央政治局常务委员会委员;决定增补李瑞环、丁关根同志为中央书记处书记;免去胡启立同志中央政治局常务委员会委员、中央政治局委员、中央书记处书记的职务,免去芮杏文、阎明复同志中央书记处书记的职务。

这次全会在我们党的历史发展上是一次非常重要的会议。它不仅对于进一步稳定全国局势具有重大作用,而且对于保证十一届三中全会以来党的路线、方针、政策的连续性,产生了深远的影响。

六

十三届五中全会

1989 年 11 月 6 日至 9 日,中国共产党第十三届中央委员会第五次全体会议在北京召开。出席这次全会的中央委员167 人,候补中央委员 106 人。列席这次全会的有:中央顾问委员会委员 183 人,中央纪律检查委员会委员 67 人,有关方面负责人 53 人。

中共中央总书记江泽民在全会结束时作了重要讲话。

全会审议并通过了《中共中央关于进一步治理整顿和深化改革的决定》。

全会认为,党的十三届三中全会决定对国民经济进行治理整顿是正确的。经过一年来的努力,治理整顿已取得初步成效:过高的工业发展速度降了下来,农业获得较好收成,固定资产投资有所控制,物价上涨势头趋于缓和,货币回笼情况比较好,国民经济在继续发展。继续坚定不移地执行治理整顿和深化改革的方针,是克服当前经济困难,实现国民经济持续、稳定、协调发展的根本途径。

全会决定,包括今年在内,用三年或者更长一点的时间,基本完成治理整顿任务。全会要求,治理整顿必须抓住四个重要环节。一是继续压缩社会总需求,坚持执行紧缩财政和信贷的方针,解决好国民收入超额分配的问题,下决心过几年紧日子。二是大力调整产业结构,增加有效供给,增强经济发展后劲。特别是要在全党全国造成一个重视农业、支援农业和发展农业的热潮,齐心合力把农业搞上去,确保粮食、棉花等主要农产品的稳定增长。三是认真整顿经济秩序,继续下大力气清理整顿各种公司特别是流通领域的公司,克服生产、建设、流通、分配领域的严重混乱现象。四是深入开展增产节约、增收节支运动,下工夫改进企业的经营管理,挖掘内部潜力,提高科技水平,走投入少、产出多、质量高、效益好的经济发展路子。

全会强调,我国的经济体制改革,是社会主义经济制度的自我完善,必须正确认识和处理治理整顿和深化改革的关系。治理整顿不仅将为改革深入和健康地进行创造必要的条件,而且它本身也需要改革的配合。在集中力量进行治理整顿,改革要围绕治理整顿来进行,并为它服务。对治理整顿不积极,就是对改革不积极。当前,要着重在企业承包经营责任制、财政包干体制、金融体制、外贸承包制等方面深化和完善改革。必须继续坚持对外开放的方针,积极利用外资和引进先进技术,更有效地扩大对外贸易和经济技术交流。经济特区和沿海开放地区的基本政策措施不变,并在实践中加以完善。

全会讨论并通过了《中国共产党十三届五中全会关于同意邓小平同志辞去中共中央军事委员会主席职务的决定》。全会在充分酝酿的基础上,决定江泽民同志为中共中央军事委员会主席,杨尚昆同志为中共中央军事委员会第一副主席,刘华清同志为中共中央军事委员会副主席,杨白冰同志为中共中央军事委员会秘书长;决定增补杨白冰同志为中共中央书记处书记。

这次全会,是一次实事求是、振奋精神、坚定信心、团结一致向前看的会议。全会全面分析了当时的经济形势,充分肯定了建设和改革的成就,如实地估计了经济工作面临的困难,提出了进一步治理整顿和深化改革的指导方针、主要任务和基本措施。这对于我国经济走出困境、实现健康发展具有重大作用。全会同意邓小平同志辞去中共中央军事委员会主席，对于党实现废除干部领导职务终身制，对于党、国家和军队的事业是有益的。

七

十三届六中全会

1990年3月9日至12日，中国共产党第十三届中央委员会第六次全体会议在北京召开。出席这次全会的有中央委员166人，中央候补委员103人；列席这次全会的有中央顾问委员会委员、中央纪律检查委员会委员，以及有关方面负责人。

中共中央总书记、中央军委主席江泽民，中共中央政治局常委、国务院总理李鹏在全会上作了重要讲话。

全会审议通过了《中共中央关于加强党同人民群众联系的决定》。

《决定》指出，我们党是马克思列宁主义、毛泽东思想武装起来的全心全意为人民服务的工人阶级先锋队。党在长期斗争中创造和发展起来的相信群众、依靠群众，从群众中来到群众中去的群众路线，是党的根本工作路线，是党的优良传统和政治优势。在党的十三届四中全会、五中全会所确定的工作已经全面展开，各项事业正在健康发展的时候，向全会郑重提出密切党同群众联系的要求，并作出相应的决定，不仅对于实现我国政治经济和社会的进一步稳定发展具有重要的现实意义，而且对于实现党在新时期的总目标、总任务，推进有中国特色的社会主义的伟大事业，产生了深远的影响。

《决定》指出，十一届三中全会以来，我们党所制定的路线、方针、政策是正确的，社会主义现代化建设和改革开放取得了举世瞩目的成就，党群关系、干群关系总的来说是好的。但是，这些年来，在一些党组织和党员干部中滋长了官僚主义、主观主义、形式主义和消极腐败等严重脱离群众的现象。对此，全党同志必须保持高度警觉，并坚持不懈地同这些现象进行斗争，尽一切努力恢复和发扬我党密切联系群众的优良传统和作风。

《决定》提出，鉴于历史和现实的经验，今后必须从以下七个方面坚持不懈地努力加强党同人民群众的联系：①坚持从群众中来、到群众中去，建立和健全民主的、科学的决策和决策执行程序，保证决策和决策的执行符合人民的利益。②坚持各级领导干部经常深入基层、深入群众的制度，扎扎实实做好工作，把党的路线、方针、政策落到实处。③坚持在深化政治体制改革中，加强社会主义民主和法制建设，积极疏通和拓宽党同人民群众联系的渠道。④继续坚定不移地加强廉政建设和党风建设，大力发扬艰苦奋斗精神，克服党内存在的消极腐败现象。⑤建立和完善党内监督与党外监督制度，切实加强对各级领导机关和领导干部的监督。⑥充分发挥党的基层组织的战斗堡垒作用和共产党员的先锋模范作用，宣传和组织群众，带领群众一道前进。⑦在党内普遍深入地进行马克思主义群众观点的教育，增强执行党的群众路线的自觉性。

全会要求，各级党组织要组织广大党员用整风精神认真学习和贯彻中央的决定。各地区、各部门都要根据各自的实际情况，制定实施细则，认真执行。当前特别要注意切实解决群众最为关心而又有条件解决的问题，以实际行动密切党群关系。

六中全会通过的这个《决定》是一个极其重要的马克思主义文件。《决定》总结了我们党历史上正反两方面的经验,特别是改革开放以来的新鲜经验,既有非常深厚的历史内涵,又有极为新鲜的现实针对性,是党的群众路线的新概括、新发展,对于保证我们的社会主义祖国长治久安具有重大的指导意义。

八

十三届七中全会

1990 年 12 月 25 日至 30 日,中国共产党第十三届中央委员会第七次全体会议在北京召开。出席这次会议的中央委员 171 人,候补中央委员 107 人;列席这次会议的中央顾问委员会委员 161 人,中央纪律检查委员会委员 67 人,有关方面的负责同志 78 人。会议的中心议题,是审议通过了《中共中央关于制定国民经济和社会发展十年规划和"八五"计划的建议》。

《中共中央关于制定国民经济和社会发展十年规划和"八五"计划的建议》提出了今后十年我国国民经济和社会发展的基本任务和方针政策。

《建议》阐述了实现现代化建设的第二步战略目标的基本要求和今后十年和"八五"时期经济建设的重点。《建议》指出,把国民经济的整体素质提高到一个新水平其基本要求是:①在大力提高经济效益和优化经济结构的基础上,使国民生产总值按不变价格计算到本世纪末比 1980 年翻两番;②人民生活从温饱达到小康,生活资料更加丰裕,居住条件明显改善,文化生活进一步丰富,健康水平继续提高,社会服务设施不断完善;③发展教育事业,推动科技进步,改善经营管理,调整经济结构,加强重点建设,为下个世纪初叶我国经济和社会的持续发展奠定物质

技术基础;④初步建立适应以公有制为基础的社会主义有计划商品经济发展的、计划经济与市场调节相结合的经济体制、运行机制;⑤社会主义精神文明建设达到新水平,社会主义民主和法制建设进一步健全。会议提出,今后十年和"八五"时期经济建设的重点是:加强农业;加强基础工业和基础设施,改组改造加工工业;加强教育和科技事业。要按照"统筹规划、合理分工、优势互补、协调发展"的原则,进一步改善我国的地区经济布局。在发展经济的同时,要加强国防现代化建设。

《建议》指出,制定与实施十年规划和"八五"计划,必须遵循正确的指导方针。其中,最重要的包括:①坚定不移地走建设有中国特色的社会主义道路;②坚定不移地推进改革开放;③坚定不移地贯彻执行国民经济持续、稳定、协调发展的方针;④坚定不移地执行自力更生、艰苦奋斗、勤俭建国的方针;⑤坚定不移地贯彻执行物质文明建设和精神文明建设一起抓的方针。

《建议》强调,十年规划和"八五"计划的顺利实施,关键在于加强和改善党的领导。必须下大力气搞好党的自身建设,提高党员的素质。广大干部特别是领导干部,要努力学习马克思主义,认真执行十三届六中全会的决议,全心全意为人民服务,继承和发扬党的理论联系实际、密切联系群众、批评和自我批评的优良传统,坚持民主集中制的原则,坚持"从群众中来、到群众中去"的工作方法,保持与人民群众的血肉联系,增强党的凝聚力和战斗力。

全会强调指出,制定和实施十年规划和"八五"计划,标志着我国社会主义现代化建设将进入一个新的发展阶段。面对风云变幻、错综复杂的国际形势,关键是

把我们国内的事情办好。1991年是"八五"计划的头一年,也是继续治理整顿和深化改革的一年,我们要集中精力抓好经济工作,解决突出矛盾和关键问题,特别是搞活国营大中型企业和保持农业稳步发展的问题。要把全部经济工作切实转到提高经济效益的轨道上来,力争工业生产的质量、品种、效益有一个明显进步。要发扬社会主义民主,加强社会主义法制,维护国家和社会的稳定,维护各民族的大团结。各级党组织和全体党员要廉洁奉公、艰苦奋斗、密切联系群众,以建设和改革的优异成绩,迎接建党七十周年。

全会由中共中央政治局主持。江泽民同志作了重要讲话,李鹏同志就《建议》草案作了说明。

十三届七中全会是一次极其重要的会议。它审议并通过的《中共中央关于制定国民经济和社会发展十年规划和"八五"计划的建议》,提出了会后5—10年的奋斗目标,勾画了宏伟的建设蓝图,是指引全国各族人民沿着建设有中国特色的社会主义道路继续前进的纲领性文件。这是对全国人民新的鼓舞,新的激励,新的召唤。

九

十三届八中全会

1991年11月25日至29日,中国共产党第十三届中央委员会第八次全体会议在北京召开。出席这次会议的中央委员171人,候补中央委员105人,中央顾问委员会委员、中央纪律检查委员会委员和有关方面负责人列席了会议。全会由中央政治局主持,中共中央总书记江泽民作了重要讲话。

中国共产党第十三届中央委员会第八次全体会议审议并通过了《中共中央关于进一步加强农业和农村工作的决定》。

《决定》充分肯定十一届三中全会以来党在农村的各项基本政策,高度评价80年代我国农村改革和建设所取得的巨大成就。

《决定》高度强调发展农业的重要意义,强调指出,要坚定不移地深化农村改革,促进农村经济全面发展。党在农村实行的以家庭联产承包为主的责任制等一系列基本政策,适应现阶段农村生产力水平,深受广大群众的欢迎,必须长期保持稳定,并不断充实完善。要根据生产力发展的要求,不断把改革引向深入。要继续稳定以家庭联产承包为主的责任制,不断完善统分结合的双层经营体制,积极发展农业社会化服务体系,逐步壮大集体经济的实力,引导农民走共同富裕的道路。要在确保粮食稳步增长的同时,积极发展多种经营。要积极稳妥地推进农产品价格改革,逐步理顺工农业产品之间、农产品之间的比价,进一步搞活流通,促进货畅其流。发展乡镇企业,是繁荣农村经济、增加农民收入、促进农业现代化的必由之路,要积极扶持,正确引导,使其健康发展。在深化农村改革和加强农村的各项工作中,必须坚持群众路线,实事求是,因地制宜,分类指导,切不可违背群众意愿,不顾客观条件照搬照套,一刀切。

《决定》认为,必须进一步加强农业基础建设。这是推进农业现代化、增强农业发展后劲的重要物质技术前提。要逐步增加中央、地方、集体和农民对农业的投入,加快大江大河大湖的综合治理和农田水利基本建设。实行投资倾斜和其他保护性政策,提高农用工业的技术水平和生产能力。抓紧实施科技、教育兴农的战略,逐步把农业发展转移到依靠科技进步和提高劳动者素质的轨道上来。同时,加快农村交通、电力和人畜饮水工程等基础设施的建设。

《决定》指出,必须切实加强农村社会主义精神文明建设和民主法制建设,努力造就一代有理想、有道德、有文化、有纪律的新型农民。搞好农村的社会主义思想教育,对于落实党的基本路线和农村各项基本政策,加强以农村党支部为核心的基层组织建设,提高干部和群众的社会主义觉悟,促进农村物质文明和精神文明建设,巩固农村社会主义阵地,具有重要作用。各级党委要从本地实际出发,严密组织,精心指导,把这项工作扎扎实实地抓紧抓好,使农村面貌有一个新的变化。

《决定》强调,要进一步加强和改进党对农村工作的领导。中央和省、自治区、直辖市党委要用很大精力抓农村工作,及时研究和解决农村改革和建设中的突出问题。地、县委要把工作重心和主要精力放在农村工作上,协调各方面的力量,大力支援农业。要采取有力措施,减轻农民负担。各级领导干部要解放思想,振奋精神,努力改进工作方法和工作作风,善于把中央的精神和本地实际相结合,创造性地开展工作。

全会审议并通过了《关于召开中国共产党第十四次全国代表大会的决议》,确定党的十四大于明年第四季度在北京召开。全会认为,党的十四大将是我国社会主义现代化建设进程中具有重大意义的会议,对于承前启后、推进建设有中国特色的社会主义的伟大事业,必将产生巨大而深远的影响。迎接十四大的召开,最重要的是,全面贯彻执行党的以经济建设为中心,坚持四项基本原则,坚持改革开放的基本路线,努力巩固和发展安定团结的

政治局面,继续深化改革、扩大开放,集中精力把经济工作和其他各项工作做得更好。要坚持从严治党,切实搞好党的思想、组织和作风建设,努力提高广大党员干部特别是领导干部的马列主义、毛泽东思想理论水平和政治素质,增强党的凝聚力和战斗力。

全会号召,党的各级组织和全体共产党员,紧密地团结在以江泽民同志为核心的党中央周围,带领全国各族人民,奋发图强,艰苦奋斗,以改革和建设的优异成绩,迎接党的第十四次全国代表大会的召开。

十

十三届九中全会

1992年10月5日至9日,中国共产党第十三届中央委员会第九次全体会议在北京召开。出席会议的有中央委员166人,候补中央委员105人;列席会议的有中央顾问委员会委员169人,中央纪律检查委员会委员65人,有关负责同志65人。中央政治局主持了会议,中央委员会总书记江泽民作了重要讲话。

会议决定,1992年10月12日在北京召开中国共产党第十四次全国代表大会。

会议讨论并通过了中央委员会向党的第十四届全国代表大会的报告,讨论并通过了《中国共产党章程》(修正案),一致决定将这两个文件提请党的第十四次全国代表大会审议。

全会是在民主、团结的气氛中进行的,为十四大的胜利召开作了充分的准备。

实施"三步走"的经济发展战略

经济发展战略,是指根据对经济发展的各种制约条件、因素的分析和估量,从全局出发制定的较长时期经济发展和人民生活提高所要达到的目标,以及实现这一目标的根本途径。它涉及整个经济发展中带有全局性、根本性和长期的问题,主要包括经济建设的战略目标、战略部署、战略重点和战略方针。1987 年 10 月,中国共产党第十三次全国代表大会,根据我国社会主义初级阶段的基本国情和经济发展的客观规律,提出了经济发展的"三步走"战略。

一

"三步走"经济发展战略的制定

党的十三大,统筹全局,高瞻远瞩,制定了我国经济建设大体分三步走的战略部署。这就是:第一步,实现国民生产总值比 1980 年翻一番,解决人民的温饱问题。第二步,到 20 世纪末,使国民生产总值再增长一倍,人民生活达到小康水平。第三步,到 21 世纪中叶,人均国民生产总值达到中等发达国家水平,人民过上比较富裕的生活,基本上实现现代化。然后,在这个基础上继续前进。这个战略部署,全面总结了经济建设的历史经验,科学地估量我国经济的现状和发展趋势,从总体

上规划了我们的奋斗目标和前进步骤,它是全国各族人民雄心壮志的集中体现,是我们党在社会主义初级阶段发展生产力的伟大纲领。

经济建设分三步走的战略部署,是在十一届三中全会以来的实践中逐步形成的,是对党的十二大提出的经济战略的延伸和发展。党的十一届三中全会,实行了指导思想的拨乱反正,决定把全党全国的工作重点转到社会主义现代化建设上来。这是一个历史性的转折。随后,1981 年召开的党的十一届六中全会,全面总结了新中国成立以来党的历史经验,系统分析和批判了过去经济建设中"左"的错误,指出我们的社会主义经济建设必须从我国国情出发,量力而行,积极奋斗,有步骤分阶段地实现现代化目标。1982 年举行的党的十二大,根据这样的指导思想和现实的经济状况,制定了到 20 世纪末经济建设的战略部署。提出到 2000 年,要在提高经济效益的前提下,力争使全国工农业年总产值比 1980 年翻两番,人民生活达到小康水平。并且提出,实现这个奋斗目标要分两步走:前十年主要是打好基础,积蓄力量,创造条件,后十年要进入一个新的经济振兴时期。实践证明,十二大提出的目标和部署比较切合实际,经过努力是可以实现的。同时,经济发展的进程和日益累积的经验,使我们有必要也有可能从更深刻的认识层次和更长远的历史跨度上来规划整个经济建设,以便使我们的眼光看得更深、更远一些。正是在这个背景下,十三大制定了三步走的战略部署。这个部署有以下特点:

第一,这个战略部署立足于对我国基本国情的科学分析,根据我国经济发展的客观规律,阐明了我国经济建设的历史任务和奋斗目标。十三大指出,在社会主义

初级阶段,发展社会生产力所要解决的历史课题,是实现工业化和生产的商品化、社会化、现代化。就是说,要使我们国家摆脱贫穷和落后,由农业人口占多数的手工劳动为基础的农业国变为非农产业人口占多数的现代化工业国,由自然经济半自然经济占很大比重的国家变为商品经济高度发达的国家。新中国在立以来,我们的经济建设已经取得巨大成就。但是,我国工业化的使命并没有完成,我们仍然面临着进一步推进工业化的迫切要求。同时,我们在 20 世纪 80 年代又面临着世界新技术革命蓬勃兴起的严重挑战。这就决定了我国的经济建设,肩负着既要着重推进以大机器生产和电气化为特征的传统产业革命,又要迎头赶上以信息技术、生物工程、新材料等为特征的世界新技术革命的双重任务。工业化和现代化这样两位一体的发展,又必然同生产的社会化相伴随,要以大力推进生产的商品化为契机。十三大提出,实现工业化和商品化、社会化、现代化的具体标志,是使综合反映经济发展水平的人均国民生产总值达到中等发达国家水平,人民过上比较富裕的生活。这样,党的十三大就明确了我国现代化经济建设的历史含义,并以恰当的指标加以具体化,使宏伟的理想变成了人们可度量和奋斗的目标,从而为规划和部署整个经济建设指明了方向。

第二,它明确指出,在我国实现工业化和生产商品化、社会化、现代化的目标,大致要经过相互衔接、循序渐进的三个发展步骤,其全过程从 50 年代算起,至少需要上百年时间。这是在科学分析和全面估量我国国情的基础上,对我国现代化建设的发展进程作出的具有深远意义的战略决策。它既反对了无视或者低估我国具有的许多带根本性的有利条件,因而对现代化建设的前途消极悲观的态度,又反对了脱离我国基本国情和实际可能,企求在短期内实现现代化的急躁冒进倾向。十三大关于经济建设的战略部署,是积极的,它要求在百年左右的时间内走完历史上许多国家用一百几十年或二百多年时间所走过的路程;同时,又是切合实际的,它经过努力可以实现。十三大的部署从战略上防止了急于求成的倾向,为经济建设的健康发展提供了重要前提。当然,这绝不意味着我们可以放松工作,什么事都慢慢来,我们应该具有时代的紧迫感和强烈的事业心,振奋精神,努力奋斗。

第三,这个战略部署,以社会主义初级阶段的主要矛盾的演变为线索,以社会生产的发展水平及其相应的人民生活水平为标志,划分经济建设的战略步骤和确定每一步所要达到的目标。这就同过去相当长时期内单纯地用生产发展水平或用某几种产品的产量来规定发展目标的做法不同,它更全面地反映了社会主义经济运动发展的内在规律和本质要求。

二

"三步走"战略的关键是走好第二步

实现三步走的战略部署,最重要的是走好第二步。这一步承上启下,既是巩固和发展前阶段经济发展成果的内在要求,又在很大程度上关系到 21 世纪初国民经济能否有一个继续前进的良好基础。第二步的总目标,是使国民生产总值再增长一倍,人民生活达到小康水平。具体地说,则包含以下一些要求:

第一,在产品质量、劳动生产率和社会经济效益明显提高的基础上,国民生产总值和主要工农业产品产量有较大幅度增长,人均国民生产总值在世界上所占的位次明显上升。

第二,工业主要领域在技术方面大体接近经济发达国家 70 年代或 80 年代初的水平,农业和其他产业部门的技术水平也将有较大提高。

第三,进出口贸易总额比 1980 年增长 5 倍左右,高于工农业总产值和国民生产总值增长速度;出口商品的结构将由初级产品为主转向以工业制成品为主。

第四,城镇和绝大部分农村普及初中教育,大城市基本普及高中和相当于高中的职业技术教育,高等教育得到进一步发展,并在全国范围内形成成人业余教育体系。全民族的科学文化水平有相当大的提高。

第五,人民群众过上比较殷实的小康生活。食物结构和营养素质继续改善。衣着的数量和质量显著提高。耐用消费品有较多增加。城乡居住条件和环境质量明显改善。人们的文化生活更加丰富多彩。医疗卫生条件逐步改进,人民的健康水平进一步提高。

显然,实现了上述目标,我国现代化建设将取得新的巨大进展,整个国家的面貌将发生更加广泛和深刻的变化。

在我们这样一个人口众多而又基础薄弱的国家,要实现第二步目标,使人民普遍达到丰衣足食,安居乐业,任务是宏伟壮丽而又十分艰巨的。为此,必须执行正确的经济发展战略。十三大报告根据过去的经验和现实的情况,把我们在实现第二步奋斗目标中必须遵循的经济发展战略归纳为十六个字,这就是:"注重效益、提高质量、协调发展、稳定增长。"在这个战略方针当中,第一位的是提高经济效益,而要提高效益,就要大力提高产品质量,讲求比例关系协调,这样才能达到经

济长期稳定增长的目的。一句话,就是要以提高经济效益为中心,求得国民经济的长期稳定发展。

贯彻执行这一发展战略,首先要求正确处理社会生产的数量与质量的关系,坚持在讲求产品适销对路和提高质量的基础上增加产品数量。其次要求认真注意和严格比较投入和产出的关系,在努力降低物质消耗和提高劳动生产率上狠下工夫。还要求正确处理微观效益与宏观效益的关系,在全社会范围内合理配置资源。把这些要求概括起来,其本质就是我们的经济要从粗放经营为主转到集约经营为主的轨道上来,走一条速度比较实在、经济效益比较好、使人民能够得到更多实惠的新路子。

为了进一步贯彻执行注重效益、提高质量、协调发展、稳定增长的发展战略,十三大提出要着重解决好三个重要问题,即加速科技进步和教育发展、保持社会供求总量基本平衡和合理调整产业结构以及更有成效地扩大对外开放,这是针对我国经济的现状和发展趋势作出的重大决策。科技、教育的发展和产业结构的优化,是提高经济效益的根本途径,而这两个方面又都离不开对外开放。它们既有各自独特的要求,又是相互密切联系的。

第一,把发展科学技术和教育事业放在首要位置,使经济建设转到依靠科技进步和提高劳动者素质的轨道上来。

十三大报告的一个重要特点,是把科学技术包括科学管理与教育提到了发展战略的首要地位。作出这样的论断,首先是现代化建设发展的客观需要。从传统技术的范围来看,我国农业生产达到的水平已经相当高了,今后要在耕地面积有所减少的条件下使粮食和其他农产品有较大幅度的增长,不靠科技进步和科学管理

是无法实现的。为了适应人民小康生活水平的需要,工业生产的效率和效益要大大提高,产品的品种、质量和数量都要登上新的台阶,不在科技进步和科学管理上下工夫,这个要求也是不能实现的。尤其是处在世界新技术革命迅速发展的形势下,如果不在科学技术和教育发展方面急起直追,那我们国家就可能更加落后,世界上就将没有我们应有的地位。这就是说,在我国经济进入新的成长阶段以后,无论从国内条件还是从国际环境来看,科技和教育的作用都更加重要、更加突出、更加成为关系全局的症结所在。其次,十三大关于科技和教育极端重要性的论断,也是针对着当时许多同志还对此缺乏足够认识这个实际的。

为了加速科技和教育的发展,十三大重申和发展了党的一系列方针政策。主要是:①科技和教育都必须坚持为社会主义现代化建设首先是经济建设服务的方针,立足我国实际,放眼世界,正确确定发展的方向和重点。科技工作要把主要力量集中到为振兴经济服务的主战场上来,着重推进重点产业主干部分的技术进步,并积极加快技术改造,普遍提高企业的技术水平;与此同时,要组织精干力量不失时机地开展高技术研究,继续加强基础研究,大力发展软科学。教育的发展,要根据实际需要调整教育结构,着力提高教育的效能和质量,坚决克服某种脱离实际和片面追求升学率的倾向。②加快和深化改革,促进发展。通过改革,逐步建立科技与经济密切结合的机制,推动技术市场的发展和技术成果商品化的进程,加速技术转移的步伐和缩短科研成果应用于生产建设的周期。教育改革也必须围绕着提高民族素质,多出人才,出好人才这个根本目的,稳步地向前推进。③各项政策都要利于促进科技和教育的发展。要在经济发展的基础上增加对科技与教育的投入,同时科技部门和教育部门要合理使用资金,提高其使用效果。④认真贯彻执行党的知识分子政策,进一步创造尊重知识和尊重人才的社会环境,继续改善知识分子的工作条件和生活条件,努力做到人尽其才,才尽其用。在充分发挥我们自己科技人员作用的同时,还要积极开展国际人才交流工作。

第二,保持社会总需求和总供给基本平衡,合理调整和改造产业结构。

调整和改造产业结构不是一个新问题,但十三大把它同我国经济向小康水平前进联系起来,从农业劳动力的加速转移,居民消费需求的变化以及国际技术经济的发展与调整的角度,提出和论述这个问题,就赋予了它新的含义和意义。基于这种考虑,在相当长的时期内调整和改造产业结构的基本方向是:

继续把农业放在十分重要的战略位置,全面发展农村经济。十三大非常强调发展农业的极端重要性,指出这是关系改革和建设全局的重大问题,农业的稳定增长和农村产业结构的改善是国民经济长期稳定发展的基础。我国人多地少,要用占世界7%的耕地养活占世界22%以上的人口,而且人口还要增加,耕地面积随着非农业用地的增多还会有所减少,因此农业问题是我们长期不能掉以轻心的尖锐问题。发展农业,一要坚持正确的指导方针。这就是绝不放松粮食生产,力争粮食产量有较大幅度的增长;同时继续合理调整城乡经济布局和农村产业结构,积极发展多种经营和乡镇企业,以促进农村经济的全面发展和农民收入的持续增长。二靠改革、靠政策。要深化农村改革,并注意城乡改革的配套,完善农村政策,协调城乡矛盾,巩固工农联盟;同时要下决心增加农业投入,加强农田水利建设,大力增加化肥、塑料薄膜等农用物资的生产和供应,加强土地管理,保护耕地,从完善生产关系和改进生产条件这两个方面促进农业发展。三要加强农业科学技术研究,积极推广科技成果,大力培育和推广优良品种,不断提高农业生产的科学技术水平。

充分重视基础工业和基础设施的建设,加快能源、交通、通信和原材料工业的发展。随着经济的进一步发展,对基础工业和基础设施的要求将愈益迫切,而这方面的工程建设周期又比较长,如果不及时采取有力措施加强这方面的建设,经济的发展就会缺乏后劲。基础工业和基础设施的发展不能孤立地进行,必须同其他方面的发展相协调,还要继续大力发展消费品工业和加快第三产业的发展。

努力振兴机械、电子工业。这是加快科技进步的物质基础。我们的机械、电子工业摊子并不小,问题是技术陈旧、管理落后、组织结构不合理,因而产品的水平上不去,效率提不高。必须在行业规划指导下,大力推进企业的技术改造和组织改组,提高管理水平,以便为国民经济提供越来越多的先进的技术装备。

大力发展建筑业,使之成为国民经济的一大支柱。到 20 世纪末要使人民过上小康生活,最艰巨的任务之一也在于改善居住条件。如果这方面的发展跟不上去,不仅影响人民生活,而且会使居民消费结构畸形演变,给社会生产的协调发展带来严重困难。我们国家建筑材料资源和劳动力资源都很丰富。发展建筑业可以把这两方面的优势结合起来,迅速增加社会财富。而且建筑业是产前产后关联度很高的产业,它的发展将带动一系列产业部门。因此,无论是从发展生产还是从满足需求这两个方面来看,发展建筑业都是振兴经济的一个重要环节。而要为发展建筑业开辟道路,就必须积极推进住宅商品化,否则,不仅资金问题难以解决,建筑业也活不起来,起不到调节居民消费结构的作用。

产业结构的调整,应当同产品结构和企业组织结构的调整密切结合,形成合理的产业集中度和分工体系。在产业的地区布局上,既要重点发挥东部沿海地区的重要作用,又要逐步加快中西部地区的开发,使不同地区都能各展所长,并通过相互开放和平等交换与协作,形成合理的区域分工和地区经济结构。对少数民族地区和贫困地区要积极给予支援,并研究制定适合这些地区情况的政策,增强它们的发展活力。为了实现产业结构和企业组织结构合理化,达到资源优化配置,不仅要发挥市场和自由竞争的作用,而且要依靠国家制定正确的产业政策和企业组织结构政策,并运用价格、财政、税收、信贷等经济杠杆来进行干预和调节,促进其实现。

强调产业结构合理化的重要性,绝不意味着可以忽视经济总量的平衡。保持社会总需求与总供给的基本平衡,是实现经济稳定增长、提高经济效益的基本前提。而且,总量平衡与结构调整也存在着密切关系,总量平衡必须以结构合理为基础,才能取得良好的宏观效益;而保持稳定经济所必需的总量平衡,又是合理调整结构的必要条件。保持总量平衡,关键是要合理控制全社会固定资产投资的总规模,使之与国力的大小相适应;恰当规定生活消费的增长幅度,使之与生产发展和劳动生产率提高的速度相适应。要切实加强和改进国民经济的综合平衡,做到财政、信贷、外汇和物资的各自平衡和相互间基本平衡。在实际工作中，要善于审时度势，自觉地及时地解决经济生活中出现的不平衡，以经常性的小调整来避免比例严重失调情况下被迫进行的大调整。

第三，进一步扩大对外开放的广度和深度，不断发展对外经济技术交流与合作。

对外开放，是我国的一项基本国策。当今世界是开放的世界。我们在落后的基础上从事社会主义现代化建设，更要对外开放，以吸取世界先进文化的成果，加速国内发展。十三大在肯定过去几年实行对外开放所取得的成绩的同时，提出必须以更加勇敢的姿态进入世界经济舞台，进一步扩展同世界各国的经济技术合作与贸易交流。

为了更有成效地扩大对外开放，工作的重点和方向应该是：①选择正确的出口战略和市场战略，努力提高出口创汇能力。在这个方面，一要根据扬长避短、循序渐进的原则抓好出口创汇产业和产品，大力增加出口，同时积极发展旅游业，发展劳务出口和技术出口，增加非贸易外汇收入。二要努力降低换汇成本。②改善进口结构，提高外汇的使用效益。要坚决把进口的重点放在引进先进技术和关键设备上，严格控制一般加工设备和耐用消费品进口，避免盲目引进和不必要的重复引进。要积极发展替代进口产品的生产，采取必要的政策和措施加快国产化进程。③按照有利于促进外贸企业自负盈亏、放开经营、工贸结合、推行代理制的方向，坚决地有步骤地改革外贸体制，以进一步调动各方面的积极性，联合对外，更好地发展对外贸易。④积极而又慎重地利用国外资金。要根据我们的偿还能力和国内资金、物资的配套能力确定利用外资的适度规模，并保持合理的结果。⑤充分发挥经济特区、沿海开放城市和沿海经济开放区的重要作用。

在着重解决好上述三个重要问题的同时，还必须十分重视人口控制、环境保护和生态平衡，因为这些问题都关系经济和社会发展的全局。同时，要继续处理好经济建设与国防建设的关系。人口控制对于我国现代化建设具有特殊重要的意义。要严格控制人口增长，注意优生优育，提高人口质量，并对人口迅速老龄化的趋势采取正确对策。我们处在进一步推进工业化的时期，如果不在经济力量许可的范围内注意环境保护和生态平衡，不仅影响社会的全面发展，而且将来势必要付出更大的代价。所以，要大力保护与合理利用各种自然资源，努力开展对环境污染的综合治理，加强生态环境的保护，以便把经济效益、社会效益和环境效益统一起来。在顾全和服从经济建设这个大局的前提下，进一步发展国防技术，改善部队装备，把具有中国特色的国防现代化建设推向前进；同时加强国防教育，提高人民的国防观念，这也是经济和社会发展战略中一个极为重要的问题。

经济发展战略的贯彻和实现，在解决了方针问题、认识问题之后，从根本上说，要依靠经济体制改革的深入展开。同时，经济体制改革的部署也必须为经济发展服务，同贯彻经济发展战略的要求密切配合。每一步改革，都应当围绕着经济发展中所要解决的重大问题。做到有利于发挥企业和职工的积极性，有利于促进科技进步和结构优化，有利于改善宏观环境。只有这样，才能使改革和建设互相适应、互相促进，有力地推动我国社会主义市场经济的健康发展。

第七届全国人民代表大会

第七届全国人民代表大会，自 1988 年 3 月召开七届全国人大一次会议开始，到 1993 年 3 月举行八届全国人大一次会议结束，历经五年。这五年，是落实党的十三大精神，加快和深化改革，实现新旧体制转换的五年，是实现第二步经济发展战略，使人民生活从温饱型向小康型过渡的关键性五年，是民主法制建设不断深化发展的五年。本届代表大会不负历史的期待、人民的重托，有效地行使了宪法赋予的职权，圆满完成了它所肩负的重大使命。

第七届全国人民代表大会共有代表 2900 多名。他们来自祖国的各条战线和重要岗位，历经五年，良策万言，积极参政议政、决定国家大事，认真地履行了自己的职责。

第七届全国人民代表大会依照宪法和全国人民代表大会组织法的规定，共举行了五次会议：选举产生了新的国家领导人；审议通过了李鹏总理在每次会议上所作的政府工作报告；审议通过了全国人大常委会、最高人民法院、最高人民检察院分别在每次会议上所作的工作报告；审查批准了国民经济和社会发展十年（1991年—2000 年）规划和第八个五年计划，以及每年的国民经济如社会发展计划、国家预算；审议通过了《中华人民共和国宪法修正案》、《中华人民共和国香港特别行政区基本法》、《中华人民共和国全国人民代表大会议事规则》、《中华人民共和国全国人民代表大会和地方各级人民代表大会代表法》、《中华人民共和国行政诉讼法》、《中华人民共和国民事诉讼法（修改草案）》、《中华人民共和国全民所有制工业企业法》、《中华人民共和国中外合作经营企业法》、《中华人民共和国工会法》、《中华人民共和国妇女权益保障法》、《中华人民共和国外商投资企业和外国企业所得税法》和兴建长江三峡工程、设立海南省、建立海南经济特区等法案和决议。

这五次会议期间，共收到代表团和 30 名以上代表联名提出的议案 2000 多件，代表对各方面工作提出的建议，批评和意见 16000 多件。这些议案和建议都分别得到了审议和答复。

第七届全国人民代表大会闭会期间，全国人大常委会共召开了 31 次会议，认真行使了宪法规定和代表大会授予的职权。

总之，第七届全国人民代表大会五年的工作是卓有成效的，它选举产生的国家领导人，既有德高望重、治国经验丰富的老一辈无产阶级革命家，又有年富力强、勇于改革务实的新一代社会主义建设领导者，他们为振兴中华大业发挥了应有的作用，提供了切实的组织保证；它所通过的各项法案和决议，对进一步改革、开放、建设有中国特色的社会主义产生了重大影响，对推进社会主义民主法制建设作出了重大贡献。

第七届人大第一次会议

全国人大七届一次会议于 1988 年 3

月 25 日至 4 月 13 日在北京举行。出席会议的代表有 2927 名。会议的主要议程是：审议通过国务院代总理李鹏《政府工作报告》、国务院副总理兼国家计划委员会主任姚依林《关于 1988 年国民经济和社会发展计划草案的报告》、国务委员兼财政部部长王丙乾《关于 1988 年国家预算草案的报告》、全国人大常委会副委员长陈丕显《关于全国人民代表大会常务委员会的工作报告》、最高人民法院院长郑天翔《关于最高人民法院的工作报告》、最高人民检察院检察长杨易辰《关于最高人民检察院的工作报告》和相应的决议；审查批准 1988 年国民经济和社会发展计划、1988 年国家预算；审议批准国务院机构改革方案；审议通过《中华人民共和国宪法修正案》、《中华人民共和国全民所有制工业企业法》、《中华人民共和国中外合作经营企业法》以及关于确认六届全国人大常委会同意赵紫阳辞去国务院总理职务的决定、关于成立中华人民共和国澳门特别行政区基本法起草委员会的决定和关于设立海南省、建立海南特别行政区的议案；选举中华人民共和国主席、副主席、中央军事委员会主席，七届全国人大常委会委员长、副委员长、秘书长、委员，最高人民法院院长、最高人民检察院检察长；决定国务院总理、副总理、国务委员、各部部长、各委员会主任、审计长、秘书长以及中央军事委员会副主席、委员的人选；通过七届全国人大各专门委员会主任委员、副主任委员、委员的人选。

《政府工作报告》分为三个部分：过去五年国内工作的基本总结；今后五年建设和改革的目标、方针和任务；关于外交工作。

《报告》认为，第六届全国人民代表大会期间，国务院认真执行中国共产党的路线和全国人民代表大会的决议，在各项工作中取得了举世瞩目的成绩。全国各族人民团结一致，奋力开拓，国家面貌发生了深刻的变化。五年来，在改革开放的推动下，我国国民经济持续发展，总的形势很好。经济体制改革从农村到城市全面展开，取得了重大进展，积累了丰富经验。在经济体制改革的带动下，改革逐步在科技、教育、文化、政治等领域展开，日益显示出重大作用。同时，不断扩大对外开放，积极发展对外经济技术交流与合作，进一步改变了过去的封闭半封闭状态。改革和建设的实践有力地推动着人们思想观念的更新，加强了社会主义精神文明的建设。回顾过去五年建设和改革的历程，我们从实践中获得的有益经验主要有：牢固树立建设要依靠改革，改革要促进建设的指导思想，坚持把改革放在总览全局的位置上；无论建设还是改革，都必须坚持从实际出发，解放思想，尊重实践；建设和改革都要以提高经济效益为中心，不断推进科技进步和加强现代化管理；正确处理建设和改革中目标和步骤之间的关系，保证建设和改革的顺利进行；妥善处理各方面的利益关系，充分调动广大干部和群众的积极性。

《报告》指出，今后的五年，是落实十三大精神，实现新旧体制转换和第二步经济发展战略的关键性五年。在这五年里，我们要加快和深化改革，推动生产力发展，实现第七个五年计划，制定和实行第八个五年计划。到 1992 年，力争在不断提高经济效益的基础上，使国民生产总值达到 15500 亿元左右，平均每年增长 7.5% 左右，为在本世纪末实现国民生产总值翻两番、人民生活达到小康水平打下牢固的基础。在今后五年的政府工作中，必须充分体现"一个中心，两个基本点"的基本路线,并牢牢把握以下的方针:以改革总览全局,把改革和发展更加紧密地结合起来,使两者能够更好地相互配合和相互促进;认真执行长期稳定发展经济的战略,更加突出地抓好科学技术和教育事业的发展和改革;加快发展沿海地区外向型经济,进一步促进全国经济的繁荣和现代化水平的提高;在加快和深化经济体制改革的同时,积极而又稳妥地推进政治体制改革。加强社会主义民主和法制建设,巩固和发展安定团结的政治局面;围绕着经济建设并为经济建设提供思想保证和智力支持,大力加强社会主义精神文明建设,逐步形成适应社会主义要求的良好社会风尚。根据上述奋斗目标和工作方针,国务院要在今后五年里努力实现以下十项主要任务:大力发展农业生产和加强基础工业、基础设施的建设,以保持国民经济的持续稳定增长;加快科学技术和教育事业的发展和改革,把经济建设切实转到依靠科技进步和提高劳动者素质的轨道上来;以深化企业改革为中心进行综合配套改革,逐步确立新经济体制的主导地位;不失时机地加快实施沿海地区经济发展战略;进一步扩大对外开放;切实搞好政府机构改革,努力克服官僚主义、提高工作效率和严肃政纪法纪;进一步加强社会主义民主和法制建设,维护民族平等和民族团结,巩固和发展全国安定团结的政治局面;大力进行社会主义精神文明建设,促进改革开放和现代化事业的发展;既立足现实又面向未来,认真贯彻实行计划生育和加强环境保护这两项基本国策;在发展生产的基础上继续增加城乡人民收入,改善人民的物质文化生活;随着经济建设的发展,进一步加强国防建设。

《报告》强调,在过去五年里,我们坚决执行独立自主的和平外交政策,同时根据国际形势的发展变化和我国社会主义现代化建设的需要,对某些具体政策继续进行了正确的调整,从而在外交工作中取得了重大成就,开创了新的局面。今后,中国仍然要致力于本国的发展,并希望在和平共处五项原则的基础上同世界各国友好合作。

会议认真审议了李鹏代总理代表国务院所作的《政府工作报告》,并作出了关于政府工作报告的决议。决议认为,报告既肯定了政府工作在广大人民支持下所取得的成绩,也指出了前进中存在的困难和问题,以及工作中的缺点和失误,是实事求是的。报告提出的今后五年我国建设和改革的目标、方针和任务,是可行的。会议决定批准这个报告。

人大常委会工作报告总结了六届常委会五年来的工作,指出,五年来,常委会在彭真委员长的主持下,在地方人大及其常委会的支持下,严肃认真地履行宪法所赋予的职责,坚持按民主集中制的原则办事,充分发扬民主,集体决定重大问题,在上届人大常委会工作的基础上,各方面的工作都取得了新的进展。特别是立法工作加快了步伐,制定了一批重要法律;审议决定了一批重大事项,包括人事任免事项;加强了监督工作;改进了代表联系工作;进一步开展了外事活动;常委会的组织制度建设和工作机构建设也有所加强。从而更有效地发挥了最高国家权力机关的作用,促进和保证了社会主义现代化建设的顺利进行。但是,由于政治体制改革刚刚开始,人民代表大会制度的建设和各方面的工作如何做得更好,还需要探索,我们的工作也还存在不少缺点和不足之处。今后人大及其常委会的职能将会进一步健全,人民代表大会制度的作用将进一步发挥,社会主义民主和法制建设将进一步加强,七届全国人大常委会的工作将会做得更加出色,更富有成效。

代表们对六届全国人大常委会的工作表示满意,大会作出决议,批准了陈丕显副委员长代表六届全国人大常委会所作的工作报告。

《最高人民法院工作报告》和《最高人民检察院工作报告》,分别总结了过去五年我国审判工作和检察工作所取得的成绩,指出了存在的问题和困难,提出了今后审判工作、检察工作的设想,以及法院系统、检察院系统改革的意见。

大会对"两院"工作报告进行了认真审议,并批准了两个报告。

《关于1988年国民经济和社会发展计划草案的报告》汇报了1987年计划的执行情况,提出了1988年计划的主要目标和任务,以及深化和加快改革,继续开展"双增双节"运动,顺利实现1988年计划的措施。《报告》指出,1987年,我国的建设和改革都取得了新的成就。国民经济和社会发展计划的完成情况比较好,主要表现在:社会生产稳定增长;固定资产投资膨胀的势头得到抑制;国内市场购销两旺;对外贸易和技术交流继续扩展;科学、教育、文化、卫生、体育事业进一步发展;城乡人民收入进一步增加;以搞活企业为中心环节的经济体制改革不断深入,经济活力进一步增强。《报告》提出1988年是贯彻落实党的十三大精神和执行"八五"计划的重要一年。今年经济工作的基本方针是:进一步解放思想,进一步稳定经济,进一步深化改革,以改革总览全局。遵循上述方针,1988年国民经济和社会发展总的要求和部署是:通过深化和加快改革,努力增加和改善供给,同时继续控制投资和消费需求扩张,以促进社会总供给和总要求的平衡,在提高经济效益的基础

上,保证国民经济继续以较快的速度稳定增长。1988年计划的具体目标是:国民生产总值比上年增长7.5%,其中农业生产增长4%,工业生产在降低物质消耗、减少资金占用、提高产品质量、保证适销对路的前提下增长8%;全社会固定资产投资总规模3300亿元;货币增发量和信贷规模控制在适度水平;财政赤字控制在80亿元,维持上年的水平;城乡人民的收入在扣除物价上涨因素之后,要比上年水平有所提高。根据上述要求和目标,1988年国民经济和社会发展的主要任务是:大力增加农副产品和轻纺产品的生产与供应,安排好国内市场和人民生活;继续加强基础工业和基础设施的建设,以充分发挥现有生产能力作用和增强经济发展的后劲;加速科技进步和智力开发,促进各项文化事业的发展,积极组织实施沿海地区经济发展战略,促进整个对外贸易和技术交流的全面发展。

《报告》强调,为了使1988年计划顺利实现,要继续大力推行企业承包经营责任制,使之配套、完善、深化和发展,改革固定资产投资管理体制,改革物资管理体制,改革对外贸易体制。此外,还要深化和加快财政、金融、商业、劳动工资以及城镇住房制度的改革,以使各方面改革综合配套地进行。

大会经过审议,作出决定,批准国务院提出的1988年国民经济和社会发展计划和《关于1988年国民经济和社会发展计划草案的报告》。

《关于1987年国家预算执行情况和1988年国家预算草案的报告》对1987年国家预算执行情况和1988年国家预算作了介绍,并提出了为完成1988年的国家预算任务而奋斗的具体措施。七届全国人大财政经济委员会对1987年国家预算

执行情况和 1988 年国家预算草案进行了审查,并向大会作了审查报告。

审查报告指出,国务院提出的 1987 年国家预算执行情况是:国家财政总收入为 2346.63 亿元,财政总支出为 2426.92 亿元。收支相抵,财政赤字为 80.29 亿元,大体上控制在批准的数额以内。这一年财政工作的主要缺点是预算约束不严,有些该收的钱没收上来,有些不该花的钱花掉了,特别是在压缩自筹基建投资和行政管理费工作方面,缺乏有力的、严格的措施,以致这两项支出突破了预算。这些问题,应在今后预算执行中加以改正。国务院提出的 1988 年国家预算草案,财政总收入为 2554.5 亿元(其中,国内财政收入为 2426.5 亿元,比上年预计执行数增长 8.2%),财政总支出为 2634.5 亿元(其中用于国内财政收入安排的支出为2506.5 亿元,比上年预计执行数增长7.9%),财政收入与财政支出相抵,支出仍大于收入 80 亿元。这个预算,是依据进一步稳定经济、深化改革的方针,认真分析当前国民经济状况,经过反复研究之后编制的。

财政经济委员会建议七届全国人大一次会议批准《关于 1987 年国家预算执行情况和 1988 年国家预算草案的报告》,批准国务院提出的 1988 年国家预算,并建议在 1987 年国家决算编成以后,授权全国人大常委会批准。七届全国人大一次会议经过审议并根据财政经济委员会的审查报告,决定批准国务院提出的 1988 年国家预算,批准《关于 1987 年国家预算执行情况和 1988 年预算草案的报告》。会议授权全国人大常委会审查和批准 1987 年国家决算。

会议认真审议了国务院提请大会审议的《国务院机构改革方案》,并对改革方案提出了一些具体意见。国务院根据部分全国人大代表的意见,对改革方案进行了修改,拟保留铁道部、交通部和民航局,暂不组建运输部。会议决定原则批准国务院机构改革方案。这次国务院机构改革的基本要求是:减少政府机构直接干预企业经营活动的职能,增强宏观调控职能,初步改变机构设置不合理和行政效率低下的状况。其措施是,适当裁减一些专业管理部门,完善或新建一些综合和行业管理部门。具体变动情况是:撤销国家计划委员会、国家经济委员会、劳动人事部、煤炭工业部、石油工业部、核工业部、城乡建设环境保护部、航空工业部、航天工业部、水利电力部、国家机械工业委员会、电子工业部 12 个部、委;新组建国家计划委员会、人事部、劳动部、物资部、能源部、建设部、航空航天工业部、水利部和机械电子工业部 9 个部、委;将新华通讯社转为事业单位。

会议根据中共中央关于修改《中华人民共和国宪法》个别条款的建议,审议了全国人大常委会向大会提出的宪法个别条款的修正草案。草案的内容包括宪法第十一条增加规定:“国家允许私营经济在法律规定的范围内存在和发展。私营经济是社会主义公有制经济的补充。国家保护私营经济的合法的权利和利益,对私营经济实行引导、监督和管理。”宪法第十条第四款“任何组织或者个人不得侵占、买卖、出租或者以其他形式非法转让土地”修改为:“任何组织或者个人不得侵占、买卖或者以其他形式非法转让土地。土地的使用权可以依照法律的规定转让。”会议于 1988 年 4 月 12 日通过了宪法修正案,并予以公布施行。

从 3 月 31 日到 4 月 5 日,会议对《中华人民共和国全民所有制工业企业法》和《中华人民共和国中外合作经营企业法》

草案进行了认真审议，提出了许多很好的意见。代表们认为，《全民所有制工业企业法》是一个重要的基本法律。草案总结了改革的成功经验，对企业的若干重大问题作出了法律规定，体现了党的十三大精神，必将对深化改革起重要的推动作用。《中外合作经营企业法》是一部重要的涉外经济法律，草案总结了几年来举办中外合作经营企业的成功经验，体现了对外开放的方针，必将促进中外合作经营企业的进一步发展。法律委员会于4月5日、6日召开会议，根据各代表团的审议意见和六届全国人大常委会第二十五次会议的审议意见，对两个法律草案进行了审议、修改。法律委员会认为，这两个法律草案经过较长时间的调查研究，广泛征求了各方面的意见，并且经过多次审议修改，基本可行，建议大会主席团审议后提请大会审议通过。会议根据大会主席团的提议，于1988年4月13日通过了《中华人民共和国全民所有制工业企业法》，自1988年8月1日起施行；于1988年4月13日通过并公布了《中华人民共和国中外合作经营企业法》，自公布之日起施行。

会议选举杨尚昆为中华人民共和国主席，王震为中华人民共和国副主席；邓小平为中华人民共和国中央军事委员会主席；万里为全国人大常委会委员长，习仲勋、乌兰夫（蒙古族）、彭冲、韦国清（壮族）、朱学范、阿沛·阿旺晋美（藏族）、班禅额尔德尼·确吉坚赞（藏族）、赛福鼎·艾则孜（维吾尔族）、周谷城、严济慈、荣毅仁、叶飞、廖汉生（土家族）、倪志福、陈慕华（女）、费孝通、孙起孟、雷洁琼（女）为副委员长，彭冲兼秘书长，万里等136人为全国人大常委会委员；任建新为最高人民法院院长；刘复之为最高人民检察院检察长。会议决定李鹏为中华人民共和国国务院总理，赵紫阳、杨尚昆为中华人民共和国中央军事委员会副主席，洪学智、刘华清、秦基伟、迟浩田、杨白冰、赵南起（朝鲜族）为中华人民共和国中央军事委员会委员。会议决定，由中华人民共和国主席杨尚昆任命国务院副总理、国务院秘书长、各部部长、各委员会主任、中国人民银行行长、审计署审计长。会议还通过了七届全国人大各专门委员会主任委员、副主任委员、委员名单。

会议收到议案488件，建议、批评和意见3000多件，分别交有关专门委员会审议和有关部门处理。

七届全国人大一次会议的召开是党的十三大以后我国人民政治生活中的一件大事。会议以其前所未有的民主气氛和开放程度，赢得了国内外的普遍赞誉和高度评价。从审议、讨论到表决、选举，代表们以高度负责的精神，对国家大政方针发表了许多中肯的见解。这次大会为本届人大工作的顺利开展打下了良好的基础。

第七届人大第二次会议

全国七届人大二次会议于1989年3月20日至4月4日在北京举行。2853名代表出席了本次大会。大会的主要议程是：听取和审议国务院总理李鹏关于政府工作的报告，国务院副总理兼国家计划委员会主任姚依林《关于1989年国民经济和社会发展计划草案的报告》、国务委员兼财政部部长王丙乾《关于1988年国家预算执行情况和1989年国家预算草案的报告》、全国人大常委会副委员长彭冲《全国人大常委会的工作报告》、最高人民法院院长任建新《最高人民法院的工作报告》、最高人民检察院检察长刘复之《最高人民检察院的工作报告》；审查和批准1988年国民经济和社会发展计划执行情况和1989年国民经济和社会发展计划、1988年国家预算执行情况和1989年国家预算；审议《中华人民共和国行政诉讼法（草案）》、《中华人民共和国全国人民代表大会议事规则（草案）》和国务院关于建议授权深圳市人大及其常委会制定深圳经济特区法规的议案。

李鹏所作的题为《坚决贯彻治理整顿和深化改革的方针》的政府工作报告，分析了我国经济发展的状况和存在的问题，阐述了治理整顿的紧迫性，提出了治理整顿和深化改革的目标和部署。

《报告》指出，改革开放十年来，我国各个方面的工作都取得了显著的进展，但面临的问题和困难也不少，最突出的是出现了明显的通货膨胀，物价上涨幅度过大。党的十三届三中全会正确地分析了我国的经济形势，提出了治理经济环境、整顿经济秩序、全国深化改革的方针，确定了今明两年要把建设和改革的重点放到治理整顿上来的部署。为了贯彻落实这一方针和部署，必须把稳定、改革和发展统一起来，在稳定中推进改革和求得发展。从今年起，我们要用两年或更长一些时间，努力实现治理整顿所要达到的目标：①消除经济过热，把发展速度降到比较合理的水平。②遏制通货膨胀。③压缩固定资产投资规模，使它同国力承担的可能相适应；控制消费基金的过快增长，使它同国民收入的增长相适应。④逐步缓解社会总需求大于总供给的矛盾，实现财政、信贷、物资、外汇的基本平衡。⑤认真调整经济结构，使粮、棉、油等主要农产品的产量有较大增加，使能源、交通、原材料供应的紧张状况有所缓和。⑥建立健全必要的经济法规以及宏观调控体系和监督体系，积极推进社会主义商品经济新秩序的建设。

《报告》强调，为了实现上述目标，当前治理整顿的重点仍然是压缩社会需求，主要是压缩固定资产投资规模，坚决控制消费需求的过快增长，努力改善和增加有效供给，以缓解市场供求矛盾，保障人民生活和国家建设的需要。同时，要认真整顿经济秩序特别是流通秩序，认真调整经济结构，要确保科技和教育的发展。而且，要把治理整顿同深化改革密切结合起来，在治理整顿中积极发展对外开放，努力创造良好的稳定的社会政治环境。

会议对李鹏总理的政府工作报告进行了认真的审议。会议认为，一年来经过各级人民政府和全国各族人民的共同努力，全国各项工作取得了新的进展。报告实事求是地肯定了成绩，指出了面临的问题和困难，分析了工作中的失误，提出了进一步治理整顿和深化改革的目标和部署。报告提出的任务是艰巨的，经过努力是可以实现的。会议决定批准这个报告。

姚依林《关于1989年国民经济和社会发展计划草案的报告》介绍了1988年国民经济和社会发展计划的执行情况，提出了1989年计划的主要目标和任务，以及实现1989年计划的措施。

《报告》指出，1988年是我国社会主义现代化建设事业继续向前发展的一年。经济体制改革继续深入，国民经济持续增长，国家经济实力进一步加强，各项社会事业有了新的发展。与此同时，经济生活中也存在不少问题，最突出的是由于经济过热、需求过旺，出现了明显的通货膨胀，物价上涨幅度过大。具体表现为：社会生产持续增长，但工业发展速度过高；一批大中型固定资产投资项目竣工投产，但投资需求继续膨胀,在建工程投资总规模大大超过国力的可能;市场各类零售商品额全面增长,但物价上涨过猛;城乡人民货币收入继续增加,但一部分居民实际生活水平有所下降;对外经济技术交流取得新的进展,但对外贸易的秩序有待进一步改善;科学、教育、文化、卫生、体育等各项事业进一步发展,但还不能适应社会主义现代化建设的需要。

《报告》指出,为了实现李鹏总理在政府工作报告中所提出的治理、整顿的任务,1989年计划的宏观调控目标是:在提高经济效益的前提下,保持适度的经济增长率;全社会固定资产投资总规模,比上年水平压缩20%以上,并按照国家产业政策,进一步改善投资结构;国家预算赤字和货币发行量都要低于上年;通过切实控制需求,增加和改善有效供给,做到全国零售物价指数上涨幅度明显低于上年。1989年计划的具体任务,主要有以下几个方面:坚决压缩固定资产投资规模,调整投资结构;控制消费需求过快增长,逐步缓解社会分配不公的矛盾;争取农业生产,特别是粮食、棉花、油料生产有较大增长;将过高的工业速度降下来,并认真调整生产结构;妥善调整进出口商品结构,进一步扩大对外经济合作和技术交流;进一步发展科技教育和文化卫生体育事业。

《报告》强调,为了努力实现1989年计划,应当全面深化改革,进一步完善和发展企业承包经营责任制,大力整顿经济秩序特别是流通秩序,促进社会主义商品经济新秩序的建设,切实加强和改进宏观经济调控。

会议经过审议并根据全国人大财经委员会的审查报告,决定批准国务院提出的1989年国民经济和社会发展计划,批准《关于1989年国民经济和社会发展计划草案的报告》。

王丙乾《关于1988年国家预算执行情况和1989年国家预算草案的报告》报告了1988年国家预算的执行情况,提出了1989年国家预算草案和统一认识,顾全大局,为完成1989年国家预算而努力的任务。

代表们对王丙乾的报告进行了认真审议,全国人大财政经济委员会根据代表们提出的意见,对报告进行了审查。财经委员会认为,根据预算报告中的预计数字,1988年国家财政收入和支出都完成了七届全国人大一次会议批准的国家预算。国务院提出的1989年国家预算(财政总收入为2856.8亿元,比上年预计执行数字增长10.4%;财政总支出为2930.8亿元,比上年预计执行数增长9.8%;收支相抵,赤字74亿元)是可行的。同时,要完成这个预算,任务也是艰巨的。为此,财经委员会建议:要认真落实各项增加收入的措施,并强化税收的征管工作;要认真加强对支出的管理;狠抓经济效益,努力扭亏增盈;要严格按预算办事,依法理财;要健全财经制度,严肃财经纪律,坚决改变目前纪律松弛的状况;要发扬艰苦奋斗,勤俭建国的优良传统。财经委员会建议全国人大批准《关于1988年国家预算执行情况和1989年国家预算草案的报告》,批准国务院提出的1989年国家预算,并建议在1988年国家决算编成后,授权全国人大常务委员会批准。七届全国人大二次会议根据财经委员会的审查报告,决定批准国务院提出的1989年国家预算,批准《关于1988年国家预算执行情况和1989年国家预算草案的报告》。会议授权全国人大常委会审查批准1988年国家决算。

《全国人民代表大会常务委员会工作

报告》指出,一年来,全国人大常委会根据宪法赋予的职权,按照七届全国人大一次会议关于常委会工作报告决议的要求,改进和加强了各方面的工作,在发展社会主义民主,健全社会主义法制,促进现代化建设和改革开放方面,取得了新的进展,主要是加强了立法工作和对法律实施的监督。加强了工作监督,存在的缺点和问题主要是:立法工作还不适应改革和建设的要求,监督工作如何进一步做到程序化、制度化,还需要在实践中继续总结经验,加以改进,常委会在同全国人大代表和地方人大常委会联系方面,也还做得不够,需要进一步加强。

《最高人民法院工作报告》指出,一年来,最高人民法院履行宪法和法律赋予的职责,努力发挥国家审判机关依法惩治犯罪、保护人民、促进改革、保障四化的职能作用。开展的主要工作有:为维护社会安定、保障治理整顿和深化改革,大力开展了各项审判工作;为适应新形势下审判任务的需要,加强了法院的改革和建设。工作中的缺点主要有:对全国法院工作面临的新情况、新问题调查研究不够深入、系统;对法院工作的宏观指导需要进一步加强;对下级法院的审判监督、检查不够;办案的质量和效率还需要进一步提高;对法院干部队伍的思想政治教育抓得不够有力,对一些干警中存在的纪律松弛、作风拖拉的现象,亟待进一步加强管理和教育。

《最高人民检察院工作报告》总结了1988年检察机关打击贪污、受贿犯罪、刑事犯罪,查处侵犯公民民主权利案件,以及执法情况和队伍建设情况。《报告》指出,1989年,检察机关在继续深入改革中,要进一步贯彻人民检察院组织法,履行法律监督职责,加强和完善检察机关自上而

下的领导体制;完善法律监督的具体程序;抓紧对检察人员的培养、训练,加强制度建设,为建设社会主义的法治社会作出更大的努力。

会议对上述三个报告进行了认真审议,并分别作出了相应的决议,批准了这三个报告。

《中华人民共和国行政诉讼法》包括总则、受案范围、管辖、诉讼参加人、证据、起诉和受理、审理和判决、执行、侵权赔偿责任、涉外行政诉讼、附则共11章75条。会议听取了全国人大常委会副委员长、法制工作委员会主任王汉斌关于《中华人民共和国行政诉讼法(草案)》的说明。王汉斌指出,制定行政诉讼法,是刑事诉讼法、民事诉讼法(试行)制定之后,我国社会主义法制建设的一件大事,也是我国社会主义民主政治建设的一个重要步骤。行政诉讼法的制定,对于贯彻执行宪法和党的十三大报告提出的保障公民合法权益的原则,对于维护和促进行政机关依法行使行政权,改进和提高行政工作,都有重要的积极的意义,对于治理经济环境、整顿经济秩序和廉政建设也有积极的促进作用。

会议经过认真审议行政诉讼法,于1989年4月4日通过了草案,并予以公布,该法自1990年10月1日起施行。

《中华人民共和国全国人民代表大会议事规则》共7章54条,其内容包括:全国人民代表大会会议的举行,议案的提出和审议,审议工作报告、审查国家计划和国家预算,国家机构组成人员的选举、罢免、任免和辞职,询问和质询,调查委员会,发言和表决。代表们对议事规则进行了认真的审议,并提出了修改意见。全国人大法律委员会就该法律草案的审议结果向大会作了报告,建议主席团审议后提请大

会审议通过。大会于 1989 年 4 月 4 日通过了全国人民代表大会议事规则，并予以公布，自公布之日起施行。

会议审议了国务院提请授权深圳市人民代表大会及其常委会和深圳市人民政府分别制定深圳经济特区法规和深圳经济特区规章的议案，会议决定：授权全国人大常委会在深圳市依法选举产生市人大及其常委会后，对国务院提出的上述议案进行审议，作出相应决定。

本次代表大会会议期间，收到代表团和 30 名以上代表联名提出的议案共 411 件，收到代表对各方面的工作提出的建议、批评和意见 3000 多件。这些议案和建议分别交有关委员会审议和交有关部门处理。

七届全国人大二次会议有效地行使了宪法赋予的职权，它所作出的决定和通过的法案对以后的工作产生了重大的影响。

三

第七届人大第三次会议

全国七届人大三次会议于 1990 年 3 月 20 日至 4 月 4 日在北京举行，出席会议的代表 2805 人。会议的主要议程是：听取李鹏总理题为《为我国政治经济和社会的进一步稳定发展而奋斗》的政府工作报告、邹家华《关于 1989 年国民经济和社会发展计划执行情况与 1990 年计划草案的报告》、王丙乾《关于 1989 年国家预算执行情况和 1990 年国家预算草案的报告》以及彭冲、任建新、刘复之分别作的全国人大常委会、最高人民法院、最高人民检察院的工作报告；审议通过《中华人民共和国香港特别行政区基本法》和相应的决定以及《中华人民共和国中外合资经营企业法修正案》，改选中央军委领导人，补选全国人大常委会委员。

李鹏总理的政府工作报告指出，1989年是很不寻常的一年。在这一年里，全国各族人民经历了严峻的考验，克服了重重困难，巩固和发展了我国的社会主义阵地，取得了历史性的伟大胜利。集中表现在三个方面：一是平息了政治风波；二是治理整顿和深化改革取得了比较明显的成效；三是政治思想战线出现了新的转机。报告指出，1989 年我国各族人民能够在复杂多变的国际风云中，坚守住社会主义阵地的基本经验，就是必须坚决维护国家和社会的稳定；坚持社会主义道路，坚持共产党的领导；必须把坚持四项基本原则和坚持改革开放更加紧密地结合起来；始终坚持国民经济持续、稳定、协调发展的方针；保持基本方针政策的稳定性和连续性；紧紧依靠和密切联系人民群众，坚决消除腐败现象，切实改进工作作风。报告根据中国共产党十三届四中、五中、六中全会精神，提出了 1990 年政府工作总的指导思想：坚定不移地贯彻执行党在社会主义初级阶段的基本路线，坚持以经济建设为中心，坚持四项基本原则，坚持改革开放，调动一切积极因素，团结全国各族人民，振奋精神，克服困难，为治理整顿、深化改革的顺利推进，为实现国家政治、经济和社会的进一步稳定发展而奋斗。为了实现 1990 年国民生产总值比上年增长 5％、工业总产值增长 6％、农业总产值增长 4％、粮食产量达到 41250 万吨、比上年增加 505 万吨的任务，报告提出，1990 年各级政府要努力做好以下十项工作：第一，集中力量办好农业，争取粮食、棉花等主要农产品有一个好的收成，促进农林牧副渔全面发展；第二，努力改变市场销售疲软状况,重点抓好调整结构和提高效益,保持工业生产适度增长;第三,在治理整顿和深化改革中推动科学技术进步,保证教育事业稳步发展;第四,继续控制社会总需求,努力做好财政金融工作;第五,加强物价管理,稳定国内市场,安排好人民生活;第六,深化和完善经济体制改革,重点是深化企业改革和健全宏观调控体系;第七,坚持对外开放,积极扩展对外贸易和经济技术交流;第八,继续加强社会主义民主和法制建设,巩固和发展安定团结的政治局面;第九,切实加强社会主义精神文明建设,促进我国社会全面进步;第十,坚持抓好计划生育,严格控制占用耕地,节约使用矿产资源,继续加强环境保护。为了实现上述各项工作任务,报告要求各级政府必须下更大的决心,花更大的力量继续加强廉政建设,密切联系群众,切实改进机关作风。1990年的廉政建设,主要应抓好以下几件事:①要组织专门力量,对中共中央、国务院以及各地方各部门采取的廉政规定和措施,认真进行全面检查,并将落实情况逐项公布于众,接受群众评议和监督。②制定和实施各级领导干部和工作人员的个人收入监督制度,以及在国内外交往中收受礼品的规定,进一步深入开展反贪污、反受贿的斗争。③对各级领导干部和工作人员的住房、建房标准进一步作出具体规定,切实纠正和防止多占住房、用公款超标准装修住房和违法违纪营建私房。④大力整顿和坚决纠正部门和行业的不正之风,特别是加紧整肃执法部门和监督机构的违法违纪行为。为了推进廉政建设,1990年要继续集中力量查处三个方面的案件:一是领导机关、领导干部、执法监督部门及其工作人员利用职权搞权钱交易,采取各种手段获取非法利益的案件。二是社会反

映强烈、群众关心的热点问题。三是严肃查处官僚主义、失职渎职案件,以及有令不行、有禁不止、各行其是的违纪违法行为。各级政府机关工作人员特别是领导干部,必须坚持全心全意为人民服务的宗旨,坚持群众路线,切实改进思想作风和工作作风。从1990年起,县以上的政府机关,必须把组织干部下基层作为一项制度长期坚持下去。报告指出,90年代是推进祖国统一、振兴中华的重要历史时期。我们要同台湾同胞、港澳同胞、海外侨胞和一切拥护统一的人士一道,继续按照"一国两制"的方针,共同推动祖国和平统一的进程。报告最后指出,在当前的国际形势下,要继续奉行独立自主的和平外交政策,坚持反对霸权主义,维护世界和平,在和平共处五项原则的基础上同一切国家保持和发展友好关系,加强同第三世界国家的团结与合作,为建立国际政治和经济新秩序,促进世界的和平与发展作出应有的努力。

《关于1989年国民经济和社会发展计划执行情况与1990年计划草案的报告》指出,1989年国民经济和社会发展计划的执行情况基本上是好的。突出表现在:连续几年的经济过热已经降温,过大的固定资产投资规模有了压缩,通货膨胀得到控制,全国零售物价上涨幅度逐月降低,社会生产继续增长。主要成绩有以下几个方面:第一,粮食生产获得好收成,农林牧副渔业继续发展。全国农业总产值达到6550亿元,比上年增长3.3%。第二,连续几年过高的工业增长速度已经降了下来。全国工业总产值达到21880亿元,比上年增长8.3%(不包括村及村以下工业为6.8%),达到了计划的要求。第三,固定资产投资规模得到控制,一批大中型项目建成投产。1989年全社会固定

资产投资完成 4000 亿元,比上年减少近 500 亿元,下降 11%。第四,市场商品供应比较充裕,零售物价上涨幅度低于上年。社会商品零售总额为 8101 亿元,比上年增长 8.9%,全年零售物价总水平比上年上涨了 17.8%,上涨幅度低于上年。第五,科技、教育和文化、卫生、体育等各项事业稳定发展。第六,社会消费需求有所控制。尽管治理整顿工作取得了比较明显的成效,但经济生活中仍然存在着不少问题和困难。主要是:①多年积累下来的国民收入超分配、社会总需求超过总供给的问题,还未得到根本解决。②上年第四季度以来,市场销售疲软,资金紧张,产成品库存积压,商品流通不畅,工业生产的增长速度回落过猛。③结构调整进展缓慢。④经济效益差的状况仍然没有改变。⑤停产、半停产企业增加,城镇待业人员增多,部分居民生活发生困难。这些问题的出现,是多年积累下来的一些深层次矛盾的反映,是治理整顿过程中难以避免的;有的则是由于工作缺乏预见性,措施不够及时,调度不够有力所致。《报告》提出 1990 年国民经济和社会发展计划的主要目标是:①保持经济适度增长率。在提高经济效益和技术水平的基础上,农业总产值比上年增长 4%;工业总产值增长 6%;国民生产总值增长 5%。②进一步降低通货膨胀率,全国零售物价上涨幅度计划控制在低于上年的水平上。③全社会固定资产投资规模计划 4100 亿元,并切实按照国家产业政策,进一步调整投资结构。④继续从紧控制信贷规模和货币发行量,国家预算赤字低于上年水平。⑤保持当年外汇收支基本平衡。1990 年计划的主要任务是:①切实加强农业,争取粮食、棉花等主要农产品生产稳定增长。②积极促进市场销售,大力调整结构和提高

经济效益,保持工业生产适度增长。③继续控制固定资产投资规模,调整投资结构。④安排好国内市场和人民生活,继续控制物价总水平。⑤坚持对外开放,努力调整进出口商品结构,进一步发展对外贸易和经济技术交流。⑥进一步发展科学、教育和文化卫生体育事业,严格控制人口增长。为了坚持把治理整顿和深化改革结合起来,努力完成 1990 年计划,《报告》提出:第一,要坚持和完善企业承包经营责任制。第二,要加强对生产、流通领域的计划指导和管理。第三,要继续深化固定资产投资体制的改革。第四,要按照计划经济与市场调节相结合的原则,加强和改进宏观调控体系和制度。

会议通过了《关于 1989 年国民经济和社会发展计划执行情况、1990 年国民经济和社会发展计划的决议》,决定批准国务院提出的 1990 年国民经济和社会发展计划,批准邹家华的报告。

《关于 1989 年国家预算执行情况和 1990 年国家预算草案的报告》指出,1989 年国家预算的执行情况是比较好的,财政收入超额完成了国家预算,基本上保证了建设和改革的资金需要。根据预计的数字,1989 年国家财政总收入为 2919.2 亿元,完成预算的 102.2%;国家财政总支出为 3014.55 亿元,完成预算的 102.9%;收入和支出相抵,财政赤字为 95.35 亿元,超过了 74 亿元的预算数。1989 年财政赤字超过预算的主要原因:一是 1989 年春夏之交的政治风波,不仅使经济和财政收入受到了相当大的损失,而且使国家在原定的预算之外增加了财政开支;二是局部地区遭受地震、台风和其他自然灾害,救灾支出增加较多;三是为了支持农业和文教事业发展的需要,支援农业支出和文教支出,在执行中超过了预算。1989 年国家

财政收入超额完成了预算,这主要是在治理整顿中,全国人民努力克服困难,增产节约、增收节支,作出了积极的贡献。各地区、各部门认真贯彻执行治理整顿和深化改革的方针,在开辟财源,增加收入,控制支出,加强管理监督等方面,做了大量工作。一是在生产发展的基础上,努力组织收入,超额完成了收入任务;二是贯彻紧缩财政的方针,控制和节减了一些非重点的财政支出;三是调整支出结构,增加了能源、交通、农业、教育、科技等重点投入;四是结合治理整顿工作,全面开展了税收、财务、物价大检查。《报告》提出的1990年国家预算草案是:财政总收入为3236.53亿元,比上年预计执行数增长10.9%;财政总支出为3325.45亿元,比上年预计执行数增长10.3%;收支相抵,支出大于收入88.92亿元。《报告》还对国家预算中编列的财政赤字问题;开辟新财源,增加财政收入问题;国内外债务还本付息支出的安排问题;紧缩财政支出和保证重点需要问题;企业亏损补贴和价格补贴问题;调整职工工资问题作了说明。《报告》最后提出,为了确保1990年国家预算圆满实现,主要要做好以下工作:一要统一思想认识,树立全局观念;二要狠抓经济效益,大力组织财政收入;三要大力压缩和严格控制财政支出,真正过紧日子;四要继续深化改革,推进财政法制建设;五要整顿财税秩序,加强财政监督。

会议通过了《关于1989年国家预算执行情况和1990年国家预算的决议》,决定批准国务院提出的1990年国家预算,批准王丙乾的报告。会议授权全国人大常委会审查和批准1989年国家决算。

会议审议、通过了《全国人民代表大会关于设立香港特别行政区的决定》,《决定》指出:一、自1997年7月1日起设立香港特别行政区。二、香港特别行政区的区域包括香港岛、九龙半岛,以及所辖的岛屿和附近海域。香港特别行政区的行政区域图由国务院另行公布。

会议审议、通过了《全国人民代表大会关于〈中华人民共和国香港特别行政区基本法〉的决定》,《决定》指出,"会议通过《中华人民共和国香港特别行政区基本法》,包括附件一:《香港特别行政区行政长官的产生办法》,附件二:《香港特别行政区立法会的产生办法和表决程序》,附件三:《在香港特别行政区实施的全国性法律》,以及香港特别行政区区旗和区徽图案"。"香港特别行政区基本法是根据《中华人民共和国宪法》,按照香港的具体情况制定的,是符合宪法的。香港特别行政区设立后实行的制度、政策和法律,以香港特别行政区基本法为依据。""《中华人民共和国香港特别行政区基本法》自1997年7月1日起实施。"

《中华人民共和国香港特别行政区基本法》包括序言,第一章总则,第二章中央和香港特别行政区的关系,第三章居民的基本权利和义务,第四章政治体制,第五章经济,第六章教育、科学、文化、体育、宗教、劳工和社会服务,第七章对外事务,第八章本法的解释和修改,第九章附则,共有条文160条。还有三个附件,即附件一《香港特别行政区行政长官的产生办法》,附件二《香港特别行政区立法会的产生办法和表决程序》,附件三《在香港特别行政区实施的全国性法律》。这部基本法的通过和颁布,以国家基本法律的形式,落实了"一国两制"的伟大构想,勾画了未来香港的蓝图。"一国"与"两制"的紧密结合,维护国家的主权、统一和领土完整与授权香港特别行政区实行高度自治的紧密结合,是这部基本法的主要特征。《基本法》

第一条明文规定:"香港特别行政区是中华人民共和国不可分离的部分。"《基本法》还作了如下规定:香港特别行政区境内的土地和自然资源属于国家所有;香港特别行政区直辖于中央人民政府;中央人民政府负责管理与香港特别行政区有关的外交事务,负责管理香港特别行政区的防务;中央人民政府依照基本法的有关规定任命香港特别行政区的行政长官和行政机关的主要官员;基本法的解释权属于全国人大常委会,修改权属于全国人大;香港特别行政区的立法机关制定的法律须报全国人大常委会备案,如人大常委会认为任何法律不符合基本法有关中央管理的事务及中央和香港特别行政区关系的条款,可将其发回,经发回的法律立即失效;全国人大常委会决定宣布战争状态或因香港特别行政区内发生香港特别行政区政府不能控制的危及国家统一或安全的动乱而决定香港特别行政区进入紧急状态,中央人民政府可发布命令将有关全国性法律在香港特别行政区实施;香港特别行政区应自行立法禁止任何叛国、分裂国家、煽动叛乱、颠覆中央人民政府及窃取国家机密的行为;在香港特别行政区政府各部门任职的公务人员必须是香港特别行政区永久性居民,行政长官、政府主要官员、立法会主席、立法会至少80%的议员、终审法院和高等法院的首席法官均由在外国无居留权的香港特别行政区永久性居民中的中国公民担任。这些条款,保证了"一国"的统一性,维护了国家的神圣主权。《基本法》第五条明文规定:"香港特别行政区不实行社会主义制度和政策,保持原有的资本主义制度和生活方式,五十年不变。"《基本法》还作了相应的规定:依法保护私有财产权;保障金融企业和金融市场的经营自由;不实行外汇管制政策,继续开放外汇、黄金、证券、期货等市场;保障资金的流动和进出自由;实行自由贸易政策,保障货物、无形财产和资本的流动自由等等。依照基本法的规定,香港特别行政区实行高度自治,享有行政管理权、立法权、独立的司法权和终审权,财政独立,税收制度独立,自行发行货币。中央人民政府派驻香港特别行政区负责防务的军队,不干预香港特别行政区的地方事务。在对外防务中,香港特别行政区政府的代表可作为中华人民共和国政府代表团的成员,参加同香港直接有关的外交谈判,参加同香港有关的、适当领域的国际组织和国际会议;可以以"中国香港"的名义,参加不以国家为单位参加的国际组织和国际会议,在经济、贸易、金融、航运、通讯、旅游、文化、体育等领域单独地同世界各国、各地区及有关国际组织保持和发展关系,签订和履行有关协议;可以签发中华人民共和国香港特别行政区护照和其他旅行证件;可根据需要在外国设立官方或半官方的经济和贸易机构。这些条款,体现了"两制"的差异性,有利于保障香港特别行政区的稳定繁荣。《香港特别行政区基本法》的颁布,标志着香港进入了过渡时期的新阶段。

会议审议、通过了《全国人民代表大会关于香港特别行政区第一届政府和立法会产生办法的决定》,规定香港特别行政区第一届政府和立法会根据体现国家主权、平稳过渡的原则产生。香港特别行政区的成立须由全国人大设立的香港特别行政区筹备委员会负责主持。香港特别行政区第一任行政长官,由香港人组成的推选委员会负责产生,报请中央人民政府任命。原香港最后一届立法局的组成如符合全国人大关于特别行政区第一届政府和立法会产生办法的决定中的规定,其议员拥护基本法,愿意效忠香港特别行政区并符合基本法规定条件者,经筹委会确认后可成为香港特别行政区第一届立法会议员。

会议还审议通过了《全国人民代表大会关于批准香港特别行政区基本法起草委员会关于设立全国人民代表大会常务委员会香港特别行政区基本法委员会的建议的决定》,规定在《中华人民共和国香港特别行政区基本法》实施时,设立全国人民代表大会常务委员会香港特别行政区基本法委员会。

《全国人民代表大会关于修改〈中华人民共和国中外合资经营企业法〉的决定》于 1990 年 4 月 4 日由本次大会通过,同日,由《中华人民共和国主席令》第 27 号公布施行。《决定》对 1979 年 7 月 1 日五届全国人大二次会议通过的中外合资经营企业法的一些条款作了适当的修改和补充。其主要内容是:①第二条增加一款,作为第三款:"国家对合营企业不实行国有化和征收;在特殊情况下,根据社会公共利益的需要,对合营企业可以依照法律程序实行征收,并给予相应的补偿。"②第三条修改为:"合营各方签订的合营协议、合同、章程,应报固定对外经济贸易主管部门(以下称审查批准机关)审查批准。审查批准机关应三个月内决定批准或不批准。合营企业经批准后,向国家工商行政管理主管部门登记,领取营业执照,开始营业。"③第六条第一款修改为:"合营企业设董事会,其人数组成由合营各方协商,在合同、章程中确定,并由合营各方委派和撤换。董事长和副董事长由合营各方协商确定或由董事会选举产生。董事会根据平等互利的原则,决定合营企业的重大问题。"④第七条第二款修改为:"合营企业依照国家有关税收的法律和行政法规的规定,可以享受减税、免税的优惠待遇。"⑤第八条第一款修改为:"合营企业应凭营业执照在国家外汇管理机关允许经营外汇业务的银行或其他金融机构开立外汇账户。"第十条第一款修改为:"外国合营者在履行法律和协议、合同规定的义务后分得的净利润,在合营企业期满或者中止时所分得的资金以及其他资金,可按合营企业合同规定的货币,按外汇管理条例汇往国外。"第十一条修改为:"合营企业的外籍职工的工资收入和其他正当收入,按中华人民共和国税法缴纳个人所得税后,可按外汇管理条例汇往国外。"⑥第十二条修改为:"合营企业的合营期限,按不同行业、不同情况,作不同的约定。有的行业的合营企业,应当约定合营期限;有的行业的合营企业,可以约定合营期限,也可以不约定合营期限。约定合营期限的合营企业,合营各方同意延长合营期限的,应在距合营期满六个月前向审查批准机关提出申请。审查批准机关应自接到申请之日起一个月内决定批准或不批准。"⑦第十三条修改为:"合营企业如发生严重亏损、一方不履行合同和章程规定的义务、不可抗力等,经合营各方协商同意,报请审查批准机关批准,并向国家工商行政管理主管部门登记,可终止合同。如果因违反合同而造成损失的,应由违反合同的一方承担经济责任。"

《全国人民代表大会常务委员会工作报告》指出,在过去的一年里,全国人大常委会坚持以党的基本路线为指导,认真履行宪法赋予的职责,各方面工作取得了新的进展。第一,坚决支持制止政治风波,维护宪法尊严和国家稳定。第二,加强立法工作和对法律实施的监督,推进社会主义法制建设。第三,改进和加强工作监督,推动治理整顿、深化改革和廉政建设。

第四,加强指导,依法搞好县乡人民代表大会换届选举。第五,认真办理代表议案和建议,倾听人民群众的意见和要求。七届全国人大二次会议以来,常委会的工作取得了一定的成绩,但还存在不少缺点和问题。主要是:立法的步伐还赶不上形势发展的要求,一些急需的法律还未制定出来,充分利用各方面的力量抓紧立法还不够;监督工作还比较薄弱,需要在政治体制改革中进一步总结经验,逐步做到制度化、法律化;在联系代表和人民群众,以及联系地方人大常委会等方面,还需要在实践中不断改进。最后,《报告》提出全国人大常委会在今后工作中要努力做到以下几点:①坚持以党的基本路线为指导,认真履行宪法赋予的职责;②加强社会主义民主和法制建设,进一步搞好立法和监督工作;③坚持民主集中制的原则,严格按照法律程序决定问题;④密切同代表和人民群众的联系,接受代表和人民群众的监督,继续加强同地方人大常委会的联系。

会议通过了《关于全国人民代表大会常务委员会工作报告的决议》,认为,常务委员会一年来为维护宪法尊严和国家稳定,推动治理整顿、深化改革,努力履行宪法赋予的职责,各方面工作取得了新的进展,要求常务委员会认真总结新中国成立以来人民代表大会制度建设的经验,坚持以党的基本路线为指导,认真行使宪法赋予的职权,继续完善人民代表大会制度,更好地发挥最高权力机关常设机关的作用;进一步加强社会主义民主和法制建设,加快立法步伐,切实改进和加强法律监督和工作监督;坚持民主集中制原则,加强常委会自身建设,密切同全国人大代表和人民群众的联系,为实现我国政治、经济和社会的进一步稳定发展,为建设高度的民主和完备的法制而努力。

《最高人民法院工作报告》指出,在过去的一年里,全国各级人民法院坚决贯彻中共十三届四中、五中全会精神,依照宪法和法律,全面开展审判工作,取得了新的成绩。主要有以下几个方面:第一,严厉惩治严重刑事犯罪,维护社会安定。人民法院对于北京的政治风波和一些地方政治动乱中发生的刑事案件,采取坚决而又慎重的方针,坚持严格依法办事,进行了公正审判;及时依法判处了一批"六害"中的犯罪案件;全国少年刑事案件的审理工作有了进展;依法严厉打击严重破坏经济的犯罪分子。第二,努力开展了民事审判、经济审判、海事审判和行政审判工作,保护了公民的民主权利和人身权利,保护了公民、法人的合法权益,维护了社会的稳定,保障和促进了治理整顿、深化改革的顺利进行。第三,加强司法解释和审判监督工作;以公开审判为重心,积极改进庭审工作;在民事、经济审判活动中,努力提高调解工作质量;加强对执行工作的领导;同外国进行司法协助工作有了进展。第四,坚持从严治院,加强了法院队伍建设。《报告》指出,人民法院工作也存在着一些问题和困难,主要有:在宏观指导上,加强基层工作还不够;对工作中的一些新情况、新问题系统地调查研究不够;人民法院面临的任务同现有的审判力量之间的矛盾,案件的大量增加同业务经费不足和必要的装备紧缺的矛盾仍十分突出,长期影响审判工作的开展。《报告》最后提出,全国各级人民法院必须坚持党的基本路线,牢固树立一切审判工作都要为保障和促进国家的政治、经济和社会进一步稳定服务的观念,在人大及其常委会的监督和支持下,全面开展审判工作,充分发挥审判职能作用,保障和促进治理整顿、深化改革的顺利进行。

《最高人民检察院工作报告》指出，1989年，检察机关围绕党和国家的中心工作，依照宪法和法律，认真履行法律监督职责，工作有了新的进展。主要表现在：最高人民检察院领导地方各级人民检察院和专门检察院，继续把反贪污、贿赂犯罪作为检察机关的工作重点，集中力量查处大案要案，为治理整顿和深化改革服务；依法从重从快打击严重刑事犯罪活动，维护社会稳定；依法查处侵犯公民民主权利、渎职犯罪案件，保护公民的合法权益；加强思想政治工作和队伍建设。《报告》最后提出，1990年各级检察院要抓住惩治贪污、贿赂犯罪和打击刑事犯罪这两个重点，继续深入发动群众举报，开展揭发检举贪污、贿赂犯罪分子的活动，提高破获大案要案的能力，使反贪污、贿赂斗争向纵深发展；坚持依法从重从快严厉打击严重刑事犯罪活动，推动社会治安继续向好的方向发展。

会议认真审议了最高人民法院和最高人民检察院的工作报告，并通过了相应的决定，批准了这两个报告。

会议通过了关于接受邓小平辞去中央军委主席职务的请求的决定，选举江泽民为中央军委主席并根据他的提名决定刘华清为中央军委副主席，免去洪学智的中央军委委员职务。会议补选曹志为七届全国人大常委会委员。会议还通过了关于确认全国人大常委会接受贺敬之、伍觉天辞去全国人大常委会委员职务的请求的决定。

这次会议上，代表和代表团共提出议案384件。经大会主席团审议决定，将其中80件交有关专门委员会审议，提出是否列入全国人大或全国人大常委会会议议程的意见，由全国人大常委会审议决定，其余的304件，连同代表提出的3491

件建议、批评和意见，由常委会办公厅会同国务院办公厅交有关部门研究处理，并负责答复代表。

七届全国人大三次会议是一次民主的会议，团结的会议，鼓劲的会议，胜利的会议。全体代表不负人民的重托，认真行使自己的职权，团结一致，群策群力，胜利地完成了预定的议程。政府工作报告和其他报告的审议通过，确定了1990年全国各项工作的大政方针；《香港特别行政区基本法》的通过，以国家基本法律的形式落实了"一国两制"的伟大构想；《中外合资经营企业法修正案》的通过，为进一步对外开放提供了法律依据。会议取得一个共识，就是维护国家稳定是当前压倒一切的头等大事。政治稳定和社会稳定是前提，经济稳定发展是基础，因此必须集中力量把国民经济搞上去。总之，这次会议的胜利召开，为实现我国政治、经济和社会的进一步稳定发展作出了新的贡献。

四

第七届人大第四次会议

全国第七届人民代表大会第四次会议于1991年3月25日至4月9日在北京举行，出席会议的代表共2802名。这次会议主要是审议国民经济和社会发展十年规划和第八个五年计划纲要。会议的主要议程是：听取李鹏《关于国民经济和社会发展十年规划和第八个五年计划纲要的报告》、邹家华的《关于1990年国民经济和社会发展计划执行情况与1991年计划草案的报告》、王丙乾的《关于1990年国家预算执行情况和1991年国家预算草案的报告》以及彭冲、任建新、刘复之分别作的全国人民代表大会常务委员会、最高人民法院、最高人民检察院的工作报告；审议、批准《国民经济和社会发展十年规划和第八个五年计划纲要》；审议通过《中华人民共和国民事诉讼法》和《外商投资企业和外国企业所得税法》；通过有关人事任命事项。

李鹏在报告中指出，今后十年，是我国社会主义现代化建设的关键时期。这十年总的要求，是实现我国社会主义现代化建设的第二步战略目标，把国民经济的整体素质提高到一个新的水平。主要目标是：在大力提高经济效益和优化经济结构的基础上，国民生产总值按不变价格计算，到20世纪末比1980年翻两番；全国人民生活从温饱达到小康水平；发展教育事业，推动科技进步，改善经济管理，调整经济结构，加强重点建设，为21世纪初叶我国经济和社会的持续发展奠定物质技术基础；初步建立适应以公有制为基础的社会主义有计划商品经济发展的、计划经济与市场调节相结合的经济体制和运行机制；社会主义精神文明建设达到新的水平，社会主义民主和法制进一步健全。基本指导方针主要是：坚定不移地走建设有中国特色的社会主义道路；坚定不移地推进改革开放；坚定不移地贯彻执行国民经济持续、稳定、协调发展的方针；坚定不移地执行独立自主、自力更生、艰苦奋斗、勤俭建国的方针；坚定不移地贯彻物质文明和精神文明建设一起抓的方针。关于今后十年的经济建设，要着重考虑以下几点：①继续努力保持经济总量的平衡；②大力调整产业结构，促进产业结构的合理化并逐步走向现代化；③促进地区经济的合理分工和协调发展；④始终把提高经济效益作为全部经济工作的中心；⑤推动科技进步，发展教育事业，提高国民经济的

整体素质和促进社会的全面进步；⑥在发展生产的基础上改善人民生活。关于社会发展，主要是：①加强社会主义精神文明建设；②健全社会主义民主与法制；③加强政法工作，维护社会稳定；④深入开展反腐败斗争，进一步搞好廉政建设；⑤坚定不移地实行计划生育和环境保护的基本国策；⑥巩固和发展全国各民族的大团结。关于经济体制改革，要着重解决好以下几个问题：继续探索计划经济与市场调节相结合的具体途径和方式；进一步增强全民所有制大中型企业的活力；积极推进住房制度和社会保障制度的改革；增强国家宏观调控能力，正确处理中央与地方的关系。要继续实行和完善对外开放政策。关于国际形势和外交工作，报告指出，当今世界正处于新旧格局交替之际，旧的格局已经被打破，新的格局尚未形成。我们要一如既往地奉行独立自主的和平外交政策，反对霸权主义和强权政治，在和平共处五项原则的基础上，同一切国家保持和发展友好合作关系。

会议通过了《关于国民经济和社会发展十年规划和第八个五年计划纲要及关于〈纲要〉报告的决议》，会议决定批准《国民经济和社会发展十年规划和第八个五年计划纲要》，批准李鹏总理的报告。

《关于1990年国民经济和社会发展计划执行情况与1991年计划草案的报告》指出，1990年国民经济和社会发展计划，经过全国各族人民的共同努力，执行情况基本上是好的。主要表现在：粮棉油糖等主要农副产品大幅度增产，粮食总产量创历史最高水平；工业生产速度逐步回升，超额完成计划增长6％的目标；固定资产投资结构有所调整，重点建设加快；市场商品丰富，物价上涨幅度明显低于上年；人民生活继续改善；对外贸易和经济

技术交流进一步扩展,进出口商品结构继续改进,外汇结存增加;科技、教育和各项社会事业都有了新的进展。在充分肯定成绩的同时,《报告》还指出,经济生活中还存在着一些不容忽视的问题:一是工业生产回升不平衡;二是经济循环不畅的问题还未完全解决;三是结构调整进展缓慢,经济效益普遍较差;四是国家财政困难加剧。因此,经济形势依然存在严峻的一面。这些问题的存在,从根本上说,是多年形成的比例失调、结构不合理和经济体制没有理顺的反映;有些则是工作指导不够及时、措施不够得力所致。1991年国民经济和社会发展的主要目标是:在改善经济结构、增进经济效益的基础上,农业总产值比上年增长3.5%,工业总产值增长6%,国民生产总值增长4.5%;发展经济,广辟财源,增收节支,改善财政困难状况,合理安排信贷规模,控制货币发行和物价总水平;按照国力的可能,保持投资规模和消费需求适度增长;与经济发展相适应,努力推进各项社会事业,切实加强社会主义精神文明建设;继续支持"老、少、边、穷"地区经济的发展,积极开展经济发达地区与经济不发达地区间的横向经济联合和协作;努力推进以增强企业活力为中心的各项改革,进一步扩展对外经济技术交流与合作。1991年计划的主要任务是:继续加强农业,保持农业生产稳步发展;在调整结构、提高效益的前提下,保持工业生产和交通运输适度增长;继续控制固定资产投资总额,进一步改善投资结构;精心组织市场商品供应,严格物价管理,安排好人民生活;进一步扩大对外开放,积极推进对外贸易和经济技术的交流与合作;促进科技进步和智力开发,进一步发展文化、卫生、体育等各项社会事业。为了全面完成1991年计划,要着重

抓好以下几个方面:第一,切实把主要精力放在结构调整上,争取在这方面迈出重要的一步;第二,大力开展"质量、品种、效益年"活动,在提高经济素质和效益上下工夫;第三,进一步开拓市场,促进经济的正常循环;第四,积极完善和深化改革。正确处理深化改革与治理整顿和发展经济的关系。

会议通过了《关于1990年国民经济和社会发展计划的执行情况、1991年国民经济和社会发展计划的决议》,决定批准国务院提出的1991年国民经济和社会发展计划,批准邹家华的报告。

《关于1990年国家预算执行情况和1991年国家预算草案的报告》指出,1990年国内财政收入超额完成了国家预算,并继续保持了适度增长。但是,由于有些支出超过了预算,财政赤字比原定数额有所扩大。根据现在的预计数字,1990年国家财政总收入为3244.78亿元,完成预算的100.3%;国家财政总支出为3395.21亿元,完成预算的102.1%;收入和支出相抵,财政赤字为150.43亿元,比批准预算数88.92亿元超过61.51亿元。《报告》提出1991年国家财政预算草案是:财政总收入为3438.1亿元,比上年预计执行数增长6%;财政总支出为3571.56亿元,比上年预计执行数增长5.2%;收支相抵,财政赤字为133.46亿元。为了进一步深化经济体制改革,确保各项建设事业的发展,并把财政赤字控制在国家可以承受的范围之内,国务院确定了若干增收节支、减轻财政负担的政策性措施。主要是:提高营业税税率,增加财政收入;结合价格改革,逐步理顺比价关系,减少财政补贴;改革完善外贸体制,取消出口商品补贴;扩大发行债券,推迟偿债高峰;坚持紧缩方针,调整支出结构,保证重点需要;适当

集中资金,缓解中央财政的困难。《报告》最后提出,为确保 1991 年国家预算任务的完成,要做好以下工作:第一,广泛开展"质量、品种、效益年"活动,狠抓企业管理,提高经济效益;第二,把挖掘企业内部潜力与改革企业外部环境结合起来,继续增强国营大中型企业的活力;第三,坚持依法治税,加强税收管理,努力完成收入任务;第四,继续坚持紧缩方针,严格控制预算支出,注重资金的使用效益;第五,加强财政管理和监督,堵塞各种漏洞,推进廉政建设。

会议通过了《关于 1990 年国家预算执行情况和 1991 年国家预算的决议》,决定批准国务院提出的 1991 年国家预算,批准王丙乾的报告。会议授权全国人大常委会审查和批准 1990 年国家决算。

会议于 4 月 9 日通过《中华人民共和国民事诉讼法》。同日,由《中华人民共和国主席令》第 44 号公布施行。《民事诉讼法》共 4 编、29 章、270 条。这次公布实施的《民事诉讼法》,是在 1982 年 3 月五届全国人大常委会第二十二次会议通过的《民事诉讼法(试行)》的基础上修订的。《民事诉讼法》总的保持了《民事诉讼法(试行)》的基本内容,修改补充的主要内容是:为适应改革开放、发展社会主义商品经济的需要,补充了审理经济案件的一些规定;按照民法通则等实体法,相应地增加了程序方面的规定;针对审判工作中存在的告状难、争管辖、执行难等问题,作了相应的规定。《民事诉讼法》是国家重要的基本法律之一,是国家的一个大法,它规定了民事诉讼的基本原则、人民法院审理民事案件的具体程序和诉讼参与人在诉讼中的权利和义务,便于当事人依法行使诉讼权利,便于人民法院依法正确、及时地审理民事案件,保证民事法律以及与民事有关的法律的正确实施。它对于保障公民、法人和其他组织的合法的民事权益,维护社会稳定,促进社会主义商品经济秩序的健全发展,保障改革开放和社会主义现代化建设的顺利进行,都具有重要的意义。

会议于 4 月 9 日通过了《中华人民共和国外商投资企业和外国企业所得税法》。同日,由《中华人民共和国主席令》第 45 号公布,自 1991 年 7 月 1 日起施行。《外商投资企业和外国企业所得税法》共 30 条。这个法律是在 1980 年和 1981 年先后公布施行的《中外合资经营企业所得税法》和《外国企业所得税法》的基础上,把有关外商投资企业所得税的法律、法规合并,经过广泛调查研究,在总结实践经验的基础上制定的。从总体上看,是以不增加税收负担、不减少税收优惠为原则,对原来两个税法中的一些行之有效、已被普遍接受的条文予以保留,同时,参考国际上的通行做法,合理地充实了一些条文的内容。《外商投资企业和外国企业所得税法》的颁布实施,对于更好地促进对外开放,进一步改善外商投资环境,扩大中外经济合作和技术交流,都具有重要的意义。

《全国人民代表大会常务委员会工作报告》指出,一年来,常委会认真履行宪法赋予的职责,努力发展社会主义民主与健全社会主义法律,促进我国政治、经济和社会的进一步稳定发展,各方面工作取得了新的进展。一是加强立法工作和对法律实施的监督。一年来,常委会共审议了 13 个法律草案,其中已通过的 8 个;还通过了 4 个有关法律问题的决定,批准了 6 个我国参加的国际公约和缔结的外交条约。召开了立法工作会议,总结了近些年来立法工作的基本经验,研究了今后立法工作的具体规划和安排,提出了今后两年的立法工作重点。常委会和专门委员会继续采取多种形式做好对法律实施的监督工作。常委会工作机构还研究答复了213件有关法律实施问题的询问。二是加强对行政、审判和检察机关的工作监督。每次常委会会议上听取和审议国务院及有关部门就人民关心的问题所作的汇报,以及每年第三季度听取和审议国务院关于国家计划和预算执行情况的报告,已经形成制度。一年来,常委会围绕促进政治、经济和社会的稳定发展这个主题,听取和审议了八个工作汇报,提出了改进工作的意见和建议。三是加强对县乡人民代表大会换届选举工作的指导,搞好县乡政权建设。四是加强同代表和人民群众的联系,积极反映人民的意见。认真办理代表的议案和建议,召开了办理代表建议工作汇报座谈会;改进代表和委员的视察工作;召开人大信访工作会议,做好人民群众来信来访工作。五是积极开展议会外交活动。一年来,常委会接待21个国家的24个代表团来访,组织7个代表团出访了14个国家;各专门委员会也积极开展与外国议会对口机构的外交活动。《报告》指出,常委会工作还存在不少缺点和问题,主要是一些急需的法律特别是有关宏观经济调控方面的法律仍未制定出来;对法律的执行实施有效监督还不够;在加强人大自身建设、深入调查研究、密切联系人民群众方面,有许多问题应加紧解决。《报告》提出全国人大常委会今后工作的重点是:坚持和完善人民代表大会制度,努力建设有中国特色的社会主义民主政治;进一步加快立法步伐,保障改革开放和现代化建设事业的稳定发展;加强和改进法律监督和工作监督。

会议通过了《关于全国人民代表大会

常务委员会工作报告的决议》,决定批准了这个报告。

《最高人民法院工作报告》指出,一年来,全国各级人民法院在党的领导下,紧紧围绕"稳定压倒一切"的方针,依法履行审判职责,全面开展各项审判工作,取得了显著成绩;严厉打击严重危害社会治安和破坏经济的犯罪活动,推动"严打"和反腐败斗争的开展,依法惩处了危害国家安全的犯罪分子;大力加强经济和海事审判,为治理整顿、改革开放服务;努力做好民事、行政审判和告诉申诉工作,保护公民、法人合法权益,维护国家机关依法行政;加强审判队伍的廉政建设,广大干警努力工作,对维护社会稳定,促进国民经济的发展作出了贡献。法院工作仍存在一些不容忽视的问题,主要有:克服审判工作中地方保护主义干扰的措施不够有力;经济、民事案件判决"执行难"问题仍未解决;有些案件"起诉难"或审理不及时的现象在一些地方还存在;极少数干警利用职权办"人情案",甚至索贿受贿,枉法裁判,走上犯罪道路。《报告》提出,1991年要认真贯彻七中全会精神,以党的基本路线为指导,紧紧围绕经济建设这个中心,进一步全面开展各项审判工作,努力提高执法水平,加强队伍建设和基层基础建设,维护国家和社会稳定,为"十年规划"和"八五计划"的顺利实施服务。

《最高人民检察院工作报告》指出,一年来,全国各级人民检察院在党的领导下,积极开展惩治贪污、贿赂犯罪的活动,积极参与严厉打击严重刑事犯罪和危害国家安全犯罪的斗争,各项工作取得了重大进展。主要表现在以下几个方面:狠抓惩治贪污、贿赂大案的工作,使反贪污、反贿赂斗争深入一步;积极参加严厉打击刑事犯罪和危害国家安全犯罪斗争,在维护社会治安和国家安全的斗争中发挥了重要作用；严肃查办侵犯公民民主权利、人身权利的案件，依法保障公民合法权益的工作得到加强；开展对民事诉讼、行政诉讼的监督工作，法律监督有了新的进展；从严治检，检察干部队伍的素质有了进一步提高。人民检察院的工作也存在一些问题，主要是：有些案件查处的周期过长；超期羁押情况在一些地方仍旧存在；个别案件定性不够准确；极少数检察人员违法违纪，甚至走上犯罪道路。《报告》提出1991年的主要任务是：以党的七中全会精神为指针，发挥法律监督职能；加强执法检察，深入开展反贪污、反贿赂犯罪斗争；坚持依法从重从快严厉打击严重刑事犯罪和危害国家安全的犯罪活动；大力开展社会治安的综合治理；加强对侵犯公民民主权利、人身权利和渎职犯罪案件的查处工作；加强思想政治工作，从严治检，搞好自身的廉政建设。

会议通过了《关于最高人民法院工作报告的决议》和《关于最高人民检察院工作报告的决议》，批准了这两个报告。

大会于4月8日补选周南为七届全国人大常委会委员；决定任命邹家华为国务院副总理，免去其国务委员职务；任命朱镕基为国务院副总理；任命钱其琛为国务委员。

这次会议上，代表和代表团共提出议案471件。经大会主席团审议决定，将96件交有关专门委员会审议，提出是否列入全国人大或全国人大常委会会议议程的意见，由全国人大常委会审议决定。其余375件，连同代表提出的3909件建议、批评和意见，由常委会办公厅会同国务院办公厅交有关部门研究处理，并负责答复代表。

七届全国人大四次会议是在我国社会主义现代化建设事业发展的关键时刻召开的。会议通过的《关于国民经济和社会发展十年规划和第八个五年计划纲要的报告》和批准的《纲要》，是我国各族人民实现社会主义现代化建设第二步战略目标的行动纲领。《纲要》的实现，将在中华人民共和国创业史上建起一座新的里程碑，使我国以更加昂扬的姿态屹立于世界民族之林。总之，七届全国人大四次会议是一次民主的会议，团结的会议，求实的会议，是鼓舞中华儿女向20世纪末的宏伟目标奋勇进军的会议。这次会议的胜利召开，对我国未来十年的发展具有重要的意义。

五

第七届人大第五次会议

全国七届人大五次会议于1992年3月20日至4月3日在北京举行，出席会议的代表共2797名。这次会议的主要议程是：听取和审议李鹏的《政府工作报告》、邹家华的《关于1991年国民经济和社会发展计划执行情况与1992年计划草案的报告》、王丙乾的《关于1991年国家预算执行情况和1992年国家预算草案的报告》以及彭冲、任建新、刘复之分别作的全国人大常委会、最高人民法院、最高人民检察院的工作报告；审议国务院提出的关于兴建长江三峡工程的报告；审议通过《全国人民代表大会和地方各级人民代表大会代表法》、《工会法》、《妇女权益保障法》，通过《关于第八届全国人民代表大会代表名额和选举问题的决定》。

《政府工作报告》对过去一年的政府工作作了回顾和总结，提出了今后的任务和部署。指出，1992年经济工作的重点，是抓紧调整结构和提高效益,特别是要搞好农业和国营大中型企业。同时,要积极发展科技和教育事业,提高国民经济整体素质;充分发挥广大工人、农民和知识分子的积极性和创造性;加快改革步伐,积极推进企业改革和其他方面的配套改革,转换和完善国营大中型企业的经营机制,加强宏观管理;继续扩大对外开放,更好地促进国内经济发展;积极推进政府机构改革;推进社会主义精神文明建设;搞好社会治安综合治理,努力维护社会稳定;深入开展反腐败斗争,加强廉政建设;发扬我军优良传统,加强国防现代化建设;加强民族团结,促进各民族共同繁荣,积极推进祖国和平统一大业。

会议通过了《关于政府工作报告的决议》,决定批准这个报告。

《关于1991年国民经济和社会发展计划执行情况与1992年计划草案的报告》指出,1991年,国民经济和社会发展计划执行的情况是好的,治理整顿的主要任务已基本完成,经济稳定增长,科技、教育、文化、卫生和体育事业进一步发展,改革开放迈出了新的步伐。上一年,我国部分地区遭受了严重自然灾害,广大军民在党和政府的领导下,团结奋斗,取得了抗洪救灾的胜利,充分显示了社会主义制度的优越性。我国政治、社会稳定,经济继续向好的方面发展。但是,在经济生活中仍存在着经济结构调整进展缓慢,重复建设又有抬头之势,经济效益不高,财政赤字增加,信贷规模和货币发行量偏大,通货膨胀潜在压力尚未消除等问题。《报告》提出1992年计划安排总的指导思想是:全面贯彻执行党的基本路线,加快改革步伐,扩大对外开放,依靠科技进步,在继续保持经济总量平衡的同时,把工作重点放在调整结构、提高效益和素质上,促

进国民经济持续稳定协调发展。1992年计划安排的重点和主要任务是:继续重视和加强农业,加快水利基础设施建设;加快调整经济结构,大力提高经济效益;合理安排固定投资规模和结构,大力提高投资效益;进一步丰富城乡市场,继续改善人民生活;加快对外开放步伐,促进对外贸易发展和经济技术交流与合作;加快科学技术进步和教育发展,进一步发展文化、卫生、体育等各项事业,加强社会主义精神文明建设。为全面完成1992年的各项任务,要采取以下措施:适应逐步把企业推向市场、转换企业经营机制的要求,适当缩小生产、流通领域指令性计划,进一步发挥指导性计划和市场调节的作用;改进对固定资产投资的宏观调控,逐步建立合理、有效的投资体制,强化对建设项目全过程管理;完善国家产业政策,搞好行业规划和地区布局;抓紧健全分级分类的工资管理体制,逐步形成工资总量调控和工资正常增长机制;按照合理分工和权责统一的原则,逐步健全中央与省、自治区、直辖市两级调控的体制;强化间接调控,更多地发挥经济手段、法律手段和政策手段的作用。

会议通过了《关于1991年国民经济和社会发展计划执行情况与1992年国民经济和社会发展计划的决议》,决定批准国务院提出的1992年国民经济和社会发展计划,批准邹家华的报告。

《关于1991年国家预算执行情况和1992年国家预算草案的报告》指出,根据预计执行数,1991年国家财政总收入为3582.81亿元,比预算超收4.1%;国家财政总支出为3793.87亿元,比预算超支6.4%;收支相抵,财政赤字为211.06亿元,比预算超过87.6亿元。1991年的国家预算,是在财政收支紧张、困难很大的

情况下执行的。这一年我国局部地区发生严重自然灾害,带来一些减收增支的因素。同时,为了搞好国营大中型企业,采取了一些必要的政策措施,也暂时减少了一部分收入。但是,在各级政府的领导下,经过共同努力,全年财政收入还是超过了预算。从支出的使用情况看,支持了抗洪救灾,支持了各项经济改革,支持了搞好国营大中型企业的措施,努力保证了农业、教育、科技、重点建设和企业技术改造等重点支出的需要。1991年预算执行中的主要问题是财政赤字超出预算较多。其原因除了某些减收增支的客观因素外,也存在着管理不严,造成有的支出如行政管理费超支过多和收入流失等问题。《报告》提出1992年国家预算草案:财政总收入为3912.13亿元,比上年预计执行数增长9.2%;财政总支出为4119.99亿元,比上年预计执行数增长8.6%;收支相抵,财政赤字为207.86亿元。根据《国家预算管理条例》的规定,从今年起,国家预算由单式预算改为复式预算,上述总收支已分别编制了经常性预算和建设性预算。为了顺利完成1992年国家预算,要做好以下工作:大力发展经济,提高效益,扩大财源;强化征收管理,狠抓财政收入;强化预算约束,严格控制财政支出;加快改革步伐,理顺经济关系;加强管理监督,严肃财经法纪。

会议通过了《关于1991年国家预算执行情况和1992年国家预算的决议》,决定批准国务院提出的1992年国家预算,批准王丙乾的报告。会议授权全国人大常委会审查和批准1991年国家决算。

会议通过了《关于兴建长江三峡工程的决议》,决定批准将兴建长江三峡工程列入国民经济和社会发展十年规划,由国务院根据国民经济发展的实际情况和国家财力、物力的可能,选择适当时机组织实施。对于已经发现的问题要继续研究,妥善解决。

会议于4月3日通过了《全国人民代表大会和地方各级人民代表大会代表法》,同日,由《中华人民共和国主席令》第56号公布施行。《代表法》是一部保障人民当家做主,完善人民代表大会制度的重要法律,共六章44条。第一章,总则,主要对立法依据、代表的地位、代表执行职务的内涵作了明确规定,同时,将代表的选举、对代表的要求、对代表的监督等问题作了原则性规定;第二章,代表在本级人民代表大会会议期间的工作;第三章,代表在本级人民代表大会闭会期间的活动;第四章,代表执行职务的保障;第五章,停止执行代表职务和代表资格终止;第六章,附则。《代表法》的公布施行,不仅使各级人民代表大会代表在大会会议期间的工作和大会闭会期间的活动进一步规范化、制度化,而且使各级人大代表行使代表的职权、履行代表的义务、发挥代表的作用,有了更加具体、更加充分的保证。

会议于4月3日通过了《工会法》,同日,由《中华人民共和国主席令》第57号公布施行。这次通过的《工会法》是在1950年由中央人民政府颁布的《工会法》的基础上进行适当修改而制定的。《工会法》共六章:第一章,总则;第二章,工会组织;第三章,工会的权利和义务;第四章,基层工会组织;第五章,工会的经费和财产;第六章,附则,共42条。《工会法》的颁布施行,对于进一步做好工会工作,充分发挥广大职工在社会主义现代化建设中的主动性、积极性和创造性,维护广大职工的合法权益,都具有十分重要的意义。

会议于 4 月 3 日通过了《妇女权益保障法》，同日，由《中华人民共和国主席令》第 58 号公布，自 1992 年 10 月 1 日起施行。《妇女权益保障法》分九章，即总则、政治权利、文化教育权益、劳动权益、财产权益、人身权利、婚姻家庭权益、法律责任、附则，共 54 条。本法的指导思想是以我国宪法为依据，从社会主义初级阶段的实际情况出发，全面确立保障妇女权益的法律机制，巩固和发展妇女解放运动的成果，在社会主义现代化建设过程中进一步实现男女平等。主要是通过各种保障性的、协调性的、制裁性的和补充性的条款，将现行宪法、法律中有关男女平等、保护妇女权益的规定加以原则化、具体化和制度化。本法始终贯穿着以下原则：第一，坚持男女权利平等。明确规定了妇女在政治、文化教育、劳动、财产、人身和婚姻家庭等方面享有与男子平等的权利。第二，对妇女权益实行特殊保护。第三，强调逐步建立对妇女的社会保障制度。第四，明确规定对各种侵害妇女权益的违法、犯罪行为的处罚。《妇女权益保障法》的公布施行，对于保障妇女的合法权益，促进男女平等，充分发挥妇女在社会主义现代化建设中的作用，都具有重要的意义。

会议通过了《关于第八届全国人民代表大会代表名额和选举问题的决定》。《决定》规定了八届全国人大代表的名额以及各省、自治区、直辖市和中国人民解放军应选代表的名额；规定了少数民族代表、归侨代表及妇女代表的比例；规定各省、自治区、直辖市和中国人民解放军选举的代表选出的时间。

《全国人民代表大会常务委员会工作报告》指出，一年来，常务委员会加快了立法工作的步伐，加强了法律实施的检查监督，其他方面的工作也取得了新的进展。《报告》指出，在今后的工作中，要继续坚持以党的基本路线为指导，牢牢把握经济建设这个中心，以保证和促进改革开放为首要职责，认真行使宪法赋予的各项职权；要适应经济建设和改革开放的需要，进一步加快立法工作；要把对法律执行情况的监督检查和制定法律放在同等重要的地位，坚决纠正有法不依、执法不严、违法不究的行为；要督促清理各种法律、法规，凡是与宪法相抵触以及不适应改革开放要求的，都应依法予以撤销或修改；要认真做好换届选举的准备工作，保证换届选举的顺利进行；要继续推进社会主义民主与法制建设，不断完善人民代表大会制度。

会议审议通过了《关于全国人民代表大会常务委员会工作报告的决议》，决定批准这个报告。

《最高人民法院工作报告》指出，七届全国人大四次会议以来，全国各级法院继续坚持"严打"斗争，维护社会稳定；严惩严重经济犯罪分子，促进廉政建设；积极主动地为经济建设服务，加强经济审判工作；保护人民民主权利，维护公民、法人的合法权益，支持和监督行政机关依法行政，成绩是显著的。同时工作中也存在一些问题。主要是：审判工作受非法干预和经济、民事判决"执行难"的状况还未完全扭转过来；极少数干警有违法乱纪行为。《报告》最后提出，今年的主要任务是：在党中央的领导下，继续坚定不移地执行党的基本路线，坚持严肃执法，充分发挥审判机关的职能作用，维护国家和社会的稳定，为加快改革开放的步伐，加快社会主义经济建设服务。

《最高人民检察院工作报告》指出，一年来，全国各级人民检察院认真贯彻党的基本路线,执行宪法、法律的规定,坚持为社会主义经济建设服务的指导思想,履行法律监督职责,为保证社会的稳定,促进经济发展和改革开放,维护公民的合法权益作出了贡献。同时,工作中也存在一些问题。主要是:少数地方一些案件处理不够及时,遇到阻力有时手软;极少数干警有违法乱纪行为。《报告》最后提出 1992 年的主要任务是:坚定不移地贯彻执行党的基本路线,牢固树立为经济建设服务的思想、严肃履行法律监督职责,继续深入开展打击贪污贿赂犯罪和其他经济犯罪的斗争,坚持严厉打击严重的刑事犯罪和危害国家安全的犯罪活动,加强查办"侵权"、渎职等罪案,积极参加社会治安综合治理,加强检察机关领导班子建设,自觉地维护国家稳定和社会安定。

会议通过了《关于最高人民法院工作报告的决议》和《关于最高人民检察院工作报告的决议》,决定批准"两高"的工作报告。

这次会议共收到议案 472 件。经大会主席团审议决定,将 93 件交有关的专门委员会审议,提出是否列入全国人大或者全国人大常委会会议议程的意见,由全国人大常委会审议决定。其余 379 件,连同代表提出的 2934 件建议、批评和意见,由全国人大常委会办公厅会同国务院办公厅交由有关机关、组织研究处理,并负责答复代表。

七届全国人大五次会议是共商加快改革开放步伐大计的大会,是动员全国各族人民把经济建设进一步搞上去的大会,是民主、求实、团结、鼓劲的大会,是催人奋进的大会。会议审议通过的国务院总理李鹏总理的政府工作报告,很好地体现了党的"一个中心、两个基本点"的基本路线,体现了中共中央政治局全体会议精神

和邓小平关于建设有中国特色的社会主义理论,科学地分析了我国经济、政治和社会发展的形势,全面系统、扼要地阐明了今后经济建设及其他各条战线的任务及重大方针政策,是充满改革开放精神的报告,是鼓舞人心的报告。会议审议通过的国务院提出的在适当时机组织实施兴建长江三峡工程的建议,对加快我国现代化建设进程、提高综合国力,具有重要意义。会议审议通过的《工会法》、《妇女权益保障法》、《代表法》,是进一步完善我国法制建设取得的重大成果。这次会议取得的新成就,再一次体现了我国政治制度的优越性。

中国人民政治协商会议第七届委员会

一

政协第七届全国委员会第一次会议

1988 年 3 月 24 日至 4 月 10 日在北京举行。本届委员为 2081 人(后又增补 2 名,共 2083 名),出席会议委员 1915 人。

会议主要议程是选举第七届全国委员会主席、副主席、秘书长和常务委员,听取政协第六届全国委员会常务委员会工作报告,列席七届人大一次会议,听取和讨论政府工作报告及其他报告。

政协七届一次会议主席团常务主席李先念主持开幕式,钱学森作《中国人民

政治协商会议第六届全国委员会常务委员会工作报告》。他说，五年来，人民政协高举社会主义和爱国主义两面旗帜，贯彻大团结大统一的精神，使阵容进一步扩大，代表性更为广泛。现在，全国已有2800多个县级和县级以上行政单位建立了政协，政协委员达35万多人。人民政府还与亚洲、欧洲、非洲和大洋洲的20多个国家的有关政治组织或团体建立了友好关系。五年中，政协共组团49批，分别到26个省、自治区、直辖市考察，参加的委员2000多人次，较为系统地整理出33份考察报告。人民政协在促进社会主义精神文明建设方面也做了大量工作。五年中，邓颖超主席多次阐述了和平统一祖国的方针，政协通过多种方式扩大与台湾同胞、港澳同胞、海外侨胞的友好接触，增进了海峡两岸人民的相互了解和民族感情。

与会委员列席了第七届全国人民代表大会第一次会议，听取并讨论了国务院代总理李鹏所作的政府工作报告以及其他有关报告。会议通过了《中国人民政治协商会议第七届全国委员会第一次会议政治决议》。《决议》指出，这次会议是在全国各族人民贯彻中国共产党第十三次代表大会精神，进一步深化与加快改革的形势下召开的。会议认为，政协第六届全国委员会在邓颖超主席的主持下，认真履行政治协商、民主监督的基本职能，广泛团结各方面人士，积极发展爱国统一战线，为推动改革开放和社会主义物质文明、精神文明建设，为促进祖国统一和发展对外友好关系，进行了卓有成效的工作。会议赞同李鹏代总理所作的工作报告。李鹏代总理的报告，对过去五年政府工作的总结是实事求是的，提出的今后五年建设和改革的目标、方针与任务是切实可行的。会议指出，坚定不移地贯彻社会主义初级阶段的基本路线，以经济建设为中心，坚持四项基本原则和改革开放，以改革总览全局，对于建设具有中国特色、富强、民主、文明的社会主义现代化国家，意义重大。会议要求人民政协各级组织，继续深入学习和贯彻中共十三大精神，进一步完善共产党领导下的多党合作和政治协商制度，推动两个文明建设，发展壮大爱国统一战线，加强自身的思想建设和组织建设，推进民主和法制建设，进一步开展人民外交活动。

会议以无记名投票的方式选举李先念为政协七届全国委员会主席，选举王任重、阎明复、方毅、谷牧、杨静仁、康克清、帕巴拉·格列朗杰、胡子昂、钱昌照、周培源、缪云台、王光英、邓兆祥、赵朴初、屈武、巴金、马文瑞、刘靖荃、王恩茂、钱学森、钱伟长、胡绳、孙晓村、程思远、卢嘉锡、钱正英、苏步青、司马义·艾买提为政协七届全国委员会副主席；周绍铮为政协七届全国委员会秘书长；选举丁轸宇等310人为政协七届全国委员会常务委员。

会议原则通过了有关本次会议期间提案审查情况的报告。本次会议共收到提案1734件，内容涉及经济建设、教育、科技、文化、卫生、政法、劳动人事等许多方面，表现了委员们强烈的参政议政意识和为振兴中华贡献力量的政治热忱。

李先念主席在闭幕会上讲了话。他说，人民政协发挥了重要的历史作用，对优良传统和成功经验要发扬光大，它作为在我国政治体制中发扬社会主义民主的重要形式要更好地发挥作用，逐步实现政治协商和民主监督经常化、制度化，本着实事求是的精神，扎扎实实地把工作做好。

1988 年 4 月 12 日，七届政协常委会第一次会议在北京举行。通过了关于设置专门委员会的决定，并授权主席会议筹建各委员会，提交常委会第二次会议审议通过。这 13 个专门委员会是：提案委员会、学习委员会、文史资料委员会、经济委员会、教科文委员会、医卫体委员会、法制委员会、民族委员会、宗教委员会、妇女青年委员会、华侨委员会、祖国统一联谊委员会和外事委员会。通过了增补 2 名委员名单和副秘书长任命名单。新任命的 11 位副秘书长是：罗涵先、叶至善、方荣欣、宋德敏、邵恒秋、赵伟之、沙里、赵炜、朱作霖、张洽、林用三。

二

政协第七届全国委员会第二次会议

全国政协七届二次会议于 1989 年 3 月 19 日至 27 日在北京举行。

全国政协主席李先念主持了开幕式。他说，政协七届全国委员会共有委员 2083 人。七届一次会议以来，已有 36 位委员去世。经过各方面协商，并经过政协七届常委会第五次会议协商决定，增补委员 30 人。对新增补的委员，我们表示热烈欢迎。现在共有全国政协委员 2077 人，已经报到的委员 1869 人，今天出席大会的委员有 1793 人。希望政协全体委员本着"肝胆相照、荣辱与共"的精神，同心同德，为搞好国家建设和治理整顿、深化改革，畅所欲言，积极出主意、提建议，共同努力把我们国家的事情办好，把社会主义事业推向前进。

全国政协副主席钱伟长在会上作了七届全国政协常委会工作报告。他说，常务委员会根据七届一次会议决议精神和地方政协的意见，把政治协商、民主监督的制度建设和有关组织建设摆到工作中的突出地位，制定了《政协全国委员会关于政治协商、民主监督的暂行规定》、《常务委员会工作规则》。一年来，各专门委员会共进行了 33 项专题调查和研讨，举行了 100 多次报告会、座谈会，先后组织在京委员、京外常委和港澳委员进行视察，并委托各省、自治区、直辖市政协组织住在当地的全国政协委员就地进行视察。根据委员们在视察中提出的意见和建议形成的各项视察报告，已分别送交中央和地方有关方面参考。今年，人民政协将迎来 40 周年的诞辰。40 年来，人民政协在社会主义革命和社会主义建设中，在改革、开放的伟大事业中，都作出了重大贡献。今天，人民政协面临着更为光荣艰巨的任务，让我们进一步发扬光大人民政协的优良传统，高举社会主义和爱国主义的旗帜，振奋精神，增强信心，同心同德，团结奋斗，为实现四化、振兴中华、统一祖国作出更大贡献。

全国政协副主席、提案委员会主任程思远作了关于政协七届一次会议以来提案工作情况的报告。七届一次会议以来，共收到委员提案 2005 件，提出提案的委员 1624 人，占全体委员人数的 77.9%。已办复提案 1987 件，占全部提案的 99%。

3 月 26 日，全国政协七届常委会第六次会议在京举行。会议协商通过了将提请全国政协七届二次会议选举的全国政协副主席侯镜如、丁光训，常务委员李开信、李赣留、何鲁丽（女）、杨堤、钱锺书、解峰等候选人名单和将提请会议通过的三个决议草案。

政协副主席王任重主持了闭幕会。会议通过了《全国政协七届二次会议政治决议》，通过了增选副主席、常委名单。政治决议指出：会议听取并赞同国务院总理李鹏在第七届全国人民代表大会第二次会议上所作的《政府工作报告》、国务院副总理兼国家计委主任姚依林《关于1989年国民经济和社会发展计划草案的报告》、国务委员兼财政部长王丙乾《关于1988年国家预算执行情况和1989年国家预算草案的报告》。会议认为，李鹏总理对10年来我国发生的巨大的历史性变化，中共十三届三中全会以来治理整顿所取得的初步成果，当前存在的问题和困难，工作中的失误所作的阐述，是符合实际的；《报告》中提出的治理整顿和深化改革的方针和部署，也是切实可行的。会议认为，自政协七届一次会议以来，政协全国委员会通过履行政治协商、民主监督的职能，对治理整顿和深化改革起了积极作用。会议要求人民政协的各级组织继续高举社会主义和爱国主义的旗帜，坚持共产党领导的多党合作制度和政治协商制度，广泛联系各方面人士，巩固发展安定团结的政治局面，努力为治理整顿和深化改革创造良好的社会政治环境；围绕国家的中心任务，积极开展政治协商和民主监督，出主意，想办法，提意见，作批评，支持和协助政府做好工作。

李先念主席在讲话中指出，这次会议，委员们比较集中地讨论了治理经济环境、整顿经济秩序的问题，还对目前存在的许多不正之风和腐败现象，提出了严肃的批评；对必须高度重视教育、科技、文化、卫生事业，切实加强社会主义法制建设和社会主义精神文明建设，坚定不移地实行计划生育，以严格控制人口增长，等等，提出了宝贵的意见。委员们认为，在治理整顿经济的同时，要实行政治思想和社会的治理整顿，以便争取经济财政状况的好转，争取社会风气的好转，促进社会

主义民主政治的健康发展，促进公有制为基础的社会主义有计划商品经济的健康发展。这些看法，都是极为重要和正确的。风雨同舟、和衷共济，共图国家的昌盛和民族的兴旺，共图社会主义宏伟大业的实现，是人民政协的光荣传统。人民政协有义务有责任协助党和政府，把国家的事情办好。我们要通过人民政协的工作，通过中国共产党和各民主党派、人民团体、各族各界人士的共同努力，进一步完善共产党领导的多党合作制度和政治协商制度，更紧密地团结全国各族人民，促进各项建设事业的顺利发展。

三

政协第七届全国委员会第三次会议

全国政协七届三次会议于1990年3月18日至3月29日在京举行。

全国政协主席李先念和副主席王任重主持了开幕会。王任重委员说，全国政协七届委员会共有委员2077人，七届二次会议以来，34位委员相继去世。经过政协七届常委会第九次会议协商决定，增补委员33人。阎明复同志请求辞去全国政协副主席、常务委员和委员的职务，周绍铮同志因健康原因请求辞去全国政协秘书长职务，还有3位同志因工作变动和健康等原因请求辞去委员职务。常委会第九次会议已经讨论同意。现在共有全国政协委员2072人，已经报到的委员有1854人，今天出席大会的委员1711人。我们这次大会担负着重大、光荣的任务。在去年政治风波平息以后，我国继续沿着中共十一届三中全会开辟的道路前进，坚持四项基本原则，坚持改革开放，深入进行治理整顿，取得了新的伟大成绩，当然

也还存在着不少的困难和问题。政协一定要认真贯彻执行《中共中央关于坚持和完善中国共产党领导的多党合作和政治协商制度的意见》，依靠全体委员的共同努力，把这次大会开成一个民主、团结、振奋精神的大会，开成一个促进我国政治、经济和社会进一步稳定发展的大会。

开幕会通过了政协七届三次会议议程和日程。钱伟长副主席就政协一年来的主要工作向大会作了报告。他说，一年来，政协全国委员会在中共中央的领导下，团结各民主党派、人民团体和各族各界人士，围绕稳定政治局势，搞好治理整顿和深化改革作出了多方面的努力，发挥了政治协商、民主监督的作用，取得了很大成绩。在去年制止政治风波的重大政治斗争中，政协全国委员会旗帜鲜明地反对政治风波，坚决支持中共中央和国务院所采取的一系列正确措施，为稳定政局做了很多工作。实践证明，中国人民政治协商会议这个爱国统一战线组织是经得起大风大浪考验的，是发挥了重要作用的。政协各专门委员会一年来进行了近20项专题调查，写出15份专题调查报告，召开120次座谈会，向党政领导机关提出不少有益的建议，发挥了积极作用。政协全国委员会在开展人民外交活动、促进祖国统一的联谊活动、加强人民政协各级组织间的联系等方面也做了大量工作。今年要做好以下几方面的工作：为保持和发展安定团结的政治局面继续作出努力；进一步促进治理整顿、深化改革，认真学习和贯彻《中共中央关于坚持和完善中国共产党领导的多党合作和政治协商制度的意见》；加强委员学习的工作；加强与政协地方委员会的联系；进一步开展对台、港、澳同胞和海外侨胞的联谊工作，坚定不移地按照"一国两制"的方针促进祖国统一；积极主动地开展人民外交活动，争取更多的友好国家、友好组织和友好人士对我国社会主义事业的理解和支持。

3月24日，全国政协七届三次会议举行大会。政协副主席、提案委员会主任程思远作了政协七届二次会议以来提案工作情况的报告，全国政协常委、监察部副部长冯梯云介绍了一年来行政监察机关开展反腐败斗争、加强廉政建设的情况，5位委员就民主政治建设、民族团结和密切党群关系等发言。

3月25日，政协七届三次会议举行第三次大会，9位委员登台就当前落实产业政策、加强中央财力、改善投资环境等问题发表意见。3月26日，政协七届三次会议举行第四次大会，10位委员就国家大政方针以及一些方面的工作发表意见，提出建议。3月27日的大会上，侯镜如等就实现祖国统一、香港稳定繁荣等问题发言。

3月27日，政协七届常委会举行第十次会议，通过了补选政协第七届全国委员会副主席、常务委员候选人名单，通过了全国政协七届三次会议政治决议草案和关于常务委员会工作报告的决议草案；通过了政协第七届全国委员会提案委员会关于政协七届三次会议提案审查情况的报告草案。王任重在会上就有关补选事宜作了说明；全国政协副秘书长卢之超作了有关全国政协七届三次会议政治决议草案和关于常委会工作报告的决议草案修改说明。全国政协代秘书长宋德敏汇报了各小组的讨论情况。

3月29日，全国政协七届三次会议闭幕。全国政协主席李先念，副主席王任重、方毅、谷牧、杨静仁等出席了会议，江泽民、杨尚昆、李鹏、万里、乔石、李瑞环等到会祝贺。在王任重副主席主持下，会议通过表决，补选洪学智为全国政协副主席,补选杨植霖、宋德敏、唐敖庆、谈维煦为全国政协常委。

会议通过了《全国政协七届三次会议政治决议》,指出:会议同意政协七届常务会的工作报告和提案工作情况的报告,赞同李鹏总理所作的政府工作报告,赞同《关于1989年国民经济和社会发展计划执行情况与1990年计划草案的报告》、《关于1989年国家预算执行情况和1990年国家预算草案的报告》、《关于中华人民共和国香港特别行政区基本法草案的说明》。会议认为,在中共中央领导下,国务院一年来的工作成绩显著,特别是制止政治风波取得伟大胜利,治理整顿和深化改革取得比较明显的成效,政治思想战线出现新的转机,这对于鼓舞我国各族人民坚定不移地沿着社会主义道路继续前进,具有十分重要的意义。会议赞同政府工作报告中总结的对今后我国政治、经济和社会稳定发展都具有重要意义的经验,赞同政府工作报告中提出的1990年政府工作总的指导思想和工作任务。会议希望,国务院对于委员们提出的进一步稳定局势,增进民族团结,加强社会主义精神文明建设和民主、法制建设,反对腐败。加强廉政建设,密切与群众联系,搞好治理整顿和深化改革,抓好工农业生产,严格物价管理。发展教育、科技、文化,控制人口,保护环境等方面的意见和建议,要充分研究,认真对待,妥善处理。

会议强调,人民政协各级组织要旗帜鲜明地坚持四项基本原则,坚持改革开放,反对资产阶级自由化,推进社会主义民主和法制建设,维护国家和社会的稳定,促进治理整顿和深化改革,推动国民经济逐步走上持续、稳定、协调发展的道路。要认真学习和贯彻《中共中央关于坚持和完善中国共产党领导的多党合作和

政治协商制度的意见》,继续落实《政协全国委员会关于政治协商、民主监督的暂行规定》,团结各民主党派、无党派爱国人士、人民团体和各族各界人士,积极参政议政,充分发挥协商监督作用。要认真学习和贯彻中央十三届六中全会精神,充分发挥政协委员是有广泛社会联系的优势,进一步密切同人民群众的关系。要认真学习马克思列宁主义、毛泽东思想,学习时事政治,广泛开展爱国主义、社会主义和独立自主、自力更生、艰苦奋斗、勤俭建国的教育,推进社会主义精神文明建设。要进一步开展对台、港、澳同胞和海外侨胞的联谊工作,按照"一国两制"原则促进祖国统一,坚决同任何分裂行为作斗争。

李先念主席在闭幕会上发表讲话。他说,在中共中央领导下,全国政协在团结各民主党派、无党派人士和各族各界人士维护社会稳定、实现各项任务方面,也做了很多工作,起了重要的作用。实践证明,共产党领导的多党合作和政治协商制度是正确的,是符合我国国情的。这个制度是我国政治体制的一个重要特点和优点。

我们要把这次会议的精神贯彻到各级政协的工作当中去。我们要在中共中央领导下,在马列主义、毛泽东思想的指引下,振奋精神,团结一致,自力更生,艰苦奋斗,协助党和政府,为实现当前的各项任务,为促进我国政治、经济和社会进一步稳定发展,为祖国统一的神圣大业而努力奋斗。

四

政协第七届全国委员会第四次会议

中国人民政治协商会议第七届全国

委员会第四次会议于1991年3月23日至4月4日在北京举行。实有委员2055人，出席会议的委员1859人。

会议的主要议程是：审议政协七届常委会工作报告；审议政协提案委员会《关于七届三次会议以来提案工作情况的报告》；听取和讨论《关于国民经济和社会发展十年规划和第八个五年计划纲要的报告》；增选政协副主席，补选秘书长、常务委员等。

会议通过了《全国政协七届四次会议政治决议》《全国政协七届四次会议关于常务委员会工作报告的决议》和《全国政协提案委员会关于政协七届四次会议提案审查情况的报告》。会议增选叶选平为全国政协副主席，补选宋德敏为全国政协秘书长，增选王文元、叶选平、多杰才旦、贡唐仓·丹贝旺旭、李默庵、陈仲颐、陈灏珠、帕提曼·贾库林、周光春、蒋民宽为全国政协常委。

在开幕式上，全国政协副主席钱伟长作了工作报告。主要内容有：积极促进治理整顿、深化改革和经济建设；巩固发展爱国统一战线和推动社会主义精神文明建设、民主法制建设；祖国统一联谊工作取得较大发展；积极开展人民外交工作，发展与各国人民的友好关系；改进工作作风，加强自身建设等。全国政协副主席程思远在提案工作报告中指出：政协七届三次会议以来，提案委员会共收到提案1915件，分别送请中共中央、国务院有关部门、直属机构，各省、自治区、直辖市人民政府，中央军委办公厅，最高人民法院，最高人民检察院和有关人民团体等151个单位研究办理。截至1991年3月12日，已办复提案1905件，占全部提案的99.5％。所提建议和意见被有关部门采纳、已经解决或基本解决的有563件，占已办复提案

的29.6％；有关单位正在研究处理或纳入计划准备处理的共1129件，占已办复提案的59.2％；所提建议尚不具备条件不能解决或留作参考的，共213件，占已办复提案的11.2％。一年来，提案委员会制定了《中国人民政治协商会议全国委员会提案工作条例》，使提案工作走上了制度化和规范化的轨道；有重点地推动提案的办理；加强与委员、承办单位和地方政协的联系。今后要进一步改进和加强提案工作，更好地发挥政协提案行使"政治协商、民主监督"职能中的作用，使政协提案在维护和发展安定团结的政治局面，推动社会主义现代化建设和促进祖国的和平统一等方面作出更大贡献。七届四次会议期间，共收到提案1689件。

《全国政协七届四次会议政治决议》中指出，全国政协七届四次会议，一致赞同和拥护我国国民经济和社会发展十年规划和第八个五年计划纲要与李鹏总理代表国务院所作的报告。会议号召，各级政协委员要继续积极参政议政，为实现第二步战略目标作出更大的贡献。各级政协组织要在同级中共党委领导下，高举爱国主义和社会主义旗帜，认真执行《中共中央关于坚持和完善中国共产党领导的多党合作和政治协商制度的意见》和《政协全国委员会关于政治协商、民主监督的暂行规定》，充分发扬社会主义民主，认真履行政治协商、民主监督的职能，积极工作，开拓前进；要切实贯彻"长期共存、互相监督、肝胆相照、荣辱与共"的方针，进一步密切同民主党派、人民团体、无党派爱国人士和各族各界人士的联系，团结一切可以团结的力量，同心同德，群策群力，为胜利实现国民经济和社会发展十年规划和"八五"计划的宏伟任务，为统一祖国、振兴中华而努力奋斗。

全国政协主席李先念在 4 月 4 日的闭幕会上讲了话。他说,这次政协会议充分反映了我们民族团结奋斗的精神,表达了全国人民夺取新的胜利的决心。十年规划和"八五"计划纲要是一个在总结过去的基础上规划未来的纲领性文件。一年多来,我们顶住外部压力,克服内部困难,稳住了局面,扭转了形势,取得了经济建设和内政外交的新胜利。事实说明,我们全面执行并且丰富了建设有中国特色社会主义的路线和政策,以江泽民同志为核心的中共中央的领导是正确的,国务院的工作是卓有成效的,中国各族人民的团结,中国共产党、各民主党派、无党派民主人士和各族各界人士的团结,是牢固和坚强的。今后十年是我国社会主义现代化建设的关键时期。我们要继续总结前十年的经验,把各方面的工作做得更好。最重要的,一是要抓好经济建设这个中心任务,真正做到持续、稳定、协调发展;二是要坚持改革开放的方针,坚持改革开放的社会主义方向,把握四项基本原则和改革开放的有机统一;三是加强共产党的领导和建设,加强以共产党领导为核心的统一战线。

为了进一步发挥政协的作用,我们要进一步做好团结工作;要为我国社会主义现代化的各项建设事业献计出力;要认真学习。他希望委员们把会议所体现的团结合作精神和社会主义积极性带回去,贯彻到各方面的工作中去。

五

政协第七届全国委员会第五次会议

1992 年 3 月 11 日至 15 日,全国政协七届常委会第 18 次会议在北京举行。会议决定 3 月 18 日在京召开全国政协七届五次会议。七届五次会议的议程为:审议全国政协七届常委会工作报告,听取和讨论政府工作报告、《1991 年国民经济和社会发展计划执行情况与 1992 年国民经济和社会发展计划(草案)的报告》、《1991 年国家预算执行情况和 1992 年国家预算(草案)的报告》以及关于三峡工程的议案等。

1992 年 3 月 18 日至 3 月 28 日,全国政协七届五次会议在京举行。

受全国政协主席李先念的委托,方毅副主席主持了开幕式。副主席洪学智、谷牧、杨静仁、帕巴拉·格列朗杰、王光英等出席,江泽民、杨尚昆、李鹏、万里、乔石等到会祝贺。全国政协现有委员 2000 人,已经向会议报到的委员 1737 人,出席开幕式的委员 1625 人。委员们审议通过了政协七届五次会议的议程和日程。

受政协第七届常务委员会委托,洪学智副主席向大会作了常委会工作报告。他说,在过去的一年里,政协全国委员会紧紧围绕党和国家的中心工作,继续贯彻落实《中共中央关于坚持和完善中国共产党领导的多党合作和政治协商制度的意见》,为进一步巩固安定团结的政治局面,促进社会主义经济建设、改革开放和其他各项事业的发展,作出了应有的贡献。一年来,政协全国委员会围绕《国民经济和社会发展十年规划和第八个五年计划纲要》的贯彻实施,紧紧抓住农业和国营大中型企业两个重要环节,为研究、解决经济建设、改革开放和社会主义精神文明与民主法制建设中的重大问题,认真履行政治协商、民主监督职能,积极参政议政。

谈到三峡工程问题时,洪学智说,对于三峡工程这一重大建设项目,多年来委员一直十分关注,委员们提出的关于三峡工程的提案多达 47 件,有 50 多位委员直接参加了论证和审查工作,还有许多委员深入现场考察,积极建言。本会也曾于 1988 年和 1991 年两次组团赴三峡地区实地视察。这些,都对三峡工程的科学论证发挥了积极作用。今年 3 月召开的常委会第 18 次会议,听取了国务院副总理兼三峡工程审查委员会主任邹家华所作的关于长江三峡工程可行性研究报告审查情况的报告。经过认真讨论、协商,会议对兴建三峡工程的决策表示赞同,对这一重大建设方案的实施提出不少具体建议,并高度评价了中共中央和国务院在整个工程论证和决策过程中体现的科学化、民主化精神。

关于全国政协一年来的工作,洪学智就下述方面作了阐述:发扬人民政协自我教育的优良传统,在全面理解和贯彻"一个中心、两个基本点"的基本路线的基础上,统一思想,增进团结;发挥人民政协广泛联系各界人士的优势,宣传和协助贯彻国家有关民族、宗教和华侨等方面的政策;增进同台港澳代表人士的联系,开展促进祖国和平统一的联谊活动;开展人民外交活动,发展同各国人民的友谊和友好往来。他说,我们要认真学习、深刻领会邓小平同志关于建设有中国特色社会主义的一系列论述和中共中央政治局全体会议精神,解放思想,实事求是,开拓进取,服从和服务于经济建设的中心任务,努力做好人民政协的各项工作。人民政协要在以江泽民同志为核心的中共中央领导下,一如既往地贯彻"长期共存、互相监督、肝胆相照、荣辱与共"的方针,进一步增进各党派、无党派爱国人士、各人民团体、各族各界代表人士的团结合作,坚定信心,振奋精神,群策群力,有所作为,在建设有中国特色的社会主义道路上阔

步前进。

3 月 25 日,全国政协七届五次会议举行第二次全体大会,七位委员先后登台,就深化改革开放,集中精力发展经济建设作了发言。全国政协副主席程思远作了提案工作情况的报告。他说,七届四次会议以来,有 1438 位委员、7263 人次提交了提案,占全部委员人数的 70%。经提案委员会审查立案的提案共计 1804 件。这些提案分别送请 149 个单位研究办理。截至 1992 年 3 月 14 日。已办复提案 1797 件,占全部提案的 99.6%。

3 月 26 日,七届五次会议举行第三次大会,9 位委员就颁布新《工会法》、人权问题、大力推进九年制义务教育等问题登台发表意见。3 月 27 日,全国政协七届五次会议举行第四次大会,10 位委员就加快改革开放步伐、反腐防变、发展经济等问题作了发言。

3 月 27 日,全国政协七届第 19 次常委会在京举行,谷牧副主席主持了会议。全国政协秘书长宋德敏汇报了七届五次会议各组讨论情况。会议充分肯定了李鹏总理所作的政府工作报告。会议一致通过了七届五次会议政治决议(草案)、政协七届五次会议关于常务委员会工作报告的决议(草案)、政协第七届全国委员会提案委员会关于七届五次会议提案审查情况的报告(草案),这些将提请七届五次会议审议通过。

3 月 28 日,政协七届五次会议圆满闭幕。全国政协副主席方毅、洪学智、谷牧、杨静仁、帕巴拉·格列朗杰、王光英、邓兆祥、赵朴初、马文瑞、王恩茂、钱学森、钱伟长、胡绳、程思远、卢嘉锡、钱正英、苏步青、司马义·艾买提、丁光训、叶选平,秘书长宋德敏及委员 1576 人出席了会议。江泽民、杨尚昆、李鹏、万里、乔石、姚依

林、宋平、李瑞环等到会祝贺。闭幕会由洪学智副主席主持。会议通过了《全国政协七届五次会议政治决议》，通过了《全国政协七届五次会议关于常务委员会工作报告》的决议，通过了《全国政协提案委员会关于全国政协七届五次会议提案审查情况的报告》。会议对常务委员会一年来的工作表示满意。会议同意常务委员会提出的本年度工作要点，要求常务委员会以最近召开的中共中央政治局全体会议精神和邓小平同志关于建设有中国特色的社会主义一系列重要论述为指针，坚定不移地贯彻执行中国共产党的"一个中心、两个基本点"的基本路线，扎扎实实，开拓创新，以政协工作的新成就迎接中共十四大的召开。

闭幕会上，索朗罗布委员就西藏人权问题发了言，邬沧萍委员代表政协专门委员会人口问题研究组就全力以赴解决我国人口问题发了言。

《政治决议》指出：七届五次会议完全赞同和拥护最近召开的中共中央政治局全体会议精神和邓小平同志关于建设有中国特色的社会主义的一系列重要论述。会议赞同李鹏总理代表国务院所作的《政府工作报告》以及邹家华副总理所作的《关于1991年国民经济和社会发展计划执行情况与1992年计划（草案）的报告》、王丙乾国务委员所作的《关于1991年国家预算执行情况和1992年国家预算（草案）的报告》、邹家华副总理所作的《关于三峡工程议案的报告》。会议要求人民政协的各参加单位、各级政协组织和委员，认真学习、深刻领会中共中央政治局全体会议精神和邓小平同志的重要论述，全面贯彻"一个中心、两个基本点"的基本路线，服从和服务于经济建设这一中心任务，全力支持和协助各级中共党委和政府

做好工作。各级政协组织要继续认真贯彻《中共中央关于坚持和完善中国共产党领导的多党合作和政治协商制度的意见》，坚持贯彻"长期共存、互相监督、肝胆相照、荣辱与共"的方针，充分发扬社会主义民主，认真履行政治协商、民主监督职能，积极参政议政。要高举爱国主义和社会主义旗帜，巩固和发展爱国统一战线，在以江泽民同志为核心的中共中央领导下，进一步增进各党派、无党派爱国人士、各人民团体、各族各界代表人士的团结合作，为我国社会主义现代化建设事业和祖国和平统一而共同奋斗。

治理整顿全面展开

1988年9月党的十三届三中全会提出了"治理经济环境，整顿经济秩序，全面深化改革"的方针，经过三年的努力，经济生活的许多方面都发生了显著的变化，取得了明显的成效，基本上达到了预期的主要目标。实践证明，党中央作出的治理整顿方针是克服当时经济困难的根本措施。

治理整顿经济秩序的必要性

治理整顿实质上是一次大的经济调整，与新中国成立后我国进行过多次的经济调整一样，引起了各方面的关注。由于这次经济大调整出现在改革开放取得明显进展的新时期，因此，正确认识进行治

理整顿时的经济背景,是十分必要的。

党的十一届三中全会以来,经过一系列的拨乱反正,特别是在党的以经济建设为中心,坚持四项基本原则,坚持改革开放的基本路线指引下,中国人民在建设有中国特色的社会主义进程中,取得了举世瞩目的成绩:国民经济持续发展,国家经济实力显著增强,城乡居民生活明显改善,各项事业都取得了巨大的成就,整个国家的面貌发生了深刻的变化,开创了新中国成立以来经济发展最强劲、对外开放取得最大进展的新时期。

在充分肯定80年代前期我国经济建设取得巨大成就的同时,我们也应冷静地看到,我国经济在前进中也存在着许多问题和困难。由于指导思想上一度存在的经济建设和改革的急于求成,加上复杂的建设与改革中经验不足以及对通货膨胀危害性认识不足和宏观调控的一些偏差,1984年第四季度以来,经济运行出现了过热的趋向。当时曾设想以"软着陆"方式缓解经济生活中日趋严重的供求失衡矛盾,但实际上财政、信贷"双紧"政策却几度夭折,使经济不断升温,通货膨胀逐步加剧。经济环境和经济秩序方面的矛盾绝不是一两年突然出现的,而是多年积累的一些深层次问题的集中反映。

这些问题主要是:

第一,社会总需求远远超过社会总供给,现有国力和社会生产能力已支撑不了庞大的建设规模和巨大的社会消费需求。从1984年到1988年,国民收入增长70%,而全社会固定投资增长214%,城乡居民货币收入增长200%。投资需求和消费需求的双膨胀,有相当部分是靠吃老本,靠打赤字和大量发票子,靠举借内债和动用结存外汇来支持的。货币流通量大大超过经济增长的合理需要,这种情况

再也不能继续下去了。

第二,工农业比例关系严重失调,现有农业已支撑不了过大的工业生产规模。几年来,农业生产发展缓慢,粮食生产连续四年徘徊,加上人口增长,人均粮食产量下降到365公斤,棉花产量也大幅度下降。而工业生产增长过快,摊子越铺越大。特别是许多地区农田水利设施长年失修甚至遭到破坏,大批耕地被占用,农村劳动力过多、过早地转移到非农产业,国家、集体和农民对土地的投入减少。可以说,我国农业已处于基础脆弱、后劲不足的严重状态。

第三,基础工业、基础设施与加工工业的比例关系严重失调,能源、交通、原材料的供应能力已支撑不了过大的加工工业。全国到处缺煤、缺电、缺油、缺钢材,大量工业生产能力长期闲置。交通运输发展严重滞后。加工工业增长过快,是形成经济过热的主导因素。

第四,过多的信贷和货币投放。改革开放以来,随着国民经济货币结算范围扩大,信贷和货币的适度超增长是必要的。但是1984年以来信贷和货币的投放大大超过了经济正常发展和改革的需要,成为推动需求过旺的重要原因之一。1985年到1988年,银行各项贷款平均每年增加1446亿元,增长22%;货币投放平均每年增长336亿元,增长28.1%,不仅明显高于同期经济增长速度,而且也明显高于1979年到1984年的平均增长速度。特别是1988年的货币投放量高达680亿元,是1979年到1984年平均投放量的7倍。

第五,物价上涨幅度过高。伴随着供求失衡矛盾的加剧,加之物价管理不完善,市场零售物价总水平与上年相比的涨幅由1984年的2.8%急剧上升到1988年的18.5%。在1988年的物价涨幅中,约

有 8 个百分点是由于国家主动调价带来的,其余大都为自发性涨价和上年涨价的滞后影响。从月度来看,1988 年 1 月涨幅为 9.5％,2 月上升到 11.2％,到 7 月已提高到 19.3％,从 8 月起,伴随全国更大范围的抢购风和挤兑风,当月零售物价总水平涨幅急剧跃升到 23.2％,到 12 月已经创纪录地达到 26.7％,成为历史上少有的高物价涨幅,严重影响到经济和社会的稳定。

第六,生产、建设、流通领域中普遍存在着高消耗、低效益,高投入、低产出,高消费、低效率的现象,各方面浪费严重。许多企业产品质量低劣,物质消耗升高,成本增大,亏损增加,成为国家财政的沉重负担。基本建设项目过多,战线过长,许多工程不能及时投产,长期占用大量财力物力而形不成生产能力。

第七,经济秩序特别是流通秩序混乱。在新旧体制更替过程中,由于宏观调控体系尚不健全,法制体系和市场体系也不健全,加上利益主体多元化伴生的追求局部利益的强化,以及一些人利用国家经济政策不完善而想方设法甚至不惜以违法乱纪手段牟取个人私利,使经济生活中一度出现了严重无序状态。

正是由于经济生活中存在着上述矛盾和问题,并经多年积累,最终在 1988 年以剧烈的通货膨胀形式爆发出来,造成市场动荡、物价猛涨,整个经济处于严重的波动之中,到了非采取特殊的调整措施不可的关键时刻,这就是实行治理整顿的经济背景。

治理整顿的目标和措施

由于经济生活中存在的困难和问题较多,解决起来难度大,治理整顿不能急于求成,时间短了不行。1989 年 11 月召开的中共十三届五中全会通过了《中共中央关于进一步治理整顿和深化改革的决定》。中央决定,用 3 年或者更长一些时间(包括 1989 年),努力缓解社会总需求超过社会总供给的矛盾,逐步减少通货膨胀,使国民经济基本走上持续稳定协调发展的轨道,为到 20 世纪末实现国民生产总值翻两番的战略目标打下良好的基础。

治理整顿的主要目标是:

——逐步降低通货膨胀率,要求全国零售物价上涨幅度逐步下降到 10％以下。

——扭转货币超经济发行的状况,逐步做到当年货币发行量与经济增长的合理需要相适应。

——努力实现财政收支平衡,逐步消灭财政赤字。

——在着力于提高经济效益、经济素质和科技水平的基础上,保持适度的经济增长率,争取国民生产总值平均每年增长 5％—6％。

——改善产业结构不合理状况,力争主要农产品生产逐步增长,能源、原材料供应紧张和运力不足的矛盾逐步缓解。

——进一步深化和完善各项改革措施,逐步建立符合计划经济与市场调节相结合原则的,经济、行政、法律手段综合运用的宏观调控体系。

为此,治理整顿工作必须抓住四个重要环节:一是继续压缩社会总需求,解决国民收入超分配问题;二是大力调整产业结构,增加有效供给,增强经济发展后劲;三是整顿经济秩序,克服生产、建设、流通、分配领域的严重混乱现象;四是深入开展增产节约、增收节支活动,大力提高各个方面的经济效益。在我国经济发展过程中,脱离国情,超越国力,急于求成,大起大落,严重挫伤群众积极性,往往造成巨大损失,是必须记取的教训。因此,中央一再强调,治理整顿期间也好,治理整顿任务完成后也好,都要坚持从我国的基本国情出发,牢固树立持续、稳定、协调发展的指导思想,坚决防止片面追求过高的发展速度,始终把不断提高经济效益放到经济工作的首要位置上来。

治理整顿采取的措施主要有以下几方面:

1.控制社会需求和坚持财政信贷双紧的方针

从根本上说,国民经济中存在的困难和问题,是多年来社会总需求超过总供给,国民收入超额分配引发出来的。所以,坚决控制社会总需求是治理整顿的首要任务。为此,必须压缩投资总规模,坚决调整投资结构,切实控制消费需求的过快增长和实行从紧的财政信贷政策。

中央要求,1990年、1991年的全社会固定资产投资规模,都要维持在甚至低于1989年的水平。在控制投资总规模的前提下,大幅度压缩一般性建设的投资,保证基础产业必不可少的投资需要。在治理整顿期间一律不准建设新的楼堂馆所,原则上不上新的一般加工工业项目,特别是那些高能耗、超前消费的产品的建设项目一律不搞。基础产业的重点建设,也要根据财力物力和其他条件的可能,有先有后,不能齐头并进,优先安排好农业、煤炭、原油、电力、铁路和一些原材料工业的建设项目。所有新的工程立项,必须经过正常程序审批,严格把关。开征投资方向调节税,实行差别税率,促进投资结构的改善。加重地方和各行各业开发基础工业和基础设施的责任。

坚决纠正盲目提倡高消费的错误做法,使消费基金的增长低于国民收入和劳动生产率的增长。加强对工资基金的管理,特别要加强对工资奖金以外其他个人收入的控制,纠正和禁止滥发奖金、实物和擅自扩大津贴、补贴的现象,改进和完善企业工资总额同经济效益挂钩的办法。大力压缩社会集团购买力,严格控制专控和非专控商品的购买。一切行政事业单位,都要基本停止购置新的设备。

坚持实行从紧的财政信贷政策,是紧缩社会总需求的根本性措施。按照产业政策有重点地解决某些方面资金困难的问题,以利于促进生产的稳定增长,但不得用于扩大基建规模和增加消费基金。

在努力增加财政收入的同时,大力压缩财政支出。除了国防费用、重点建设基金、必要的价格补贴等开支外,其他各项财政支出都大体维持原有水平。有些支出特别是事业费和行政管理经费还要作不同程度的压缩。坚决撤掉一些过多的重叠的行政事业摊子和可有可无的学会、协会、中心,精简机构,裁减冗员。采取多种办法,推迟和转移单位购买的到期内债本息的偿还。

中央银行必须管住票子,控制信贷总规模。新发放的银行贷款,严格按照国家的产业政策,优先保证重点产业、重点产品、重点项目和骨干企业资金的需要。1990年的新增贷款总额和货币发行量,大体维持1989年的水平。

2.加强农业等基础产业和调整经济结构

实现农业的稳定发展,是经济稳定、

政治稳定和社会稳定的基础,是关系国家安危的问题,也是调整经济结构的关键所在。要迅速在全国造成一个重视农业、支援农业的和发展农业的热潮,齐心合力把农业搞上去,确保粮食、棉花等主要农产品的稳定增长,促进农林牧副渔全面发展。

为此,中央和省、地、市、县各级部门必须把农业放在重要地位,各项经济工作都要贯彻以农业为基础的方针。各方面都要增加对农业的投入。中央预算内基本建设投资要逐年增加用于农业的比重,省、地、市、县都要尽可能把较多的地方机动财力用于农业建设。逐步提高乡镇企业税后留利中用于补农资金的比例。积极引导农民增加对农业的投入和劳动积累,这是增加农业投入的主体。积极推广适用的先进农业科学技术成果。各级政府要在资金、物资和技术力量方面给予支持。

各行各业都要大力支援农业。国务院各有关部门和地方各级政府要重视农用生产资料工业的建设,对化肥、农药、农膜、农业机械等生产所需的资金、能源、原材料要优先保证供应。农用工业部门要坚决完成国家计划的生产和供应任务,坚持和完善部分农业生产资料的专营办法。为了促进农业的发展,国家将根据需要和可能,有计划地逐步调整重要农产品的收购价格,合理协调农村中的比较利益,鼓励农民增加粮食、棉花的生产。继续深化农村改革,执行稳定的农村政策。以家庭经营为主的联产承包责任制,应当保持稳定并不断完善。积极建立和健全产前、产中、产后的生产、科技服务体系,努力完善统分结合的双层经营体制,促进农村商品经济的发展。

努力保持能源和重要原材料生产的稳定增长,大力提高运输效率。煤炭工业首先要抓好统配矿,稳定东部地区和发展中、西部地区的煤炭生产,同时积极地发展地方煤矿的生产和建设。原油和电力生产要稳步增加。钢铁、有色金属、化工、建材等工业部门要积极调整产品结构,增产短缺品种,提高产品质量。交通运输业要努力提高综合运输效率。进一步发展通信事业。

大力调整加工工业,克服盲目发展现象。努力使加工工业同农业、基础工业和基础设施的发展相协调。同市场需求的变化相适应,是调整经济结构的重要任务。控制和压缩加工工业的重点:一是高耗能、高耗原材料、高用汇、低水平和严重重复生产的一般加工工业;二是助长高消费、超前消费的行业和产品。

轻纺工业要根据城乡居民不同层次的需求和购买力水平,逐步调整产品结构,尤其要注意开发适应农村需要的日用消费品。机电工业要努力研制和开发能源、原材料、交通运输业和通信等基础产业所需要的机电成套设备及其基础元器件,增产适用的农业机具和其他农用工具。各部门、各地方都要根据调整加工工业的要求和经济效益的标准,列出限制生产、淘汰生产和保证生产的产品目录,对国家明令公布淘汰和停止生产的产品。银行停止贷款,电力部门停止供电,运输部门不予运输,物资部门停止供应燃料和原材料。

各级部门要依靠科技进步,坚定不移地把经济工作转移到以提高经济效益为中心的轨道上来。

3.认真整顿经济秩序,特别是流通秩序。清理整顿公司特别是流通领域的公司,逐步消除流通领域秩序混乱的状况。首先要在整顿煤市场方面有一个突破。

所有统配矿生产的煤炭、地方上缴国家的部分煤炭以及经铁路运输的计划外出省煤炭,均由国家管起来,统一分配,统一订货,统一运输,统一调度。其他单位和个人一律不得经营煤炭。其他生产资料的流通领域,也都要下大力气清理那些从事中间盘剥的各种公司和经营单位,以及那些生产企业所设置的变相抬高出厂价格和转手倒卖的各种服务公司,坚决砍掉那些重利盘剥、扰乱市场、哄抬物价的中间环节。

坚决整顿市场秩序。计划外自销生产资料要实行公开销售制度,即实行资源数量公开,价格公开,销售对象公开,结算方式公开,严禁私人从事重要生产资料的经营活动,国家规定的最高限价,任何地方、部门和单位都必须严格执行。在重要消费品流通领域,要把批发环节掌握在国营商业和供销社手里。发挥它们的主渠道作用,禁止私人从事长途批发业务。

逐步解决生产资料价格"双轨制"问题,同时,下大力气加强市场管理和物价管理,坚决制止和纠正乱收费、乱摊派、乱罚款现象。

三

取得的成效

1988 年第四季度开始的治理整顿可以大致分为三个阶段,每一个阶段的政策侧重点和经济形势的变化不尽相同,各有特点。第一阶段,从 1988 年 9 月至 1989 年 8 月,政策的侧重点主要在于多管齐下压需求、整秩序,使经济降温,遏制通货膨胀,稳定经济形势。经过一年的努力,过高的工业发展速度降了下来,农业获得好收成,固定资产投资有所控制。物价上涨

势头趋于缓和,货币回笼情况比较好,整个经济在治理整顿中继续发展。但是,国民经济中许多深层次的问题还没有得到解决。1989 年 11 月中共十三届五中全会通过了《中共中央关于进一步治理整顿和深化改革的决定》,治理整顿进入第二阶段。第一阶段在紧缩社会需求、降低通货膨胀率方面取得明显成就,但在紧缩过程中同时伴生了市场销售下降、工业速度回落过猛、停工半停工企业增加等新问题,针对这种情况国务院及时调整宏观紧缩力度,政策的侧重点在于坚持总量控制,解决市场疲软、工业速度下滑过猛问题,在稳定中求经济适度发展,缓解了经济生活中的一些矛盾,国民经济逐步回升,治理整顿又取得可喜效果。第三阶段,从 1990 年 9 月至 1991 年 9 月,政策的侧重点在于保持经济的正常增长,提高经济效益,促进经济结构优化。

在党中央和国务院正确领导下,经过全国各族人民三年来的共同努力,经济生活的方方面面都发生了显著的变化,治理整顿取得了明显的成效,集中表现在以下几个方面。

1. 过热的经济明显降温,经济基本恢复正常增长

治理整顿前的 1985 年至 1988 年,经济处在日趋过热状态,国民生产总值平均每年增长 10.7%,工业总产值平均每年增长 17.8%。经过治理整顿,已改变了经济过热的局面。1989 年国民生产总值比上年增长 4%,1990 年比上年增长 5.3%,1991 年 1—9 月份比上年同期增长 6.8%。1989、1990 年,工业总产值和上年相比的增长速度分别为 8.5%、7.8%,1991 年 1—9 月份为 13.9%。经济增长速度已基本恢复到与经济条件相适应的正常增长水平,达到了治理整顿的目标。

2.供求失衡矛盾明显缓解,通货膨胀得到控制

1985 年到 1988 年,社会总需求超过总供给(按 1990 年价格计算)的平均差率为 11.8％。治理整顿有效地控制了社会需求的过快增长,促进了供求关系的改善。1989 年供需差率缩小到 8.7％,1990 年继续缩小到 7.6％,1991 年基本保持上年水平,近三年平均为 8％左右,已处于基本正常范围。全国零售物价总水平比上年的涨幅,1989 年回落到 17.8％,1990 年进一步回落到 2.1％,1991 年 1—9 月只有 2.5％,已进入各方面可承受范围,实现了治理整顿的要求,并得到了国际上的一致好评。

3.市场供应充足,秩序明显好转,居民消费心态趋向正常

随着供求关系的改善,国内市场出现了喜人的变化。一是市场商品供应充裕,花色品种增多,消费者选择余地扩大,部分商品出现了有限的买方市场。二是市场秩序明显好转,坑蒙拐骗、以次充好、以假代真、乱涨价等现象大为减少,服务态度改善。特别是清理公司取得了明显进展。大多数公司已和国家行政机关脱钩,实行企业化管理,一大批兼职的国家机关工作人员从公司中退出,各种违法乱纪现象得到一定程度的纠正。三是居民消费心态稳定,由于市场物价基本稳定,商品货源充足,居民的购买行为趋向理性化,市场销售逐渐从过热转入疲软,又从疲软趋向基本正常,其中 1991 年的增长幅度已进入基本正常范围。

4.人民继续得到了实惠

治理整顿虽然压缩了一些消费需求的过快增长,但城乡居民继续从经济发展中得到了实惠。1990 年城镇居民实际人均生活费收入比 1988 年增长了 5.2％(1991 年 1—9 月比上年同期增长 8％);农村居民实际人均纯收入增长 0.2％(1991 年 1—9 月农村居民人均现金收入比上年同期增长 7％);城乡居民储蓄存款增加 3233 亿元(1991 年 9 月末又比年初增加 1619 亿元),平均每年增长 36％,手存现金和购买各种债券也有不同程度增加。

5.基础产业得到加强,产业结构“瓶颈”矛盾有所缓解

在治理整顿期间,产业结构的调整逐渐起步,农业、能源、交通、原材料等产业部门均有不同程度的发展。与此同时,处于长线的加工工业受到一定限制,基础产业与国民经济发展不相适应的状况有所改善。

农业生产连续两年获得丰收,粮、棉、油、糖等主要农产品产量有不同程度增产。1991 年尽管遇到了严重的自然灾害,但经过各方面努力,农业生产仍取得较好收成。农业的丰收,为改善市场供应、稳定物价起到了积极作用。

基础产业与国民经济增长之间的比例失调状况得到一定改善。1989 年到 1990 年,工业与农业增长速度之比由 1985 年至 1988 年的 4.34：1 改变为 1.55：1,工业与能源增长速度之比由 3.36：1 改变为 1.95：1,工业与运输邮电业增长速度之比由 1.32：1 改变为 1.19：1,经济发展的“瓶颈”制约有所松弛。

基础产业投资占固定资产投资比重上升,增量调整进展较大。1990 年和 1988 年相比,全民所有制固定资产投资增长 5.6％,而基础产业的投资增长均快于全部投资增长,所占比重提高。

6.对外开放取得新进展,国际收支明显改善

治理整顿以来,尽管我国受到西方主

要国家的经济制裁和政治干扰,但由于我国坚持独立自主的外交路线,继续贯彻对外开放的基本国策,使我国外经外贸工作取得了新的成绩。1989年到1990年,我国出口总额陆续登上525亿美元和621亿美元两个台阶,平均每年增长14.3%;1990年,我国对外贸易实现顺差,改变了1984年以来连续逆差的状况。1991年在进口明显回升的同时,由于出口保持了稳定增长,使进出口继续保持顺差格局。国家外汇结存不断增加。这三年,我国吸收利用外资也取得了新进展。1989年到1990年,我国实际利用外资203.5亿美元;1991年上半年,我国实际利用外资49亿美元,比上年同期增长3.1%。尤其是这三年外商投资在结构上也发生了明显变化,投资导向趋于合理,技术先进型和出口创汇型项目增多。

7.宏观调控手段趋向多元化

有效的宏观调控,是维持国民经济稳定发展的重要手段。过去,我国实行指令性计划体制,习惯使用行政手段管理经济。这次治理整顿,是在改革开放十年后商品经济已经有长足发展的情况下进行的,形势的变化要求我们在治理整顿中更多地使用经济手段。在治理整顿期间,我国宏观调控经历了由行政手段为主向以价格、利率、汇率、税率等经济杠杆和必要的法律法规为主的转变,取得了良好的效果。实践表明,随着宏观调控手段的多元化和不断完善,必将为进一步提高我国宏观调控的科学性、有效性创造更为有利的条件。

8.改革取得了新进展,利于经济工作转轨

治理整顿期间,根据需要和可能,国家先后对能源、原材料、运输、农产品等基础产品价格和服务项目进行了较大幅度调整,特别是1991年成功地调整了城镇居民的定量粮食、食用油的销售价格,对缓解购销倒挂矛盾、减轻财政负担起了积极作用。治理整顿期间,价格改革步子大、效果好。外贸体制改革取得了突破性进展。大多数国营工业企业实行了第二轮承包。农村双层经营体制改革不断完善。与此同时,在金融、财税、社会保险、住房、医疗等方面积极进行改革试点工作,取得了一定成效,对我国以后改革和建设的进程,都有重大意义。

存在的问题

三年的治理整顿工作,使国民经济摆脱了剧烈波动的困境,使我国经济形势进一步向好的方向发展。但是,经济生活中仍然存在着一些困难,一些深层次的问题尚未根本解决,突出的是财政依然困难,经济效益还不高,存量结构不合理。这些制约经济根本好转的因素尚未消除。

1.财政依然困难

治理整顿以来,为了解决国家财政困难的问题,国务院和地方政府采取了不少增收节支措施,出台了一些必要的调整政策,整顿了财经纪律,使财政收入稳步提高。但与此同时,国家财政支出也在增加,国家财政支出的摊子在不断扩大,1989年和1990年国家财政支出分别比上年增长12.2%和13.6%,与同期财政收入增长(分别为12.2%和12.4%)持平甚至超过财政收入增长,使财政困难不仅没有减轻,反而更加严重,财政赤字分别为92亿元和140亿元,1991年1—9月已经出现财政赤字58亿元,若包括国内外债务收入及应拨未拨的补贴等,则这几年财政赤字还要大。

造成财政困难的原因有这样几个方面。一是财政债务负担加重,这几年我国进入债务还本付息的高峰。二是企业经济效益还不高,财政的亏损补贴负担重。三是财政支出结构不合理。一方面,经济搞活后,国家财政原先所承担的一些支出项目没有相应按照国家、集体、个人共同负担的原则而削减,使国家财政不堪重负。另一方面,机构臃肿,人浮于事,"皇粮"支出不堪重负。此外,财经纪律松弛,偷漏税、有意拖欠税利现象较为普遍,也使财政收入流失了一大部分。四是分配关系不合理,财力分散,特别是过于向个人及预算外倾斜,使一部分财政收入转移了。

由此可见,财政困难,并不完全是由于社会财富没有创造出来,而主要是现行的财力分配不尽合理,财政支出结构不合理,经济管理漏洞较多等因素造成的。因此,仅靠治理整顿措施难以根本扭转财政困难的局面,必须依靠深化改革,努力发展经济。

2.经济效益还不高

治理整顿期间,虽然各级政府十分注意解决经济效益不高的问题,并且采取了许多有力措施,取得了一些成效,但并没有根本扭转经济效益不高的局面。相反,在相当长的一段时间里,还出现了经济效益持续下降的局面。经济效益不高,集中表现在生产领域的盈利水平大幅度下降,成本增加,费用上升,亏损上升。应该指出,经济效益不高,是我国经济发展中长期存在的一个痼疾。在治理整顿期间,经济效益依然不高,而且出现继续下降趋势,其原因除了固有的资源配置不合理、价格体系扭曲、技术水平不高、企业管理水平低等因素外,还有一些特殊的新的因

素。一是供求关系的改变,使不少企业习惯于产销两旺取得效益的局面难以维持,这必然导致企业经济效益出现下滑。二是前一时期经济过热的"后遗症"。大量重复建设、盲目建设,使加工工业生产能力增长超过了市场容量和基础产业的承受能力,形成不合理的存量结构。在治理整顿期间存量调整进展不快,也影响企业效益提高。三是治理整顿抑制了通货膨胀,初步扭转了流通秩序混乱的局面,乱涨价、乱收费现象明显减少,使一些靠通货膨胀获得的"虚假效益"消失了。四是由于宏观调控在力度上偏紧,造成积压增多,也对企业的效益有一定制约。

从根本上说,经济效益不高,是经济体制和企业机制不合理的必然反映。企业缺乏必要的经营自主权和约束机制,优胜劣汰机制不健全,分配上过分向个人倾斜,加上各种乱摊派,使企业效益大量流失。因此,提高经济效益,必须综合治理,特别是必须深化改革,使企业具有提高效益的内在动力,堵住效益流失的洞。

3.存量结构不合理

经过三年的治理整顿工作,初步扭转了产业结构严重失调的状况,"瓶颈"矛盾有所缓解。但是,结构问题依然存在,主要表现为增量调整多,存量调整少,生产要素配置还很不合理,资源利用率不高。如彩电、冰箱、洗衣机、汽车、拖拉机、啤酒、卷烟、吸尘器、录音机等19种主要加工产品生产能力的利用率很低,企业的经济效益不好,但是,大多数企业仅仅是"停产半停产",被动闲置生产能力,并没有真正进行优化组合。这说明过长的加工工业调整进展相当缓慢,存量结构不合理的矛盾依然比较突出。

存量结构调整迟缓,结构不合理的主要原因是经济体制不合理。一是缺乏一

个灵活有效的调整机制。二是中央宏观调控能力弱化，增量调整手段有限，难以及时校正失调的结构。三是社会保障制度未健全，企业难以优胜劣汰，使许多该关、停、并、转的企业不能调整。另外，承包制的实施也不利于现有企业结构的调整。这样，企业的存量调整也就难以进行。

治理整顿作为特殊时期的一种非常措施，取得了成效，但经济生活中一些深层次的矛盾则需要通过深化改革来解决，只有深化改革才能解决这些矛盾，只有改革经济才能发展。

五

可借鉴的经验

三年来的治理整顿，不仅推动了我国经济改革的进程，促进了我国经济的健康发展，也为我国今后的经济建设提供了许多宝贵的经验。

治理整顿的实践证明，宏观调控政策要想取得最佳效益，就要保证调控的科学性。治理整顿期间，中央采取的保值储蓄、清理整顿公司、1990 年的扩大 400 亿元固定资产投资、灵活运用利率、汇率等决策就比较科学，成效显著，而 1989 年第四季度开始对中间需求注入大量贷款的措施，启动经济的效果就较差，造成了产成品的大量积压。

近三年的治理整顿，国家虽然采取了许多宏观措施，但也花费了大量的精力来处理微观事务，诸如企业产品结构不合理带来的产成品积压问题、企业效益问题、企业产品质量问题等等。这在经济发展中的特殊时期是难以避免的，但是如果长此以往，势必分散宏观决策的精力，影响宏观调控的质量，影响整个国民经济的健康进展。因此，宏观调控应从微观事务中摆脱出来，通过建立正常的经济秩序，通过多种经济和法律杠杆对企业进行间接调控。按照经济规律，如价值规律等，通过各项法规、法令的颁布和实施，建立起国民经济运行新秩序、建立起统一的社会主义市场体系，使整个国民经济运行有序化、规范化。制定正确的国民经济发展规划和产业政策，并利用税率、利率、汇率、价格、失业率等各种经济和法律手段，引导社会各种资源的合理配置，保证国民经济规划和产业政策的贯彻执行。直接经营和管理少数标准化要求较高、对国民经济运行起重大作用、具有垄断性质的行业和产品，如铁路干线、邮电、通讯、核电、粮食、石油等等。微观经济单元，在新的经济运行机制中，必须成为具有自我约束机制、自我发展、自负盈亏能力的相对独立的经济法人，它们通过遵守国家的法律、法令和社会主义市场体系的秩序，按照价值规律参与市场竞争。

这次治理整顿，不是像以前的经济调整那样，单纯"退够"，而是保持了经济的适度发展，使经济调整有了一个较宽松的环境；也没有就调整论调整，而是把调整和改革结合起来，把握有利时机，适时地推进了改革进程，取得了良好的效果，为我们今后更好地处理调整、改革与发展的关系积累了经验。鉴于调整和发展都属于长期性的问题，特别是经济结构调整是一个渐进和动态的过程，不宜采取剧烈的、破坏性的措施，否则，就成了经济危机，这就要求经济系统内部有这样一种自我调整机制，以避免经济活动中大的震荡。改革可促进这种调整机制的形成，而这种调整机制一旦形成就可促使国民经济健康发展。

国民经济和社会发展十年规划和第八个五年计划纲要颁布

1991年4月，七届人大四次会议讨论、审查并通过了《中华人民共和国国民经济和社会发展十年规划和第八个五年计划纲要》。

党的十一届三中全会以后的80年代，全国各族人民在中国共产党的领导下，贯彻执行党的建设有中国特色社会主义的基本路线和各项方针、政策，全面开创了社会主义现代化事业的新局面，取得了举世瞩目的巨大成就。经济体制改革全面展开，对外开放迈出重大步伐，生产建设取得很大进展，科技、教育和文化等事业迅速发展，国家经济实力显著增强，人民生活明显改善，现代化建设的第一步战略目标已经实现。社会主义制度在改革开放中逐步完善，安定团结的政治局面不断巩固和发展。

在国民经济和社会发展取得巨大成就的同时，也出现了一些新的矛盾和问题。主要是：一度忽视思想政治教育，存在物质文明建设与精神文明建设"一手硬、一手软"的现象；在经济发展和改革中都出现过急于求成，一度造成经济过热、通货膨胀；国民经济的某些方面过于分散，国家宏观调控能力减弱。

1988年9月党的十三届四中全会以来，建设有中国特色的社会主义的路线、方针、政策得到更加全面的贯彻，各项工作取得新的进展。思想政治领域出现新的转机，治理整顿和深化改革的成效显著。通货膨胀得到有效控制，农业连续两年丰收，工业生产增长速度基本恢复到正常水平，出口贸易持续增长，经济秩序明显改善，整个国民经济正向好的方向发展。但是，经济循环不畅、结构不合理、经济效益差、体制关系不顺等问题，还没有得到根本解决。

十年规划和"八五"计划纲要的制定，全面估量了国际形势和我国经济的现状与发展趋势，既考虑到已经拥有的良好基础和各种有利条件，又估计到面临的问题和困难，力求使规划和计划实事求是，瞻前顾后，既积极进取，又留有余地。

十年规划和"八五"计划纲要把十年规划远景和五年中期安排结合起来，从实现20世纪末战略目标的要求出发来制定"八五"计划。十年规划部分设想地概略一些，除了提出少数重要指标外，着重规定国民经济和社会发展的主要目标、基本任务和重大方针政策；"八五"计划部分具体一些，规定的指标多一些，但重点也放在国民经济和社会发展的方向、任务、政策和改革开放的总体部署上。

一

十年规划的主要目标和指导方针

1. 奋斗目标和总体蓝图

总的要求是，实现我国社会主义现代化建设的第二步战略目标，把国民经济的整体素质提高到一个新的水平。

（1）在大力提高经济效益和优化经济结构的基础上，使国民生产总值按不变价格计算，到20世纪末比1980年翻两番。

（2）人民生活从温饱达到小康，生活资

料更加丰裕,消费结构趋于合理,居住条件明显改善,文化生活进一步丰富,健康水平继续提高,社会服务设施不断完善。

(3)发展教育事业,推动科技进步,改善经济管理,调整经济结构,加强重点建设,为到 21 世纪初叶我国经济和社会的持续发展奠定物质技术基础。

(4)初步建立适应以公有制为基础的社会主义有计划商品经济发展的、计划经济和市场调节相结合的经济体制和运行机制。

(5)社会主义精神文明建设达到新的水平,社会主义民主和法制建设进一步健全。

以上几个方面,是有机联系、相互促进的,体现了我国经济和社会发展各个基本方面的客观要求。它既要求经济总量的增长,更注重经济素质和效益的提高;既重视经济建设,又重视经济体制的改革和对外开放;既考虑经济的发展,又考虑社会全面进步。在实际工作中,要把这些要求很好地结合起来,全面加以实现。

按照以上奋斗目标的要求,到 2000年,我国国民经济和社会发展将出现多方面的重大变化:整个国家的经济实力显著增强,国民生产总值在世界的位次进一步提前,主要工农业产品产量将有较大增长;产业结构明显改善,生产门类更加齐全,地区经济布局趋于合理;科学技术和管理水平将有较大提高,一批行业的主要生产技术达到或接近世界较先进的水平,若干高新技术领域取得重大突破,并形成一批高新技术产业;全民族的科学文化素质和思想道德素质明显提高;国防现代化建设将达到新的水平;人民生活将发生由温饱上升到小康的阶段性变化,人民的健康水平、营养状况、平均寿命和识字率等生活质量指标,达到或超过中等收入国家

水平;社会主义新的经济体制初步确立,社会主义制度进一步完善;社会秩序安定,社会风气更加健康向上。

2.基本指导方针

(1)坚定不移地走建设有中国特色的社会主义道路。最根本的,是要全面贯彻执行党在社会主义初级阶段的基本路线,以及一系列行之有效的方针政策,并在实践中加以具体化、制度化。

(2)坚定不移地推进改革开放。要按照生产力发展的要求,使改革不断深化、开放进一步扩大;同时,坚持改革开放的社会主义方向,使改革开放成为我国经济和社会发展强大的推动力。

(3)坚定不移地保持国民经济持续、稳定、协调发展,始终把提高经济效益作为全部经济工作的中心。要坚持经济总量的基本平衡,努力优化经济结构,加速科技进步,改善经济管理,千方百计提高经济整体素质和效益。

(4)坚定不移地执行独立自主、自力更生、艰苦奋斗、勤俭建国的方针。

(5)坚定不移地贯彻物质文明建设和精神文明建设一起抓的方针。

3.主要任务和重要指标

1991—2000 年,国民经济和社会发展的主要任务有以下几个方面:

(1)按照国民经济逐步现代化的要求和居民消费结构的变化,积极调整产业结构,重点是加强农业、基础工业和基础设施,改组改造和提高加工工业,把发展电子工业放在突出位置,积极发展建筑业和第三产业,促进产业结构合理化并逐步走向现代化。

——坚决贯彻以农业为基础的方针,大力加强和发展农业,改变农业基础脆弱、后劲不足的局面。农业的发展,要综合安排粮、棉、油、菜、糖、果、肉、禽、蛋、

奶、鱼,但重点是粮食和棉花。到2000年,全国粮食产量要求达到5亿吨,棉花产量达到525万吨。同时,进一步发展林业、畜牧业、水产业。继续引导和促进农村乡镇企业健康发展,全面振兴农村经济。为此,必须长期稳定党在农村的基本政策,充分调动广大农民的生产积极性。要较大幅度地增加对农业的投入,在农业基础建设方面办几件大事。大力实施科技、教育兴农。充分利用农村丰富的劳动力资源,向农业的广度和深度进军。

——加强能源、交通、通信、重要原材料和水利等基础工业和基础设施的建设,同时积极改组改造和提高加工工业,使基础工业和基础设施与加工工业长期失调的状况基本得到扭转。到2000年,原煤产量达到14亿吨左右,原油产量有较大增长,发电量达到11000亿千瓦时左右,钢产量达到8000万吨以上,乙烯产量达到300万吨左右,化肥产量达到1.2亿吨左右(标准肥),铁路货运量达到19亿吨左右。

——加工工业的发展,重点在于立足现有基础,进行联合改组和技术改造,调整产品结构、企业组织结构和行业结构,积极采用新技术、新工艺,更新老旧设备,提高产品质量,开发新产品,降低物质消耗,增强某些短线,把整个加工工业的素质提高到新水平。

——把发展电子工业放在突出位置,使之成为促进产业结构和整个国民经济现代化的带头产业。要积极运用电子技术改造传统产业,促进新兴产业的成长。从投资分配、技术开发、设备更新、产业政策和组织管理等方面,为电子工业的迅速发展和电子技术的推广应用创造条件。

——积极发展建筑业和第三产业。建筑业的发展,要同房产业的发展结合起来,积极开拓建筑市场,使之逐步成为重要支柱产业,以适应经济建设和明显改善城乡居民住房条件的需要。同时,相应发展建材工业。进一步重视第三产业,使之继续快于第一、二产业的发展。到2000年,第三产业在国民生产总值中的比重,由现在的四分之一左右提高到三分之一左右。

——随着经济发展和国力的增强,适当增加国防经费,提高国防意识,加强国防现代化建设。

(2)根据统筹规划、合理分工、优势互补、协调发展、利益兼顾、共同富裕的原则,努力改善地区经济结构和生产力布局。

——采取有力措施,逐步改变目前地区分割,市场封锁,追求自成体系的不合理现象。经过十年努力,在坚持全国一盘棋和统一市场的前提下,形成以省、自治区、直辖市为基础,以跨省、区、市横向联合为补充,有利于发挥地区特色和广泛开展地区协作的经济体系。

——正确处理并协调沿海和内地的关系。继续发挥沿海地区资金、技术、人才优势,积极发展技术水平较高的产业以及出口创汇产品,将耗能高、运量大工业的建设重点逐步转移到能源充足、资源富集的地区。同时,积极发挥内地的资源优势,在加快资源开发的前提下,适当发展加工工业,并逐步提高加工深度。

——经济比较发达的地区,要采取多种形式帮助经济较不发达的地区,加快它们经济的发展,逐步实现共同繁荣和富裕。继续贯彻扶贫政策,经过十年努力,要从根本上解决贫困地区群众的温饱问题。

(3)继续把发展科学技术和教育事业放在重要战略地位,使我国经济成长逐步转到主要依靠科技进步和提高劳动者素质的轨道上。

——坚持贯彻"经济建设必须依靠科学技术、科学技术工作必须面向经济建设"的基本方针。统筹规划各个层次的科技工作，合理配置力量，并从体制改革、加强管理和增加投入等方面采取措施，推动科学技术事业的全面发展。1991—2000年，要根据我国的实际需要，力争在一些科技领域接近或者达到国际先进水平。

——紧紧围绕解决国民经济各部门生产技术和装备现代化问题，特别是为解决农业、水利、能源、交通、通信、原材料、资源综合利用，以及人口控制、医药卫生、生态环境保护和国防建设等方面的重大课题，组织实施科技攻关计划，提供科技保证。

——围绕提高产品质量、开发新品种、降低物质消耗、提高劳动生产率、改善劳动条件等方面，抓好一大批投入少、效益好、见效快的科技成果的推广应用，推动企业技术改造和设备更新，促进产品结构的调整和技术水平的提高。

——积极跟踪世界新技术革命的进程，努力在生物工程、电子信息技术、自动化技术、新材料、新能源、航空航天、海洋工程、激光、超导、通信等高技术领域取得新的科技成果。继续推进"火炬计划"的实施，办好高新技术开发区，推进高新技术成果商品化和产业化，并加快向传统产业的扩散和渗透。继续加强基础性研究，增强科技发展的后劲。重视发展软科学，提高决策的科学化水平。努力加强哲学、社会科学研究，促进社会科学各个领域的繁荣和发展。

——进一步深化教育改革，优化教育结构，注重提高教育质量和办学效益，逐步增加对教育的投入，努力建立具有中国特色的、面向21世纪的社会主义教育体系。

——全面提高各级各类教育水平。进一步加强基础教育，到20世纪末在全国普及小学阶段义务教育，在城镇以及经济比较发达的农村地区基本普及初中阶段义务教育。大力发展多种形式的职业教育，使农村绝大多数新增劳动力接受程度不同的技术教育和培训，企业新增职工都接受必要的职前教育和岗位培训。根据社会实际需要，合理调整普通高等教育结构，大力提高质量。有重点地办好一批大学。积极发展成人教育。要十分重视扫盲工作，争取到2000年基本扫除青壮年文盲。

——在全社会发扬尊重知识、尊重人才的良好风尚，在改善知识分子工作条件和生活待遇方面多办一些实事，进一步发挥知识分子在社会主义现代化建设中的重要作用。

（4）在搞好经济建设的同时，相应提高人民生活水平和发展各项社会事业，促进经济与社会协调发展。

——继续坚定不移地执行计划生育基本国策，控制人口数量，提高人口质量。要把工作的重点放在农村和加强对流动人口计划生育的管理上，逐步降低人口自然增长率，争取1991—2000年平均年人口自然增长率控制在12.5‰以内。

——在生产发展的基础上，使人民生活逐步达到小康水平。努力增加消费品的生产和供应，逐步调整消费结构，特别是加快城镇住房建设和改革，明显改善城乡居民居住条件。积极发展文化、体育等事业，丰富人们的精神生活。加强医疗保健工作。同时，逐步改善生活环境和劳动环境。在城乡居民收入普遍提高的基础上，逐步缩小城乡居民收入水平的差距。

——加强社会主义精神文明建设，坚

持不懈地加强思想政治工作,逐步增加必要的投入,努力发展和繁荣各项社会主义文化事业。

——加强自然资源管理和环境保护,珍惜和合理开发利用土地、水、森林、草地和各种矿产资源,抑制自然生态环境恶化的趋势,并使一些重点城市和地区的环境质量有所改善。

(5)继续推进经济体制改革,不断完善和发展社会主义制度。

争取经过十年的努力,初步建立起适应社会主义有计划商品经济发展的、计划经济与市场调节相结合新的经济体制和运行机制。基本要求是:

——继续坚持以公有制为主体,适当发展其他经济成分,形成适合我国现阶段生产力水平的所有制结构。

——实行政企职责分开、所有权与经营权适当分离,逐步使绝大多数国营企业成为自主经营、自负盈亏、自我约束、自我发展的社会主义商品生产者和经营者。

——加强市场体系和市场组织的建设,逐步健全在国家指导和管理下的全国统一的市场体系,并建立起对少数重要商品和劳务价格由国家管理,其他一般商品和劳务价格由市场调节的价格形成机制和价格管理制度。

——逐步理顺国家、集体和个人之间的分配关系,理顺中央和地方之间的关系,形成合理的利益分配格局;坚持以按劳分配为主体、其他分配方式为补充的原则,完善个人收入分配制度。

——建立和健全直接调控与间接调控相结合的、中央与省、自治区、直辖市两级经济调控体系。

要围绕以上要求,积极稳妥和协调配套地推进各个方面经济体制的改革。与此同时,积极稳妥地推进政治体制改革,努力建设有中国特色的社会主义民主政治。进一步改革行政管理体制,继续加强廉政建设。

(6)坚持对外开放的基本国策,进一步扩大对外经济技术交流与合作。

——积极发展对外贸易,努力增加出口,并逐步实现由初加工制成品出口为主向深加工制成品出口为主的转变。同时,按照有利于技术进步、有利于增加出口创汇能力和有利于节约使用外汇的原则,合理安排进口。积极引进先进技术,并加强消化、吸收和创新,努力发展替代进口产品的生产,促进民族工业的振兴和发展。

——大力发展国际旅游业,积极发展劳务输出、对外承包工程和国际运输业,增加非贸易外汇收入。

——进一步积极有效地利用外资,保持合理的外债规模和结构。

——继续推进沿海地区经济的发展,办好经济特区,巩固和发展已开辟的经济技术开发区、沿海开放城市和开放地区,认真搞好上海浦东新区的开发和开放。同时,选择一些内陆边境城市和地区,作为对外开放的窗口,促进这些地区对外贸易和经济技术交流的发展。

(7)坚持"一国两制"的原则,继续推进祖国统一大业。

二

"八五"计划的基本任务和综合经济指标

第八个五年计划时期,必须正确处理治理整顿、深化改革和经济发展的关系。"八五"头一年或者更长一点时间,要继续进行治理整顿,在治理整顿中求发展;在转入正常发展以后,还要继续完成治理整顿遗留下来的某些任务。在整个"八五"期间,都要根据经济发展的需要和现实条件的可能,在确保经济与社会稳定的前提下,积极深化改革,使改革更好地促进治理整顿和经济发展。

1.基本任务

(1)努力保持社会总需求与社会总供给基本平衡,在控制通货膨胀的前提下,以提高经济效益为中心,促进经济的适度增长。

(2)突出抓好经济结构调整,使产品的品种、质量、数量同国内外市场需求的变化相适应;使农业与工业、基础工业和基础设施与加工工业比例失调的状况有所扭转;使企业组织结构不合理的现象逐步得到改善;使地区经济结构趋同化的倾向得到抑制。

(3)立足现有基础,充分挖掘潜力,积极地、有重点地推进现有企业技术改造。与此同时,要集中必要的财力、物力,加强重点建设,增强国民经济发展的后续力量。

(4)在努力发展生产,全面厉行节约,大力提高经济效益的基础上,采取适当的办法和步骤,合理调整收入分配格局,增加国家财政收入特别是中央财政收入,并严格控制财政支出,减少财政补贴,逐步改善财政收支不平衡状况。同时,保持合理的信贷规模和结构,严格控制货币发行。

(5)进一步推动科技、教育事业发展,并使之更好地为调整结构、提高经济素质和效益服务。

(6)更有效地开展对外贸易,积极引进国外资金、技术和智力,巩固和发展对外开放的格局,把扩大对外开放同提高生产技术和经营管理水平更好地结合起来。

(7)以增强国营大中型企业活力、健全企业合理的经营机制为中心,协调配套地进行计划、投资、财政、税收、金融、价格、物资、商业、外贸和劳动工资等方面的体制改革,加快社会保障制度和住房制度的改革,促进社会主义有计划商品经济新体制的形成。同时,进一步完善政府行政管理体制。

(8)努力加强社会主义精神文明建设,促进社会的全面发展和进步。严格控制人口增长。妥善安排劳动就业。在生产发展的基础上,使人民生活进一步得到改善。继续发展文化、卫生、体育等事业。加强环境保护工作,防止环境污染和生态环境的恶化。加强国防建设,提高防御能力。

2.经济增长的规模和速度

按1990年价格计算,1995年国民生产总值达到23250亿元,比1990年增长33.6%,平均每年增长6%。农业总产值达到8780亿元,比1990年增长18.9%,平均每年增长3.5%。工业总产值达到32700亿元,比1990年增长37.1%,平均每年增长6.5%。第三产业增加值,1995年比1990年增长53.9%,平均每年增长9%。

3.综合经济效益

所有行业都要大力改进产品质量,增加产品品种,降低能源、原材料消耗,降低产品成本,提高经济效益。

4.国民收入的生产和分配

1995年国民收入生产额达到18250亿元,比1990年的14300亿元增长27.6%,平均每年增长5%。五年合计,国民收入使用额为81050亿元。五年内,不包括物价上涨因素,全社会固定资产投资合计为26000亿元,平均每年增长5.7%。在基本建设投资的分配中,按照调整产业结构的要求,优先安排农业、水利、能源、交通、通信和重要原材料的建设。技术改造的投资,重点用于节约能源、原材料,提高产品质量,增加新品种,扩大出口创汇和替代进口产品,以及保证企业安全生产等方面。重点抓好一批骨干企业的改造和上海、天津、沈阳、武汉、重庆、哈尔滨等老工业城市的改造。

五年内,全国居民消费水平平均每年增长3%。

5.财政和信贷

努力增加财政收入,合理压缩财政支出。在提高经济效益、适当增加税收、减少财政补贴的基础上,力争国内财政收入五年平均每年递增6.1%;国内财政支出,五年平均每年递增5.7%,重点增加农业、教育、科学、国防和国家重点建设等方面的开支。五年累计,收支相抵还存在一定差额。实现财政收支平衡,是我们的努力目标。

继续控制信贷总规模,积极调整信贷结构。五年内,贷款总规模平均每年增长12%。其中,流动资金贷款平均每年增长11.7%;固定资产投资贷款平均每年增长15.3%。

我国《国民经济和社会发展十年规划和第八个五年计划纲要》,是一部十分系统、完备的国民经济和社会发展规划,是我国各族人民实现现代化建设第二步战略目标的行动纲领。

民主与法制建设

十一届三中全会以来,党和政府认真总结在一段时间里没有认真实行民主集中制,离开民主讲集中的经验教训,把发展社会主义民主,健全社会主义法制,使民主制度化、法律化作为全党全国的一项根本任务,开创了共和国历史上民主法制建设的新时期。

民主建设的主要成就

十几年来,民主建设主要围绕政治生活民主化、经济管理民主化和社会生活民主化等方面进行取得了进展。

1.恢复和发展党内民主

第一,切实保障党员的各项民主权利,允许党员发表不同意见。过去相当长的一段时间,党内只允许一个声音,不准发表不同意见,动辄扣上"修正主义"、"资产阶级"、"毒草"等帽子,这种做法破坏了党的民主秩序,窒息了党的生命力。党的十一届三中全会以来,党中央一再重申不抓辫子、不扣帽子、不打棍子的"三不主义",鼓励党员敢讲话,讲真话,解放思想开动脑筋,对问题展开讨论,做到知无不言,言无不尽。新党章和《关于党内政治生活的若干准则》,比较充分地规定了党员的民主权利和保障这些权利的措施,明确提出,党员有权在党的会议上和党的报刊上参加关于党的政策的制定和实施问题的讨论,有权在党的会议上对党的各级组织和个人,直至中央常委,提出批评;党的任何一级组织包括中央都无权剥夺党员的上述权利,严禁用违反党章和国法的手段对待党员。这些规定,对活跃党内民主生活,调动广大党员的积极性、创造性,起了很好的作用。

第二,恢复和健全党的集体领导制度和民主集中制。领袖是在革命斗争中涌现出来的杰出人物,他们对革命事业的发展有重要的作用,但是个人的作用只有通过集体,依靠集体的智慧和经验,才能得到正确的发挥。特别是对于我们这样一个执政的大党,即使是天才,如果突出个人,独断专行,也一定要犯错误,给党的事业带来严重危害。鉴于过去个人崇拜盛行,只强调集中,缺少民主,把民主集中制变成家长制、一个人说了算的惨痛教训,党的十一届三中全会以来,在消除党内的个人崇拜、健全集体领导制度和民主集中制方面,作了很大的努力。特别是党的十二大通过的新《党章》,对党的民主集中制的基本原则作了比较系统和全面的规定,强调在高度民主的基础上实行高度的集中,以更准确的语言重申了党员个人服从党的组织,少数服从多数,下级组织服从上级组织,全党各个组织和全体党员服从党的全国代表大会和中央委员会的原则。此外,新《党章》和《关于党内政治生活的若干准则》还规定了党内选举,要体现选举人的意志,实行差额选举;党的各级委员会实行集体领导和个人分工负责相结合的制度;禁止任何形式的个人崇拜,要保证党的领导人的活动处于党和人民的监督之下等。这些对于健全党的民主集中制和集体领导制度,都起到了很好的作用。

第三,明确规定党必须在宪法和法律的范围内活动。党的十二大总结了无产阶级专政和我国民主、法制建设的历史经验,把党必须在宪法和法律范围内活动作为一项根本原则,明确写进党章和宪法。中央文件和中央一些领导同志的讲话也一再强调,党领导人民制定宪法和法律,也领导人民遵守和执行宪法和法律。从中央到基层,一切党的组织和党员的活动,都不能同国家的宪法和法律相抵触。

决不允许任何组织或个人有超越宪法和法律的特权。这一根本原则的确立,在社会主义法制史上是一个重大突破。真正实行这一原则,不但有利于发展党员之间的平等关系,保障党内民主,而且对完善整个社会主义法制,实现由"人治"到"法治"的转变具有决定性的意义。

第四,改革党对国家的领导体制,解决权力过分集中和党政不分、以党代政的问题。1980年8月,邓小平在《党和国家领导制度的改革》的报告中,系统地阐述了这个问题。新党章明确规定,党必须保证国家的立法、司法、行政机关,经济、文化组织和人民团体积极主动地、独立负责地、协调一致地工作。党的十三大确定的政治体制改革的最重要的任务之一,就是实行党政分开,权力下放,改变过去党包揽一切,不适当地把一切权力都集中于党委的状况。这一改革,既是发展党内民主的重要措施,也是促进国家政治生活民主化、经济管理民主化、整个社会生活民主化的重要一环。

2.完善人民代表大会制度

人民代表大会制度是我国根本的政治制度。十一届三中全会以来,我国先后制定修改了宪法、全国人民代表大会组织法、地方组织法和选举法等一系列重要法律,对健全和完善人民代表大会制度作出了许多新的规定。主要有:扩大了全国人大常委会的职权,加强了它的组织和工作;县级以上地方人大设立常委会;省级人大和较大市的人大及其常委会有权制定地方性法规;人大代表的直接选举扩大到县一级;坚持实行差额选举;改变农村人民公社政社合一的体制,设立乡政权,基层建立群众自治组织等。这些规定,表明我国人民代表大会制度正在日趋完善。它对于发展社会主义民主,健全社会主义法制,保障人民群众当家做主的民主权利,具有重大的意义和作用。各级人大及其常委会的工作取得了重大进展,是新中国成立以来人大工作最好的历史时期之一。各级人大及其常委会做了大量工作,有力地推动了社会主义民主和法制建设,促进和保障了两个文明建设的顺利进行。突出表现在以下几个方面:①制定和通过了一系列的重要法律和地方性法规,初步形成了以宪法为基础的具有中国特色的社会主义法律体系。②按照宪法赋予的职权,加强了监督工作,首先是对宪法和法律的实施进行监督,有重点地检查法律执行情况,督促纠正违宪违法的行为和案件,推动普法工作;其次是逐步扩大工作监督,除定期听取政府、法院、检察院的全面工作报告外,还抓住社会主义现代化建设和改革开放中的重大问题,以及人民群众最关心的问题,听取"一府两院"的专题报告,督促它们改进工作。在近年召开的中央七届人大、八届人大历次会议上,代表们对国务院的工作报告进行了认真的审议,就经济发展战略、腐败、物价、社会治安、农业、教育等问题提出了许多重要意见,引起了中共中央和国务院的重视。这些问题正在逐步解决之中。③认真审议、决定重大问题,选举、决定各级政权的领导成员。全国人大先后审议通过了"六五"计划、"七五"计划、"八五"计划和十年发展规划和每年的经济社会发展计划、财政预算,批准了中英、中葡关于香港和澳门问题的联合声明等。地方人大也决定一些本地区的重大事项。④各级人大为了能够有效地行使宪法赋予的职权,便于开会和讨论决定问题,适当减少了代表的名额,重视提高代表的素质,逐步改善代表的知识结构和年龄结构,并加强了同代表的联系,注意发挥人民代表的作用。全国人大常委会制定了《关于全国人大常委会加强同代表联系的几点意见》,许多地方人大常委会也制定了有关的规定或条例。⑤加强了人大及其常委会的自身建设。根据《宪法》规定,六届全国人大设立了民族、法律、财经、教科文卫、外事、华侨6个专门委员会,七届全国人大又增设了内务司法委员会,全国人大常委会组成人员的2/3参加了专门委员会的工作。一些省、市人大也设立了专门委员会,加强了专门委员会的经常性工作。全国人大常委会还制定了议事规则和工作要点,许多地方人大常委会也制定了工作条例、规定等。⑥全国人大常委会增强立法工作的计划性,加快立法步伐。1988年制定了5年立法规划,1991年又作了修订,确定必须如期完成起草和抓紧调研论证的一批法律草案,对列入立法规划的法律草案的起草实行定任务、定班子、定时间的三落实措施。⑦全国人大常委会加强制度建设,使工作规范化、程序化。主要有:每次常委会会议围绕经济建设和人民群众关心的热点问题,听取审议政府有关部门的汇报;每两个月举行一次常委会会议,每年第三季度听取国务院关于计划和预算执行情况的汇报;对审判、检察机关的监督,包括听汇报、询问、质询直至组织特定问题调查等形式;对审议和办理代表议案和建议作了明确规定;制定全国人大常委会新闻发布规则和建立新闻发布制度以及常委会会议旁听制度等。

3.社会主义民主的权利主体空前壮大

作为人类民主制度最高形态的社会主义民主,其根本特征应在于能够保证全体劳动人民当家做主,参与对国家事务的管理;能够以人民意志制约国家的政治生活和社会生活,使人民权利的实现具有广泛的普遍性。但是由于"左"的错误的影响，新中国成立以来历次政治运动中都程度不同地伤害了一些不该伤害的人，把不少本应属于享受民主权利的人摒弃于民主权利的主体范围之外，人为地缩减了人民范畴的内涵。十一届三中全会以来，中国共产党本着实事求是的原则，对积存的大量历史问题进行了全面清理，在严肃认真的调查研究的基础上，纠正了几乎全部的冤假错案，大大充实了社会主义民主的群众基础。党和国家先后为错划成右派分子的49万人作了甄别平反，摘掉了全部右派分子的帽子；为70万被错划为资本家及其代理人的原小商、小贩和手工业者作了区别改正；平反纠正了在历次政治运动中对300多万名干部进行的错误处理；根据改造的情况，为2000万名"四类分子"摘掉帽子，给予公民资格；为大量的国民党起义、投诚人员和去台人员家属落实了政策。因上述问题受到影响的千百万家属子女也相应恢复了完全的公民权利，大大调动了这支为数可观的人的社会主义积极性。同时，由于党明确宣布知识分子是工人阶级的一部分，肯定民主党派是各自联系的劳动者的联盟，在落实知识分子政策、民族政策、宗教政策、侨务政策等方面作了大量的努力，使原有的社会积怨从根本上得以消除。民主权利主体的扩大反映在国家权力机关中，既包括了各个阶级、阶层和其他爱国民主人士，又包括了各个地区、各个民族的代表人物。以第八届全国人大代表为例，在选出的2977名代表中，工农612人，占代表总数的20.56%；知识分子649人，占总数的21.80%；干部841人，占总数的28.25%；民主党派和无党派爱国人士572人，占总数的19.21%；解放军267人，占总数的8.97%；归国华侨36名，占总数的

1.21%。各界群众占到71.75%。从民族看，我国55个少数民族占全国总人口的8%，而他们的代表有439人，占人大代表中的比例则为14.75%，超过人口比例的一倍以上。这样的代表构成，全面和集中地反映了全国各族人民的利益。

4.直接民主权利不断扩大

近十几年来，党和国家在国家事务和社会生活的各个方面不断地广泛地吸引人民群众直接参加民主管理，扩大直接民主权利，使社会主义民主得到全面发展，增强人民的主人翁精神，充分发挥他们建设社会主义的积极性、主动性和创造性。

直接民主权利，体现在人民群众以最直接的方式参与国家根本大法和重要法律的制定。1982年新《宪法》修改草案获得通过后，也交付全国各族人民进行讨论。这次讨论的规模之大，参加人数之多，影响之广，都远远超过了1954年的讨论。由于讨论中提出了大量的各种类型的意见和建议，使宪法修改委员会在原草案的基础上又作了近百处补充和修改。其他重要法律，特别是与人民群众密切相关的法律，在正式通过前也都曾经把草案公之于众，让人民讨论。比如《企业法》、《行政诉讼法》、《集会游行示威法》等等都是这样。香港特别行政区基本法草案还延长了征求意见的时间。

其次，在国家政权建设上，人民也享有更多的直接参与的权利。一方面是选举制度中逐步扩大直接选举的范围。1953年的选举法规定只在县以下的乡、镇、市辖区等基层单位实行直接选举。1979年的选举法就把直接选举扩大到县一级，即县及县以下各级人民代表大会的代表都由选民直接选举产生，包括县级政权在内的基层政权直接置于全县人民的监督之下。这是我国民主政治建设的重

要进展。另一方面,人民还有对于任何国家机关和工作人员提出批评和建议的权利,对于国家机关及工作人员的违法失职行为有提出申诉、控告和检举的权利。这些年开展的打击经济领域严重犯罪活动和惩治腐败、加强廉政建设工作,都十分重视人民群众的检举揭发。国家机关中的审判机关、检察机关,政府部门的公安机关、监察机关,都设立了专门机构及时受理举报的问题,对检举、揭发人采取保护措施。实践证明,由于党和政府的决心大,也由于人民群众直接参与的权利得到保障,积极性得到发挥,所以,惩治腐败取得了显著的成绩。

再次,创造了人民直接参加社会管理的途径和形式。

第一,企事业的民主管理开始走向法律化和制度化。中共七届全国人大一次会议通过的《全民所有制工业企业法》以及中共中央和国务院颁发的《全民所有制工业企业职工代表大会条例》,进一步健全了我国企业的职工代表大会制度和各项民主管理制度,强调要发挥职工代表和基层工会在审议企业重大决策,选举和监督企业领导干部,维护职工合法权益等方面的重要作用。明确了企业的工会委员会是职工代表大会的工作机构,负责职工代表大会的日常工作,从而初步理顺了职工代表大会和工会的关系,并且具体地规定了职工代表大会在实现民主管理和民主监督方面的各项职权,使职工通过职工代表大会进行民主管理的形式能够真正落到实处。第二,我国在城市居民和农村村民中实行群众的自我管理、自我服务和自我教育,这种自治的组织就是城市居民委员会和农村村民委员会。1982年《宪法》明确规定了基层群众自治的制度,要求在城市和农村按居住地区设立居民委

员会和村民委员会。城市居民委员会是城市的基础,是我国政权肌体的细胞。我国目前有居委会近10万个,居委会干部三十六万多人,他们在每五年一次的人大代表的换届选举中,从本选区候选人的酝酿、提名、协商到主持投票选举;在每逢节假日和重大国事活动时为维护社会治安昼夜在街头巷尾值班;在办理本居住区的社会公益事业,治理环境卫生,调解民间纠纷,解决家庭问题乃至小学生中午就餐、寒暑假的学习管理等等方面都发挥着极大的作用。居委会是实行居民自治的好形式,它有利于调动广大居民的积极性,有利于培养居民的民主意识和民主习惯,有利于密切政府同人民群众之间的联系,有利于社会主义民主建设的进程。

5. 建立社会协商对话和舆论监督制度

这是发展社会主义民主政治的一条重要途径和好形式。近几年来,我国的社会协商对话逐步地在各个方面、各个层次普遍展开,协商对话的渠道不断地拓宽和疏通,对于及时地、畅通地、准确地做到下情上达,上情下达,彼此沟通,相互理解,从而正确地处理各种内部矛盾,起到了重要作用。特别是领导和群众直接协商对话,为我国的民主建设开了一代新风。不仅能够做到互相通气,使群众建议有地方提,委屈有地方说,为公民参加管理国家事务、管理经济和文化事业、管理社会事务提供了机会,而且便于领导干部及时了解平时在机关难以了解的实际情况和各种问题,使领导的决策更加符合实际和合理,避免和减少失误。舆论监督包括新闻监督和理论监督,它是人民群众通过舆论工具对国家各项工作所进行的广泛监督。党的十一届三中全会以来,我国的报刊、新闻、广播、电视等舆论工具重视反映群

众的意见和呼声,积极地开展批评和自我批评,对违背党的路线、方针、政策和违反国家法律、规章的行为,以及官僚主义和不正之风,进行公开的揭露和斗争,起到了积极的作用。

二

法制建设成绩卓著

中共十一届三中全会以来的法制建设,成绩显著,硕果累累。

宪法是国家的根本大法,它规定了国家的社会制度和政治制度的基本原则,国家机关的组织原则和活动原则,以及公民的基本权利和义务等。它也是国家制定其他法律的根据,具有最高法律的法律效力。1982年宪法是我党在指导思想上已经完成拨乱反正任务、各条战线取得重大胜利,实现了历史性伟大转变之后制定的,同1954年宪法比较,有以下几个特点:

第一,明确提出四项基本原则是全国各族人民团结前进的共同的政治基础,也是社会主义现代化建设顺利进行的根本保证。

第二,扩大了人民民主权利。这部宪法除恢复了1954年宪法关于公民权利和义务的规定外,还增加了新的内容。如公民的人格尊严不受侵犯;公民权利受到损失,有依照法律规定取得赔偿的权利;公民的人身自由、宗教信仰自由、公民住宅不受侵犯,通信自由和通信秘密受法律保护等等。同时规定,公民在行使自由和权利的时候,不得损害国家的、社会的、集体的利益和其他公民的合法的自由和权利,并履行宪法和法律规定的义务。

第三,在国家机构方面作了重大设置和新的规定。扩大了全国人大常委会的职权,加强了它的组织;恢复设立国家主席和副主席;国家设立军事委员会,领导全国武装力量;国务院实行总理负责制,各部、委实行部长、主任负责制;加强地方政权建设,县以上各级人大设常委会,省、自治区、直辖市的人大及其常委会有权制定地方性法规;改变农村人民公社的政社合一的体制,设立乡政权;全国人大常委会委员长、副委员长,国务院总理、副总理等国家领导人连续任职不得超过两届。

第四,确定了经济体制改革的原则,为建设有中国特色的社会主义经济指出了方向。

第五,充实有关社会主义精神文明建设的内容,规定国家通过普及理想教育、道德教育、文化教育、纪律和法制教育,加强社会主义精神文明的建设。

1982年宪法反映了党的十一届三中全会以后的国家政治、经济、文化各方面的改革成果,也为建设有中国特色的社会主义指出了方向。

由于改革开放的迅速发展,使国家政治、经济、社会生活中出现了许多新情况、新问题,为了适应客观形势的需要,不失时机地对现行宪法作出必要的修改和补充,成为法制建设的重要方面。1988年4月,七届全国人大一次会议通过宪法修正案,在《宪法》第十一条中增加"国家允许私营经济在法律规定的范围内存在和发展",将第十四条第四款改为"土地的使用权可以依照法律的规定转让"。

以国家的根本大法为核心,我国的法律建设在这几年里取得了长足的进步,已经形成了比较完整的法律体系。

在刑事法律方面,制定了《刑法》、《刑事诉讼法》、《关于严惩破坏经济的罪犯的决定》、《关于审判严重危害社会治安的犯罪分子的决定》等法律法规,对惩治犯罪、保护人民和国家的利益,巩固和发展安定团结的局面,起了重要作用。

在民事法律方面,制定了《民事诉讼法》和单项民事法律如《婚姻法》、《继承法》、《经济合同法》、《涉外经济合同法》等法律法规,对调整平等的公民之间、法人之间、公民和法人之间的财产关系和人身关系,提供了必不可少的保障,也对发展社会主义社会的商品经济发挥着作用。

在国家机构法律方面,制定了《全国人大、地方各级人大组织法》、《国务院、地方各级政府组织法》、《人民法院、人民检察院组织法》、《选举法》、《民族区域自治法》等。这些都是健全国家机构的组织制度和工作制度,健全民主生活所必需的。

在保障公民权利方面,制定了保护公民政治自由权利的《集会游行示威法》、《工会法》;制定了《行政诉讼法》,建立了保护公民和组织合法权益的行政诉讼制度;还制定了《著作权法》、《妇女权益保障法》、《未成年人保护法》、《归侨侨眷权益保护法》、《残疾人保障法》等。这些法律的制定,为实现宪法规定的公民权利提供了法律保障。

为了适应改革开放的形势,运用法律手段管理经济,加强对经济工作的统一监督管理,制定了《统计法》、《专利法》、《海关法》等;为适应经济体制改革和发展社会主义商品经济的需要,制定了《全民公有制工业企业法》、《中外合作经营企业法》、《外商投资企业法》和《外国企业所得税法》、《海商法》、《税收征收管理法》、《产品质量法》、《铁路法》等一些对经济建设和改革开放具有重大影响的法律。为了完善我国的民事诉讼制度,促进社会主义商品经济的发展,对《民事诉讼法(试行)》进行了补充和修改。根据经济发展和改

革开放的新情况,对《土地管理法》、《中外合资经营企业法》、《环境保护法》、《专利法》、《商标法》等法律作了修改和完善。

为了加强对自然资源的保护和利用,制定了《森林法》、《草原法》、《水法》、《野生动物保护法》等;为了保护环境,制定了《环境保护法》、《海洋保护法》、《大气污染防治法》等;为了保护人民健康,制定了《食品卫生法》、《药品管理法》等;在科技、教育、文化方面,制定了《义务教育法》、《学位条例》、《文物保护法》;保护知识产权的法律体系也已基本建立,先后颁布和实施了《商标法》、《专利法》、《著作权法》等。

中国社会主义法制建设的基本要求是有法可依、有法必依、执法必严、违法必究。这四个方面是一个统一的有机的整体,不可偏废。只有全面地贯彻执行,才能使法制建设走上健康发展的轨道。因此,党和国家在实践中一方面坚决维护法律的尊严,无论是国家事务,还是公共安全、社会管理,都依据相应的法律法规。在公民的合法权利受到侵犯时,都通过法律程序获得解决和保护;另一方面,提高全体公民的法制意识和法制观念,从1985年6月起,实行了全国5年普及法律常识的宣传教育并已圆满结束。此时,第二个5年普法计划正在进行中。

近些年来,我国执法情况有了一定改善。但是,有法不依、执法不严,甚至以言代法、以权压法的情况,在一些地方和部门还相当严重,人民群众对此反映强烈。针对这种状况,全国人大及其常委会明确提出,要把法律制定后的监督检查放在与制定法律同等重要的地位。这是加强社会主义民主法制建设,促进依法治国的一项重要措施。以七届全国人大为例,5年间,常委会和专门委员会在地方人大配合

下,先后对 31 个法律和 6 个决定的执行情况,组织了 53 次检查。从去年起,每次常委会会议都把检查法律实施情况的汇报列入议程,认真进行审议。对执法检查中发现的问题,督促有关部门加以解决。这项工作还有待进一步加强。七届人大常委会还作出关于深入开展法制宣传教育的决议,听取了普法工作的汇报。围绕现行宪法颁布 10 周年开展了一系列纪念和宣传宪法的活动,增强了公民的宪法意识和依法办事的观念。通过督促纠正一些违法案件,保障法律的遵守和执行。5 年间,常委会工作机构研究答复了 520 件法律实施问题的询问。受理人民来信三十九万多件,接待人民来访六万余人次,督促纠正冤假错案七百多件,处理群众揭发的违纪案件四百多件。这些工作对于维护法制的尊严和统一,保障有关法律的正确实施,起到很好的作用。

三

新型的社会主义政党制度

中国实行的是中国共产党领导的多党合作和政治协商的政党制度,这一条已经于 1993 年 1 月在八届人大一次会议通过的宪法修正案中增补到宪法中去。这是我国政治制度的特点和优点。它根本不同于西方资本主义国家的多党制或两党制,也有别于一些社会主义国家实行的一党制。中国共产党是社会主义事业的领导核心,是执政党,各民主党派是接受中国共产党领导的,同中国共产党通力合作、共同致力于社会主义事业的亲密友党,是参政党。

在中国,民主党派是指中国国民党革命委员会、中国民主同盟、中国民主建国会、中国民主促进会、中国农工民主党、中国致公党、九三学社、台湾民主自治同盟 8 个党派。由于各民主党派是各自所联系的一部分社会主义劳动者和一部分拥护社会主义的爱国者的政治联盟,所以,坚持和完善中国共产党领导的多党合作和政治协商制度,对巩固和扩大爱国统一战线,推进民主政治建设,维护和发展安定团结的政治局面,实现社会主义四个现代化,促进祖国统一大业,具有重要的意义。

早在中华人民共和国成立之前,共产党就同各民主党派建立了团结合作的关系。在党的统一战线方针政策的推动下,各民主党派和无党派人士为争取新民主主义革命胜利作出了贡献。新中国成立后,民主党派领导人和无党派人士在国家政权机关中和人民政协中担任了重要领导职务。1956 年社会主义改造基本完成,社会主义制度基本建立,共产党根据马克思列宁主义关于统一战线理论,结合中国的实际情况,创造性地提出同各民主党派"长期共存,互相监督"的方针。党的十一届三中全会以后,共产党领导的多党合作和政治协商制度发展到一个新的历史阶段。1982 年,党的十二大确定要继续坚持"长期共存,互相监督,肝胆相照,荣辱与共"的方针,加强同各民主党派和无党派人士的合作。1987 年,党的十三大又明确提出共产党领导的多党合作和政治协商制度是我国的一项基本政治制度,并把坚持和完善这一制度作为我国政治体制改革的一项重要内容。党的十三届四中全会以来,以江泽民同志为核心的党中央十分重视统战工作,1989 年 12 月,与民主党派共同协商制定了《中共中央关于坚持和完善中国共产党领导的多党合作和政治协商制度的意见》,对巩固和扩大爱国统一战线,促进全国各族人民大团结,以实现党和国家的总任务产生了积极影响。

中国共产党对民主党派的领导是政治领导，即政治原则、政治方向和重大方针政策的领导。在新的历史时期，坚持四项基本原则，是中国共产党同各民主党派团结合作的政治基础，民主党派只有在共产党领导的多党合作的总格局中，才能在组织上、工作上得到发展并充分发挥自己参政议政和民主监督的作用，这早已成为包括民主党派在内的全国人民的共识。

民主党派参政的基本点是，参加国家政权，参与国家大政方针和国家领导人选的协商，参与国家事务的管理，参与国家方针、政策、法律、法规的制定和执行。在实际工作中，包括这样一些做法和内容：在全国人大代表、人大常委会委员和人大专门委员会委员以及地方各级人大代表中，民主党派成员和无党派人士都占有一定比例；有的民主党派成员和无党派人士被推选到国务院及其有关部委和县以上地方人民政府及其有关部门担任领导职务，聘任为顾问和参加咨询工作；有的民主党派成员和无党派人士被邀请列席国务院和各级地方人民政府召开的全体会议和有关会议，商讨重要问题。到1991年为止，民主党派成员和无党派人士在县级以上人民政府任职的人数有近两千人，其中担任副部级以上职务的18人。此外，各民主党派积极参加为两个文明建设服务的各种活动，开展经济、科技、教育、法律、医疗卫生、文化等咨询及社会服务工作，开展对台湾同胞、港澳同胞、海外侨胞和外籍华人的联谊工作，发展经济往来，推进科技、文化交流。

与此同时，中共中央和国务院积极鼓励并认真听取民主党派对各项工作提出的意见、建议。如民革中央《关于积极开发煤炭资源缓解能源危机的意见》、民盟中央《关于长江三角洲经济开发区初步设想》、民建中央《关于当前商品流通中若干问题的建议》等，都受到中共中央和国务院的重视，并要求有关职能部门认真采纳。政协委员关于"搞活大中型国有企业"的提案，送到国家计委等部门，被认为"很有见地"，所提建议被吸收到国务院颁发的《关于进一步增强国营大中型企业活力的通知》中。

发挥民主党派和无党派人士的监督作用是坚持和完善共产党领导的多党合作和政治协商制度的重要一环。中国共产党处于领导地位，需要接受广大人民群众包括各民主党派、无党派人士的监督。为了使民主监督得到更好的落实，党和国家采取了一系列重要措施。如人大组织人大代表中的民主党派成员和无党派人士参加有关问题的调查；政协组织政协委员中的民主党派成员和无党派人士参加专题调查研究；推荐符合条件的民主党派成员和无党派人士担任检察、审判机关的领导职务，聘请一批符合条件和有专门知识的民主党派成员和无党派人士担任特约监察员、检察员、审计员和教育督导员；吸收民主党派成员和无党派人士参加政府监察、审计、工商等部门组织的重大案件调查和财政税收检查；对民主党派和无党派政协委员的视察、提案和举报，有关部门都认真研究处理并及时答复。国务院有关部门还邀请民主党派中央派员参加清理整顿公司工作组、巡视组，派员参加国务院派往各省、自治区、直辖市的税收、财务、物价大检查工作组，并担任检查组顾问。

这项制度的另一重要内容就是民主协商。中国共产党为发扬社会主义民主，加强与民主党派和无党派人士的联系，通报情况，交换意见，沟通思想，增进了解，在总结经验的基础上,采取了民主协商会、高层次小范围谈心活动和专题座谈会等三种民主协商形式。

民主协商会,是中共中央主要领导人邀请各民主党派主要领导人和无党派人士就中共中央将要提出的重大问题进行协商。这种会议一般每年举行一次。高层次小范围的谈心活动,是中共中央主要领导人根据形势需要,不定期地邀请民主党派主要领导人和无党派人士就共同关心的问题自由交谈,沟通思想,征求意见。专题座谈会是由中共中央(有的座谈会也委托全国政协党组举行)召开民主党派、无党派人士通报或交流重要情况,传达重要文件,听取民主党派、无党派人士提出的政策性建议或讨论某些专题。这种会议大体每两个月举行一次,重大事件随时通报。据不完全统计,从 1979 年初以来,由中共中央主要领导人、国务院领导人出面主持或委托有关部门主持的民主协商会、座谈会、谈心会、情况通报会等近 70 次,其中,党的十三届四中全会以来就有 30 次。十三届五中全会通过的《关于进一步治理整顿和深化改革的决定》、十三届六中全会通过的《中共中央关于加强党同人民群众联系的决定》,事先都征求并吸收了民主党派的意见。十三届七中全会通过的《中共中央关于制定国民经济和社会发展十年规划和“八五”计划的建议》,先后 4 次征求民主党派的意见,在《建议》中进一步增加了精神文明建设的分量,就是吸收民主党派意见的结果。在酝酿八届政协委员名单时,中央统战部先后召开40 余次各种类型的协商会,专门讨论各民主党派、全国工商联的人选。

通过平等讨论和协商,不单吸取各种有益于人民的好意见,促进决策的民主化、科学化,同时也形成共产党同各民主党派之间团结、民主、和谐的合作共事关系。

人民政协是我国爱国统一战线组织,是共产党领导的多党合作和政治协商的一种重要组织形式,是共产党和民主党派、人民团体、各界代表人物团结合作、参政议政的重要场所。在政协的各种会议上,民主党派以本党名义发言,提出提案。

坚持和完善共产党领导的多党合作和政治协商制度,对于加强和改善共产党的领导,推进社会主义民主政治建设和国家的长治久安,都具有重要的意义。

四

“一国两制”和爱国统一战线的新发展

“一个国家,两种制度”的科学构想,是在党的十一届三中全会以后逐渐形成的,它是为实现祖国统一而确定的一项重要的基本方针。

党的十一届三中全会恢复了实事求是的思想路线,在提出全党工作的重点转移到社会主义现代化建设上来的同时,特别提出“我国神圣领土台湾回到祖国怀抱,实现统一大业的前景,已经进一步摆在我们面前”。1979 年元旦,全国人大常委会发表《告台湾同胞书》,宣布了争取和平统一祖国的大政方针,阐明实现祖国的统一,是人心所向,大势所趋,我们一贯主张爱国一家,希望台湾当局以民族利益为重,对实现祖国统一的事业作出宝贵的贡献。同时提出中华人民共和国政府和台湾当局之间商谈结束军事对峙状态,双方尽快实现通航,通邮,探亲访友,旅游参观,进行学术文化体育文艺观摩,发展贸易等具体措施。同年 1 月 30 日,邓小平同志在解释中国政府对台湾的方针时强调,实现祖国统一,我们将尊重那里的现实和现行制度。这在实际上就提出了用"一国两制"的办法解决台湾问题的设想。

1981年9月30日,全国人大常委会委员长叶剑英发表谈话,阐明了实现祖国统一的几条方针政策。提出中国共产党和中国国民党两党对等谈判,实行第三次合作,共同完成祖国统一大业;国家实现统一后,台湾可作为特别行政区,享有高度的自治权,并可保留军队,中央政府不干预台湾地方事务;明确肯定台湾现行社会、经济制度不变,生活方式不变,同外国经济、文化关系不变,私人财产、房屋、土地、企业所有权、合法继承权和外国人投资不受侵犯等等。这些具体政策,引起了强烈的反响。1982年9月,党的十二大再次呼吁"台湾同胞、港澳同胞和海外侨胞督促国民党当局,审时度势,以国家前途民族大义为重,不要执迷不悟,及早举行国共两党的谈判,共同促进祖国和平统一大业的实现"。同时,我国宪法对"一国两制"赋予法律保证,1982年通过的《中华人民共和国宪法》第一章总纲第31条规定"国家在必要时得设立特别行政区。在特别行政区内实行的制度按照具体情况由全国人民代表大会以法律规定"。1984年2月22日,邓小平同志在谈话中指出,我们提出的大陆与台湾统一的方式是合情合理的。统一后,台湾仍搞它的资本主义,大陆搞社会主义,但是是一个统一的中国,一个中国,两种制度。香港问题也是这样"一个中国,两种制度"。这是首次比较完整地对"一国两制"的含义作出科学的阐述。同年5月15日召开的全国人大六届二次会议正式概括为祖国统一后,可以实行"一个国家,两种制度"的设想,10月22日,邓小平同志又把它再加以理论概括,简称为"一国两制"。这样,"一国

两制"的科学表述就形成了。

按照"一国两制"的方针,中国政府于1984年12月19日同英国政府正式签署《中英关于香港问题的联合声明》,明确规定:中华人民共和国政府于1997年7月1日对香港行使主权;英国政府于同日将香港交还给中华人民共和国。为了继续保持香港的稳定和繁荣,中国政府声明,中华人民共和国在恢复行使主权后,对香港将采取一系列特殊政策,50年内不予改变。根据《宪法》第31条的规定,成立香港特别行政区。1987年4月13日,中华人民共和国政府同葡萄牙共和国政府正式签署《中葡关于澳门问题的联合声明》,指出:中华人民共和国政府将于1999年12月20日对澳门恢复行使主权,设立澳门特别行政区,对澳门将采取一系列特殊政策,50年内不变。

香港、澳门问题的和平解决,使我国在实现祖国统一大业的道路上迈进了一步,也推动了海峡两岸民间往来的增加。现在,海内外炎黄子孙所面临的一个共同任务就是早日使台湾回归祖国。

"一国两制"的提出,必将使统一战线的队伍进一步扩大,使统一战线的内容更加丰富。新时期的统一战线由社会主义劳动者和拥护社会主义的爱国者发展为社会主义劳动者、拥护社会主义的爱国者和拥护祖国统一的爱国者的最广泛的爱国统一战线。

这个统一战线是在中华人民共和国领土主权范围内的,由大陆实行社会主义的全体工人、农民和其他社会主义劳动者、爱国者同个别实行资本主义的地区包括台湾同胞、港澳同胞和海外侨胞在内的全体拥护祖国统一的爱国者之间的联盟,甚至还广及所有有爱国心的炎黄子孙和外籍华人。新时期统一战线的基础是爱

国主义,它高举中华民族团结统一的旗帜,把国家和民族的整体利益放在第一位,以完成祖国统一大业、振兴中华为目标。它既适应了祖国统一的需要,又适应了国家和民族繁荣富强的需要;既符合国家民族的长远利益,又符合我国内地、香港、澳门和台湾人民的现实利益;既有利于加快我国社会主义现代化建设的步伐,又有利于维护世界和平。

社会主义精神文明建设

建设富强、民主、文明的现代化中国,必须把物质文明和精神文明"两个文明"一起抓,这是社会主义实践发展的客观要求,是有中国特色社会主义理论的主要内容之一。

一

社会主义精神文明建设是党的基本路线的重要原则与指针

对社会主义精神文明认识上的飞跃,是在全面拨乱反正的基础上实现的。1977年5月,邓小平同志率先提出:"'两个凡是'不符合马克思主义。"强调恢复和坚持党的优良传统,最重要的是坚持实事求是。1978年5月开始的全党关于真理标准问题的讨论,大胆地冲破了教条主义框框,使全党和全国人民在精神思想上获得空前解放。党的十一届三中全会提出并确定了"解放思想,实事求是"的方针,

成为精神文明思想建设的根本方针。

同时,邓小平同志还多次强调指出:"我们要实现现代化,关键是科学技术要能上去,发展科学技术,不抓教育不行","一定要在党内造成一种空气:尊重知识,尊重人才。"在1978年3月和4月,党中央召开的全国科学大会和全国教育工作会议,清算了林彪、"四人帮"对科教工作的破坏,纠正了科教工作中"左"倾错误路线,进一步阐述和强调了发展科学和教育事业的重要性。

随着拨乱反正的深入进行,文化大革命带来的各种丑陋不文明现象得到清扫,社会主义精神面貌焕然一新。明确提出建设高度的社会主义精神文明任务,并把它确立为我国社会主义现代化的一个重要目标,是我们党十一届三中全会以后,在总结国内外社会主义发展过程中历史现实、正反两个方面经验教训的基础上,对科学社会主义理论和实践的重要结论。

1979年9月中共十一届三中全会通过的叶剑英《在庆祝中华人民共和国成立三十周年大会上的讲话》,首次把建设高度的社会主义精神文明作为社会主义现代化一个重要目标,郑重地提出来。这一科学论断,在今后党的会议、决议和中央领导同志的讲话中,不断得到强调、充实和完善。

1979年10月,邓小平同志在中国文学艺术工作者第四次代表大会上的祝辞中,重申我国已进入社会主义现代化建设的新时期,"要在建设高度物质文明的同时,提高全民族文化水平,发展高尚的丰富多彩的文化生活,建设高度的精神文明"。1980年2月,胡耀邦同志在剧本创作座谈会上的讲话中,把两个文明建设提高到"根本目的"的高度,并提出"我们要搞两个文明,一个物质的,一个精神的"。

12月召开的党中央工作会议,把建设社会主义精神文明问题列为重要议题进行了讨论。邓小平同志在题为《贯彻调整方针,保证安定团结》的讲话中,就精神文明的内容作了概括,"所谓精神文明,不但是指教育、科学、文化(这是完全必要的),而且是指共产主义的思想、理想、信念、道德、纪律、革命的立场和原则,人与人的同志式关系,等等"。并强调在改革和开放情况下,党员特别是党的领导干部要重视精神文明建设的重大意义,否则"我们自己在精神上解除了武装,还怎么能教育青年,还怎么能领导国家和人民建设社会主义"!

1981年6月,党的十一届六中全会通过的《关于建国以来党的若干历史问题的决议》,总结新中国成立以来正反两方面历史经验,吸取中共十一届三中全会以来党对社会主义认识的成果,逐步确立了适合我国国情的社会主义现代化建设之路,进一步确认"社会主义必须有高度的精神文明",并把它作为我国社会主义现代化建设的十条基本结论之一。把建设"现代化的、高度民主的、高度文明的社会主义强国"第一次以党的中央会议决议形式,正式确定为我党新的历史时期的奋斗目标。

11月,中共五届人大四次会议通过的《当前的经济形势和今后经济建设的方针》政府工作报告指出:"只有在建设高度的物质文明的同时,建设高度的社会主义精神文明,才能保证我国国民经济的持久发展,保证物质文明建设的社会主义方向",概述了建设社会主义精神文明的重大意义。从此,建设高度的精神文明,成为党和国家工作的一项重要内容,中央和政府采取一系列措施,在全国各条战线贯彻执行。

1982年9月,党的十二次全国代表大会胜利召开。大会对精神文明建设的经验作了系统的总结,全面论述了精神文明建设的有关问题,把建设精神文明的任务提到战略全局的高度,确定了我党在这个问题上一系列理论观点和战略方针。胡耀邦同志作的《全面开创社会主义现代化建设的新局面》报告中,专门论述了有关社会主义精神文明的若干问题。把同时建设两个文明建设,确定为社会主义的一个战略方针,提到是否"坚持这样的方针,关系到社会主义兴衰和成败"的战略高度。并创造性地提出:"社会主义精神文明是社会主义重要特征,是社会主义制度优越性的重要表现"的重要论断。从理论上和政治上分析了精神文明建设的重要意义,指出忽视社会主义精神文明建设,"我们的现代化建设就不能保证社会主义方向,我们的社会主义社会就会失去理想和目标,失去精神的动力和战斗的意志,就不能抵制各种腐化因素的侵袭,甚至会走上畸形发展和变质的邪路。"报告还将精神文明内涵概括为"社会主义精神文明大体可分为文化建设和思想建设两个方面。这两个方面又是相互渗透和相互促进的"。最后,报告对社会主义精神文明建设的任务、方针作了明确的规定。因而,中共十二大是党对社会主义精神文明建设探索的高度总结和理论升华,为社会主义精神文明建设奠定了科学的理论基础。

1986年9月,党的十二届六中全会通过了《中共中央关于社会主义精神文明建设指导方针的决议》,进一步阐明了社会主义精神文明建设的战略地位、根本任务和基本指导方针,是新的历史时期加强我国社会主义精神文明建设的纲领性文件。《决议》提出我国社会主义现代化总体布局是:以经济建设为中心,坚定不移地进行经济体制改革,坚定不移地进行政治体制改革,坚定不移地加强精神文明建设,并使这几个方面相互配合、相互促进。全党同志必须从这个战略总体布局的高度,正确认识社会主义精神文明建设的战略地位。指出社会主义精神文明建设,是关系到社会主义兴衰成败的大事。精神文明建设的内容和根本任务,可以分为文化建设和思想建设,这是两个互相渗透互相促进的方面。它们又可具体化为理想建设、道德建设、民主法制观念建设、文化建设、理论建设、党风建设等内容。

1989 年 9 月,江泽民在"庆祝建国四十周年大会"上,把社会主义精神文明建设问题作为党和国家特别注意统一认识的十大重要问题之一,提到全党和全国人民面前,这是我党第三代政治领导集体对社会主义精神文明建设的认识和发展,继往开来,把精神文明建设推向前进。

整顿党风,反腐倡廉,使社会风气根本好转

党的十一届三中全会以来,改革、开放、搞活政策给现代化建设带来了生机和活力,但同时,资本主义和其他剥削阶级的腐朽思想价值观和道德观也乘虚而入,对党的腐蚀日益严重,腐败现象蔓延,已经严重损害党在人民群众中的威信,妨碍党的正确路线的贯彻执行,影响了改革开放与建设发展,成为摆在社会主义精神文明建设面前一个严峻的课题。1982 年,胡耀邦在十二大报告中就指出,党中央下决心要在今后五年内实现党风和社会风气的根本好转,把精神文明建设工作做好。

1983 年 10 月,党的十二届二中全会通过《中共中央关于整党的决定》,号召全体党员积极参加整党,实现党风的根本好转,把我国的物质文明和精神文明建设推向前进。邓小平同志发表了重要讲话,指出:"我们一定要搞好这次整党,把我们党建设成为马克思主义政党,成为领导全国人民进行社会主义物质文明和精神文明建设的坚强核心。"1985 年底,开始第二期整党。1985 年 7 月,党的全国代表会议在北京召开,针对党内和社会上一些消极腐败现象仍未根本好转,突出强调进一步加强精神文明建设的重要性。邓小平同志在会上指出,效果不理想,主要是全党没有认真重视。对于当前精神文明建设,小平同志认为要着眼于党风和社会风气根本好转。而端正党风,是端正社会风气的关键。

这次整党从 1983 年 11 月开始,至 1987 年 5 月全国整党工作总结会议宣布全国整党工作基本结束,历时三年半时间。党中央、中纪委颁布了端正党风的一些主要规定,查处了一些重要案件,主要有:①狠刹建房分房中的不正之风。1983 年 2 月 22 日,中纪委向党政机关、企业单位各级领导干部发出公开信,要求坚决制止党员干部在建房分房中的歪风。至 8 月,2/3 的省市自治区中的这股歪风基本刹住,处理了一些案件。②严禁党政机关和党政干部经商、办企业。1984 年 7 月,中共中央办公厅、国务院办公厅发出《关于党政机关在职干部不要与群众合办企业的通知》。12 月,中共中央、国务院发出《关于严禁党政机关和党政干部经商、办企业的决定》,中纪委发出《坚决纠正新形势下出现的不正之风的通知》,采取鲜明态度,坚决杜绝以权谋私的不正之风。1985 年 5 月,中共中央和国务院又发出

《关于禁止领导干部的子女、配偶经商的决定》和《关于党政机关干部不兼任经济实体职务的补充通知》，都严令明禁党政机关和党政干部与经济实体勾连。③坚决查处党员索贿问题。1987年6月30日，中纪委发出《关于坚决查处共产党员索贿问题的决定》，针对经济交往中出现的受贿、索贿行为，严肃作出决定。④打击干部出国问题上的歪风。1987年7月4日，中共中央、国务院发出《关于严格控制党政机关干部出国问题的若干规定》，对党政机关干部出国，作了具体规定。⑤查处了一些要案大案。1985年7月，中纪委按党纪法纪查处了福建晋江地区大量制造和销售假药的大案，对参与其中并从中牟利的晋江县委常委、纪委书记撤职查办。1985年7月，中共中央、国务院批转中纪委等单位《关于广东省海南岛发生大量进口和倒卖汽车等物质的严重违法乱纪事件的调查报告》，同意广东省委、省政府关于撤销主要负责人雷宇的中共广东省省委委员、海南区党委副书记、海南区行政负责人的职务，给另两位负责人党内严重警告处分等。中共广东省委、省政府也因此作了检查。

1989年7月，中共中央政治局讨论并通过了《中共中央、国务院关于近期做几件群众关心的事情的决定》，①认为党的十三届四中全会以来，全国形势进一步稳定，当前，迫切需要做好几件人民普遍关心的事情。坚决惩治腐败，带头廉洁奉公，艰苦奋斗，这对振奋党心民心，保证党和党领导的改革开放与现代化事业立于不败之地。这对于大力推进党风建设和廉政建设具有深远意义。

开展查办要案大案同时，还对党政机

关县处级以上领导干部廉洁自律，这是反腐倡廉工作中重点和难点。为此，中央明令"11个不准"，时刻待查、检查和自查，保证干部队伍的廉洁。同时，中央还狠刹了几股群众反映强烈不满的行业不正之风。中纪委二次会议后，有关中央国家机关对1991年以来出台的行政性收费项目进行了清理，陆续宣布取消了一批乱收费项目。

行业不正之风的治理，初战告捷，成效显著。铁道部系统治理了以车皮、车票谋私利，邮电部系统治理以装电话谋私利，金融系统治理以贷款、拆借谋私利，出版系统治理"卖书号"，新闻系统反对"有偿新闻"，卫生系统治理医务工作者收"红包"谋私利，农业部门抓减轻农民负担等等。通过这些治理，缓解了群众的意见，密切了党与政府的联系。

当然，在取得一定成绩时，必须看到反腐败是一项长期的艰巨而又复杂的任务，必须做到常抓不懈。

群众性精神文明活动的开展

1981年2月28日，中央宣传部、教育部、文化部、卫生部、公安部等联合发出《关于开展文明礼貌月活动的通知》，向全国人民特别是青少年发出倡议，开展以讲文明、讲礼貌、讲卫生、讲秩序、讲道德和心灵美、语言美、行为美、环境美为主要内容的"五讲四美"文明礼貌活动。这是我国社会主义精神文明建设群众性活动的最基本形式。从此，亿万人民群众积极行动起来，逐步形成了治理"脏、乱、差"，转

---

① 《人民日报》1989年7月29日。

变社会风气的热潮。1982 年 5 月 28 日，中央发出《中共中央关于转发〈深入持久地开展"五讲四美"活动，争取社会主义精神文明建设的新胜利的通知〉》，群众性的精神文明创建活动在全国广泛开展，创造性地开展各种活动。每一个劳动者都加入了社会主义精神文明建设者的行列，涌现出一批先进典型。

福建省三明市社会主义精神文明建设成功经验是一个典型。它们正确处理两个文明一起抓的辩证关系，因地制宜，统筹抓好思想建设、文化建设和环境建设，成功地把三者密切联系起来，互相促进，形成社会主义精神文明建设完整的科学体系。在"五讲四美"群众性活动开展中，把家庭、楼院、单位三者联系起来，同时抓好五好家庭（文明之家）、文明楼院、文明单位（工厂、机关、学校、幼儿园、商店、医院等等）的建设，三者相互影响，共同促进，三明市城市环境优美、精神文明蔚然成风。

军民共建是我国社会主义精神文明建设的一个创举。1985 年，邓小平同志提出："发扬我军拥政爱民的光荣传统，军民共建社会主义精神文明"①的号召，人民军队自觉地参与地方社会主义精神文明建设，采取多种形式，创造了许多经验。1982 年，第三十八军与河北省保定地区军民共建文明村，进一步开创群众性社会主义精神文明建设的新局面。从军民共建发展到警民共建、工农共建、机关与居民等各种共建、自建活动形式，使精神文明建设在更广泛、更深入的群众基础上开展起来，发展下去。

工会、共青团、妇联等各种群众团体，积极响应党和政府号召，在建设社会主义精神文明中，发挥其独特的职能和作用。他们号召自己组织成员学马列，学科学，学文化，破旧习，树新风，开展多种多样活动，亿万青年投身于社会主义精神文明建设中。1993 年，社会各界关心和重视贫困边远山区儿童少年上学问题，掀起了全社会广泛"献爱心"活动，通过"希望工程"来帮助那些辍学和失学的学龄儿童，解决贫困地区办教育严重缺乏资金的问题。"献爱心"活动已经在全社会每一个公民中自觉开展，这是市场经济条件下文明活动的新创举。广大青年团员，踊跃地参加各种青年志愿者活动，将一份爱心献给社会，将一点微薄力量投身到社会主义精神文明建设中去。

四

社会主义精神文明之花开遍祖国大地

十几年来，精神文明建设取得了显著的成绩。教育、科学、文化、体育和卫生等事业空前繁荣，硕果累累，不但有力地推动了我国社会主义现代化建设，而且使整个中华民族的文化科学素质和精神世界，提高到一个崭新的水平，大大促进了我国社会主义精神文明建设。科技事业蓬勃发展。1979 年，国家恢复国家科技发明奖，科技成果不断涌现。1983 年，"银河"每秒向量运算一亿次的巨型计算机系统研制成功。1986 年 2 月，我国发射实用通讯广播卫星定点成功。

1982 年，邓小平强调精神文明建设就是要培养"有理想、有道德、有文化和有纪律"的"四有"新人。中共十二届六中全会，党把培养社会主义建设"四有"人才作

---

① 《人民日报》1985 年 6 月 6 日。

为社会主义精神文明的根本任务来抓,高度重视,常抓不懈。十年来,社会主义精神文明建设在祖国大地蓬勃发展,亿万人民群众积极投身到这一伟大事业中,他们用自己的辛勤汗水,浇灌了一朵朵文明之花,他们用自己的言行,谱写了一曲曲文明之歌。时代呼唤正义,时代造就英雄。一代又一代感人泪下的英雄事迹不断涌现,一个又一个气吞山河的英雄模范在我们周围出现,社会主义精神文明之花遍开神州大地。

70 年代末,中国女排、华山抢险英雄集体、法卡山和老山的英雄集体和英雄事迹、朱伯儒、蒋筑英、罗健夫、张海迪、李燕杰、曲啸等等,在他们身上集中表现了埋头苦干精神,勇于改革的开拓精神,艰苦奋斗、不怕艰险的精神,英勇战斗、不怕牺牲的精神,坚持原则、同各种歪风邪气和坏人坏事作斗争的精神。这些都代表了鲜明的时代特征,是共产主义思想的光辉闪耀。

文艺事业繁荣发展

自 1976 年 10 月,粉碎"四人帮"、结束"文化大革命"以后,思想解放和改革开放为我国文艺的繁荣发展提供了良好宽松的环境,15 年来我国文艺的繁荣程度和发展速度,不仅是"文革"10 年所无法比拟

的,也大大超过了前 15 年,真正实现了"百花齐放,推陈出新"。特别是随着电视机的普及,文学艺术更为广阔和深入地介入了人民群众的生活之中。

拨乱反正和确立新的文艺方针

1976 年 10 月以后,随着"四人帮"被粉碎,我国历史翻开了新的一页。面对"四人帮"的长期干扰破坏和形成的极"左"文艺思潮,作为"文革"重灾区的文艺界,首要任务就是拨乱反正。

粉碎"四人帮"以后,从 11 月份开始,全国形成一场声讨"四人帮"扼杀影片《创业》,炮制反动影片《反击》、《盛大的节日》的罪行的高潮。到 12 月,《东方红》、《洪湖赤卫队》等六部"文革"前拍摄的影片首批解放释映,"文革"中"万马齐喑"、人们"噤若寒蝉"的局面已经打破,文艺界开始复苏。

拨乱反正的工作是从揭露批判所谓的"文艺黑线专政"论开始的。① 1977 年 11 月,《人民日报》编辑部邀请文艺界知名人士举行座谈会,彻底批判"文艺黑线专政"论。12 月份,《人民文学》编辑部也邀请了文学界人士一百多人举行座谈会,批判"文艺黑线专政"论,中宣部部长张平化、文化部部长黄镇和茅盾都到会讲话。随后,文艺界展开了一场批判"四人帮"反动文艺路线的运动。

在批判"文艺黑线专政"论的同时,文

---

① "文艺黑线专政"论这个提法出自 1966 年 2 月林彪、江青一伙炮制的《部队文艺工作座谈会纪要》:"文艺界在新中国成立,被一条与毛泽东思想相对立的反党反社会主义的黑线专了我们的政。这条黑线就是资产阶级的文艺思想,现代修正主义的文艺思想和三十年代文艺的结合。"这个论断使文艺界在"文革"中遭受到巨大灾难。

艺界还就被"四人帮"诬陷的"黑八论"①进行了讨论,重新认识了这些理论的意义及作用,并对"四人帮"长期鼓吹的"根本任务"论、"三突出"和"主题先行"等创作原则进行了批判。②

在批判"四人帮"的过程中,对其在文艺界造成的大量冤、假、错案也开始着手进行纠正和平反。1978年4月,文化部举行揭批"四人帮"万人大会,为大批受迫害的文艺工作者平反。同年6月3日,文化部又在北京八宝山革命公墓隆重举行著名作家、人民艺术家老舍先生的骨灰安放仪式。随后,张印泉、周信芳、郑君里、严凤英、潘天寿、盖叫天、应云卫等一大批著名艺术家也得到平反昭雪。与此同时,许多被打为"反党反社会主义的毒草"的优秀作品也得到平反。另外,中国文联各协会,根据中共中央55号文件精神,相继成立专案复查小组,对过去错划为"右派分子"的文艺工作者进行甄别、改正。

1978年5月,中国文联三届全国委员会第三次扩大会议在京召开。郭沫若作了题为《文艺的春天》的书面发言。这次会议是十年内乱后文艺界进行拨乱反正的一次盛会,会议宣布停止了12年活动的中国文联及其所属各协会正式恢复工作,《文艺报》立即复刊。会议强调文艺界一定要高举毛泽东思想的伟大旗帜,把揭批"四人帮"的斗争进行到底,号召文学家、艺术家积极地深入火热的斗争生活,为繁荣社会主义文艺创作而奋斗。然而,由于当时"左"的思想流毒还没有肃清,思想解放的步子还迈得比较缓慢,拨乱反正工作还只能说处于起步阶段。1978年12月,党的十一届三中全会确定了"解放思想、实事求是"的方针,这次会议不仅开辟了党的政治生活的新阶段,国家经济工作的新时期,而且也给文学艺术带来了真正的春天。

1979年2月,中共北京市委作出决定,为邓拓、吴晗、廖沫沙平反,为《三家村札记》《燕山夜话》恢复名誉。同时,中国文联第四次大会筹备组在京召开省、市、自治区文联工作座谈会。会议强调必须肃清"文艺黑线专政"论的流毒,对作家艺术家要认真落实党的政策。会议还对召开第四次文代会的问题提出许多积极的意见和建议。胡耀邦到会作了重要讲话。另外,中共中央宣传部批准文化部党组所作的决定,对林彪、"四人帮"制造的"旧文化部"、"帝王将相部、才子佳人部、外国死人部"这个大错案进行公开的彻底平反。《决定》指出,新中国成立后十七年文化部的工作成绩是主要的,根本不存在什么"文艺黑线",凡是因所谓"文艺黑线"等错案受到打击和诬陷的同志一律彻底平反。4月初,中共中央组织部和宣传部、文化部、全国文联在北京联合召开全国文艺界落实知识分子政策座谈会。5月份,中共中央又批转总政治部的请示,决定撤销中发[66]211号文件(即林彪委托江青炮制的《部队文艺工作座谈会纪要》)。中央指出,受《纪要》影响到的人和作品要实事求

---

① 1966年2月林彪、江青一伙炮制的《部队文艺工作座谈会纪要》中给所谓"文艺黑线"强加和捏造的罪名,即"写真实"论、"现实主义——广阔道路"论、"现实主义深化"论、反"题材决定"论、"中间人物"论、"时代精神汇合"论、"离经叛道"论、反"火药味"论。

② "根本任务"论即林彪"四人帮"提出的"努力塑造工农兵的英雄人物,这是社会主义文艺的根本任务"。"三突出创作原则"即是从上述"根本任务"论出发制定的文艺创作模式:"在所有的人物中要突出正面人物;在正面人物中要突出英雄人物;在英雄人物中要突出主要英雄人物。""主题先行论"即认为文艺创作应该先有主题思想,然后再到生活中选择人物,寻找故事,表现既定的主题。

是地予以平反。在此期间，又一批文艺及理论工作者得到平反昭雪，如马连良、傅雷、丰子恺、田汉、邓拓、吴晗、柯仲平、赵树理、邵荃麟、王任叔（巴人）、冯雪峰等。以后，随着改革开放的深入，50年代的错案，如丁玲反党集团案、胡风反革命集团案，对电影《武训传》、对俞平伯《红楼梦》研究思想的不正确批判等，都陆续得到平反。

经过较为充分的准备，在党的十一届三中全会制定的解放思想、实事求是方针指导下，1979年10月30日中国文学艺术工作者第四次代表大会在京召开，会议历时18天，与会代表3200人，这是"十年动乱"之后，文艺界空前大团结的盛会，是向林彪、"四人帮"反动文艺路线进行讨伐的大会，是展示我国文艺将要开始新的征途的誓师大会。这次大会的任务是"总结建国以来的文艺战线正、反两方面的丰富经验，讨论新时期文艺工作的任务和计划，修改文联和各协会章程，选举文联和各协会新的领导机构"。邓小平代表中共中央和国务院向大会作了祝辞。《祝辞》充分肯定了新中国成立以来及粉碎"四人帮"以后文艺工作所取得的成绩，重申了党的各项文艺方针和政策，即坚持文艺为人民大众服务，坚持"双百"方针，提倡艺术创作的多样化。各级党组织要根据文学艺术的特征和发展规律来领导好文艺，"写什么和怎样写，只能由文艺家在艺术实践中去探索和求得解决"，而各级党的领导部门对此"不要横加干涉"。可以说，《祝辞》比较全面、科学地总结了三十年来社会主义文艺发展和党领导文艺工作的历史经验，为新时期的文艺工作指明了前进方向。

周扬在大会上作了题为《继往开来，繁荣社会主义新时期的文艺》工作报告，总结了新中国成立以来文艺工作的经验教训，阐明了新时期文艺工作的任务。在总结经验教训方面，报告概括为必须处理好三个关系，即文艺和政治的关系、文艺和人民生活的关系、文艺上继承传统和革新的关系。关于新时期文艺工作的任务，报告概括为六项主要任务：①要积极发展各类文学艺术创作，提高思想和艺术水平；②提倡文艺要反映当前实现社会主义现代化的伟大斗争和无产阶级革命斗争的光辉历史，也鼓励作家、艺术家以各种形式、体裁和风格描写其他各种历史题材和现实题材；③积极开展群众文化活动，使社会主义文艺进一步得到普及；④进一步积极发展各兄弟民族的文化艺术，加强各兄弟民族之间的文化交流；⑤加强马克思主义的文艺理论和文艺批评；⑥加强和扩大国际文化交流活动，建立和发展同世界各国作家、艺术家的友好往来。

继第四次文代会9年之后，在我国经济改革深入发展和文艺日益繁荣昌盛的大好形势下，在邓小平提出的有中国特色社会主义理论的指导下，1988年11月8日，中国文学艺术工作者第五次代表大会在北京隆重举行，出席代表近1400名。邓小平等党和国家领导人出席了开幕式。夏衍在开幕词中回顾了1979—1988年以来发生了深刻历史变化的文艺历程，希望作家、艺术家解放思想、面向未来，创造出更多更好的、能激发人们爱国热忱、陶冶人们道德情操、启发人们进取精神的作品。胡启立代表中共中央和国务院在开幕式上致祝辞。胡启立在祝辞中提出："社会主义现代化建设和全面改革十分需要文艺家的理解和支持。我们需要对陈规陋习的批判，更需要对时代精神的讴歌；需要对消极丑恶现象的揭露，更需要对英雄壮举的赞颂；需要对历史深刻的回顾和思索,更需要对未来前景的展望和憧憬。"

1989年2月17日,中共中央作出《关于进一步繁荣文艺的若干意见》。这个文件总结估价了当前的文艺形势。在肯定成绩的基础上,指出当前文艺工作中存在的主要问题是:①文艺领导工作和文艺体制与新形势的要求不太适应,社会主义商品经济条件下有关文艺工作方面的经济政策还不够健全;②深刻反映社会变革和时代精神的杰出文艺作品不够多,还出现了一些消极、庸俗、涣散人心、对社会有不良影响的作品;③科学的实事求是的文艺批评,未能经常地活跃地开展起来;④有些同志缺乏社会责任感,存在着不同程度的脱离生活实际的情况。文件还就坚持"二为"方向和"双百"方针问题、努力改善和加强党对文艺事业的领导问题、加快和深化文艺体制改革问题以及加强文艺队伍的自身建设问题,发表了意见。

总之,改革开放以来,党和政府始终坚持"二为"方向和"双百"方针,促进了我国文学艺术的繁荣昌盛。

随着改革开放的不断深入和经济迅速发展,我国的对外交流日益扩大,国内的文化生活也日益丰富多彩,但是在这种大好形势下,一些西方文艺思想也随之传入,在国内逐渐形成一股否定"二为"方向和"双百"方针的"资产阶级自由化"思潮。同时,一些色情淫秽的文艺作品也开始滋生蔓延。在这种情况下,改革开放的15年来,共进行了较大规模的四次批判"资产阶级自由化"的斗争,这就是1981年围绕电影文学剧本《苦恋》(拍成电影后改名为《太阳与人》)的争鸣、1984年进行的"清除精神污染"、1986年开展的反对资产阶级自由化斗争、1989年下半年再次开展的反对资产阶级自由化斗争。

在清除色情淫秽文艺作品方面,大规模的、全国性的"扫黄"斗争是自1988年开始的。1988年7月5日,经国务院批准,新闻出版署发布《关于重申严禁淫秽出版物的规定》、《关于出版物封面、插图和出版物广告管理的暂行规定》。随后,新闻出版署决定停止发行淫秽图书《玫瑰梦》(延边人民出版社出版)、《情场赌徒》(工人出版社出版),没收两家出版社因出版这两本书所得的全部利润,并对延边人民出版社罚款60万元,对工人出版社罚款40万元,对出版社的主要负责人和有关责任者给予行政处分。

1989年下半年开始,由中共中央直接领导进行了更大规模的清除色情淫秽和反动书刊的工作。1989年8月24日,中共中央、国务院召开全国整顿清理书报刊及音像市场电话会议,部署"扫黄"工作,随后,全国开展了大规模的"扫黄"工作。1990年1月,在"扫黄"工作取得巨大成绩的情况下,中共中央强调今后要一手抓"扫黄",一手抓繁荣文艺。从1990年开始,"扫黄"已成为政府有关部门常抓不懈的工作。

二

伤痕文学和反思文艺

粉碎"四人帮"以后,十年噩梦结束,随之而来的文艺创作必然首先集中在人民对林彪、"四人帮"反革命集团的痛恨以及对"十年动乱"和极"左"思潮造成危害的揭露反思方面。

1976年底至1977年,文艺创作的题材主要集中在揭露批判"四人帮"和悼念革命先辈方面,文艺形式主要集中在相声、戏剧、诗歌等方面,如话剧《于无声处》、《枫叶红了的时候》、《丹心谱》,诗歌则有贺敬之的《中国的十月》、李瑛的《一月的哀思》、柯岩的《周总理,您在哪里?》等。

从1977年底开始,以《人民文学》第11期发表的刘心武的短篇小说《班主任》为标志,我国文艺创作开始进入以揭露和反思极左危害为主题的文艺创作阶段。1978年8月,《文汇报》发表了卢新华的短篇小说《伤痕》,该作品叙述了一个令人心碎的故事:在"文化大革命"中,一个16岁的小姑娘王晓华,知道了自己的母亲被定为"叛徒"以后,虔诚地"批判自己小资产阶级的思想感情,彻底和她划清界限"。王晓华毅然离开母亲到农村插队后,母亲的每次来信她看都不看即退回。8年以后粉碎"四人帮",母亲的"叛徒"冤案得到平反,当王晓华明白真相连夜返家探望母亲时,但为时已晚,她母亲已于几小时前与世长辞了。这篇大学生的习作引起了当时整个社会的强烈反响,耐人寻味的故事勾起了千千万万人对那可怕年月的回顾和联想,于是人们对随后大量涌现的这类文艺作品称之为"伤痕文学"。

在"伤痕文学"中,主要有两方面内容,一是表现面对"四人帮"的淫威进行不屈不挠的斗争,二是表现对人民遭遇的深切同情和对美好情操的热烈颂扬。前者有《神圣的使命》(王亚平)、《小镇上的将军》(陈世旭)、《罗浮山血泪祭》(中杰英)、《大墙下的红玉兰》(丛维熙)、《永远是春天》(谌容)、《将军吟》(莫应丰)等;后者则有《从森林里来的孩子》(张洁)、《弦上的梦》(宗璞)、《土牢情话》(张贤亮)、《蛾眉》(刘绍棠)、《在没有航标的河流上》(叶蔚林)、《蹉跎岁月》(叶辛)、《许茂和他的女儿们》(周克芹)、《爬满青藤的小屋》(古华)等。

"伤痕文学"最先揭开了"文革"十年的黑暗现实,它是广大作家和作者,以战斗的姿态和无畏的精神,率先从文学的角度对"文化大革命"的彻底否定。它标志着一个民族在经历了深重的灾难以后,对自我命运认识上的最初的猛醒。作品几乎都融汇着血与泪的内容,创作基调是悲怆、低沉的,但是它却唤起人民对极左路线和"四人帮"的痛恨,对"十年浩劫"的深沉思考。历史上几乎没有一种文学能像"伤痕文学"这样,在如此短暂的时间内,以如此巨大的精神能量,影响了这么大一个国家的民族灵魂。

随着伤痕文学创作的逐步深入,作家们已不满足于一般性的揭露和控诉,他们开始以勇于探索的笔向历史纵深掘进。由于这类作品是对当代曲折的历史进程中一些颠倒了的历史是非进行再认识、再评价,是从党的路线、经济体制以及文化的变迁中,从社会思潮的升沉中形象地总结经验教训,因此人们习惯上将这类作品称为"反思文学"。

《天云山传奇》(鲁彦周)、《剪辑错了的故事》(茹志鹃)、《黑旗》(刘真)、《李顺大造屋》(高晓声)、《芙蓉镇》(古华)、《被爱情遗忘的角落》(张弦)、《心香》(叶文玲)、《犯人李铜钟的故事》(张一弓)、《西望茅草地》(韩少功)、《张铁匠的罗曼史》(张一弓)等作品,最先揭开了1957年反右斗争扩大化错误和1958年"大跃进"以来农村生活的严峻现实。翻开反思小说中反映农村生活的这一页,可以看到一个很突出的现象,与十七年时期农村题材小说相比,作品的着眼点已明显不同,即主要已不是农民走不走社会主义道路的矛盾,而是在走上集体化道路之后遇到的坎坷,农民与摆布他们的极左路线及其执行者的矛盾。

反思小说另一个比较深刻的内容是对人们价值的确认和对社会中人的地位与思想意识变异现象的揭示。如《天云山传奇》(鲁彦周)、《月食》(李国文)、《灵与肉》(张贤亮)、《蝴蝶》(王蒙)、《内奸》(方方)等,都侧重于这方面的探索和表现。

反思小说由于是在伤痕文学基础上发展起来的,它以更为广阔的社会背景和时空为描述对象,作家思想受中共十一届三中全会影响也更解放,因此作品较之伤痕文学也更为深刻和成熟,其创作浪潮延续的时间也较久。反思小说浪潮后期的优秀作品,如《这是一片神奇的土地》(梁晓声)、《今夜有暴风雪》(梁晓声)、《大林莽》(孔捷生)、《棋王》(阿城)、《山中,那十九座坟茔》(李存葆)、《绿化树》(张贤亮)等,都曾在社会上产生较大的反响。

在70年代末和80年代上半期,大量的伤痕文学和反思小说还被改编成电影和电视剧,这种再创作加上原创作的带有反思性的影视艺术,构成了这一时期文学艺术的主流。这一时期,带有反思性的获最佳故事片奖的电影有《泪痕》(1980年第三届百花奖)、《天云山传奇》(1980年第一届金鸡奖、1981年第四届百花奖)、《牧马人》(1983年第六届百花奖)、《巴山夜雨》(1980年第一届金鸡奖)、而《蹉跎岁月》、《今夜有暴风雪》等一批电视剧也被评为优秀电视剧。《枫叶红了的时候》、《丹心谱》等话剧也得观众的喜爱,产生较大影响。

三

繁荣昌盛的文艺创作

由于党和政府制定了正确的繁荣文学艺术的方针政策,由于具有宽松的环境,还有中华民族在一个半世纪现代化过程中所经历的激荡人心的历史的背景和积淀,使得文学艺术获得空前的繁荣和发展,取得了巨大的成就。

1. 在小说创作方面

改革开放15年来,是小说创作取得巨大成就的15年,无论从数量、质量还是从题材的广泛性、形式的多样化来看,这个时期都取得了空前的进展,结出了丰硕的成果。从题材的角度来看,除了前面所提的伤痕文学和反思小说外,则有改革题材、历史题材、战争和军旅题材、风俗人情题材、爱情题材、武侠打斗题材;从区域角度看,则有农村生活题材、都市生活题材、海外生活题材、特区生活题材等。

与伤痕文学和反思小说几乎同时产生并逐渐取代前者而成为文学创作主流的以改革为题材的小说,由于其揭述对象是当前改革带来的社会关系及人们心态的变化,因此随着改革的深入发展,也就具有历久不衰的魅力和较大的影响力。

在历史题材方面,这十几年也获得了大面积的丰收,在创作题材上,不仅有歌颂农民起义的,也有歌颂帝王将相的,还有描写过去被视为反动人物的,内容相当丰富。前者有《李自成》、《陈胜》、《九月菊》、《星星草》等,其次则有《金瓯缺》、《少年天子》、《康熙大帝》、《武则天》等,后者则有《曾国藩》、《风雨琼楼——袁世凯沉浮》等,此外,还有写人物的《曹雪芹》,写事件的《戊戌喋血记》、《庚子风云》等。

在战争和军旅题材方面,1979年的"西南战争"以及中国革命战争、抗美援朝等都为战争题材的小说提供了丰富的素材和广阔的背景,这方面的小说很多,影响较大的也不少,如《东方》、《浴血罗霄》、《皖南事变》、《高山下的花环》、《射天狼》、《天山深处的大兵》、《兵车行》、《西线轶事》、《新兵连》等，都曾引起较大反响。另外，值得一提的是，这一阶段还出现了一些描写抗日战争时期国民党战场的战争题材的历史小说，如《大国之魂》等，也都产生较大的反响。

在以反映风情文化见长的小说方面，这些年来也是佳作不断，如《大淖记事》、《那五》、《烟壶》、《美食家》、《迷人的海》、《我的遥远的清平湾》、《棉花垛》、《小鲍庄》、《北方的河》、《黄河东流去》等。

这十几年，武侠小说异军突起，风靡大陆，最初以港台金庸、梁羽生的武侠小说风靡一时，广泛传播，发行量之大几乎占小说的一半。随后国内不少作者见武侠小说销售好，利润高，亦竞相效仿，转而从事武侠小说创作。

爱情作为文学描写的一个重要题材，在这十几年中也自然得到较为充分的挖掘和展现，并涌现出一批较为优秀的作家。如《抱玉岩》、《爱，是不能忘记的》、《男人的一半是女人》、《黑氏》、《白涡》、《乱伦》、《北国草》等。

这十几年是我国经济和文化发展最快的时期，改革开放带来社会生活的变化和思想观念的不断更新，除前面所述反映农村巨大变化的小说外，还产生了一大批以都市生活为题材的小说，其数量之多，涉及面之广都是过去所无法比拟的，其中还形成了反映经济特区生活的特区文学。这方面以写都市生活见长而产生较大影响的作家有北京的刘心武、王朔、邓友梅、天津的冯骥才，上海的程乃珊、王安忆、俞天白，武汉的池莉，东北的梁晓声等。

这十几年，又是中国小说创作广泛探索，在内容和表现形式上多样化的时期。一些作家借鉴西方现代派的艺术表现形式，用荒诞、魔幻、象征、意象等手法进行创作尝试。较早地在这方面进行尝试的

作家是宗璞，她的短篇小说《我是谁》、《蜗居》就带有鲜明的荒诞色彩，可算是荒诞小说的"潮头"，以后这类作品逐渐增多，并形成一定影响，这方面影响较大的作品有《心有灵犀的男孩》、《不老佬》、《临街的窗》、《走失了的模特儿》、《脸皮认领启事》、《007337》、《减去十岁》、《冬天的话题》、《坚硬的稀粥》、《活动变人形》、《西藏，系在皮绳扣上的魂》、《浮城》、《黑箱》等。

在探索方面，与上面"表现型"小说相对应的，是以"再现型"为特点的纪实文学的兴起。纪实文学的兴起更多是起因于人们不满足于文学作品的纯粹虚构，要求其更贴近生活现实。首先掀开纪实小说创作帷幕的是刘亚洲发表于1984年的《海水下面是泥土——李大维讲的故事》；随后张辛欣、桑晔以"口授实录方式"写100位普通中国人的生活和心态的《北京人》产生很大反响；冯骥才叙述100个人的"文革"中的十年遭遇的系列纪实小说也产生广泛好评。而刘心武相继发表的《5·19长镜头》和《公共汽车咏叹调》，则将这股浪潮推向前进，达到一个新的高度。由于纪实小说具有叙述方式上的质朴性和情绪传达上的切肤感，因此得到人们的喜爱。这几年在表现公安题材和现实重大问题方面尤为盛行，但是关于纪实小说与报告文学这个都以"真人真事"作基础体裁上的区别，则仍然是理论探讨和创作实践上尚未完全澄清的问题。

另外，这几年涌现了大批青年作家，给小说创作带来了活力和清新空气。如早期的刘心武、张承志、王安忆、阿城，中期的贾平凹、路遥、莫言、张炜、铁凝、王朔、柯云路、梁晓声、方方，近期的刘震云、刘恒、池莉、苏童、刘醒龙等，在创作形式或题材方面都各有特色。中国文坛呈现

出新人辈出、方兴未艾的可喜局面。

2.在诗歌创作方面

如果从书籍出版、发行数量、读者范围等表面现象来看，由于文艺形式的多样化，诗歌已不像过去那样显赫和拥有众多的作者和读者了，但是只要稍微深入这个领域，就会发现，当代诗歌仍然充满了活力，正经历着一场深刻的变革。

以天安门诗歌运动为前奏的新时期的诗歌创作，曾一度承担过文学复兴先锋的作用。这些诗歌以真实的情感和深刻的思索，愤怒声讨"四人帮"，追悼革命先辈，讴歌新的生活。贺敬之的《中国的十月》、李瑛的《一月的哀思》、柯岩的《周总理，您在哪里?》等，都曾产生较大影响。1978年冲破"左"倾思想的樊篱以后，诗歌创作呈现出活跃的局面，诗歌创作力量重振雄风，出现老、中、青三支队伍合流的可喜形势。一是早在民主革命时期就已成名的老诗人又开始了新的创作，如艾青、鲁藜、曾卓、辛笛、唐湜、阮章竞、苏金伞、公木、邹荻帆等都有不少新作问世，其中成就最突出者当属艾青；二是50年代曾驰名诗坛的一批诗人又恢复了创作青春，如贺敬之、公刘、周良沛、李瑛、未央、流沙河、张志民等，创作成绩比较显著；三是新时期崛起的青年诗人，如早期的雷抒雁、徐刚，中期的舒婷、顾城、北岛、傅天琳、梁小斌，近期的汪国真等。

值得一提的是，诗歌在发展过程中，日益呈现出内容和形式多样化的趋势。继80年代前期出现的影响较大的"朦胧诗"和中期出现的"西部诗歌"之后，近几年，又出现了校园诗、城市诗、雪野诗以及形形色色的"后朦胧诗"，尽管对上述这些诗评价褒贬不一，但这种百花齐放、百家争鸣的状态，却标志着诗歌的变革和发展。

3.在报告文学方面

有人曾将报告文学和中篇小说，作为新时期文学的"两大支柱"。实际上，粉碎"四人帮"以后出现的持续高涨的"报告文学热"，成为我国文学史上空前的壮观景象，其对社会产生的影响甚至可以说超过了小说创作，并且直接影响了社会观念的变更乃至国家社会的一些政治经济决策。由于这十几年来我国正处于拨乱反正和急剧变革的时代，新人新事层出不穷，观念意识不断演变，信息量迅猛增长，因此，人民需要一种能以最快速度、最直接的爱憎，最引人注目的文学形式来反映生活、干预生活，于是，以文学"轻骑兵"著称的报告文学自然就繁荣起来。

新时期之初的报告文学，其主题指向大多是记录当代英雄的动人事迹及描绘社会主义建设各条战线的优秀人物的形象，其中以歌颂与"四人帮"斗争的英雄和为"四化"建设兢兢业业的知识分子为重点内容，影响较大的有《命运》、《正气歌》、《哥德巴赫猜想》、《地质之光》、《大雁情》、《小木屋》等。另外，以揭露社会阴暗面为题材的《人妖之间》在社会上也产生了较大反响。中期的报告文学则随着社会观念的演化和改革开放的深入，报告文学不仅与改革的现实结合更为紧密，敢于针砭时弊和歪风邪气，而且在主题指向和题材内容上也更趋于多样化，丰富化，不少作品突破了"一人一事"的模式，其中"社会问题报告文学"发展最快，成绩最引人注目。这时期产生较大社会反响的作品很多，如《中国姑娘》、《兵败汉城》、《唐山大地震》、《阴阳大裂变》、《世界大串联——中国出国潮纪实》、《"修氏理论"和它的女主人》、《虎年通缉令》、《中国农民大趋势》、《中国的"小皇帝"》、《中国的乞丐群落》、《亚细亚的怪圈》等。此后，报告文学发展势头仍然很强，经济体制改革的深化以及由此产生的各种新旧体制之间，社会观念之间以及人与人之间的关系的碰撞和变化，为报告文学提供了更为广阔的空间和写作题材，几乎每产生一个社会热点问题，就会随之产生一批报告文学，甚至一些社会热点问题的讨论是由某篇报告文学引发的，许多作品在社会上产生很大反响，如《无极之路》、《以人民的名义》等。

四

影视艺术硕果累累

改革开放以来的十几年中，可以说是我国电影走向世界、震惊世界，电视剧空前繁荣、硕果累累的时期。

在电影创作方面，这十几年是我国电影艺术飞速发展，全面走向世界，获得国际影坛广泛赞誉的时期。在这个时期，第三代导演（指新中国成立后50年代开始进行电影创作的导演，如水华、谢铁骊、谢添、凌子风、谢晋、王炎等）、第四代导演（指目前我国电影界的中年导演，他们中的多数是60年代从电影学院里培养出来的，如吴贻弓、黄健中、吴天明、谢飞、滕文骥、颜学恕、丁荫楠、王好为等）、第五代导演（指1978年恢复高考后毕业的一批青年导演，其中著名的有：张艺谋、陈凯歌、吴子牛、田壮壮、张军钊、胡玫、黄建新、李少红、刘苗苗、冯小宁、夏钢、张建亚等一大批人）聚合成一支强大的队伍，利用小说、报告文学、电影剧创作的空前繁荣和丰富题材，在思想解放、创作环境宽松的有利条件下，发挥各自的特长，创造出一大批优秀的故事片，并在国际上频频获奖，仅张艺谋一人，据不完全统计，就曾获得国际国内大奖50余个。

粉碎"四人帮"以后，以谢晋为代表的第三代导演重振雄风，第四代导演也迅速崭露头角，使影坛空前活跃。70年代末和80年代前期，一大批优秀影片问世，属于伤痕和反思性质的，有《小街》、《天云山传奇》、《巴山夜雨》、《牧马人》、《生活的颤音》等；属于反映现实生活和改革内容的，则有《庐山恋》、《都市的村庄》、《夕照街》、《邻居》、《大桥下面》、《人到中年》、《乡情》、《喜盈门》、《咱们的牛百岁》等；属于反映革命历史题材的，则有《吉鸿昌》、《小花》、《归心似箭》、《保密局的枪声》等；反映其他历史题材的，则有《骆驼祥子》、《城南旧事》等。80年代中期，随着第五代导演的崛起和第四代导演的成熟，电影创作更是硕果累累，以伤痕和反思为题材的影片，以谢晋的《芙蓉镇》为代表，达到了顶点。而以反映现实生活为题材的影片更是层出不穷，佳作颇多。这期间获得普遍好评或产生较大影响的影片有：《高山下的花环》、《人生》、《红衣少女》、《谭嗣同》、《花园街五号》、《黄山来的姑娘》、《少年犯》、《迷人的乐队》、《黄土地》、《老牛》、《红高粱》、《芙蓉镇》、《野山》、《良家妇女》、《黑炮事件》、《一个和八个》、《喋血黑谷》等等。

十几年来，中国的影片已走向世界，并获得国际影坛和外国观众的广泛赞誉。自1983年《城南旧事》在第二届马尼拉国际电影节上获得最佳大奖——金鹰奖后，我国影片在国际上连连获奖，除未曾获得奥斯卡最佳外语片奖外，其他各种奖基本上都曾获得或多次获得。1987年10月，《老井》在第二届东京国际电影节上荣获三项大奖，1988年2月，《红高粱》在西柏林国际电视电影节上获得金熊奖，标志着我国的电影已在国际影坛上占有重要地位。这几年，我国影片更是连连获得国际大奖，显示出我国电影创作的强劲发展势头。

在电视剧创作方面，随着电视机的逐步普及，中国的电视文化获得迅速发展，电视节目已成为人们日常生活不可缺少的重要组成部分，人们对电视剧的数量和质量也提出越来越高的要求，这种要求也导致了我国电视剧创作队伍的扩大和创作的空前繁荣。十几年来，电视剧佳作纷呈，令人目不暇接。这几年随着创作队伍的日益成熟和电视观众的迅速增加，电视剧也是硕果累累，佳作数不胜数，影响较大的电视剧有：《蹉跎岁月》、《今夜有暴风雪》、《便衣警察》、《西游记》、《红楼梦》、《济公传》、《四世同堂》、《围城》、《渴望》、《编辑部的故事》等。

五

戏剧、音乐、曲艺在新形势下的发展

舞台艺术的繁荣与发展。这里的舞台艺术所指较为广泛，除话剧、戏曲、小品、相声、音乐、舞蹈外，还包括人们最喜爱并能直接参与表演的歌曲创作。改革开放以后，不仅文艺创作获得了良好环境，而且由于人民生活水平迅速提高，录音机、电视机、录像机的迅速普及以及近几年歌舞厅的迅速发展，都为舞台艺术提供了更多的观众和参与者，使各种形式都有所发展，内容更为丰富。

在话剧方面，在粉碎"四人帮"以后，最先活跃起来的是话剧创作，《于无声处》、《枫叶红了的时候》、《丹心谱》在当时产生了巨大的影响，可以说是新时期文艺复兴的先声。随后，一批以歌颂老一辈革命家的话剧也相继推出，如《报童》、《陈毅市长》等。80年代以后，话剧题材向多样化发展，质量也有所提高，产生了一大批

优秀或带有探索性的作品，如《报春花》、《权与法》、《王昭君》、《秦王李世民》、《孙中山》、《九·一三事件》、《一个死者对生者的访问》、《小井胡同》、《红白喜事》、《狗儿爷涅槃》、《天下第一楼》、《桑树坪纪事》、《阿Q正传》、《阮玲玉》等，另外，像《凯旋在子夜》、《绝对信号》、《野人》、《搭错车》、《初恋时，我们不懂爱情》、《我们WM》、《野人》等也都因有独到之处而得到社会的重视或好评。

在戏剧方面，与"文革"时期八个"样板戏"一枝独秀、京剧独领风骚的局面相比，这十几年则呈现出地方剧曲复兴繁荣，而京剧略显冷落的状况。由于戏剧受其表演程式的限制，在反映和贴近现实生活方面不可能向其他文艺形式那样快，因此这十几年其主流是恢复传统保留节目，在创新方面则略显不足，虽然出现了像川剧的《巴山秀才》、豫剧的《朝阳沟后传》等新编剧，但总的来说，由于题材多为历史方面的，并且其表现形式还需要观众有一个熟悉了解的过程，因此在其他文艺形式的吸引下，戏剧仍面临着如何振兴的问题。1990年12月，以纪念徽班进京200周年为题，文化部在京举行振兴京剧观摩研讨会，这次观摩会历时24天，50个京剧院团，3000余名演员带来了50台剧目，上演了150场，党和国家领导人江泽民、万里、乔石、李瑞环等出席了开幕式，这次盛会对我国民族戏剧的振兴起了一定的推动作用。另外，文化部还设立了戏曲梅花奖，用以表彰鼓励戏曲界的后起之秀。

相声作为人民群众喜闻乐见的文艺形式，十几年来得到较快发展。从早期出现的以讽刺揭露"四人帮"罪行及"文革"中不正常现象的作品《如此照相》等，反映出相声经久不衰，其间曾举行过数次相声比赛或会演，但总的来说，相声的数量和

质量与人民群众的要求仍有差距。小品是 80 年代后期新兴的一种文艺形式，它以短小精悍，创作反映现实快的特点以及借助于电视这种人们广泛拥有的传播欣赏手段，使其迅速走进千家万户，得到人民的喜爱。近几年来，在综合性的文艺晚会上，小品都是重要和几乎不可缺少的节目，每年新年、春节的电视文艺晚会上，小品都成为重头戏。黄宏、宋丹丹的《超生游击队》，朱时茂、陈佩斯的《主角与配角》以及赵本山的《相亲》等都在社会产生较大影响，好评如潮。

歌曲创作及演唱历来是人民群众尤其是青年喜爱的文艺形式。这一阶段，歌曲创作空前繁荣，前期以抒情歌曲为主流，《三峡情思》、《在希望的田野上》、《洁白的羽毛寄深情》、《蝴蝶》、《太阳岛上》等都是广为流传的歌曲。同时，在台湾校园歌曲的冲击下，我国的歌曲创作者也开始创作自己的校园歌曲。80 年代后期以后，歌曲创作更上一层楼，开始更为注重吸收民歌的精华和反映民族特色，创作题材也更为丰富，除了产生了一大批抒情歌曲外，还产生了以《黄土高坡》为代表的“西北风”，以《我的 1997 年》为代表的“都市民谣”，以《小芳》为代表的怀旧歌曲，以及反映地方风情特色的歌曲，还有不少歌曲则吸收融汇了一些戏曲的唱腔和快板，在歌曲的多样化和表演形式上作了有益的探索。另外，1984 年开始举办的全国青年歌手电视大奖赛、1986 年开始举办的全国青年民歌、通俗歌曲大选赛，也都促进了歌唱艺术的发展。

在音乐舞蹈方面，这十几年除民族音乐舞蹈空前繁荣外，在交响乐等西方音乐的普及方面也取得较大成绩，同时，在芭蕾舞、交谊舞和拉丁舞等国际舞蹈方面也广为传播，与外国展开频繁交流。十几年来，我国选手在国际声乐比赛中频频获奖，而且在芭蕾舞比赛中也频频获奖。我国的音乐舞蹈人才已跻身国际乐坛舞坛，成为一支不容忽视的力量。

在绘画、书法、摄影、雕塑创作方面，这一阶段，随着生活水平的迅速提高和闲暇时间的增多，越来越多的人不仅增加了对绘画、摄影作品、雕塑的欣赏及收藏兴趣，而且亲自投入创作之中。据估计，全国从事国画创作的达一百余万人（尚不算学习和业余爱好者），被称为画家的有 10 万人之多；至于书法及摄影爱好者就更多了。在雕塑创作方面，以根雕的参与者人数最多。上述这些艺术创作在新时期的十几年中不仅在数量上极为浩大，形式上更加多样化，而且质量有较大提高，人才辈出，不仅国画已走向世界，受到许多外国人的喜爱和收藏，而且雕塑也已走向世界。除老一代雕塑家刘开渠等创作出大量优秀作品外，还涌现出一批在世界产生影响的青年雕塑家，如韩美林、谭云、张得蒂等。现在，几乎各城、各风景名胜地以及许多城市公园、绿地都树立起各种各样的雕塑作品，反映了我国雕塑艺术迅速发展和巨大进步。

与港、澳、台地区及国外的文艺交流。改革开放不仅给我国的社会观念和经济生活带来巨大变化，也促进了我国与海外的文艺交流。从小说、诗歌、散文来看，在十几年中，除了扩大了与西方及第三世界的交流外，最为突出的是广泛开展了与港台地区的交流。大陆创办的《港台文学选刊》、《海峡》、《海外文学》在交流方面起了重要作用。另外，大批港台及海外华人小说、诗歌、散文传入大陆，其中影响较大的有於梨华、白先勇、金庸、梁羽生、李敖、琼瑶、梁凤仪的小说，三毛、龙应台的散文及游记，席慕容的诗歌，柏杨的杂文等，内地的作品在港台也广为流传。在演唱和影视方面，同样是以内地与港台的交流最为引人注目，成为主流。在 70 年代末和 80 年代初期，由于录音机的逐渐普及，港台歌曲风靡大陆，尤以《外婆的澎湖湾》、《橄榄树》为代表的台湾校园歌曲深得大陆青年的喜爱，广为传唱。80 年代中期以后，随着改革开放的深入，越来越多的家庭拥有电视机和录像机，影视作品大有与歌曲平分秋色之势，港台的武打片、社会问题片和言情片成为大陆节目中的重要组成部分。此后，随着港台歌星频繁到大陆演出和宣传攻势，在青年和学生中又掀起热潮，形成一些"追星族"。

中国与海外的文艺交流，不仅在文学和影视歌曲方面取得空前进展，而且在音乐、话剧、舞蹈、绘画、摄影、雕塑等方面也都取得很大进展。近几年来，我国还举行了国际交谊舞大赛、健美大赛，使文化交流的范围更为广泛。

体育的崛起与腾飞

1976 年粉碎"四人帮"以后，是中华人民共和国成立以来我国体育事业发展最快、最为辉煌的时期。中国体育事业随着改革开放的深入和国民经济的迅速发展，已经以崭新的面貌矗立在世界人民面前，并且通过积极参与国际体育活动，成为世界体育活动的一支重要力量。

一

拨乱反正，振兴体育

"文化大革命"十年，我国的体育事业也像其他教科文卫事业一样，受到严重摧残。为了肃清林彪、"四人帮"反革命集团及极左思潮在体育界的遗毒和灾害，从 1976 年底到党的十一届三中全会间的两年里，体育战线清算了林彪、"四人帮"两个反革命集团的罪行，各级体委的领导班子作了不同程度的调整，整顿强化了各级领导机构。

1978 年 1 月，全国体育工作会议在北京召开。这是新中国成立以来代表性最广、规模最大的一次体育工作会议，与会人员达一千四百多人。国家体委主任王猛作了《高举毛泽东的伟大旗帜，为高速度发展我国体育事业而奋斗》的报告。会议主要总结新中国成立以来特别是"文化大革命"以来的正反两个方面的经验，分清体育战线上的大是大非，拨乱反正，明确了以下 8 个问题：①要坚持党对体育工作的领导；②要促进青少年德智体全面发展；③要坚持普及和提高相结合的方针；④要开展体育运动竞赛；⑤要迅速攀登体育运动技术高峰；⑥要开展国际体育交往；⑦要坚持合理的规章制度；⑧要建立一支又红又专的体育队伍。会议还制定了今后 3 年、8 年、22 年体育事业发展规划。这次会议明确了体育事业的前进方向，调动了体育界的积极性。

随着拨乱反正工作的开展，体育界也开始清理纠正"文化大革命"期间造成的冤假错案。1978 年 6 月，国家体委召开落实干部政策大会，宣布为优秀运动员、教练员容国团同志平反昭雪，恢复名誉。

1979年春,经中共中央批准,国家体委彻底推倒了林彪、江青、康生等于1968年5月12日强加给体育系统的那个"命令"(该命令否定十七年体育事业成就,诋毁国家体委系统"长期脱离党的领导,脱离无产阶级政治,钻进了不少坏人,成了独立王国"),推倒了对贺龙、荣高棠等同志的一切诬蔑不实之词,解开了禁锢体育界的精神枷锁。1978年理论界关于真理标准问题的讨论,更活跃了体育领域的空气,形而上学、唯心主义、教条主义为之一扫而空。大家力求完整、准确地理解和掌握毛泽东思想,自觉地坚定地贯彻执行党的正确方针,努力研究新情况,解决新问题。体育战线及时地把工作重点转移到发展体育事业方面。

由于"十年动乱"拉大了我国运动技术与世界体育先进水平的差距,加上"文化大革命"后百废待举,国民经济还存在严重困难,群众体育运动的发展受到一定的限制。针对这种情况,1978年全国体育工作会议曾确定:省级以上体委在普及与提高相结合的前提下,侧重抓提高,集中力量解决运动技术水平落后这个最突出的矛盾。

1979年9月在北京召开的第四届全国运动会,是粉碎"四人帮"以来的一次体育盛会,也是新中国成立以来规模最大的运动会,有包括台湾省在内的各省、市、自治区和解放军共31个体育代表团一万多名运动员参加了34个项目的比赛。这次运动会共有7人8次打破世界纪录;3人3次平世界纪录;12人24次打破8项亚洲纪录;204人和34个队376次打破102项全国纪录。这次运动会显示出拨乱反正和振兴体育工作的初步成绩。

1983年9月,第五届全国运动会在上海召开,这是新中国成立以来第一次在首都以外的城市举行全国运动会,体现了竞赛改革的成果,对后来各省、市、自治区轮流举办全运会是一个良好的开端。这次运动会同样硕果累累。这届运动会不仅推动了体育运动的普及与提高,在国际上也产生了积极影响。三百多名外宾应邀来参观,给予全运会高度评价,特别是朱建华在全运会上两破男子跳高世界纪录,国际田径界人士认为这是亚洲,也是世界的光荣。外电发表评论,赞扬我国在大多数体育项目中取得了迅速的进步。

侧重提高,绝不意味着我国放松普及和其他体育工作。1979年3月,国家体委就提出了关于加强群众体育工作的意见,部署各级体委"在新形势下,进一步广泛开展群众体育工作,重点抓好学校体育,积极开展工农体育活动,大力加强少年儿童业余训练"。同年4月,国家体委与教育部、卫生部、共青团中央联合召开了全国学校体育卫生工作经验交流会。1982年10月,国家体委与全国总工会联合召开全国职工体育工作经验交流会;同年11月,国家体委又与文化部、共青团中央联合召开全国农村体育工作会议,会议针对农村体育工作较为薄弱的情况,指出:广泛开展农村体育活动,提高广大农民的健康水平,活跃农民业余文化生活,是建设社会主义精神文明的重要内容。随后,国务院转发了会议纪要。纪要提出农村体育工作的主要任务是:广泛开展群众性体育活动,提高广大农民健康水平,活跃业余文化生活,建设社会主义精神文明。

为了推动群众体育活动的广泛开展。使体育事业真正成为广大人民群众积极参与、广为受益的事业,国家体委采取各种方法来调动人民群众参与体育活动的积极性。1980年,我国首次开展评选全国十名最佳运动员活动,以后年年开展评选

"十佳"活动,此项活动已成为广大人民群众积极参与的活动,激发了人民群众对体育事业的热情和关心。为了振兴少数民族体育事业,1981年9月,国家民委召开全国少数民族体育工作座谈会,要求继承和发展民族传统体育项目,活跃群众文化生活,促进民族团结。会议以后,少数民族地区积极贯彻会议精神,促进了少数民族地区体育活动的开展,在此基础上,1982年9月我国首次举办全国少数民族传统体育运动会。

1982年10月,我国首次派团参加第三届远东和南太平洋地区伤残人运动会,这是我国残疾人体育活动走向世界的开端。1983年10月,天津市发起举办全国伤残人体育邀请赛。邀请赛后,国家体委、中华全国体育总会召开了全国伤残人体育工作者和运动员代表会议,成立了中国伤残人体育协会,促进了我国伤残人体育活动的发展。

在第五届全运会上,为了鼓励人民群众积极参与,会前举行了"振兴中华火炬接力"仪式,在北京天安门广场由国家主席李先念点燃火炬,然后传遍全国各地(台湾、香港、澳门除外)。全运会开幕之日,还举行了10万人参加的"马路运动会"。大会期间,群体活动高潮迭起,140万市民观看比赛,10万青年组成"精神文明拉拉队",与观众共创看台新风。大会还设立了精神文明奖,评出精神文明运动队106个,精神文明运动员、裁判员1800多名。这次大会还把表彰、奖励群众体育工作先进集体和先进工作者,作为全运会的一个组成部分。314名群众体育代表在观摩比赛的同时,还参观了上海一些群体活动,并分行业对口交流了经验。上述这些,都显示出普及与提高相结合的中国体育特色。

二

走向世界,全面参与国际体育活动

1976年底至1992年底的17年,是我国全面参与国际体育活动并取得辉煌成就的历史时期。

新中国建立之初,我国体育组织即积极要求参与国际体育事务和活动。1952年7月,经过我国努力和世界舆论及国际奥委会中正义人士的支持,我国被邀请参加在芬兰首都赫尔辛基举行的第十五届奥运会,打破了国际上一些反华势力阻挠新中国体育界参加奥运会的企图。1952年7月29日,新中国参加奥运会的第一个代表团赶到赫尔辛基,参加了这次国际体育盛会。

然而历史的发展常常是曲折的。1954年,国际奥委会中的少数人企图制造"两个中国",即将台湾的体育组织偷偷纳入国际奥委会成员国名单中,并拒绝了新中国体育界的正义要求。1956年10月,第十六届奥运会在墨尔本举行,会前中国奥委会曾作了认真准备,体育代表团已在广州整装待发。但是由于国际奥委会不顾中国奥委会的一再抗议,在第十六届奥运会组织委员会的文件上,不断出现"北京中国"、"台湾中国"的字样,经先期到达的中国代表团副团长黄中抗议无效,因此,中国奥委会庄严声明:在国际奥委会和第十六届奥运会组委改正错误前,中国运动员不能参加这届奥运会。不久,中国奥委会正式宣布不参加第十六届奥运会,以示抗议。

由于国际奥委会在少数人的操纵下坚持错误,把中国的一个地方组织——台湾体育组织作为国家奥委会的成员予以承认,企图造成"两个中国"或"一中一台"的局面。同时,一部分国际单项运动联合会,也在承认中国唯一合法的全国性的体育组织——中华全国体育总会之外,又非法地承认台湾所谓的"中华民国"体育组织为其成员,如国际足球、田径、举重、游泳、篮球、射击、自行车、摔跤联合会和亚洲乒乓球联合会。在这种情况下,1958年6月至8月,中国奥委会和有关体育组织退出了国际奥委会和上述联合会,并决定在国际奥委会和上述组织改正错误以前,中国体育组织宣布同它们中断一切关系。

1971年10月,第二十六届联合国大会以压倒性多数投票通过恢复我国在联合国的合法席位,1972年2月中美联合公报使中美关系史揭开新的一页,随后引起连锁反应,日本等一批国家与我国建立外交关系,我国的国际关系得到改善,国际地位大为提高。在这种情况下,国际体育界的许多正义人士,纷纷提出应当恢复占世界人口四分之一的中华人民共和国在国际体育组织的合法席位。首先是亚洲运动会联合会在1973年11月以压倒多数投票通过决定,确认中华全国体育总会为亚运会联合会会员,1974年,国际击剑联合会、国际举重联合会、国际篮球联合会和国际摔跤协会先后恢复了我国的合法席位。

1974年9月,第七届亚运会在伊朗首都德黑兰举行。我国派团参加,并欢迎台湾运动员到北京参加选拔赛,但如同以往几次一样,这一呼吁没有得到响应。这是中国体育代表团第一次参加亚运会。在第七届亚运会期间,亚洲各单项运动协会召开了会议,在讨论有关我国的合法席位问题时,13个亚洲体育组织先后承认了我国各运动协会的合法席位。

1978年,国际上影响较大的国际田径联合会解决了我国的会籍问题,接着国际体操联合会也恢复了我国的合法席位,于是剩下的一个最大问题就是国际奥委会了。

1979年4月,国际奥委会在乌拉圭蒙得维的亚召开全体会员会议,中国奥委会代表何振梁就部分委员提出的下列问题作了回答解释,反映了我国的立场:①为什么说国际奥委会中中国代表权的情况是不正常的;②为什么国际奥委会承认台湾是违反章程的;③香港有权参加国际奥委会而台湾为什么不能参加;④台湾体育组织的管辖问题。

对于上述问题,何振梁指出:①根据国际奥委会章程的精神,在同一个国家只能承认一个国家奥委会。台湾是中国的一部分,单独承认它为一个全国性体育组织是不符合章程的。同时,台湾体育组织在1954年未经过讨论和表决就被塞进国际奥委会承认的国家奥委会名单之中,并无合法的入会手续。各国奥委会有权在内部发展自己的体育运动和制定政策,但对外代表全国参加奥委会的活动并同各国奥委会联系,只能由一个全国性的国家奥委会来进行。②台湾和香港情况不同,台湾是中国领土的一部分,既不是殖民地,也不是什么独立地区。香港虽然也是中国的领土,但目前的地位是由历史上的不平等条约所形成的,将来可通过适当的途径寻求解决。③国际奥委会在中国只应承认一个国家奥委会,即会址设在北京的中国奥委会,但是考虑到目前情况,为了配合国际奥委会解决问题,作为一项临时措施,在恢复中国奥委会席位后,也可以特许台湾体育组织以中国台湾奥委会的名义,即中国的一个地方机构留在国际奥委会内,前提是不得冠以"中华民国"字样,也不得单独使用"台湾"字样,不得使用其所谓"国旗"、"国歌"及任何代表"中华民国"的象征。

中国奥委会代表所采取的通情达理的态度和实事求是的精神,赢得了广泛的赞成和同情。1979年6月,国际奥委会在波多黎各举行执委会,拟定了同意上述我国奥委会提出的上述解决问题方案的建议。同年10月,国际足联执委会通过决议,重新接纳我国足协为会员,台湾的足球组织只能用"中华台北"的名称,并不得使用前"中华民国"的任何标志。受此影响,11月国际奥委会全体委员表决时,以62票赞成,17票反对,2票弃权,通过了按照中国奥委会所提条件恢复了我国在国际奥委会中的合法席位。至此,长达21年的斗争,终于迎来了胜利的结局。

与此同时,1980年以来,我国还逐步恢复了与苏联及东欧国家之间的体育交往。1983年,与苏联、东欧国家的体育交往即达五十多次,六百多人次。

随着我国体育事业的蓬勃发展和在国际体育组织中恢复合法席位,各地的体育队伍也日益成为国际活动中的重要力量。1978年,广东足球队到拉美四国(巴巴多斯、圭亚那、苏里南、特立尼达和多巴哥)访问,4个国家的元首都亲切接见了广东足球队。进入80年代以后,地方运动队参加国际体育活动尤为活跃,仅1983年就有21个省、自治区、直辖市、7所体育学院和火车头体协以及军队派出选手承担出访任务,有四十多个城市接待了来访的外国体育团队。

在国际体育交往活动中,我国还向第三世界国家提供了体育器材援助,仅1980年至1982年,我国就向三十多个国家提供了价值十多万元人民币的体育器材和运动服等。在体育交往中,我国还实行了"走出去"和"请进来"的办法,不仅派出我

国具有优势的体育项目教练员出国帮助别国发展体育事业,而且也邀请一些外国的"洋教头"来帮助我国某些体育项目的培训。80年代以来,我国已在足球、游泳、田径、拳击、摔跤、艺术体操等项目上多次聘请外籍教练,这反映出我国的体育活动日益与世界体育活动融合在一起。

1980年1月,中国体育代表团前往美国普拉西德湖参加了第十三届冬季奥运会,受到美国人民的热情欢迎,这是中国有史以来第一次参加冬季奥运会。1980年,为了抗议苏联入侵阿富汗,有五分之二以上的奥委会成员国没有派运动队参加同年8月在莫斯科举行的第22届夏季奥运会,中国奥委会也在抵制之列。

如果说,1979年和1980年是中国体育界走上世界体育舞台之年,那么,1981年则是中国在世界体坛上开始腾飞的第一年。这一年,中国运动员仅参加洲以上的正式国际比赛就有55起、1151人次,获得25个世界冠军,打破和超过8项世界纪录,平3项世界纪录。其中最突出的是,在第36届世乒赛上,中国选手取得了全部7个项目的世界冠军,创造了世界乒乓球锦标赛55年历史的新纪录;中国女子排球队则在世界杯比赛中,夺取世界冠军,打破了我国大球无世界冠军的纪录,并开始了五连冠的历程。

1982年11月,我国派出由四百多人组成的体育代表团,参加了在印度新德里举行的第九届亚运会。在这届运动会上,中国运动员赢得61枚金牌,第一次超过了称雄亚洲体坛数十年的日本,成为这届运动会上获得金牌最多的国家,显示出我国已成为亚洲体育强国。

1984年8月,我国时隔30余年之后参加了在美国洛杉矶举行的第23届奥运会,取得优异成绩,举国欢腾。在开赛的

第一天,中国运动员许海峰就摘取了这届奥运会的第一枚金牌,结束了中国人没有奥运金牌的历史,实现了零的突破。这届奥运会共有 140 个国家和地区的代表参加,我国运动员参加了 23 个项目中的 16 项比赛,共获得 15 枚金牌、8 枚银牌、9 枚铜牌,在参加国家和地区中,金牌总数名列第四、奖牌总数名列第六,这说明中国不仅是亚洲体育强国,而且也成为世界体育强国之一。1990 年 9 月,北京成功地举办了第七届亚运会,在这次亚洲体育史上规模最大的运动会上,中国体育健儿不仅获得了绝对优势,而且以高超的技艺和良好的道德风尚赢得了世人的赞誉。

1992 年,是我国体育在世界体坛上又登上一个新台阶的一年。这年 8 月,我国体育代表团参加了在西班牙巴塞罗纳举行的第 25 届奥运会。在这届奥运会上,我国运动员共夺得 16 枚金牌、22 枚银牌和 16 枚铜牌,在参加国家和地区中,金牌总数位居第四。如果说 1984 年的洛杉矶奥运会由苏联等国家的抵制只算"半个奥运会",那么在这次奥运史上规模最大、参加人数最多的体育盛会上,中国再次显示了其体育强国的风采。在 1992 年,中国运动员共夺得 89 个世界冠军(其中 29 个属于奥运会项目),52 个亚军和 45 个第三名;在国内外比赛中,共有 29 人、4 个队、103 次打破 40 项世界纪录。在同年举行的第十六届冬季奥运会上,中国选手获得 3 枚银牌,实现了奥运会冬季项目"零"的突破。这一年,我国共有一千多个团队、一万多人次参加国际体育比赛和交往;与此同时,海峡两岸也开始了体育双向交流,内地共接待台湾体育团队 217 批、一千八百多人次,台湾也首次接待了聂卫平等二十多名大陆体育工作者赴台参观、比赛。

这里特别值得一提的是马俊仁教练带领的辽宁省中长跑女运动员,即为人称赞的"马家军"。1992 年,"马家军"征战世界青年田径锦标赛,结果获得女子 800 米、1500 米、3000 米、10000 米 4 枚金牌。1993 年 8 月,"马家军"又进军斯图加特的第四届世界田径锦标赛,结果又囊括女子 3000 米前 3 名,并获得女子 1500 米和 10000 米两项冠军,震惊国际田坛,从而使中国在这次运动会上的金牌总数位居第二。同年 9 月,在第七届全国运动会上,"马家军"又超过挪威选手克里斯蒂安森保持了 7 年的女子 10000 米世界纪录、苏联运动员卡赞金娜保持了 13 年之久的女子 1500 米世界纪录,并 5 人 7 次超过女子 3000 米世界纪录。同年 10 月,在西班牙举行的世界杯马拉松赛上,"马家军"再次夺魁。上述这些成绩,使得国际田坛对中国刮目相看。

按照国际上通用的衡量标准,一个国家在田径、游泳项目中的实力以及在奥运会上所获金牌数的多少可用来判定其整体的体育实力。而巴塞罗纳奥运会上我运动员获得 4 枚游泳金牌和"马家军"在斯图加特及七运会上的杰出表现,不仅证明中国又向世界体育强国迈进一大步,而且证明中国人民有能力在体育领域赶上和超过别人。

北京成功举办第十一届亚运会

1984 年 3 月 7 日,经党中央、国务院批准,中国奥委会向亚洲奥林匹克理事会主席谢赫·法赫德·艾哈迈德·萨巴赫亲王发出正式函件,申请 1990 年在北京举办第十一届亚洲运动会。根据申请程序,这份正式函件详细介绍了有关北京市的地理、气候和人口资料,以及现有体育运动设施条件和第十一届亚运会举办的时间、计划设置的比赛项目等有关情况。函件还表示,如正式申请获得批准,中国奥委会将严格按照亚洲奥林匹克理事会的有关章程和规定来组织这届运动会,并将建造新的体育中心和运动员村,以满足举办亚运会的需要;中国体育界和北京市人民将尽最大努力办好第十一届亚运会。

在发出正式函件的同时,中国奥委会还转交了中华人民共和国外交部吴学谦致亚奥理事会主席的函件,函件称:"吴学谦外长授权声明,中国政府支持中国奥委会于 1990 年在北京举办第十一届亚洲运动会,将允许亚奥理事会所有成员组织的代表团入境。"吴外长表示,相信"第十一届亚洲运动会将为增进亚洲各国和地区人民的友谊作出贡献"。

1984 年 9 月 28 日,亚奥理事代表以无记名投票方式进行表决,结果北京以 43 票赞成,22 票反对,6 票弃权的较大优势击败竞争对手,获得了 1990 年第十一届亚洲运动会的主办权。

1990 年 9 月 22 日,第十一届亚洲运动会开幕式在北京工人体育场举行。

在十多天的时间里,由 838 人组成的中国体育代表团,参加了全部 27 个正式比赛项目和两个表演项目的比赛。本届比赛中,中国进一步巩固了自己在亚运会上的第一强国的地位。中国选手取得金牌 183 枚,银牌 107 枚,铜牌 51 枚,合计 341 枚,是历届亚运会中最多的一次。

中国田径选手在和对手进行逐项较量后,夺取了全部 43 枚金牌中的 29 枚,日本选手获 7 枚金牌,名列第二。中国选手刘华金和梁学仁破两项亚洲纪录,在女子百米栏决赛中,中国老将刘华金凭着顽强

的毅力,拖着一条伤腿跑出了 12 秒 73 的好成绩,荣获冠军并打破亚洲纪录,也为自己的运动生涯画上了一个光辉的句号。撑竿跳高比赛中,中国选手梁学仁表现出必胜的信心,奋力跳过 5 米 62,摘走金牌并把自己保持的亚洲纪录提高了 1 厘米。中国三级跳远名将陈燕平则跳出 17 米 51 的佳绩,超过了亚洲纪录,只是因风速超标,该成绩才未被列为亚洲纪录。这三项成绩均可进入世界前 10 名。

游泳比赛在历经亚洲一流水平的决战后圆满结束。中国泳将获得 23 枚金牌,打破 11 项亚洲纪录,终于取代日本成为亚洲头号游泳强国,并彻底改变了亚洲泳坛的格局。中国女泳手包揽了女子项目的全部冠军。中国游泳队的 6 朵金花——庄泳、黄晓敏、杨文意、钱红、林莉、王晓红以及老将阎明都有出色表演。庄泳第一天在女子 100 米自由泳决赛中便以 55 秒 30 的成绩夺得冠军,并打破该项 55 秒 38 的亚洲纪录。接着在女子 200 米自由泳比赛中,又以 2 分 01 秒 43 的成绩刷新了该项目 2 分 01 秒 44 的亚洲纪录。庄泳共夺得 4 枚金牌。林莉表现出强劲的实力,她先是在女子 400 米个人混合泳决赛中,以 4 分 39 秒 88 的成绩获得冠军,同时打破她本人保持的 4 分 45 秒 59 的该项亚洲纪录。接着又在 200 米蛙泳比赛中,后来居上,战胜"亚洲女蛙王"黄晓敏勇夺金牌。在女子 200 米个人混合泳比赛中,林莉再展英姿,以极大优势战胜日本小将黑乌文绘,游出了 2 分 13 秒 16 的亚洲纪录,卫冕成功,并创造了该年该项目最好成绩。林莉在本届亚运会共夺得 4 金 1 银 5 枚奖牌。王晓红则在女子 100 米蝶泳决赛中,游出 58 秒 87 的今年世界最好成绩,并打破亚洲纪录。她的这一项成绩,即使是在世界大赛中恐怕也无人能与

之匹敌,王晓红和杨文意也分别取得本届亚运会游泳比赛的 4 金 1 银和 4 金的骄人战绩。男子比赛中国选手沈坚强连连夺冠,成为本次游泳赛中唯一获 5 枚金牌的选手,有"亚洲男蛙王"之称的中国选手陈剑虹也在亚运会男子 100 米游泳决赛中,以 1 分 02 秒 60 的成绩获得冠军,并打破该项 1 分 02 秒 94 的亚洲纪录。

跳水赛共设男女 1 米、3 米跳板、10 米跳台和男女团体共 8 枚金牌。具有世界一流水平的中国跳水队毫不出人意料地包揽了全部 8 块金牌,并获银牌 5 枚,铜牌 1 枚。

共设 40 个项目的亚运会射击比赛,是亚运会金牌的大项,有 24 个国家和地区的 344 名选手参赛,先后决出 41 枚金牌。得金牌最多的是中国,共获得 27 枚。从亚运会射击比赛成绩看来,中国队通过近 40 年的不懈努力,建立起一支在亚洲称得上实力雄厚的队伍,继续处于亚洲"盟主"的地位,老将许海峰雄风犹在,独得 4 枚金牌。

乒乓球比赛,同世界乒乓球锦标赛一样,设男女团体、男女单打、男女双打和混合双打 7 枚金牌。由于中国队与朝鲜队、韩国队同处在一个水平线上,尤其是男队日前正处于青黄不接的状况,所以从亚运会乒乓球比赛上看,中国的优势已不复存在。虽然中国队获得 5 枚金牌,韩国队获 2 枚金牌,但中国队胜得都十分艰苦,朝鲜、韩国等国选手已对中国选手构成很大威胁,有些选手的技术甚至已超过中国选手。本届亚运会乒乓球比赛中最出人意料的就是中国男子乒乓球队在半决赛中以 1∶5 惨败于朝鲜队,痛失亚运会乒乓球团体决赛权。而韩国队则以逸待劳,在决赛中战胜朝鲜队获得冠军。女子团体比赛中,中国队在决赛中以 3∶2 战胜韩

国队获得冠军。

单项比赛,中国选手振作精神,发挥出较高水平。男子单打、双打和女子单打的决赛均在中国选手间进行。混合双打也取得了胜利。

羽毛球比赛的结果出乎人们的意料。中国羽毛球队出色地发挥了水平,在诸强争霸中一举夺取了全部 7 枚金牌中的 6 枚,韩国获混双冠军。中国羽毛球队获亚运会羽毛球男女团体金牌,赵剑华、唐九红、李永波/田秉毅分获男单、女单、男双金牌,关渭贞/农群华获女子双打金牌。

体操比赛,共设金牌 14 枚,中国、朝鲜、韩国、日本、中国台北等亚洲强队展开激烈争夺。中国队整体实力高出其他队一筹,最后夺得 11 枚金牌,朝鲜队水平提高较快,获得 2 枚金牌,韩国和日本选手各获 1 枚金牌。中国体操队分获男女团体金牌。李敬获男子全能比赛金牌,陈翠婷获女子个人全能金牌。李小双获自由体操金牌,国林跃获鞍马和双杠金牌,李舸获吊环金牌,李敬获跳马金牌,樊迪获得高低杠金牌,陈翠婷获得自由体操金牌。

在"三大球"的比赛中,中国男子篮球队获得冠军,中国女子篮球队失利于韩国队,仅获亚军。中国女子足球队以五战五胜的战绩,荣膺冠军。中国男子足球队在 1/4 决赛中以 0∶1 负于泰国队,与冠军无缘。女子排球是亚洲三大球中最值得骄傲的项目。尽管北京亚运会只有 6 个队参加,但这次比赛仍代表了世界排坛较高水平的角逐。中国女排以五战五胜的成绩蝉联亚运会冠军。男子排球比赛,中国男排表现了崛起中的强劲势头,战胜了老对手日本队,获得冠军。

在本届亚运会许多项目中,中国选手都显示了前进的势头,但进步的程度不

同。中国的跳水和体操的部分小项原本就居世界领先地位，在本届亚运会上他们所表现出来的实力与水平仍居世界前列。他们并不是靠原地不动来保持世界水平，而是靠继续前进来把紧追不舍的对手们甩在身后。原本落后，但在这届亚运会追上或者接近世界水平的项目也不少，这是值得庆贺的。周玲美打破女子自行车场地1公里计时赛世界纪录，林莉的200米女子个人混合泳是1990年的世界最好成绩。王晓红、钱红的100米蝶泳排1990年的世界成绩第一位、第二位。此外，庄泳的100米自由泳、杨文意的50米自由泳、林莉的400米个人混合泳、200米蛙泳、黄晓敏的200米蛙泳都可列世界前茅。更可喜的是沈坚强、陈剑虹等男子选手在100米蝶泳和100米蛙泳中，都游入了世界的前列。他们所获金牌总数，首次超过日本选手，形成了新格局。田径比赛也是这样。陈燕平的男子三级跳远的成绩，可列世界第三。撑竿跳、男子标枪、女子100米栏、女子铅球都在世界前十名之内。得田径者得天下，得游泳者得天下。中国健儿在这两项上取得了进步。

10月7日晚，在《今夜星光灿烂》专场文艺演出隆重、热烈的氛围中，燃烧了16天的第十一届亚运会主火炬缓缓熄灭。经历了14天激烈角逐的亚洲各路健儿，收获了奖牌，也收获了友谊。他们欢笑着告别，相约广岛再见。

本届亚运会圆满成功，创下了一系列"更快、更高、更强"的新纪录。概括中国和亚洲在本届亚运会上的收获有三：

一是竞技体育全面丰收。

中国竞技体育有了长足进步，优势保持、劣势崛起，新兴项目也取得了辉煌成绩。本届亚运会也是亚洲体育的一次大丰收，是历届亚运会中破世界纪录和亚洲纪录、亚运会纪录最多的一届亚运会。本届亚运会不仅参赛国家和地区之多创下了历届之最，而且获得金牌和奖牌的代表团之多也创下了历届亚运会之最。本届共有14个国家和地区的选手得到了金牌，获得奖牌的，更多达25个国家和地区。这说明，亚洲各国和各地区的体育在全面地进步。

二是铸造了一种"亚运精神"。

中国争得了第十一届亚运会主办权，无异于领回了一张包罗万象的考卷，其所考核的内容包括：中国的体育设施、市政建设、组织能力、体育运动水平、管理水平，等等。这实质上是一份评审中国综合国力的考卷，需要由全体中国人民来共同填写。

经过时间检验，国际奥委会和亚奥理事会的负责人，专程前来采访的境外记者们以及各代表团的运动员和官员们都公正地认为：中国人民交出的这份答卷是合格的、优秀的。

——气势恢宏、功能先进、设备齐全的现代化体育场馆，无论其设计水平，还是建筑水平，都堪称世界一流；高效率、高质量的信息服务系统给中外记者的印象尤深，被认为是超过了汉城奥运会的；

——北京现代化的市政、交通建设、整洁优美的环境，以至服务人员醉人的微笑，受到境外人士的一致好评；

——中国人的热情、礼貌和友好也使海外来宾备受感染，中国观众和拉拉队的素质，更是得到了海外舆论的一致称赞；

——对于中国健儿的气吞山河的精神风貌和优秀成绩，海外舆论界更是一片惊叹声。

所有这一切，人们试图用"亚运精神"、"亚运意识"等等来加以概括，实际上是中国人民的一种民族精神。海内外人士探寻其原因,结论大多是:中国人民有一种强烈的集体主义精神和极其严明的组织纪律性,有一种高昂的爱国热情和无私奉献的精神。事实上,11亿中国人民上下一致的崇高目标就是:为国争光。

一位普通工人说得好,亚运精神就是爱国精神,就是民族振兴精神。第十一届亚运会所铸造出来的亚运精神,是中国人民的巨大精神财富。

三是加强了团结,加深了友谊。

第十一届亚运会在中国举行,对于中国人以至于分布于世界的炎黄子孙来说,有一种非同寻常的特殊意义。当开幕式上中国、中国台北、香港、澳门代表团先后出现在人们面前的时候,那暴风雨般的掌声,恰恰反映了全体中国人这最强的心音:欢呼兄弟的聚首!中国在本届亚运会上第三所获,正是由此看到了中国统一的曙光。

在女子足球最后一场比赛,中国与中国台北队相遇时,看台上的观众打出标语:"足球是圆的,思念也是圆的!"这是两岸人民希望早日团圆的又一典型表露。

当谈起本届亚运会的收获时,各参赛代表团的团长几乎众口一词:"最大的收获还是交流了技术和感情,建立了友谊。"

为了友谊而来,满载友情而归。人们祝愿本届亚运会宗旨——"团结、友谊、进步"的旗帜永远高高飘扬在亚细亚的上空。

新时期民族工作的主要成就和任务

中共十一届三中全会之后的十多年,是党和国家发展史上极不平常的时期,是我国社会主义事业的一个重要转折时期。民族工作同样也走过了很不寻常的历程,大体可分为两个阶段:一是党的十一届三中全会至十三大,实现了民族工作上的拨乱反正,平反了一大批冤假错案,摒弃了在"左"的指导思想下形成的民族问题上的错误理论,使民族工作重新走上正确轨道,使社会主义民族关系得以恢复,从而为新时期民族工作的发展扫除了障碍,开辟了道路。二是党的十三大以后,果断地实现了民族工作着重点的转移,坚持以经济建设为中心,坚持改革开放,坚持四项基本原则,在各项工作中努力贯彻"一个中心,两个基本点"的指导思想,使民族工作服从和服务于民族地区乃至整个国家的现代化建设事业和社会主义市场经济体制的建立,促进各民族的发展进步和共同繁荣。民族工作明确以经济建设为中心,这不仅仅是整个国家的历史趋势,也是各族人民的共同愿望,是民族工作的历史与现实、理论与实践、正面与反面经验所给予我们的科学结论。

一

有中国特色社会主义
民族理论体系的创立

党的十一届三中全会以来，在邓小平同志建设有中国特色社会主义光辉理论的指导下，中国共产党在继承原有民族理论的基础上，又有了新的积累和发展，确立了具有中国特色的民族理论体系，指导中国解决民族问题的实践继续沿着正确的道路前进。

1. 确立新时期民族工作的指导思想和根本任务

在党的十一届三中全会精神的指导下，少数民族和民族地区也开展了实践是检验真理的唯一标准的大讨论，对"文革"中的错误问题进行了拨乱反正，对"文革"前的一些历史遗留问题，进行了清理和落实政策。平反了"左倾"错误造成的冤假错案，医治了少数民族群众和干部遭受的创伤。全国的民族工作机构逐渐恢复工作，民族工作重新踏上正轨。1979年4月，党中央召开了全国边防工作会议，会议专门讨论了民族工作，开展了对林彪、"四人帮"两个反革命集团破坏民族工作罪行的批判，恢复和重申了党和国家的民族政策，并制定了民族工作的任务："高举毛泽东思想伟大旗帜，贯彻执行新时期的总路线总任务，坚决贯彻党的民族政策，加强民族团结，巩固祖国统一，维护边疆、少数民族地区的安定，充分调动各少数民族人民的社会主义积极性，为把我国建设成为社会主义现代化强国而奋斗；国家在实现现代化的过程中，大力帮助少数民族加速发展经济和文化建设，大力培养有共产主义觉悟的少数民族干部和各种专业技术人才，逐步消除历史遗留下来的事实上的不平等，使各少数民族能够赶上或接近汉族的发展水平。"中共中央书记处先后对西藏、新疆、云南、内蒙古、青海、海南的工作进行了专门讨论，提出了重要的意见并产生了相应的文件。这些对以后的全国民族工作起到了重要的指导作用。1979年12月在北京召开了全国民族政策再教育座谈会，随即在全国城乡普遍开展了一次民族政策再教育的活动，很多干部和群众提高了对民族政策的认识。在党的第十二次全国代表大会上，党中央的工作报告明确指出："民族团结、民族平等和各民族的共同繁荣，对于我们这个多民族的国家来说，是一个关系到国家命运的重大问题。"这个理论对解决我国民族问题的重大意义作了高度的概括和深刻的阐述，对提高全党和全国人民对民族问题的认识，进一步搞好民族工作，起到了重要的作用。

1987年4月，党中央、国务院批转中央统战部和国家民委的《关于民族工作几个重要问题的报告》即中发〔1987〕13号文件，对新时期民族工作的一些重大问题作出了重要决定。文件进一步明确了新时期民族工作总的指导思想和根本任务："坚持四项基本原则，坚持改革、开放、搞活的基本国策，紧密结合少数民族地区和少数民族的实际，从民族平等、民族团结、民族进步、相互学习、共同致富出发，以经济建设为中心，全面发展少数民族的政治、经济和文化，不断巩固社会主义的新型民族关系，实现各民族的共同繁荣。"中央〔1987〕13号文件的颁发和执行推动了我国民族工作大踏步地前进。

1988年4月，国务院召开了新中国成立以来首次全国民族团结进步表彰大会。这次会议在表彰先进的同时，更加全面地研讨了整个民族工作,党中央、国务院对民族工作中的一些重大问题,特别是对总的指导思想和根本任务的贯彻落实作出了重要决定。归纳起来主要内容有:

——发扬中华各民族大团结、大统一的优良传统,坚决维护祖国统一和增强民族团结,这是中华得以振兴、现代化得以实现的根本保证。

——我国的民族问题,当前更多地表现为少数民族地区迫切要求加快发展经济文化。

——必须把改革开放这个总方针总政策进一步贯彻到民族工作的各个方面去,以改革推动各项工作,总揽全局。

——在实施东部沿海发展战略的同时,要制定中西部与沿海地区互补互济、各展所长的发展战略。

——实施自治法要同体制改革结合起来,以体制改革促进和保证自治法的实施。

——一切有利于生产发展,适合少数民族情况的政策、措施和办法,都要允许试验。

这些重要决定内容的中心点就是,少数民族地区的经济、文化的发展,必须实行改革开放。

2.江泽民、李鹏对我党几十年处理民族问题的理论和实践作了科学的总结和概括

1992年元月,党中央、国务院在北京召开了具有历史意义的中央民族工作会议。这是新中国成立以来的第一次,也是重要的历史性会议。江泽民在开幕式上代表党中央、国务院所作的重要讲话,系统地阐述了90年代民族工作的主要任务和一系列方针政策,是党的第三代领导集体根据中国民族情况的实际,特别是改革开放以来出现的新情况、新问题,对老一辈无产阶级革命家开创的具有中国特色的解决民族问题的社会主义道路的新发展,是我们做好今后民族工作的纲领性文献。李鹏在闭幕会上发表的重要讲话,科学地回答了讨论中提出的重大问题,对传达贯彻落实大会精神提出了明确的要求,作了具体部署。归纳江泽民、李鹏同志重要讲话精神,大体在10个方面具有新的提法或含有新意。

(1)对民族问题有了新的表述

民族问题既包括民族自身的发展,又包括民族之间,民族与阶级、国家之间等方面的关系。民族之间的关系问题是民族问题的重要方面和内容,但不是唯一的和全部的内容。老一辈无产阶级革命家所说的"团结"指的就是民族关系,"进步"指的就是民族自身发展。二者相辅相成,互为依存。民族与阶级属于两个不同社会范畴,二者既有区别,又紧密联系。马克思、恩格斯在《共产党宣言》中指出:"人对人的剥削一消灭,民族对民族的剥削会随之消灭,民族内部的阶级对立一消失,民族之间的敌对关系就会随之消失。"国内外的大量事实说明,这个论断是正确的。只有消灭了阶级压迫与阶级剥削,才能建立起社会主义的民族关系,为彻底解决民族问题扫除障碍。在我国,社会主义制度建立以后,剥削阶级作为一个阶级已被消灭,但阶级斗争仍在一定范围内存在,有时甚至会激化。国际阶级斗争一直是复杂、激烈的,国外某些反动势力一直没有放弃勾结国内外极少数分裂主义分子颠覆和分裂社会主义中国的罪恶企图。正如江泽民所说:"利用民族问题打开缺口,是国内外敌对势力进行和平演变的重要手段。"当然,我们不能因为阶级斗争在一定范围内存在、极少数坏人捣乱破坏,就混淆两类不同性质的矛盾,忽略我国现

阶段民族关系基本上是劳动人民之间的关系这个主要方面。同时,也不能因消灭了阶级压迫与剥削,就认为完全解决了民族问题。在社会主义条件下,还存在着许多属于人民内部矛盾的问题,需要妥善加以解决和处理。由于许多民族与周边国家相邻而居是普遍存在的一种国际现象,民族问题当然也包括了民族与国家的关系问题。每个民族,不管其主体在哪里,但只要生活在中国境内,就是中华民族大家庭中不可或缺的骨肉成员,就应把热爱本民族与热爱其他民族、热爱社会主义祖国统一起来,加强团结,与极少数民族败类进行坚决的斗争。

(2)把中国民族问题放在历史和世界范围内来思考

民族问题对过去、现在和未来社会,都具有重大影响。民族是一种普遍而长久存在的社会现象和不容忽视的社会力量。自古以来,民族内部的发展和民族内部、民族间的纷争与和合,都是当时社会混乱甚至政治、经济割据形成的重要原因。当今世界形势剧变和许多大小热点地区的冲突,民族问题仍是一个重大因素,并将对人类今后社会产生重大影响。正确认识和处理社会主义条件下的民族问题,的确是共产党人夺取政权、建立社会主义制度之后面临的重大理论和实践问题。我们党虽然出现过"文革"错误,使民族政策一度受到严重破坏,但从未否定过民族和民族问题的存在。中共十一届三中全会后,不但立即恢复正确的民族政策、法规,还发展了社会主义民族关系,在完善民族区域自治制度方面迈出了新的步伐,为我的政治稳定、社会进步,提供了强有力的保证。

(3)对社会主义条件下民族问题存在的原因进行了精练阐述

主要有:各民族政治上的平等实现后,在经济、文化发展上的差别依然存在,旧社会在民族问题上的遗毒不是短时期内可以完全消除的;各民族的根本利益是一致的,但在某些具体权益,主要是经济权益方面,民族之间仍会发生一些矛盾和纠纷,在风俗习惯和语言文字等方面,由于相互了解或尊重不够,也容易造成某些误会和纠纷;民族问题在一些地方往往和宗教问题交织在一起,如果对宗教问题处理不慎或不当,也会影响民族关系甚至酿成冲突;由于种种原因,有些人有时会作出伤害民族感情、损害民族团结的事,甚至违法犯罪。此外,国际敌对势力也在明目张胆地勾结我国内部的极少数分裂主义分子,加紧对我国进行渗透、破坏和颠覆活动。

(4)对我国社会主义民族关系作了历史的回顾和科学的论述

我国历来是一个统一的多民族国家,在漫长的历史发展中形成了具有强大内聚力的中华民族。把我国各民族维系于统一大家庭中而又世代传承的纽带有三:一是国家几千年长期统一。二是各民族相依共存的经济文化联系。三是近代以来各民族在抵御外来侵略和长期革命斗争中结成的休戚与共关系。新中国成立后,确立了各民族平等、团结、互助的社会主义民族关系,并且载入了我国《宪法》和《民族区域自治法》。党的十三届七中全会和七届全国人大四次会议,根据《宪法》精神和形势的发展与各族人民的愿望,把建立和发展平等互助、团结合作、共同繁荣的社会主义民族关系,作为建设有中国特色社会主义的一项重要原则。上述两种论述其精神实质都是一致的,即坚持平等、互助、团结、合作,以促进各民族的共同繁荣。把促进共同繁荣这个各族人民的奋斗目标,作为新时期民族工作的重要任务,正式列入社会主义民族关系内容,是党的第三代领导集体的一个贡献。

(5)明确指出新的历史条件下处理和解决民族问题的主要任务

在新的历史时期,搞好民族工作,增强民族团结的核心问题,就是要积极创造条件,加快发展少数民族和民族地区的经济文化等各项事业,促进各民族的共同繁荣。这既是少数民族和民族地区人民群众的迫切要求,也是我们社会主义民族政策的根本原则。经济文化发展是民族团结和国家统一必不可少的物质基础,尤其在目前多数少数民族和民族地区经济文化发展相对落后的情况下,更是如此。只有抓住当前改革开放机遇,在建立和完善社会主义市场经济体制的形势下,加快少数民族和民族地区的生产力发展,加快少数民族自身素质的提高,同时妥善处理好民族间的各种关系,民族团结和国家统一才能不断得到巩固。

(6)阐述了具有中国特色的马克思主义民族观的主要内容

主要有:民族的产生、发展和消亡是一个漫长的历史过程,民族问题将长期存在;社会主义阶段是各民族共同繁荣兴旺的时期,各民族间的共同因素在不断增多,但民族特点、民族差异将继续存在;民族问题是社会总问题的一部分,民族问题只有在解决整个社会问题的过程中才能逐步解决,我国现阶段的民族问题只有在建设社会主义的共同事业中才能逐步解决;各民族不分人口多少、历史长短、发展程度高低,都对祖国的文明和维护祖国统一作出了贡献;大力发展社会生产力是社会主义时期民族工作的根本任务,各民族要互相帮助,实现共同进步和繁荣;民族区域自治制度是中国共产党人对马克思

主义民族理论的重大贡献,是解决我国民族问题的基本制度;努力造就一支宏大的德才兼备的少数民族干部队伍,是做好民族工作和解决民族问题的关键;民族问题和宗教问题在一些地方往往交织在一起,在处理民族问题时,还要注意全面正确地贯彻落实党的宗教政策等等。当然,马克思主义民族观内容还要根据新情况和新经验,继续加以充实和发展。

(7)阐明了民族问题与宗教问题的关系,以及我们党在宗教问题上的基本观点和政策

宗教和民族属于两个不同的社会范畴,但在我国的一些地区,这两个方面的问题常常交织在一起。在处理宗教问题时,要着眼于民族的发展和进步,着眼于把各族人民中的信教和不信教群众紧密地团结起来,共同致力于社会主义建设。我国实行宗教信仰自由的政策,公民既有信教的自由,也有不信教的自由,不信教的要尊重信教的,信教的也要尊重不信教的。我国实行政教分离的原则,不允许宗教干涉行政、司法、教育等政治和社会事务。我们依法保护正常的宗教活动,做好对宗教事务的管理和支持,坚决取缔一切非法的宗教活动和地下宗教势力。我们支持宗教界坚持独立自主、自办教会的原则,宗教界可以和外国宗教界往来、交流,但不允许外国势力支配我国宗教团体和宗教事务,严防敌对势力利用宗教进行渗透。要警惕和防止极少数人别有用心地利用宗教破坏民族团结。对于共产党员来说,不论出身于哪个民族,都应坚持唯物论和无神论。

(8)阐明了地区经济协调发展的理论和先富、后富与共同富裕的关系,重申了走共同富裕道路的社会主义原则

我国地大物博,人口、民族众多,生产

力发展水平和自然条件等差异很大。区域发展的不平衡现象是世界各国普遍存在的问题,如何从我国实际出发,逐步实现共同富裕、共同繁荣,是个重大的理论和实践问题,也是社会主义建设中的一个战略性问题。邓小平同志在南方谈话时强调指出:"社会主义的本质是解放生产力,发展生产力,消灭剥削,消除两极分化,最终达到共同富裕。"改革开放以来,少数民族和民族地区的发展比过去任何时候都要快,但多数仍然赶不上全国的平均发展速度,与沿海比较发达地区相比差距拉得更大了。这种差距是历史遗留下来的,近几年差距的拉大是在共同前进中出现的。国家已经对区域协调发展、产业倾斜、加快边疆民族地区的开放、增加对民族地区的投入、加强对民族贫困地区的扶持等问题,均采取了一系列的政策和措施。但是,要消除差距,实现共同富裕、共同繁荣,不仅要靠国家的帮助和发达地区的支援,更要靠少数民族和民族地区的自力更生、艰苦奋斗。

(9)对民族地区的改革开放赋予新的内容,提出了新的要求,作出了新的部署

为加快少数民族和民族地区改革开放的步伐,在贯彻落实《民族区域自治法》的同时,各地区、各部门要像重视沿海发展那样重视沿边地区的发展。具备条件的民族地区企业,可以享受沿海地区同样的优惠政策。开放若干边境城市,作为民族地区对外开放的窗口。边境贸易要迈出更大的步伐。

(10)在加强党对民族工作的领导方面提出了新的要求,完善了组织保证

民族工作不仅仅是民族工作部门的工作,而是全党的工作,需要全社会各地区、各部门共同来做。从中央到地方,各级党委和政府,都要把民族工作切实管起来,健全和完善民族工作机构,选派得力干部充实民族工作部门,并注意改善他们的工作条件。各级党委和政府负责同志,要亲自过问民族工作,帮助解决实际问题。出身于少数民族的共产党员特别是党员干部,不论是哪个民族,都要牢固树立马克思主义的世界观,通过自己的模范作用,影响和带领本民族和各民族群众,沿着有中国特色的社会主义道路奋勇前进。

3.社会主义时期解决民族问题的根本途径是大力发展生产力,逐步实现各民族的共同繁荣

各民族共同发展、共同繁荣,是社会主义制度的本质决定的,是党和国家在民族政策上的根本立场。加快民族地区的发展,不仅是个经济问题,也是一个政治问题。邓小平同志指出:"社会主义的目的就是要全国人民共同富裕,不是两极分化。"江泽民同志代表党中央、国务院在中央民族工作会议上进一步阐明:"在现阶段,我国的民族问题比较集中地表现在少数民族和民族地区迫切要求加快经济文化的发展上。大力发展社会生产力是社会主义时期民族工作的根本任务,各民族要互相帮助,实现共同进步和繁荣。"这为民族工作指明了方向。同时明确告诉我们,在社会主义时期,正确解决民族问题的根本途径就是加快发展生产力,致力于各民族的共同繁荣。这也是在民族问题上贯彻党的基本路线的要求。

由于历史的、自然的、社会的多种原因,我国少数民族的社会发展水平比汉族落后许多,并且各地的发展也不平衡。要实现各民族的共同繁荣,需要经过一个较长时期的努力,既不可消极等待,也不能急躁冒进。要坚定地以经济建设为中心,集中力量发展生产力,并把生产力的发展与否作为判断我们工作是非得失的标准。

实践一再证明,任何一个生产力低下的民族,都不可能成为现代民族。江泽民、李鹏同志在中央民族工作会议讲话中把生产力这个马克思主义的基本观点运用在民族工作方面,进一步指明新时期民族工作的方向、内容和任务。我们党和国家之所以能够在国际局势剧变的情况下,站稳脚跟,赢得发展,巩固了民族团结与国家统一,要归功于十多年来改革开放的成就,归功于社会主义社会生产力的发展和社会主义制度的不断完善。同时,解放和发展生产力,也是解决好民族问题的根本所在。分析民族的形成、发展与消亡的规律,观察民族问题的现状与发展趋势,寻求解决民族问题和途径,都必须坚持生产力这个基本观点,都必须坚持实践是检验真理的唯一标准这一根本原则,都必须坚持辩证唯物主义和历史唯物主义的原则,否则就会走到邪路上去。

西方某些国家的民族理论,总是把民族问题局限在文化范畴,视民族问题为单纯的文化现象、心理因素,从一些资本主义国家对本国后进民族和对殖民地搞殖民统治的政治演化看,不论是早期的"驱赶"、"灭绝"或强行同化,以及在国际民族解放运动的冲击与压力下采取的多元文化政策,都根本不提少数民族自身的发展,不提少数民族生产力的发展。这与他们的唯心史观是一脉相承的,其结果只能使少数民族丧失竞争能力,被排除在社会经济发展之外,陷入悲惨的境地。我们强调生产力的观点,当然同见物不见人的机械唯物论者是根本不同的。党和国家历来非常重视生产关系对生产力和精神文明建设对物质文明建设的强大作用,强调只有掌握了一定的科学技术、具有一定文化水平的劳动者,才能创造出相应的生产力,才能创造出高度发展的社会主义物质

文明和社会主义精神文明。

要发展生产力,必须实行改革开放。邓小平同志建设有中国特色社会主义理论指明,改革也是解放生产力,也是一场革命。这一重要理论,使全党的思想得到进一步的解放,加深了全党对改革的重大意义的认识。我国民族地区与全国一样,过去实行的是计划经济体制,生产关系与生产力既有相适应的一面,又有不相适应的一面,随着形势的变化和发展,这种不相适应的一面越来越突出。改革,正是为了消除障碍,进一步解放和发展生产力。这对于民族地区来说,是实现民族发展和进步的必由之路。党的十四大指出:我国经济体制改革的目标,是建立社会主义市场经济体制。毫无疑问,民族地区也必须勇敢地朝这个目标迈进,这将是民族地区经济和社会发展史上又一次伟大的变革。民族地区商品经济不发达,市场发育程度低,如何顺利地向市场经济转轨,是一个重要的理论和实践问题,需要艰苦的探索和持久的努力。其中包括各类市场的建立、发展和与国内国际市场的衔接问题,利用市场机制和发挥宏观调控作用问题,市场机制下民族地区发展战略、发展目标问题等等,都是需要认真解决好的问题。可以肯定,民族地区今后的改革将主要围绕着建立和完善社会主义市场经济体制这个目标来进行。

对外开放同样是少数民族和民族地区发展、繁荣的必经途径。这种开放是全方位的,既向国外开放,又向国内开放。只有开放的民族,才能不断汲取世界其他民族、其他地区的先进文化以加快自身的进步,才能与别的民族、别的地区互相取长补短加快自身的发展。历史证明,越是开放的民族,发展进步越快;封闭程度越高,与时代拉开的距离就越大。我国民族

地区具有独特的地理、人文、资源优势,但这种优势长期以来没有得到充分发挥,究其原因,除自然地理条件的限制外,主要是旧的体制束缚和思想上的保守造成的。邓小平同志南方谈话启示全党,要进一步克服闭关自守的思想观念,加快对外开放。中央民族工作会议对边疆民族地区开放,作了重要部署:"要把扩大陆地边境的对外开放作为我们整个对外开放的重要组成部分。要像重视沿海那样。重视沿边的发展。"这为进一步搞好民族地区的对外开放增添了强大动力。

加快民族地区的发展,必须正确处理好自力更生、国家扶持、发达地区帮助这三者的关系。任何民族、任何地区的发展,起决定性作用的首先是自身内在力量的发挥。各族人民应当发挥自力更生、艰苦奋斗的优良传统,开动脑筋,解放双手,脚踏实地、埋头苦干,去求得经济的发展和社会的进步,在建设有中国特色社会主义的大业中谱写新的篇章。同时,也需要国家给予必要的扶助,在进行宏观调控时,在制定和实施有关政策时,采取适合民族地区实际情况的措施,从而更好地发挥民族地区的优势和激发民族地区的经济活力。发达地区应通过灵活多样、互利互惠的形式,帮助少数民族和民族地区更好地发展,以实现各个地区的共同发展、协调发展,促进各民族的共同富裕、共同繁荣。

二

少数民族经济建设和
社会发展取得巨大成就

自改革开放以来,在建设有中国特色社会主义中,我国民族工作随着整个国家发展的步伐不断前进,少数民族经济建设

和社会发展取得了巨大成就。1994年1月13日上午,中共中央政治局常委会专门听取了国家民委党组关于当前民族工作中几个重要问题的汇报,并给予了充分肯定。

1.改变了落后的生产方式,提高了生产力水平

新中国成立前,我国民族地区基本上没有现代工业。现在,经过四十多年的努力,民族地区已有大中型企业上千个,县以上工业企业数万个,乡镇企业也得到较快发展。1992年与1978年相比,民族地区的工农业总产值增长了224.7%,其中工业总产值增加323.3%。1992年,5个自治区和云、贵、青共八省区国民生产总值比上年增长11.4%;全民所有制基本建设投资额比上年增长44.4%;工业总产值比上年增长15.9%。这是民族地区国民经济走向现代化的标志。

2.产业结构得到初步调整,形成比较完整的国民经济体系

目前,民族地区已建立一批新型的现代化城市和多种生产基地,并已成为民族地区有凝聚力的政治、经济、文化中心。有的城市,如四川省凉山彝族自治州的西昌市成为举世瞩目的卫星发射中心。这些现代化城市的兴起和大中型企业的兴建,使民族地区形成了门类齐全、比较完整的国民经济体系。重工业为农业和轻工业服务方向的确立,两大部类生产的协调,农轻重比例的调整以及农业内部农林牧副渔五业比重和经济作物与粮食作物比重的调整,为民族地区的稳定发展创造了条件,农牧业的落后状况有了明显改变。同时,民族地区能源、交通、通讯等基础设施显著改善。大部分少数民族群众解决了温饱问题,一部分人已经开始过上了比较富裕的生活。农牧民人均收入由1978年的七十多元增加到1992年的五百

八十多元,各族人民安居乐业。

3.改革开放取得了可喜成绩

根据党的十四大精神,在搞活大中型企业、市场建设以及计划、金融、财政体制的改革方面均取得了很大成果。我国有两万多公里陆地边境线,与15个国家接壤,绝大多数在民族地区,有三十多个民族与周边国家相邻而居。同我国毗邻的周边国家,边境口岸多,在经济贸易方面与我国有着很强的互补性,市场潜力很大。1992年八省区外贸进出口总额已达40亿美元,比上年增长近35.8%;边贸有了较大发展;民族地区国家级陆地开放口岸有34个(全国共有43个),地方口岸已达一百九十多个;利用外资逐步增加。

4.少数民族和民族地区的教育、科技、文化、卫生、体育、广播、电视、新闻、出版等各项事业都有了很大发展

国家根据民族地区的实际情况,大力发展基础教育,在牧区和边远地区举办寄宿、半寄宿制学校。全国办起了一批以培养少数民族人才为主的大专院校,包括12所民族学院和中央民族大学,一些重点大学开办了民族班,还兴办了一批民族干部学校和职业学校,培养了大批具有大中专学历的少数民族干部和各种建设性人才。民族地区的科技事业发展很快,科技水平逐步提高,实用科学技术得到较好的推广。少数民族的语言文字受到尊重和保护,优秀的文化传统得到继承和发扬。全国用少数民族文字出版的报纸杂志已有一百多种。民族地区的广播电视覆盖率大大提高。中央人民广播电台和地方广播电台,每天用21种少数民族语言广播。民族自治地方的医药卫生事业包括民族传统医药有了较大发展,医院病床床位大幅度增加。民族体育运动蓬勃发展,广大群众的身体素质有了明显提高。

社会主义民族关系进一步巩固和发展

民族问题是社会发展总问题的一部分。随着我国社会的变革,民族问题的性质和内容发生了变化,民族关系也随之发生变化。民族关系的变化,基本上是和社会变革的进程相一致的。

1.纠正“文革”及其以前“左”的错误,医治民族关系上的创伤

“文化大革命”十年,林彪、江青两个反革命集团,把“民族问题的实质是阶级问题”这个错误的理论推到极端,并贯彻到各个少数民族地区,制造了大批冤假错案,把许许多多少数民族干部和群众当做阶级敌人加以打击迫害,在我国各民族之间,主要是在汉族和少数民族之间,又造成了相当深的隔阂。

党的十一届三中全会以来,我国进入了一个新的历史时期。党和国家在民族问题上作出了一系列重要决定,纠正了“文革”及其以前“左”的错误,使我国的民族关系又走上了健康发展的道路。1978年党中央为统战、民族、宗教工作系统摘掉了“投降主义”、“修正主义”的帽子。少数民族地区“文革”中的大量冤假错案得到平反;大量的历史遗留问题得到正确处理。被错划为右派分子、地方民族主义分子、反革命分子,以及被错定为各种剥削阶级分子的,都得到改正。他们的生活困难得到照顾,许多民族、宗教界的爱国人士,平反后还在政治上得到适当安排。这些都促使民族关系得到很大改善。1980年,党中央在关于转发《西藏工作座谈会纪要》的通知中指出,实行了社会主义改造以后,我国的民族关系基本上是各族劳

动人民之间的关系,是平等、团结、互助的社会主义民族关系;指出了在社会主义时期所谓"民族问题的实质是阶级问题"的理论是错误的,在这个重要的民族理论问题上进行了拨乱反正。1981年,党中央在关于转发《中央书记处讨论新疆工作问题的纪要》的通知中提出:"在我国建设社会主义的事业中,汉族离不开少数民族,少数民族离不开汉族。"这一观点,高度概括和深刻表述了我国各民族休戚相关、命运与共的血肉关系。这对我国的民族团结发挥了重要指导作用。

2.新时期社会主义民族关系在理论和实践上的深化与发展

党和国家针对十年动乱造成的人们民族政策观念淡薄的情况,于1980年春节前后,在全国范围集中进行了民族政策再教育,并结合检查民族政策的执行情况,解决了民族关系方面存在的一些突出问题,提高了全党和全国各族人民对民族政策的认识和维护民族团结的自觉性。1982年国家民委第二次委员(扩大)会议倡议开展表彰民族团结先进集体和模范个人活动。全国各省、自治区、直辖市先后召开了民族团结表彰大会,表扬和奖励了一大批为民族团结事业作出贡献的集体和个人,使社会主义新型民族关系得到巩固。1988年4月,国务院在北京隆重召开了首次全国民族团结进步表彰大会,表彰了为民族团结进步事业作出优异成绩的、包括有56个民族成分的1166个先进集体和个人,在国内外产生了强烈影响。1994年,党中央、国务院根据国际国内形势和民族工作实际,决定在新中国成立45周年之际以国务院名义隆重召开第二次全国民族团结进步表彰大会,在全国进一步掀起了促进民族团结进步事业的活动热潮。

实践证明,要实现民族的文明进步和各民族间的互助合作、共同发展繁荣,就必须不断巩固和发展社会主义民族关系。

——巩固和发展社会主义民族关系是建设有中国特色社会主义的需要,是巩固和发展我国安定团结政治局面的需要,是建设巩固的边防和实现无产阶级历史使命的需要。

——发展社会主义民族关系必须要有坚实的物质基础。要实现这个目标,需要做大量的工作:全面正确地认识民族地区各方面情况,因地制宜地确定经济发展战略方针,制定经济发展规划;深化改革,实行特殊灵活的措施,积极鼓励并扶持民族地区各项经济建设事业的发展;搞好对国内其他地区和对国外开放,引进资金和技术,最大限度地发挥优势,加快发展速度;做好宣传教育、组织引导工作,积极为少数民族地区建立社会主义市场经济体制创造条件。

——发展社会主义民族关系必须要有精神动力和智力支持。包括:进行爱国主义和共同理想教育,不断增强民族团结;树立现代化观念和新的道德风尚,促进各民族的发展;发展教育科学文化,提高民族素质。

——发展社会主义民族关系必须加强社会主义民主建设。我国的社会主义民主制度,即社会主义国家制度,是人民民主专政制度。这是中国共产党领导各族人民创造的一种适合我国国情和革命传统的政权形式,它体现了我国政权的民主性质,并确定了在处理国内民族问题方面实行民族区域自治的基本国策。

——发展社会主义民族关系必须尊重民族特点,正确处理民族之间的矛盾。尊重民族特点,就是要对各民族的情况有必要的了解;就是要求我们在少数民族中进行各项工作和处理民族之间关系的时候，必须从客观实际出发，根据民族、地区具体情况区别对待；就是要求我们在少数民族和民族地区进行各项工作时，必须同当地人民群众进行充分协商，按照他们的意愿办事。

——发展社会主义民族关系除建立健全必要的法律和政策规定外，各级民族工作干部，还必须具有全心全意为少数民族人民服务的态度。主要包括：要有对少数民族满腔同情心的态度；要有对少数民族温和、宽厚的态度；要有对少数民族还债的态度。

四

民族区域自治制度日趋完善

民族区域自治，就是在统一的祖国大家庭内，在党和国家的统一领导下，以少数民族聚居区的地区为基础，建立相应的自治地方，设立自治机关，行使自主权，自主地管理本民族内部的地方性事务，行使当家做主的权利。民族区域自治，是中国共产党根据马列主义关于民族问题的基本原理，结合中国的实际，解决中国民族问题的基本政策。这不仅对中国各民族来说有着极端重要的实际意义，而且在国际共产主义运动中，以及在发展中国家中，甚至在资本主义国家中，都产生了相当的影响。

1. 颁布实施《中华人民共和国民族区域自治法》

党的十一届三中全会以来，改革开放大潮奔腾汹涌，经济建设和社会各项事业取得了巨大成绩。我国根据实行民族区域自治的经验和民族工作实际，于1984年第六届全国人民代表大会第二次会议通过了我国历史上第一部《民族区域自治法》。这是一个除《宪法》以外的非常重要的法律，是实施《宪法》规定的民族区域自治制度方面的基本法律。它标志着我国民族区域自治制度进入了一个新的发展阶段。《自治法》明确地规定了民族自治地方与国家的关系，民族自治地方内部各民族之间的关系，保障了各民族平等、团结的原则和各少数民族管理本民族内部事务的民主权利。自治法对加速发展民族自治地方的经济文化建设事业、大量培养少数民族干部和各类专业人才，作了一系列的具体规定，符合各少数民族的根本利益，反映了各族人民的共同心愿。

民族区域自治的核心是自主权问题。《民族区域自治法》对我国民族自治地方自治机关的自主权系统地作了规定，归纳起来，有这样一些主要内容：①有权依据当地民族的政治、经济和文化特点，制定自治条例和单行条例；②根据本地方的情况，在不违背《宪法》和法律的原则下，有权采取特殊政策和灵活措施；③上级国家机关的决议、决定、命令和指示，如有不适合民族自治地方实际情况的，可以报经上级国家机关批准，变通执行或者停止执行；④在国家计划的指导下，自主地安排和管理地方性的经济建设事业；⑤有管理地方财政的自主权；⑥自主地管理本地方的教育、科技、文化、卫生、体育事业；⑦依照国家的军事制度和当地的实际需要，经国务院批准，可以组织本地方维护社会治安的公安部队；⑧在执行职务的时候，使用当地通用的一种或几种语言文字。除了上述自主权的基本规定外，还在经济建设、财政、教育、文化等方面作了若干具体规定。这些规定，体现了国家通过法律形式，对自治地方的自治权力予以保障。

《自治法》实施以来，民族自治地方依

法行使自治权,在政治上、经济上、文化上都取得了很大的成绩。1991年12月,国务院根据各地区、各部门贯彻落实自治法时出现的新情况和新问题,发出了《关于进一步贯彻〈民族区域自治法〉若干问题的通知》,少数民族人民的主人翁意识大大增强,积极投入对国家大事和地方事务的管理。各自治地方自己安排的地方性经济建设有了很大的发展,为国家和地方的四化建设贡献了力量。各自治地方使用和发展本民族的语言文字,得到可靠的保障,本民族的传统文化在受到尊重的基础上有很多创新和发展。自治权利的实行,大大激发了各民族人民热爱祖国的感情,进一步增强了民族团结的凝聚力。

2.少数民族干部和各类专业人才队伍不断壮大

培养和造就一支德才兼备、密切联系群众的少数民族干部和各类专业人才队伍,是党的民族政策和干部政策的重要组成部分;是巩固和完善民族区域自治制度,彻底解决民族问题的关键;是加强党的领导,贯彻执行党的路线、方针、政策的可靠保证;是贯彻民族区域自治政策,充分行使少数民族平等权利和自治权利的重要标志;是加速民族地区社会主义现代化建设,建立社会主义市场经济体制,实现各民族共同发展繁荣的迫切需要;是党和国家整个干部工作的重要组成部分。

改革开放以来,各地区、各部门遵循党和国家的干部标准和任用干部的路线,有计划、有重点地培养了大批少数民族干部、专业人才和从事民族工作的汉族干部。这方面,党和国家所采取的措施主要有:开办民族学院和各类干部学校;在工作实践中培养和选拔人才;在一般高等学校或中等专业学校,适当放宽少数民族学生的入学条件,保证有必要数量的少数民族学生进入高等院校和中等专业学校学习,有关高等院校还附设了预备班或民族班;大力开办和发展少数民族地区民族中、小学,为民族地区智力开发打下坚实基础;通过对口支援的办法,动员先进地区、有关党派、团体派遣专家、学者到民族地区帮助培训人才;组织边疆民族地区干部到先进地区学习提高;对很少甚至没有城镇人口的少数民族,允许从农区、牧区和林区人口中招工招干,等等。

由于党和国家采取了一系列正确的方针和政策,新中国成立之后特别是改革开放15年来,少数民族干部和各类专业人才培养工作取得了很大成绩。少数民族干部在全国干部中所占的比重有了明显提高;大批德才兼备的优秀少数民族干部被选拔到各级领导岗位;保证了从中央到地方历届各级人民代表大会和政治协商委员会的组成,少数民族代表数高于少数民族人口的比例等。到1992年底,少数民族干部已从1950年的一万多人增长到二百二十多万人,其中约一半是专业技术人员。他们为维护祖国统一,促进中华民族的团结进步,为民族地区的建设事业作出了重大贡献。

3.民族法制建设取得新的成就

党的十一届三中全会提出的加强社会主义民主和法制,使我国社会主义法制建设获得了巨大活力。犹如张满风帆的航船迅速向前推进,民族法制建设也紧紧相随,作为一个相对独立的法制体系而出现。

1979年,国务院批准了《关于做好杂居、散居少数民族工作的报告》。1980年9月召开的全国人大五届三次会议上,叶剑英委员长的开幕词和关于这次报告的决议中,都使用了"加强民族立法"这一提法。1981年,中共中央《关于建国以来党的若干历史问题的决议》中提出:"加强民族区域自治的法制建设"，这是中央文献中首次正式使用"民族区域自治的法制"这一概念。其后逐步演变成"民族法制"这个概念。1984年5月，作为国家基本法之一的《中华人民共和国民族区域自治法》颁布，这是我国民族法制建设史上具有重大意义的事件。1986年12月29日，当时担任全国人民代表大会常务委员会委员长的彭真同志为全国人大民委的工作刊物题写了《民族法制通讯》的刊名。此后，"民族法制"开始广泛使用。

民族法制是解决民族问题的法律和制度的总和。大体包括三方面内容：一是民族法的制定，立法权、立法原则、立法机构、立法程序、立法技术等；二是民族法的执行，民族自治地方的司法制度、司法程序及其他地区执行民族法的有关程序；三是民族法的遵守。民族立法与民族法是两个不同概念，前者只是后者的一个组成部分。作为一个自成体系的法制系统，民族法制特点应包括：①它所调整的是民族关系，解决的是民族问题。②所调整的社会关系的主体，必有一方是少数民族。③所调整的法律关系内容极为广泛，几乎涉及社会生活的各个方面。④在维护我国整个社会主义法制的统一性的同时，拥有一定的"自主性"。⑤它的直接目的是保障民族平等和促进各民族的团结进步，等等。由于民族法制具有其上述独特的调整对象和相对独立的体系，因而成为我国整个社会主义法制的重要组成部分，是我国整个法制中很有特色的法制系统，在我国社会生活中有着巨大的功用：其一，它使我国调整民族关系，处理民族问题逐步走上了法制轨道。其二，增加了做好民族工作的法制手段。其三，有助于促进整个国家的社会主义法制建设。其四，可以推动法学理论研究的发展和繁荣。

由此说来，我国的民族法制已经初步形成了一个比较完整的体系。这个体系以《宪法》为基础，以《民族区域自治法》为主干，其组成部分主要有：①有关民族问题的专门法规，包括全国人民代表大会及其常委会的立法、国务院的行政法规及国务院所属各部门的规章。②其他法规中有关民族问题的专门条款。③地方性法规，包括各省、自治区、直辖市以及省、自治区所在地的市和国务院批准的较大的市的权力机关和行政机关发布的有关民族问题的条例。④民族自治地方制定的自治条例和单行条例。当然，民族法制体系的真正完备还需要进一步努力，一些民族法规从内容到形式都需要完善，使其逐步走向成熟。

军队保卫国家安全维护社会稳定

一

对越自卫还击作战

中越两国人民在长期反对帝国主义、争取民族独立的斗争中，结成了"同志加兄弟"的亲密关系。在越南抗法、抗美救国战争中，我国给予越南全面无私的援助，总值超过200亿美元。但是，抗美救国战争一结束，尤其是黎笋上台后，推行地区霸权主义，武装侵略柬埔寨，并于1979年1月7日占领金边。次日，又拼凑了一个"柬埔寨人民革命委员会",由越南和苏联带头予以承认。

越南侵柬严重威胁中国的安全,导致中越关系急剧恶化。1978年11月3日,越南和苏联在莫斯科签订了苏越《友好合作条约》,其中第六条是:"缔约双方将对涉及两国利益的一切重要国际问题进行协商。一旦双方中之一方成为被进攻的目标或受到威胁的目标时,缔约双方立即进行协商,以便消除这种威胁和采取相应的有效措施来保障两国的和平与安全。"这个《条约》明显带有军事同盟条约的性质,其主要目标便是针对中国。

中国一直反对越南领导人妄图拼凑"印度支那联邦"的霸权主义计划,特别是对待邻国柬埔寨的侵略扩张意图。因此,越南领导人便把中国视为其推行地区霸权主义的最大障碍,指望通过苏越《友好合作条约》,借苏联的力量牵制中国,以便自己能放手对外侵略扩张。苏越《友好合作条约》签订不到3个月,越南便于1978年12月25日发动侵柬战争。

中国理所当然地强烈谴责越南侵柬的野蛮行径,并且竭尽全力支援柬埔寨人民抵抗越南侵略的正义斗争。越南领导人对此恼羞成怒,他们背信弃义,认友为敌,把长期全力支持越南抗法、抗美战争的中国,视为其推行侵略、扩张的最大障碍,当做"最直接、最危险的敌人"和"新的作战对象"。他们大造反华舆论,煽动民族仇恨,残酷迫害和大量驱赶华侨,把二十多万华裔和华侨强行赶入中国境内;对中国领土提出无理要求,宣称历来属于中国的西沙、南沙群岛为越南领土,并出兵侵占南沙群岛的一些岛屿;在中越边境地区进行武装挑衅,侵占我国领土,摧毁我国村庄,杀害我国军民,严重地威胁和破坏我国边境地区的建设与安全。据不完

全统计,1978年9月至1979年2月的半年里,越南军警在边境地区侵占我国领土多达162处。对于越南的武装挑衅和入侵,我国政府和领导人多次提出劝告、警告和抗议,但越南当局,把中国的克制忍让视为软弱可欺,无视中国政府的警告,反华叫嚣愈演愈烈,并进一步加剧中越边境的军事挑衅活动。在这样严峻的形势下,中央军委不得不作出加强广西、云南边防战备的决定,采取相应的军事措施。

1979年2月17日,中国政府授权新华社发布声明,中国边防部队在忍无可忍的情况下,被迫奋起还击。声明说:"我们不要越南的一寸土地,也绝不容许别人肆意侵犯我国领土,我们要的只是和平和安定的边界。在给予越南侵略者以应有的还击之后,中国边防部队将严守祖国的边界。"

对越自卫还击作战,从广西、云南两个方向同时发起,以袭击的方式向越军第一线阵地发起猛攻,主要围歼广西当面高平地区和云南当面老街、柑糖地区的越军。

2月17日凌晨,广西、云南中国边防军,奉命在夜幕的掩护下,越过边界,准备在统一的号令下,以奇袭与强攻的手段,力克越军前沿据点,突破其第一线阵地,打开通往越军纵深的门户,为向纵深发展创造有利条件。

广西部队,从南北两个方向实施钳形突击,围歼高平地区之越军346师,同时以部分兵力向同登、支马的越军实施攻击,以牵制谅山越军,使其首尾不能相顾,陷越军于处处挨打、疲于应付的被动境地。越军虽拼死抵抗,企图阻止中国军队于高平、同登等地区,守住第一线阵地,但在中国军队强大的钳形攻势下未能奏效。中国广西边防部队经过9天连续作战,攻

克高平市,歼灭越军 346 师及部分越军的边防独立团、营,同时攻占同登、支马重镇,歼灭越军第 3 师一部及一些地方部队,预期完成了第一阶段的作战任务。

云南部队兵分两路,于 2 月 17 日在夜幕的掩护下,隐蔽渡过红河和南溪河,采取多路穿插迂回战术,以奇袭与强攻相结合,对越南原黄连山省省会老街及前沿据点孟康、谷柳、发隆、坝洒、巴南棍等展开全面攻击。全线攻击开始后,越军凭借多年经营的永久性工事抵抗。特别是老街的外围阵地,以钢筋混凝土工事与土木工事相结合,构成环形据点,与中国云南边防部队展开激烈争夺战。优势兵力的中国军队采取有重点的多路突击,迂回包围,勇猛顽强,终于突破越军组织的第一道防线,于 2 月 19 日攻占老街、孟康、谷柳等重要据点,打开了通往越军纵深的门户。而后,大军沿红河东西两岸向纵深突击,围歼柑糖地区之越军第 345 师。中国军队以一部兵力攻占代乃,与此同时,中国军队的另一部兵力攻歼了巴南棍、麻栗坡、马鹿塘地区越军后,攻占封土,并于 2 月 25 日攻占柑糖。

中国边防部队,迅速突破越军第一线阵地后,打乱了越军的阵脚,使其依托第一线阵地阻止中国军队攻势的企图彻底破产,军事指挥陷入混乱。越军仓皇南逃,企图组织纵深防线,继续阻止中国军队南进。但越军脆弱的外壳被打破后,纵深兵力薄弱,组织松软,仓促间难以组织可靠的纵深防线,河内陷入一片混乱。越南紧急宣布全国总动员,以保河内。中国军队则所向披靡,越打越强,势不可当。

广西边防部队,完成第一阶段突破任务后,从同登、坂然、禄平三个方向向谅山实施突击,2 月 28 日攻占禄平,3 月 2 日至 4 日攻歼谅山市奇穷河南北两岸之越军,占领了奇穷河南岸诸要点,形成了威逼河内的战略态势。云南边防部队,突破越军第一线阵地后,继续沿红河两岸向越军纵深突击,势如破竹。沿红河西岸突击的部队,直趋沙巴,与越军所谓的"王牌"部队 316A 师展开激战,歼其一部,于 3 月 3 日占领巴沙,同时另一部兵力攻占封土。沿红河东岸突击的部队,连续突破越军一、二线之间的中间阵地,直插郭参及越军第二军区所在地铺楼,于 3 月 2 日占领该地区,形成威逼河内门户安沛的态势。

越南军队自吹自擂的"不可战胜"的神话,被中国边防部队的奋起还击迅速打破。中国边防部队一举深入越境约 40 公里的纵深,攻克了谅山、高平、老街三个省会和河广、茶灵、柑糖、铺楼等二十余座军事重镇,歼灭越军正规部队和地方部队数万人,达到了预期目的。

我边防部队连续作战 17 天,达到了自卫还击作战的预期目的。3 月 5 日,新华社奉命发布声明:"中国政府宣布,自 1979 年 3 月 5 日起,中国边防部队开始全部撤回中国境内。"遵此,中国边防部队于 3 月 5 日全线停止攻击,开始有组织、有计划地回撤。至 3 月 16 日,中国边防部队全部撤回中国境内。在进入越南边境地区进行反击战斗中,我边防部队严格遵守战区群众纪律,不住民宅,露宿街头,吃干粮,喝凉水,不拿越南人民一针一线,把中国援助越南的库存粮食和生活物资开仓济贫,发给贫苦百姓食用。在回撤过程中,我国政府信守诺言,没有要越南一寸土地,更没有在越南留一兵一卒。这表明中国进行自卫还击作战,是为了捍卫领土主权,保卫本国边疆各族人民生命财产的安全。

我边防部队回撤后,我国政府一再建议举行中越边界谈判,商讨解决两国间的争端。而越南当局表面上愿意改善中越关系,暗地里却不断加紧扩军备战,继续推行反华政策,侵犯中国边境地区。仅1980年,武装挑衅即达1500余次,严重威胁我国边疆人民的生命安全。对此,广西、云南边防部队进行了自卫还击,严守边界要点,收复和保卫了法卡山、扣林山、老山、者阴山,给入侵者以应有的打击。

法卡山保卫战 法卡山位于中国广西宁明县上石地区,海拔约500米,由3个山头组成,是中越边界的一个战术要点。1981年5月5日,越南军队出动近百人入侵法卡山,广西边防部队某团2营在兄弟部队配合下当即予以还击,激战55分钟,收复法卡山。10日,击退越军1个加强连的3次反扑。16日,越军在密集炮火掩护下,以约1个团的兵力轮番进攻。二营指战员顽强阻击,奋勇作战。两个山头曾一度被敌优势兵力占领,他们又组织反击,夺回丢失的阵地,并连续打退越军7次反扑,5月19日、6月7日,越军又各以1个营的兵力向法卡山进犯,均被击退。二营在保卫法卡山的战斗中共击毙越军三百多人。全营有286名干部战士荣立战功,3个连荣立集体一等功,1个连荣立集体二等功。1981年9月21日,中央军委授予该营"法卡山英雄营"称号。

收复扣林山 扣林山位于中国云南省麻栗坡县猛洞乡以东,由1705.2、1682.3和1574.7等几个高地组成。入侵扣林山的越南军队在主峰高地上构筑了坑道、地堡、堑壕等组成的支撑点式的环形防御体系。越军依托险要的地形和坚固的工事,经常向中国边境军民开枪开炮,并派遣小股特工深入云南境内进行袭扰破坏。根据中央军委命令,人民解放军云南边防部队决定收复扣林山诸高地。1981年5月7日凌晨,云南边防部队炮群以准确猛烈的火力向越军主峰阵地实施

袭击。随后,步兵分队发起冲击。某团第1营担负攻占1705.2高地的任务。他们发扬迅猛、顽强的战斗作风,一举拔除了该高地和周围8个山头上的据点。至11时20分,人民解放军攻占了扣林山全部表面阵地,而后又以"挖地老鼠"战术,与越军进行逐堡争夺,清剿残敌,于15时结束进攻战斗。转入防御作战。此后,在两个多月内,越军调集兵力向扣林山阵地发射了上万发炮弹,组织了50余次偷袭和反扑,驻守部队以"人在阵地在"的英雄气概,一次又一次地粉碎了越军的进攻。1981年9月21日,中央军委授予在收复、守卫扣林山作战中表现出色的某部第一营"扣林山战斗英雄营"称号。

老山、者阴山作战 老山、者阴山位于中国云南省麻栗坡县,是与越南河宣省接壤的边境要地。1979年中国边防部队对越自卫还击作战胜利回师后,越南军队乘机侵占了老山主峰(海拔1422.2米)和者阴山的几个高地,以及边界线附近中国一侧的有利地形,并在"两山"地区几十个大小山头上修筑了以钢筋混凝土地堡、坑道、掩蔽部为骨干的工事群,频繁地袭扰中国边境。仅1979年3月至1984年3月,越军向麻栗坡开炮690多次,发射炮弹2.8万余发,打死打伤中国边民三百多人。为保卫边疆,改善边境防御态势,中国人民解放军云南边防部队决心采取收复"两山"的攻势行动。战斗分为炮击、进攻、防御三个阶段:1984年4月中下旬,中国边防炮兵部队对越军几百个目标进行了大规模的炮火袭击,给予越军沉重打击。4月28日凌晨,中国边防部队开始进攻作战,担任主攻老山的两个分队从左右两翼向主峰发起攻击,另外一个分队向老山侧翼勇猛穿插。12时许,攻占了老山主峰附近的高地。4月30日7时许,边防部

队某师及配属分队向者阴山发起进攻。经过5个小时的激战,攻占了者阴山主峰阵地。5月15日,又收复了越军封锁中国船头通道的八里河东山诸高地。至此,老山、者阴山地区被越军非法侵占的领土全部收复,中国边防部队完成了进攻阶段的作战任务,转入防御。越军不甘心失败,6月11日,越军以1个团的兵力进行第一次反扑,被中国边防部队击退。经过精心策划,越军于7月12日发起了大规模进攻。坚守在前沿阵地上的中国边防部队指战员,与进犯之敌展开了殊死搏斗,打退了越军一次又一次的冲击。经过14小时的激战,越军一梯队6个多团的进攻全部被粉碎。这次反扑失败后,越军4个月不敢轻举妄动。其间,中国边防部队调整了部署,作了更充分的准备。12月20日,越军搬用曾在奠边府战役中发挥过重大作用的"堑壕延伸贴近战术",突袭老山阵地。中国驻守部队采取近战歼敌的对策,把爬上来的越军一一消灭在工事前面。经过持续两个月的紧张战斗,粉碎了越军的第三次反扑。1985年至1987年,越军仍不断向老山发动团以下规模的军事进攻。云南边防部队坚守阵地,英勇还击,捍卫了中国神圣领土的完整。1984年9月、1985年6月、1986年5月和1987年5月,中央军委先后4次发布命令,嘉奖参加老山、者阴山自卫还击作战的人民解放军指战员和民兵、民工,并授予一大批英雄集体和陈洪远、安忠文、李海欣等英雄人物荣誉称号。80年代的南疆卫士,用鲜血和生命铸造了"老山精神",成为全国人民学习的榜样。

二

拉萨骚乱和在拉萨实行戒严

1989年3月上旬,少数分裂主义分子在拉萨蓄意制造了一起严重的骚乱事件。他们对一些机关单位和商店进行打、砸、抢、烧,并公然向公安干警、武警开枪射击。国务院迅速发出了在西藏自治区拉萨市实行戒严的命令,在广大公安干警、武警和解放军执勤人员的配合下,西藏自治区人民政府平息了这起骚乱。

在1989年2月13日到3月5日之前,分裂主义分子曾在拉萨制造过4次游行,只是由于有关方面一直采取克制的态度,对其进行劝阻和教育,以维护社会治安为己任,才避免了正面冲突。

1989年3月5日中午12时,有13名喇嘛、尼姑打着"西藏独立"的旗帜,沿八廓街游行。行至第二圈时,游行及尾随者增至数百人。他们打着"雪山狮子旗",边走边喊"西藏独立"的口号,向八廓街派出所公安干警砸石头。下午3时左右,骚乱分子更加猖狂。六百多人在北京东路继续游行,并沿途打、砸、抢、烧,打坏了沿街一些机关单位的门窗玻璃,并抢、砸了二十多家商店、饭馆和旅店,放火烧了一些商品和用具。更为严重的是,他们纠集了数百人,4次冲、砸城关区委和区政府机关,摘下并砸毁了城关区机关的牌子,还砸毁了交通警岗和指示灯,砸坏了公安、武警、消防部门的二十多辆车。医务人员赶往现场抢救伤员,一些骚乱分子竟然砸碎救护车的玻璃,打伤司机。吉日小学的门窗也遭到破坏。在骚乱分子一意孤行、劝阻无效的情况下,公安干警被迫开枪,并采取果断措施,控制事态发展。骚乱中,一名武警战士牺牲,四十多名公安干警和武警受伤,其中,11名重伤住院。

3月6日上午,西藏自治区党委召开厅、局级以上党员干部大会,通报少数分裂分子3月5日在拉萨制造的骚乱情况。指出:这一次与前几次发生的骚乱事件相比,规模较大,参加人数较多;范围有所扩大,已不像前几次仅限于八廓街一带;骚乱分子使用了枪支,使事件升级。紧接着,自治区党委又召集自治区爱国上层人士开会,通报了上述有关情况。

同日,少数分裂主义分子在拉萨继续制造骚乱,他们多次围攻城关区党政机关和所属基层办事处;在北京东路、北京中路、色拉路、青年路等继续打、砸、抢、烧个体户的商店和饭店。中午12时左右,骚乱分子成帮结伙地纠集在北京东路袭击那些他们看不顺眼的行人,有15名骑自行车、三轮车的无辜者遭到殴打和抢劫。大肆发泄一通后,这伙人又扛起"独立"的旗子,冲上八廓街非法游行。中午13时到下午18时左右,上百名骚乱分子3次用石头围攻城关区委、区政府机关。同时还围攻了八廓街和吉日办事处、八廓街派出所以及城关区政府所属的工商税务等单位,并向拉萨大昭寺前的治安服务站抛掷石块。他们拔掉了北京东路的电线杆,当街烧毁。骚乱分子还扬言过几天还要大闹,这次要彻底地和那些与共产党政府站在一起的人算账。公安干警、武警人员起先采取忍让克制的态度,在制止无效的情况下,被迫开枪。骚乱分子有1人死亡,6人受伤。有2名公安干警、武警受伤。

鉴于少数分裂主义分子仍在加紧串联,酝酿再次制造更大的骚乱,西藏自治区和拉萨市各单位紧急动员起来,群防群治,协助公安、武警维护社会治安。

3月7日,数百名骚乱分子以分散小股活动方式,继续在拉萨一些大街小巷游行,并沿街打、砸、抢、烧。上午11点多,数百名骚乱分子集结在八廓街公安派出所门前呼喊口号,企图再次向派出所施用暴力。后来,一伙骚乱者游行到八廓街的东南街,在那里打砸商店物品。骚乱分子还打砸了冲赛康市场的一些商店和经商摊位。其后,三百余名骚乱分子进入八廓街,砸毁并放火烧了街道两旁的一些商品。街上浓烟滚滚,时有煤油或油漆桶燃烧后的爆炸声。骚乱分子在一些街巷打着"雪山狮子旗",呼喊"西藏独立"的口号。

3月7日,李鹏总理签署国务院戒严令。

中华人民共和国国务院关于在西藏自治区拉萨市实行戒严的命令

鉴于少数分裂主义分子不断在西藏自治区拉萨市制造骚乱,严重危害社会安定,为了维护社会秩序,保障公民人身、财产的安全,保护公共财产不受侵犯,根据宪法第89条第16项的规定,国务院决定,自1989年3月8日零时起在拉萨市实行戒严,由西藏自治区人民政府组织实施,并根据实际需要采取具体戒严措施。

国务院总理　李　鹏
1989年3月7日

根据李鹏总理签署的国务院戒严令,西藏自治区人民政府主席多吉才让于同日晚20时,通过电视屏幕用藏汉两种语言发布了自治区人民政府第1、2、3号令,分别就戒严地段、戒严期间的各种聚众活动、枪支管理、交通管制等作出了严格规定。

1号令规定,自1989年3月8日零时起,对拉萨市区及达孜县拉木乡以西、堆龙德庆县杀嘎乡以东地段实行戒严。戒严期间,严禁集会、游行、罢工、罢课、请愿和其他聚众活动。戒严区实行交通管制措施。对非法持有的枪支弹药一律收缴。与执行戒严任务无关人员一律不准携带枪支弹药等危险物品。

2号令规定,绝不允许任何人在任何场合以任何方式煽动分裂国家,制造骚乱,聚众冲击国家机关,破坏公共财产,以及进行打、砸、抢、烧等破坏行为。一经出现上述行为,公安干警和武警、人民解放军值勤人员有权采取必要的强硬措施,迅速予以平息。

3号令对戒严期间戒严区实行的交通管制作出了具体的规定。

3月7日傍晚,李鹏总理签署的国务院戒严令和多吉才让主席发布的西藏自治区人民政府令通过电视屏幕传遍了拉萨,拉萨人民奔走相告,称赞国务院决策代表西藏人民的根本利益。西藏上层爱国人士热烈拥护。

几乎是在国务院发布戒严令的同一时刻,公安干警、武警和人民解放军战士完成集结,迅速进入预定岗位。一些不明身份的人想在戒严令正式实行前穿过警戒线,但是已经迟了。22时刚过,自治区党委宣传部组织的3台宣传车分头出动,高音喇叭里传出国务院发布的戒严令和区人民政府的第1、2、3号令。3月8日零时整戒严令实行之刻,公安干警、武警配合搜捕骚乱分子的小分队整队出发。一批骚乱分子被依法拘捕。

3月8日早晨8时,太阳还没爬上大昭寺的金顶,街头陆续出现行人,一夜未眠的执勤人员正在按照政府的第3号令盘查过往车辆和行人。到下午2时,绝大多数未被烧、抢的商店仍然没有开门,龙王潭菜市场也不像往昔那样拥挤。

同日,西藏自治区人民政府主席多吉才让又发布了第4、5、6号人民政府令。

第4号政府令指出,经西藏自治区有关部门同意,在拉萨停留的外国客人、外国专家、合资企业外方人员以及由旅游部门组织的已到西藏旅游的外国人旅游团组,"必须凭自治区人民政府外事办公室或公安部门签发的通行证出入戒严区","取得在拉萨居留权的外国侨民,须凭有效的居留证,出入戒严区","现在拉萨市的外国游客。必须在公安部门规定的限期内离开拉萨"。第5号政府令指出:"凡策划、制造和参与骚乱活动,进行打、砸、抢、烧及窝藏犯罪分子和赃物的人员,必须立即投案自首,争取宽大处理。"第6号政府令从严规定了在戒严期间所有公安干警、武警和人民解放军执勤人员的纪律。

3月9日,拉萨初步恢复了正常秩序。拉萨街头风平浪静,白天街上的行人已明显增多,一些居民曾一度有些担心,看到街头平静,遂有了安全感。绝大部分机关、企事业单位初步恢复了正常工作,一些商店陆续开门营业。连续两夜没有休息好的武警和解放军战士仍在各岗值勤。同时,已有一批参与骚乱的人主动到公安机关投案自首,西藏公安机关表示将给予宽大处理。拉萨很快恢复平静,生产生活转入正常。执行拉萨戒严任务的部队为平息骚乱,维护民族团结和国家统一作出了贡献。

1990年4月30日,鉴于西藏自治区拉萨市的局势已经稳定,社会秩序恢复正常,在拉萨市实行戒严的任务已经完成,根据《中华人民共和国宪法》的规定,国务院决定:自1990年5月1日起解除在西藏自治区拉萨市的戒严。

三

1989 年政治风波与在北京 部分地区实行戒严

1989 年春夏之交,国内坚持搞资产阶级自由化的势力,同国际垄断资产阶级的"和平演变"战略相呼应,在首都北京掀起以推翻共产党的领导、推翻社会主义制度为根本目的的政治动乱。5 月 19 日晚,中共中央、国务院在总后勤部礼堂召开了中央和北京市党政军干部大会,李鹏代表中共中央政治局常委会在会上讲话,要求大家紧急行动起来,采取坚决有力的措施,旗帜鲜明地制止动乱,恢复社会正常秩序,维护安定团结,以保证改革开放和社会主义现代化建设的顺利进行。国家主席、军委常务副主席杨尚昆在大会上宣布:为了维护首都社会治安,为稳定北京市的局面,迫不得已从外地调来了一部分人民解放军部队,协助首都武警、公安干警执行任务。次日,李鹏签发了《中华人民共和国国务院关于在北京市部分地区实行戒严的命令》,《戒严令》指出:鉴于北京市已经发生了严重的动乱,破坏了社会安定,破坏了人民的正常生活和社会秩序。为了坚决制止动乱,维护北京市的社会安宁,保障公民的生命和财产安全,保障公共财产不受侵犯,保障中央国家机关和北京市政府正常执行公务,根据《中华人民共和国宪法》第 89 条第 16 项的规定,国务院决定自 1989 年 5 月 20 日 10 时起在北京市部分地区实行戒严。戒严的范围包括东城区、西城区、崇文区、宣武区、石景山区、海淀区、丰台区、朝阳区。

有关部队接到中央军委关于进京执行戒严任务的命令后,立即召开紧急党委会议,进行动员和部署。一些部队从散布在方圆几百公里内的训练场、施工点、执勤点、生产地快速赶到出发集结地域,步调一致地向京郊开进。某师 6700 名官兵,接到命令后仅两个半小时即全体出动。各路戒严部队陆续到达京郊后,分别被大批不明真相的群众阻截。为避免与不明真相的群众发生冲突,戒严部队指挥部决定各部暂驻京郊休整待命。总参谋长迟浩田、总政治部主任杨白冰、总后勤部部长赵南起等军委领导,代表中央军委和三总部亲赴京郊看望戒严部队官兵,转达了军委邓小平主席、杨尚昆副主席的关怀和慰问。有关部门积极想办法,妥善安排戒严部队的物质文化生活。根据总政治部的指示,戒严部队加强政治工作,大力宣传中共中央、国务院、中央军委关于制止动乱的决策,宣传动乱造成的危害和戒严的必要性,澄清谣言,消除疑虑。为了以实际行动宣传和影响群众,戒严部队广泛开展了"热爱首都,热爱人民,热爱青年学生"的活动。

6 月 3 日,驻在市郊的戒严部队奉命入城,保卫重要目标。由于极少数暴徒煽动群众,设置障碍,使部队受阻。解放军官兵和武警部队、公安干警保持了极大的克制。事态逐步发展成一场严重的暴乱。党中央、国务院、中央军委迅速作出平息暴乱的决策。各部队从城郊向以天安门广场为中心的市内警戒位置强行开进。在城西方向,三支戒严部队分梯次经五棵松、公主坟、复兴门一线向天安门广场挺进。部队行至复兴门立交桥时,暴徒放火点燃公共汽车,阻止部队开进,官兵们不顾生死,冒着烈火奋力推开汽车,打开通道继续前进。经过 5 个多小时推进,第一梯队到达天安门广场北侧。随后,第二梯队也强行占据天安门广场西侧。在城南方向,戒严部队分三路向正阳门和人民大会堂开进。某部先头团,抵达正阳门西侧指定位置。另一支部队也奋力冲过少数暴徒设下的各种障碍,按时整体到达人民大会堂东门。在城东方向,某部由通县、建国门一线,向天安门广场开进。先头团避开人群阻拦,绕过铁路干线,快速通过北京站,高喊着"保卫党中央,保卫首都"的口号,冒着石块、燃烧瓶的袭击,以10路纵队大踏步开抵天安门广场。其他几支部队,在坦克某师的协同下,先后突破用汽车、水泥礅设置的11处大路障,陆续到达指定位置。在城北方向,两支部队分别从沙河、清河一线,向德胜门、东直门一带开进。他们依靠强有力的政治宣传,冲破重重障碍,先后到达指定位置。戒严部队在开进途中,由于极少数暴乱分子煽动大量不明真相的群众阻挡部队开进,戒严部队遭受严重的伤亡和损失。

各路部队进占天安门广场周围地域后,开始执行清理天安门广场的任务。6月4日凌晨1时30分,戒严部队指挥部在天安门广场反复播出6月3日发布的《紧急通告》:"……凡在天安门广场的公民和学生,应立即离开,以保证戒严部队执行任务。凡不听劝告的,将无法保证其安全,一切后果完全由自己负责。"广场上大批围观群众迅速离开,但仍有一部分人盘踞在广场南端人民英雄纪念碑一带。凌晨4时30分,广播了戒严部队指挥部的通知:现在开始清场,同意学生们撤离广场的呼吁。随后,又广播了北京市人民政府和戒严部队指挥部关于迅速恢复天安门广场正常秩序的通告。

在强大的政治攻势下,广场上的学生经过激烈争论,派代表向戒严部队提出,允许他们和平撤退或自动撤退。戒严部队立即表示同意,并且通过广播向他们说明,在广场东南方留出一条通道,保证学生平安离开。随后,学生们即比较有组织地从东南方向离开了广场。清场开始时,在金水桥一线耐心等待了3个多小时的戒严部队,由此向南缓缓推进,推倒了"女神"像;在人民大会堂、中国历史博物馆的部队也开进广场,捣毁了"高自联"、"工自联"的指挥部,将极少数顽固分子强行驱出。进入广场的官兵手持手电筒一个帐篷一个帐篷地检查,确认无人后,才将一些临时搭建的设施推倒。5时30分,清场结束,无一人伤亡。天安门广场被戒严部队全部控制。

之后,戒严部队文明执勤,维护社会治安,恢复首都的生产、生活、交通秩序;向群众广泛宣传党和政府的政策方针,坚持正确的舆论导向;继续开展"三热爱"活动,以实际行动消除误会,沟通理解。从7月开始,戒严部队分期分批逐步撤出,任务胜利完成。

中央军委主席邓小平6月9日在接见戒严部队军以上干部的讲话中,对人民解放军执行戒严任务给予高度评价,赞扬"解放军考试合格"。他说:人民解放军"仍然是真正的人民子弟兵。在生命危险面前,他们没有忘记人民,没有忘记党的教导,没有忘记国家利益,面对死亡毫不含糊。慷慨赴死,从容就义,他们当之无愧"。"这表明,人民子弟兵真正是党和国家的钢铁长城,我们这个军队永远是党领导下的军队,永远是国家的捍卫者,永远是社会主义的捍卫者,永远是人民利益的捍卫者,是最可爱的人!"在这场斗争后,中央军委先后授予戒严部队刘国庚、崔国政、马国选、游德高等32名个人以"共和国卫士"荣誉称号;分别授予6个营级单位、9个连队以"卫国英雄营"、"卫国先进医院"、"卫国英雄干部队"、"卫国先进政治处"、"卫国英雄连"荣誉称号;给 12 个师级单位、4 个团分别记集体一、二、三等功。1990 年 1 月 10 日,鉴于首都和全国局势稳定,社会秩序恢复正常,在北京市部分地区实行戒严的任务已胜利完成,国务院决定:自 1990 年 1 月 11 日起,解除在北京市部分地区的戒严。

改革开放以来的
中国外交

一

改革开放以来中国外交政策
的调整及主要内容

自中共十一届三中全会以来,我国在外交工作方面逐步摆脱了"左"的影响,党和政府根据国际形势的变化以及中国的实际情况,对外交政策进行了调整,为外交工作指明了方向。改革开放以来我国的外交政策在指导思想上主要有以下特点:

1. 坚持对外开放,以国内经济建设为中心

"文化大革命"中,受"四人帮""左倾"错误影响,我国外交政策的指导方针有过失误和偏差,如我们过于强调阶级斗争和意识形态,过于强调世界革命和国际主义,这不仅使我国在许多国际事务中处于被动地位,同时由于对世界形势估计的某些失误,也使国内的经济建设受到极大影响。三中全会后,我党把工作重点转移到经济建设上,提出两个开放政策,即对内开放和对外开放,我国的对外政策也开始转移到为国内经济建设服务这一中心任务上。

对外开放和以经济建设为中心意味着在外交上我们将不再像过去那样闭关自守、孤芳自赏,我们将和世界各国进行广泛的联系和交往,我们将为国内的经济建设创造一个和平稳定的国际环境,我们的外交活动将和经济贸易紧密结合起来,80 年代以来,中国领导人一直在强调这一点。1983 年,胡耀邦在日本国会发表演说时讲:"我们的基本国策,用一句话来说,就是一心一意干四化,建设两个文明。……为此目的,在对外关系上,就要在和平共处五项原则的基础上,谋求同世界各国发展友好关系,维护世界和平。"[①]1984 年,邓小平同志在会见外国领导人时讲:"在争取和平的基础上,我们一心一意搞四化建设,发展自己国家,建设具有中国特色的社会主义。"我国领导人指出,中国把对外开放作为一项长期基本国策,已经开放的大门永远不会关闭。而且从一开始我国领导人就指出,我们的对外开放政策是对所有国家而言的,正如邓小平所讲,它并不是只对美国、日本、西欧等发达国家,还包括第三世界和苏联东欧国家,一共三个方面。

2. 强调和平与发展

50 年代到 70 年代,中国认为世界处在帝国主义和无产阶级革命时代,70 年代末以来,根据国际形势的变化,中国领导人提出当今世界的两大主题是和平与发展。1984 年,邓小平在会见缅甸总统吴山

---

① 《国际形势年鉴》1984 年,第 439 页。

友时说:"国际上有两大问题非常突出,一个是和平问题,一个是南北问题。"1985年3月在会见日本商工会议所访华团时对这一提法作了进一步的解释,他说:"当今全球性的战略问题有两个,一个是和平问题,一个是经济或者叫发展问题。"

鉴于这种认识,80年代以来我国在外交实践中,一方面强调把维护世界和平作为对外政策的首要任务,我们反对战争,反对以武力作为解决国际冲突的手段;我们反对霸权主义、强权政治对国际和平的破坏。另一方面我们积极支持全球范围的经济合作,支持南北合作、南南合作;我国领导人一再指出,发展中国家的经济振兴将促进世界的繁荣,包括发达国家的复苏和繁荣,因此呼吁发达国家和国际社会为发展中国家的经济发展创造有利的外部条件,帮助它们尽快摆脱贫困和落后。此外,我们还认为虽然当今世界仍存在许多不稳定因素,但维护和平和促进发展已成为世界各国的迫切需要,抑制战争的因素不断增强。1985年邓小平同志在军委扩大会议上讲:"世界战争的危险还是存在的,但是世界和平力量的增长超过战争力量的增长。……由此得出结论,在较长的时间内不发生大规模的世界战争是可能的,维护世界和平是有希望的。"因此我们改变了过去"早打、大打、打核战争"的提法,把国家战略和国防战略的重点转移到维护和平和发展经济上。

3. 以和平共处五项原则为指导

互相尊重主权和领土完整,互不侵犯,互不干涉内政,平等互利,和平共处,这五项原则是中国在50年代倡导的,现在已成为公认的国际关系准则,它是我国对外政策的指导原则。但在"文化大革命"中,我们的一些做法是不符合这一原则的,如以我画线,以苏画线等。三中全会以后,我们党和政府一再强调和平共处五项原则,并赋予它新的意义。

首先,我国领导人指出和平共处五项原则适用于所有国家,不管意识形态和社会制度是否相同。不同意识形态和社会制度的国家如果遵守这一原则,"完全可以建立起相互信任和友好的关系;如果违反和平共处五项原则,……即使意识形态和社会制度相同的国家,也可能引起尖锐的对抗,甚至发生冲突"。

这一原则也包括我们反对霸权主义、强权政治的主张,我们一贯主张国家无论大小一律平等,我国领导人早已声明中国永远不称霸,不干涉别国内政,不输出革命,同时也反对任何国家干涉中国内政,反对以大欺小,以富压贫,以强凌弱,反对来自任何方面和以任何形式出现的霸权主义。

我们还认为和平共处五项原则不仅适合处理国与国之间的关系,还适用于我们和各国政党及其他国际组织、团体之间的关系。1982年,党的十二大提出了我党同其他国家共产党发展关系的四条原则,即独立自主、完全平等、互相尊重、互不干涉内政,这与和平共处五项原则是一致的。邓小平同志还提出在解决某些国内问题上也可用和平共处原则来指导。他说:"现在进一步考虑,和平共处的原则用之于解决一个国家内部的某些问题,恐怕也是一个好办法。根据中国自己的实践,我们提出'一个国家,两种制度'的办法来解决中国的统一问题,这也是一种和平共处。"

自改革开放以来,正是在和平共处原则指导下,我国外交工作取得了巨大的成就,同世界各国、各党以及民间团体和国际组织的关系都在不同程度上有了改善和发展。

4.独立自主

中华人民共和国成立以后,中国曾与苏联结盟反对美帝国主义,我们也曾同美国建立战略关系以反对苏联的霸权主义,通过对过去经验的总结,80年代以后我们提出我们的外交政策是独立自主的。其含义之一是任何时候我们从中国和世界人民的根本利益出发,根据事情的是非曲直,独立自主地决定我们的政策,不受外来压力的左右;其含义之二是我们珍视自己的独立自主权利,也尊重别国人民独立自主的权利,不搞霸权主义、大国沙文主义和民族利己主义;其含义之三是不同一个国家结盟反对另一个国家,这点和过去有所不同。1984年邓小平同志说:"中国的对外政策是独立自主的,是真正的不结盟。中国同任何国家没有结盟关系,完全采取独立自主的政策。"1985年6月他在军委扩大会议上谈到我国外交政策的变化时说,过去有段时间,我们搞了一条线的战略,就是从日本到欧洲一直到美国这样的一条线。现在我们改变了这个战略,我们改善了同美国的关系,也改善了同苏联的关系,谁搞霸权我们就反对谁。我们不打别人的牌,也不许任何人打中国的牌。在1989年《中苏联合公报》中,我国政府又一次重申中国将奉行"独立自主的和平外交政策,坚持不同任何国家结盟的原则立场"。

二

改善和发展同各国的关系 寻求和平稳定的国际环境

三中全会以来,在独立自主和平外交路线的指导下,我国政府积极改善和扩大与世界各国的关系,十几年来,我们同美国、苏联这两个世界大国、昔日敌人建立和恢复了正式外交关系或国家关系;我们同欧洲、日本等发达国家的经济、政治关系不断扩大;我们同许多国家恢复或建立了外交关系,同发展中国家,尤其是周边发展中国家的关系有了很大改善。化敌为友,广交朋友,外交领域取得的进展,改善了我国的国际地位,也为我国改革开放和经济建设创造了较好的外部条件和周边环境。

1.同美、苏、日等国关系的发展

50年代我国和苏联结盟对抗美国,中苏关系破裂后,两国从盟友变为敌人,苏联的霸权主义和扩张行为构成对中国安全的直接威胁,我们曾一度以美苏两霸为敌,处于孤立被动的地位。

1972年美国总统尼克松访华之后,中美两国开始了建交谈判。直到1978年12月中美双方终于签署了《建交公报》,决定1970年1月1日正式建立外交关系。中美建交是两国关系中的重大转折点,自建交到今天,两国关系虽然经历了许多次挫折和考验,尤其是1989年政治风波之后,美国带头对中国实行制裁,在台湾问题、人权问题、军售问题以及贸易问题等方面制造事端,阻碍了中美关系的正常发展,但从总趋势看,中美关系是向前发展的。两国领导人都认为中美之间有着广泛的共同利益,改善和发展两国关系是符合两国人民的利益的,也有助于亚太地区及世界的和平与稳定。

70年代末苏联出兵阿富汗,支持越南入侵柬埔寨,严重威胁中国的安全,我国也曾同美国发展战略关系以抗衡苏联的扩张。80年代中期以后。鉴于国际形势的变化,我国调整了对外政策,拉开了与美国的距离,坚持独立自主不结盟的原则,着手改善与苏联的关系。1985年戈尔巴乔夫上台后,苏联政府在改善对华关系上采取了一些较积极的行动,中国领导人也向苏联表示希望早日实现两国关系的正常化。邓小平同志曾提出如果苏联能以实际行动消除三大障碍,他愿赴苏与其领导人会谈。在两国的共同努力下,1989年5月,戈尔巴乔夫对中国进行了正式访问,这次访问标志着两国结束了长达30年的敌对,实现了关系的正常化。在联合声明中,两国表示互不为敌,并将两国边界的军事力量削减到最低水平,这对中国保持周边稳定和致力于经济建设无疑是有利的。

中苏关系正常化以后,两国在政治、经济、军事以及贸易等各个领域的关系都有了很大发展。苏联解体之后,我们同俄罗斯以及独立后的苏联加盟共和国继续保持友好关系,1992年俄总统叶利钦访华和1994年俄外长科济列夫访华将中俄关系又向前推进了一步。

日本是中国的邻国,也是亚太地区的重要国家之一,中日两国关系的好坏不仅关系到中国的周边安全,还关系到中国的经济建设。自1972年两国邦交正常化以后,两国关系迅速发展,1978年双方签署了《中日和平友好条约》,进一步推动了两国政治、经济、科技、文化等领域关系的发展。1982年中日关系正常化十周年之际,中国领导人赵紫阳和日本首相铃木进行了互访,中国领导人在访日期间提出了发展中日关系的三原则,即和平友好、平等互利、长期稳定,这三项原则得到日本领导人的赞同。1983年胡耀邦访问日本时又加了一条"互相信赖",使其成为中日关系的四项原则。

中日贸易对两国来说都是十分重要的,1982年两国贸易额突破100亿美元,为1972年的10倍,成为中国最大的贸易伙伴,占中国对外贸易总额的25%左右。中日贸易额占日本对外贸易总额的6%。在日本贸易伙伴中居第二位,1991年中日贸易额已超过200亿美元。

中日关系还存在一些问题,如1982年和1986年的"教科书事件",1985年日本首相及政府官员参拜靖国神社事件等。中国政府对此提出了抗议,希望日本政府不要重走军国主义老路,希望两国能长期友好下去。中日关系的前景是广阔的,1989年政治风波之后日本虽然也参与了对中国的制裁,但两国关系很快得到了恢复,1992年是中日关系正常化20周年,江泽民总书记、万里委员长先后访问了日本,日本明仁天皇也首次访问了中国,两国关系进一步加强。

2.与周边国家和其他发展中国家的关系

中国属于第三世界国家,我们把加强同第三世界的团结与合作,作为对外政策的基本立足点。80年代以来,我们认为第三世界国家已进入以发展经济来巩固政治独立的新阶段,因此我们积极支持南北合作、南南合作,支持发展中国家为建立新的国际经济秩序而努力。我们在继续加强同第三世界老朋友关系的基础上,同许多过去关系不好或没有外交关系的第三世界国家恢复或建立了正常关系,特别是我们同周边国家的关系,这些年来有了长足的发展。1983年赵紫阳访问非洲时提出了我国同非洲国家发展关系的四项原则,它们是"平等互利,讲求实效,形式多样,共同发展",这四项原则也被用于发展同其他第三世界国家的关系。

80年代以来,我国与亚洲国家特别是邻国的关系有了很大改善和发展。在中苏关系恢复正常化后,我们与另一个北方邻国蒙古的关系也得到改善。1990年应杨尚昆主席邀请,蒙古人民共和国人民大呼拉尔主席团主席彭萨勒玛·奥其尔巴特对中国进行了访问,这是自1962年以来蒙古最高领导人首次访华;1991年杨尚昆回访蒙古,实现了两国建交41年来中国首脑对蒙古的第一次访问。两国领导人的互访促进了双方关系的全面恢复和发展。

1992年中韩建交,卢泰愚总统访问了中国,这对扩大两国经济、贸易关系和推动朝鲜半岛的缓和有积极的影响。

70年代后期中越关系恶化,并发展到武装冲突。随着柬埔寨问题的解决,1990年后两国关系开始恢复,1991年越南高级代表团访华,两国发表了联合公报,宣布关系正常化。两国表示将在和平共处五项原则的基础上发展中越两国两党的关系,通过谈判解决存在的遗留问题。1992年李鹏总理正式访越,对中越关系的发展、对该地区的和平与稳定有着重大的意义。

中国和印度是亚洲乃至世界最大、最古老的两个国家,又是邻国,因此中国领导人一再强调,两国关系的改善对双方,对亚洲和世界都是十分重要的。1988年印度总理拉吉夫·甘地访华后,中国和印度的关系有了明显改善,1991年12月李鹏总理访问了印度,这是31年来中国总理首次访印。访问期间,双方签订了有关领事、贸易、空间科技合作等协议,并发表了联合声明。

1990年以来,我国还同印度尼西亚恢复了关系的正常化;同老挝成功地解决了边界问题;同东盟国家的关系继续巩固和发展;同新加坡、文莱、以色列等国建立了正式外交关系。我们同亚洲国家关系取得的突破性进展促进了该地区的稳定,这对我国集中精力进行经济建设是十分有利的。

改革开放以来,我国同其他发展中国家和地区的关系也都得到了改善和发展,1982年12月到1983年1月,赵紫阳总理出访了埃及、阿尔及利亚、摩洛哥、津巴布韦、坦桑尼亚、肯尼亚等11个非洲国家。访问期间,中国领导人重申,加强同第三世界国家的团结合作是我国对外政策的基本出发点,强调支持发展中国家为发展本国经济和改善国际经济环境所作的努力,提出中国政府发展与非洲国家关系的四项原则。自1979年来,我国又同非洲的吉布提、津巴布韦、科特迪瓦、纳米比亚建立了外交关系。

80年代以来我国同中东及海湾地区的关系有了突破,1984年我国同阿联酋建交,1990年阿联酋国王对中国进行了首次访问;1988和1989年,我国又分别同卡塔尔、巴林建立了外交关系,1990年,钱其琛外长访问了这两个国家,这是中国外长对这两个国家的首次出访;1990年中国同沙特阿拉伯建交,至此中国已同所有阿拉伯国家建立了外交关系。

中国政府非常重视与拉美国家关系的改善和发展,1985年赵紫阳访问了哥伦比亚、巴西、阿根廷和委内瑞拉四国,并提出了中国与拉美国家发展关系的四项原则,即"和平友好、互相支持、平等互利、共同发展"。中国政府表示希望继续加强同已和中国建交的拉美国家之间的关系,并愿意与尚未建交的国家建立和改善关系。80年代以来,我国同厄瓜多尔、哥伦比亚、安提瓜和巴布达、玻利维亚、乌拉圭等拉美国家建立了外交关系。1990年,杨尚昆主席访问了墨西哥、巴西、乌拉圭、阿根廷、智利五国,提出了发展中拉关系的四项原则和五点建议。四项原则的大意是:在和平共处五项原则基础上,发展同所有拉美国家的关系;互通有无加强经贸合作;彼此尊重,互相学习,广泛交流;在国际事务中互相支持,加强合作,为建立新的政治、经济秩序而努力。五点建议的主要内容是:保持领导人的互访和直接接触,建立信任关系;巩固现有市场,扩大双边贸易;广泛开展文化交流;加强同尚未建交国家的交往与合作。

3. 与欧洲及其他发达国家之间的关系

中国同西欧的关系在 70 年代有了较大的发展,但彼此间高层次的来往并不多。十一届三中全会后,西欧成为我国对外开放的重点地区之一,80 年代后,中国与西欧关系的发展出现了很强的势头。1980 年意大利总统访华。1982 年英国首相撒切尔访华。1984 年到 1986 年,赵紫阳总理三次出访西欧,先后访问了法国、比利时、瑞典、丹麦、挪威、意大利、西德、英国、荷兰、希腊、西班牙以及欧共体总部。在这 2 年里,李先念主席、胡耀邦总书记也对西欧一些国家进行了访问。在这几年里,几乎所有西欧国家的首脑都到中国访问过,其中包括时任西德总统卡斯腾斯和总理科尔,时任法国总统密特朗,英国女王伊丽莎白二世和时任首相撒切尔、时任意大利总理克拉克西以及欧共体委员会主席等。

中国领导人一再强调重视同欧洲各国的关系,中国领导人在访问欧洲时讲,中国同西欧之间没有根本的利害冲突,也不存在影响关系发展的重大障碍。我们加强欧洲的关系,特别是把发展经济技术合作置于首要地位绝不是权宜之计,而是世界现实的需要,双方共同利益之所在。[1]

中国领导人希望西欧国家积极同中国发展经济技术合作和贸易往来,并向欧洲领导人展示了中国市场的广阔前景,指出“在同中国合作方面,西欧不论是大国还是小国,不论是大企业还是小企业,不论是新朋友还是老朋友,都有施展所长的机会”。[2] 80 年代里,中国和西欧国家在经济、技术、投资、贸易等领域的关系有了很大发展,西欧是中国仅次于日本的第二大贸易伙伴。

十一届三中全会以后,邓小平同志提出以“一国两制”的方式解决香港问题,中英两国于 1983 年开始就香港问题进行谈判,并于 1984 年 9 月达成协议,双方签署了关于香港问题的联合声明以及有关文件,声明规定中国政府自 1997 年 7 月 1 日对香港行使主权。1990 年七届全国人大第三次会议通过了香港特别行政区基本法。中英在香港问题上达成协议是两国关系史上的大事,但英国政府屡次违反《联合公报》规定,为香港问题的解决设置障碍。

1979 年,中国与葡萄牙建立了外交关系后,于 1986 年开始就澳门问题进行谈判。1987 年中葡两国发表了关于澳门问题的联合声明,根据联合声明,中国政府将在 1999 年 12 月 20 日恢复对澳门行使主权。1988 年双方组成了澳门特别行政区基本法起草委员会,两国在澳门问题上继续加强合作。

1989 年政治风波后,西欧国家对华实行制裁,但 1990 年底以后,中国同西欧国家的关系不断恢复和发展。1990 年 10 月欧共体决定取消对中国的限制措施,此后法国、德国、英国都恢复了与中国来往。

---

① 《国际形势年鉴》1985 年,第 288 页。

② 同上。

1991年中国领导人钱其琛、朱镕基等对西欧国家进行了访问,西欧国家领导人也陆续来华访问,其中有英国首相梅杰、意大利总理安德雷奥蒂以及英、法、意等国的外长。

80年代以来,我们同加拿大、澳大利亚、新西兰一直保持良好的合作与来往;我们还同大洋洲的基里巴斯、瓦努阿图建立了外交关系;我们同东欧中亚国家也建立和发展了友好关系。

开展多边外交
在国际事务中发挥积极作用

十一届三中全会以后,中国对外关系方面的一个特征就是拓宽新领域,开展全方位外交。中国政府从本国利益出发,从维护世界和平的目标出发,在积极参与国际事务和发挥建设性作用方面取得了可喜的成就。

1.积极参与联合国及其他国际组织的活动

80年代以来,中国对联合国及其活动采取了更加积极的态度。我国领导人多次指出,中国将积极支持和参加多边国际活动,并且遵守有关国际组织的章程,认真履行自己的义务。1986年赵紫阳总理在人大报告讲道:"中国遵守联合国宪章的宗旨和原则,支持联合国组织根据宪章精神所进行的各项工作,积极参加联合国及其专门机构开展的有利于世界和平与发展的活动。中国广泛参加各种国际组织,开展积极的多边外交活动,努力增进各国在各个领域的合作。"

在上述原则指导下,据统计,到1986年底,我国已参加了近400个国际组织,加入了130项国际公约。① 1980年来,中国参加了联合国的人口委员会、人权委员会以及联合国的开发计划署、环境规划署、世界粮食计划署、贸易和发展会议、和平利用外层空间委员会等机构,还参加了一系列联合国所属的专门机构,如粮农组织、教科文组织、世界卫生组织、世界气象组织及万国邮政联盟等。1980年国际货币基金组织、国际复兴开发银行恢复了中国政府的地位。

1979年来中国参加的重要国际公约有:《联合国特权和豁免公约》、《防止及惩治灭绝种族罪公约》、《关于难民地位公约》、《南极条约》、《维也纳领事关系公约》、《消除一切形式种族歧视国际公约》、《外层空间活动原则条约》、《关于制止非法劫持航空器的公约》等。

中国在尊重国家主权独立、遵守联合国宪章和宗旨的前提下,对联合国维持和平行动采取慎重的支持态度,并参加了一些这方面的活动,如向西撒、伊拉克和科威特以及柬埔寨派遣军事人员等。

2.推动地区冲突的和平解决

80年代以来,世界动荡不定,地区冲突频繁发生,中国政府一贯主张通过谈判,以和平的方式公正、合理地解决地区冲突。

在柬埔寨问题上,中国谴责越南和苏联的行为,和联合国其他成员一起,呼吁越南从柬撤军,要求苏联放弃对越侵柬的支持。1989年以来中国积极参与了解决柬埔寨问题的全过程,为这一问题的最终解决作出了贡献。

在两伊战争爆发后,中国持中立态

---

① 《当代中国外交》中国社会科学出版社1988年3月版,第463页。

度,希望两伊早日停火,通过和平谈判的方式解决争端。邓小平曾向伊朗外长表示,如果两伊双方为结束战争需要中国做什么,中国将愿意去做。

在朝鲜半岛问题上,中国主张撤走外国军队,使朝鲜半岛在没有外来干涉的情况下,实现和平统一。中国积极支持北南朝鲜对话,支持双方同时加入联合国,表示希望为朝鲜半岛形势的缓和与稳定作出贡献。

1990 年海湾战争爆发后,中国反对伊拉克对科威特的入侵,在联合国投票赞成要求伊拉克无条件从科威特撤军,并且恢复科威特独立与合法政府。同时,中国主张以和平的方式解决海湾危机,并为此进行了努力。中国外长在此期间出访了有关国家,广泛听取意见,寻求和平解决危机的途径。对于要求伊拉克撤军,同时又允许采取武力行动的安理会 678 号决议草案,中国投了弃权票。海湾战争结束后,中国继续同国际社会一起为该地区的和平稳定和经济恢复而努力。

3.为建立新的国际政治、经济秩序而努力

中国把和平与发展问题视为当今世界两大主题。80 年代来,中国始终支持加强南北合作与南南合作,支持发展中国家改善国际经济条件的合理要求,并积极参加联合国等组织为此开展的各项工作。

1981 年赵紫阳总理出席了在坎昆举行的南北首脑会议,提出了发展国际经济合作的五项原则,在 1982 年新德里南南会谈中,中国又提出了一些促进南南合作的具体建议。

80 年代末以来,世界格局发生了巨大变化,两极格局崩溃,冷战结束,世界呈现出多极化趋势。在新旧格局转换之际,世界各主要力量为构筑一个对自己有利的政治经济新秩序展开了竞争。中国政府提出了建立以和平共处原则和联合国宪章及其宗旨为基础的国际政治、经济新秩序的建议。中国外长在 1993 年 9 月第 48 届联大的发言中说:“中国政府曾多次倡议,建立以和平共处五项原则为基础的、以承认世界多样性和各国之间种种差异为前提的和平、公正、合理的国际政治经济新秩序。在这个新秩序中,国家间的相互尊重、平等合作将代替霸权主义和强权政治;和平谈判、对话协商代替诉诸武力和武力威胁;平等互利、互通有无代替贸易保护主义和不等价交换”,中国政府将为此而作出长期不懈的努力。①

4.为实现军备控制和裁军而努力

中国政府一贯反对军备竞赛,主张实现真正的裁军,尤其是中共十一届三中全会后,党和国家把工作重点转移到经济建设之上,以实际行动积极推动全球范围的裁军。

1985 年中国宣布裁军 100 万,并采取军事工业向民用工业转移的措施。1980 年来,中国积极参加联合国有关裁军方面的工作;1984 年加入了《禁止细菌(生物)及毒素武器的发展、生产及储存以及销毁这类武器公约》;1981 年加入了《禁止或限制使用某些可被认为具有过分伤害力或滥杀滥伤作用的常规武器公约》;1991 年后又加入了《禁止在海床洋底及其底土安置核武器和其他大规模毁灭性武器条约》及《不扩散核武器条约》。

中国政府主张全面、彻底、公正、合理地销毁核武器、化学武器、生物武器和外空武器,承诺在任何时候、任何情况下都

----

① 《人民日报》1993 年 9 月 30 日。

不首先使用核武器,不对无核国家和地区使用核武器。

中美关系的发展

一

中美建交——两国关系的新开端

自 1972 年尼克松总统访华后,中美两国政府就建立外交关系问题进行了艰苦漫长的谈判。在 1972 年的《上海公报》中已写明,两国关系正常化是符合双方利益的,美国也承认海峡两岸的中国人都认为只有一个中国,台湾是中国的一部分。但是两国之间的分歧仍然很大,最大障碍是台湾问题。美国坚持把和平解决台湾问题作为先决条件,中国政府则提出美国应同台湾断交、废约、撤军的建交三原则,认为如何解决台湾问题是中国的内政,应由中国人自己解决。由于美国无意接受中方的三项原则,直到福特政府时期,中美关系仍未取得进展。

60 年代末、70 年代初,中美两国都有改善双方关系的需要,中国希望改变与美苏两大国对立的局面,以对付来自苏联方面的更直接的威胁。美国自越战后实力相对下降,面对日益强大的苏联,美国想利用中苏之间的矛盾,以加强自己的力量。但在当时,美国更多的是想通过打中国牌来压苏联,以求在同苏联发展关系时得到更多的好处,对中国的力量和发展中美关系却没有给予足够的重视。

到了 70 年代末,世界形势发生了变化,美国不得不重新考虑它的对华政策。70 年代中期,苏联利用美国越战之后的收缩,在世界各地,特别是在第三世界地区进行扩张,引起美国的不安。1977 年,卡特上台后,开始逐步重视发展与中国的关系,并认识到中美关系正常化将有利于美国同苏联争夺。此后,美国对华政策中联华抗苏的色彩日趋浓厚。1978 年,美国政策表示愿意接受中国政府提出的建交三原则,希望能实现中美关系的正常化,中国政府对此作出了积极的反应,两国代表在北京开始了建交谈判,1978 年 12 月 16 日终于达成了《中华人民共和国和美利坚合众国关于建立外交关系的联合公报》,并于 12 月 17 日发表了两国《联合公报》。

在两个公报中,美国承认中华人民共和国政府是中国唯一合法政府,承认只有一个中国,台湾是中国的一部分,表示无意侵犯中国的主权和领土完整,无意干涉中国的内政,也无意制造两个中国。在售台武器方面,美国表示不寻求长期向台湾出售武器的政策,并在质量和数量上逐步降低向台湾出售的武器,以求经过一个时期后最后解决这个问题。两国宣布于 1979 年 1 月 1 日建立外交关系。

中美建交是两国关系史上一个新的开端,正如公报所说,这不仅符合中美两国人民的利益,也有助于亚洲和世界的和平与稳定。建交后不久,应卡特总统的邀请,邓小平副总理对美国进行了友好访问,这是新中国成立后中国高级领导人第一次出访美国。访问期间,两国领导人就当时重大的国际问题交换了意见,双方签订了科技合作和文化协定,并就贸易、商业、航空、海运等问题进行了广泛的交流,邓小平希望两国在维护世界和平方面加强合作,希望两国的经济关系继续发展。邓小平的访问受到美国各界的热烈欢迎,加深了两国的相互了解,对推动中美关系的发展起了积极作用。中美建交和邓小平访美对促进中国的改革开放和经济建设,对改善我国的国际环境和国际地位具有重大而深远的意义。

从《与台湾关系法》的通过到《8·17公报》的发表

中美建交经历了一个曲折艰难的过程,建交后的两国关系仍然很不稳定,一方面是由于一些遗留问题尚未得到解决;另一方面则由于美国继续在台湾问题上做文章,节外生枝,阻碍了两国关系的正常发展。

1979年3月,美国国会两院通过了《与台湾关系法》,其内容在许多地方是与中美建交公报相违背的,主要表现在:①此法宣称中美建交是基于台湾问题以和平方式解决基础之上,而以包括抵制、禁运在内的非和平方式来决定台湾前途的任何努力,都被认为是对太平洋地区安全的威胁,是对台湾人民安全和经济制度的威胁,在这种情况下,美国"总统和国会应按照宪法程序,决定美国应付任何这样危险的适当行动"。而中国政府历来坚持如何解决台湾问题是中国的内政,应由中国自己决定,美国无权干涉。②美国决定继续向台湾出售防御性武器。③仍把台湾作为一个具有国际人格的独立实体看待,规定"凡当美国法律提及或涉及其他民族、国家政府或实体时,上述国家含义中应包括台湾,此类法律也适用于台湾"。卡特政府在国会亲台议员等的压力下,签

署了《与台湾关系法》,为中美关系的发展添置了一个巨大的障碍,成为两国长期争执的焦点。

1981年,里根就任美国总统,在竞选时,他主张对中国采取更强硬的政策,他批评卡特政府对中国的让步太多了,不符合美国的利益,声称要继续推行《与台湾关系法》,发展与台湾的"官方关系"。里根上台不久,多次表示要向台出售新型FX战斗机,并作出向台出售九千七百多万美元武器零件的决定。

美国破坏中美建交公报精神的行为引起中国政府的强烈抗议,1982年4月16日,《人民日报》评论员发表了题为《中国的原则立场不会动摇》的文章,指出中美关系已处于严重关头,中国反对美国向台湾出售武器的立场决无改变,两国关系必须以互相尊重主权和领土完整、互不干涉内政为基础,"违反这一条根本原则,两国关系不要说进一步发展,就是维持现状也不可能"。5月2日,《人民日报》又发表了《解铃还须系铃人》的评论员文章,指出美国只有在售台武器问题上真正表现出尊重中国主权、不干涉中国内政的诚意,并见诸实际行动,才可能使中美关系不致倒退。中国领导人、外交部也多次对美国政府提出批评和抗议,并一再重申我国的原则和立场,要求美国政府停止破坏中美关系的行为。

为了消除两国之间的障碍,自1981年底起,双方开始就美向台出售武器问题进行谈判。谈判中,中国要求美国承诺对台出售的武器将不得超过中美建交以来的水平,并逐步减少在一定时期内完全停止;中国坚持认为和平解决台湾问题是中国的内政,美国不能将其作为停止向台出售武器的前提条件。美方则不愿承诺完全停止向台出售武器,并坚持把售台武

问题同中国和平解决台湾问题联系起来。谈判期间，美国仍不断做出有损于两国关系的举动，如决定向台湾出售武器零件、扩大战斗机共同生产线等。由于意见分歧，谈判到1982年初仍未有结果，两国关系处于紧张状态。

自中美建交以来，两国关系在政治、经济、文化等方面都有一些发展，但由于美国政府在发展同中国关系的同时，又企图利用台湾问题牵制中国，把向台湾出售武器作为向中国施加压力和讨价还价的筹码，这种双轨政策严重影响了两国关系的正常发展。在1979年和1983年间，中美关系进展缓慢，走走停停，甚至出现倒退和危机，同1981年相比，1982年、1983年两国贸易额连续下降。

经过一轮又一轮的谈判，中美两国终于就售台武器问题达成协议，1982年8月17日发表了《联合公报》，即《8·17公报》。公报中，双方重申了建交公报中的基本原则，美国再次表示它向台湾出售的武器在数量上和质量上都将不超过中美建交后近几年的水平，并逐步减少，经过一段时期后使这一问题得到最后解决；美国还表示承认中国在解决这一问题上的立场，中国则表示可以接受分步骤解决的办法。《8·17公报》虽然没有完全消除两国在这一问题上的分歧，但毕竟是前进了一步，为中美关系的改善和发展开了一个好头。

1983—1989年的中美关系

《8·17公报》之后，中美关系并没有立即得到改善，美国破坏《公报》精神的事件经常发生，直到1983年底，美国对华政策才有所调整，在改善两国关系方面表现出比较积极的态度。1984年1月，中国总理赵紫阳应美国总统里根邀请访问了美国，访美期间，赵紫阳同美国高级领导人及各界人士进行了会谈和交流，表达了中国政府希望两国关系能够稳定发展的愿望，也希望美国政府以实际行动消除障碍，推动中美关系的发展。4月，美国总统里根对中国进行了回访，中美两国领导人再次会晤，双方就重大国际问题交换了意见，美国领导人重申遵守中美签订的三项《公报》，多次表示要和中国建立长期伙伴关系。

在两国领导人互访后，两国关系有了较大的发展。美国方面采取了一些改善中美关系的积极举动，如放宽了对中国高级技术产品出口的限制，将中国从其出口分类的"P"组改为"V"组，把中国作为友好的非同盟国看待。两国政府在经济、技术、贸易、税收、文化教育等方面签订了一系列协议，如1984年1月赵紫阳总理访美时签订的中美工业技术合作协定，1984年4月里根访华时签订的《关于所得税避免双重征税和防止偷漏税的协定》，1985年李先念主席访美时签订的《中美和平利用核能协定》、《中美文化协定》、《中美教育合作交流协定》等。随着中美关系的改善，两国贸易也迅速扩大。1983年两国贸易额为40亿美元，1984年上升为60多亿美元，1986年又上升到73亿美元，1989年达140亿美元。美国在华私人投资也从1983年的1.3亿美元上升到1985年的15亿美元，1989年已超过30亿美元。1983年9月，美国国防部长温伯格访华，两国军事关系也逐步加强。1984年6月中国国防部长张爱萍访问美国，8月，美海军部长访华。美国政府宣布中国符合购买其武器的条件，决定同中国发展防御性军事合作,1985 年到 1986 年间,美国向中国出售了军工设备和飞机制造设备。

80 年代中期以后美国调整对华政策及中美关系的发展是国际形势的变化和双方的共同需要所决定的。这一时期,美国的主要对手苏联开始出现变动,其领导人更换频繁,在内政外交方面已有了新的内容。美苏对话的趋势加强,但在全球范围的争夺仍十分激烈,苏联局势的变化也令美国捉摸不定,因此对美国来说仍有联合中国抗衡苏联的战略需要。自改革开放以来,中国国内政局稳定,经济迅速发展,国力不断加强,不仅是不可忽视的一支政治力量,也是世界主要经济大国普遍看好的巨大经济市场,美国自然不会放松在这方面的竞争。这一时期,中国在外交上拉开了同美国的距离,一方面,中国的改革开放、经济建设需要我们继续加强同美国的关系;另一方面,我们坚持独立自主的原则,发展同包括苏联在内的其他国家的关系。中苏关系的缓和令美国关注,特别是 1985 年戈尔巴乔夫上台后,调整了对亚洲战略,中苏改善关系的速度加快。虽然美国对中苏关系的前景还不能把握,但有一点似乎是明确的,美国要防止中苏重新联合,防止中苏关系超过中美关系,这也是美国重视发展中美关系的原因之一。

自 1984 年两国领导人互访之后,两国关系的发展基本是稳定的,虽然美国的对华政策仍带有两面性,还在绕过《8·17公报》向台出售武器,如不顾中国的强烈反对向台出售 C—130 军用运输机等,但两国的关系和前一时期相比已有了很大的发展。在 1988 年 12 月中美建交 10 周年之际,两国举行了许多庆祝活动,新当选的布什总统就任一个多月便来华访问,表示要继续推动两国关系的发展。然而,

就在中美关系迈入新的一个 10 年之时,严峻的考验降临。

四

1989 年政治风波及国际格局的变化对中美关系的影响

北京 1989 年政治风波后,刚访问过北京并表示要继续发展中美关系的美国总统布什带头同西方国家一起对中国进行制裁,制裁措施包括:中止中美军事交流和合作,停止向中国出售武器;中止两国高层次交往;要求国际金融机构暂停对中国的贷款等。但布什政府并不想完全断送中美关系,一方面制裁中国,向中国施加压力;一方面又在修补两国关系,保持同中国的联系。如布什总统决定向中国出售卫星,并取消禁止美国实业界向中国提供资金的禁令;派国家安全问题助理斯考克罗夫特和副国务卿伊格尔伯格访华等。经过双方努力,中美关系逐步改善,两国在海湾危机、柬埔寨问题、朝鲜半岛问题等方面进行了合作;1991 年 11 月美国国务卿贝克访华,12 月李鹏总理在纽约与参加联合国首脑会议的美国总统布什会晤,两国高层次领导人开始接触。虽然中美两国都希望保持关系,但由于美国态度强硬,双方分歧难以消除,两国关系一直没有得到根本改善。

80 年代末、90 年代初国际格局的巨大变化和美国的总统大选也对美国对华政策及中美关系产生了影响。首先,苏联和以苏联为首的华约集团解体,战后东西两大集团持续四十多年的冷战结束,美国成为世界唯一的超级大国。在这种情况下,中美联合抗衡苏联的战略基础削弱,中国在美全球战略中的地位下降。此外,

在苏联、东欧变化之后,中国成为美国在意识形态上的主要对手,1989年政治风波后,美国似乎认为只要对中国施加压力,中国也会发生苏联、东欧式的变化。因此中国成了美国推行其民主、人权外交的重点。1992年是美国的大选年,民主党指责共和党对华政策软弱,布什为拉选票决定向台湾出售150架F—16战斗机,这一决定结束了自1982年开始的禁止向台湾出售最新式战斗机的禁令,理由是中国想大量购买苏式SU—27新型战斗机,美国的行为引起中国的强烈抗议,使中美关系陷入紧张状态。

五

美国对华政策的调整及
中美关系的改善

1989年政治风波之后,美国对中国的制裁使稳步发展的中美关系受到破坏,克林顿就任总统之初对中国的强硬政策更使两国关系每况愈下。但在克林顿任职一年之后,同其初期相比,中美关系已有了好转,特别是1993年11月的西雅图会议,江泽民主席与克林顿总统举行了会晤,这是1989年政治风波后两国最高领导人的首次直接会晤,被视为美国调整其对华政策及中美关系改善的转折点。

美国调整对华政策不是偶然的,是形势所迫、大势所趋。中美两国有着共同的利益,在许多方面互有所需,互有所求,改善并发展两国关系是两国领导人和人民的共同愿望。克林顿虽扬言对华强硬,但随着形势的发展也不得不调整其政策,他承认不能孤立像中国这样一个对世界有重大影响的国家。这一点也是人们早有所料的,在克林顿上台第一年的后期,美国政府对中美关系的重视加深了。

首先,中国的改革开放取得了举世瞩目的成就,美国认为中国是世界上经济发展最快的国家之一,在今后二三十年仍可保持7％或8％的增长速度,是个有巨大潜力的市场,如果加上中国香港、台湾,将成为世界经济重要的一极。自中美建交以来,两国经贸关系已有了很大发展,美国在华的经济利益越来越重要。在美国把经济安全放在国家战略首位的时候,在美国将其外交重点日益转向亚太地区的时候,无论哪位总统上台,都不会忽略中国的地位。1989年政治风波之后,中国同亚太国家、同日本及一些发达国家的关系都在不同程度上有了改善,德国总理科尔1993年11月对中国进行了经济色彩浓厚的访问,美国成为唯一还在制裁中国的国家,它不会对其他国家在中国进行的竞争中袖手旁观。

美国也承认在安全战略、地区问题上与中国有共同利益。中国不仅是一个有经济潜力的国家,它还是联合国安理会常任理事国,是拥有核武器的军事大国,在政治军事上有不可低估的作用。美国认为在解决柬埔寨问题、朝鲜半岛问题上,在防止武器扩散、联合国维持和平行动上,在全球环境保护、反毒品走私等问题上,都需要有中国的合作。中国还是在亚太地区牵制俄国和日本的一支力量,无论中俄联合还是中日联合,对美国在亚太地区的利益都是不利的。

中苏关系的正常化

一

中苏关系从紧张到缓和（1979—1985）

自珍宝岛事件后，中苏关系一直处于紧张对立状态，这表现在：①中苏边界谈判中断，两国边界冲突不断发生，苏联在中国北部施加军事压力，构成对中国的直接威胁；②苏联在同美国搞缓和时，欲与美联合反华；③1978年8月中国同日本签订了友好条约，12月又同美国发表了建交公报，中国提出反对霸权，苏联对此十分恼火，认为中国的举动是危险的，在其国内加紧了反华宣传，指责中国和帝国主义国家接近，从事反对社会主义国家、反对苏联的活动；④1978年11月，苏联同越南签订了带有军事内容的苏越友好合作条约，并支持越南入侵柬埔寨，在1979年中越边界冲突中站在越南一边攻击中国，1989年苏军入侵阿富汗，扶持亲苏政权，中国认为苏联的行为构成对中国西南边界安全的威胁。1979年4月中国五届人大常委会通过决议，决议指出："鉴于国际形势已发生重大变化，中苏友好同盟互助条约由于并非中国的原因遭到践踏而早已名存实亡"，决定在《中苏友好同盟互助条约》到期后不再延长，苏联对此进行了攻击。由此可见，在进入80年代之际，中苏关系已陷入全面恶化、对立的状况。

进入80年代后，随着国际形势的变化，促使中苏缓和关系的条件逐步成熟，两国领导人开始进行改善关系的试探性活动。从苏联方面看，它希望改善同中国的关系是基于以下考虑：

首先，由于70年代中期以后苏联在世界各地进行扩张活动，战线过长，使自己背上了沉重的包袱，在国内，军费负担过大，经济难以支撑；在国际上，自入侵阿富汗后，受到世界舆论的普遍谴责，陷入孤立。为摆脱这种局面，苏联领导人开始考虑调整外交政策，改善同中国的关系便是其调整的内容之一。

中美苏三角关系的变化是促使苏联改善同中国关系的因素。随着苏联扩张活动的加剧，美国对苏态度逐渐强硬起来。特别是里根上台后，指责过去政府对苏联的软弱和迁就，他重整军备，发誓要在军备竞赛中拖垮苏联，他在世界各地打击苏联势力，力图把苏联的触角顶回去，美国的强硬政策和攻势使苏难以招架。从中美关系方面看，自两国建交后，一方面加强了合作，形成共同抗苏的局面，对苏造成压力；另一方面两国之间的矛盾仍很尖锐，双方关系的发展并不顺利。因此，利用中苏矛盾，阻止中美联合，这是苏联希望同中国改善关系的一个主要考虑。

80年代初，中国在对外政策上进行了一些调整，改善与苏联的关系也是中国方面的需要。十一届三中全会后，中国把工作重点转到经济建设上，在外交方面逐步克服"左"的影响，更加实事求是。中国宣布执行独立自主的外交路线，不同任何超级大国结盟，不联合一方反对另一方，从而拉开了与美国的距离。中国还表示要发展与世界不同国家的关系，加强经济合作与交往，因此在对苏政策上也采取了一些灵活、主动的做法。中美在台湾问题上的僵持和里根上台之初对中国的强硬态度，加快了中国同苏联缓和关系的步子。

中苏关系的缓和开始于 1982 年。1982 年 3 月，勃列日涅夫在塔什干群众大会上发表讲话时，就中苏关系作出以下表态：1. 苏联不想干涉中国内政，不否认中国存在社会主义制度；2. 苏联从不支持"两个中国"的概念，完全承认中华人民共和国对台湾的主权；3. 苏联没有对中国进行任何威胁，也没有提出领土要求，准备在任何时候就边界问题进行谈判；4. 愿在不带任何先决条件的情况下，在不损害第三国利益的前提下协商改善关系的措施。此后，勃列日涅夫多次表示实现中苏关系正常化是一件非常重要的事，他愿为此而努力。塔什干讲话是苏联为改善同中国关系作出的明显姿态，中国对此也作出了反应。中国政府和领导人表示已注意到勃列日涅夫关于改善中苏关系的讲话，重申中国一贯主张在和平共处五项原则基础上同苏联发展正常关系，希望苏联拿出实际行动解除对中国的威胁，实现两国关系的正常化。

1982 年 10 月，中苏两国开始就关系正常化问题进行副外长级磋商。中方提出了实现中苏关系正常化的三大障碍问题，即苏联从中苏、中蒙边界撤军；放弃对越南入侵柬埔寨的支持；从阿富汗撤军。中国认为苏联在这三个方面对中国安全构成威胁，苏联必须消除这三大障碍，中苏关系才有改善的可能。苏联则认为中国提出的问题涉及第三方的利益，它坚持两国关系的改善以不损害第三国利益为前提，因此几任苏联领导人对消除三大障碍问题都没有作出明确表示。

从 1982 年起直到 1986 年，中苏关系虽然没有发生根本好转，但是两国关系已从过去的紧张对立转为缓和，两国领导人

要求改善关系的愿望也越来越强烈，并在实现关系正常化的道路上不断取得进展。这主要表现在两国高层领导人的接触和交往加强，两国间在政治、经济、贸易、科技及文化等领域的合作与交流更加广泛。

1982 年 11 月，中国外长黄华赴莫斯科参加勃列日涅夫葬礼并会见了苏联外长葛罗米柯，这是中苏外长近 20 年来的第一次接触。1984 年 2 月，中国副总理万里率中国政府代表团赴苏参加安德罗波夫葬礼，在此期间会见了苏部长会议第一副主席，实现了 1969 年后中苏政府领导人的首次接触。在这一年里，中苏两国外长也进行了多年来的第一次会晤，苏联部长会议第一副主席应邀访问了中国，并会见了赵紫阳总理。中苏双方还签订了经济技术合作协定、科学技术合作协定以及关于成立经济、贸易、科学合作委员会的协定。1982 年两国贸易额仅为 6 亿多瑞士法郎，1983 年上升为 16.64 亿瑞士法郎，1985 年已达到 46 亿瑞士法郎，可见这一时期两国贸易关系发展之快。此外，两国议会、工会恢复了交往，两国对外友协的来往和留学生的交换也开始恢复。

二

中苏关系正常化及其影响

1985 年 3 月，戈尔巴乔夫出任苏共中央总书记，他对苏联过去的内外政策进行了重新考虑，并着手调整。在对外政策上，他放弃了许多传统的观念和做法，开始推行其新思维。在 1986 年苏共二十七大报告中，戈尔巴乔夫指出对外政策要为国内建设服务，要为实现加速发展战略保证和平的国际环境。因此，戈尔巴乔夫上台后在改善同中国，尤其是同美国的关系

方面更加灵活、主动。

80年代中期以后,全球国际形势开始发生变化,美苏两个超级大国之间的对话加强,已显露出缓和的迹象。1985年底,美苏首脑在日内瓦举行了6年来的第一次会晤,两国在军备问题上的谈判也全面展开,1987年12月,里根与戈尔巴乔夫在华盛顿举行了第三次会晤,签订了关于销毁全部中程导弹的《中导条约》,这标志着美苏关系的缓和取得了重大进展。鉴于苏联内外政策的变化和国际形势的变化,鉴于美苏关系的缓和,中国对苏政策也更积极主动,希望能促使中苏关系早日实现正常化。

1986年7月28日戈尔巴乔夫在海参崴发表讲话时,表达了苏联对亚洲和中国政策的一些新内容,其中包括:苏联将在1986年底从阿富汗撤回6个团;苏联正同蒙古商讨从蒙撤出部分苏军的问题;同意按主航道划分中苏界河上的边界线;认为中苏关系非常重要,苏愿意在任何时刻、任何级别上同中国讨论建立睦邻友好关系的问题。中国对戈尔巴乔夫的讲话表示欢迎,但同时指出讲话内容距消除三大障碍还差很远,特别是在柬埔寨问题上。中国领导人希望苏联的步子再迈大些,并积极倡导举行两国高级会晤,1985年10月邓小平同志曾向苏领导人转达了他的意思,如果苏联能促使越南从柬撤军,他愿去莫斯科与戈尔巴乔夫会晤,此后他又多次提到这一倡议。

由于苏联在消除三大障碍,特别是在解决柬埔寨问题上没有做出积极响应,中苏高级会晤迟迟未实现,但双方都在朝这个方向努力。1987年1月苏联宣布将从蒙古撤回一个摩托化师和部分其他军队;2月中苏开始就边界问题进行第一轮谈判;1988年4月在关于政治解决阿富汗的

日内瓦协议中,苏联宣布将在9个月内从阿富汗全部撤军;8月中苏副外长就柬埔寨问题举行会晤,苏表示将尽快促使柬问题达成协议,并愿意开始筹划中苏最高级会晤。

1988年12月,中国外长钱其琛应邀对苏联进行了访问,1989年2月苏外长谢瓦尔德纳泽访华,在互访中两国领导人就柬埔寨问题交换了意见,并为中苏最高级会晤作了安排。1989年5月15日—18日,应中国国家主席杨尚昆邀请,苏联最高苏维埃主席团主席、苏共中央总书记戈尔巴乔夫对中国进行了正式访问,这标志着中苏两国、两党正常关系的恢复。

中苏关系正常化结束了世界两个主要国家30年的对立,正如5月18日中苏联合公报所指出的,这符合两国人民的利益和愿望,有助于世界的和平与稳定。中苏两国表示要在和平共处五项原则基础上发展双边关系,互不使用武力和武力威胁,双方还同意采取措施将边界地区的军事力量裁减到最低水平。这将使两国有一个和睦的边界,为各自国内的经济建设和改革创造一个较为和平稳定的国际环境。两国政治关系的正常化将推动两国间已经开始的经济、贸易、军事、科技等方面的合作与交流,使双方互通有无、取长补短,这对两国经济发展是有益的。中苏结束对立是对世界和平的一项重要贡献,在联合公报中双方表示要维护世界和平与发展,不谋求任何形式的霸权,要为解决全球性重大问题而努力。

新形势下中国与独联体各国的关系

中苏关系正常化后,苏联国内政局发

生了重大变化,1991年爱沙尼亚、拉脱维亚、立陶宛三个波罗的海国家宣布独立,此后,其他原联盟成员国也成为独立的主权国家,原来的那个苏联最终解体,除波罗的海三国和格鲁吉亚外,其他苏联加盟成员国于1991年12月成立了独立国家联合体。中国与苏联关系的恢复为后来中国在新形势下与俄罗斯、独联体及其他苏联地区发展正常关系开辟了道路。

苏联解体之前,在中苏关系正常化的推动下,两国在政治、经济、贸易、军事等领域的合作与交往已有了很大的发展。1990年4月,李鹏总理应苏联政府邀请对苏进行了正式访问,双方签订了《关于两国经济、科学技术长期合作发展纲要》、《关于两国在和平利用与研究宇宙空间方面进行合作的协定》、《关于在中国合作建设核电站和苏联向中国提供政府贷款的备忘录》及《关于在中苏边界地区相互裁减军事力量和加强军事领域信任的指导原则》等一系列协定。1991年5月,江泽民总书记应邀访苏,两国最高领导人进行了关系正常化后的第二次会晤,双方就朝鲜半岛形势、柬埔寨问题等重大国际问题交换了意见,并发表了《中苏联合公报》,对两国关系的发展表示满意。中苏边界谈判一直在进行,1991年5月签订了关于中苏国界东段协定。中苏贸易也在原有基础上继续向前发展,两国的协定贸易额1988年为40.9亿瑞士法郎,1990年为52.3亿瑞士法郎,两国的边境贸易和劳务合作十分活跃,在苏联的中国劳务人员达1.5万。

苏联解体后,中国很快承认了各独立国家,并派副外长出访了波罗的海三国和乌克兰、俄罗斯、白俄罗斯等国,表明中国将同苏联的各独立国家保持友好关系。1992年12月俄罗斯总统叶利钦对中国进行了短暂的访问,他同杨尚昆主席、江泽民总书记和李鹏总理就三十多个问题进行了讨论并在所有这些问题上都达成了协议,共签订了20余项有关经济、贸易、军事方面的合作文件。两国领导人发表了联合声明,声明共21条,主要包括以下内容:

1.双方相互视为友好国家,将按照联合国宪章和公认的国际法准则,按照和平共处五项原则发展睦邻友好关系;2.相互不使用武力和以武力相威胁,不参加任何针对对方的军事政治同盟,不同第三国缔结任何损害另一方的条约和协定;3.俄罗斯政府承认中华人民共和国政府是中国的唯一合法政府,台湾是中国领土不可分割的一部分,俄罗斯不同台湾建立官方关系和进行官方来往;4.双方将本着平等协商、互谅互让的精神,公正合理地解决边界问题,将把两国边界地区的军事力量裁减到两国新关系所允许的最低水平;5.要继续发展两国的友好关系,两国将在贸易、经济、金融、科技、教育、文化及军事等各个领域进行广泛的合作与交流;6.两国都不在亚太和世界其他地区谋求霸权,在任何情况下都不首先使用核武器。双方将在维护世界和平与安全、防止武装冲突、停止军备竞赛及反对国际恐怖主义等问题上进行磋商与合作;7.为加强相互信任和理解,双方商定保持各个级别的经常性的政治对话,包括高级对话,两国外交部应保持密切合作。

叶利钦总统的这次访问把两国关系推向了更高水平,中俄联合声明为今后两国各个领域关系的发展确立了基本原则。此后,所签订的各项合作文件逐步落实,中俄关系在此基础上进一步发展。

俄外长访华期间同中国外长进行了会谈,江泽民主席和李鹏总理也会见了他,双方对两国关系已取得的成就表示满意,希望这种关系继续保持并不断发展扩大。俄外长代表叶利钦总统再次邀请江泽民访俄,江泽民表示希望在适当的时候实现这一访问,李鹏总理也以个人的名义邀请俄总理切尔诺梅尔金访问中国。中俄两国外长还签署了关于中俄边境口岸协定和两国外交部磋商议定书。根据协定,双方确认在边界开放 21 对口岸。科济列夫表示希望两国今后能在大型经贸项目上开展合作,例如俄国愿意参加诸如三峡工程之类的项目,中国也对此表示欢迎。

中俄领导人对双方关系的重视表明,在新的世界格局中,保持和发展两国的友好关系是两国利益的需要。正如中国外长钱其琛与俄外长会谈时所说,中国是人口最多、经济正在蓬勃发展的发展中大国,俄罗斯是世界上幅员最为辽阔、工业技术基础相当雄厚且资源十分丰富的大国,两国既是邻国又都是安理会常任理事国,加强双边友好合作十分重要。

首先,中俄在经济上有相互合作的需要。两国的经济发展状况和产业结构具有互补性,且有地理上的便利,因此双方都将对方视为重要的贸易伙伴。苏联解体及东欧发生剧变之后,俄罗斯与美国、日本、西欧等发达国家的经济、贸易关系并没有得到很快的发展,俄国非常需要开拓中国市场。

除经济上的需要外,中俄两国在军事和安全战略上互有所求。和平解决边界争端、裁减边界地区的军事力量,这将为两国正在进行的政治、经济改革创造一个和平稳定的环境;俄国的先进武器及军事技术可帮助中国军队实现武器装备的更新和现代化;解决朝鲜半岛问题需要两国合作,俄罗斯要想加入亚太地区经济一体

化,要解决与日本的领土争端,中国的态度是不可忽视的。尽管中苏关系正常化时双方已说明两国不会发展到 50 年代那种结盟关系,但当中俄关系出现加强趋势时,仍有一些国家十分敏感,它们不愿看到中俄接近,不愿看到中国政治、经济、军事力量的强大,因此提出"中国威胁"论,认为中俄接近会威胁亚洲和世界的安全。美国还以中国从俄罗斯进口武器为借口,向台湾出售先进武器。这从另一角度说明,中俄关系的好坏对世界力量的平衡有着重大的意义。

中俄双方之间仍然存在矛盾和分歧,两国在政治制度、意识形态、发展道路等方面有差异,领土、边界纠纷尚待解决。但中俄双方认为存在差异是正常的,两国的共同利益远远超过分歧,有些分歧经过协商是可以解决的,有些分歧一时解决不了,也不会妨碍两国关系的正常发展。因此可以说,中俄关系有着极大的潜力和良好的前景。

20 世纪 80 年代中国与周边国家关系

新中国建立以来,中国政府积极支持周边新型民族国家反对殖民统治和争取民族独立的正义斗争。中国与部分新独立的周边国家从一开始便建立了睦邻友好的关系,并将这种传统一直保持下来。冷战期间,中国的周边外交经历了为打破帝国主义封锁而积极开展睦邻友好和与部分周边国家相互协调共同反对霸权主义两个阶段。改革开放以来,中国与所有

周边国家都建立和发展了友好合作关系。

一

中国与东南亚国家关系

中国政府推行改革开放政策的初期，东南亚便是中国周边外交的一个重要对象。东南亚次区域在两个方面对中国的改革开放具有十分重要的意义，即营造良好的周边环境和为国家改革开放打开重要窗口。

1. 中国与东盟国家关系的协调

在冷战期间的两极对抗格局中，东南亚部分国家为了维护自身利益，由印度尼西亚、菲律宾、泰国、马来西亚、新加坡五国于1967年8月成立了"东南亚国家联盟"，在世界上首次形成了一个次区域性的国际组织。东盟在其成立之初，试图在东西方两大对抗的军事集团之间保持某种程度的中立，同时对社会主义的中国抱有较大的疑虑，因而与中国关系冷淡，其成员国都未与中国建立外交关系。20世纪70年代前期中美关系实现解冻，中国正式恢复了在联合国的席位，美国最终从越南撤军。国际形势的变化促使东盟国家调整了对外政策，东盟与中国的关系开始从相互敌视逐步走向友好合作。70年代中期，中国先后与马来西亚、菲律宾和泰国正式建立外交关系。

改革开放以后，中国与东盟国家间关系得到了进一步发展。作为中国的邻居，东南亚国家在中国改革开放进程中具有重要的地位。就在开启中国改革开放帷幕的十一届三中全会前夕，邓小平同志继1978年10月访问日本后，又于11月先后访问泰国、马来西亚和新加坡。这是中国高级领导人首次访问东盟成员国。在访问中，邓小平同志一方面明确表明了对东盟国家和平中立政策的支持态度，从而增进了东盟国家对中国的信任；另一方面，邓小平同志也通过对这三个国家的经济建设成就的直接考察，获得了启示，更加坚定了推动改革开放的决心。

在整个20世纪80年代，中国与东盟国家之间是一种协调与合作的关系。鉴于中国与越南关系的紧张，中国将泰国视为前线国家，双方在反对地区霸权主义的问题上相互协调。1980年11月邓颖超副委员长、1981年1月中国政府总理赵紫阳、1985年3月国家主席李先念等国家领导人先后访问了泰国，同时几位泰国总理亦访问中国。双方就两国友好合作关系和共同关心的地区和国际问题进行了深入的交流。值得指出的是，两国在寻求柬埔寨问题的公平合理的政治解决方面观点一致。1988年11月，中国总理访问泰国期间，中方宣布了中国同东盟国家关系的四原则：在国家关系中严格遵守和平共处五项原则，坚持反对霸权主义，经济上平等互利与共同发展，国际事务中遵行独立自主、互相尊重、密切合作与相互支持。[①] 中国政府对东盟的尊重、反对霸权主义的共同立场和密切合作的精神，受到了东盟国家欢迎，为此后中国与东盟国家关系的全面发展奠定了良好的基础。

中国与马来西亚的关系发展也较为顺利。1979年5月侯赛因总理访华，1981年8月中国总理访问马来西亚，开启了两国领导人之间互访的进程。1985年11月，马来西亚的马哈蒂尔总理来华访问，邓小平在会见中指出，中国很重视与亚太

---

① 中华人民共和国外交部外交史编辑室主编：《中国外交概览，1989》，世界知识出版社，1989年版，第59页。

地区国家,特别是东盟国家发展友好关系。而中国和马来西亚两国的最大共同点就是,两国都是发展中国家,都需要发展自己,这就要求两国加强相互了解和合作。① 两国领导人就扩大双边贸易和进行多种形式的经济合作达成了广泛的共识。

中国与菲律宾关系保持平稳发展。1986 年初菲律宾政局发生变化,马科斯的强人政治结束。菲律宾新政府十分重视保持与中国的良好关系。6 月菲律宾新政府即派出副总统兼外长劳雷尔访华,10 月田纪云副总理访问菲律宾。两国领导人对进一步发展双方关系达成了共识。值得指出的是,因 1987 年初菲律宾副总统兼外长劳雷尔访问台湾,而使两国关系出现挫折时,菲律宾政府于年底很快纠正了偏差,由其总统于 12 月发布命令,禁止菲律宾合纵府官员访问台湾和接见访菲的台湾官员,任何同台湾有关的官方活动,在未获菲律宾外交部许可之前不准进行。② 中菲关系很快回到正常轨道上来。1988 年 4 月,菲律宾总统阿基诺来华进行国事访问,两国领导人一致决定发展全面、协调、富有活力的友好合作关系。中菲关系在政治互访、经贸合作和文化交流方面,都有长足的发展。

中国与新加坡之间由于历史和现实的原因没有直接建立外交关系,但两国间领导人的互访不断,交流与合作关系发展迅速。1978 年邓小平副总理对新加坡的访问,开启了改革开放后中新两国经济密切合作的帷幕。1980 年 6 月,中新两国就互设官方贸易代表机构——商务代表处

达成协议,规定商代处享受必要的外交特权和豁免权,兼办签证业务。③ 1981 年 8 月,中国政府总理对新加坡进行了友好访问。而新加坡的李光耀总理也数度访问中国。中国领导人对新加坡的访问为初期中国改革开放的探索打开了一扇窗户,因为同是新近独立的亚洲发展中国家,经济发展较为成功的新加坡既给改革开放前期的中国带来了一些有效的经验,也通过直接参与而促进了中国经济的发展。

中国和印度尼西亚之间自 1967 年断交以后,双方长期没有交往。随着中国与其他东盟国家友好合作关系的发展,印尼对中国政府内外政策的原有看法逐渐改变。进入 80 年代,两国开始交往,双方关系开始松动。1980 年 4 月,中国派代表团出席了在雅加达举行的亚非法律工作者协商委员会会议,代表团受到苏哈托总统的接见。1985 年 4 月,中国外交部长吴学谦率代表团赴印尼参加万隆会议 30 周年纪念活动。这是中国与印尼断交 18 年来,第一个赴印尼的中国政府高级代表团。在印尼期间,吴学谦外长和穆赫塔尔·库苏阿马查外长就恢复两国直接贸易等共同关心的问题交换了意见。同年 7 月 5 日,印尼最大的全国性商会组织——印尼工商会主席苏坎达尼同中国贸促会主任王耀庭在新加坡正式签署了两国直接贸易的谅解备忘录,这标志着两国贸易关系进入一个新阶段。④ 1987 年 6 月,中国贸促会会长贾石访问了印尼,并率团参加了在印尼举办的第二十届雅加达国际博览会。这是两国关系中断 20 年后中国

———————————

①　中华人民共和国外交部外交史编辑室主编:《中国外交概览,1987》,世界知识出版社,1987 年版,第 67 页。
②　中华人民共和国外交部外交史编辑室主编:《中国外交概览,1988》,世界知识出版社,1988 年版,第 78 页。
③　中华人民共和国外交部外交史编辑室主编:《中国外交概览,1987》,世界知识出版社,1987 年版,第 70 页。
④　田曾佩主编:《改革开放以来的中国外交》,世界知识出版社,1993 年版,第 46—47 页。

第一次参展。① 两国直接贸易恢复后,经贸往来迅速增加,促进了两国关系的进一步发展,双方都明确表明了恢复两国外交关系的愿望,为两国关系正常化创造了条件。

80 年代中国与东盟国家发展友好合作关系主要着眼于两个方面。第一,营造周边稳定和平的安全环境。中国一方面通过明确支持东盟国家共同提出的建立东南亚和平、自由、中立区的积极主张,将东南亚从东西方冷战对抗框架中剥离出来;另一方面通过高度评价东盟国家支持民主柬埔寨联合政府和人民反抗外来侵略的正义立场,在解决地区热点问题上进行密切的协调,为消除印度支那半岛所存在的冲突创造条件。② 第二,通过经济合作为中国改革开放的顺利进行开拓渠道。中国与东盟各国的经贸关系快速发展,文化交流也十分频繁,从而为中国南方的先行改革开放的珠三角区域营造了良好的周边环境。总之,改革开放以来,中国通过与东盟国家关系的相互协调,为中国周边环境的安全稳定开拓了一片天地。

2. 与印度支那半岛国家间关系

在东西方冷战对抗和中国"三个世界"划分的战略背景下,改革开放初期中国与印度支那半岛国家间的关系较为复杂。中国与越南在相当一段时间中处于对立状态,与老挝关系冷淡,与遭受越南侵略的柬埔寨抵抗运动保持密切合作,而与缅甸的传统友好关系则得到了发展。

中越两国山水相连,唇齿相依。两国人民在长期的争取民族解放和社会主义建设中互相支持,结下了深厚友谊。在越南独立和抗美救国战争中,中国给予了大力援助。但 1975 年越南实现统一之后,越南当时的领导人试图追求"大印度支那联邦"的梦想。1978 年 12 月底,越南出兵大举入侵柬埔寨,同时排斥驱赶华人华侨,致使中越关系恶化,最终导致了"西南战事"。此后,由于越南长期侵占柬埔寨,致使柬埔寨问题成为中越关系正常发展的关键障碍。

自 1982 年起,随着中国对外战略的调整,以及苏联不断表示改善中苏关系的愿望,中苏关系开始缓和。但中国将苏联停止支持越南侵略柬埔寨,越南军队从柬撤军作为实现关系正常化的三大障碍之一,这在客观上给越南方面施加了压力。80 年代中期开始,越南处于国内经济落后,国际处境孤立的状态中,特别是由于苏联调整对外政策,逐步减少对越南的援助,并且为卸下包袱而在撤军方面向越南施压。对于中国来说,越南是中国的重要邻国,而中越边境长期不得安宁,影响了中国的经济建设。在中国外交战略调整的大背景下,中国把稳定周边作为外交工作的主要任务,中越关系正常化便成为一种政策选择。

在客观条件改善的情况下,中越双方的政策都在逐渐发生变化。1986 年 7 月,越共中央总书记黎笋去世,中国全国人大常委会和对外友协分别致电表示哀悼。12 月,在越共第六次全国代表大会上,阮文灵当选为总书记。越南新领导人总结经验教训,开始调整内外政策,着手寻求政治解决柬埔寨问题的途径。③ 他提出外交新方针,要摆脱在国际上孤立的处境,同所有国家成为朋友,并表示要逐步从柬

① 中华人民共和国外交部外交史编辑室主编:《中国外交概览,1988》,世界知识出版社,1988 年版,第 79 页。
② 钱其琛:《外交十记》,世界知识出版社,2003 年版,第 118 页。
③ 同上,第 49 页。

埔寨撤军。越共六大文件也不再攻击中国,而表示随时准备通过谈判来解决越中关系方面的问题,实现关系正常化,恢复两国之间的友谊。1988 年,越南五中全会决定删除党章和宪法中反华的内容,肯定中国过去对越南的支持和援助,并采取了一系列措施来改善对华关系。① 1988 年,尽管两国之间没有往来,但都通过互发唁电以对逝世的老一代领导人表示哀悼的方式,间接地反映了两国建立关系的信号。1989 年 1 月 6 日,越南方面宣布将从柬埔寨全部撤军。1 月 16 日—20 日,中越两国副外长在北京就政治解决柬埔寨问题举行第一轮磋商。10 月,老挝领导人凯山·丰威汉访华,凯山向邓小平转达了阮文灵的问候,邓小平表示,越南提出同中国实现关系正常化,条件有一个,就是越南必须干干净净、彻彻底底从柬埔寨撤军。② 1990 年 6 月和 8 月,阮文灵两次会见中国驻越南大使张维德,阐述了他对解决柬埔寨问题的主张和对苏联形势的看法,他再次要求访问中国,同邓小平和中国新一代领导人进行会谈,以恢复两国和两党的正常关系。中国领导人研究了阮文灵的建议,决定邀请越共中央总书记阮文灵、越南部长会议主席杜梅和越共中央顾问范文同来华进行会晤。1990 年 8 月 28 日,李鹏总理在七届人大常委会第十五次会议的讲话中表示:"越南是中国的邻国,随着哈柬问题的公正合理的政治解决,中国愿意同越南讨论关系正常化问题。"越南领导人很快作出了积极反应。9 月 3 日,阮文灵、杜梅、范文同等人到达成都金牛宾馆,与江泽民、李鹏等进行秘密

会晤。江泽民提出实现两国关系正常化的几项原则建议:中越关系应以和平共处五项原则为基础进行恢复和发展;两国领土争议一时难以解决,待两国关系正常化之后通过谈判来和平解决;为了避免发生军事冲突,中越双方在边境地区的部队应当减少或完全撤出,解除军事对峙,停止武装活动;两国边境贸易已兴旺起来,但尚未建立起正常的秩序,双方需要讨论和建立两国边境管理体制,恢复边境正常贸易。③ 在柬埔寨问题上,越方承诺全部撤军,愿意接受联合国对越南撤军的监督与核查。中越双方都赞成安理会五个常任理事国的框架文件,并同意共同努力,推动柬埔寨有关各方也接受这些文件,以推动全面解决柬埔寨问题的进程。④ 这年 9 月,中国举办第十一届亚运会。越南部长议会副主席武元甲作为中国政府的特邀嘉宾,来华参加亚运会开幕式及有关活动,中国领导人与之举行了会谈,预示着两国关系将掀开新的一页。

中国和老挝关系因受中越关系的影响,相对较为冷淡。1980 年 7 月和 8 月,两国大使先后返国,仅有临时代办支持馆务,双方关系处于不正常状态。1986 年 4 月,中国国务委员兼外长吴学谦致电老挝部长议会副主席兼外长,祝贺两国建交 25 周年,希望两国友好合作能早日得到恢复和发展。同年老挝国庆时,中国国家主席、人大常委会委员长和国务院总理联名致电老挝,表示真诚希望两国关系得到改善,并在和平共处五项原则基础上得到巩固和发展。12 月 20 日—25 日,中国外交

①　王泰平主编:《新中国外交 50 年》(上册),北京出版社,1999 年 9 月版,第 278 页。
②　中华人民共和国外交部外交史编辑室主编:《中国外交概览,1990》,世界知识出版社,1990 年版,第 50 页。
③　王泰平主编:《新中国外交 50 年》(上册),北京出版社,1999 年版,第 281 页。
④　钱其琛:《外交十记》,世界知识出版社,2003 年版,第 62—63 页。

部副部长刘述卿应邀访问老挝,就改善两国关系与老挝副外长举行会谈。这是自1979年以来两国首次举行高级官员的会晤。① 1987年11月,老挝副外长坎派·布法访华,在与中国副外长会谈后,双方同意恢复互派大使,并于次年6月两国大使到任。中老两国关系得到了改善。1989年10月,应中国政府邀请,老挝部长议会主席凯山·丰威汉对中国进行正式友好访问,中央军委主席邓小平、中共中央总书记江泽民和国家主席杨尚昆分别会见。中国总理李鹏通过与之会谈,双方签署了领事条约、互免签证协议、关于处理两国边境事务的临时协定和文化协定。1990年12月,中国政府总理李鹏应邀访问老挝,这是中国政府首脑首次访老。双方领导人在会谈中一致认为,两国人民的友好关系以及两国之间的全面合作将进入一个新的发展阶段。② 1991年10月,两国签订边界条约。③ 几年间,还签订了一系列文化协定和经济技术合作协定等。④ 至此,两国关系得到了全面恢复和发展。

80年代中国站在民主柬埔寨联合政府一边,坚决支持民主柬埔寨抵抗越南地区霸权主义的入侵行为。以西哈努克亲王为团长、宋双总理和乔森潘副主席为副团长的民主柬埔寨代表团到中国进行正式友好访问。1986年3月,民主柬埔寨在北京举行内阁会议,发表了该政府关于政治解决柬埔寨问题的八点建议,从而为最终解决这一热点问题确定了基调。中国

政府对这一正义立场表示了明确的支持。1998年7月,中国外交部发表声明,明确指出,解决柬埔寨问题的关键是越南必须尽早从柬埔寨全部撤军,让柬埔寨人民在没有外来干涉的情况下自己决定自己的命运。声明还提出了具体建议,并表示中国将与其他国家一道,对柬埔寨的独立、中立和不结盟地位作出国际保证。⑤ 1989年7月,中国外长钱其琛出席了在巴黎召开的柬埔寨问题国际会议,再次就柬埔寨问题的实质和解决办法阐明了中国政府的立场和看法。中国领导人还多次会见到访的民主柬埔寨联合政府领导人。中央军委主席邓小平在天安门城楼的国庆仪式上向西哈努克亲王表示:"我们支持你们实现真正的独立自主,是真独立,而不是假独立。"⑥中国与柬埔寨关系转化为正常的国家间关系。至此,作为联合国安理会五个常任理事国之一的中国,为全面、公正、合理地政治解决柬埔寨问题作出了自己积极而有效的努力。1990年3月,民主柬埔寨驻华使馆照会中国外交部,正式将其国名改为柬埔寨,其政府改为柬埔寨民族政府。

缅甸是中国的东南亚周边邻国中与中国关系最稳定的国家,两国自1950年建交以来,一直保持着友好合作的情谊,两国曾经一起在国际社会倡导"和平共处五项原则"。中国改革开放以来,双方传统友好关系得以继续保持和发展。70年代末和80年代,邓小平、邓颖超、李先念

---

① 中华人民共和国外交部外交史编辑室主编:《中国外交概览,1987》,世界知识出版社,1987年版,第58页。
② 中华人民共和国外交部外交史编辑室主编:《中国外交概览,1991》,世界知识出版社1991年版,第52页。
③ 中华人民共和国外交部外交史编辑室主编:《中国外交概览,1992》,世界知识出版社,1992年版,第53页。
④ 谢益显主编:《中国外交史 中华人民共和国时期(1979—1994)》,1995年7月版,第254—255页。
⑤ 中华人民共和国外交部外交史编辑室主编:《中国外交概览,1989》,世界知识出版社,1989年版,第31页。
⑥ 中华人民共和国外交部外交史编辑室主编:《中国外交概览,1990》,世界知识出版社,1990年版,第54—55页。

等党和国家领导人先后访问了缅甸,缅方领导人也来华访问。尽管 80 年代末缅甸内部发生了政局变化,但两国政府与人民的友好合作关系继续得到保持。

总之,改革开放前期中国与东南亚大多数国家建立和发展了友好合作关系,为中国营造了一个良好的周边环境,从而使中国政府和人民能够更好地进行国内经济建设。

二

中朝友好关系的发展

1. 改革开放初期中朝友好关系

新中国建立后,朝鲜成为最早与中国建交的友好国家之一。在抗美援朝战争中,中朝两国人民用鲜血铸成了深厚的友谊。朝鲜战争结束后,中国继续在政治、军事和经济上给予朝鲜巨大的支持。在中国人民志愿军留驻朝鲜期间,大力帮助朝鲜人民医治战争创伤,并在自身能力有限、物资紧缺的情况下抽调大批人力、物力和财力支援朝鲜的国家重建。中朝两国还签订了一些经济合作及科技与文化交流协定,在广度和深度上强化了两国之间的联系与交往,促进了两国间友好关系的发展。1961 年 7 月 11 日,《中朝友好合作互助条约》签订,规范了双方更加紧密的合作关系。几十年来,中国与朝鲜保持着友好和总体稳定的合作关系,彼此之间深厚的传统友谊以及双方维持睦邻友好关系的愿望,使得中朝关系比较成功地经受住了几十年风风雨雨的考验。

改革开放以后,中国与朝鲜继续保持密切的友好合作关系。1978 年 9 月 9 日,

是朝鲜国庆 30 周年。时任中共中央副主席、国务院副总理的邓小平于 1978 年 9 月 8 日至 13 日,亲自率领中国党政代表团前往平壤祝贺。金日成同邓小平举行了会晤,双方就国际局势交换了意见。进入 80 年代,中国政府一直非常关注和重视中朝关系的发展,双方领导人保持经常性互访,对双边关系和共同关心的国际问题进行密切的交流和协调。1982 年 4 月,邓小平和胡耀邦访问朝鲜,与金日成举行了会谈。这是邓小平同志最后一次出国访问。此后不久,胡耀邦同志又于 1984 年 5 月和 1985 年 5 月两次访问朝鲜,两次访问间隔时间短,体现了他对中朝关系的高度重视。此外,中共中央总书记、人大常委会委员长和国务院总理等党和国家领导人也频繁访问朝鲜,体现了中国党和政府对中朝关系的高度重视。1986 年 10 月 3 日—6 日,李先念主席应金日成主席的邀请,对朝鲜进行正式友好访问。两国领导人在会谈中高度评价了两党和两国人民之间以鲜血凝成的传统的友好关系。李先念主席向金日成主席介绍了中共第十二届六中全会的情况,并表示坚决支持朝鲜人民自主和平统一祖国的斗争;金日成主席介绍了朝鲜国内的经济情况和第三个七年计划的主要任务,以及朝鲜半岛的形势。两国领导人确信中朝友好关系必将一代一代地传下去。[①] 1988 年 9 月 7 日—11 日,中共中央政治局委员、国家主席杨尚昆应朝鲜劳动党中央委员会总书记、国家主席金日成的邀请,率中国党政代表团参加朝鲜民主主义人民共和国建国 40 周年庆祝活动,并对朝鲜进行友好访问。金日成主席会晤了杨尚昆主席,并进行了会谈。杨尚昆主席介绍了中国的

---

① 中华人民共和国外交部外交史编辑室编:《中国外交概览:1987》,世界知识出版社,1987 年版,第 46 页。

经济形势和深化改革开放的有关情况,金日成主席通报了朝鲜国内建设情况和朝鲜统一的有关问题。两位领导人还就双边关系、朝鲜半岛局势和共同关心的国际问题交换了意见,并取得了一致看法。① 特别值得一提的是,1990 年 3 月 14 日至 16 日,中共中央总书记江泽民对朝鲜进行了友好访问。这是江泽民担任中共中央总书记以来第一次出国访问,由此可见中朝关系在中国对外关系中举足轻重的地位。访问期间,江泽民总书记与金日成主席举行会谈。双方对中朝之间良好关系的发展感到满意,并表示要继续不断地巩固和发展这种友好合作关系。②

在朝鲜方面,作为朝鲜党和国家最高领导人的金日成在 80 年代分别在 1982 年、1984 年、1987 年、1989 年、1990 年多次访华,受到中国最高领导人的多次会见,在中朝两国的最高层面保持了极为通畅的交流渠道,对中朝关系的健康平稳发展打下了坚实的基础。1987 年 5 月 21 日—25 日,朝鲜劳动党中央委员会总书记、国家主席金日成应邀再次对中国进行正式友好访问。邓小平、李先念、邓颖超分别会晤了金日成。中国领导人向金日成介绍了中国的政治经济情况、政治体制改革的设想和中共第十三次代表大会的准备情况。金日成着重介绍了朝鲜社会主义建设情况,特别是朝鲜发展国民经济第三个七年计划的目标和进展情况。双方还就朝鲜半岛形势和共同关心的国际问题交换了意见,并就讨论的问题取得了一致看法。③ 应中共中央邀请,金日成于 1989 年 11 月 5 日—7 日又一次对中国进行了非正式访问。邓小平、江泽民总书记分别与金日成举行了会谈。杨尚昆、李鹏、邓颖超等分别会晤了金日成。在一系列会晤和会谈中,双方各自通报了国内情况,并就进一步发展中朝两党、两国之间的友好关系和国际形势等共同关心的问题交换了意见,取得了一致看法。中方对朝鲜劳动党、政府和朝鲜人民为争取祖国自主和平统一、缓和朝鲜半岛局势而进行的斗争表示坚决支持,朝方对中国共产党和中国人民坚持四项基本原则、坚持改革开放,为建设具有中国特色的社会主义而进行的斗争表示坚决的支持。双方对中朝之间的良好关系感到满意,并表示要继续不断地巩固和发展这种友好合作关系。④ 朝鲜党和国家领导层的核心成员李钟玉也于 1981 年、1986 年 7 月、1989 年 9 月、1990 年 9 月多次访问中国,其他朝鲜高级领导人如姜成山(1984 年)、金永南(1984 年、1988 年 11 月、1990 年 4 月)、李根模(1987 年 11 月)、金福信(1988 年 5 月)等也相继访问中国,从一个侧面体现了朝鲜党和政府对中朝关系的高度重视,通过访问,使得中朝双边关系得到进一步加强。

政治的高度互信和频繁互动也带动了经贸、科技、文化、军事等全方位的交流合作,取得了积极的成果。自 1953 年两国政府签订第一个经济文化合作协定以来,两国间的经济合作和贸易不断发展。1986 年 9 月 8 日两国在北京签订了 1987—1991 年长期贸易协定。根据这个协定,中国将向朝鲜提供炼焦煤、石膏、原

① 中华人民共和国外交部外交史编辑室编:《中国外交概览:1989》,世界知识出版社,1989 年版,第 39 页。
② 中华人民共和国外交部外交史编辑室编:《中国外交概览:1991》,世界知识出版社,1991 年版,第 38 页。
③ 中华人民共和国外交部外交史编辑室编:《中国外交概览:1988》,世界知识出版社,1988 年版,第 51—52 页。
④ 中华人民共和国外交部外交史编辑室编:《中国外交概览:1990》,世界知识出版社,1990 年版,第 37 页。

油等,朝鲜向中国供应无烟煤、水泥、钢板等货物。① 1987 年中国同朝鲜的进出口商品总额为 5.13 亿美元②,1988 年为 5.7902 亿美元③,1989 年为 5.6272 亿美元。④ 1990 年 11 月,中朝双方签署新的《中国政府向朝鲜政府提供经济援助的协定》,为下一个十年两国经济合作确定了具体的领域。⑤ 显然,改革开放初期中国与朝鲜间的友好合作关系继续得到发展,中国为朝鲜社会经济的发展提供了积极的支持。

起伏的中印关系

　　居于南亚次大陆中心的印度幅员广阔、人口众多、发展潜力巨大,是中国最重要的周边国家之一。中印两国都是具有悠久历史的文明古国,又是亚洲乃至世界上最大的发展中国家,两国自古以来一直保持着友好交往的历史。新中国成立以来,中印关系走过了一段坎坷曲折的不平之路。20 世纪 50 年代中国和印度之间关系比较友好,主要是由于两国间存在着反对外来干涉,维护自身独立的共同利益。虽然这一时期两国的主流是友好,但潜藏在两国关系中的暗流与矛盾一直存在,反映到具体问题上就是西藏问题和边界问题。直到今天,这两个问题依然是横亘在中印之间的难解之结。1959 年后,中印关系急剧恶化,甚至在 1962 年爆发了战争。

此后长达 30 年的时间里,双方关系一直处于长期的僵冷状态。改革开放以来,中国政府很重视中印关系,称两国关系是中国周边对外关系中的重要一环。

　　1. 80 年代中印关系的改善

　　中国政府开始推行改革开放政策以来,需要在周边营造一个良好的国际环境,中印之间相互对立的关系,不符合两国人民的利益。70 年代中美关系改善、中国恢复在联合国的席位,特别是 1975 年中国与孟加拉国正式建立外交关系,形成了调整中印关系的良好国际环境,中印关系逐步朝着缓和的方向发展。

　　1976 年两国恢复了互派大使。1979 年时任印度外长的瓦吉帕伊访华,双方讨论了缓和两国紧张关系的问题。1980 年 5 月,中印两国总理在贝尔格莱德参加铁托总统葬礼时进行了会晤,双方都表示要共同努力改善两国关系,发展友好合作。1981 年 6 月,黄华副总理兼外长访问印度。这是自 1960 年以来第一位中国政府领导人访印。中印两国外长在友好的气氛中就国际和双边问题举行了广泛、深入、坦率的会谈。双方一致认为,通过友好、诚挚的会谈,可以使彼此更加了解,缩小分歧,增加共同点。双方还就边界问题在内的双边问题交换了意见,认为边界问题不应成为进一步发展两国关系的障碍。中印两国关系发展的前景是光明的,领域是广阔的。双方达成了就边界问题和双边关系进行官员级会谈的谅解。中国同

①　中华人民共和国外交部外交史编辑室编:《中国外交概览:1987》,世界知识出版社,1987 年版,第 47 页。
②　中华人民共和国外交部外交史编辑室编:《中国外交概览:1988》,世界知识出版社,1988 年版,第 53 页。
③　中华人民共和国外交部外交史编辑室编:《中国外交概览:1989》,世界知识出版社,1989 年版,第 40 页。
④　中华人民共和国外交部外交史编辑室编:《中国外交概览:1990》,世界知识出版社,1990 年版,第 38 页。
⑤　"李鹏同延亨默亲切话别——中国向朝鲜提供经济援助协定签字",《人民日报》1990 年 11 月 28 日;中华人民共和国外交部外交史编辑室编:《中国外交概览:1991》,世界知识出版社,1991 年版,第 39 页;田曾佩主编:《改革开放以来的中国外交》,世界知识出版社,1993 年 10 月第 1 版,第 23 页。

意印度香客到西藏神山圣湖（冈底斯山和玛法木措湖）朝圣。印度总统雷迪、副总统希达亚图拉以及英·甘地总理分别会见了黄华。① 12月10日—14日，中国与印度就边界问题举行首轮会谈。1984年11月，中国政府特使姚依林副总理赴印参加英·甘地夫人的葬礼，会见印总统宰尔·辛格和总理拉·甘地，双方均表示了进一步改善和发展两国关系的愿望。自1977年两国恢复直接贸易后，1984年双方签订了新的贸易协定，两国的科技文化交流也开始进行。这样，冰冻了30年的中印紧张关系得到了缓和。

1985年10月，中印两国总理在纽约出席联合国大会期间再次举行会晤。双方均表示要改善中印关系，发展两国友好。② 1987年6月，印度外长蒂瓦里顺道访问中国，与刘述卿副外长举行了会谈。蒂瓦里外长转达了拉·甘地总理给中国政府的口信：印度希望恢复和重建两国的友好关系。双方应消除过去的误解和怀疑，以便找到两国关系的新开端。刘述卿副外长表示，中国珍视同印度人民的传统友谊，中国政府重视同印度改善和发展关系。双方讨论了两国边界问题。万里代总理会见了蒂瓦里外长一行。③ 1988年7月，全国人大常委会委员长万里会见了出国访问途经北京的印度人民院议长巴·拉姆·贾卡尔。万里委员长表示，中国真诚希望在中印两国共同倡导的"和平共处五项原则"的基础上，发展同印度的睦邻友好关系，两国没有理由不友好相处；中印边界问题是历史遗留下来的复杂问题，

只要双方本着互谅互让的精神，耐心地进行友好协商，这一问题是不难得到解决的；在积极寻求解决边界问题的同时，双方应努力发展其他领域的关系，并维护边境地区的和平与安宁。贾卡尔议长说，只要两国都有在和平共处五项原则基础上发展关系和解决边界问题的意愿，印中边界问题是会逐步得到解决的。④

1988年12月，拉吉夫·甘地总理应李鹏总理的邀请对中国进行了正式访问。这是1954年后34年来第一位印度总理来访，是两国关系史上具有历史意义的事件。在拉·甘地访华的5天当中，邓小平、杨尚昆等党和国家领导人与他进行了会晤。他与李鹏总理进行了4次友好而坦率的会谈。两国领导人在会谈中一致认为，在和平共处五项原则基础上恢复、改善和发展中印睦邻友好关系是双方的共同愿望，不仅符合两国人民的根本利益，而且对亚洲和世界的和平与稳定也将产生积极影响。双方同意通过友好和平方式协商解决边界问题，同时努力发展其他方面的关系。⑤ 访问结束发表的联合新闻公报一致认为，和平共处五项原则应当成为国际关系和建立国际政治经济新秩序的基本指导原则；在此基础上恢复、改善和发展中印睦邻友好关系是中印双方的共同愿望，它不仅符合中印两国人民的根本利益，对亚洲和世界的和平与稳定也将产生积极影响。中印双方决定建立边界问题联合工作小组，负责谋求解决这一历史遗留问题和维护边界实际控制线两侧地区的和平与安宁。双方同意在边界

① 《新华月报》，1981年第7号，第175页。
② 《新华月报》，1985年第10号，第174页。
③ 中华人民共和国外交部外交史编辑室编：《中国外交概览，1988》，世界知识出版社，1988年版，第90页。
④ 田曾佩：《改革开放以来的中国外交》，世界知识出版社，1993年版，第103页。
⑤ 中华人民共和国外交部外交史编辑室编：《中国外交概览，1989》，世界知识出版社，1989年版，第82页。

问题解决之前,共同维护实控线地区的和平与安宁,同时努力改善和发展双边关系。两国政府决定成立经贸、科技联合小组,还签署了科技和民航合作协定。① 次年 6 月,中印边界联合工作小组首轮会谈和副外长级磋商正式举行,这是进一步建立和促进互相信任的很重要的一种机制。②

中印两国经过近十年的努力,随着拉·甘地的访华翻开了中印友好合作的新篇章,而两国副外长磋商开启了双方就和平解决敏感的边界问题稳定的对话与协商的机制。这为此后 10 年内中印关系的新发展开辟了道路。

四

中国与巴基斯坦关系

巴基斯坦是最早承认中华人民共和国的国家之一。1951 年 5 月 21 日,中巴两国正式建立外交关系。建交以来,两国在和平共处五项原则的基础上发展睦邻友好和互利合作关系,进展顺利。中巴建交初期,由于巴基斯坦是西方阵营的盟国,与我国关系较为冷淡。两国间交往较少,仅保持一般关系。1957 至 1969 年是中巴关系史上十分重要的阶段,这期间两国关系发生了历史性转变,巴基斯坦从对华敌视国家变为对华友好国家,揭开了中巴关系的新篇章。70 年代初,巴基斯坦曾

为中美关系的改善和中国恢复联合国代表席位发挥了积极作用,同时双方还在反对霸权主义方面相互支持和协调。

改革开放以来,中巴关系稳定发展。在整个 80 年代,中巴两国领导人互访频繁,两国政府和人民间的友好合作不断加深。中国国家主席、政府总理先后数次访问巴基斯坦,而每一届巴基斯坦总统和总理也都会来华访问。1987 年 6 月,中国总理在访问巴基斯坦期间曾明确表示,"中巴睦邻友好关系已成为建立在和平共处五项原则基础上的国家关系的典范"。③ 1989 年 2 月,巴基斯坦总理贝·布托访华时,邓小平同志强调指出,中巴两国间相互尊重、平等相待、无任何疙瘩。贝·布托则表示,两国关系是建立在相互信任基础上的,是以多方面的发展与合作为特点的,双方间的友谊是巴基斯坦对外关系的基石。④ 除了两国领导人经常性互访之外,两国外交部门之间就两国关系和重大国际问题保持着经常性的磋商,表现了双方友好合作关系始终保持在一个很高的程度。

进入 90 年代以来,世界形势发生剧变,但经受了时间考验的中巴友好合作关系却未受到国际风云变幻的影响,继续向前发展,两国领导人之间仍然保持着经常性的互访。1990 年 5 月,万里委员长访巴。同年 9 月,巴基斯坦总统伊沙克·汗访华,并作为主宾参加第 11 届亚运会开幕式。

---

① 赵蔚文:《印中关系风云录》,时事出版社,2000 年版,第 306—312 页。
② 谢益显主编:《中国外交史,1979—1994》,河南人民出版社,1995 年版,第 125—128 页。
③ 中华人民共和国外交部外交史编辑室编:《中国外交概览,1988》,世界知识出版社,1988 年版,第 80 页。
④ 中华人民共和国外交部外交史编辑室编:《中国外交概览,1990》,世界知识出版社,1990 年版,第 68 页。

海峡两岸关系的发展

实现中国的统一,并进而将中国建设成为繁荣、富强的国家,是一百多年来中国人民为之奋斗的目标。1949 年中华人民共和国的成立使中国大陆基本获得统一,并因此为恢复国民经济和进行大规模的现代化建设提供了必要的前提条件。

然而,由于历史原因而形成的香港、澳门问题尚未能解决;退踞台湾的蒋介石集团尚准备以此为基地,维持所谓"法统",以待时机恢复其在大陆的统治。在这种历史条件下,中国共产党人和各界爱国人士在探索适合本国经济建设道路的同时,也着手探索如何解决中国统一问题的途径。经过长期不懈的努力,最终形成了"一国两制"的科学构想。

去台湾后的国民党,面对美国、大陆和岛内形势的发展变化,也在不断调整其对大陆的方针、政策与做法。在历经军事反攻、冷战对峙政策之后,国民党当局面对大陆"和平统一,一国两制"构想的提出与实施,由消极反对到酝酿变化,并最终开始有限度地开放两岸交流。

随着两岸经贸、科技、文化交流的开展,海峡两岸增进了相互了解,并在这一了解过程中积累了一定的经验。同时,双方对于两岸关系发展所产生的一系列在法令和管理制度上的困扰,也都感觉到了必须解决的紧迫性。尽管由于台湾政局的关系,海峡两岸在直接"三通"和政治接触问题上出现突破的可能性仍然不大,但两岸关系互动的节奏在继续加快,民间的经贸、科技和文化交流在进一步加强,而这一切无疑将为海峡两岸走向统一奠定坚实的基础。

一

海峡两岸关系的回顾

早在中国人民解放军取得决定性胜利的 1949 年春天,毛泽东即号召中国人民"宜将剩勇追穷寇,不可沽名学霸王",将中国革命进行到底。为此,新中国成立后,中国人民解放军继续向东南、华南、西南追歼国民党残敌。中国人民解放军第三野战军第十兵团继 1949 年 10 月 17 日解放福州、厦门后,又于 10 月 25 日打响了金门战役,准备一鼓作气解放台湾,但这次战役遭到了失败。中共中央在总结这次战役所提供的经验、教训的同时,提出了肃清中国境内一切残余敌人,解放台湾、西藏、海南岛,完成统一全中国的任务。

1950 年 5 月,中国人民解放军解放了海南岛和舟山群岛。同年 6 月,部队在东南沿海一带集结完毕,准备渡海作战,解放台湾。与此同时,中共中央为减少战争给人民造成的损失,于同年 3 月批准了张治中为争取和平解放台湾所进行的工作。6 月 1 日,蒋经国的秘密使者李次白悄然返回大陆准备谈判。然而,6 月 25 日,美国发动了侵朝战争。6 月 27 日,美国总统杜鲁门声明"台湾未来地位的决定必须等待太平洋安全的恢复,对日和约的签订或经由联合国的考虑"。他同时下令美国海军第七舰队进入台湾海峡,用武力阻止中国人民解放军解放台湾。这样,由于美国的插手,使得台湾与大陆统一——这一纯粹属于中国内政的问题，又在一定意义上成为中美关系中的一个重要问题。

此后，美国把侵略朝鲜的战火烧到了鸭绿江边。为了保卫新生的人民政权和履行崇高的国际主义义务，中国人民解放军改变原定解放台湾的计划，组成中国人民志愿军，集中全力抗美援朝。在台湾的国民党当局则提出"确保台湾，反攻大陆"的口号，叫嚷"一年准备，两年反攻，三年扫荡，五年成功"，幻想爆发第三次世界大战，依仗美国的支持重返大陆。1952年10月，国民党召开了去台湾后的首次党代会——第七次代表大会，会议通过了关于"反攻大陆"的决议案，宣称从心理、政治、军事等各方面对中共进行作战。期间，国民党一方面整顿内部，进行清党改造和"土地改革"，一方面采取一系列军事步骤，对大陆进行骚扰，当然，这些骚扰均因遭到中共方面的严重打击而无一成功。

朝鲜战争结束后，美国将其远东政策的着眼点放在对付亚洲共产主义对美国安全利益的"威胁"方面。在西太平洋地区，它通过与日本、韩国、菲律宾等国签订军事条约，构筑起一道环形防线，以作为其安全的屏障。台湾则由于其战略位置的重要，成为这条防线中不可缺少的一环。为此，美国一方面支持台湾当局加强对大陆的武力威胁，一方面在正在进行的《美台共同防御条约》的缔约谈判中加强对台湾的控制。

如果听任这种局面的发展，不仅有可能使美国永久控制台湾，增加"台湾独立"的可能性，而且还有可能造成像德国、朝鲜半岛那样长期分裂的局面。于是，从1954年7月起大陆开展了大规模的"解放台湾"运动。同年9月3日，正当美国国务卿杜勒斯抵达马尼拉，出席由美国、英国、法国、泰国、菲律宾等9国缔结《东南亚集体防御条约》的国际会议时，中国人民解放军驻福建部队猛烈炮击金门。同年12月2日，美国政府不顾中国政府的反对，与台湾当局签订了《美台共同防御条约》。12月8日，中国政府总理周恩来发表声明，表明以下立场：《美台共同防御条约》根本是非法的，无效的；台湾是中国的领土，中国人民一定要解放台湾，实现自己祖国的统一；美国政府必须从台湾、澎湖和台湾海峡撤走它的一切武装力量。

1955年1月10日，浙东前线解放军出动飞机130架次连续4次袭击大陈锚地的国民党军舰，基本上取得了大陈地区的制空、制海优势；1月18日，解放军攻占了浙江沿海的一江山岛，威逼大陈岛；1月24日，周恩来发表声明重申，解放台湾是中国的主权和内政，决不容他人干涉。他还代表中国政府首次提出消除台湾海峡紧张局势的条件——美国停止干涉中国内政，并从台湾地区撤出一切武装力量。这以后，美台之间围绕台湾当局是否接受新西兰驻联合国代表在美、英两国支持下于1955年1月28日向安理会提出关于在台湾海峡停火的提案，国民党军队是否撤出大陈岛，美国是否公开承诺协助国民党防守金门、马祖等问题，发生矛盾。后来美国为避免卷入中国内战的后患，还试图压蒋介石放弃金门、马祖，但遭到了蒋介石的拒绝。

这一时期，中国共产党把中美两国在台湾地区的国际争端和实现统一是中国的内政这两个问题，严格区分开来，一方面坚决反对美国干涉中国内政，主张中美两国通过谈判解决争端，一方面重申中国人民随时准备解放台湾。1955年4月23日，中国政府总理周恩来在参加亚非会议的各国代表团团长会议上明确阐述了上述立场。与此同时，中国共产党人开始探索用和平方式解放台湾的具体途径。

1956 年 1 月 30 日,周恩来在《中国人民政治协商会议第二届全国委员会常务委员会工作报告》中发出"为争取和平解放台湾,实现祖国的完全统一而奋斗"的号召。同时阐述了对去台人员的基本政策。同年 4 月,毛泽东提出"和为贵","爱国一家,爱国不分先后,以诚相见,来去自由"的原则。6 月 28 日周恩来在第一届全国人民代表大会第三次会议上提出和平解放台湾的五项政策。这期间及其以后,中国共产党的领导人一方面不断通过各种途径将上述政策传达到台湾,一方面根据形势变化,将和平解放台湾的方针进一步具体化。其要点主要有:

1. 台湾同胞从来就是中国人民不可分离的一部分。

2. 外国的军事力量一定要撤离台湾海峡。

3. 国共两党实行第三次合作。

4. 承认蒋介石在台湾的领导地位,但台湾应当变成中国的一个行政单位。

5. 中共不派人前往台湾,国民党可以派人到北京参加全国政务的领导。

6. 愿意同台湾当局协商和平解放台湾的具体步骤和条件,并希望台湾当局在他们认为适当的时机,派遣代表到北京或其他适当的地点,同我们开始这种商谈。

7. 我们愿意争取和平解放台湾,而和平解放的可能性也在一天天增长。但是我们也不能放弃武装解放台湾的准备,因为如果放弃这种准备,和平解放台湾的可能性就会减少。

针对美国自 1955 年以来一直向蒋介石施加各种压力,逼迫其将军队撤出金门、马祖,以便将台、澎与金、马分离,进而实现"托管台湾"的企图,中国人民解放军于 1958 年 8 月 23 日对大金门、小金门、大担、二担等岛屿进行猛烈炮击。国民党军队则因此而有理由不从这些岛屿撤退。由此,海峡两岸的中国人携手挫败了美国分隔台湾与大陆联系的企图。中国共产党人也从中更明确了如何实现台、澎、金、马与大陆统一的问题——将这些岛屿留在国民党手中,待条件成熟后一起解决。这以后,解放军实行无限期的隔日炮击,自 1959 年起每逢春节停止炮击 3 天,以示对金、马军民的关怀。直至 1979 年元旦,随着对台政策的调整,炮击才告停止。

"八二三"金门炮战后,美国国务卿杜勒斯于同年 10 月访台,并发表了双方会谈的《联合公报》。在这个《公报》中,国民党虽未保证放弃使用武力,但确认统一中国的主要途径"为实现孙中山之三民主义,而非凭借武力",同时将"反攻大陆"的提法改为"光复大陆"。这表明国民党开始将其政策的重点转向"经营台湾"、"建设三民主义模范省",以同大陆的军事对峙代替了 50 年代前期的武力反攻。

二

"一国两制"构想的提出

进入 70 年代以后,国际形势和中国国内形势发生了一系列重大变化:1972 年美国总统尼克松访华,中美上海公报的发表和 1978 年 12 月中美两国建交公报的发表,为解决海峡两岸的统一问题创造了重要条件;中国国内"文革"的结束和两年多之后中共十一届三中全会的召开,使中国共产党重新确立了实事求是、一切从实际出发、理论联系实际的思想路线,作出了将全党工作的重点转移到四个现代化建设上来的重大决策。这样一种根本性的战略转变无疑将影响和决定中国内政外交方针的变化。

十一届三中全会期间，在研究中美建交后的对台方针时，邓小平提出，在实现中国统一问题上要实行第三次国共合作。统一后，台湾社会经济制度、生活方式、外国投资不变，军队变成地方武装。这实际上是"一国两制"构想的最早表述。1979年元旦，全国人大常委会发表《告台湾同胞书》，宣布解决统一问题时，考虑台湾的现实，尊重台湾各界人士的意见，采取合情合理的政策和办法，不使台湾人民蒙受损失。同日，国防部部长徐向前宣布，自即日起停止对大金门、小金门、大担、二担等岛屿的炮击。同年1月30日，邓小平在访问美国期间向美国参、众两院议员解释中国政府对台湾问题的立场时，首次公开表述了"一国两制"的最初构想：我们不再用"解放台湾"这个提法了。只要台湾回归祖国，我们将尊重那里的现实和现行制度。

两年多以后，全国人大常委会委员长叶剑英于1981年9月30日向新华社记者发表谈话，进一步阐明了有关台湾回归祖国实现和平统一的方针政策。这就是：

1. 建议举行国共两党对等谈判，实行第三次合作，共同完成祖国统一大业。双方可先派人接触，充分交换意见。

2. 建议双方共同为通邮、通商、通航、探亲、旅游以及开展学术、文化、体育交流提供方便，达成有关协议。

3. 国家统一后，台湾可作为特别行政区，享有高度的自治权，并可保留军队。中央政府不干预台湾地方事务。

4. 台湾现行社会、经济制度不变，生活方式不变，同外国的经济、文化关系不变，私人财产、房屋、土地、企业所有权、合法继承权和外国投资不受侵犯。

5. 台湾当局和各界代表人士，可担任全国性政治机构的领导职务，参与国家管理。

6. 台湾地方财政遇有困难时，可由中央政府酌情补助。

7. 台湾各族人民、各界人士愿意回祖国大陆定居者，保证妥善安排，不受歧视，来去自由。

8. 欢迎台湾工商界人士回祖国大陆投资，兴办各种经济事业，保证其合法权益和利润。

9. 热烈欢迎台湾各族人民、各界人士、民众团体通过各种渠道、采取各种方式提供建议，共商国是。

随后，中国共产党的许多领导人亦就中国和平统一问题发表一系列讲话。在此基础上，1983年6月26日邓小平根据中央政治局讨论的意见，在与美国新泽西州西东大学教授杨力宇的谈话中，进一步提出解决大陆与台湾统一的"六点办法"：

1. 祖国统一后，台湾特别行政区可以有自己的独立性，可以实行不同于大陆的制度。

2. 司法独立，终审权不须到北京。

3. 台湾可以有自己的军队，只是不能构成对大陆的威胁。

4. 大陆不派人驻台，不仅军队不去，行政人员也不去。

5. 台湾党、政、军等系统，都由台湾自己来管。

6. 中央政府还要给台湾留出名额。

邓小平在谈话中强调，问题的核心是祖国统一。不是我吃掉你，也不是你吃掉我。我们希望国共两党共同完成民族统一。他不赞成台湾"完全自治"的提法。他指出，"完全自治"就是"两个中国"，而不是一个中国。制度可以不同，但在国际上代表中国的，只能是中华人民共和国。

至此，"一国两制"构想的基本内容已

经提出来了。

同一时期，随着英国逼迫清政府于1898年签订的《展拓香港界址专条》所规定的"新界"租期1997年届满日趋接近，如何妥善解决中国近代史遗留的香港问题也被提上了日程。1982年9月24日邓小平在会见英国首相撒切尔夫人时，表达了这样一个重要思想——中国准备用解决台湾问题时提出的办法来解决香港问题。香港回归祖国后，香港仍将是资本主义，现行的许多适合的制度要保留。于是，为解决台湾问题而提出的科学构想，又首先应用于解决香港问题的实践之中。

为了使"一国两制"构想的实施获得法律依据，1982年12月4日，全国人大五届五次会议所通过的《中华人民共和国宪法》增加了关于设立特别行政区的条文，即"国家在必要时得设立特别行政区。在特别行政区内实行的制度按照具体情况由全国人民代表大会以法律规定"。这以后的实践推动着中国共产党人的认识继续深化。

1984年2月22日，邓小平在会见美国乔治城战略研究所主任布热津斯基时，首次将解决中国统一问题的这一构想概括为"一个中国，两种制度"。同年5月18日全国人大六届二次会议所通过的《政府工作报告》正式使用"一个国家，两种制度"的概括性语言，来表述中国政府解决当代中国统一问题的构想，使之更具一般意义。

邓小平曾多次谈到，世界上有许多争端，总要找个解决问题的思路。用这种办法解决，我认为是可取的，否则始终顶着，这样僵持下去，总会爆发冲突，甚至武力冲突。如果不要战争，只能采取我们上面讲的方式，这样能向人民交代，局势可以稳定，并且是长期稳定，也不伤害哪一方。

后来，他又把这个构想更简练地概括为"一国两制"。

与此同时，中国共产党还采取了一系列旨在缓和两岸关系、促进"三通"、推动统一进程的实际步骤和具体措施，例如：停止对金门、马祖的炮击和对台湾的空飘海飘行动；建立处理台湾事务的专职机构，负责推进两岸"三通"和各项交流工作；落实对台胞、台属的政策，解决大量历史遗留问题；动员人力、物力接待台胞来大陆探亲、旅游；停止执行对驾机、驾艇起义的国民党军队官兵奖励的两个《通知》规定；制订包括《关于鼓励台胞投资的规定》在内的各项有利于台胞来大陆经商设厂的有关法律和政策，改善相应环境；设立台湾问题研究机构，通过各种学术交流增进对台湾的认识和了解……

上述政策的制订与实施推动着海峡两岸局势迅速走向缓和，打开了多年来海峡两岸人为隔绝的局面，并进而形成了两岸协调性的互动关系。

三

国民党大陆政策的调整与演变

1979年元旦，全国人大常委会《告台湾同胞书》发表后，国民党把中共方面提出的"三通"、统一建议一概视为"统战阴谋"，此后的两年中，它以"绝不接触、绝不谈判、绝不妥协"的"三不"政策作为回应；在岛内则把对两岸统一问题的讨论作为"政治禁区"严加封闭。不过在这期间它也相应停止了对大陆的炮击行动，在台湾海峡采取了一些有利于缓和紧张局势的措施。

1981年3月，国民党十二大召开，这以后的5年中，国民党对海峡两岸关系的基本立场尚无变化,但在做法上出现了政策调整的迹象。这主要表现为:检讨岛内外形势,确认"偏安不能自保,分裂必然灭亡"的基本理念;提出"三民主义统一中国"的口号,申明"和平统一确是全中国人民的共同愿望";在不放弃"三不政策"的前提下,开始放宽对大陆宣传的尺度和对和平统一问题的舆论控制。在此背景下,台湾一些官方、半官方的报刊开始讨论两岸统一的途径与条件,先后提出了"大中华联邦"、"中国国协"、"大中国邦联"、"多体制国家"、"一国两制"、"一国两治"、"两制一国"等各种设想。其中1982年6月《自由中国之声》杂志上有关"统一可分三阶段进行"的主张较值得注意。这篇文章认为两岸统一进程中的第一阶段是"双方进行改革,消除统一的障碍";第二阶段是"实行'三通'","寻求共识";第三阶段则是"双方进行商谈","召开全国代表大会;制定宪法,完成统一"。

后来,两岸关系开始出现松动。这主要表现为:国民党方面逐步松动了对两岸民间文化学术交流和间接贸易的限制,这样,两岸民间人员的往来接触日趋频繁,间接贸易逐步发展。

1986年3月,国民党十二届三中全会决定推行以解除戒严、开放党禁为主要内容的"政治革新"。在处理两岸关系方面,为了适应岛内政治体制的"改革"和两岸关系的演变,国民党着手调整其大陆政策。这主要表现为:

①逐步放宽对台湾居民赴大陆探亲的限制。台湾当局宣布,自1987年7月28日起解除台湾居民出境不得以香港为首站的限制。同年11月2日开放除现役军人和公职人员以外的台湾居民,经由第三地区转赴大陆探亲;对曾因私自赴大陆访问而"情节重大者"禁止出境期限由三

年缩短为一年。

②适当开放大陆非政治性出版物的进口与翻印,准许学术研究机构进口大陆学术及文艺著作;允许台湾出版商经由第三地区获得大陆书刊后以繁体字在台出版,适当开放大陆风光和文物录像带进口。

③在观光、通邮、体育比赛和经贸、文化往来等方面,逐步采取了一些开放措施。

④首次提出允许其驻外人员可在"不回避、不退让"的原则下,参加有大陆人员出席的侨团集会。

⑤弹性处理华航货机事件,首次允许在"业务会谈"的名义下,两岸直接谈判。

1988年7月,国民党十三大首次制定了"现阶段大陆政策案",把过去"只做不说"或"暗通明不通"的两岸往来"公开化"。同时还继续采取措施,进一步放宽对两岸民间往来的限制。这以后的做法主要有:

①决定开放大陆同胞赴台奔丧探病。

②允许台商通过第三地区到大陆投资设厂。

③允许台湾学术文化体育界人士参加在大陆举办的国际性民间组织的活动。

④酝酿开放不涉机密的公职人员到大陆探亲访问及允许大陆有影响的文化界人士和大陆留学生访台。

这里需特别指出的是,1989年5月台湾当局决定采取个案处理方式,派"财政部长"郭婉容率团参加在北京举行的亚银年会。这是40年来台湾当局首次允许其高级官员参加在大陆举办的国际性会议。

1990年3月李登辉当选"总统"。他在大力推动包括终止"动员戡乱时期"在内的"宪政体制改革"的同时,再次对大陆政策作了重要调整。他在"就职演说"和

记者招待会上发表讲话，一方面声称只有一个中国；一方面强调台湾是一个所谓"主权独立的国家"，它与大陆是"平起平坐"关系而非"主从关系"。他还提出将在大陆"实现政治民主、经济自由"等先决条件下，与之建立"对等地位的沟通渠道"。一些国民党高级官员则明确表示，在海峡两岸，"一国两府"是一个"客观事实"，他们反对进行"党对党"的"对等谈判"，声称应进行"政府对政府的对等谈判"。同年12月，在李登辉的主导下，刚成立不久的"国统会"研究委员会提出了"国家统一纲领"草案，该草案明确将海峡两岸界定为两个"对等"的"政治实体"，强调双方应在"对等"原则下，处理两岸关系，解决国家统一问题。这就是台湾当局的"一国两府"政策理念。在此理念的指导下，台湾当局处理两岸关系的具体做法是：

①继续放宽台商到大陆投资设厂。

②进一步扩大探亲范围。

③继续放宽两岸文化学术体育交流及通邮、通话、通汇的某些限制。

④逐步松动"三不政策"，而改提愿与大陆进行有先决条件的沟通、接触。这表现为，1990年5月20日李登辉在其"就职演说"中首次明确提出，只要中共放弃"四项基本原则"，承诺不对台湾使用武力，不反对台湾发展对外关系，那么台湾当局愿以"对等"地位建立双方沟通渠道。

⑤积极推行"弹性外交"和"双重承认"政策，以"赢得更广阔的国际生存空间"。这实质上背弃了"一个中国"的原则。

就两岸交流而言，上述政策的实施使得两岸间某些领域中出现了由下层向上层，由间接向直接，由单向向双向发展的趋势。而伴随两岸交流日渐热络、频繁所衍生的许多实际问题，又需要双方进行沟通、协商。这样便以双方代表在少数领域中的事务性接触、谈判为标志，海峡两岸关系发展到一个新的阶段。

中英谈判与香港问题的历史性解决

香港问题，是19世纪下半叶英国殖民主义者通过侵略战争以不平等条约的形式，强加于当时处于无权地位的中国人民的一大耻辱。一百多年来，这一挥之不去的阴影一直笼罩在每一位炎黄子孙的心头。中华人民共和国成立后，中国共产党人一直把恢复对香港行使主权、实现祖国统一、洗刷民族耻辱视为自己义不容辞的责任，始终不懈地进行着历史性解决香港问题的种种尝试和努力。最终于20世纪80年代以"一国两制"的方式与英国政府谈判解决了恢复对香港行使主权这一历史遗留问题，在完成祖国统一大业的历史进程中迈出了坚实的第一步，这是值得载入史册的伟大事件。

一

香港问题的历史由来

香港地区，包括香港岛、南九龙和"新界"三个部分，面积1071平方公里，自古以来就是中国的领土。据出土文物考证，大约公元前4000年，即6000年以前，中华民族的先民就在这里落足、生产和生活。从公元前214年开始，香港地区正式成为秦朝疆域的组成部分。从秦朝一直到清朝，中国历代王朝在香港地区都设有行政机构，行使有效的管辖权，并把它置于郡、府、县各级行政机构的管辖之下。从公元前214年至公元331年（东晋成帝咸和六年），该地区隶属博罗县；从331年至757年（唐肃宗至德二年），隶属宝安县；从757年至1573年（明神宗万历元年），隶属东莞县；从1573年至1842年（清道光二十二年）英国侵占以前，隶属新安县。香港之所以被称为"问题"，完全是19世纪下半叶英国殖民主义者通过侵略战争强行改变香港地区的历史地位和主权性质的产物，是英国殖民主义者通过强权和武力胁迫的方式强加于清政府的三个不平等条约的结果。

英国殖民主义者对香港地区的觊觎，始于1637年，其后在1793年、1816年先后两次正式向清政府提出对香港地区的领土要求，但均遭拒绝，"天朝尺土俱归版籍，疆土森然。即岛屿沙洲亦画界分疆，各有所属。"1840年至1842年间的第一次鸦片战争，英国殖民主义者用"坚船利炮"轰开了古老中国的大门，在倾斜的谈判桌上，强迫清政府接受了第一个"城下之盟"——《江宁条约》，以所谓"国际协议"的形式割占了香港岛："因英国商船远路涉洋，往往有损坏须修补者，自应给予沿海一处，以便修船及存贮所用物料，今大清皇帝准将香港一岛给予英国郡主暨嗣后世袭主位者，常远主掌，任便立法治理。"从此，香港岛便成为"英国女王领土一部分"，岛上居民成为"英国女王的臣民"。以香港岛被割占为中华民族被西方列强凌辱的起点标志，近代中国半殖民地半封建的百年史册翻开了血与泪的第一页。

1856年至1860年的第二次鸦片战争，英国殖民主义者故伎重施，再次以武力做后盾胁迫清政府签订了《北京条约》，以先"租"后"占"的形式强取了与香港岛隔海相望的南九龙（九龙半岛界限街以南地区）。

1894年至1895年间的甲午战争中，中国惨败于日本之后，西方列强掀起了划分"势力范围"、瓜分"东亚病夫""遗产"的狂潮，英国殖民主义者乘机拓展香港殖民地。在只有"答应"或"不答应"的选择中，李鸿章除了在英方一手炮制的《展拓香港界址专条》上签字画押之外，岂敢奢望什么"补偿"？根据"专条"，这次拓展的地界叫做"新界"，包括北起界限街、南抵深圳河的整个九龙半岛以及周围235个离岛。租借期为99年，始于1898年7月1日，止于1997年6月30日。

历史事实证明，英国殖民主义者强割强租香港，既破坏了中国的主权和领土完整，又践踏了国际法准则。此事就连一些"女王陛下的臣民"也感到不光彩。一位名叫彼得·韦斯利·史密斯的英国学者曾针对《展拓香港界址专条》说道："这是一个不平等条约。所以这样评价，是因为只有一方从中得到好处。中国暂时丧失了土地，没有得到补偿。况且，在起草条约时，缔约双方并非处于平等谈判地位。"

中国人民从来不承认三个不平等条约。辛亥革命后的历届中国政府也都没有承认过这些条约。抗日战争时期，国民党政府曾经正式向反法西斯战争的盟国英国提出过恢复对香港行使主权的问题，然而碰壁。关键一点在于，当时的中国人民还没有真正站立起来，旧中国在国际上还处于无权地位。

1949年中华人民共和国成立后，面临着以美国为首的西方资本主义阵营拒不承认新中国而实行政治、经济和军事全面封锁的严峻形势,中国在已经陈兵深圳河,随时随地都可以收复香港主权的情形下,为了打破封锁,保持香港地区作为"国际通道"的特殊地位,决定暂时不动香港。与此同时,中国政府向国内外公开宣告了我们对待香港问题的原则立场:香港地区是中国神圣领土不可分割的一部分,中国不承认帝国主义通过侵略战争强加的三个不平等条约。三个不平等条约对于我们没有任何约束力。对于中英之间的这个历史遗留问题,我们主张在时机成熟之时,通过谈判和平解决。未解决之前,暂时维持其现状不变。毛泽东主席和周恩来总理生前同来华访问的英方人士和其他外国人士会见时,每逢谈到香港问题都表明过这个立场。1972年3月,中国常驻联合国代表黄华就香港、澳门问题在致联合国非殖民地化特别委员会主席的信件中,又重申了这个立场。在中英两国政府就两国外交关系由非正式的代办级升至正式的大使级而进行的谈判中,中国政府向英国政府明确提出了保持中国领土完整的和平共处五项原则,其中就包含着香港地区属于中国领土的含义。

二

香港问题的历史性解决

历史进入到20世纪80年代,香港问题再一次引起全世界的瞩目。究其原因,主要是两个方面。其一是经济上的原因。香港的经济实力在50年代初期不过与广州持平,在60年代初期与上海相当,然而它从60年代中期开始实现经济起飞,其后连续数十年保持着年均两位数的高增长速度,迅速成为举世闻名的国际金融中心、国际贸易中心、国际制造业中心、国际

航空中心、国际海运中心、国际旅游中心、国际信息中心,成为一颗夺目的"东方明珠",与中国台湾、新加坡、韩国并称为"亚洲四小龙",被国际经济学界誉为"当代自由资本主义经济的典范","人类经济史上的一个奇迹"。人人乐道"香港现象"!其二是政治上的原因。在1978年中国共产党十一届三中全会开启改革开放的社会主义现代化建设新时期的历史条件下,邓小平审时度势、高瞻远瞩,创造性地提出了"一个国家、两种制度"的科学构想,为香港问题的历史性解决打开了全新的思路,并使之成为建设有中国特色社会主义理论的有机组成部分。根据这一战略指导思想,中国政府与英国政府经过长达两年艰苦曲折的外交谈判,最终在"收回主权、保持繁荣"的基本点上达成共识,签署了香港主权由英国回归中国的"联合声明"。从而彻底洗刷掉了蒙在中国人民心头的150年来的民族耻辱,同时也抹去了中英两国关系中的"最后一片阴影"。"一国两制"由理论到实践而致香港问题的圆满解决,被国际政治学界誉为"人类政治史上的一个奇迹",认为它提供了和平解决国际争端和国与国之间历史遗留问题的成功范例,有"世界意义"。

中英两国政府关于香港主权问题的谈判,始自1982年9月英国首相撒切尔夫人第一次访华。当时,英国刚刚打赢同阿根廷的马尔维纳斯群岛的战争,撒切尔夫人的北京之行,意在一鼓作气,"在香港再为英国赢得另一场兵不血刃的战争"。"三个条约有效论"、"以主权换治权"、"最大限度的自治",是英国提出的三个谈判前提条件,即所谓解决香港问题的"上、中、下"三策。

9月24日,邓小平在北京人民大会堂会见撒切尔夫人,开门见山地阐明了中国

方面关于香港问题的基本立场。他明确指出："关于主权问题,中国在这个问题上没有回旋余地。坦率地讲,主权问题不是一个可以讨论的问题。现在时机已经成熟了,应该明确肯定,1997 年中国将收回香港。就是说,中国要收回的不仅是新界,而且包括香港岛、九龙。中国和英国就是在这个前提下来进行谈判,商讨解决香港问题的方式和方法。如果中国在 1997 年,也就是中华人民共和国成立 48 年后还不能把香港收回,任何一个中国领导人和政府都不能向中国人民交代,甚至也不能向世界人民交代,如果不收回,就意味着中国政府是晚清政府,中国领导人是李鸿章!"此外,邓小平还谈及了 1997 年后中国将采取什么样的方式继续保持香港繁荣的问题,中国和英国两国政府如何合作从而使香港从现在到 1997 年的 15 年间不出现大的波动问题。外电报道:"铁娘子遇到了钢汉子。"

由于中英双方在香港问题上所持的立场迥异,撒切尔夫人访华结束后开始的秘密磋商一直僵持到 1983 年 6 月毫无进展。为了打开局面,邓小平代表中国政府发表了"最后通牒"式的谈话:如果中英谈判无法正常进行,中国方面将在不迟于 1984 年 9 月之前,单方面地宣布收回香港的决策和对香港的政策。如果香港在过渡时期内发生大的波动,中国方面将不得不考虑改变收回香港的时间和方式。基于此压力,撒切尔夫人被迫向中国方面作出了有条件的交还香港的承诺。这样,中英两国政府之间关于香港主权回归问题的外交谈判正式拉开序幕,从 1983 年 7 月至 1984 年 9 月,双方政府代表团在北京共进行了 22 轮谈判(中方代表团团长先后为姚广、周南,英方代表团团长先后为柯利达、伊文思)。1984 年 9 月 18 日就所有

文本达成协议。9 月 26 日,双方政府代表团团长进行了草签。12 月 18 日,撒切尔夫人第二次访华。19 日下午 5 时 30 分,中英两国政府首脑在人民大会堂西大厅,用中国的名牌"英雄"钢笔,正式签署了关于香港问题的"联合声明"。邓小平高屋建瓴地总结道:"我们两国的领导人就香港问题达成协议,为各自的国家和人民做了一件非常有意义的事情。香港问题已经有了近一个半世纪的历史,这个问题不能解决,在我们两国和两国人民之间总是存在着阴影。现在这个阴影消除了,我们两国之间的合作和两国人民之间的友好前景光明。"

中英两国关于香港问题的协议,包括 1 个主体文件和 3 个附件。主体文件叫做《中华人民共和国和大不列颠及北爱尔兰联合王国政府关于香港问题的联合声明》。三个附件依次是《中华人民共和国对香港的基本方针政策的具体说明》、《关于中英联合联络小组》和《关于土地契约》。此外,两国政府还就部分香港居民的旅行证件问题互致了备忘录。

中英"联合声明"的基本内容是,香港主权将于 1997 年 7 月 1 日正式由英国回归中国。中国将以"一国两制"的方式保障香港回归后的稳定和繁荣。具体做法是,设立香港特别行政区,除外交与国防行为外,使其享有高度自治权,享有行政管理权、立法权、独立的司法权和终审权;香港现行的社会、经济制度不变,生活方式不变,法律基本不变;港人治港,中央和内地不派干部接管,治安亦由香港自身维持;保持香港的自由港和独立关税地区地位,保持国际金融中心地位,继续开放外汇、黄金、证券、期货市场,港币继续流通、自由兑换;香港财政独立,不向中央政府交税;香港享有经济、文化方面的一定外

事权,照顾英国在香港的特殊经济利益。关于中国政府将在香港实行的以上特殊政策,将由全国人大制定基本法保证50年不变。同时,中英双方共同认定,自"联合声明"生效之日起至1997年6月30日止的"过渡时期"内,仍然由英国方面负责香港的管治,中国方面将予以合作。

中英"联合声明"的正式签署,标志着中英两国之间的历史遗留问题得以圆满解决,中英两国政府的友好合作关系将进入一个全新的发展阶段;标志着香港150年的殖民地历史画上了一个漂亮的句号,香港的历史发展将翻开全新的一页。至此,"香港问题"应该说已经是"尘埃落定"了。

1985年5月27日,中英两国政府互换联合声明中英文本,协议正式生效,香港开始进入12年的过渡时期。

对于中英联合声明,中国方面是始终恪守并切切实实地加以履行的。从1985年7月1日起至1990年2月,由全国人大常委会任命的香港特别行政区基本法起草委员会(主任委员姬鹏飞,副主任委员胡绳、王汉斌、费孝通、许家屯、安子介、包玉刚、费彝民、李国宝),经过4年又8个月的时间,1700个日日夜夜,经过9次全体会议,73次专题小组会议,由征求意见稿、草案到定稿,在全国范围内征求意见,几上几下,最后完成了这部体现"一国两制"的"法典"——《香港特别行政区基本法》,并于1990年4月在全国人大七届三次会议上获得通过。

基本法包括一个序言、9章160条,即总则,中央和特别行政区的关系,居民的基本权利和义务,政治体制,经济,教育、科学、文化、体育、宗教、劳工和社会服务,对外事务,本法的解释和修改,附则。除此外,还有三个附件:《香港特别行政区行政长官的产生办法》、《香港特别行政区立法会的产生办法和表决程序》、《在香港特别行政区实施的全国性法律》。与此同时,全国人大七届三次会议还通过了《全国人民代表大会关于〈中华人民共和国香港特别行政区基本法〉的决定》、《全国人民代表大会关于设立香港特别行政区的决定》、《全国人民代表大会关于香港特别行政区第一届政府和立法会产生办法的决定》、《全国人民代表大会关于批准香港特别行政区基本法起草委员会关于设立全国人民代表大会常务委员会香港特别行政区基本法委员会的建议的决定》。

基本法这部1997年后香港地区"小宪法"的制订、通过和颁布,在国内外引起了强烈的反响,被公认为是继中英两国关于香港问题的联合声明签署后,在香港回归祖国道路上的又一里程碑。邓小平对基本法起草委员会的工作予以了高度评价:"你们经过将近五年的辛勤劳动,写出了一部具有历史意义和国际意义的法律。说它具有历史意义,不只对过去、现在,而且包括将来;说国际意义,不只对第三世界,而且对全人类都具有长远意义。这是一个具有创造性的杰作。"基本法的顺利出台,充分体现了中国政府从维护香港地区和香港人民的根本利益和长远利益出发,从维护中英两国友好合作的关系出发,以"一国两制"方式彻底解决香港问题的诚意!

三

香港问题的余波

香港回归祖国不仅仅是包括600万香港人在内的全体中国人民的共同心愿,而且也是包括英国在内的世界各国富有远见和历史责任感的政治家的共识。然而，令人遗憾的是，香港回归祖国的道路一直是阻力重重，充满了曲折和坎坷。早在 1982 年中英两国政府就香港主权 1997 年转移问题进行外交谈话之始，邓小平就对来访的撒切尔夫人明确地表达过自己的忧虑："我相信我们会制定出收回香港后应该实行的、能为各方面所接受的政策。我不担心这一点。我担心的是今后十五年过渡时期如何过渡好，担心在这个期间会出现很大的混乱，而且这些混乱是人为的。这当中不光有外国人，也有中国人，而主要的是英国人。"后来事态的发展充分证明了邓小平的科学预见，在香港主权回归祖国的最后限期日益迫近的日子里，香港的局势果真出现了不应有的大的波动，而兴风作浪者正是不甘心自动退出香港历史舞台的英国殖民主义者。

众所周知，创造了世界经济奇迹的"香港现象"背后，一个很重要的成功因素就是香港现行的以行政为主导的高效、灵活、协调、稳定的政治体制的保障作用。香港地区由于历史的原因，一直实行的是以"总督独裁"为主要特征的殖民统治，而没有形成西方式的代议制民主政体，不存在选票政治、政党政治和议会政治，绝少政治干预和政治纷争，即人们戏称的"有自由无民主"。这种在长期的政治实践中逐步确立起来的"总督独裁"辅之以"行政吸纳—文官系统—咨询民主"的独具特色的地方行政制度，虽不合"法"合"理"，并且有明显缺陷，但却行之有效，因此，中英双方在谈判解决香港回归的问题时，曾达成共识：香港现行的政治体制基本不变，要充分保留和发挥原来政治体制的长处和优势，同时应逐步剔除殖民主义因素，根据香港的实际情况循序渐进地发展适合于香港自身特点的民主政治。其中需

要特别注意的是，现行政治体制的任何变化都不得脱离与 1997 年后按照"基本法"所建构起来的香港特别行政区的政治体制相衔接的轨道。

然而，令人遗憾的是，英国在处理香港前途的问题上，总是试图将其在其他殖民地"光荣撤退"的"成功经验"照搬于香港。幻想在英国的总督撤走之后，英国的国旗降下之后，英国的特殊利益和影响力犹在，使香港成为一个"没有英国人的英国社会"；幻想通过培植代理人，"分而治之"、"分而退之"的办法，在 1997 年之后留给香港一个"政治上管不了、经济上管不好"，"政治上只有反对党、经济上只有债务"的烂摊子，最后还不得不回过头来重新借助于英国"重整山河"，使香港成为一个无名有实的殖民地，以维系"大英殖民帝国的太阳永不落山"。其具体做法就是，以"非殖民地化"的旗号推行所谓"还政于民"的"民主改革"，在 1997 年交还香港主权之前，将香港先蜕变为一个与中国大陆产生巨大离心力的独立或半独立的政治实体。用英国殖民主义者的话讲：只有"十二年大变"才有保证"五十年不变"。1949 年新中国成立前后流产的"杨慕琦计划"，到 80 年代中英联合声明签署前后陆续亮相的"地方行政模式"、"绿皮书"和"代议制"、"绿皮书"、"白皮书"，直至 90 年代末代港督彭定康走马上任后全力推销的"政改方案"，无一不是循此思路。如果说在彭定康之前，英国方面仅是以"小动作""偷步民主"的话，那么，从彭定康开始，则是以不惜牺牲中英两国友好合作前景和香港的光明前途为代价，明目张胆地进行全方位的"民主冲刺"了！

针对英国方面单挑起的冲突，中国政府和领导人进行了针锋相对的回应和斗争。在中央政府和包括香港人民在内的

全体中国人的努力下,香港于 1997 年 7 月 1 日顺利回到祖国怀抱。

中葡谈判与澳门问题的历史性解决

继中英谈判解决了香港主权回归这一历史遗留问题之后,"一国两制"科学构想由理论到实践的另一成功范例,就是中葡谈判解决了澳门主权回归的历史遗留问题。这是中国共产党和中国政府于 20 世纪 80 年代在实现祖国统一大业的历史进程中迈出的坚实的第二步。

一

澳门问题的历史由来

澳门地区同香港地区一样,自古以来就是中国的领土。

澳门的历史记载,最早见于明朝史书,称为"蠔镜"(壕镜或濠境),此后还有"蠔江"、"海镜"、"镜湖"等多个别名,同时还有塱里(澳)的称呼。

据史书记载,在南宋以前,即 13 世纪前,此地是荒山野岭,没有人烟。直至蒙古族入主中原,南宋濒于覆亡,闽浙一带官兵纷纷避难南逃,部分人漂泊到这个荒岛,栖身落户。

公元 1271 年(南宋度宗咸淳七年),蒙古定国号为元之后,元军大举南下攻宋,1276 年(南宋恭帝德祐二年),元军攻陷宋都临安(杭州),俘宋恭帝。1279 年,元朝终于灭了南宋。在战乱期间,南宋皇亲国戚、文武百官,争先乘船南撤逃亡。其中最大一批是张世杰率领宋朝官兵 50 万人,船舶 2000 多艘,簇拥幼主端宗赵昰,来到路环、凼仔一带海面,当晚遇狂风吹袭,御船翻沉,帝昰得病一卧不起,只好上岸栖居。及后元兵追至,宋军依仗澳门妈阁山及路环高地,水兵列阵十字门,同元军大战,击退元军。自此以后,澳门始稍有人烟。直至 16 世纪中叶,即明世宗嘉靖年间,本地仍人烟稀薄,比较荒凉。

1513 年(明朝武宗正德八年),葡萄牙殖民主义者海军势力指向中国。第一个到达中国的葡萄牙人叫欧维士,他率领的船队于 1513 年在零丁岛附近下碇,亦曾到达屯门。1515 年(明正德十年)葡马六甲总督派遣裴迪斯特罗于 1516 年到达广东。1517 年(明正德十二年),葡马六甲总督又派安德地和正式使节比利士以进贡为名,来到广东,因无文书证明,被令回国,但他们久留不去并从事贸易和人口贩卖活动。

1518 年,葡人安德地回国派遣其弟西蒙来华,在屯门一带私设营寨,制造武器,买卖通商及进行其他非法活动。当时适逢武宗驾崩。1521 年,世宗即位,下令驱逐葡人,并拒绝他们的朝贡,西蒙亦在广州被拘捕入狱,是谓"西蒙事件"。1522 年(明世宗嘉靖元年),葡萄牙一支舰队入侵新会县西草湾失败。1545 年(明嘉靖二十四年),明廷禁止葡船驶入宁波港,还封锁上川岛,只开放浪白滘为临时对外贸易港。1548 年(明嘉靖二十七年),葡人入侵宁波失败,翌年转往漳州,又被明军逐出。

1553 年(明嘉靖三十二年),葡国人借口航船在附近海域触礁下沉,进贡物品沉湿,申请借地晾晒,同时贿赂广东海道吏汪柏,登陆澳门。1557 年(嘉靖三十六年)

葡人开始在澳门定居,澳门正式"开埠"。1563 年(嘉靖四十二年)居留在浪白滘的葡人亦全部迁入澳门(一说是在 1556 年)。从此以后,葡人在澳门南湾沿岸一带,依山建楼房筑炮台,建城墙设岗哨,建立了据点。

1564 年(明嘉靖四十三年)居澳葡人已达五六百人。1568 年 8 月,首位宗教领袖卡内罗来澳,成为澳门第一任主教。1576 年 1 月 23 日,澳门教区作为远东第一个主教区正式成立,这样,澳门又逐渐成为西方在中国的文化和宗教中心。到了 1621 年(明熹宗天启元年),全澳已有人口两万多人,开设有铸炮台、船厂以及能生产军械火药的手工业作坊。1673 年(清圣祖康熙十二年),澳门已有洋船 25 艘,这些洋船每年 10 月到第二年 3 月陆续起航到外国贸易,每年得利甚巨。1809 年(清仁宗嘉庆十四年),在澳葡人增加到 3963 人,其中男性 1715 人,女性 1618 人,葡兵 265 人,黑奴 365 人。此时,地方行政及司法权力,仍然由中国掌握,直到 19 世纪中叶。

嘉靖年间,中国在澳门设提调备候行署,管理葡人的居留及贸易。由于明代朝廷对葡人越来越多的趋势不放心,因此,于 1574 年(神宗万历二年)在澳门与内陆连接的地方设关闸,派官兵把守。1621 年(明代熹宗天启元年),又在前山建寨,立参将府,陆海兵近两千,大小船只 50 艘,分驻守于澳门外围各岛屿。葡国同中国订立澳门借地合约,是在 1582 年(明神宗万历十年)。合约规定澳门葡人每年向香山县缴纳地租 500 两白银(澳门当局向中国交租始于 1573 年即明神宗万历元年,每年 500 两,有税始于 1564 年,葡国记载是 1570 年)。1614 年(万历四十二年),广东又与葡澳订约,立下禁例 5 条:禁止买

卖人口,不许收买华人子女,按指定地点泊船候检,不许私建新房,禁止买卖私货等。1623 年(天启三年),葡国派遣马士加路也为澳门首任总督。

1644 年满族入关建立清朝,继续执行明朝在澳门订立的法律和制度。1685 年(康熙二十四年),清朝在澳门关前街设立海关,成为当时中国四大海关之一(其他三大海关是云台山、宁波及漳州)。1717 年(康熙五十六年),清颁布南洋航海禁令,禁止中国商船驶往南洋贸易。由于葡教士在北京说项,澳门葡人未受限制,澳门一时成为中外贸易的总汇。1725 年(雍正三年),清规定澳葡船只限额为 25 艘,不准增加。1730 年(雍正八年)香山县丞衙署移至前山寨,分防澳门。1743 年(乾隆八年)县丞衙署又从前山迁入澳门望厦村,受理澳门葡人及华人一切诉讼事宜。

1842 年(道光二十二年),中英鸦片战争结束后,清政府腐败无能,国势日衰。1845 年澳葡宣布澳门为自由港。1849 年(道光二十九年),澳门总督亚马留攻占望厦村及塔石炮台,不准在澳门的中国海关和税馆继续存在,中国官员及家属被迫全部撤离。从此,葡萄牙占领了整个澳门半岛,不仅停止向中国政府缴纳租金和关税,反过来向澳门华人征收田税,正式取消了澳门的行政权,并向东北扩张地界。同年 8 月发生亚马留被华人青年斩杀事件。澳葡于 1851 年(咸丰元年)占领凼仔,1864 年(同治三年)占领路环,设立"海岛镇行政局"。

1862 年(同治元年),葡派澳督马拉士到北京同清廷议约,被清廷拒绝,只好住在法国使馆内,由法国大使代表洽约。初时,清廷提出收回澳门,恢复在澳门设官衙收租税;葡则要先解决亚马留被杀问题。最后达成协议:清廷可以继续在澳门

设官府衙门,但不得再提收租。法大使代表葡国同清廷签约,葡未签字。1864 年(同治三年),葡派遣使节到北京换文,清廷发现条约中的中文本与法文本不符,法文本不是将澳门规定为广东省的一部分,而是已经脱离中国的地区,结果换文拖下来。直到 1887 年(光绪十年三月)葡利用清廷派拱北税务分司登干(英国人)前往里斯本交涉鸦片走私问题的时机,旧事重提,搞了一个"中葡会议草约"。1887 年 12 月,中葡签订《和好通商条约》共 54 条,清廷确认"葡国永远管理澳门",但同时规定,未经中国首肯,葡国"不得将澳门让与他国"。1890 年(光绪十六年),葡澳政府又取得一水之隔的青洲。1909 年(宣统元年),清廷与葡国举行勘界会议,葡欲扩大占地范围,提出废除《中葡商约》,未果。翌年,又在香港举行谈判,葡要求将澳门半岛、凼仔、路环、青巢、拱北及大、小横琴岛与附近海面,划为澳领地,被清廷拒绝。

在澳人的经营之下,澳门的地位逐渐上升,被其他西方国家的垂涎。荷兰人多次试图侵占,于 1604 年(明神宗万历三十二年)、1607 年(万历三十五年)、1622 年(明熹宗天启二年)及 1627 年(天启七年),先后 4 次派兵攻打澳门,但因守军及居民顽强抵抗而未得逞。1802 年(清仁宗嘉庆七年)及 1808 年(嘉庆十三年),英也曾派兵入侵澳门一带,未能成功。直至 1842 年英国取得澳门东面 78 公里的海岛香港,并开辟为商埠后,澳门在东西方贸易的地位,才逐渐被香港取代。

澳门连续战胜荷兰三次入侵,又于 1642 年对葡萄牙新国王表示效忠,葡王约翰便以"天主圣名之城,无比忠贞"的称号,赐给澳门,后又把澳门列入其海外属地中的一个"省"。1928 年 4 月,中国政府通知葡国政府终止《和好通商条约》,未有

结果。第二次世界大战中,香港和中山都陷落在日军手中,而澳门名义上仍在葡国统治下。二战后,澳门的地位一直未变,但长期发展缓慢。

中华人民共和国成立后,中央人民政府即宣布废除强加给中国人民头上的一切不平等条约,并多次阐明澳门是中国的领土,但对澳门问题仍采取实事求是的态度,指出:澳门问题是历史遗留下来悬而未决的问题,待时机成熟的时候,经过谈判和平解决,在未解决以前维持现状。由于中国采取了实事求是的态度,就使澳门社会长期保持了基本的稳定。

但是在四十多年中,也曾发生过两件严重影响澳门社会安定繁荣的事件。第一件是 1952 年 7 月发生的"关闸事件",守卫在关闸外的澳葡黑人士兵与中国边防军因误会发生武装冲突,引发双方炮战;第二件是 1966 年爆发的"一二·三"事件。当年 11 月,凼仔兴建坊众小学,事先未向当局申请准照搭排山,市行政局强迫停工,双方对峙引起冲突,加上当时内地正进行"文化大革命",在极"左"思潮的影响下,群情骚动,当局出动军警镇压,射杀 8 人,伤 107 人,华人激愤,广东省也强烈抗议,社会震荡。但在这两件事中,中国政府都保持冷静的态度,从国家和澳门居民的利益出发,正确地予以处理,坚持"维持现状"的政策,结果化险为夷,使澳门社会恢复安定。

1978 年 12 月中国共产党十一届三中全会的召开,使我国真正进入了一个新的历史时期。在全党工作重心转移到社会主义现代化建设上来的背景下,我国把澳门同香港一样看做是对外开放和促进国家统一的重要通道和桥梁。这就保障了澳门社会的安定,为澳门经济的发展提供了非常有利的客观条件。与此同时,葡国

对澳门的态度也有了重大的变化，开始改变自新中国成立后几十年中对管治澳门建设澳门所采取的消极态度甚至对立的立场，对中国政府采取友好和合作态度。

1979年2月8日，中葡两国正式建立外交关系，开创了中葡关系史上的新纪元，对澳门的发展有着重大的意义。在建交谈判中，两国对澳门问题进行了认真的讨论，达成了协议，大意是："澳门是中国的领土，目前由葡国政府管理；这个历史遗留下来的问题，在适当的时期，中葡两国通过友好协商来解决。"这个协议虽然当时没有公开公布，却是关于澳门问题的一个正式的外交协议。该协议把澳门作为加强中葡友好关系的桥梁，澳门在两国关系中的地位大为提高，赢得更大的重视，促进葡国积极发展澳门，推动澳门经济发展。

1984年9月，中英两国政府发表了关于香港问题的联合声明。由于像香港这样复杂的历史遗留问题能够由中英两国政府通过谈判得以圆满解决，这就为澳门问题的解决提供了榜样。中葡两国政府通过谈判解决澳门问题的条件也完全成熟。

我国政府解决澳门问题的基本方针是：①一定要在20世纪末，即2000年以前收回澳门，并恢复行使主权；②在恢复行使主权的前提下，保持澳门的社会稳定和发展；③恢复行使主权后，按照邓小平提出的"一国两制"的指导思想和《中华人民共和国宪法》第31条的规定，在澳门设立特别行政区，继续实行资本主义制度，50年不变。

我国政府对澳门的基本政策包括：收回澳门后，根据我国宪法设立澳门特别行政区；特别行政区是中华人民共和国的一个地方行政区域，直接受中央人民政府管辖。澳门特别行政区由澳门当地人自己管理；除外交和国防事务属中央人民政府管理外，澳门特别行政区享有高度的自治权，包括行政管理权、立法权、独立的司法权和终审权。澳门特别行政区财政保持独立，并可自行制定经济、贸易、文化、教育等政策。澳门特别行政区根据中央人民政府的授权可自行处理某些涉外事务，可以"中国澳门"的名义单独同各国、各地及有关国际组织保持和发展经济、文化关系。澳门现行的社会、经济制度不变，生活方式不变。私人财产受法律保护，居民可以像过去一样生活，享有澳门现在的法律所规定的各种权利和自由。除带有殖民主义色彩的法律必须删除或修改，以及一些法律由于情况变化不再适用外，澳门现行的法律基本不变。葡萄牙共和国和葡萄牙人及其后裔在澳门的利益将受到照顾。澳门特别行政区设立后，葡籍和其他外籍的一般公务、警务人员可同中国籍的人员一样，予以留用，其薪金、津贴不低于原来的标准，等等。我国对澳门的上述基本方针和政策后来载入了中葡两国政府共同发表的《联合声明》第二款之中，并在"附件一"中作了具体说明。这些基本方针和政策以后更在《澳门特别行政区基本法》中予以规定。

我国政府对澳门的各项政策，是从澳门的实际情况出发，在充分研究了澳门的历史和现状的基础上制定的。这些基本政策既充分体现了我国对澳门的主权原则，也有利于长期保持澳门的发展和稳定；既考虑到澳门与香港状况的一致和近似的方面，也充分照顾到两者之间的某些差异。这些基本政策是实事求是和合情合理的，也是符合包括澳门同胞在内的全体中国人民的根本利益的。

二

澳门问题的历史性解决

澳门问题按其性质与香港一样，都是历史上遗留下来的一系列不平等条约的结果。但与中英谈判香港问题不一样的是中葡会谈没有澳门的主权问题之争。1974年葡萄牙结束独裁统治后，葡政府即声言放弃殖民主义。次年，葡萄牙修正宪法，把澳门列入"特殊地位"。1979年2月中葡建交，双方就澳门主权问题达成原则谅解，葡承认"澳门是中国的领土，将交还中国"。双方确认在适当期间，通过谈判来解决澳门问题。自此，中葡两国一直保持着良好的关系。而中国政府制定的关于"对澳门恢复行使主权的前提下，保持澳门的社会稳定和经济发展"的解决澳门问题的基本方针，以及在澳门实行"一国两制"的构想，亦为各方所接纳。1985年5月，我国政府领导人同应邀来我国访问的葡萄牙总统埃亚内斯就解决澳门问题进行了友好磋商，两国领导人认为谈判解决这一问题的时机已经成熟，并同意于1986年上半年在北京开始举行正式外交谈判。由于有了中英谈判解决香港问题的先例和经验，在这个基础上谈判解决澳门问题的过程，就进行得比较顺利。

中葡谈判的中方代表团团长为外交部副部长周南，葡方代表团团长为麦瑞纳。首轮会谈是1986年6月30日在北京钓鱼台国宾馆开始的。此后中葡双方又进行了两轮谈判。

在第二轮谈判中，周南又借用晋代画家顾恺之喜欢从尾到头吃甘蔗的典故，形容会谈"渐入佳境"。在1986年10月中旬举行第三轮会谈时，周南再度以刘禹锡

"晴空一鹤排云上，便引诗情到碧霄"的诗句，暗喻会谈会有突破。而葡方代表同样显得愉快、轻松，会谈之后表示"进展得相当顺利"；并应中方邀请，先后到承德避暑山庄、山东及长江三峡游览观光。

双方代表在会谈时表现得合拍、默契；三次会谈所发表的新闻公报，都强调会谈"友好融洽"，双方"对会谈的结果表示满意"。在第二轮会谈公报上就赫然写道：双方"就各项议程的实质性问题进行了深入的讨论并取得了广泛的一致"。中葡双方还就设立一个工作小组的问题达成了协议，具体讨论和修订中葡双方会谈中所提出的全部协议文件草案。会谈当中，中方曾向葡方提交了一份关于解决澳门问题的意见书，葡方代表团对这份意见书也无异议。

中葡在澳门归还日期问题上出现了分歧，葡方对双方会谈商定的一些问题并不承诺。葡国执政社会民主党发言人巴度里，在接受里斯本《消息日报》记者访问时更公开表示，中国希望在2000年以前收回澳门，葡对此难以接受。并提出澳门管治权交还中国，最适当在2017年。在里斯本出版的一些葡萄牙报刊上，也接连出现主张2003年或2007年归还澳门的文章，有的甚至提出"越晚移交越好"。由于葡方执政社会民主党发言人巴度里的表态，被外交人士及传播媒介视为"葡萄牙可能单方面宣布在2017年始将澳门交还中国"的间接表态，就理所当然引起中方的强烈反应。

邓小平是一贯主张以和平手段解决国际纠纷的政治家，他提出"一国两制"的伟大构想就是为了解决历史上遗留下来的香港问题、澳门问题和台湾问题。但是，在关系到民族尊严的重大问题上，邓小平是坚定不移的民族利益和民族精神

的捍卫者。中国一贯奉行独立自主的和平外交路线和政策，但绝不是俯仰由人，而应按符合中国国家利益、全中国人民利益的原则办事。外交部发言人在 12 月 31 日表示："在 2000 年以前收回澳门是中国政府和包括澳门同胞在内的 10 亿中国人民的不可动摇的坚定立场和强烈愿望"，"任何关于超越 2000 年后交回澳门的主张都是不能接受的"。经过协商和达成谅解，双方同意在 1999 年 12 月 20 日由中国政府收回对澳门的管治权。这样，澳门治权移交的日期问题得到解决，澳门问题已经明朗。

可是，在被人们以圆满解决澳门问题的热望所注视的中葡第四轮谈判（1987 年 3 月 18 日至 23 日举行）中，又发生了澳门出生的葡籍人国籍的争议。葡萄牙共和国政府是承认双重国籍的，但我国不承认双重国籍。中国认为，在中国收回澳门主权之后，所有在澳门居住的中国同胞，不论其是否持有葡萄牙人旅行证件或身份证明，都是中国公民，在法律面前一视同仁，一律平等，毫无歧视。他们当然有选择葡萄牙国籍的自由，但必须放弃中国国籍。实际上，在澳门持有葡萄牙旅行证件或身份证明的人，大部分是有中国血统的华裔或归代葡人，在事实面前，葡萄牙政府让步了。双方同意在 1987 年 4 月 13 日签署中葡关于澳门问题的联合声明，并于 1988 年 1 月 15 日，由葡萄牙政府派葡萄牙共和国驻中国特命全权大使瓦莱里奥同中华人民共和国外交部副部长周南互换了各自政府的批准书，标志着中葡关于澳门问题的联合声明从这天起生效，澳门进入了过渡时期。同日，中葡双方又正式成立中葡联合联络土地小组。在过渡时期，由澳门政府拍卖的土地，所得收益，50％归现政府，50％归未来的澳门特别行政区的行政基金。

自《中葡联合声明》于 1988 年 1 月 15 日正式生效之后，澳门便开始进入为期 12 年的过渡时期。由于中葡两国政府的友好合作，努力贯彻联合声明，澳门各方面的情况令人满意。也正是从这年下半年开始，澳门《基本法》的起草工作开始着手进行，经过长达 4 年零 5 个月的时间，9 次全体会议，72 次专题小组会议，于 1993 年 1 月澳门特别行政区基本法起草委员会第九次全体会议审议通过，《澳门特别行政区基本法》最后成型，并于 1993 年 3 月由全国人大八届一次会议通过，正式颁布。澳门《基本法》的通过，是"一国两制"伟大国策的又一光辉实践，它对澳门的平稳过渡和长期繁荣稳定产生巨大的促进作用，必将对我们全面完成祖国统一大业产生深远的影响。

社会主义市场经济理论的探索

一

市场经济体制取代计划经济体制的必然性

市场经济体制取代计划经济体制的根本原因，是因为计划经济束缚了我国生产力的发展，而市场经济则能够适应和推动我国生产力的发展。

1. 计划经济体制的内在矛盾和弊端

我国计划经济体制从 50 年代后期开始，就已经越来越显露出不适应我国经济进一步发展的体制性弊端。虽然在此之后，我国曾多次对这种经济体制进行局部调整，但是往往在由中央集中的计划还是由地方集中的计划问题上兜圈子，并没有把改革和调整的方向指向计划经济体制本身，并没有从根本上解决高度集中的计划经济同市场调节的关系，所以，都没有达到预期的目的。计划经济体制的矛盾和弊端在六、七十年代不仅没有缓解，而且越来越尖锐和突出。

第一，这种经济体制严重压抑并扼制了微观经济主体经济活动的主动性、积极性，严格限制甚至剥夺了微观经济主体的独立性、自主性。各种微观经济单位、特别是企业逐渐丧失了自主从事和选择经济活动的权力和自由，企业和农户生产什么、怎样生产、生产多少都受到计划经济体制的控制，企业和农户也没有投资决策权、生产经营权及产品定价权。总之，微观经济单位的一切活动都笼罩在国家的指令性计划之中，从而导致微观经济单位特别是企业越统越死，经济发展速度缓慢，经济效益低下，整个国民经济发展后劲严重不足。

第二，这种经济体制把赶超即速度放在首位，为此长期采取优先发展重工业的经济发展战略，从而使国民经济重大比例关系处于严重失调和十分紧张的状态。在工农关系上工业脱离农业超常规发展，重工业脱离轻工业超常规发展，从而导致整个国民经济结构和工业内部结构失衡。这种结构失衡，虽经中央政府三年小调整、五年大调整，但问题始终存在，并未得到根本解决。尤其是长期实行这种经济发展战略，严重压制了农业的发展。国家通过部分地扩大工农业产品价格剪刀差、加重农业赋税等方式，强制使农业为工业积累资金。这种强制在农村中集中农业剩余、提高资本积累能力的做法极大地挫伤了广大农户的生产积极性。这是导致我国农业长期落后的重要原因。

第三，这种经济体制把经济计划视为领导经济生活的主要手段，认为计划是万能的。因此，它依靠无所不包的经济计划运转。但是，经济计划是人们依据对客观情况的认识和理解制定的，它必然具备主观性和超前性两个特征。首先，经济计划是一种主观行为，它既有准确地反映客观社会需要的一面，又有难以正确地反映客观社会需要的一面。在现实的经济生活中，经济计划经常无法全面准确地反映客观社会需要，总是处于不断地调整之中。其次，经济计划还具有超前性，即它是对此后若干年份社会经济生活的计划，五年计划就是对此后五年期间国民经济发展的计划安排。但预先制定的计划不可能准确地预测出此后若干年的客观需要和突发事件，这就使经济计划、特别是长期计划无法确保其有效性，蜕变成上级长官意志和行政命令。

第四，这种经济体制必须依靠庞大和完善的政府行政系统来执行和贯彻。行政组织机构、行政命令和行政手段是维持经济计划有效性的必要前提。整个国民经济均受行政力量驱动，围绕行政轴心运转。而通过行政组织机构、行政命令和行政手段构成的计划经济运行系统，不可能长期有效地推动经济发展，它必然产生出用行政组织代替经济组织、用行政命令代替经济规律、用行政手段代替经济手段的弊端，导致官僚主义盛行和经济效益低下。

以上种种表现，都是计划经济体制的弊端。不彻底改变这种排斥市场经济的僵化体制,要想促进我国经济快速发展是不可能的。在六、七十年代,我国对计划经济体制给社会经济生活带来的诸多不利和制约已有一定程度的认识,但是,始终没有把它归结为计划经济体制的内在矛盾和弊端,而是归结为我们没有很好地贯彻经济计划。加之囿于把计划经济视为社会主义制度的本质特征,把市场经济视为资本主义制度的本质特征,就更难于深刻认识计划经济的弊端和探索经济体制改革的出路。

2.经济体制改革的实践呼唤着市场经济

改革传统计划经济体制的根本出路究竟在哪里? 我国80年代轰轰烈烈的改革实践已经作出了最好的回答,即我国经济体制改革的根本出路就是建立社会主义市场经济体制。这是我国经济体制改革的大趋势,是我国经济发展的大趋势,是我国经济走向世界的大趋势。

十一届三中全会以后,我国开始了对计划经济体制的根本性变革,这一改革从一开始就是以市场化为趋向的,并在80年代取得了突破性进展。可以这样说,建立和培育社会主义市场体系和市场经济体制,是我国经济体制改革的基本目标和任务,贯穿于整个经济体制改革的全过程。市场经济的发达程度和市场经济体制的确立程度,从根本上反映着我国经济体制改革的深化程度。

市场化趋向的经济体制改革,是以农村推行家庭联产承包责任制和农村传统自然经济向商品经济转变为先导,继而以城市广泛开展的经济体制改革为重点,逐步展开的。我国通过改革开放对传统的高度集中的计划经济体制进行了比较彻底的变革和冲击。从农村到城市,从农业到工业、商业、金融、外贸等领域,都相继

冲破传统经济体制的束缚,逐步开始引入和扩大市场机制的作用。经过改革,市场调节已在我国的国民经济中占相当的比重,在某些领域甚至起到主导作用。在工业生产中,国家和各部委下达的指令性计划产品品种大幅度下降,指令性计划在工业产值中的比重大幅下降,市场调节比重已大幅上升;在工业产品流通中,计划分配的物资占国内生产量的比重大幅度下降,国家统一分配的生产资料品种减少;在农业产品流通中,市场调节的比重也不断扩大;至1990年社会全部产品和服务的价值总额中,国家定价大体占25%,其余75%左右为国家指导价和市场价。从全国总形势看,80%以上的商品品种价格已放开,产品产量的70%—80%以上的价格已放开,企业任务的60%—70%由市场决定,企业所需要的原材料的70%由市场渠道供应。在沿海等经济发达地区,经济运行90%以上已经靠市场调节。

引入市场机制的经济体制改革,在许多部门和领域也取得了关键性的发展。经济体制改革的实践也有力地说明,凡是对传统计划经济体制变革较彻底,较大程度和较大范围地引入市场经济机制的部门和领域,经济体制改革的成就十分显著,经济发展就很快。反之,凡是比较多地保留传统计划经济体制、变革传统体制幅度较小的部门和领域,改革的成效就不明显。我国农业经济体制改革的成功经验和农村经济的蓬勃发展,就是一个很好的例证。在80年代,我国农村普遍实行了家庭联产承包责任制,农户和农民由原来人民公社的社员转变成独立的商品生产者和经营者,获得了在生产经营上的自主权,从而极大地焕发了从事商品生产的积极性;国家及时调整农产品的收购政策和价格政策,放开并搞活农村经济,使农

村经济走上商品经济的轨道;在农村产业结构调整中,乡镇企业异军突起,不要国家投资一分钱,按照市场经济原则从事生产经营,不仅吸纳了农村近一亿剩余劳动力,而且创造的产值占全国工业产值的三分之一。再一个例证就是沿海发达地区和经济特区的飞速发展,也充分说明了市场经济的积极作用。正如邓小平指出的那样:"对办特区,从一开始就有不同意见,担心是不是搞资本主义。深圳的建设成就,明确回答了那些有这样那样担心的人,特区姓'社'不姓'资'"。据统计,在整个80年代,15个沿海开放城市和4个经济特区城市工农业总产值增长了2.2倍,财政收入增长了60%。其中4个经济特区工农业总产值和财政收入分别增长了14倍和9倍,深圳市1980年工业总产值不足1亿元,1989年突破了100亿元,10年间增长了150倍。到1990年,上述19个城市人均国内生产总值达3024元,比全国平均水平高1倍。这些事实足以说明,凡是积极引入市场经济的部门和领域,就会真正活起来。在这个问题上,谁醒悟得早,谁干得出色,谁就能发展壮大。

由此可见,我国经济体制改革的实践不仅很好地回答了长期以来困扰着社会主义国家的关于计划与市场的关系问题,而且也为我国社会主义经济的发展摸索出一条适合我国国情的现实道路。市场经济在我国的经济改革中显示出巨大的优越性,它不仅可以同我国的社会主义制度相结合,而且能够更有效地促进社会主义经济发展。改革的实践呼唤着社会主义市场经济,改革的实践丰富着社会主义市场经济。

3.经济体制改革的理论呼唤市场经济

排斥市场经济的社会主义实践,使人们越来越深刻地感到,没有市场经济,社会主义经济就难以既有活力和生机,又能保持平衡发展。因而,在一些社会主义国家,很早就有人对马克思主义经典作家关于社会主义经济消除市场的市场消亡论有所怀疑,并且开始探讨社会主义经济是否应该有市场的问题。这种探讨首先发生在50年代初的苏联及东欧社会主义国家的学者之中。斯大林逝世后,苏联及东欧各国的学术禁锢被打破,许多学者可以比较自由地发表他们对社会主义经济中是否需要市场的看法,一时形成讨论高潮。其中比较著名的有波兰的布鲁斯、捷克的锡克和匈牙利的乔治、山道尔及后来的科尔内等人。他们各自从不同的角度并根据不同的需要开展研究,提出了他们对市场的认识。对后来的社会主义经济理论的探讨影响较大的主要是布鲁斯、锡克和科尔内的市场思想。

布鲁斯是从计划经济的实现途径和工具上来研究市场存在和发展的必然性的,他认为计划经济不能只通过直接的计划来实现,而必须要充分利用市场,市场是计划经济有效实现的途径和工具。因此,布鲁斯强调社会主义经济必须有市场,他提出自己的社会主义经济模式,即"含有市场机制的计划经济模式"。在这里,计划与市场的作用范围是按层次来划分的,计划的作用范围是确定国民收入中国家、企业和个人的分配比例,选择和确定最重要的投资方向和投资流量;市场作用的范围是调节企业的具体生产决策及流通和内部分配活动,并且对消费活动也起主要调节作用。

锡克是从计划与市场的各自优缺点来分析市场存在的必然性的。他认为,计划需要市场的补充,因而计划不能替代市场的作用,市场的作用也不能取代计划的作用。应使计划与市场相结合,在计划经济中发展和完善市场。计划主要解决宏观经济不平衡的问题,市场主要解决微观经济不平衡的问题。据此,锡克提出了他的社会主义经济模式:计划要确定国家的整个发展方向及经济结构,并对收入分配活动做明确的规定和控制,通过对收入水平的计划和控制而保证经济的有计划的协调发展;市场应发挥更大的作用,不仅价格要通过市场竞争活动来实现,而且企业的扩大再生产决策也要根据市场来作出,接受市场的调节。

上述两种市场思想都无法避免双重机制调节问题,即计划机制和市场机制都对企业起作用。双重机制调节使企业有双重依赖,其结果是计划调节失灵,市场调节又非正常化。科尔内在 70 年代就已看到了这一点,他认为仅仅用市场机制补充计划机制是不够的,而应该使计划与市场实行纵向的重合调节,即企业接受市场调节,但这种市场调节是有计划调控的市场调节。所以,要使市场在经济中发挥普遍的调节作用,就不能只在计划体制内引入市场机制,而要创造条件发育整个市场。市场发育的首要条件就是要明确产权制度,只有确立了明确的产权制度,市场才能充分发育起来,计划也才能调节市场,从而实现市场的有效运作。由此可见,苏联及东欧经济学家对市场的探讨,实际上已将市场作为社会主义国家经济体制改革的突破口和主线。

我国对社会主义经济必须发展市场的讨论是在 1979 年改革开始以后。在改革开放之前,我国学术界在 50 年代后期和 60 年代前期曾经探讨过市场机制的作用,只是由于种种原因才未能深入下去。改革开放以来,我国对计划与市场的作用重新进行了广泛深入地探讨。在解放思想、实事求是的思想路线指导下,我国的经济理论摆脱了以往的思想束缚,并结合改革实践,对传统的社会主义经济理论进行了深刻反思,一步一步地纠正了传统的社会主义和市场经济相对立并与自然经济相混同,把计划经济和价值规律相排斥,并与指令性指标画等号的社会主义非市场经济论。

二

伴随改革实践的理论探索

1. 开始摆脱旧观念

1978 年 7—9 月,国务院召开务虚会开始专门探讨社会主义经济中计划与市场的关系问题。会议提出了"计划经济与市场经济相结合"的思想。

1978 年 12 月,党的十一届三中全会《公报》指出:必须允许商品经济关系的存在和发展,必须重视价值规律的作用。

1979 年,五届人大二次会议《政府工作报告》指出,我国国民经济在调整中必须进行必要的改革,以逐步建立起计划调节与市场调节相结合的体制,以计划调节为主,同时十分重视市场调节的作用。由此,计划与市场主辅结合理论基本确立。

1979 年 11 月 26 日,邓小平提出了"社会主义也可以搞市场经济"的著名论断。邓小平在回答美国不列颠百科全书出版公司副总裁费兰克·吉布尼、加拿大麦吉尔大学东亚研究所主任林达光教授的提问时阐述了他对社会主义市场经济的认识。吉布尼提问,是不是可能在将来某个时候,在中国社会主义制度范围内,在继续社会主义经济体制的同时,也发展某种形式的市场经济,他进一步问道:您是否认为,需要在社会主义计划经济的指引下,扩大非资本主义的市场经济的作用?

邓小平回答说:市场经济上限于资本主义社会、资本主义的市场经济,这肯定是不正确的。社会主义为什么不可以搞市场经济?这个不能说是资本主义。市场经济,在封建社会时期就开始有了。社会主义也可以搞市场经济。

邓小平给客人描述了社会主义制度下的市场经济的情景。邓小平指出:我们是计划经济为主,也结合市场经济。但是这是社会主义的市场经济。当然方法上基本上和资本主义社会相似,但也有不同。这是全民所有制之间的关系,当然也有同集体所有制之间的关系,也有同外国资本主义的关系。但是归根到底是社会主义的,是社会主义国家。同样地,学习资本主义的某些好东西,包括经营管理方法,也不等于实现资本主义。这也是社会主义利用这种方法来发展社会生产力。

邓小平还说:当然我们不要资本主义。但是我们要发达的、生产力发展的、使国家富强的社会主义。社会主义的优越性应该表现在它比资本主义有更好的条件发展社会生产力。这本是可能的。但过去人们有不同的理解,于是使这个过程推迟了。

1980年9月,国务院经济体制改革办公室在《关于经济体制改革的初步意见》中提出以下意见:"我国现阶段的社会主义经济是生产资料公有制占优势,多种经济成分并存的商品经济,必须建立与之相适应的经济体制";"我国经济体制改革的原则和方向应当是:在坚持生产资料公有制占优势的条件下,按照发展商品经济和促进社会化大生产的要求,自觉地运用经济规律","把单一的计划调节,改为在计划指导下充分发挥市场调节的作用"。当时的理论界普遍认为"承认社会主义经济是有计划的商品经济,这在理论上是一个很大的进步,是一个飞跃"。

真理总是在争论中产生和前进的。

1981年4月以后,报刊上有一系列文章对1979—1981年期间经济学家提出的"社会主义经济是商品经济"或"有计划的商品经济"的观点提出批判。有人认为"社会主义经济只能是计划经济","计划经济的基本标志"则是"指令性计划","指令性计划"是"社会主义全民所有制的重要体现","如果把我们的经济概括为商品经济……就会模糊社会主义经济与资本主义经济的本质区别"。有的人认为"有计划的商品经济"的提法也不妥,因为这一提法的"落脚点仍然是商品经济,计划经济被抽掉了"。并认为,这类主张"和我们的社会主义经济制度是不相容的",因为按照商品经济的原则,"把国营企业改变为完全独立核算、自负盈亏的经济单位",确认"竞争是经济发展的动力",实际上就不是按"社会主义计划经济的原则",而是按"资本主义市场经济的原则"来进行我国经济管理体制的改革。有人还认为,按照"宏观经济由计划调节,微观经济由市场调节"的主张,宏观很可能被架空,成为"梁上君子",结果就会"削弱社会主义计划经济"。

纵观这一时期计划与市场的理论纷争,我们不能不感叹中国改革开放的总设计师邓小平的远见卓识和发展马克思主义、探索有中国特色的社会主义道路的巨大勇气!

2.以计划经济为主,市场调节为辅

1981年,党的十一届六中全会通过的《关于建国以来党的若干历史问题的决议》指出,必须在公有制基础上实行计划经济,同时发挥市场调节的辅助作用。在此，将"计划调节"改为"计划经济"，而理论的核心仍是"以计划经济为主，市场调节为辅"。

这种计划与市场主辅结合理论在当时有其显著的进步处：第一，发展了马克思主义计划经济理论，认为，马克思计划经济理论是以高度社会化大生产、生产资料单一的全社会所有制和消除商品生产为前提的，而这种前提在我国尚不具备，因此不但需要计划经济，而且要求市场调节为补充。第二，承认市场调节在社会主义制度下的积极作用，从而突破了社会主义经济与市场不相容的传统理论。第三，为计划经济体制改革提供了一条原则和突破口。

1982年，在十二大报告的起草过程中，理论界有的同志认为，把所有企业都变成独立的经济实体，企业的一切经营活动，主要由市场调节的观点，必然会削弱计划经济，削弱社会主义公有制。有人认为："在我国尽管还存在着商品生产和商品交换，但是决不能把我们的经济概括为商品经济。如果做这样的概括，就势必模糊有计划发展的社会主义经济和无政府状态的资本主义经济之间的界限，模糊社会主义经济和资本主义经济的本质区别。"

1982年7月，党的十二大报告明确提出："正确贯彻计划经济为主、市场调节为辅的原则，是经济体制改革中一个根本性问题。"报告还指出，为了使经济发展既是集中统一的，又是灵活多样的，在计划管理上应根据不同情况分别实行指令性计划和指导性计划，应正确划分指导性计划、指令性计划和市场调节各自的范围和界限，从而使计划与市场结合的理论有了大的前进。第一，明确了在直接的计划范围内，也必须利用价值规律，同时开始注

意用国家计划指导下的市场调节代替价值规律自发作用的市场调节，即认为市场调节部分也同样存在计划经济与市场调节相结合的问题。第二，首次提出了指导性计划的形式，突破了把计划经济直接等同于指令性计划的传统理论，为直接计划管理向间接计划管理的转变提供了原则和依据。

3. 商品经济不可逾越

1984年9月，邓小平、陈云等同志批示国务院主要领导同志9月9日致中央政治局常委的信，同意以下意见："社会主义经济是以公有制为基础的有计划的商品经济。计划要通过价值规律来实现。"

1984年10月，党的十二届三中全会通过《中共中央关于经济体制改革的决定》。《决定》首次指出："社会主义经济是在公有制基础上的有计划的商品经济。"《决议》提出："要突破把计划经济同商品经济对立起来的传统观念，明确认识社会主义计划经济必须自觉依据和运用价值规律，是在公有制基础上的有计划的商品经济。商品经济的充分发展，是社会经济发展的不可逾越的阶段，是实现我国经济现代化的必要条件。"

"有计划的商品经济"的提出，表明我们对计划与市场的关系问题有了认识上的突破。第一，提出了计划经济不等于指令性计划为主，要求在改革中有步骤地适当缩小指令性计划的范围，克服计划体制过宽、过细的弊端；第二，强调指导性计划应成为计划的主要形式，要求在改革中适当扩大指导性计划的范围；第三，强调社会主义经济必须以自觉运用价值规律为核心。

邓小平对十二届三中全会的《决定》给予高度评价。他在通过《决定》的会议上指出，这个决定是"马克思主义的新的

政治经济学"，并且说，"这次的文件好，就是解释了什么是社会主义，有些是我们老祖宗没有说过的话，有些新话。""没有前几年的实践不可能写出这样的文件。""这是真正坚持社会主义，否则是'四人帮'的'宁要社会主义的草，不要资本主义的苗'"。陈云也指出："现在，我国的经济规模比50年代大得多，也复杂得多。50年代适用一些做法，很多现在已不再适用。""如果现在再照搬50年代的做法，是不行的。"

4.计划与市场内在统一的体制

1985年10月23日，邓小平在人民大会堂会见美国企业家访华团。

当美方代表团团长格隆瓦尔德问到社会主义和市场经济的关系时，邓小平说：社会主义和市场经济之间不存在根本矛盾。问题是用什么办法更有利于社会生产力的发展。过去我们搞计划经济，这当然是一个好办法。但多年的经验证明，光用这个办法会束缚生产力的发展，应该把计划经济与市场经济结合起来。这样就能进一步解放生产力，加速生产力的发展。

邓小平指出，要建设社会主义，根本的问题是发展生产力。我们坚持社会主义就是坚持公有制经济始终占主导地位，在发展经济的同时避免两极分化，走共同富裕的道路。

1987年10月，中央十三大对计划与市场的关系作了进一步描述。十三大的报告明确指出，社会主义有计划商品经济的体制，应该是计划与市场内在统一的机制。并进一步阐明：建立在公有制基础上的社会主义商品经济，为自觉保持国民经济协调发展提供了可能，我们的任务就是要善于利用计划调节和市场调节这两种形式和手段，把这种可能变成现实；要把

计划工作建立在商品交换和价值规律的基础上；计划和市场的作用范围都是覆盖全社会的。同时首次提出了新的经济运行机制总体上说应当是"国家调节市场、市场引导企业"的机制。

计划与市场内在统一论的提出，结束了长期以来理论上计划与市场"一方面""另一方面"两张皮外在关系论和在实践中"计划一块""市场一块"的二元格局，据此提出了改革的任务：一是重新构造经济运行的微观基础，使企业从僵化的行政附属物转变为自主经营、反应灵敏的市场主体；二是重新构造经济运行的宏观调控系统，完成从直接调控向间接调控的转变；三是大力发展和完善作为传导系统和经济运行载体的市场体系，强化市场机制的调节作用，从而有力地推动社会主义市场经济理论的发展。

5.十三届四中全会后的发展

1989年6月9日，邓小平发表重要谈话。邓小平指出："我们要继续坚持计划经济与市场调节相结合，这个不能改。实际工作中，在调整时期，我们可以加强或者多一点计划性，而在另一个时候多一点市场调节，搞得灵活一些。以后还是计划经济与市场调节相结合。……绝不能重复回到过去那样，把经济搞得死死的。"

1990年3月，七届人大三次会议召开。会议进一步指出，"经济体制改革的主要目标，是适应社会主义有计划商品经济的发展，逐步建立计划经济与市场调节相结合的管理体制和经济运行机制。"

1990年12月，针对理论战线对计划与市场关系的争论，邓小平在与中央负责同志谈话时指出，必须从理论上搞懂，资本主义与社会主义的区分不是计划、市场这样的内容。社会主义也有市场调节，资本主义也有计划控制，不要以为搞点市场

经济就是资本主义道路,没有那回事。计划经济和市场调节都得要。不搞市场,自甘落后,世界信息都不知道。

1990 年 12 月,中共十三届七中全会提出《关于制定国民经济和社会发展十年规划和"八五"计划的建议》。《建议》指出:计划经济可以从总体上保持国民经济按比例发展的资源合理配置,市场调节可以发挥优胜劣汰机制的作用;计划管理必须自觉遵循经济按比例发展的规律、价值规律和市场供求关系,市场调节要在国家总体计划和法律约束下发挥作用;属于总量控制、经济结构和经济布局的调整以及关系全局的重大经济活动,主要发挥计划的作用;企业日常的生产经营、一般性技术改造和大型建设等活动,主要由市场调节。

1988 年 9 月,党的十三届五中全会提出"治理经济环境,整顿经济秩序,全面深化改革"方针,随之展开了"三年治理整顿"工作。到 1991 年初,两年治理整顿取得成效。

伴随着经济体制改革的深化,人们对社会主义市场经济理论的认识和探索也在逐步深入。1992 年初邓小平的南方谈话从根本上解决了把计划经济和市场经济看做属于社会基本制度范畴的思想束缚,使我们在计划与市场关系问题上的认识有了重大突破。

三峡工程的论证与立项

一

重提三峡工程

1978 年 12 月党的十一届三中全会实现历史性的伟大转折以后,党和国家的工作重心由政治运动转到了经济建设。在新的契机面前,冷却 10 年的三峡论证又重新摆在了党和国家的重大议程里。1979 年,水利部向国务院提交报告,建议把三峡工程作为四个现代化建设中的重大战略性工程,争取在 90 年代建成。同年,规划单位建议三峡坝址选在西陵峡的三斗坪。同时,李锐与林一山的三峡论争又起。李锐再次上书,认为"三峡水库防洪作用有限,而投资过大……国家财力显然难以负担"。林一山初衷不改,要求组织"决策性的讨论,对一些不同意见作出分析判断……"

1980 年 7 月,时任中共中央副主席、国务院副总理的邓小平从重庆沿江而下,视察了三峡坝址和葛洲坝工程。同年 8 月,国务院召开常委会议专门研究三峡问题。会议决定由国家科委、建委负责组织对三峡工程的进一步论证。1982 年 11 月 24 日,在谈到正在论证的三峡工程的几种方案时,邓小平指出:"我赞成搞低坝方案。看准了就下决心,不要动摇。"

稍后,1983 年初,长江流域规划办公

室提出了《三峡水利枢纽 150 米方案可行性研究报告》。同年 5 月，在北京京西宾馆，国家计委召集各方面有关专家 350 余人审查这一报告，最后认为：低坝方案基本可行，建议国务院原则批准。翌年 2 月，中央财经领导小组讨论研究了国家计委审查通过的方案，决定：三峡工程采用正常蓄水位 150 米，坝顶高程 175 米方案，立即开始施工准备，争取 1986 年正式开工。1984 年 4 月，国务院原则批准了这一方案。

即后，三峡工程准备工作全面展开：三峡工程筹备领导小组宣告成立；三峡工程开发总公司筹备组开始工作；与美国内政部垦务局关于三峡工程开展技术合作的协议签订……

1985 年 3 月 4 日，中共中央、国务院发出《关于成立三峡省筹备组的通知》。《通知》说，正在筹备兴建的长江三峡工程，是新中国成立以来最大的工程。它的建成，将对长江中下游防洪、发电、航运产生巨大的综合效益，对我国在 20 世纪末实现工农业总产值翻两番和四个现代化建设，具有重大的意义。为了保证三峡工程顺利建成，妥善安排库区移民，加快三峡地区的经济开发，中共中央、国务院认为有建立三峡省的必要。三峡省的区划范围，原则上包括四川省的涪陵、万县两个地区以及湖北省宜昌地区的绝大部分、宜昌市和鄂西土家族苗族自治州的巴东县。在三峡省正式建立前，先成立三峡省筹备组，并建立党组。筹备组由李伯宁等 8 人组成，李伯宁任组长和党组书记。

随着三峡工程的全面铺开，关于三峡工程的不同意见和争论也全面展开。

1984 年 9 月，重庆市人民政府建议将正常蓄水位提高，以便万吨级船队能直达重庆港，国家计委、国家科委受国务院委托对三峡工程的水位进一步组织论证，取得一批成果。

在此期间，国内有关部门和关心三峡工程的人士对三峡工程建与不建、早建或晚建以及建设方案提出了各种不同意见。李锐也再度上书中央领导，建议三峡工程"在重大问题尚未圆满解决以前，考虑暂缓兴建"。

中共中央、国务院对此非常重视。1986 年，中共中央、国务院发出《关于长江三峡工程论证有关问题的通知》，决定进一步扩大对三峡工程的论证，重新提出可行性研究报告。

与此同时，1986 年 5 月 8 日，中共中央、国务院决定，撤销三峡省筹备组，改建为三峡地区经济开发办公室。

二

艰巨复杂的重新论证工作

中共中央、国务院为了体现决策科学化、民主化的精神，决定由原水利电力部组织成立"三峡工程论证领导小组"，广泛组织各方面的专家，围绕各界提出的一些问题和新的建议，从技术上、经济上进一步深入研究论证，得出有科学依据的结论，在此基础上重新提出可行性研究报告，然后组建国务院三峡工程审查委员会负责审查可行性报告，提出审查意见并报请国务院审核。

原水利电力部在 1986 年成立了三峡论证领导小组，对论证工作实行集体领导，在领导小组下设地质地震、枢纽建筑物、水文、防洪、泥沙、航运、电力系统、机电设备、移民、生态与环境、综合规划与水位、施工、投资估算、综合经济评价共 14 个专家组，聘请国务院所属的 12 个院所、

28 所高等院校和 8 个省市专业部门共 40 个专业的 412 位专家，全面开展三峡工程的论证工作。其中，有中科部学部委员 15 人；教授、副教授 66 人；研究员、副研究员占 38 人；高级工程师 251 人，合计 370 人，占专家总数的 89.8%。水利电力系统以外的专家 213 位，占 51.7%。此外，还聘请特邀顾问 21 位。专家构成具有权威性和广泛性。

为了支持各专家组的工作，根据工作需要，三峡工程论证领导小组还在全国范围内委托有关高等学校、科研、勘测、设计等单位，承担试验、勘测、调查、计算、研究的任务。因此，实际参加论证工作的达数千人。国家科委还组织了有关科技攻关项目，全国共有 300 多个单位、3200 多名科技人员对 45 个专题进行科技攻关，取得 3400 多项科研成果。

重新论证工作始自 1986 年 11 月。论证的内容，主要集中在兴建三峡工程的必要性、技术上的可行性、水库移民安置、生态环境问题、经济上的合理性、三峡工程的建设方案和兴建时机等方面。而在这些方面大多都存在着不同意见。

几十年来，三峡工程为国内外所关注。围绕三峡工程，有各种各样的意见。论证之初，论证组在收集研究了各种不同意见后，将它们分为两大类：一是三峡应如何修建，包括应一级开发或二级开发，以及各种不同设计蓄水位的方案。另一类是三峡该不该建，包括：防洪有无必要性；长江的治理是否应先上后下、先支后干；在技术上是否可行；经济上能否为国力承受；移民能否安置；对生态环境是否会造成严重的不利影响；等等。

根据以上两类性质不同的问题，必须将论证分为两个阶段：首先要选定一个三峡建设的代表性方案，然后研究这个方案的全方位可行性，并制定一个和三峡代表性方案同等效益或效益接近的替代方案，比较三峡建或不建，早建或晚建的利弊得失。

三峡的论证工作，就是在广泛听取各种不同意见的基础上展开的，正是这些不同意见促进了认识的深入，推动了长江的治理。

1. 重新论证、选择三峡水库的设计蓄水位

水库的设计蓄水位，是水库建设的主要综合指标，它决定了工程的规模和效益。蓄水位越高，库容就越大，其防洪、发电、航运等效益也越高，而相应的技术问题随之增多，淹没损失随之加大。

在论证中，根据过去的研究成果，议定从海拔 150 米到 180 米之间选择水位。在论证前，原水电部主张选择较低水位即 150 米，理由是：移民较少；泥沙淤积不会影响重庆。但低水位方案遭到两方面的反对。一是由于水位较低，防洪库容不足，如遇特大洪水，为保下游安全，需要水库临时超蓄，要求库区以上的群众临时转移，这些群众感到不大安定，下游也感到防洪安全的保证不够。二是重庆市和航运方面，由于改善航运的利益不能及于重庆，认为影响航运的整体利益。直到论证开始，两种意见相持不下，不能达成共识。

论证中，对泥沙问题和移民问题分别组织了有权威并有代表性的专家组，进行了反复深入的研究。两个专家组的结论是：将设计蓄水位提高到 175 米，相应的泥沙问题和移民问题都有把握解决。最后，各专家组共同通过了水位方案：初期蓄水位 156 米，这样有利于移民安置，并可检验泥沙淤积的影响；最终蓄水位定为 175 米，这样可全面满足防洪和航运的需要，也相应提高了发电的效率。

2.审慎计算三峡的投资

三峡工程的投资是否会变成"无底洞"? 这是论证中提出的最尖锐的问题,它反映了广大群众的担忧。历经十多年的曲曲折折,刚刚进入稳定、繁荣、发展的新轨道,谁都害怕再来一次"瞎折腾"。过去有些工程,为争取上马,在设计时违反实际地压低投资,一旦上马,各项资金立即加码,人们痛恨地称之为"钓鱼工程"。三峡的投资基数很大,如果将来扛不住,如果成为国民经济的"无底洞",其后果将不堪设想。

论证小组深感责任重大,态度变得格外审慎。他们分析有些工程的概算所以大大突破,首要原因是前期工作不充分,特别是地质情况未搞清,挖开基础后发现地质有重大缺陷,因而大大增加了工程量。三峡工程坝址的地质情况较好,并经过长期勘探,这是它的有利条件。在论证中提出的库岸滑坡和诱发地震问题,都已由地质地震专家组作出了明确一致的结论。但三峡工程毕竟规模巨大,将来设计施工中总会有些未能预见的因素。因此,论证组认为:在可行性研究阶段,工程量和投资计算必须留有适当余地。除枢纽工程外,三峡工程的总投资还包括移民安置和输电工程两大部分,都请有关专家进行了详细的复核。最后,论证小组对三峡工程的静态投资的概算为:按1990年价格计算,三峡工程的总投资为570亿元,其中枢纽工程298亿元,移民安置185亿元,输电工程87亿元。工程的工期分为3个阶段:施工预备期3年;从主体工程开工到第一批机组发电9年,以后陆续安装电机直到全部完工预计为6年。

论证中主要的分歧是在动态投资的计算上。以静态投资为基础,各个建设项目都要考虑建设期间的贷款利息和通货膨胀率,计算资金的总需求量,即动态投资。根据国家计委认可的计算方法和标准,三峡工程如在近期开始施工准备,其资金总需求量约为1500亿元,其中在发电前需要的资金约为600多亿元,开始发电后的资金,可逐步由工程本身和葛洲坝的收入支付,在全部工程完成后的第二年即可偿还全部贷款的本息。由于假定的贷款利息特别是通货膨胀率的不同,也可算出差距几倍的动态投资。对此,论证组请权威部门的经济金融专家进行论证。专家们认为,三峡工程的贷款利息是在建设后期即开始发电后用自己的收入来偿还,而不是用投资的钱来偿还。因此,不是实际的资金需求。由于三峡工程有投入,也有产出,投入的物价涨价,产出的电价也上涨,所以,作经济评价时,可以不计物价因素。

在论证中发现:由于长江三峡的年均水量达4500亿立方米,建坝后可转化为高过840亿千瓦时的年均电量,比其他江河上同样水头的水电站(一般年均水量几百亿立方米,年均电量几十亿千瓦时),有很大的优越条件。因此,单位千瓦的造价相对不高。

论证组认为,三峡工程的建设是符合目前国民经济水平的,这可从三峡的主要产出指标——发电能力来考察。现在建议的三峡装机容量为1768万千瓦。50年代末期,我国全国的电力容量还不到1000万千瓦;60年代末期也仅2000万千瓦;70年代末期发展到6000多万千瓦;到80年代末期已达1.2亿千瓦以上,到20世纪末将达到2.4亿千瓦以上。当时全国每年投产的发电能力超过1000万千瓦,每年仅电力投资超过300亿元。即使不建三峡工程,华中和华东也必须建设其他电站;即使将三峡工程的全部投资纳入电力投资,它占全国电力投资的比重将不超过当年的葛洲坝建设。

3.防止移民安置对生态与环境可能产生的不利影响

三峡工程对生态环境的影响如何?这是论证中的又一重大问题。

在论证中,以中国生态学会的已故理事长马世骏为组长的生态与环境专家组,集合了各方面专家学者,经过详细调查和充分讨论,提出了综合评价和相应对策。1992 年,中国科学院环境评价部和长江水资源保护科学研究所,根据国家的有关规定,共同编制了三峡工程环境影响报告书,已经国家环保局终审通过。

专家组指出,三峡工程在建设过程中,需要安置的移民达 100 多万,其中一半是城镇居民,一半是农村居民。对城镇居民,迁移城镇一般不改变他们的原有生产条件,对农村居民,由于水库淹没耕地 36 万亩(其中水田 11 万亩)和柑橘地 7.5 万亩,必须重新安排生产条件。农村移民和被淹的土地,分散在库区周边 2000 公里的 19 个县市的范围,每个县市淹没土地的比重不大,没有一个乡全淹,这是有利的方面。同时应看到,这个地区是我国最贫困的地区之一,过去的滥垦滥伐已使生态环境十分严峻,如果对移民安置进行统一规划并加强领导,这对本地区的环境改造和人民的脱贫致富,也是最好的一个转机。因此,移民安置对于这个地区,既是一个挑战,也是一个机遇。当地的广大干部群众,翘首仰望三峡工程,是很能理解的。

基于上述理由,论证组完全接受了专家组的建议,明确要以建立和维护良好的生态环境为目标,对库区进行改造和重建,改变过去对移民安置的一次性补偿的办法,采取开发性移民的方针,即为移民全面安排生产和生活条件,并为库区的长远发展创造条件;要做好库区的国土规划,将城乡建设、移民工程、资源开发与环境整治等纳入总体规划,用系统工程的方法,把库区作为一个复合的自然—社会环境系统,制定出多目标、多功能的综合开发方案;制定和实施综合规划都要吸收生态与环境专家参加,并建立长江流域生态与环境的监测系统,进行跟踪监测,以便及时作出科学预断和采取对策。

4.推进长江上游的水土保持

1986 年开始论证后不久,不少同志对长江的泥沙问题特别担心,认为长江上游的水土流失在加重,长江的泥沙在增加,有变成第二条黄河的危险。在此情况下修建三峡水库有无淤死的可能?

对此,论证组进行了认真的调查研究,认为,长江上游不少地方,由于滥垦滥伐水土流失确实在加重。由于长江上游的地质和气候有所不同,水土流失的后果也有所不同。黄河流域主要为黄土高原,暴雨冲蚀的土壤颗粒很细,几乎全部随沟壑和支流洪水进入干流。因此,黄河在三门峡处虽然年均水量仅 400 多亿立方米,但年均输沙量却达 16 亿吨。长江上游主要为岩石山区,表层土壤被冲洗后,其余的冲洗物为岩石,颗粒较粗,大部分堆积在山沟和支流,只有小部分进入干流。因此,长江在宜昌处的年均水量为黄河三门峡的 10 倍(4500 亿立方米),而年均输沙量仅为 1/3(5 亿多吨)。对于三峡的泥沙问题,由于积累了黄河三门峡改建和长江葛洲坝设计的经验,并经水利、交通、教育三个系统的泥沙研究单位制作多个模型互相验证,专家们一致认为可以长期维持水库的寿命并保证航运。但是,长江上游水土流失对当地人民的危害的确需要十分重视,在某种意义上,它比黄河的危害更大。因为长江岩石山区的表层土壤很薄,不像黄土高原有深厚的土层,岩石山区的表层土壤一旦流失,当地人民就失去农业生产条件,其后果十分严重。

根据以上认识,水利电力部于1987年向国务院提出报告,认为不论建或不建三峡工程,长江上游的水土保持都应及早加强,建议与黄河中下游的水土保持同等重视。国务院批准了这一报告,并于1988年成立了长江上游水土保持委员会,将金沙江、嘉陵江和乌江上游的水土流失严重区以及三峡两岸列入国家重点扶持计划。此外,国务院还批准了在长江上游建设防护林体系。

5.抓紧支流水库的建设

在论证中,不少专家认为,鉴于三峡水库规模太大,建议先在长江各支流上兴建水库,以控制洪水,开发水利。

在长江流域规划和三峡工程的论证中,对长江各主要支流的水库都作了研究,认为干流水库和支流水库都是长江治理开发的组成部分,各有所用,应该相互补充,不能互相替代。各支流水库对控制当地洪水灾害和开发当地水利,有不可替代的作用。三峡水库的作用,首先是控制各支流水库所不能控制的30万平方公里面积的暴雨区,并开发干流的水能和航运资源。在研究三峡工程可行性时,一定要注意防止重干轻支的倾向。

基于这个认识,在论证过程中,对建设条件成熟的支流水库,都予以积极支持。从1986年至今,陆续开工建设的大型支流水库有:江西省赣江的万安、湖北省清江的隔河岩、湖南省沅水的五强溪、贵州省乌江的东风、甘肃省白龙江(嘉陵江支流)的宝珠寺、四川省大渡河的二滩等。正在编制和审批可行性报告的有四川省岷江的紫坪铺、嘉陵江的合川、湖南省澧水的江垭等。

1988年11月,论证工作全部结束,14个专家组提出了各自的论证报告。1989年9月,在重新论证的基础上,编写了三峡工程的可行性研究报告。

重新提出的三峡工程可行性报告的总的结论是:三峡工程对四化建设是必要的,技术上是可行的,经济上是合理的,建比不建好,早建比晚建有利。

对三峡工程的建设方案,可行性报告推荐采用"一级开发、一次建成、分期蓄水、连续移民"的方案。大坝坝顶高程为185米,一次建成,初期运行水位为156米,最终正常蓄水位为175米,水库总库容393亿立方米,防洪库容221.5亿立方米,水电装机总容量1768万千瓦,年发电量840亿千瓦时,移民不间断迁移,20年移完。大坝坝址位于湖北省宜昌县三斗坪镇。施工总工期18年,第12年第一批机组发电。工程静态总投资共571亿元(按1990年价格计算)。

关于兴建三峡工程的必要性,推荐方案认为三峡工程效益巨大:第一,可以控制长江上游洪水,减免长江中下游广大地区洪水灾害,保障经济建设和社会发展;第二,为华中、华东及川东地区提供大量的电力,可有效地缓解这些地区能源供应长期紧张的矛盾。第三,使宜昌至重庆间航运条件显著改善,为万吨级船队直达重庆创造条件。

关于工程的技术可行性,推荐方案认为三峡工程基本资料充分可靠,前期工作相当充分,工程建设中需要解决的技术难题已有明确结论,技术上没有不可逾越的障碍,在技术上是可行的。

关于移民和生态环境,是兴建三峡工程中最关键和最困难的问题。论证结论认为,移民安置任务艰巨,但有解决途径,工程越早建,对移民工作越有利。三峡工程对生态与环境的影响是广泛而深远的,既有有利影响,也有不利影响,要采取有效措施充分重视,认真对待。

关于经济上的合理性和兴建时机,论证结论认为,投资计算的基础是可靠的,三峡工程的经济性是优越的,通过多渠道集资,我国现阶段国力是可以承担的。

全国人大通过关于兴建
三峡工程的决议

1990年7月,国务院在听取了重新论证的情况汇报和各方面的意见后,决定成立国务院三峡工程审查委员会,对可行性研究报告进行审查。

国务院三峡工程审查委员会,由当时的国务委员兼国家计委主任邹家华任主任,王丙乾、宋健、陈俊生三位国务委员任副主任,委员中包括三峡工程涉及的各部部长及科学院、社会科学院的负责人共21人。

国务院三峡工程审查委员会的审查工作,采取先分十个专题进行预审,然后再由审查委员会集中审查的办法,明确要认真地研究各方面提出的一些疑点、难点和不同意见,并作为审查工作中的一个重要方面,力求使审查得出客观、科学、公正的结论。10个预审组共聘请了163位专家,其中以前未参加过三峡工程论证工作的占62%,现任各有关部门行政、技术职务的占73%。

各预审组进行了实地考察,召开了预审会议,于1991年5月都提出了预审意见。1991年7月9日至12日,审查委员会召开第二次会议,听取了10个预审组的预审意见。委员们本着实事求是、尊重科学的精神,进行了认真的讨论和审议,一致认为三峡工程的前期工作规模之大、时间之长、研究和论证程度之深,在国内外是少见的。它是成千上万的专家和工程技术人员长期不辞辛苦、埋头苦干的结晶,也是发扬民主、听取不同意见、反复论证的结果。审查委员会认为,无论赞成的、质疑的或者不同意的意见,都是为了更好地解决长江中下游的防洪和治理,都是从对国家和人民负责出发的。这些意见对增加论证深度、改进论证工作以及完善论证结果都起到了十分积极的作用。对待所有意见都应采取博采众长、吸收合理部分的态度,而不应采取排斥对立的态度。因此,在论证、审查中,对有关部门、地方和社会各界提出的意见和建议进行了认真研究,采纳了许多有益的意见。

审查委员会一致认为,在重新论证基础上编制的可行性研究报告,其研究深度已经满足可行性研究阶段的要求,可以作为国家决策的依据。

1991年8月3日,审查委员会召开最后一次全体会议,一致通过了对长江三峡工程可行性报告的审查意见,认为三峡工程建设是必要的,技术上是可行的,经济上是合理的。建议国务院及早决策兴建三峡工程,提请全国人大审议。

1992年4月3日,第七届全国人民代表大会第五次会议,审议了国务院关于提请审议兴建长江三峡工程议案,并根据全国人民代表大会财政经济委员会的审查报告,决定批准将兴建长江三峡工程列入国民经济和社会发展十年规划,由国务院根据国民经济发展的实际情况和国家财力、物力的可能,选择适当时机组织实施。

1992年3月21日,国务院总理李鹏向七届全国人大五次会议提交了关于三峡工程的议案。同日,邹家华副总理在七届人大五次会议上作了《关于提请审议兴建长江三峡工程议案的说明》。

关于兴建长江三峡工程的重要性和必要性,邹家华着重阐述了下列四点:

第一,解决长江中下游的防洪问题是国家经济发展的需要,必须采取综合治理措施。

第二,兴建三峡工程,是诸多综合治理措施中的一项关键性工程措施。

第三,三峡工程可为华中、华东和川东地区提供重要的能源。

第四,三峡工程的另一个效益就是可提高川江航道通过能力,促进长江航运事业的发展。

关于三峡工程的建设方案,邹家华作了如下说明:

三峡工程正常蓄水位的选择,涉及工程规模、工程效益、水库淹没、移民安置和泥沙淤积等重大问题。国务院于1984年曾原则批准正常蓄水位150米的三峡工程可行性研究报告。同年,重庆市政府向国务院报告,要求将正常蓄水位提高到180米,以便万吨级船队能直达重庆港。交通部门也持同样的看法。在重新论证和审查中,根据各方面提出的意见和要求,分别对正常蓄水位150米、160米、170米、180米,以及"两级开发"和"一级开发、分期蓄水"等六个方案进行了全面的技术和经济论证。考虑到三峡工程首先应当满足中下游的防洪要求,万吨级船队能够直达重庆,泥沙淤积问题的处理要有把握,以及库区人民不希望水库在防洪运用时因超蓄而造成临时搬迁等因素,最后确定,采用水库正常蓄水位175米,大坝坝顶高程185米和"一级开发、一次建成、分期蓄水、连续移民"的建设方案。该方案比原方案更为合理,防洪库容由原来的73

亿立方米增加到221.5亿立方米,使三峡工程的防洪、发电、航运效益增大,是各有关部门、地方和库区人民都能够接受的方案。初期先按156米蓄水位运用,有利于移民安置,又可验证泥沙淤积对库尾航道、港口的影响。

三峡工程坝址选在湖北省宜昌县三斗坪镇。工程的拦河大坝全长1983米,坝顶高程185米,最大坝高185米。水库正常蓄水位175米,水库总库容393亿立方米,其中防洪库容221.5亿立方米;水电站装机26台,总装机容量1768万千瓦,每年平均发电量840亿千瓦时,工程静态总投资按1990年价格水平计算为570亿元。工程建设需准备3年;主体工程总工期预计15年,第一批机组在第9年开始发电。

关于三峡工程的技术可行性,邹家华指出:

三峡工程的勘测、设计和科学试验工作已进行了近40年,基本资料丰富,前期工作做得比较充分。大坝建在坚硬完整的花岗岩岩体上。工程规模虽大,但建筑物都是常规形式,我国有比较丰富的建设经验,有能力完成设计和施工任务。主要机电设备可依靠自己的力量,立足国内制造。总的讲,工程建设在技术上是可行的。一些同志比较担心的泥沙淤积、水库诱发地震和库岸稳定问题,经过国内有关专家的深入研究,已基本搞清楚,并有了对策。

长江的平均含沙量小,但年输沙量仍相当大,又是一条重要的通航河流,因此,泥沙问题应该慎重对待。根据国内许多工程解决泥沙问题的成功经验,并经过大量的模型试验研究表明,三峡水库是一个河道型水库,采取"蓄清排浑"的方式来运用,即汛期沙多水多,开闸门放水排沙;枯水期水少沙少,关闸门蓄水,这样水库可以长期保持绝大部分有效库容,保证防洪、发电和航运等综合效益的发挥。论证中重点研究了泥沙淤积对重庆市的影响,认为采取综合措施后可以满足航运的要求;水库长期运用后,在假定的不利条件下,泥沙淤积将会使洪水位略有抬高,但其达到的水位不致影响重庆主要市区。

水库建成蓄水后是否产生诱发地震,一直是地质与地震部门长期研究的重点。经过几十年的调查研究,他们认为三峡工程坝址处于地壳稳定性较好的弱震环境地区,建库后虽然不能排除局部地段产生水库诱发地震的可能,但即使产生水库诱发地震,影响到坝区的烈度将不超过六度,不致影响工程的安全。

关于三峡水库库岸稳定问题,经过长时间的调查研究,专家组认为,水库无渗漏及严重的浸没坍岸问题,库岸的总体稳定性是好的。少数可能失稳的大型崩塌滑坡体离三峡坝址都在 26 公里以外,不会影响工程的运用和大坝安全。水库蓄水后江面展宽,水深加大,因崩塌滑坡导致堵江碍航的可能性比建库前大为减小。

三峡工程规模巨大,技术复杂,对已发现的问题要继续深入研究。在今后的工作中还会有这样或那样的技术问题,都必须高度重视,认真对待,使工程建设更加稳妥可靠、经济合理。

关于筹集建设资金的可行性,邹家华指出:

三峡工程建设所需静态投资为 570 亿元(1990 年价格)。其中,枢纽工程投资 298 亿元,水库移民投资 185 亿元,输变电工程投资 87 亿元。在论证和审查中,采用多种方法对建设三峡工程进行了国民经济评价和财务评价,包括静态分析、动态分析、工程本身的投入产出分析和各种替代方案的比较。研究结果表明,三峡工程虽然总投资大,总工期长,但由于防洪、发电、航运等综合效益大,并在建设的中期就可发挥出巨大的发电效益,因此,仍能取得较好的国民经济效益和财务效益,各项国民经济评价指标和财务评价指标均能达到国家规定的标准。由于从第九年起第一台机组发电后就有收益,因此预计工程建成后的短时间内,有可能收回全部建设资金。

三峡工程投资基数较大,但资金投入流程长,发电前资金需要量约为总量的一半左右。发电后的建设资金相当部分可以靠发电收入自筹。据测算,在建设期间可以发电 430 多亿千瓦时,创利税近 400 亿元。在工程开始发电以后靠自身和葛洲坝电站的发电收入基本上能满足建设资金的需要。因此,三峡工程建设资金筹措的关键,是解决发电前近 300 亿元(1990 年价格)的建设资金问题,平均每年投入 25 亿元至 30 亿元,约占 1992 年全国基本建设总规模 5700 亿元的 5‰ 左右。除适当提高葛洲坝电站发电电价所得收入和征收水电建设基金外,所需资金还可以通过社会各方面筹资,如债券、股票、贷款以及利用外资等来解决。只要发挥中央和地方两个积极性,采用多渠道筹集,建设所需资金是能够解决的。

关于水库移民问题,邹家华指出:

三峡水库移民,量大面广,据 1985 年统计,淹没区人口 72.55 万人,淹没耕地 35.69 万亩,涉及川鄂两省 19 个县(市)。安置区经济不发达,土地资源有限,移民安置又涉及社会、经济以及生态与环境问题,这是兴建三峡工程中一个关键的和困难的问题。

做好移民安置工作,也还有一些有利因素:一是 54% 以上是城镇居民,基本上可从事原来的职业,农村移民的数量不到总数的一半;二是农村移民和被淹的土地,分散在库区周边 2000 公里的范围内,淹没土地占有关县市的比重小,没有一个乡全淹,库区资源较丰富,生产门路较多,大多数移民可以就近后靠安置;三是全国的支持。即使如此,由于三峡工程移民安置量大,任务十分艰巨,对存在的问题要有充分估计,因此,切不可有任何松懈。要搞好三峡工程移民安置,必须继续认真贯彻中央确定的开发性移民方针,做好移民安置规划,制定切实可行的政策,调动各方面积极性,加强管理,加强领导。国务院已成立三峡工程移民试点工作领导小组,负责部署移民试点的各项工作。要继续做好扩大移民试点的工作,使得试点地区移民的生产和生活得到合理稳定的安排,并严格控制库区淹没线以下的基本建设和人口增长。

关于生态与环境问题。邹家华指出:

国家对三峡工程的生态与环境问题极为重视,从 50 年代开始就组织力量进行研究。80 年代以来,研究工作更加广泛、深入,并列入了国家"七五"科技攻关计划。最近,有关部门编制的《三峡水利枢纽环境影响评价报告书》,已通过了主管部门的预审和国家环保局的终审。三峡工程建设对生态与环境的影响,既有有利的方面,也有不利的方面。有利的影响主要有:可以有效地减少洪水灾害对中下游地区生态与环境的破坏,减缓洞庭湖的淤积和萎缩;增加中、下游枯水期流量,改善大坝下游枯水期水质,并可为南水北调提供水源条件;与火电相比,可减少大量废气、废水、废渣对环境的污染。

不利影响主要在库区,如水库淹没、移民和城镇迁建,若处理不当,会加剧库区原已紧张的人地矛盾,可能产生新的水

土流失;泥沙淤积对库尾会有影响;库区部分水域水质污染会加重;部分文物古迹被淹没。三峡自然景观会受到一定影响;对水生生物和珍稀物种也会有影响等。

三峡工程对生态与环境的影响广泛而深远,本着对人民负责和对子孙后代负责的精神,对不利影响必须予以高度重视,要采取得力措施将其降低到最低程度。结合三峡工程的建设,必须认真做好包括上游水土保持以及城乡建设、移民安置、资源开发、水质保护、环境整治等在内的库区综合规划;库区新建项目要选无污染或少污染的产业,必须切实执行在审核项目的同时也要审核环保的制度;积极治理老污染源;建立生态与环境监测网络,对生态环境实行监测、管理和研究;要制定三峡库区的环境保护办法;对文物古迹要尽可能地搬迁和保护。各方面要在人力、物力、财力上给予支持,以保证各项环境保护措施的落实。

关于人防问题,邹家华强调:

战时三峡工程大坝的安全问题,从 50 年代起就进行了大量试验研究。三峡水库下游有 20 公里长的峡谷河段,对溃坝洪水起约束、缓冲和消减作用,有利于减轻洪灾损失。在大坝遭突然袭击严重破坏的情况下,据溃坝模型试验,溃坝洪灾对坝下游局部地区造成的损失是严重的,但由于狭长峡谷所产生的缓冲作用,可以减轻危害,不致造成荆江两岸发生毁灭性灾害。

人防问题虽然做了很多工作,但仍需继续深入研究,采取工程防护和积极防御等综合对策措施,最大限度地减轻三峡工程可能因遭战争破坏而产生的损失。

最后,邹家华提出了对三峡工程决策的建议:

综上所述,国务院三峡工程审查委员会认为,三峡工程是一项规模宏大的水利

枢纽工程,在防洪、发电、航运和供水等多方面将产生巨大的综合效益,特别是对保障荆江两岸1500多万人民生命财产安全具有十分重要的作用。从对增强我国综合国力和为21世纪初国民经济发展打下坚实的基础来说,兴建三峡工程也是十分必要的。有关三峡工程的勘测、科研、设计和试验工作自50年代初开始,全国有关部门和各方面人士通力合作,已持续进行了近40年,前期工作深入,需要研究和解决的主要问题已基本清楚,并有了对策。建设方案通过重新论证和审查,考虑和吸收了各方面的有益意见和建议,更趋完善。三峡工程的前期工作已经可以满足可行性研究阶段的要求。三峡工程建设是必要的,技术上是可行的,经济上是合理的,随着经济的发展,国力是可以负担的,当前决策兴建三峡工程的条件已经基本具备。

1992年4月3日15时20分,全国人大七届五次会议举行最后一次全体会议。2663名出席代表庄重地按动面前的表决器。人民大会堂主席台两侧巨大的蓝色荧屏上,跳出了白色的数字:赞成:1767;反对:177;弃权:664;未按表决器:25。

万里委员长宣布:关于兴建三峡工程议案通过。

新时期的反腐败斗争

十一届三中全会以来,经济建设逐渐突破旧的模式,以迅猛发展的势头开辟了中国走上繁荣和富强的新天地。与此相伴的是,我们党和国家与由于种种原因产生的各种腐败现象的斗争也进入了一个新阶段。就斗争的范围、方式、力度和效果等方面而言,都不同于在此之前的任何时期。考察和探究新时期我们国家反对和清除攸关党和国家生死存亡的腐败现象的历程,总结新时期反腐败斗争的经验教训,对于我们党和国家的民主政治建设,保证社会主义市场经济体制的迅速确立和完善,具有极强的现实意义。

严肃法纪,在开创新局面的过程中反对腐败
(1979—1983年)

针对党的十一届三中全会之后在大力发展社会主义商品经济的新形势下腐败现象滋生和蔓延的客观现实,党和政府以建立健全法制和完善制度的方式来防范和清除改革开放新时期出现的腐败现象,从而避免了过去运用大规模的政治斗争和群众运动的方式而引发社会动荡,逐步将反腐败的斗争纳入了法制的轨道。这是我们党和国家反思和总结极大腐蚀和破坏党和国家肌体的十年社会大动乱后得出的一个极为重要的结论。

十一届三中全会决定健全党的民主集中制原则,健全党规党法,严肃党纪,对党内由于民主集中制遭到严重破坏而出现的个人主义、官僚主义、个人崇拜、家长制、"一言堂"等不正常现象进行了深刻的反思,对于民主和法制的关系进行了重新认定。为了对党员干部行使权力进行监督,恢复了党的重要机构——中央纪律检查委员会并卓有成效地开展了工作。所有这些,都为实现党内政治生活民主化从

而克服执政党内存在的官僚主义和以权谋私的腐败行为奠定了一定的基础。

为促进社会风气的根本好转，进一步把反腐败斗争引向深入，创造一个生动活泼、心情舒畅的政治局面，党中央把制定法规、端正党风的问题放在重要的议事日程上。1979 年 11 月 2 日，邓小平同志在中央召开的党、政、军机关副部长以上干部会议上发表了题为《高级干部要带头发扬党的优良传统》的重要讲话，提出了高级干部要带头发扬党的优良传统、坚决克服生活特殊化和脱离群众的腐败现象。针对极个别党员干部滥用权力谋取私利、荫庇子女、追求个人享受、严重脱离群众的严重行为，他尖锐地指出："如果党的领导干部自己不严格要求自己，不遵守党纪国法，违反党的原则，闹派性，搞特殊化，走后门，铺张浪费，损公利私，不与群众同甘苦，不实行吃苦在先、享受在后，不服从组织决定，不接受群众监督，甚至对批评自己的人实行打击报复，怎么能指望他们改造社会风气呢！"他认为，"在目前的历史转折时期，问题堆积成山，工作百端待举，加强党的领导，端正党的作风，具有决定的意义。"①同时，他在讲话中对高级干部的生活待遇、工作作风、选贤任能从而做好交接班、加强同人民群众的联系等一系列问题作出了深刻的阐发，对于新时期的反腐败斗争起到了重要的作用。

随后，以中央纪律检查委员会为主，由国务院有关方面参加起草的《关于高级干部生活待遇的若干规定》，以党中央、国务院的名义下发，作为领导干部廉政建设的一个重要法规。《规定》对高级干部的住房、用车、工资和其他特殊待遇作出了明确的限制。关于这个规定，邓小平代表党中央、国务院强调指出："一经中央和国务院下达，就要当法律一样，坚决执行，不通也要执行。"②这对于遏止极个别高级干部追求享受，保持廉洁和艰苦创业的精神，起到了一定的作用。

为切实搞好党风建设，加强和改善党的领导，创造一个廉洁、高效的政治环境，1980 年 2 月召开的党的十一届五中全会讨论并通过了《关于党内政治生活的若干准则》。《准则》在广泛征求党内外人士意见的基础之上，七易其稿，分别在反对干部的特殊化、坚持集体领导的原则、反对派系斗争、同各种错误倾向做斗争、加强群众的监督机制、减少滥用权力的现象等方面作出了较为明确而细致的规定，为反对党内干部的腐败行为提供了一个可资参照的法规，有力地指导了改革开放初期的反腐败斗争。

由于中共中央的高度重视，全国各地迅速掀起了一个贯彻《准则》的反腐败浪潮。陈云同志在谈及《准则》的重要意义时，提出了"执政党的党风问题，是有关党的生死存亡的问题"这一重大的命题，他反复强调党风问题必须抓紧搞、永远搞。各地组织也以贯彻《准则》为契机，一方面积极开展深入的政治思想教育，提高群众遵纪守法的自觉性，另一方面采取清理惩治的手段，对各种腐败现象开展了斗争。在《准则》公布的半年时间内，便有数十个高级干部因违犯党纪国法而受到严肃处理，对涉及一些"有来头"、"大人物"的案件，也没有姑息迁就。轰动国内外的"渤海 2 号"翻船事故导致 72 人死亡，直接经济损失达 3735 万元。但这样的一大案件

---

① 《邓小平文选》第二卷，第 164、191 页。

② 同上。

竟一直拖而未决。1980 年 8 月,国务院对这一恶性案件进行了严肃处理:石油工业部部长宋振明被解除职务;主管石油工业而对这一事故没有认真对待和及时处理的国务院副总理康世恩受到记大过处分,国务院有关领导也进行了自我批评。天津市人民检察院对直接负有事故责任的海洋石油勘探局局长马骥祥、副局长王兆褚、局副总调度长张德经、"滨海 282 号"船长蔺永志等依法提起公诉。其他与该事故有关的高级干部也受到了严肃处理,在社会上引起较强的反响。

1980 年 6 月,中共上海市委决定,给予利用职权谋取私利的原普陀区集体事业管理局党组成员、副局长房成法以免去党内外职务的处分;同年 8 月,中共浙江省委严肃处理了原温州市委副书记叶瑞玉、市委常委兼永强区委书记陈文聪等人利用职权压制民主、打击报复的恶性案件,撤销了两人的党内职务,并责令温州市主要负责同志作深刻检查。

1980 年 11 月,国务院解除了犯有严重思想作风错误的化工部副部长李国才的职务,同年 10 月,中纪委给予长期凭借手中大权在"丰泽园"饭店大吃大喝不付费用的商业部部长王磊以通报批评。据有关方面统计,全国各级检察机关在 1981 年 1 月至 9 月份,共直接受理经济犯罪案件 31000 多件、违反法纪案达 16000 多件,清查出了一大批犯有贪污受贿、走私贩私、以权谋私、官僚主义、追求享受的腐败分子,并对他们分别绳之以党纪国法,大大净化了社会风气,深受人民群众的欢迎。

1980 年 8 月,中共中央政治局扩大会议着重就反腐败问题进行了认真的讨论。邓小平代表党中央在会上作了《党和国家领导制度的改革》的重要发言,第一次提出了改革党和国家的政治体制用以提高办事效率、反对腐败现象的重大课题,为反腐败斗争的深入开展提供了理论上的论证。他认真地分析了党和国家政治体制存在的诸如权力过分集中、干部领导职务终身制、家长制、官僚主义等一系列特权现象,列举了种种以权谋私、腐败堕落等表现,指出,如不注意克服这些弊端,就会"妨碍甚至严重妨碍社会主义优越性的发挥。如不认真改革,就很难适应现代化建设的迫切需要,我们就要严重地脱离广大群众"。①

80 年代初期,腐败现象已经集中地反映在经济领域,一大批不法之徒深受无政府主义、极端个人主义思想的毒害,钻改革开放法制不健全和打击不力的空子,大肆进行走私贩私、贪污受贿、投机诈骗,以各种手段盗窃国家和集体财产的犯罪活动,在少数地区相当猖獗。有些犯罪行为是国家机关和企事业单位内的少数意志不坚定者同社会上的不法之徒狼狈为奸,有时还打着国家或集体的幌子,有的甚至受到某些领导干部的支持,性质恶劣,情况严重。面对这股汹涌的腐败浪潮,邓小平同志代表党中央、国务院尖锐地指出:"如果我们党不严重注意,不坚决刹住这股歪风,那么我们的党和国家确实会发生会不会'改变面貌'的问题,这不是危言耸听。"②

1982 年 1 月,中共中央发出了措辞异常坚决的《紧急通知》,要求全党各级组织对于这个严重毁坏党的威信、关系我党生

---

①　《邓小平文选》第二卷,第 287 页。
②　《邓小平文选》第二卷,解放军出版社,1987 年版,第 403 页。

死存亡的重大问题一定要抓住不放,雷厉风行地加以解决,情节严重者,加以最严厉的法律制裁。如果有哪一个省、市、自治区和部门的党委优柔寡断,对于干部中首先是负责干部中在经济上存在的严重问题熟视无睹,姑息养奸,中央要考虑追究责任。3月,全国人民代表大会常务委员会通过了《关于严惩严重破坏经济罪犯的决定》。4月13日,中共中央和国务院联合发出了《关于打击经济领域严重犯罪活动的决定》,对这场严打斗争的性质、方式、准则等各项政策作了明确的规定,要求做到以事实为依据、以法律为准绳,严格按照党纪、政纪、军纪,慎重处理每一个案件,尽量做到既要使犯罪分子无一人漏网,又要丝毫不伤害人们勇于开拓的积极性。

打击经济犯罪的活动自中共十一届三中全会以后便在反对干部特殊化、纠正不正之风和贯彻《关于党内政治生活的若干准则》等活动中同时展开了。1982年初,在中共中央、国务院的《决定》尚未发出之前,全国各级司法机关也先后处理了许多经济犯罪的大案要案,从这些案件中已经暴露出党政干部和国家工作人员被金钱腐蚀的严重性。在《决定》发出之后,严重打击经济犯罪活动成为全党全国人民共同瞩目的社会重点问题,全社会紧紧依靠司法纪检机关开展了一场声势浩大的斗争并取得了重大进展。截至1983年4月,执行《决定》一年时间内,全国已揭露并依据党纪国法立案审查的各类经济犯罪案件达19.2万件之多,涉及党员7.1万多人,已结案13.1万多件,占案件总数的68%,3万人被依法判刑,一批罪大恶极者被处以极刑。在所涉及的党员中有8500多人被清除出党,追回赃款赃物计4.1亿多元。其中非法牟利10万元以上的170多人,个人非法所得万元以上者达7000

多人,24400多人在政策的感召下和斗争的威慑下,主动坦白交代其违法犯罪事实,充分显示了党和政府顺应人民群众要求坚决惩治腐败的坚强决心。

尽管这场声势浩大的反腐败斗争在取得初步成效的同时也暴露出相当严重的问题,但它严重地打击了腐败分子的嚣张气焰,对于提高干部群众抵制各种腐朽思想的侵蚀,净化社会风气,端正党风,保证改革开放路线的顺利进行,都起到十分积极的作用。

防微杜渐,在扩大开放中反腐倡廉
(1983—1989年)

严重打击经济犯罪活动的结果表明:随着改革开放政策的向前推进,新旧体制交替时期容易产生一些漏洞,加上管理和监督的某些环节和机制没有跟上形势发展的需要,便成为产生腐败现象的温床。尤其是改革开放以来,党在全力制定和推行改革开放政策、加紧经济建设的情形之下,有必要有可能对全党在思想、作风、纪律、组织等各方面存在的问题进行一次全面的清理和整顿,用以肃清十年内乱的遗毒和封建残余思想,抵御资产阶级腐朽思想的进攻,清除或严防个人主义、宗派主义、官僚主义等政治腐败恶习。基于这一科学的认识,1982年9月召开的中共十二大宣布,中共中央决定从1983年下半年开始整党,用大约三年的时间对党的作风和组织进行一次全面的整顿。

1983年10月,中共十二届二中全会讨论并通过了《中共中央关于整党的决定》,对整党的目的、步骤、方法和要求等方面都作出了明确的要求和规定。指出在不阻碍经济调整和体制改革继续进行的情况下，凡是在思想、作风、纪律和组织问题上离开了为人民服务这一根本宗旨和既定目标的坏人坏事，"都是党内的危险因素，腐败因素"①，都属于应该整顿和清除的范围。因此，这次整党确定的消极腐败的内涵，无论就内容还是范围而言，都要比打击经济领域犯罪活动的斗争更为深刻，可以说是更完全意义上的反腐败斗争。

为了搞好这次整党，中共中央成立了"中央整党工作指导委员会"，负责"了解情况、掌握政策、督促检查、指导宣传"。在整党过程中，中指委先后发出 11 个通知和其他文件，对全国范围内的整党起到了重大的指导作用。

这次整党历时三年半，分三期进行。在各级组织的领导下，在吸取以往整党经验教训的基础上，取得了一定的成效。在思想上增强了全党同志对反腐败斗争意义的认识，进一步明确了改革开放政策的重大意义。在整顿作风上，查处了一批党员和党员干部严重违法乱纪、以权谋私和严重的官僚主义案件，惩治了一些党内腐败分子，有力地促进了各级领导机关工作作风的初步好转。据有关部门统计：自 1982 年到 1986 年，各级纪检机关共处分违纪党员 650141 人，其中 151935 人被清除出党，仅 1984 年和 1985 年两年就处分省军级干部 74 人，地师级干部 635 人。结合全国打击经济犯罪活动，受党纪处分的党员 67613 人，其中被开除党籍的有 25598 人。② 在加强纪律、纯洁认识的问题上，通过清理和组织登记，对一批有严重问题的不合格党员进行了处理：开除党籍的 33896 人，不予登记的 90069 人，缓期登记的 145456 人，留党察看、撤销党内职务和向党外组织建议撤销党外职务的、严重警告、警告等党纪政纪处分的共有 184071 人。③ 与此同时，一批有问题和软弱涣散的领导班子得到了调整，各种不正之风和腐败现象在一定程度上得到了清理和遏止，为日后党和政府反腐败斗争积累了一些成功的经验和做法。

随着改革开放向纵深方向推进，尤其是经济体制改革的加速进行，党和国家面临着更为艰巨的反腐败斗争。使人痛心的是，由于一个时期内党的思想政治教育工作遭到严重削弱，加上体制改革中暴露出许多可以钻的空子，法制体系本身的不健全和执法不严，以权钱交易为主要特征的腐败现象在其他各种不正之风的推动下一度呈现出抬头而且蔓延的趋势。极个别领导干部经不起改革开放的考验，以权谋私、追求特殊、奢侈浪费、弄虚作假、玩忽职守、编织关系网、任人唯亲、压制民主、打击报复，有的甚至利令智昏、监守自盗、行贿受贿，大发不义之财，严重破坏了党风和社会风气。所有这些，加大了新时期反腐败斗争本来就很艰巨的任务。

党和政府依据当代中国的具体国情，科学地提出允许一部分人通过诚实合法劳动先富起来，最终实现共同富裕的战略目标。但在具体的实践中却产生了党政机关和党政干部经商、办企业的不正常现象，一时间成为一股风潮。这一现象的背后实际上是有些党政干部包括一些主要的领导干部被金钱所诱惑，为了自己个人或小团体的经济利益，打着改革开放的旗

---

① 《邓小平文选》第三卷，第 37 页。
② 《人民日报》，1987 年 11 月 5 日。
③ 《人民日报》，1987 年 6 月 1 日。

号,利用手中的职权和关系网,参与兴办了一些企业。这些企业大都是在流通领域买空卖空带有皮包公司性质的经营单位,他们利用社会上存在着多种价格和多种调节手段的客观条件,倒买倒卖各种国家重要物资、市场上的紧俏商品,从而获得高额收入,严重地偏离了中央关于政企分开、官商分开的原则。它不仅腐蚀了许多党政干部,也败坏了党和政府的形象,搞坏了一度好转的党风和社会风气,挫伤了广大群众改革事业的创造性和积极性,引起了人民群众的强烈不满。

针对这股歪风,1984 年 7 月,中共中央办公厅和国务院办公厅联合发出了《党政机关在职干部不要与群众联合办企业的通知》。同年 12 月,中共中央、国务院作出了《关于严禁党政机关和党政干部经商、办企业的决定》,对涉及此类问题提出了详细的处理办法,严格划分党政机关和党政干部公务活动与经营企业的明确界限,同时强调,对参与违法经营活动或为其提供方便的干部、职工,必须受到党纪政纪的处分,其中的领导干部要从重处理;触犯刑律的,必须依法严惩。

在中央作出明确规定的几年间,党政机关办的企业大部分或停办或同党政机关脱钩,这股歪风在一定程度得到遏制。而有些地方和部门,行动迟缓、等待观望,个别地方甚至采取"上有政策、下有对策"的手段,改头换面,敷衍搪塞,致使一些严重违法乱纪的行为没有得到及时处理,留下了一些本不应有的后遗症。

在不间断的反腐败斗争中,我们国家相继制定了其他一系列廉政法规,力争使反腐败斗争纳入法制的轨道。1985 年 3 月,国务院颁布了《关于坚决制止就地转手倒卖活动的通知》,1986 年 6 月,国务院又颁布了《关于严禁在社会经济活动中牟取非法利益的通知》;1987 年 6 月 30 日,中纪委作出了《关于坚决查处共产党员索贿问题的决定》,1987 年 7 月,中纪委颁布了《关于党员领导干部犯严重官僚主义失职错误党纪处分的暂行规定》;为适应反贪污、反贿赂斗争的需要,1988 年 1 月,全国人大常委会通过并实施了《关于惩治贪污贿赂罪的补充规定》;1988 年 12 月,国务院颁发了《国家行政机关及其工作人员在国内公务活动中不得赠送和接受礼品的规定》。同时,各地也根据本地区的具体情况相继制定一系列的具体措施。这一系列法律、法规的制定,为反腐败斗争提供了有力的法律武器。

鉴于一些高干及其子女参与违法乱纪的情况,邓小平同志多次指出,要坚决狠抓一些大案要案,"越是高级干部子弟,越是高级干部,越是名人,他们的违法事件越要抓紧查处"。"不管牵涉到谁,都要按照党纪、国法查处。要真正抓紧实干,不能手软。"①按照这一指示,司法检察机关把严办大案要案作为反腐败的突破口,加大了打击力度。几年间,检察机关通力配合,冲破重重阻力,坚决依法查处"航天部广宇公司走私案"、"海南倒卖进口物资案"、"倪献策徇私舞弊案"、"大兴安岭大火案中的官僚主义作风案"等一系列影响极大的恶性腐败案件,许多部级、副部级、厅局级、县处级干部都分别受到不同程度的党纪、政纪和国法的处理。据不完全统计,在 1982—1988 年间,全国各级检察机关查处了 20 多万起经济案件,其中涉及国家工作人员占 49%,县处级干部约 1700多人,县处级以上的干部约 300 多人,在

---

① 《邓小平文选》第三卷,第 152 页。

一定程度上净化了我国的政治环境。

除了加快制定法律、法规，查处大案要案外，还抓紧制定并逐步实行了公开办事制度、党内监督、行政监督、全国人民代表大会监督、政协与民主党派监督、经济监督、舆论监督、群众监督等一系列具体制度，加大了查处违法乱纪案件的透明度和广度。其间的1987年，为加强反贪污、反受贿为主要内容的反腐败斗争，我国恢复并实行了国家行政监察体制，到1988年，我国县以上各级政府都设立了监察机关。据不完全统计，仅自1987年6月到1988年底，监察部门已作出政纪处理的案件达4900余件，其中属于贪污受贿的有1600多件，属于官僚主义、失职渎职的达494件，属于违反财经纪律和外事纪律的达389件，属于严重的以权谋私的有290多件，属于打击报复和其他方面的有2100多件，有力地配合了党和国家的反腐败斗争。

痛定思痛，风波过后兴起廉政风暴
（1989—1991年）

在中国的改革开放10周年之际，廉政建设作为深化改革的必要前提被提到了党和国家的重要议事日程。1988年6月，中共中央发布了《关于党和国家机关必须保持廉洁的通知》，在而后的1989年1月，中央又公布了《中共中央书记处会议关于党和国家机关保持廉洁问题的纪要》。这两个文件着重分析了腐败现象产生的原因、表现、危害、根治的对策，就当前的党风政风及至社会风气之状况作了客观的分析，提出了从根本上防止和克服腐败现象的明确要求。

正在全国人民落实治理整顿、深化改革方针，掀起一个反腐败浪潮之际，爆发了1989年春夏之交的政治风波，年轻的共和国经受了一次血与火的考验。就这场风波产生的内部原因而言，党和国家机关一些人的腐败行为和愈刮愈烈的社会不正之风是一个极重的因素。

风波过后，1989年7月，中共中央、国务院迅速作出了《关于近期做几件群众关心的事的决定》，着手解决改革开放十年来暴露出来的问题。它们分别是：进一步清理整顿公司；坚决制止高干子女经商；取消对领导干部少量食品的特供；严格控制领导干部出国；严肃认真地查处贪污、受贿、投机倒把等犯罪案件，特别是要抓紧查处大案要案。月底，中共中央政治局召开会议，作出了坚决制止高干子女经商的决定，规定凡属于子女、配偶在流通领域的公司任职、兼职，均应立即脱钩，接受审查。1989年8月17日，中共中央和国务院公布了《进一步清理整顿公司的决定》，把治理流通领域的混乱公司作为惩治腐败、改善党和政府的形象，振奋党心民心的一个极重要的措施。

如前所述，1989年前兴起的"公司热"良莠俱存，相当一部分公司政企不分，官商不分，名不符实，凭借手中职权转手倒卖，牟取巨额私利。这一不正常现象引起了社会分配的极度不公，扰乱了经济秩序，腐蚀了党政干部，严重败坏了社会风气。中共中央和国务院曾于1984年、1985年、1988年三次下文，要求治理整顿流通领域的官商公司，也解决了一些基本问题，查处了一批违法违纪案件。但总的来说，查处不彻底，全国性的"公司热"尚没有完全降温，公司过多过滥过乱的情况在一定程度仍然存在。

清理整顿公司是铲除权钱交易，克服

腐败现象的一个极重要的方面。中央在《决定》中强调："要坚决排除一切干扰和阻力，认真完成进一步清理整顿公司的各项任务，决不搞形式主义，决不能走过场。"随后，中共中央、国务院专门成立了全国清理整顿公司领导小组，各部门、各地区也都成立了相应的机构。

经过一段时间的努力，到 1990 年 2 月底，查处公司中违法违纪案件达 91960 件，其中大案要案 17791 件；已结案 84358 件，其中大案要案 15648 件，涉及地厅局级以上的干部 237 人，66 人受到党、政、法纪的严厉处分。其中属于国家机关各部门的案件达 4118 件，占案件总数的 4.5%，直接涉及司局级以上的干部 148 名。到 1990 年 10 月，全国各地共撤并不合格或非法经营公司 87000 余家。

自 1988 年 10 月下旬，国家审计署开始对国务院直属的五家权力极大的公司及其子公司进行审计。这五大公司权力之大、影响之巨备受国人瞩目，他们是：中国康华发展总公司、中国国际信托投资公司、光大实业公司、中国工商经济开发公司和中国农村信托投资公司。1989 年 8 月 15 日，国家审计署公布了审计结果，对这些公司在经营活动中存在的不少违反行政法规和超越权限的情况进行了曝光并分别作出了没收非法所得、处以罚款和补交税金等处罚，情节严重构成犯罪的，司法机关追究了刑事责任。随后，中央对其进行了整顿或关、停、并、转。

为进一步开展反腐败斗争，净化党风民风，增强党和行政机关的战斗力和感召力，为深化改革、扩大开放创造一个良好的环境，1989 年 8 月 15 日，最高人民法院、最高人民检察院根据中共中央的建议，联合发出了《关于贪污受贿投机倒把等经济犯罪分子 10 月 31 日前自首坦白给予从宽处理的通告》。指出，凡投案自首，积极退赃的，或者有检举立功表现者，一律从宽处理。凡是在规定期限内拒不投案自首，坦白交代问题的；销毁证据，转移赃款赃物的；互相串通、订立攻守同盟的；或畏罪潜逃的、拒不投降的，坚决依法从严惩处。① 为配合两院的严正声明，国家监察部在两院《通告》发出的第四天，也发布了《关于国家机关有贪污贿赂行为者必须在限期内主动交代问题的通告》，特别指出，此次战役，主要是"集中力量查处国家行政机关工作人员中的贪污、受贿行贿案件，不管涉及什么单位、什么人，都必须严格按照《国家行政机关工作人员贪污受贿行政处分暂行规定》和有关法律法规的规定，严肃处理，不得姑息"。②

三个《通告》的发布，在社会上引起强烈的反响，人民群众积极举报，司法机关抓紧查办，全社会立即形成了强有力的打击腐败分子的怒潮，充分表明了党和人民惩治腐败的坚强决心，摧垮了一部分犯罪分子的侥幸心理，遏制了胆敢以身试法的嚣张气焰。截至 1989 年 11 月 10 日两院一部举行联合新闻发布会时，全国共有 36171 名贪污、贿赂、投机倒把犯罪分子到检察机关投案自首。其中贪污受贿者占总数的 70%，万元以上数额的超过 10%；涉及党员 9363 人，县处级干部 742 人，局厅级干部 40 人，副部级干部 1 人。共有 17600 人到各级行政监督机关主动交代贪污、受贿等违法违纪行为；万元以上金额的超过 10%，县处级干部 679 人，厅局级

---

① 《人民日报》，1989 年 8 月 18 日。
② 《人民日报》，1989 年 8 月 20 日。

干部 21 人。全国各级人民法院在《通告》规定的期限内共判处此类经济犯罪案 8250 件，判处罪犯 12461 人。"两院一部"的通告取得了较好的战绩，给腐败分子一个沉重的打击。尽管这只是个初步成果，尚有漏网之鱼，但毕竟是一次积极的尝试。

1990 年 3 月，中共十三届六中全会审议并通过了《中共中央关于加强党同人民群众联系的决定》，在中共历史上第一次以决议的形式郑重号召全党同志同官僚主义、主观主义、形式主义以及各种消极腐败现象等严重脱离群众的行为做斗争，以加强党同人民群众的血肉联系。党和国家领导人多次强调反腐败斗争的极端重要性，把反腐败斗争看做"是关系到党的生死存亡的问题"。①

继续集中力量查处大案要案、严肃法纪是我们国家进入 90 年代向腐败现象开战的主要特征。1990 年，检察机关重点对贪污、贿赂、玩忽职守等方面违法乱纪现象进行立案侦查。查处有百万元以上的贪污受贿案件 20 多件，犯罪金额达 3500 多万元，因玩忽职守损失达百万元以上的案件达 100 多件，涉及经济损失达 5.3 亿元。对一批罪大恶极的罪犯绳之以党纪国法。其中深圳市某区轻工业品业务部经理杨锦棠等人贪污公款竟达 504 万人民币、79 万美元；中国信托投资实业银行深圳分行行长高森林受贿人民币 66 万元、港币 200 万元、美金 5000 多元。性质之恶劣令国人震惊。同时，铁道部副部长罗光云因受贿罪被开除出党、撤销了职务，原铁道部运输局局长徐俊因贪污受贿 10 万元被判处死缓、剥夺政治权利终身；原青海省人大常委会副主任韩福才因受

贿罪也被依法逮捕。诸如此类案件大小不一。

党的纪律检察机关自 1990 年以来根据反腐败新形势发展的需要也相继出台了一系列规章制度，先后立案党内违纪案件 40 多万件，绝大部分已结案，共处分 32 万多名党员，其中包括 600 多名省地级党员干部。1990 年起，国务院为配合更深入的反腐败斗争，对各种行业的不正之风进行逐步纠正，对于利用行业之便谋取个人或小集团利益的现象作了大力的清查。同时，国务院又对群众反映较为强烈的党政干部违纪修建私房和超标准装修住房进行了查处，曝光了一批追求豪华违纪建房的党员干部，个别性质恶劣的，受到了法律的制裁。

建设有中国特色社会主义理论的形成

从党的十一届三中全会开始，经过十二大、十三大，我们党把建设有中国特色的社会主义理论写进了党的纲领，成为中国建设社会主义的旗帜。建设有中国特色的社会主义理论是有一个形成与发展的过程的。党的十一届六中全会通过的历史决议，总结了社会主义建设的历史经验，标志着这个理论开始产生，是这个理论的第一次初步的概括。党的十二大正式提出"中国特色的社会主义"论断。十二届三中全会提出了社会主义商品经济

---

① 江泽民:《在全国组织部长会议上的讲话》,1989 年 8 月 21 日。

的理论。十三大勾画了建设有中国特色社会主义的理论轮廓。十三届七中全会对建设有中国特色社会主义的基本理论和基本实践,从政治、经济、文化、民族、外交、党建等方面列举 12 条。江泽民同志在庆祝党的 70 周年的讲话中,从有中国特色的社会主义经济、政治和文化三大方面的基本要求方面作了概括。

一

从党的十一届三中全会到
十二大,建设有中国特色
社会主义理论的奠基

这是建设有中国特色社会主义理论形成与发展过程的第一阶段,是从思想上、政治上、组织上进行全面拨乱反正的阶段;是改革开放伟大事业开始起步并在农村取得巨大成功的阶段。

党的十一届三中全会从根本上冲破了长期"左"倾错误的严重束缚,端正了党的指导思想,恢复了实事求是思想路线的权威地位,重新确立了正确的政治路线和组织路线,是新中国成立以来党的事业发展中具有深远意义的伟大转折。这次全会是在邓小平所提出的一系列正确的思想理论指导下召开的,充分反映了 1975年全面整顿特别是粉碎"四人帮"后邓小平理论与实践探索的成果,奠定了邓小平在新时期的核心领导地位。保证了十一届三中全会确定的思想路线、政治路线得以贯彻实行,为进一步探索建设有中国特色的社会主义提供了思想基础和组织保证。

党的十一届三中全会以后,以邓小平为核心的党中央掌握了拨乱反正的主动权,开始有步骤地、大规模地解决新中国成立以来的许多历史遗留问题和实际工作中出现的新问题,把在"文化大革命"中受到严重扰乱的各方面社会关系调整过来,进一步推动我国的政治和经济形势向好的方向发展。与此同时,针对拨乱反正过程中出现的企图否定党的领导、否定社会主义制度的错误思潮,邓小平旗帜鲜明地提出必须坚持四项基本原则。他强调说:"如果动摇了这四项基本原则中的任何一项,那就动摇了整个社会主义事业,整个现代化建设事业。"这样,以经济建设为中心、坚持改革开放和四项基本原则的"一个中心,两个基本点"的党的基本路线初步形成了。

与此同时,邓小平致力于总结社会主义建设的历史经验,探索社会主义现代化建设的新道路。

1978 年 12 月 13 日,邓小平在中央工作会议闭幕会的讲话中说:"实现四个现代化是一场深刻的伟大的革命。在这场伟大的革命中,我们是在不断地解决新的矛盾中前进的。因此,全党同志一定要善于学习,善于重新学习。""要努力把马克思主义普遍原理同我国实现四个现代化的具体实践结合起来。"

1979 年 3 月底,邓小平在党的理论工作务虚会上的讲话中说:"过去搞民主革命,要适合中国情况,走毛泽东同志开辟的农村包围城市的道路。现在搞建设,也要适合中国情况,走出一条中国式的现代化道路。"他指出,在中国实现四个现代化,至少有两个重要特点是必须看到的:一是底子薄,二是人口多、耕地少。中国式的现代化,必须从中国的特点出发。比如人口多的问题,这同现代化的生产只需较少的人是矛盾的。这就要统筹兼顾,否则就会长期面对着一个就业不充分的社会问题。

1980 年 5 月 31 日，邓小平同中央负责同志谈话时指出，建设社会主义不能按一个模式。他说，各国的情况千差万别，人民的觉悟有高有低，国内阶级关系的状况、阶级力量的对比又很不一样，用固定的公式去硬套怎么行呢？就算你用的公式是马克思主义的，不同各国的实际相结合，也难免犯错误。

中国的社会主义建设道路应该怎么走，包括达到什么样的目标，经过什么样的途径，怎样才能坚持正确的方向等等，党的十一届三中全会以来，邓小平带领全党不断探索，不断总结。1979 年 10 月 30 日，邓小平在中国文学艺术工作者代表大会上的祝词中说："我们的国家已经进入社会主义现代化建设的新时期。我们要在大幅度提高社会生产力的同时，改革和完善社会主义的经济制度和政治制度，发展高度的社会主义民主和完备的社会主义法制。我们要在建设高度物质文明的同时，提高全民族的科学文化水平，发展高尚的丰富多彩的文化生活，建设高度的社会主义精神文明。"这一段概括的论述，已经提出了后来被概括为新时期总任务的基本思想，这里包括了以发展生产力为根本任务，走改革的必由之路，把我国建设成为现代化的、高度文明的、高度民主的社会主义国家。这就包括了经济、政治、精神文明发展的三大社会生活领域的战略目标和战略任务。这样提出社会主义建设的总任务，在国际共产主义运动史上还是一个创新。

从 1980 年初到 1981 年夏，我们党集中进行新中国成立以来若干历史问题的研究总结。其中特别着重总结了社会主义建设的正反两方面经验，探讨如何走出一条中国式的现代化建设道路。经过建国 32 年来成功和失败、正确和错误的反复比较，特别是经过系统清理"文化大革命"的错误和总结党的十一届三中全会以来的新经验，我们党对于社会主义革命和建设的客观规律的认识大大前进了一步。1981 年 6 月在邓小平主持下召开的党的十一届六中全会通过的《关于建国以来党的若干历史问题的决议》的第三十五条指出："三中全会以来，我们党已经逐步确立了一条适合我国情况的社会主义现代化建设的正确道路。"

《关于建国以来党的若干历史问题的决议》总结了这条正确道路的基本点，指出了十个方面的重要内容。这就是：

①我国社会的主要矛盾是人民日益增长的物质文化需要同落后的社会生产之间的矛盾，党和国家工作的重点必须转移到以经济建设为中心的社会主义现代化建设上来。

②社会主义经济建设必须从我国国情出发，有步骤分阶段地实现现代化的目标。

③社会主义生产关系的变革和完善必须适应于生产力的状况，有利于生产的发展。

④在剥削阶级作为阶级消灭以后，阶级斗争已经不是主要矛盾，但还将在一定范围内长期存在，在某种条件下还有可能激化。

⑤逐步建设高度民主的社会主义政治制度，是社会主义革命的根本任务之一。

⑥社会主义必须有高度的精神文明。

⑦改善和发展社会主义的民族关系，加强民族团结。

⑧在战争危险依然存在的条件下，必须加强现代化的国防建设。

⑨在对外关系上，必须继续坚持反对帝国主义、霸权主义、殖民主义和种族主义，维护世界和平。

⑩根据"文化大革命"的教训和党的现状,必须把我们党建设成为具有健全的民主集中制的党。

从党的十二大到十三大,
建设有中国特色社会
主义理论正式提出和展开

这是建设有中国特色社会主义理论形成和发展过程的第二阶段,也是当代中国的改革开放和现代化建设事业全面展开阶段。

1982年召开了党的第十二次全国代表大会,邓小平在大会的开幕词中说:"我们的现代化建设,必须从中国的实际出发。无论是革命还是建设,都要注意学习和借鉴外国经验。但是,照抄照搬别国经验、别国模式,从来不能得到成功。这方面我们有过不少教训。把马克思主义的普遍真理同我国的具体实际结合起来,走自己的道路,建设有中国特色的社会主义,这就是我们总结长期历史经验得出的基本结论。"大会还确定分两步走,到20世纪末实现国民生产总值翻两番的目标。随后又提出第三步,到21世纪中叶基本实现社会主义现代化的发展战略。从"建设有中国特色的社会主义"命题的提出,到"三步走"社会主义现代化发展战略的确定,标志着我们党对社会主义建设规律的认识一步步深化。这种深化是解放思想、实事求是思想路线的产物,并继续推动着十一届三中全会以来的改革开放和建设有中国特色的社会主义理论的发展和完善。

其间,以实行家庭联产承包责任制为内容的农村改革取得了巨大成功,农业生产摆脱了长期停滞的局面。农村经济向着专业化、商品化、社会化迅速发展,广大城乡人民生活显著改善。乡镇企业异军突起,为农村剩余劳动力从土地上转移出来、为农村致富和逐步实现现代化、为促进工业和整个经济的改革和发展,开辟了一条新路。这些成就的取得,无疑都为建设有中国特色的社会主义理论的丰富发展提供了实践的经验。

农村改革实践的巨大成功,进一步扩展为以城市改革为中心的全面改革。1984年初,邓小平视察广东、福建等地的经济特区,推进了特区建设和对外开放的发展。1984年10月,党的十二届三中全会通过了《关于经济体制改革的决定》,提出了社会主义经济是公有制基础上有计划的商品经济,突破了把计划经济和商品经济对立起来的传统观念。这是对马克思主义政治经济学的新发展,为经济体制的全面改革提供了新的理论指导,同时也表明建设有中国特色的社会主义理论已向前发展了一大步。

随着全面改革的深入,为了保证改革和建设事业的顺利进行,1986年9月,党的十二届六中全会重申了新时期一开始就提出的"两手抓"的战略方针,并通过了《中共中央关于社会主义精神文明建设指导方针的决议》,指出,我们的精神文明建设必须是推动社会主义现代化建设,促进全面改革,实行对外开放,坚持四项基本原则的精神文明建设。与此同时,邓小平创造性提出的用"一国两制"促进祖国统一在实践上取得进展。邓小平又根据世界局势的发展变化,提出和平与发展是当代世界两大主题的理论。所有这些理论论述和各项决议,都进一步充实丰富了建设有中国特色的社会主义的理论内涵。

1987年10月召开的党的第十三次全

国代表大会,比较系统地提出了我国社会主义初级阶段的理论,明确概括和全面阐述了"一个中心、两个基本点"的基本路线,并把建设有中国特色社会主义理论概括为十二个方面。这是对这一理论的第一次系统概括,表明了我们党对我国社会主义建设的规律性认识的深化。

十三大报告指出,马克思主义与我国实践的结合,经历了两次历史性飞跃。第一次飞跃,发生在新民主主义革命时期,中国共产党人经过反复探索,在总结成功和失败经验的基础上,找到了有中国特色的革命道路,把革命引向胜利。第二次飞跃,发生在党的十一届三中全会以后,中国共产党人在总结新中国成立三十多年来正反两方面经验的基础上,在研究国际经验和世界形势的基础上,开始找到一条建设有中国特色的社会主义的道路,开辟了社会主义建设的新阶段。

十三大报告还指出:"有中国特色的社会主义,是马克思主义基本原理同中国现代化建设相结合的产物,是扎根于当代中国的科学社会主义。它是全党同志和全国人民统一认识、增强团结的思想基础,是指引我们事业前进的伟大旗帜。"

十三大报告概述了党的十一届三中全会以来我们党对马克思主义基本原理创造性的运用和发展,一共列举了十二个方面的理论观点,并指出这些观点,构成了建设有中国特色社会主义理论的轮廓,初步回答了我国社会主义建设的阶段、任务、动力、条件、布局和国际环境等基本问题,特别是对社会主义初级阶段理论,作了系统的阐述,规划了我们前进的科学轨道。这十二个方面的理论观点,包括:

①关于解放思想,实事求是,以实践作为检验真理的唯一标准的观点;

②关于建设社会主义必须根据本国国情,走自己道路的观点;

③关于在经济文化落后的条件下,建设社会主义必须有一个很长的初级阶段的观点;

④关于社会主义社会的根本任务是发展生产力,集中力量实现现代化的观点;

⑤关于社会主义经济是有计划商品经济的观点;

⑥关于改革是社会主义社会发展的重要动力,对外开放是实现社会主义现代化的必要条件的观点;

⑦关于社会主义民主政治和社会主义精神文明是社会主义重要特征的观点;

⑧关于坚持四项基本原则同坚持改革开放的总方针这两个基本点互相结合、缺一不可的观点;

⑨关于用"一个国家、两种制度"来实现国家统一的观点;

⑩关于执政党的党风关系到党的生死存亡的观点;

⑪关于按照独立自主、完全平等、互相尊重、互不干涉内部事务的原则,发展同外国共产党和其他政党的关系的观点;

⑫关于和平与发展是当代世界的主题的观点,等等。

从党的十三大到邓小平南方谈话前,建设有中国特色社会主义理论的成熟与完善

这是建设有中国特色社会主义理论形成与发展过程的第三阶段,也是我国改革开放和现代化建设事业在国际和国内复杂情况下,克服种种干扰,持续稳定地向前发展不断推进的阶段。

党的十三大后,由于经济的加速发展,整个国民经济提高到了一个新的水平,同时也出现了物价波动、重复建设等缺点,党中央及时作出了治理整顿的决定。1989年春夏之际的政治风波中,中央果断制止动乱抉择,维护了社会稳定,保证了改革开放和现代化建设大业顺利进行。同时,邓小平强调党的基本路线和十三大的决策是正确的,不因发生政治风波而动摇。十三届四中全会产生了以江泽民同志为核心的新的中央领导集体,继续抓住经济建设这一中心,纠正"一手比较硬一手比较软"的现象,并相继作出关于进一步治理整顿,深化改革的决定,关于加强同人民群众联系的决定,关于搞好大中型企业的决定,关于进一步加强农业和农村工作的决定等等,不断地推动当代中国改革开放的深入发展。

在改革实践不断深化的同时,在认真总结过去十多年经验教训的基础上,全党对建设有中国特色社会主义理论的内容的理解、认识也更加全面深入。1990年党的十三届七中全会通过的《中共中央关于制定国民经济和社会发展十年规划和"八五"计划的建议》中,把这一理论从政治、经济、文化、民族、外交、党建等方面,概括为12条原则,进一步推动了建设有中国特色的社会主义理论的成熟与完善。1991年7月1日,在庆祝中国共产党成立70周年纪念大会上,江泽民在讲话中又从经济、政治、文化三大方面,概述了建设有中国特色的社会主义的基本要求,并指出有中国特色的社会主义经济、政治、文化三方面,是有机统一、不可分割的整体。

1992年1月18日至2月21日,邓小平在武昌、深圳、珠海、上海等地的谈话,精辟地分析了当前国际国内形势,科学地总结了十一届三中全会以来党的基本实践和基本经验,明确地回答了这些年来经常困扰和束缚人们思想的许多重大认识问题,提出了许多发人深省的思想观点,对中国特色社会主义理论,也对整个科学社会主义理论宝库,作出了新的贡献。

1992年初邓小平的南方谈话对这个理论的形成贡献了新的重要论点。十四大报告在上述概括的基础上作了新的概括。随着实践的深入,建设有中国特色的社会主义理论将继续丰富、完善和发展。

建设有中国特色社会主义理论的提出是社会主义发展史上的伟大创举,具有重大的现实意义和深远的影响。建设有中国特色社会主义的理论和实践,对如何根据本国国情进行社会主义建设这个新的历史课题作出了科学的回答,是在新的历史条件下对马列主义、科学社会主义理论的贡献和发展。坚持并不断完善发展建设有中国特色的社会主义理论与实践,不仅关系到我国的经济发展、社会进步和现代化建设,关系到社会主义中国的前途与命运,而且会对国际共产主义运动和人类历史进程产生深远的影响。

人口与计划生育

一

计划生育政策的制定

人口众多和经济落后、资源短缺是新中国成立以来始终制约我国现代化的重要因素之一。20 世纪 70 年代以后，中国的人口发展开始纳入国家计划，粉碎"四人帮"以后，随着党和人民对人口问题的认识不断深化，国家将计划生育工作提到了前所未有的高度，成立了专门的机构，制定了详细具体的政策，并严格地加以实施，使得我国人口增长得到有效控制。计划生育工作不仅成为新时期党和政府的重要工作之一，而且是关系到每个家庭的大事，计划生育工作的重要性已经深入人心。在控制人口增长方面，我国取得了巨大成就，为受此问题困扰的许多发展中国家提供了成功的榜样。

粉碎"四人帮"以后，我国人口学界开始大张旗鼓地宣传马克思主义的人口理论。在拨乱反正过程中，1957 年遭到错误批判的马寅初的"新人口论"得到平反。同时，二十余年来人口过快增长造成社会巨大压力的沉痛教训，也加深了人们对控制人口必要性的认识。

1978 年 3 月，五届人大一次会议通过的政府工作报告指出："计划生育很重要。有计划地控制人口的增长，有利于国民经济的有计划发展，有利于保护母亲和儿童的健康，有利于广大群众的生产、工作和学习，必须继续认真抓好，争取在三年内把我国人口自然增长率降到百分之一以下。"这次会议通过的新宪法第五十三条也规定："国家提倡和推行计划生育。"这是我国第一次把计划生育写入国家的根本大法。根据上述精神，同年 7 月，国务院召开计划生育领导小组会议，对生育提出"晚、稀、少"的要求。

中共十一届三中全会以后，党和政府更加重视计划生育工作。邓小平提出，计划生育工作是一项战略性的任务，一定要抓好，要大造舆论，表扬好的典型。

1979 年 1 月，全国计划生育办公室主任会议在京举行，会议研究了到 1980 年把我国人口自然增长率降至 1‰ 以下的具体措施和有关计划生育的经济政策等问题。同年 6 月召开的五届人大二次会议则明确提出：奖励只生一个孩子的夫妇，对无子女的老人逐步实行社会保险。年底，全国计划生育办公室主任会议再次召开，制定具体落实五届人大二次会议精神的具体计划和办法。

1980 年 9 月，中共中央和国务院发布《关于控制我国人口增长问题致全体共产党员、共青团员的公开信》，从思想上、理论上阐述了计划生育的迫切性和重要性。号召全体共产党员、共青团员和全体干部，带头实行计划生育，提倡一对夫妇只生育一个孩子。《公开信》表明了党和政府对控制中国人口增长，加速现代化建设的坚定决心。随后，五届人大三次会议通过的《婚姻法》也对计划生育作了相应的法律规定，第十二条规定："夫妻双方都有实行计划生育的义务。"青年的最低结婚年龄为："男不得早于二十二周岁，女不得早于二十周岁。晚婚晚育应予鼓励。"

1981 年 11 月底，五届人大四次会议通过的政府工作报告提出："限制人口的数量，提高人口的素质，这就是我们的人口政策。"

1982 年 3 月，中共中央和国务院发出《关于进一步做好计划生育工作的指示》，《指示》规定：在生育问题上，要求国家干部和职工、城镇居民，除特殊情况经过批准者外，一对夫妇只生一个孩子。农村普遍提倡一对夫妇只生一个孩子，某些群众确有实际困难要求生第二胎的，经过审批可以有计划地安排，不论哪一种情况都不能生第三胎。对少数民族，也要实行计划生育，但规定可以放宽一些。

1982 年 10 月，中国共产党十二大又把计划生育提到基本国策的高度,要求全国上下,为着人民的利益,民族的前途,为实现 20 世纪末"把我国人口控制在 12 亿以内"的目标,作出坚持不懈的努力。同年底,五届人大五次会议通过新的《中华人民共和国宪法》,新宪法规定:"国家推行计划生育,使人口的增长同经济和社会发展计划相适应。""夫妻双方有实行计划生育的义务。"另外,新宪法还规定:国务院和县级以上地方各级人民政府,依照法律规定的权限,领导和管理计划生育工作。

1984 年 4 月,中共中央针对一些地方的计划生育工作出现"一刀切"、简单化和强迫命令的现象,在深刻地分析了当时中国计划生育工作的实际情况后,强调指出:要把计划生育政策建立在合情合理、群众拥护、干部做好工作的基础上。做到既要有效地控制人口,又要密切党群关系,促进安定团结。该文件还对计划生育政策的一些具体规定作了适当调整:在继续提倡一对夫妇只生育一个孩子的同时,在农村继续有控制地放宽一些,有特殊困难的家庭,经过批准可以生二胎,但要坚决堵住大口子,即严禁超计划的二胎和多胎。文件还要求在执行计划生育政策时,可根据不同地区的经济和文化条件、人口构成和计划生育工作开展情况,从实际出发,因人因地制宜,实行分类指导。在具体要求上,农村比城市宽,边远、人口稀少地区比人口密集的地区宽,少数民族比汉族宽。有特殊情况的,如夫妇双方均为独生子女的,第一个孩子为非遗传性残疾的、夫妇为归国华侨的、农村中确有实际困难的,具有上述情况之一的育龄夫妇,凡愿意生第二胎的,都可以有计划地安排生育第二个孩子。上述政策的调整,有利于计划生育政策和制度的完善。1984 年

7 月 3 日,国家计划生育委员会发言人在中外记者招待会上宣布,我国将在控制人口增长目标和基本政策不变的前提下,进一步完善计划生育的具体政策,并简要阐述了上述具体政策。

1991 年 3 月,七届人大四次会议通过的《中华人民共和国国民经济和社会发展十年规划和第八个五年计划纲要》提出:"争取今后十年平均人口自然增长率控制在千分之十二点五以内。"为了实现这个目标,中共中央和国务院于同年 5 月发出《关于加强计划生育工作严格控制人口增长的决定》。《决定》要求:"各级党委和政府务必把计划生育工作摆到与经济建设同等重要的位置上来,把人口计划纳入本地区国民经济和社会发展总体规划,列入重要议事日程。党政第一把手必须亲自抓,并且要负总责。""各级党委和政府应承担完成本地区人口计划的责任,实行和完善人口与计划生育目标管理责任制。要把做好计划生育工作和完成人口计划作为考核各级党委、政府及其领导干部政绩的一项重要指标",《决定》还要求建立严格的监督和奖惩制度,并大大增加了计划生育事业财政拨款,强调要专款专用。

二

建立健全计划生育领导机构和实施办法

由于计划生育工作是一个关系到国家和每个家庭切身利益的大事,也由于我国经济还比较落后,尤其是农村还未摆脱体力劳动为主以及缺乏社会保障制度的落后状态,再加上受传统观念的影响,因此计划生育工作是一项复杂繁重、难度较大的工作。为了做好这项工作,党和政府

主要从以下几个方面开展了大量工作。

第一,建立和健全各级计划生育工作专管机构。建立健全计划生育工作机构和发展计划生育工作人员队伍是推行计划生育的组织保证。从1981年起,国家、省、地、县各级政府中都设立了计划生育委员会,乡政府设有计划生育办公室,村和许多村民小组确定了兼职计划生育工作人员。在工厂、机关、学校和其他企事业基层单位,也都设有计划生育办公室或计划生育专职、兼职干部。城市街道设有计划生育办公室,居民委员会设有计划生育主任。

除上述专职行政机构外,国家还成立了人口学会、计划生育协会、计划生育宣传教育中心及分中心,国家设有避孕药具服务中心,各省设有药具站,各县设有计划生育服务站(有的地方乡一级也设服务站);另外还有科研机构、干部培训中心。

为了协调各部门的关系,切实做好计划生育工作,1991年中共中央和国务院还规定:"各级党委和政府应成立人口与计划生育领导小组,由主要领导同志任组长,组织协调各有关部门、有关方面共同做好计划生育工作。""各有关部门、群众团体要在党委、政府的统一领导和人大的监督下,根据各自承担的任务,制定切实可行的措施,齐抓共管,共同做好计划生育工作。"

第二,大力开展宣传教育活动,使计划生育工作得到人民的理解和支持,成为人民群众自觉自愿的行为。广泛深入持久地开展计划生育的宣传教育,是我国计划生育工作的重要内容。自1980年我国大张旗鼓地开展计划生育宣传教育后,计划生育宣传教育工作已经普遍深入持久地开展起来,全国已经形成了一个计划生育宣传网络。除了利用报刊、广播、电视

等宣传媒介开展宣传教育外,这些宣传网络还采取多种途径和方法进行宣传教育,如婚前健康检查时、结婚登记时,有关机构对新婚夫妇开展计划生育宣传教育,青年团、妇联、工会及行政部门的有关人员利用各种场合作宣传教育,利用人口普查及形势教育时开展计划生育工作宣传等。在宣传教育工作中,各地还总结出了许多成功的经验,如"经常性宣传与集中性宣传相结合"、"强化社会舆论与个别的思想教育相结合"、"宣传教育与提供服务相结合"等。

第三,充分利用行政和经济手段,建立健全奖惩制度。具体办法有:①政府不仅对计划生育部门实行各级目标责任制,而且也将计划生育、控制人口的指标分解到各级党政及企事业部门,作为考核领导干部业绩的一项重要指标。②实行"五证"制约。即户口证制约、结婚证制约、准生证制约、建房证制约、工作证制约。③建立健全各种计划生育保障制度,如将计划生育与扶贫相结合,推行计划生育保险制度,在农村中为"女儿户"解除后顾之忧等。④实行奖惩制度。如对终生只要一个孩子的夫妇,国家颁发独生子女保健费;在农村中多承包土地或减少包产指标;对独生子女在医疗、住房、入托、教育、招工等方面提供优惠等。对于违反计划生育者,除政府有关部门规定了数额不等的罚款外,一般还责成党政部门和所在企事业单位给予相应的处分,情节严重者可开除党籍或公职。

第四,提高计划生育的科学技术措施及社会福利措施。为了有效实施计划生育,保障人民健康,我国政府在发展和提高计划生育科学技术手段方面作出了巨大努力。①投入巨大财力人力研究发展避孕药具和技术。我国的避孕药具不仅

已能满足国内的需要,而且还可出口,我国在男性节育技术方面,在世界上已处于领先地位。②免费提供避孕药具。目前我国产值近亿元的避孕药具,均由国家财政开支,这些药具由医药、化工部门的工厂生产出来后,即通过各级避孕药具管理站分发到市、县,然后再通过基层计划生育工作人员、医务人员或医药商店分发到育龄夫妇手中。近几年来,为了方便流动人口,在几十个大中城市的医药商店试行了有偿销售办法,社会反映效果较好。③免费施行节育手术,并给予奖励。按照国家规定,各种节育手术,一律免费施行,费用由国家财政负担,凡施行节育手术者还可带薪享受国家规定的休假。④逐步完善社会福利及社会保险制度,使婴幼儿童健康成长,使老人得到妥善照顾。以解除育龄夫妇实行计划生育少生孩子的后顾之忧。十几年来,国家不仅在优生优育方面投入了大量人力物力,广泛开展了儿童疾病的防治工作,使儿童传染病发病率大为降低。而且还开展了保障农村老人生活的各种工作,一些富裕的农村实行老人领取退休金制度,没实行退休金的地方老人由子女赡养,无子女的老人由集体供养,目前全国大部分县都设立了敬老院。上述这些措施对于推行计划生育都起到了很大的作用。

计划生育政策的实施及效果

我国计划生育的中心内容就是控制人口数量,提高人口素质。具体地说就是:晚婚、晚育、少生、优生。晚婚就是在法律规定的最低结婚年龄的基础上,适当地推迟实际结婚年龄;晚育就是适当地推迟妇女婚后的初育年龄和生育二胎的间隔年限;少生,主要是提倡一对夫妇只生育一个孩子;优生就是生育身心健康的儿童。

粉碎"四人帮"以后,尤其是党的十一届三中全会以后,由于党和政府将计划生育作为基本国策,常抓不懈,努力实施,因此计划生育取得了显著成绩。计划生育成绩主要表现在以下几个方面:

第一,妇女总和生育率(即平均每个妇女预期终身生育的子女数)下降。50年代,中国妇女总和生育率曾高达5.87,60年代为5.68,70年代下降到4.01,80年代则继续下降到2.42。80年代同60年代相比,总和生育率下降了57.4%。

第二,人们的婚育观念正由早婚多生向晚婚少生转变。据全国1‰人口生育率抽样调查和0.5‰人口变动抽样调查,女性平均初婚年龄,40年代为18.46岁,50年代为19.02岁,60年代为19.81岁,70年代为21.59岁,80年代则达到22岁以上。另外,不足18周岁女性初婚者在全部初婚妇女中的比例,1950年为48.3%,1960年为32%,1970年为18.6%,1980年则为5.2%,与50年代相比下降幅度为89%。

关于孩次构成的变化,1970年以前,出生婴儿中属于第三个孩子及其以上的多孩占多数,第一个孩子和第二个孩子的比例较小,1970年以后,一孩比重逐渐增加,80年代则迅速增加。几个年度的孩次构成如下表:

1970 年以来出生婴儿的孩次构成（%）

年份	一孩率	二孩率	多孩率
1970	20.73	17.06	62.21
1977	30.86	24.59	44.55
1980	44.15	28.36	27.49
1982	50.59	26.09	23.32
1984	51.89	28.21	19.90
1986	50.74	32.69	16.58
1988 上半年	52.22	32.41	15.37

（注：1970、1977 年为 1‰人口生育率抽样调查的胎次构成；1980 年以后为生育节育抽样调查的孩次构成。）

第三，人口自然增长率和婴儿死亡率下降。由于实行优生优育，国家和社会加强了儿童的保健工作，使得我国婴儿死亡率不断下降。1944—1949 年间，我国婴儿死亡率高达 203.6‰，是当时婴儿死亡率最高的国家之一。50 年代平均值为 122.28‰，60 年代平均值为 70.01‰，70 年代平均值为 45.65‰，80 年代（1981—1987）平均值则为 38.28‰；80 年代同 50 年代相比，下降了 69%，同 60 年代相比，下降了 45%。在婴儿死亡率迅速下降的同时，新生儿死亡率也迅速下降，1950—1954 年 为 67.96‰，1960—1964 年 为 46.94‰，1970—1974 年 为 29.14‰，1980—1984 年为 22.9‰。1985—1987 年则为 22.4‰。尽管与发达国家相比，我国的婴儿死亡率仍属较高，但是与同等发展水平的发展中国家相比，则低得多，反映出我国实行优生优育的效果。

这一时期，我国人口的自然增长率也有明显下降。人口出生率和自然增长率，50 年代平均分别为 33.24‰和 17.47‰，60 年代平均分别为 34.93‰和 25.24‰，70 年代平均值则分别下降至 23.03‰和 16.04‰，80 年代（1981—1988）平均值则继续分别下降为 19.76‰和 13.21‰，80 年代比 60 年代人口出生率下降了 43%，自然增长率下降了 48%。据估计，如果不实行计划生育，按 1970 年 25.95‰的人口自然增长率推算，这 20 年中国将会多增加二亿多人口。我国的人口增长率由发展中国家的"两高一低"（即高出生率、低死亡率、高增长率）向发达国家的"三低"转变，这种转变过程之迅速〔1990 年世界人口平均增长率为 18‰，发展中国家（不包括中国）为 24‰，中国则为 14.39‰〕，引起世界的注目。

第四，育龄夫妇普遍采用了避孕药具。50 年代和 60 年代，由于主观和客观原因，避孕节育的人很少。70 年代以来，随着计划生育的推行和科学技术的发展，避孕节育的人越来越多。1982 年已婚育龄妇女节育率为 69.46%，到 1989 年则达到 82.2%。1986 年，已婚育龄妇女为 17040.6 万人，其中采取综合避孕措施者有 14589 万，占已婚育龄妇女总数的 85.6%；到 1989 年，已婚育龄妇女为 19599.9 万，其中采取综合避孕措施者达 17269.3 万，所占比重达到 88.1%。

改革开放以来，由于我国实行计划生育并取得了巨大成绩，为解决世界人口问题作出了贡献，因此，赢得了国际社会的普遍赞誉。1983 年，由联合国人口基金赞助成立的联合国人口奖委员会把首届联合国人口奖授予中国，以表彰中国在计划生育领域所取得的显著成就。人口基金前执行主任萨拉斯指出："中国在把人口方案与国家发展目标相结合方面已为世界提供了一个出色的榜样。""中国在人口领域的工作取得了巨大的成就。"他还说："全球人口增长率的下降主要是由于中国人口增长率的下降，这已载入了联合国的有关文件。"萨拉斯还表示相信,历史"最终将证明中国的政策是明智的。"1988年,国际人口方案管理委员会为表彰中国对世界人口作出的杰出贡献,向国家计划生育委员会颁发了人口奖;同年,中国计划生育协会又获得了争取更好世界协会颁发的1988年度稳定人口奖。

四

第四次全国人口普查

中国1990年在全国范围内进行了第四次人口普查。

1. 第四次全国人口普查的准备

国务院十分重视第四次全国人口普查工作。在1988年召开的总理办公会议上,就曾讨论这次全国人口普查工作。1989年4月21日,在李鹏同志主持的总理办公会议上,决定1990年按计划进行第四次人口普查。5月9日,国务院发出了《关于进行第四次全国人口普查的通知》,成立了国务院第四次全国人口普查领导小组,组长为李铁映。

时任国务院总理李鹏于1989年10月25日签署国务院第45号令公布实施《第四次全国人口普查办法》。《第四次全国人口普查办法》是经过反复研究、试验,集中集体智慧形成的。

1989年7月8日,国务院第四次全国人口普查领导小组和财政部联合发出《关于第四次全国人口普查经费开支问题的通知》,指出:人口普查是一项全国性的大规模的调查研究工作,需要动员许多人力和耗费一定的物力、财力,当前国家财政比较困难,人口普查工作必须坚持勤俭节约的原则,尽量节省财政开支。要求各级人口普查领导小组要加强人口普查经费

的管理,厉行节约,切实防止浪费。

7月21日,国务院第四次全国人口普查领导小组发出《关于做好第四次全国人口普查准备工作的通知》,指出:要抓紧建立各级人口普查领导机构;要切实做好社会力量的动员工作;第四次全国人口普查的数据处理工作由普查办公室统一组织,以统计信息自动化系统为主,有关部门协助,等等。

9月11日,中共中央宣传部和国务院第四次全国人口普查领导小组联合发出《关于认真做好第四次全国人口普查宣传工作的通知》。

11月17日,国务院人口普查领导小组办公室发出了《关于认真做好第四次人口普查数据处理准备工作的通知》,指出:第一,必须切实加强数据处理工作的统一组织领导。国家统计信息自动化系统各级计算中心(站)必须尽快成立强有力的数据处理工作组。该工作组接受同级普查办公室和上一级数据处理工作组的领导,在业务上以后者为主。各级数据处理工作组的负责人都须参加同级普查办公室,以便统一协调。第二,认真做好软、硬件环境的各项准备。第三,抓紧制定实施计划。各省(自治区、直辖市)必须根据数据处理总体方案的要求,进一步从本地区的实际出发,制定切实可行的实施计划。为了确保数据处理工作的顺利进行,全国采用的数据处理基本模式和软、硬件环境都必须保持高度一致,任何单位,任何人都不得随意改变,并将各省(自治区、直辖市)的实施计划于1990年1月15日前报国家统计局计算中心。第四,认真抓好80386超级微机的前期技术培训。第五,按时做好接机准备工作。根据计划安排,联合国援助的计算机设备,将于1990年2—4月全部到货。为了确保这些设备按

时安装并投入运行,务请督促有关地(市)按国家统计局的通知要求,认真做好各项准备工作并在年底以前逐一检查落实情况。

同日,国务院第四次人口普查领导小组办公室又发出了《关于发布〈第四次全国人口普查表〉的通知》,对第四次全国人口普查表填写作了说明。

11月27日,国务院第四次全国人口普查领导小组发出《关于第四次全国人口普查中行业和职业归类编码若干问题的规定和补充说明》的文件。指出,第四次全国人口普查仍使用《国民经济行业分类和代码》(国家标准GB4754—84)和《职业分类和代码》(国家标准GB6565—86)这两个国家标准。鉴于随着我国经济的改革开放,出现了一些新的行业和职业,为了适应变化了的新情况,又对《国民经济行业分类和代码》和《职业分类和代码》作了五点补充规定。

12月1日,国务院第四次全国人口普查领导小组办公室发出了《关于〈县、市所辖行政区域地址编码细则〉的补充规定和说明》。

12月8日,国务院批转人口普查领导小组、公安部《关于在第四次全国人口普查前进行户口整顿工作报告的通知》。

12月13日,国务院人口普查领导小组、国家计划生育委员会和公安部联合发布《关于在第四次全国人口普查中认真做好超计划出生人口登记问题的通知》。

国务院人口普查领导小组还制定了《第四次全国人口普查社会动员方案》和《第四次全国人口普查宣讲提纲》,提出了第四次全国人口普查标语口号。第四次全国人口普查标语口号有:全社会动员起来,认真搞好人口普查工作!搞好人口普查,有利于安排人民的物质和文化生活!

搞好人口普查,是社会主义现代化建设的需要!搞好人口普查,有利于制定人口政策和人口规划!人口普查是关系到国家建设和人民生活的大事!人口普查,是在国家规定的标准时间,对全国人口逐户逐人地进行调查登记。1990年7月1日零时,是第四次全国人口普查的标准时间!如实申报普查项目,是每个公民应尽的义务!人口普查,人人有责!各族人民动员起来,认真搞好人口普查工作!在党和政府的领导下,第四次全国人口普查一定能够胜利完成!

为了保证普查方案的贯彻实施,第四次全国人口普查还制定了11个工作实施细则。它们是县、市所辖行政区域地址编码细则,普查员、普查指导员选调和培训工作细则,人口普查区划分工作细则(初稿),人口普查登记前调查摸底工作细则,人口普查登记、复查工作细则,人口普查资料手工汇总工作细则,第四次全国人口普查编码工作细则,人口普查事后质量抽样调查工作细则(初稿),人口普查资料装订、包装、运送和管理细则,10%提前抽样汇总工作细则,人口普查各阶段质量控制和验收工作细则。

根据国务院第四次全国人口普查领导小组及有关部门关于做好1990年人口普查工作的指示精神和工作指导方案,各省、自治区、直辖市及地、县人民政府陆续建立起由各部门组成的人口普查领导小组及其办公室,乡、镇、街道建立了人口普查办公室,村(居)民委员会建立了人口普查小组。普查机构建立后,明确了自己的任务和职责,明确了内部分工,并立即投入到各项准备工作之中。根据全国人口普查办法,着手制定了工作规划和安排了完成的时间进度(按照1990年人口普查的工作进度图,全部工作分为22大项、

121 个小项);重新核对整理了户口登记资料;进行了普查员的选调和训练,以及物资准备和宣传工作等等。

2.第四次全国人口普查办法

《第四次全国人口普查办法》是第四次全国人口普查的法规,它对普查的对象、方法、组织机构和各项工作环节都作了明确的规定。《办法》共 33 条,主要包括以下几个方面的内容:

(1)普查的目的

第四次全国人口普查,是为了查清第三次全国人口普查以来我国人口在数量、地区分布、结构和素质方面的变化情况,为科学地制定国民经济和社会发展战略与规划、统筹安排人民的物质和文化生活、检查人口政策执行情况提供可靠的资料;为国家制定国民经济和社会发展的长期计划服务;为科学决策、科学治国服务。我国目前正值人口增长的高峰期,这次人口普查也是从宏观上检查人口政策执行情况的重要手段,为制定和完善我国的计划生育政策服务。

(2)普查的对象

《普查办法》第二条规定:"人口普查的对象是具有中华人民共和国国籍并在中华人民共和国境内常住的人。"普查时中国驻外工作人员和留学生,他们虽然暂时住在国外,但他们的常住地仍在国内,也应参加普查,第十六条规定:"驻外使领馆人员,各驻外单位人员以及派往国外的专家、职工、劳务人员、留学生(包括公费和自费)、实习生、进修人员,由这些人员出国前居住的家庭户或集体户申报登记。"这两条是人口普查对象的总原则,即凡具有中华人民共和国国籍并在境内居住及临时派出的工作人员和留学生都是普查的对象。正确地确定普查对象是查准人口数量,做到不重不漏的关键环节。

(3)人口普查登记的标准时间

这次普查以 1990 年 7 月 1 日零时为全国人口普查登记的标准时间。国际上选择人口普查标准时间一般是避开寒冷的冬季和炎热的夏季,避开人口流动性大的季节和节假日,选择人口流动量小、人口相对稳定的时间。我国第一次普查是直接为第一次全国普选服务,因而把人口普查和选民登记结合起来一起进行。根据普选的部署,把人口普查的标准时间确定为 6 月 30 日 24 时。第二次、第三次为了普查资料的对比,因而沿用了这个特点。我国地域辽阔,各地的气候、地理条件差异很大,尤其是西北、东北部分地区冬季时间长,大雪封山,如果把普查标准时间选在冬季,会给普查登记和资料运输带来许多困难,因而把普查标准时间定为 7 月 1 日是比较合适的。对我国大部分地区来说,虽然 7 月 1 日正值农忙季节,但也正是这个季节广大农村人口比较稳定,普查工作比较容易进行。其次,7 月 1 日是一年的中间点,这个时间上的数据可以直接作为全年的平均数,给计算人口统计中的许多指标(如出生率、死亡率、自然增长率)带来方便。鉴于以上考虑,这次普查的标准时间仍确定为 7 月 1 日零时。还应指出的是所谓 6 月 30 日 24 时或称 7 月 1 日零时是一个时点,这个时刻在一天中人口流动量最小,同时也便于人们的记忆。

(4)人口普查登记的原则

人口普查要力求准确,克服重登漏登,就必须明确规定每个人在什么地方进行登记。当今世界各国的人口普查,大多是采用登记常住人口的原则,也有少数国家采用登记法定人口(即注册人口或户籍人口)和现场人口(即普查标准时间在场人口)的原则。我国《第四次全国人口普查办法》第七条规定:"人口普查,采用按常住人口登记的原则。每个人都须在常住地进行登记。一个人只能在一个地方进行登记。""常住"的时间界限为一年，空间标准是本县、市。《普查办法》还根据常住的原则结合我国户口管理制度，规定了应在本县、市进行普查登记的五种人。"应当在本县、市普查登记的人口是：①常住本县、市，并已在本县、市登记了常住户口的人；②已在本县、市常住一年以上，常住户口在外地的人；③在本县、市居住不满一年，但已离开常住户口登记地一年以上的人；④普查时住在本县、市，常住户口待定的人；⑤原住本县、市，普查时在国外工作或学习，暂无常住户口的人。"

（5）人口普查的项目

在《普查办法》开始设计阶段和设计之中，各部门、各方面提出了许多项目要求设置，如人口的住房项目、受教育年限和专业、工作单位的经济类型、收入、技术职称、出生地、计划生育措施等。这些项目无疑都是很重要的，但考虑到作为一次人口普查不可能满足各个方面的需要，只能调查最必需的、最基本的项目。其次有些项目专业性比较强，普查员不易掌握，可通过专门的抽样调查来解决，不能把这些项目放在普查中解决。另外我国第三次全国人口普查项目设置是成功的，这次普查的准备时间短，限于人力、物力、财力的可能，普查项目也不宜增加过多。

第四次全国人口普查表的项目共有21项。按人填报的项目为15项，其中反映人的基本情况的有6项：姓名、与户主的关系、性别、年龄、民族、户口状况和性质。反映随着经济改革的深入，人口迁移变化情况的有2项：1985年7月1日常住地状况、迁来本地的原因。反映人口文化素质结构的项目有1项：文化程度。反映人口的经济活动状况和产业结构的项目

有3项：在业人口的行业、在业人口的职业、不在业人口状况。反映人口婚姻稳定程度和人口再生产状况的项目有3项：婚姻状况、妇女生育存活子女数、1989年1月1日以来妇女的生育状况。按户填报的项目中本户编号、户别、本户人数、本户出生人数、本户死亡人数5个项目，是反映我国户口的结构、类型、规模及人口的自然变动的；第6项"本户户籍人口中离开本县、市一年以上的人数"是为了利用常住人口数字推算户籍人口数字而设计的。为了计算我国人口的预期寿命，还设计了普查附表，即《死亡人口登记表》，有户籍编号、姓名、性别、民族、出生时间、文化程度、婚姻状况、生前从事的主要职业等几项。

（6）人口普查登记的方法

我国前三次人口普查基本上是采取设立普查登记站进行登记的方法。设站登记的优点在于便于组织，但也存在明显的缺点。群众都到登记站排队登记往往要等一段时间，不能方便群众。同时考虑到普查项目时涉及居民的家庭情况，尤其是有些不便公开的情况必须为群众保密。为了消除顾虑，争取广大群众的支持获得准确的调查数据，《普查办法》规定这次普查主要采用普查员入户查点询问、当场登记的方式进行。当然任何方法都不是绝对的，有些地方群众如有要求，在入户登记不方便的情况下也可在普查区内设立登记站。普查员入户登记可以与申报人建立起一种融洽的易于普查登记的气氛。世界各国除少数发达国家采用邮寄普查表、由住户自己填写并寄回外，大部分国家都采用普查员入户登记的方式。我国近年来多次人口抽样调查也都采用普查员入户登记的方式，这样做，有利于提高登记质量，从实践效果看也是可行的。

《普查办法》还对一些特殊人口的登记方法做了规定:中国人民解放军的现役军人、文职干部、军队管理的离退休干部,由解放军领导机关统一进行普查,将普查结果报送国务院人口普查办公室。中国人民武装警察部队,由当地县、市公安局负责普查,将普查表送交当地县、市人民政府指定的普查机构。依法被劳改、劳教和逮捕的人,由当地县、市公安机关和劳改劳教机关普查,将普查表移交当地县、市人口普查办公室。

(7)人口普查的组织领导

鉴于人口普查涉及十一亿多人口,有几百万工作人员,必须建立坚强的组织机构,加强领导,统一指挥。《普查办法》规定国务院和省、自治区、直辖市人民政府,设区的市、自治州人民政府和地区行政公署,县、自治县、不设区的市和市辖区人民政府,设置人口普查领导小组及其办公室;村民委员会和居民委员会设置人口普查小组。人口普查领导小组代表人民政府领导人口普查工作,由政府主要领导和各有关部门的领导同志组成,主要负责动员社会力量,协调各部门的工作。各级普查办公室是普查领导小组的办事机构,负责普查的具体组织工作。各级政府都要切实加强对人口普查工作的领导,集中力量,保证普查工作正常进行。县、市人口普查办公室主任一般由政府领导或政府秘书长担任。

(8)人口普查的各个工作环节

人口普查要求具有高度的集中性、统一性、科学性,每项工作都要有严格的规定和一致的方法。整个普查工作过程一环扣一环,一个环节搞不好,就要影响整个工作,因此《普查办法》对普查的每项工作都作了明确规定。

普查登记前的准备工作要做好三件事:(1)搞好户口整顿,通过清查户口登记,搞清常住人口的户口登记和居住状况,摸清流动人口情况。(2)划分好普查区和调查小区,明确普查员的工作范围。(3)普查员通过实地勘察,根据各住户的居住状况和户口状况编制好各户户主姓名底册,为普查登记做好准备。

普查登记工作从1990年7月1日开始到7月10日以前结束。普查员要按照普查项目逐户逐人地询问清楚,逐项填写;申报人都必须如实报告。要做到不重不漏准确无误。

普查登记后要按照规定的方法进行全面复查,以提高普查登记的质量。复查工作在7月15日前完成。质量抽查也要按照规定的抽样方法进行,以便对全国人口普查登记的质量作出评价。质量抽查工作在7月底前完成。

普查登记资料在编码前先对主要数字逐级进行手工汇总,全国手工汇总工作于9月底前完成。

普查登记资料的编码工作分两步进行。圈填项和数字项由普查员进行编码,其他项目由编码员集中在县级进行编码。编码工作在10月底前完成。对编码应当全面进行复核,经检查验收合格后,方可交付录入。编码完毕后,应当按照规定的办法进行质量抽查。

人口普查电子计算机数据处理:工作分三步进行:①提前抽样汇总。按规定的抽样方法,抽取一定比例的样本,提前进行汇总。国务院人口普查领导小组办公室于1991年5月底以前将汇总结果报送国务院。②全面汇总。各省、自治区、直辖市人口普查领导小组办公室于1992年6月底以前将全部汇总结果报国务院人口普查领导小组办公室。国务院人口普查领导小组办公室于1992年9月底以前将全国人口普查汇总资料报国务院,经批准后公布。③建立人口数据库。

《第四次全国人口普查办法》是国务院为这次人口普查制定的一次性法令,所有普查机构发出的指示都是以此为依据做出的,它是第四次全国人口普查工作的指南。

3.第四次全国人口普查的主要数据

1990 年 10 月 30 日,中华人民共和国国家统计局,根据手工汇总结果,发表了第四次全国人口普查主要数据的公报。公报主要内容如下:

(1)总人口

全国人口为 1160017381 人。

大陆 30 个省、自治区、直辖市(不包括福建省的金门、马祖岛屿,下同)和现役军人的人口共 1133682501 人。这个数据是以 1991 年 7 月 1 日 0 时(北京时间)为标准时间,对具有中华人民共和国国籍并在中华人民共和国境内大陆上常住的人,采用直接调查登记方法取得的。

台湾省和福建省的金门、马祖等岛屿人口为 20204880 人。①

香港、澳门地区中国同胞的人口为 6130000 人。②

大陆 30 个省、自治区、直辖市和现役军人的人口,同第三次全国人口普查的1982 年 7 月 1 日 0 时 1008175288 人相比,8 年间共增加了 125507213 人,增长12.45%,平均每年增加 15688402 人,年平均增长率为 1.48%。

大陆 30 个省、自治区、直辖市的人口中,按户口登记状况分:

常住本县、市,并已在本县、市登记了常住户口的 1100727541 人,占总人口

的 97.37%;

已在本县、市常住一年以上,常住户口在外地的 19829712 人,占总人口的 1.75%;

在本县、市居住不满一年,但已离开常住户口登记地一年以上的 1523911 人,占总人口的 0.14%;

普查时住在本县、市,常住户口待定的 8164236 人,占总人口的 0.72%;

原住本县、市,普查时在国外工作或学习,暂无常住户口的 238001 人,占总人口的 0.02%。

(2)家庭户人口

大陆 30 个省、自治区、直辖市共有家庭户 276947962 户,人口为 1097781588人,占总人口(不含现役军人)的 97.1%,平均每个家庭户的人口为 3.96 人。

(3)性别构成

大陆 30 个省、自治区、直辖市和现役军人的人口中,男性为 584949922 人,占51.6%;女性为 548732579 人,占 48.4%。性别比(以女性为 100,男性对女性的比例)为 106.6。

(4)民族构成

大陆 30 个省、自治区、直辖市和现役军人的人口中,汉族人口为 1042482187人,占 91.96%;各少数民族人口为91200314 人,占 8.04%。

同 1982 年人口普查数据相比,8 年间汉族人口增加了 101602066 人,增长10.80%;各少数民族人口增加了23905147 人,增长 35.52%。

(5)各种文化程度人口

大陆 30 个省、自治区、直辖市和现役

---

① 据台湾 1990 年 3 月底公布的数据。
② 香港人口数根据港英政府 1980 年底公布的数字推算。澳门人口数根据澳葡政府 1989 年底公布的数字推算。

军人的人口中,具有大学(指大专以上)文化程度的 16124678 人,具有高中(含中专)文化程度的 91131537 人,具有初中文化程度的 264648676 人,具有小学文化程度的 420106604 人(以上各种文化程度的人分别包括各类学校的毕业生、肄业生和在校生)。

与 1982 年人口普查数据相比,每 10 万人中拥有各种文化程度的人数有如下变化:具有大学文化程度的由 615 人上升为 1422 人,具有高中文化程度的由 6779 人上升为 8039 人,具有初中文化程度的由 17892 人上升为 23344 人,具有小学文化程度的由 35237 人上升为 37057 人。

大陆 30 个省、自治区、直辖市和现役军人的人口中,文盲、半文盲人口(15 岁及 15 岁以上不识字或识字很少的人)为 18003060 人。同 1982 年人口普查数据比较,文盲、半文盲人口占总人口的比例由 22.81% 下降为 15.88%。

(6)人口出生率和死亡率

大陆 30 个省、自治区、直辖市 1989 年 7 月 1 日至 1990 年 6 月 30 日,出生人口为 23543188 人,死亡人口为 7045470 人。出生率为 20.98‰,死亡率为 6.28‰,自然增长率为 14.7‰。

(7)市镇总人口

大陆 30 个省、自治区、直辖市中,居住在市、镇的总人口为 296512111 人,占全国总人口的 26.23%。其中市的总人口为 211230050 人,占全国总人口的 18.69%;镇的总人口为 85282061 人,占全国总人口的 7.54%。

(8)人口普查登记质量的抽样检查结果

大陆 30 个省、自治区、直辖市人口普查登记和复查工作完成后,根据《人口普查登记质量抽样检查细则》的规定,进行

了登记质量的抽样检查,抽查的样本规模为 173409 人。抽查的结果如下:

人口数:重登率为 0.1‰,漏登率为 0.7‰,重漏相抵,人口数净差率为 0.6‰;

性别:误差率为 0.14‰;

年龄:误差率为 3.07‰;

出生人口:漏报率为 1.03‰;

死亡人口:漏报率为 4.9‰。

调查结果表明,第四次全国人口普查登记工作取得圆满成功。

社会与环境

一

引滦入津工程完成

引滦入津工程,是 80 年代初期引滦河水进入天津,以解决天津城市用水的重点工程,是一项跨省市、跨流域,具备引水、输水、蓄水、净水、配水完整体系的大型城市供水设施。

1.天津出现水荒

天津市位于华北平原东部、海河流域尾闾,是我国第三大城市,也是华北地区海陆交通枢纽、商业中心和综合性工业基地。天津市经济的发展在我国有着举足轻重的地位。

新中国成立三十多年来,由于海河水量变化,工业生产的发展和城市人口的增加,天津市的可供水量越来越少,而需水量却成倍增长,从 70 年代开始,天津市逐

步出现了水荒。以 1980 年和 1950 年相比，全市工业生产用水量增长了 70 倍，人民生活用水量增长 37 倍，但全市日供水量由 180 万立方米降到 70 万立方米。天津市受到缺水的威胁，并且给印染、电子、造纸、化工、机械等工业生产，带来了不同程度的损失。进入 80 年代，华北地区持续干旱，地下水过量开采，局面更加严峻。1981 年 8 月，天津市遇到了半个世纪以来最严重的水荒。这一年由于汛期无汛，京、津、冀地区的密云、官厅、北大港等十几座大型水库都没有蓄上水。特别是密云水库遇到近 50 年以来的特枯年份，水位降到死库容以下，无水可供天津。在这种情况下，天津蓄水总量仅有 1500 万立方米苦咸水，只够全市人民用 10 天。

据有关部门计算，天津在工业生产中用 1 亿立方米的水，可以适应创造 40 亿元产值的需要，可以为国家增收税利 8 亿元。如果天津几千家工厂停产一年，将造成直接损失 200 亿元。水荒，使具有庞大工业生产能力和 350 万城市人口的天津市陷于险境。

2.党中央、国务院作出调水决策

为了解决天津的水荒，中共中央、国务院曾采取一系列措施。先是从密云水库调水给天津。由于密云水库蓄水不足，又先后于 1972 年、1975 年、1981 年和 1982 年 4 次临时从黄河调水接济天津。为了寻找一个可靠的外调水源，在采取上述措施的基础上，国务院于 1981 年 9 月批准了天津市兴建引滦河水进入天津的工程，从滦河潘家口水库 19.5 亿立方米的调蓄水量中，每年分配给天津 10 亿立方米。由此，迅速进行了引滦入津工程的勘测设计工作。

滦河发源于河北省丰宁县北巴彦古尔图山麓，流经内蒙古高原、承德地区燕山峡谷、唐山地区丘陵地带至冀东平原乐亭县附近注入渤海，全长 877 公里。滦河的上游有闪电河等 5 条支流汇流。全流域面积 44600 余平方公里。滦河是华北地区水量比较丰盛的河流，多年平均径流量达 46 亿多立方米，有的年份达 74 亿立方米。该河泥沙含量少，水质好，是为城市供水的理想水源。但是由于滦河流域径流量在年际变化和年内分配上都很悬殊，必须兴建水库进行调蓄，才能有效地供给城市用水。潘家口水库和大黑汀水库的基本建成，为兴建引滦入津输水工程，提供了先决条件。

1981 年 9 月，国务院决定把引滦入津工程列入国家重点建设项目以后，责成天津市全权负责勘测设计并组织实施，指示"建设中要努力做到按科学办事，认真做好勘测、设计，保证工程质量，在此前提下。力争加快建设速度，要注意勤俭节约，努力降低工程费用"。党中央、国务院的英明决策极大地调动了天津党政军民的积极性，有人激动地说："引滦的源头在潘家口，而力量的源头在中南海。"中共天津市委、市政府根据中央的决定，迅速作出了部署，数百万天津市民行动起来了。9 月底，市委常委会会议决定立即成立引滦入津工程指挥部；一百多个通水项目由引滦入津工程指挥部在三个月内，全部落实到 67 个施工单位；参加引滦入津工程建设的数万名工人、农民、工程技术人员、各级干部和人民解放军指战员从四面八方开赴施工现场。

3.引滦入津工程的完成

1982 年 5 月 11 日，在河北省迁西县的三屯营，引滦入津工程的建设者拉开了全线开工的序幕。

引滦入津工程线路是：由潘家口水库放水，入大黑汀水库壅高水位，从其坝下引水,经分水枢纽,引入隧洞,穿过滦河和黎河的分水岭,出洞后流入河北省遵化县的黎河干流,顺流而下流入天津蓟县的于桥水库,出于桥水库再循州河迂回南下。汇入蓟运河左岸宝坻县九王庄处的渠首闸,引入专用输水明渠。在明渠上设置潮白新河、尔王庄、大张庄三级提升泵站。引入明渠的水经潮白新河泵站第一次提升后,再经明渠入尔王庄泵站进行第二次提升,之后分三路输水。一路继续用明渠输水,经大张庄泵站第三次提升后流入永定新河南边的新引河,沿新引河上溯,经北郊区屈家店枢纽闸壅水,顺北运河南下到市区汇入海河;第二路用暗渠送至宜兴埠加压泵站加压后,再分别用钢管送入芥园、凌庄和新开河自来水厂;第三路用预应力钢筋混凝土管向塘沽送水。

引滦入津工程全长234公里,共215个工程项目,包括12.39公里长的引水隧洞、108公里的河道整治、64公里的专用明渠、26公里的输水暗渠、14公里的输水钢管、5座大型泵站、12条倒虹吸管、8座闸、3座变电站、78座桥梁、1个新建水库、1个水库加固、1个新建自来水厂等。上述工程完成土方2730万立方米,石方140万立方米,混凝土浇筑约80万立方米,建筑面积12万多平方米,安装设备2700多台件。

引滦入津工程最关键的一仗是凿通引水隧洞。承担这项任务的人民解放军第66军第198师和铁道兵第8师指战员,于1981年隆冬从四省二市的二百多个施工、训练点上,会师迁西县景忠山下。仅用4个月的时间,就在冰天雪地里,完成了全部斜井的开挖和主洞掘进的准备工作。1982年5月11日开始主洞施工,到1983年7月14日隧洞全部竣工,只用了一年零两个月,比原计划提前了一年多时间。在整个隧洞施工中,先后打眼放炮近100万个,穿越了357个断层、破碎带,抽排了470余万方的地下水。

在引滦隧洞施工取得重大胜利的同时,其他工程项目的建设速度,也都比预计的要快。60多公里明渠的开挖土方量近1000万立方米,预计5个月完成,饱尝缺水之苦的天津市人民踊跃报名参加义务劳动,10万大军仅用了52天就完成了任务;4座大型泵站的建设周期,从土建到安装一般需用三年时间,结果只用了一年;两座110千伏变电站,建设周期一般需要一年半,施工单位奋力拼搏,仅用8个月便正式送电;12公里钢管道穿越市、郊区三处,拆迁量大。按常规最短得三年完成,结果只用了两个月就完成了施工准备,半年后宣告竣工。1983年9月11日,引滦入津工程告捷。甘甜清澈的滦河水,沿着勤劳的人们用双手开拓出的百里水道,涌入久旱缺水的天津市。

引滦入津工程胜利竣工后,在正常年景下。每年可供水10亿立方米,从而为天津提供了一个稳定可靠的水源,大大缓和了天津城市用水的紧张状况。1983年夏秋季节,天津干旱少雨,入冬以来,滴雨片雪未降。如果没有滦河水,必然要再次引黄。滦河水引入天津后,不仅避免了引黄,而且促进了生产发展,提高了产品质量,为扩大再生产创造了条件。据天津市有关部门在1984年1月份对全市47个局级公司用水大户初步调查,使用滦河水后,各单位产值增加,单位产值耗水指标下降。1983年同上一年相比,一机局系统用水量增加了10%,产值增长12%;万元产值耗水下降1.36%;化工局系统用水量增加了5.5%,产值增长4%,万元产值耗水下降1.5%;一轻局系统用水量增加9%,产值增长7.4%;印染行业由于水质的改善。染色牢度普遍提高了半级到一级,消灭了残次品,一级率由 95% 提高到 97%。

滦河水流入天津城区。从此基本结束了天津人民喝咸水的历史,改善了居民的生活条件。据化验,滦河水的水质各项指标均在国家规定的范围以内,居民们反映,喝上滦河水,再也尝不到苦涩味了。同时,天津市供水情况的好转,还有效地控制了地面沉降。

回顾引滦入津工程,人们可以看到。这个具有路线长、项目多、数量大、工期紧、施工难等特点的规模宏大的城市供水工程,从全线正式开工到建成通水,仅仅用了一年零四个月的时间,比国家提出的1985 年通水的要求提前两年,建设速度之快是惊人的。工程质量也是一流的。经过中间技术检查验收,分项工程的优良率达 90%;混凝土强度合格率达 100%;土方干容重合格率达 96%;全线试通水一次成功。引滦入津工程不愧是全国重点建设的榜样。

二

葛洲坝水利枢纽工程竣工

长江葛洲坝水利枢纽第二期工程于1988 年 11 月 27 日在湖北宜昌通过国家正式验收,宣告葛洲坝水利枢纽工程已全部竣工,全面发挥效益。

由中央和地方的二十多个部门和单位组成的验收委员会认为,葛洲坝二期工程设计先进合理,施工和主要机电设备制造质量优良,工程运转正常,发电、航运达到了设计要求。

葛洲坝水利枢纽工程分两期建设,一期工程为二三江工程包括有泄水闸、二江

电厂、三江航道二号、三号船闸及泄洪冲沙闸,已于 1981 年基本建成,1985 年通过了国家验收。

大江工程为二期工程,由混凝土重力坝、大江泄洪冲沙闸、总装机容量 175 万千瓦的大江航道及作为当今世界上最大船闸之一的一号船闸、大江电厂和 500 千伏变电站组成。

整个工程由长江水利委员会进行设计,长江葛洲坝工程局承担施工。工程总投资 48.48 亿元人民币。二期工程于1982 年正式开始主体工程施工。

大江工程在建设中,始终坚持质量第一,工程优良率为 90.6%,1985 年,大江工程获国家优质工程奖,建设单位和施工单位加强了投资管理和经济核算,工程投资基本控制在核算内。

葛洲坝水利枢纽工程是在世界第 3大河长江干流上兴建的第一坝,由我国自己设计、施工,自己制造发电机组,是目前中国已建成的最大的水利水电工程,因而得到毛泽东、周恩来的关怀和重视,毛泽东亲自批示"赞成兴建此坝"。兴建葛洲坝工程是为了缓和华中地区电力供应日益紧张的矛盾,同时改善川江最惊险的三峡区间航道,并且还为三峡水利枢纽的建设作"实战"准备。工程于 1970 年底动工兴建,至 1988 年底全部建成。通过 20 年来的建设与运行实践,这三个目的都已达到。

葛洲坝电厂装机 21 台,总容量为271.5 万千瓦,10 年来共发电量 1000 亿千瓦时,为国家创利税 40 亿元,已回收80% 以上的工程投资。今后每年的利税约达 6.5 亿元。可发电量占华中电网新增电量的一半以上,对缓和河南、湖北、湖南、江西 4 省用电紧张局面和促进经济发展发挥了一定作用。

在航运方面，葛洲坝工程建成后，改善了川江近200公里三峡峡谷航道条件，使航运更加安全、成本降低、时间缩短。二、三号船闸过闸累计货运量6102.7万吨，客运量近6000万人次，其中1988年货、客运量分别为1979年截流前的2.59倍和6.5倍。

通过葛洲坝建设，妥善解决了长江干流上建坝存在的许多技术难题。

1.工程规模宏伟

奔腾咆哮的长江涌出三峡东口的南津关之后，流向由东往南急转90度，江面宽度由300米猛然间扩展到2200米，水流由急变缓，就在这展宽的江心，有葛洲坝和西坝两个小岛，把江水分为三条水道，即大江、二江和三江。

大江是长江主河槽，常年通航，二江、三江枯水期断流。葛洲坝水利枢纽工程就在这里兴建。整个工程的建筑物，主要分为泄洪建筑物、水电站和通航建筑物三大部分。坝轴线长2595米，坝顶高70米，坝址以上流域面积100万平方公里，水库总库容15.8亿立方米。工程规模宏伟、施工强度大、结构复杂、技术要求高，这不仅在我国水利水电史上是空前的，而且在世界上也是大型水电站之一。全部工程设计工程量土石方挖填达14175万立方米，混凝土浇筑1000多万立方米。如果把它们垒成高一米、宽一米的堤，前者可围绕地球赤道二周半，后者可以从帕米尔高原一直铺到东海之滨。金属结构安装6.41万吨，如果换算成小块钢块，可装16000辆4吨解放牌汽车。

泄洪建筑物，主要由三座巨型大闸构成。最大的是矗立在正中的27孔泄水闸，它的最大泄洪量8.39万立方米，另外，在大江、三江分别布设9孔冲砂闸，它们的主要功能是泄水拉砂，汛期泄洪，保证枢纽安全和航道、航闸通航。三座大闸在汛期一起运行，可泄历史上最大的11万立方米每秒的洪水。

水电站的厂房，分别设在二江和大江。二江电站厂房内安装两台17万千瓦和5台12.5万千瓦的水轮发电机组，其中由四川省德阳东方电机厂制造的17万千瓦的转桨式水轮机的转子直径为11.3米，是目前世界上最大的，转轮有四个叶片，每个叶片重达40吨，大江电站厂房内安装14台12.5万千瓦的水轮发电机组。两座巨大的河库式水电站，总装机容量为271.5万千瓦，年平均发电量为141亿度，比新中国成立前全国年发电量大2.3倍。

通航建筑物，由船闸和航道组成，船闸为单级船闸，最大水头27米。大江一号船闸和三江二号船闸，是目前世界上最大的船闸之一，闸长280米，宽34米，一次可通过总载货量12000—16000吨的船队，每次过闸时间约51—57分钟。三江三号船闸，闸长120米，宽18米，可通过3000吨的客货轮和船队，每次过闸时间约40分钟。三座船闸的单向通过能力近期2000万吨，运量5000万吨。船闸的上下闸首工作门均采用人字门，其中一、二号船闸下闸首人字门，每扇门叶有12层楼那样高，重达600吨，两扇门关闭采用钢止水，合起来的缝隙不超过一根头发丝，其精度可见一斑！

2.实现斩江截流

1969年，湖北省委和长江流域规划办公室提出兴建葛洲坝工程以解决缺电问题的报告，得到周恩来总理和国务院的支持。1970年2月，经毛泽东主席批示同意，葛洲坝工程正式开始动工兴建。葛洲坝工程建设是在"文化大革命"动乱中开始的，开工时就处在严重的"三边"（"边设计、边施工、边修改"）状态下。1970年9

月制订的初步设计要点对许多重大科技难题没有解决意见，甚至枢纽总体布置也没有最后确定，只提出装机 13 台，总容量 221 万千瓦，工程总投资 13.5 亿元，而且不切实际地提出三年半发电、五年全部建成的口号，1970 年 12 月 11 日，一期工程开工后，施工十分被动。之后，由于通航、泥沙淤积、工程地质、消解防冲、大江截流等重大技术问题没有妥善解决，周恩来总理指示主体工程暂停施工。集中力量修改设计，整顿施工队伍，作好施工准备，并决定成立工程技术委员会，负责审定重大技术问题。主体工程暂停施工后。经过两年时间，修改枢纽布置方案。1974 年 10 月，经国务院批准，主体工程复工。1975 年完成了初步设计报告的修改，装机由 13 台增为 17 台，总容量为 211.5 万千瓦，要求 1982 年一期工程通水发电，工程总投资增加为 35.56 亿元，其中一期工程为 23 亿元。主体工程复工后，工程建设进度加快。1981 年 1 月，大江截流；同年 5 月，一期工程通过验收；6 月水库蓄水，正式通航；7 月，二江水电站 1 号机组并网发电。12 月二江电厂二号、三号机组又投入运行，到 1983 年 7 月，其他四台机组亦相继投产发电。一期工程投资 24.71 亿元。完成主要工程量是：土石方挖填 9915 万立方米；浇筑混凝土 626 万平方米；金属结构安装 3.84 万吨，并且还架设了 22 万伏高压输电线路 385 公里和敷设了大量的供水管路。工程建设周期十年半，其中因主体工程停止施工两年，实际总工期为八年半。一期工程比修改设计后的要求提前一年建成。一期工程投入运行后，1982 年审查了大江部分初步设计补充报告，增加了 4 台 12.5 万千瓦机组；同时将右岸变电站电压等级由 33 万伏提高到 50 万伏。枢纽布置也作了部分修改。工程总投资增加为 48.48 亿元。

截断大江，使水流由二江、三江建筑物宣泄，这是葛洲坝工程的关键之战。1981 年 1 月 4 日下午 7 点 53 分，在长江干流流量 4800 立方米每秒，龙口落差 3.23 米，流速高于 7 米/秒的条件下，仅以 36 小时 23 分的时间，就斩断了长江，实现了截流。这在我国水利水电建设史上堪称是一个创举。截流工程荣获了国家优质工程金质奖。在大江截流以后，又快速地填筑了大江上下游围堰，土石方回填工程是 500 多万立方米，并且在上游围堰内浇筑了两道混凝土防渗墙。从 1981 年至 1983 年，经过三个汛期的洪水考验，大坝安然无恙。

3. 运行效果良好

1981 年 7 月，二江电站第一台机组正式发电，也就是第一期工程投入运行。运行后经过多次洪水的考验，特别是经受了 1981 年长江罕见的特大洪峰的考验，大坝的位移、变形、渗漏等均在设计允许范围之内，各种建筑物运行正常。

二江泄水闸，经历了三个汛期 10 次大于 45000 立方米每秒洪水的考验，其中 1981 年 7 月 19 日的入库洪峰流量达 72000 立方米每秒。累计过流时间 900 天；封闭抽排护坦的总排水量远低于设计允许渗流量，建筑物运行正常，闸门启闭灵活，下游河势良好。

三江冲沙闸，已运行两年以上，共参加五次泄洪，最大泄洪流量 6700 立方米每秒；承担八次汛后冲沙任务，最大冲沙流量 6500 立方米每秒，冲沙效果较好。每年枯水季节只需用机械清除少量的边滩淤积。实践证明，"静水通航，动水冲沙，辅以机械清淤"的措施是可行的。

三江两座船闸，自 1981 年 6 月蓄水通航以来，截至 1984 年 3 月底，已累计运行

19242 闸次,通过船只 11.4 万艘次;运送旅客 384.7 万人次;货运 1074 万吨,年通过最大客运量 130 万人次,货运 370 万吨。从运行情况来看,在船闸正常检修的情况下,船闸的通航能力正达到原来长江的航运能力。

二江电站,于 1983 年 7 月前已陆续投产,年发电量可达 60 亿度,占湖北省水电总容量的 45%,成为华中电网的主力电厂。截至 1984 年 3 月底,二江电厂已累计发电 112.21 亿度,相当为国家提供 487 万吨标准煤。

葛洲坝水利枢纽作为国内目前最大的水力发电站,在我国能源开发中具有重要的意义。它能够有效地改变华中电网的能源结构,以丰富的水电代替大量的火电,从而大大节约了煤炭和石油,特别是由于超高压输电水平的提高,华中地区丰富的水电将输往华东,长江的能源将更充分地利用。

三

建设三北防护林体系

1978 年,党中央、国务院决定在我国西北、华北、东北的风沙危害和水土流失严重地区,建设一个大型防护林体系。这个工程,涉及新疆、青海、甘肃、宁夏、陕西、内蒙古、山西、河北、北京、辽宁、吉林、黑龙江 12 个省、市、自治区的 396 个县(旗),东西绵亘 14000 多华里,是一项具有战略意义的生态环境建设工程。

“三北”地区的面积约 347 万平方公里,占我国国土总面积的三分之一。这里居住着勤劳勇敢的汉、满、蒙、回、藏、维吾尔、哈萨克等十多个民族。千百年来,各族人民艰苦创业,在这里创造了我国灿烂的古代文明。著名的河西走廊、银川平原、内蒙古河套和吉林、黑龙江 5 大产粮区和我国最大的畜牧业基地——天山南北与祁连山大牧场、呼伦贝尔草原,都在这个地区。这里矿藏丰富,稀土金属占世界总蕴藏量的 80%,煤炭居全国之冠。

“三北”地区资源丰富。但由于历史上历次战争的破坏,人口的剧增,过度的砍伐,农垦放牧、樵柴,大地失去了绿色屏障,生态遭到严重破坏,给“三北”地区的人民带来了无穷无尽的灾难。一是土地沙化、退化。“三北”地区从新疆至东北西部有 12 片沙漠、沙地和戈壁,面积 133 万平方公里,大于中国耕地面积的总和。沙漠、戈壁,形成绵延万里的风沙线,危害着 213 个县(旗)的农田、草场各 1 亿多亩。大风刮走农田表土、肥料和种子,摧毁禾苗;流沙压埋农田、牧场、村镇,阻塞交通,沙进人退,祸患无穷。二是水土流失严重。“三北”地区水土流失总面积达 55.4 万平方公里。其中黄土高原是目前世界上水土流失最严重、最集中的区域之一。黄土高原上的 123 个县(旗),每年每平方公里平均流失土壤万吨以上,每年流经三门峡的 16 亿吨泥沙,有 80% 来自这个地区。黄河下游河床淤积,成为地上悬河,25 万平方公里、一亿多人民生命财产的安全受到威胁。三是旱涝灾害频繁。由于大气环流的作用和缺少森林调节,形成了“十年九旱,不旱则涝”的气候特点。这里由于风、沙、干旱、冰雹、水灾不断,已成为我国主要的多灾低产地区。甘肃的定西、宁夏的西海固、陕北和晋西北,农业产量长期低而不稳;这里共有可利用的草场 23 亿多亩,其中 20 亿亩是载畜量极低的半荒漠草原,平均每 37 亩养活 1 头牲畜;这一地区燃料、饲料、肥料、木料俱缺,农牧业生产落后,群众生活困难。四是人们的生存条件受到威胁。脆弱的"三北"生态经济系统的负载,早已超过了人口的临界线。因此,从根本上改变这个地区风沙危害和水土流失严重的状况,改善生产条件,建设"三北"防护林体系,是一项具有战略意义的生态环境工程。

"三北"防护林体系是一项有益当代、造福后代的伟大生态工程。这项工程受到"三北"地区各族人民的热烈拥护和支持。这场"绿色革命"的主要任务是,要用几十年的时间形成林带、林网、片林有机结合的防护体系和农业、林业、草业协调发展的绿色综合体,使森林蓄积量由1977年的6.3亿立方米,增加到42.7亿立方米,并能提供其他多种林产品,满足国计民生对林业日益增长的需要。这项改造自然的巨大工程,需要几十年、上百年的时间和几代人艰苦不懈的努力。整个工程规划分成若干期进行。

第一期工程从1978年到1985年。第一期工程达到的目标是:在保护好现有森林植被的基础上,8年内新造林保存面积8900万亩,森林覆盖面积由4%提高到6%,逐步形成一个以林为主,片、网、带和乔、灌、草相结合,东西绵亘一万四千多华里的防护林体系。使1亿亩农田和5000万亩草场得到林网保护,部分控制水土流失,并解决"三北"地区燃料、饲料、肥料、木料严重缺乏问题。

在1978年至1985年的第一期工程建设中,中央和地方财政共计投资17.1亿多元,人民群众和当地驻军投入劳动7亿多个工作日。人工造林保存面积达605.5万公顷,超过计划任务2%;飞机播种造林10.6万公顷,"四旁"植树15亿株;同时,还封山、封沙育林89.7万公顷。生态效益明显,经济效益可观。部分地区的风沙危害有所减轻,水土流失得到不同程度的控制,有800万公顷农田和117万公顷草场得到保护。一些地方木材、燃料、饲料、肥料奇缺的状况有所改善。在一些缺乏燃料、群众烧柴困难的地区,摸索了营造薪炭林的经验,涌现了一些先进典型:黑龙江省明水县,甘肃省泰安县五窑大队、新疆疏勒县羊大曼乡等,经过两三年时间就实现了平均每户有薪炭林3至10亩,基本上解决了烧柴问题。东北松辽平原中西部、华北平原北部、内蒙古河套、宁夏冲积平原、河西走廊和新疆和田一带的农田防护林已形成体系。东北三省西部的61个县,内蒙古自治区的东四盟和河北省北部的两个地区,已有8350万亩农田造了农田防护林,占这些县(旗)需要林网化的农田总面积的62.4%。甘肃河西、宁夏银川、内蒙古河套三大灌区,已有664万亩营建起农田防护林,占三灌区有效灌溉农田总面积的36.5%。新疆绿洲有1000多万亩农田得到林网保护,占全疆绿洲保灌面积的26.3%,其中和田县已提前两年完成了第一期工程建设任务,实现了农田林网化。据测定,有林网保护与无林网保护的耕地比较,风速平均降低20%—30%。减少地表蒸发量10%—20%,增加土壤含水率10%左右。提高空气相对湿度5%—10%,夏季降温、春季增温摄氏1度左右。这样,减轻了风沙、干热风、霜冻等自然灾害,改善了区域性的小气候,粮食产量比空旷地带增长10%—30%。可以预期,新建的这些林网,将逐步发挥防护作用,为农作物的增产提供有力的保证。而且,有40%的林木已进入成材阶段,按当时价格计算,价值达68亿元。"四旁"所植树木,有50%已经成材,价值37.5亿元。昔日"不毛之地"的毛乌素和科尔沁两片大沙漠(地),林木覆盖率已分别由原来的7%和7.6%提高到15.8%和13%,不但防止了沙化面积的扩大,而且进入了全面改造和利用沙漠的新阶段。在黄河中游水土流失严重地区,广泛开展了以水流域为单元的综合治理。

"三北"防护林第一期建设工程取得了令人振奋的成绩。是因为"三北"防护林体系的建设,符合国情、顺乎民心。

经国务院批准的"三北"防护林体系建设第二期工程,从1986年开始至1995年,主要任务是在抚育好现有林草植被,巩固提高一期造林成果的基础上,新造林637万公顷,飞机播种造林17万公顷,封山封沙育林育草154万公顷,使"三北"地区的林木覆盖率从1986年的5.9%提高到7.7%。二期工程规划范围包括原12个省、市、自治区的466个县(旗),比一期工程增加70个县(旗)。总面积达59.2亿亩。10年后其中50个县(旗)可实现绿化,1730万公顷农田实现林网化,黄土高原三分之一的水土流失面积得到治理;北京、天津周围、北京—包头—兰州铁路沿线和黄河中游沿岸的自然生态环境得到较大改善。

二期工程建设一开始就面临着新情况、新问题。一是既要巩固和提高一期建设的成果,又增加了70个县的新任务;二是已由"先易后难"逐步转为啃"硬骨头";三是资金严重不足;四是科技人员太少,专业机构也不健全。为此,有关部门采取了相应的措施:

1.进一步落实好工程建设的方针、政策。继续落实"个体、集体、国家一齐上。以个体造林为主"的方针及谁造谁有的政策,凡有人居住的地方都应果断地把宜林荒沙、荒山划拨到户,实行以户或联产承包造林种草的责任制,并为他们做好服务工作。坚持贯彻群众投劳,多方集资和国家补助相结合的方针。"三北"防护林建

设靠千百万农民的劳动积累来进行。

2.切实加强科学技术工作。"三北"地区自然条件复杂,二期工程建设难度增大,运用科学技术显得更加重要。①各林业院校对"三北"地区实行定向招生,多为工程建设培养人才。有关省、自治区、直辖市有计划地建立了一批科技培训中心,提高现有科技人员的技术水平。各地、县(旗)大力举办短期培训班,培养农、牧民林业技术员。②改革林业科研的管理体制,做好研究课题的组织协调,充分发挥科研单位的作用和潜力,加快攻关项目的进展和适用技术的普及。③积极推广遥感技术、高效吸水剂、飞机播种造林、容器育苗造林、钻孔深栽机和开沟深栽机造林等先进技术和樟子松等优良树种在防护林建设中的应用。④从"三北"专项投资中,提出10%的数额作为科教经费使用。

3.大抓种植、养殖和加工业的发展,把资源优势转化为经济优势。"三北"防护林建设,不能单纯依靠外界投资来进行,本身也要注意"造血",增强自我积累、自我发展的能力。

二期工程,在作业条件差、施工难度大、资金严重缺乏、投入大幅度减少的情况下,林业部"三北"林业局及广大林业职工利用当地资源,建立综合开发的林业产业,使林业行业内的种植、养殖、加工、采掘、旅游、服务业等"绿色企业"蓬勃兴起,为增强"三北"防护林建设的后劲、发展林业生产力闯出了一条新路。据统计,"三北"地区林业战线已办起二千五百多个绿色企业,年产值近四亿元,实现利润六千三百多万元,安排从业人员四万多人,并且盈利投入"三北"防护林建设,累计金额达4685万元,还建立了540万亩经济林商品基地。这对于加快"三北"防护林建设起到了积极的推动作用。从1978年到

1988 年底，中央和地方财政及其他渠道共计投资 24.33 亿元，群众投入劳动 11 亿个工日，完成人工造林 1.38 亿亩，封山育林 3420 万亩，飞机播种造林 360 万亩，四旁（宅旁、村旁、水旁、路旁）植树三十多亿株。森林覆盖率提高到 7.09％，取得了显著的生态效益，一些地方风化、盐碱化现象得到初步控制。"三北"防护林建设规模和速度都是十分可喜的，在国际上被誉为"中国的绿色长城"、生态工程的世界之最。

四

大兴安岭发生特大森林火灾

大兴安岭是我国重点林区和主要木材生产基地，总面积 2268 万公顷。其中有林面积 1344 万公顷，森林蓄积量 12.5 亿立方米。这个林区有两个林业管理局。一个隶属于内蒙古自治区，一个直属林业部。

这次森林大火发生在林业部所属管理局的北部林区。这个管理局所辖林区面积 964 万公顷。森林总蓄积量 5.5 亿立方米。

1987 年 5 月 6 日下午 3 时左右，黑龙江省大兴安岭区的西林吉、图强、阿木尔和塔河 4 个林业局的几处林场，因野外吸烟和使用割灌机时违反操作规程跑火而引起山火。开始火势不大，但是当晚在西部忽然刮起 8 级左右大风，火势迅速蔓延，仅 5 个小时大火向东推进 100 公里，铁路、公路、河流，甚至 500 米宽的防火隔离带都阻挡不住。一个晚上就烧毁了西林吉、图强、阿木尔 3 个林业局所在地和 7 个林场、4 个半贮木场。当天夜间，东部塔河县盘古林场的火势也迅速异常，到 8 日，

从西部漠河县到东部塔河县境内已形成面积为几十万公顷的大火海。损失伤亡惨重，通讯、交通中断，当地已无力控制火场。大火灾发生以后，人民解放军沈阳军区迅速调集兵力投入扑火抢险。从 5 月 7 日派出第一批 5800 名官兵起，部队先后分 5 批逐次调集 3.5 万人，800 辆汽车，53 架飞机，参加扑火救灾。另有森林警察、消防干警和专业扑火人员二千一百多人，预备役民兵、林业工人和群众两万多人。

参加这次扑火的队伍是多层次、多兵种、地空结合，综合利用了多种手段。

中共中央、国务院、中央军委对这场扑火救灾工作极为重视。9 日，国务院成立了扑火救灾领导小组。10 日，国务院批准成立扑火救灾前线总指挥部。黑龙江省委书记孙维本任总指挥。总指挥部下面设立了五个分指挥部，实行分片指挥。

这次扑火实行了军警民三结合，在扑火行动中，解放军、专业队伍和职工群众三方面力量协同动作，显示出了较强的战斗力。

这次扑打大面积的山火，整个队伍的行动，既坚决、迅速，又没有蛮干。根据过去的经验教训，国务院领导同志反复强调既要扑灭大火，又要保障扑火人员的生命安全，火场上没有烧死一个扑火人员。

人民解放军是这次扑火救灾的主力军，出了大力。立了大功。广大指战员不畏艰险，不怕牺牲，连续奋战，扑灭了一千七百多个火头，开辟了数百公里防火隔离带，抢救疏散群众一万多人。很多指战员带病带伤不下火线，涌现出很多可歌可泣的英雄集体和模范人物。

武装森林警察和公安消防干警发挥了突击队的作用。由于他们装备较好，手段比较先进，有丰富的扑火经验，因而在打火头，消灭大火、险火上起到了别人不

能代替的作用。

林区职工、群众是扑火的重要力量。他们熟悉山区地势和气候特点,富有扑火经验,同解放军、专业队伍密切配合,为赢得扑火战斗的胜利作出了贡献。

空军、民航打破常规,超强安全飞行1500多架次,空运2400多人次,配合气象部门人工降雨作业18次,降雨面积20000平方公里,出色地完成了侦察火情、空降、空投和运输任务。

铁道部门承担了扑火救灾的繁重运输任务,开出了大量专列,以最快的速度把部队提前运输到火场;安全周到地转移疏散灾民五万余人次;扑火救灾物资随到随运。

气象部门成立专门小组,严密监测大兴安岭森林火情,及时提供火区卫星资料和天气预报,开展了人工降雨作业,同地方高炮部队配合发射降雨弹4700发。

邮电部门争分夺秒地抢修被毁的通讯线路和设施,派出专门通讯车到第一线服务,保证了通讯联系。

地矿部门主动派出装有红外线扫描装置的专用飞机,协助解决克服因烟雾弥漫难以侦察火情的困难。

黑龙江省、内蒙古自治区上下动员,全力以赴,为扑灭大火和安置、救济灾民做了大量工作。

大兴安岭特大森林火灾,使国家和人民生命财产遭受了巨大损失。据统计,过火面积101万公顷,其中有林面积近70%。烧毁房舍61.4万平方米,其中居民住房40万平方米。烧毁贮木场四处半,林场9处,存材85.5万立方米。烧毁各种设备2488台,粮食650万斤,桥涵67座,总长1340米,铁路专用线9.2公里,通讯线路483公里,输变电线路284.2公里。受灾群众5万多人,死亡193人,受伤226人。直接经济损失约5亿元。

6月6日,国务院召开全体会议,作出了《国务院关于大兴安岭特大森林火灾事故的处理决定》。会议认为,这起特大火灾事故的发生,主要是由于企业管理混乱、纪律松懈、违反规章制度、违章作业和领导上的严重官僚主义造成的。这次森林大火的发生,教训极为深刻。

(1)林业部领导思想麻痹,防火观念淡薄。

(2)企业管理混乱,规章制度废弛,职工纪律松懈,违反操作规程,违章作业。已查明,造成这场特大森林火灾的直接原因,并不是天灾,也不是坏人破坏。最初火源是林业工人违反制度吸烟,以及违反防火期禁止使用割灌机的规定,违章作业造成的。

(3)防火力量薄弱。专业队伍很不健全。这次扑灭火灾战斗证明,森林警察对护林防火可以发挥很大的作用,但是这支队伍的建设被忽视了。在这次火灾中遭受惨重损失的漠河县,竟然在这年防火期之前的3月份撤销了一个有76人的森林警察中队,人为地削弱了专业消防力量。

(4)林区防火的基础设施很差,远远不能适应护林防火的需要。大兴安岭林区的森林面积是伊春林区的两倍,而瞭望台仅31个。不足伊春的1/3。陕西渭南林业机械厂生产的风力灭火机是有效的灭火工具,一个灭火机的灭火能量可顶十几个人。而大兴安岭林区风力灭火机只配备301台,是伊春的1/3,控制火情能力差。大兴安岭林区道路很少,当时每公顷平均只有1.1米,防火隔离带也很少,着了火就连成一片,人、车都很难上去。这是造成这次扑火难度大的一个很重要的原因。

(5)"桦子城"是林区的一大隐患。林

区许多住房都是"板夹泥"的。而且到处都是板杖子、木棚子、劈柴垛子。据调查，平均每户有 30 立方米的木垛子，可供做饭取暖烧几年。全大兴安岭地区职工群众每年要烧掉 60 万立方米木垛子。这不仅是资源上的浪费。而且给城镇安全带来隐患。这次大火所以烧毁了城镇，"垛子城"是个重要因素。

在 6 月 6 日召开的国务院全体会议上，作出了撤销杨钟林业部部长职务，提请全国人大常委会审议批准，对其他负有直接责任的人员也必须严肃处理的决定。会议要求，各级林业部门和有关地区必须认真总结经验教训，切实执行《森林法》和《消防条例》等有关护林防火制度的规定，严防和及时扑灭森林火灾。在 6 月 11 日至 23 日召开的第六届全国人大常委会第 21 次会议上，通过了《关于大兴安岭特大森林火灾事故的决议》，通过了《关于撤销杨钟的林业部部长职务的决定》，任命高德占为林业部部长。

五

长江发生特大洪水

1991 年，我国长江流域发生了百年罕见的严重洪涝灾害。自 5 月中旬至 7 月中旬，西起川黔以东，沿华中的河南、湖北、湖南，东至华东沿海地带，整个南中国暴雨连绵。在狭长的江淮地域，60 天降水量高达 800 毫米以上，短短两个月内猛然降下了相当于往常一年的雨量。其中淮南及皖南山区降水量达到一千多毫米，大别山金寨县吴店 1775 毫米，歙县黄山达 1644 毫米，全椒县赤镇 1220 毫米，湖北武汉 1622 毫米，江苏兴化县 1218 毫米，南京 1021 毫米。最大日雨量，安徽凤阳县为

218 毫米，江苏兴化县为 204 毫米。蚌埠市一小时最大雨量为 10 毫米，太湖流域平均 30 天降水量达 502 毫米，创历史最高纪录。

江苏常州市、无锡市 30 天降雨量接近百年一遇；江苏兴化县、安徽寨县 30 天降雨量超过百年一遇；太湖流域 30 天降雨量相当于 80 年一遇。

根据国家气象局测定标准，凡日降雨量等于或大于 50 毫米为暴雨，等于或大于 100 毫米为大暴雨，200 毫米以上为特大暴雨。

6 月中旬，淮河和长江下游左岸支流滁河发生大洪水，7 月，淮河和滁河再度发生大洪水；7 月，太湖流域和长江上中游支流乌江、澧水，以及湖北省北部的举水、巴水、倒水和天门河相继发生大洪水。

淮河、太湖、滁河告急：王家坝以上 60 天洪水量约 83 亿立方米，正阳光以上约 254 亿立方米，洪泽湖以上约 500 亿立方米；正阳光、淮南、蚌埠和洪泽湖的最高水位均为建国后第二高水位。淮河干流发生了仅次于 1954 年的特大洪水。

太湖告急：太湖水位于 7 月 7 日出现 4.68 米的高水位，超出警戒水位 1.8 米，超出 1954 年历史最高水位（4.65 米）0.03 米，且超出历史最高水位的时间持续达 14 天之久，洪水总量约为 130 亿立方米。

滁河告急：滁河接连发生两次有关资料记载以来的最大洪水，干流控制站襄河口、晓桥、汉河集等超出历史最高水位 0.14—0.50 米；7 月 10 日，河水距津浦铁路桥底梁最低点不足 0.50 米，洪水威胁着沿路干线和沿河圩区。

江苏、上海等产业中心均受到洪水严重包围，沪宁线上的常州、苏州、无锡等工业重镇相继被洪水围困；百万人口的苏州，三分之二市区浸于水中；加上无锡、常

州,计有 17000 家工厂企业停工或局部停工;10524 座乡镇村庄被淹。

南京古城大水压境,因洪水下泄和海潮托起,至 7 月 14 日长江南京京江段水位已达 9.68 米,大水滔滔,竟高出沿江地面 1—2 米。

7 月 15 日下午 2 时 10 分,扬州市七里河通运闸、坝在洪流猛烈冲击之下,四米多长的桥闸整体断裂崩塌,洪水撕开三十多米长的大决口,以每小时 33 万立方米的流量下泄猛灌市南郊区,古城扬州危在旦夕。

淮河全线水位居高不下,洪峰迫向蚌埠,素有"经济命脉"之称的淮北大堤,240 公里长堤上险象环生。

贵州省贵阳地区山洪、泥石流爆发,山体下滑,7 月 11 日,川黔、贵昆、黔桂、湘黔四条铁路干线全部中断停运。

安徽、江苏、河南、湖北、上海、浙江、湖南、贵州、黑龙江——各地告急电文如雪片般飞往设在北京的国家防汛总指挥部。

国家防汛总指挥部是一个具有综合协调职能的权威指挥机构。由国务院副总理田纪云任总指挥,水利部部长杨振怀、国务院副秘书长李昌安、国家计委副主任叶青任副总指挥,中央国家机关水利部、总参作战部、公安部、民政部、财政部、建设部、物资部、铁道部、交通部、邮电部、地矿部、农业部、商业部、物资部、卫生部、国家民航局、国家气象局等单位的负责人任成员。总指挥部办公室设在水利部。

6 月 13 日 19 时 15 分,正在安徽视察工作的李鹏总理电召杨振怀连夜赴合肥会商淮河抗洪事宜。李鹏总理是 6 月 12 日飞往安徽的。他此行系巡视农业生产、部署粮库建设及其他经济事项。飞抵合肥,恰遇河南、安徽特大暴雨,淮河、滁河洪水骤涨。李鹏总理终止了原定计划,冒雨急驰灾区察看汛情。

6 月 14 日 21 时,淮河上游水位迅速上涨,干流王家坝水位已涨达 28.70 米,超出运用蒙洼蓄洪区分洪的最高限定水位(28.30—28.66)0.04 米。告急电波传向北京。

15 日 3 时,王家坝水位涨至 29.05 米。

15 日 3 时 30 分,副总指挥李昌安签发了向总指挥田纪云汇报的《关于拟开启王家坝闸向蒙洼蓄洪区分洪的紧急报告》,确定分洪时间为 15 日 8 时。

15 日 4 时 30 分,李昌安受田纪云委托,签发《国家防汛总指挥部高度命令》(国汛令[1991]第 01 号)。

15 日 8 时整,王家坝 7 孔闸门开启,开度为 0.5 米。一万多名群众于分洪前全部安全转移,无一人死亡。15 日 13 时,李昌安签发了第 02 号国汛令,要求王家坝于 17 时前将分洪量加大到设计标准。7 月 7 日 8 时,再次开启王家坝闸分洪,二度运用蒙洼蓄洪区滞洪;7 月 11 日 16 时,有限度开启城西湖闸蓄洪,打出"淮河干流防御特大洪水措施方案"的最后一张王牌。

三次开闸分洪,总共分、滞洪水约二十多万立方米,从而确保淮河沿岸千里堤防安然无恙,两次特大洪水共五百多亿立方米得以经下游入江水道顺利排入长江。

太湖流域,6 月 26 日 12 时,经与江苏、浙江两省和上海市协商,并报请田纪云总指挥批准,国家防汛总指挥部采取果断措施,开启了三十多年来一直没使用的太浦闸泄洪,10 孔闸门同时开启 1 米,泄洪量达 80 立方米/秒。这有利于缓解洪水对苏州、无锡、常州等城市的威胁。然而,至 7 月 4 日 15 时,太湖水位又涨至 4.44 米,已超出警戒水位 1 米。太湖再度告急！迅速降低太湖水位，确保上海、无锡、常州、嘉兴等产业中心城市，以及沪宁、沪杭铁路干线安全已成为当务之急。为了将洪涝灾害损失减少至最低限度，必须尽快破除太浦河下游河道内的钱盛荡民圩堤和红旗塘横隔堵堤，彻底打通太湖——太浦河——黄浦江一线泄洪通道。以使太浦闸泄洪量能大大增加；与此同时，破除望虞河入口沙墩港隔堤，分泄部分太湖水北上排入长江之中。

7月4日10时35分，田纪云签署了国家防汛总指挥部《关于太湖流域汛情及防汛部署意见》，上海市坚决执行国家防总命令。7月5日9时30分，正式炸开红旗塘横隔堵堤。7月8日19时59分炸开钱盛荡民圩8道堵堤。上海人民打破了几十年来"拒洪水于沪门之外"的陈规，为解救太湖之危作出了无私的奉献。7月9日下午，位于太湖东侧的太浦闸，闸门开度为2米，泄洪量增大到200立方米/秒。

7月9日，在苏州召开拆除沙墩港堵堤向望虞河排洪会议；7月11日9时45分，炸开望虞河入口处高4米、宽40米青石垒筑的沙墩港大坝。太湖水位开始徐缓回落。

在这次抗击本世纪罕见的特大洪涝灾害中，全国一盘棋，统一调度，协调指挥，牺牲局部，顾全大局。不仅人员伤亡少，而且保住了重点工程和工厂矿山，保住了几十座大型水库，保住了铁路和重要城市，保住了淮北大堤和长江大堤。

这次严重水灾发生之后，全国各族人民、港澳台同胞、海外侨胞极为关注。纷纷慷慨解囊，捐款捐物。外籍华人和外国朋友也伸出了友谊之手，积极参加募捐。联合国有关机构、一些国际组织和国家，也给予援助。截至8月23日，中国国际减灾十年委员会和民政部接受救灾捐赠办公室收到国内外捐款6.6693亿元人民币。

台湾地区概况

一

蒋经国的"政治遗产"

1. 中国国民党第十二次"全国"代表大会

进入80年代，由于中国共产党对台方针政策发生重大变化以及大陆政治经济体制改革所产生的重要影响，海内外掀起了和平统一祖国的浪潮，强烈冲击着台湾当局的僵化政策。为了应付日益高涨的统一浪潮，维护国民党的"法统"地位，达到"偏安台湾"、"反共拒和"的目的，国民党决定召开第十二次代表大会，制定新的内外政策。

1981年3月29日至4月5日，国民党在台北阳明山举行"十二全"大会，出席代表和列席人员达991人。蒋经国主持会议并以《艰苦卓绝，继往开来》为题致开幕词。在开幕词中，蒋经国表示"本次大会的主题，是在于肯定70年代乃是三民主义胜利的年代，是重光大陆的年代。大会的各项议题，都是环绕以三民主义统一中国为中心"。在讲话中，蒋经国继续坚持"反共拒和"的立场，声称"反共复国的基本国策决不改变"，"国体决不改变"，"以三民主义统一中国的目标决不改变"，与中共"决不谈判,决不三通,不怕使用武力"。

大会听取了党务、行政和"外交"工作报告,并通过了《中国国民党政纲案》、《复兴中华文化,贯彻民主法治,促进政治建设案》、《贯彻以三民主义统一中国案》、《贯彻"复兴基地"民生主义社会经济建设案》、《强化党的组织、加强党的行动、激励全党同志服务牺牲精神、结合全民心力案》以及大会宣言。

讨论并通过的《贯彻以三民主义统一中国案》是本次会议的中心议题。该案攻击中共及大陆的社会主义制度,声称"三民主义救中国"、"共产主义祸中国",吹嘘国民党"在台澎、金、马复兴基地实施三民主义建设,成效大著,更为大陆人民所向往","今日复兴基地三民主义建设的成就,即为大陆重光后,国家建设的蓝图"。关于"统一中国"的方式问题,该案宣称"唯一的道路是在全国实行三民主义",提出要大陆放弃"四项基本原则",保障"私有财产",实现"自由经济",并与"国际资本技术合作";还要求中共"放弃共产主义运动","放弃共产主义思想及制度",主张"加强三民主义思想登陆",鼓吹只有摧毁大陆政权,"以三民主义统一中国才能实现"。

大会推举蒋经国继续担任国民党主席,并推选出新一届中央评议委员227人、中央委员150人、候补中央委员75人。

国民党"十二全"是在"党外"势力崛起,海内外要求和平统一祖国的呼声日益高涨的背景下召开的。这次大会提出的"以三民主义统一中国"即以和平方式统一中国代替过去"军事反攻"、"武力统一",表明国民党的"大陆政策"在大陆实力增强和台湾"外交"败局面前的务实转变,也是一种顺应历史潮流和符合民心的

转变。但与此同时,国民党又一再顽固地坚持"反共拒和"的立场和"反共复国"的"基本国策",特别是幻想三民主义作为统一中国的基础,又显示其政策的顽固性和虚幻性,充满着不现实和敌意,是一种自欺欺人的"鸵鸟政策"。

2."江南命案"和"十信"事件

江南,原名刘宜良,1932年出生于江苏省靖江县。幼年的江南在家乡读书,1949年只身赴台,在蒋经国任班主任的台湾"国防部政治部干部训练班"及"政工干校"受训,1954年毕业时因不愿服从分配被开除。1963年至1967年江南任《台湾日报》记者,1967年赴美国美利坚大学国际关系研究院完成硕士课程。在美期间,江南先后教书、经商,并从事蒋经国传记的写作,作品先在香港《南北极》月刊上连载,1975年首次成书,1983年正式修正出版定名为《蒋经国传》。

《蒋经国传》取材广泛、资料翔实、文笔生动、评价公允,深受读者的好评。当然,作品在对蒋经国公允评价的同时,毫不留情地披露了蒋氏父子一些不光彩的事,可谓是揭了国民党内部的疮疤。

《蒋经国传》的出版,引起台湾当局极大的不安。台湾当局先派人赴美与江南谈判,希望以巨金换取他手上一些蒋氏父子的资料及著作权,遭江南拒绝。于是,台湾当局有关部门遂与黑社会势力勾结组织暗杀行动。1984年10月15日清晨,台湾黑社会势力的两名暴徒在旧金山江南住宅的车房内枪杀了江南,制造了举世震惊的"江南命案"。

"江南命案"引起美国华人世界和港台文化界的强烈反响,美国方面也予此案以极大的关注。1984年11月,策划"江南命案"的黑帮头目竹联帮首领陈启礼在台湾被捕。1985年,直接刺杀江南的两名凶

手也相继落网。据供认,"江南命案"涉及台湾当局有关部门负责人,也涉及蒋经国的次子蒋孝武。

尽管"江南命案"真相扑朔迷离,但凶手供词的公布,轰动全球,对台湾民心的冲击尤大。人们纷纷谴责独裁、残忍的暗杀行动,使台湾当局和蒋经国的公众形象遭到极大的破坏。

正当台湾当局为"江南命案"焦头烂额之时,岛内又爆发出"十信弊案"。

"十信"是台北市第十信用合作社的简称。该社成立于1946年,除总社外,有17家分社,拥有10万名社员,存款额达170亿元新台币,是台湾历史最久、规模最大的信用合作社。

1985年初,台湾"中央银行"奉当局指示,对违规经营的"十信"进行项目调查,发现"十信"违规放款现象极为严重。2月9日,台湾"财政部"勒令"十信"停业三天。经调查发现,"十信"的154亿元放款中,除80亿元属正常放款外,竟有74亿元为"不良放款",实为台湾三十多年来最大的经济犯罪案,引起社会的轰动。从11日起,"十信"发生了前所未有的挤兑现象,两天之内,被提走60亿元以上的存款。该社的理事会主席蔡辰洲的家族经营的国泰塑料公司、理想工业公司、国际海运公司等企业的股票也出现暴跌。以此为开端,民众对整个金融机构产生了不信任感,出现了全岛性的金融危机,各金融机构都出现了提款挤兑现象,蔡氏家族的另一个金融机构——国泰信托集团被提款150亿元,已陷入停业、清盘、被接管的窘境。据估计,整个"十信"事件的受害者达10万人以上,六十多家企业面临破产,引起整个社会的震动。

其实,"十信"的经营犯罪已非一日,台湾当局也早有察觉。早在1979年,蒋经国曾批示要严加整顿,但皆因蔡辰洲系"立法委员",政坛上的风云人物,在上层人物的全力斡旋下安全过关。因此,"十信弊案"出现,使民众对当局的政治权威表现了极大的怀疑和不满。为了应付社会舆论,台湾当局重判了涉及此案的蔡辰洲和四名"财政部"官员,并接受"经济部长"徐立德和"财政部长"陆润康的引咎辞职。

"十信弊案",使台湾当局蒙受了难以弥补的损失。民众把蔡辰洲的以官牟私的恶果与台湾官僚机构的腐败、无能联系起来,一种不利于当局的社会情绪正在形成,事态发展所产生的后果影响深远。

3. 政治冲击与蒋经国的"政治革新"

70年代末80年代初,台湾岛内外的风云变幻莫测,中共对台政策的重大改变和中美建交、"党外"势力要求民主的势头勃兴以及"江南命案"和"十信"事件的爆发,均给台湾当局以接二连三的打击和挑战,岛内政治动荡再度加剧。此时,亚洲太平洋地区也先后出现了一股"民主"潮流——韩国持续不断的学生运动,导致了全斗焕政权的垮台;菲律宾的"人民起义",赶走了独裁者马科斯。台湾在政权结构、社会构成、内外处境诸方面与韩国、菲律宾有若干相似之处,台湾当局不能不从这些事件中吸取教训,防患于未然。

由此可见,80年代的台湾当局已被历史逼到了一个痛苦选择的十字路口。坚持旧有的传统统治体系,绝不放弃任何利益,绝不向反对势力妥协,必将很快被时代潮流吞没;顺应潮流,实现革新,放弃一些局部利益,则有可能较长时间维持自己的统治地位。权衡再三,台湾当局选择了后者——进行第二次"政治革新"。

1986年3月29日至31日,国民党十二届三中全会在台北召开。30日,三中全会通过了主要议题——《承上启下,开拓国家光明前途》。该议题包括了当时国民党对内外形势的认识、"革新"的目标和内容、"革新"的基本要领等。

该议题在论及"政治革新"的必要性时指出:台湾在取得"光明进步"的同时,也遭遇了新的挑战,产生了许多亟待"革新"和解决的问题。具体表现为九个方面:"社会治安的再加强,政治风气的再整饬,非常时期的措施再调处,民主宪政的再策进,地方自治的再充实,经济发展的再推进,精神生活品质的再提升,反制中共统战诡谋的再强化,国际关系的再开展。"

在具体做法上,议题强调"要在今年(指1986年)为党务再革新的出发点,进一步创新党的作为"。蒋经国指出:要"以党的革新带动行政革新,以行政革新带动全面的革新"。在三个环节中,国民党自身的革新是最重要的。它包括"重振革命精神"、"发挥组织功能"等五方面内容。

此次大会所提的全面革新,包括"政治建设"、"经济建设"、"社会和生活建设"、"教育建设"、"国防建设"五方面内容。其中,"政治建设"的具体内容为:"发扬法治精神,整饬政治风气,积极保障人权,清除特权,肃清贪污;筹议加强充实中央民意代表机构,强固地方自治。重视民意反映,加强为民服务,并针对未来情势,继续策进整体性国家发展计划。"

整个会议初显"革新"、"开放"的新气氛。在讨论议题时,一些原属党内禁忌的话题如"怎样疏导政治反对势力"、"加强与大陆联系"等,也成为某些代表发言议论的热点,希望纳入"革新"的内容中去。同时,大会也确定了"政治革新"的基本调子,即一切为了巩固国民党对台湾的统治。它把"非常时期"、"宪政体制"作为国民党统治的基础,强调其"不可变"。故三中全会提出的"革新",其幅度和范围均过于狭窄,没有涵盖台湾的主要社会矛盾,与台湾民众的意愿相去甚远,只是在后来的"革新"进程中,才不断被突破。

会后不久,国民党中央成立了由蒋经国圈定严家淦(前"总统")、谢东闵(前"副总统")、李登辉("副总统")、黄少谷(前"司法院长")、谷正纲("总统府"资政)、俞国华("行政院长")、倪文亚("立法院长")、袁守谦("光复大陆设计委员会"副主任)、沈昌焕("总统府"秘书长)、李焕("教育部长")、吴伯雄("内政部长")、邱创焕(台湾省主席)等12名中常委组成"十二人小组",严家淦任总召集人。9月,严家淦患脑溢血病倒,由李登辉继任,主持革新方案的研拟工作。12人中,平均年龄74.3岁,外省籍占70%,42.1%的人拥有博士或硕士学历。总的来说,有2/3是属于保守和接近保守的人,尤其是黄少谷。

随着时间的推移、形势的紧迫,"十二人小组"的动作有所加快。他们依据蒋经国的指示,将"政治革新"的内容扩展了不少,如将三中全会未提及的"开放党禁"、"解除戒严"、"开放民众赴大陆探亲"等项内容逐渐纳入革新方案之中,"进行规划,分工策行"。

国民党把"解严"和"开放社团"这两个最为迫切的问题放在优先的位置加以考虑。为保证"解严"后台湾社会的秩序和安全、规范政治性团体以及各类人民团体的活动,台湾在"解严"之前通过了相关法律予以维护。1987年1月8日,台湾"行政院"通过《动员戡乱时期国家安全法草案》,并交"立法院"审议。尽管该法遭到民进党的强烈反对和阻挠,仍于7月1日获"立法院"三读通过,正式对外公布。

7月2日，"行政院"的《台湾地区解严案》送审，7日获得通过。14日，台湾当局宣布从15日零时正式解除了长达38年之久的戒严（不包括金门、马祖以及东沙、南沙群岛），开放党禁。一时间，名目繁多的政党纷纷出现。仅"解严"后的7个月内，宣告筹组或已成立的新党就有11个，其中有中国新社会党、工党、中国民众党、中国民主正义党等。12月1日，台湾"行政院"新闻局宣布，从1988年1月1日起解除自1951年6月10日以来的报纸限制登记和1955年以来的报纸张数规定，此举等于解除了长达近40年的"报禁"。一时间，台湾社会出现了"组党热"、"街头（运动）热"和"出版热"，社会风气为之一变。

两岸关系的调整也是此次改革中的重要领域。经过"十二人小组"的反复酝酿和准备，"开放民众赴大陆探亲"的方案得以确立并实施。1987年11月2日，台湾当局宣布开放台湾民众赴大陆探亲。当天，台湾红十字会就办理了1334人赴大陆探亲的手续。至蒋经国去世时，前往红十字会登记探亲者就已达10万人。台湾当局此举，无疑有助于海峡两岸的交流，也有利于两岸关系的缓和。

"革新"之初，不少的国民党上层人士担心"政治革新"会引起社会动荡，影响他们的既得利益，甚至"亡党亡国"，因而对"革新"持怀疑和反对的态度，形成了一股强烈的政治阻力。对此，蒋经国做了不少疏导工作，化解了这些人士的怀疑、忧虑和不安。不仅如此，蒋经国还在与"党外"人士"沟通"，"党外"人士径自组党事件以及任命文职人员出任"国防部长"、力促"行政院"尽快通过"国安法实施细则"和"解严案"等一系列重大决策和行动上，显现出坚决革新的姿态。台湾舆论普遍认为"倘无蒋经国全力督促，解严实施的日期会延宕"。

无疑，蒋经国是国民党"政治革新"的策划者、发动者和推动者。"政治革新"是蒋经国留给台湾、留给国民党的一笔"政治遗产"。他告别人世后，"政治革新"仍在继续，其影响巨大不容否认。蒋经国在时代潮流面前，看到了时代的变化，试图变更政策以及某些政治机构来迎合时代潮流，以变应变，创造出一种新的政治风气，是有积极意义的。

4."蒋家王朝"的终结

进入80年代，蒋经国身体渐弱。他自知时日不多，开始加速"政治革新"的进程，并对其身后的接班问题作了交代。

对于身后台湾政局的演变，蒋经国就"接班"与"军人干政"这两个最敏感的问题明确表态。"接班"问题是台湾民众最关心的问题，鉴于蒋氏家族与国民党及台湾的历史渊源，人们自然注意蒋经国会不会再将政权传给蒋家第三代。蒋经国的答复是：不能也不会。"军人干政"问题也是人们普遍关心的。由于长期以来台湾推行"戒严体制"加"强人政治"，军队与军人在政治中一直扮演重要角色，人们担心一旦"强人"骤失，军队会失控而攫取权力，建立军人政权；或者蒋经国为了防止死后岛内大乱，生前便安排军人压阵。对此，蒋经国的答复是：不能也不会。在1984年5月20日召开的"一届国大"七次会议上，蒋经国挑选了台籍人士李登辉出任"副总统"，并在1986年3月召开的国民党十二届三中全会上将李登辉在常委会中的排名提至第三位，充分表明蒋经国有把权力核心交给台籍"精英"的周密安排。蒋经国此举，使国民党出现的"继承危机"得到暂时的解决，蒋经国接班人问题也明朗化、"合法化"。

1988年1月13日早晨，蒋经国起床

时突感身体不适,并伴有轻度呕吐现象,医生用静脉点滴注射为他补充营养。下午1时55分,蒋经国病情突然恶化,大量吐血,引发休克及心脏呼吸衰竭,经全力抢救无效,"至3时50分心跳停止,瞳孔散大,而告逝世"。

台湾当局为蒋经国安排了极隆重的治丧活动。1988年1月30日下午,蒋经国的遗体安葬在台湾省桃园县大溪。

蒋经国的去世,标志着蒋氏父子对台湾40年、对国民党60年的家族统治的终结,也意味着台湾"强人政治"的结束。盖棺论定,综观蒋经国执掌台湾大权以来的表现,他具有承先启后的作用:他是国民党用传统方法治理台湾的最后一人,又是变革传统用新方法治理台湾的第一人。他主政期间,坚持"一个中国"的立场,坚决反对"台独"言行,是值得称道的。正因为如此,蒋经国去世后,中共中央发出了唁电并发表了谈话,对他的不幸去世表示哀悼,对他坚持一个中国,反对"台湾独立",主张国家统一,缓和两岸紧张关系给予了充分的肯定。蒋经国的故友、中国国民党革命委员会中央名誉主席屈武也致电蒋经国夫人方良女士,吊唁蒋经国去世。新华社香港分社社长还以中共中央顾问委员会委员的名义,在香港向设在珠海书院的蒋经国灵堂送了花圈。

二

两岸交流的有限突破

1. 暗中进行的文化、经贸交流和民间人员的往来

中共对台政策的改变,在海内外和台湾地区都产生了重要的影响,要求改变现状的呼声和行动不断冲击着蒋经国的"三

不政策"。

首先突破蒋经国"三不政策"禁令的是两岸的文化交流和经贸交流。

文化交流方面:随着两岸交流的发展,中国大陆出现了"台湾热",台湾也出现了"大陆热"。在大陆,从1979年开始,大陆先后出版了许多台湾作家的作品、作品集,如《台湾小说选》、《台湾散文选》。琼瑶、三毛、白先勇、吴浊流、陈映真等台湾作家的作品在大陆为众人所知。大陆的学术和文学作品早已在台湾普遍流传。20世纪30年代的文学作品包括巴金、老舍、茅盾、沈从文、鲁迅、曹禺等人的作品在台湾均可买到。当代大陆文学作品在解严之前已有三家出版社出版了十余种,包括张贤亮、张洁、苏童、戴厚英、钟阿城等人的作品。其中钟阿城的小说集《棋王·树王·孩子王》还被列为1986年台湾十大畅销书之一,发行十几万册,引起台湾的"阿城热"。1987年台湾新闻界评出的台湾文坛十大事件中,"大陆作品出版热"被列为第一。文史哲方面,冯友兰、朱光潜、李泽厚、杨宽、顾颉刚、费孝通等人的学术著作,也早就被台湾的出版商翻印,有些被作为教科书使用。据台湾金石堂书店统计,1988年台湾地区出版的新书中,大陆作品占五分之一。大陆的戏曲、电影、电视、绘画、音乐作品在台湾也相当走俏。这些作品中,既有传统的题材,也有现实为主题,甚至一些政治色彩很浓的作品在台湾也极有市场。

大陆一系列对台政策的调整有利于两岸的文化交流。1979年2月,中华全国体育总会表示:期待台湾及旅居海外的台胞体育工作者和运动员回祖国大陆进行体育比赛、观摩、训练和参观活动。11月,中国奥委会主席宣布,中国将首次派出代表团参加1980年举行的奥运会,并希望

台湾在保持中国地方奥运机构前提下也派出运动员参加。尽管两岸运动员在异国他乡相聚、赛事频繁，但由于政治原因，双方的接触规模不大、层次不高且均属于民间性的。直到1984年洛杉矶奥运会之后，两岸体育交往才逐渐增多。海峡两岸运动员共同参加的比赛有大型综合性运动会、单项运动的世界锦标赛、亚洲锦标赛以及各种类型的邀请赛等。

经贸方面：最初，海峡两岸的经贸交往以转口贸易为主，以转口投资为辅的形式进行沟通，贸易额度小，项目较为单一，1977年至1978年间，两岸的转口贸易额只有7677万美元。随着1979年1月全国人大《告台湾同胞书》发表和1984年3月7日台湾当局放宽对海峡两岸转口贸易的限制，双方的转口贸易额开始有较大的发展。据台湾方面统计，从台湾经由香港转口到大陆的商品总值：1980年为12.05亿港币，1981年为21.82亿港币，1982年为12.63亿港币，1983年为12.26亿港币，1984年为33.27亿港币，1985年近80亿港币，约占台湾出口总额的8%。大陆一跃成为台湾的第四大出口地区。与此同时，台商在大陆的投资也有增长，到1987年时台商在大陆投资金额近5亿美元。

人员交流方面：1979年后，大陆在沿海地区设立了不少的台湾渔民接待站，接待过往或避风的台湾渔民。许多台湾同胞也通过借道日本、美国、新加坡、香港方式回到大陆，寻亲访友，旅游观光。据统计，1986年台湾经香港转入大陆的人数就有十余万人之多，1987年上半年已达7～8万人。

必须看到的是20世纪70年代末80年代初的两岸交往尚处于初级阶段，以非公开的、民间的、经济文化的交流为主。尽管随着文化、经贸与人员的交流，双方行政管理机构的接触、谈判不可避免，但在"三不政策"的束缚下，台湾当局也只能允许民间文化、体育团体接触，双方没有官方的、直接的交流与接触。即或是接触不可避免时，台湾当局也几乎都是采取被动方式予以应付。

2."华航货机事件"与"两航谈判"

由于台湾当局顽固坚持"三不政策"，两岸官方并无正式直接接触和谈判，一次意外的海上谈判才开启了两岸三十多年隔绝后的"正式交往"。1983年6月7日，国民党空军一架C—119型运输机在金门附近海域上空失事，机上47人中仅有9人生还。飞机失事几天后，福建渔民发现并妥善处理了遇难者遗体，等待台湾方面领回。6月12日，在得到台湾当局许可后，金门方面派人在预定海面与大陆来人相会、交接。

如果说此次事件的解决过程中双方的接触尚属低层次、非公开，在两岸关系史上留下不多印记的话，那么轰动一时的"华航货机事件"的解决则使两岸接触和交往进入一个新的历史时期，具有里程碑的意义。

1986年5月3日，一架台湾"中华航空公司"所属的波音747F货机在从曼谷飞往香港的途中悄然转向广州，降落在白云机场。机长王锡爵是第一个驾驶台湾民航飞机飞抵大陆的驾驶员，他的行动把过去的军机投奔事件扩展到民航领域。作为曾是国民党的"空军英雄"的王锡爵来说，忍受抛妻别子的痛苦，放弃优厚的待遇，只有一个愿望就是要求回大陆定居，和父母家人团聚。事件发生后，祖国大陆高度重视，一方面对王锡爵要求与亲人团聚的想法表示予以理解；另一方面由中国民航致电台湾"中华航空公司"表示愿意将价值6000万美元的货机、22万磅货物与另两名自愿回台湾随机机师（副驾驶董光兴、机械师邱明志）通过谈判的方式交还台方。这一举动给一再坚持"三不政策"的台湾当局以巨大的挑战。台湾主管"部会"和"华航"公司都十分紧张，决定按所谓"国际惯例"通过香港国泰航空公司、英国再保险公司、国际红十字会等三种途径向大陆索回人、机、货物，避免与大陆接触。对此，中国民航表示："华航事件"纯属中国的内政问题，国际惯例不适用此次事件，如"华航"感觉来京不方便，可提出适当地点洽商，等于否认了台湾关于通过第三者间接解决此事的主张。台湾当局处理事件的僵硬态度使台湾民众普遍不满，一些"立法委员"纷纷质疑台湾当局，"党外"人士也积极活动，酝酿组团前往北京谈判，给台湾当局以巨大的压力。13 日，台湾当局终于决定派"华航"以民间机构的身份由其香港分公司代表在香港与中国民航局代表举行谈判。

5 月 17 日至 20 日，中国民航和"华航"代表在香港深水湾乡村俱乐部举行会谈。谈判中，气氛融洽，进程顺利。经"两航"代表的紧急磋商，最终就交接时间、地点等问题达成协议，由双方签署会谈纪要。23 日，"两航"代表在香港启德机场办理交还人、机及货物的交接手续，"华航货机事件"得以圆满解决。

"华航货机事件"及妥善解决，对两岸关系的发展起到重大的突破和推进作用。首先，两航代表的接触是 37 年来两岸在官方允许下的第一次公开接触谈判，签署了第一个协议；其次，在处理两岸敏感的飞航问题上提供了一个解决问题的模式；最后，双方处理问题时的温文尔雅、亲切礼让的态度有助于两岸人民增进亲情、消除隔阂。

"华航货机事件"的出现及处理，也表明了国民党的"三不政策"的僵化与不合时宜。面对形势和现实的压力，蒋经国不得不作新的抉择。1986 年 6 月 10 日，台湾"行政院"发布训令，首次正式允许驻外人员在"不退让、不回避"的原则下，参加有大陆人员出席的侨团集会。这意味着台湾驻外人员同大陆人员接触的层次由民间文化体育团体提升到官方驻外人员。10 月 15 日，蒋经国在国民党中常会上讲话，表示：时代在变，环境在变，潮流也在变，因应这些变迁，执政党必须以新的观念，新的做法，在民主宪政体制的基础上，推动革新措施。蒋经国的讲话标志着台湾当局的大陆政策将发生重大的变化。

3.《自立晚报》记者赴大陆采访

就在两岸大门即将开启之际，台湾媒体捕捉到这一敏感而微妙的时机，抢先越线，进入大陆采访报道。1987 年 9 月 11 日，台湾《自立晚报》社长吴丰山派遣记者李永得、徐璐经由日本赴大陆采访。这是 38 年来台湾第一次派记者来大陆公开采访。11 日，两记者抵东京后直奔中国驻日本大使馆办理签证。15 日凌晨，两名记者乘飞机从东京乘中国民航飞抵北京。

消息一经披露，台湾"行政院新闻局"与"内政部入出境管理局"分别援用"国家安全法"第 13 条与"大众传播事业派遣人员出国、采访审核办法"，要求《自立晚报》立即阻止李、徐两人前往大陆。《自立晚报》强硬表示：绝不会招回两位首度以台湾记者身份前往大陆采访的记者，如果遭到处罚，"至多二年内不得再出境吧，这些结果我们早已估计在内了"。

李永得、徐璐到大陆后，向大陆方面提出有"绝对的采访自由"，得到大陆方面的尊重。在之后 13 天中，两人由北到南一路采访，获取了大批鲜活的大陆信息，《自立晚报》也一跃成为台湾最有名声的晚报。台湾报界也纷纷仿效,一时间,一场"大陆新闻采访战"在台湾展开。

9月28日,当两位记者回台时,台湾当局"新闻局"发布处罚声明:(1)"两年内停止受理该报及其人员出国之申请";(2)移请"内政部入出境管理局"依法处理《自立晚报》涉案人员日后出境事宜;(3)将《自立晚报》社长吴丰山、记者李永得与徐璐移请台北地方法院检察处侦办。"新闻局"的处罚遭到台湾各界强烈的反弹,"立委"黄泽清、王义雄、刘兴善于28日提出呼吁,肯定李、徐的大陆行,并要求当局采取"前瞻性做法"。30日,民进党"立委"党团联名向"行政院"提出紧急质询,要求"新闻局"撤销对《自立晚报》的行政处分。在社会各界的压力下,1988年3月4日,台北地方法院宣判吴丰山、李永得两人无罪,"新闻局"只好表示"尊重司法审判权的独立","对于此一判决自应尊重"。

台湾记者大陆行动得到了台湾各界的广泛支持,岛内要求开放探亲的呼声更为高涨,加快了台湾当局开放民众赴大陆探亲的步伐。就在《自立晚报》记者进入大陆的第二天,蒋经国召开了国民党中常会,讨论允许民众赴大陆探亲问题。会上,蒋经国在提出决策"三原则"(即"反共基本国策不变、光复国土目标不变、确保国家安全不变")后,提议由李登辉等5名中常委组成"项目小组",迅速拿出最后的方案和办法来。10月14日,台湾当局通过"项目小组"的报告,决定除现役军人及公职人员外,凡在大陆有血亲、姻亲、三亲等以内亲属者,均可赴大陆探亲。每人每年以一次为限,每次可停留3个月。11月2日起由台红十字会负责登记。15日,"内政部长"吴伯雄在记者会上正式宣布了这一决定。

"党外"势力的发展与民进党成立

1."中坜事件"

台湾在"宪政"改革前的选举主要有地方选举与"中央民意代表"增额选举两种。在1977年11月举行的台湾五项"地方公职民意人员"选举时,原国民党籍省议员许信良因在4月间出版的《风雨之声》一书中暴露了一些省议会的丑闻,被国民党拒绝提名参加县长竞选。许信良愤然退党,以无党籍身份与国民党提名的欧宪瑜竞选桃园县长职位。由于许信良好的政治形象,有上千名青年大学生主动为其做义务助选员,大造声势。

许信良属国民党后备人才,颇得党内要员李焕等人的垂青,如今竟为选举未获提名一事公然与党为敌,自然引起了党内上下一致的恼怒。选前,国民党极力攻击许信良,大力宣传其候选人欧宪瑜,许信良也只能竭尽全力应战,双方剑拔弩张,大有一触即发之势。11月19日投票正式开始,许信良方面的人发现国民党籍监选主任公然舞弊,遂将其押送至中坜警察分局,警察却将舞弊者保护起来。此时,类似的消息也从其他投票点传来,进一步引起了群众的愤怒,上万名群众包围了中坜警察分局,推翻镇暴车和所有警车,冲击并焚烧了警察分局,演变成震惊岛内的"中坜事件"。

"中坜事件"是自1957年"刘自然事件"后的第一次大规模的群众政治性暴动事件。表面看来,事件是因选举出现舞弊现象而发生的,但实际则是国民党多年专制统治所造成的积怨的总爆发,是"党外"势力对台湾当局独裁统治的挑战。事发后,蒋经国意识到高压政策的危险性,命令军警在处理事件时不准开枪镇压,并忍痛免去李焕的职务,提请各机构在日后选举中必须提高国民党提名人的素质,以体现选举的公平。

这次事件的爆发及处理方式在台湾的政治史上的影响是极其深刻的,它不仅使国民党长期建立起来的不可动摇的权威形象,遭到空前的打击,而且使黄信介、许信良等"党外"人士看到了群众运动的威力,从而对之后的"党外"运动产生了巨大的影响。

最终许信良以 22 万张对 13 万张选票的绝对优势击败欧宪瑜,当选为桃园县长。不仅如此,这次选举中,"党外"人士还夺得了台中、台南和高雄等县市长席位,占全部席位的 1/5;省议员中获 21 席,占总席位的 27.3%;总得票率在 25% 左右。这次选举不仅创下了"党外"人士参加选举的最佳战绩,而且使"党外"势力逐渐成为"政治团体"的雏形,在台湾"党外"运动史和选举史上也有着重要的地位。

2. "桥头事件"

"党外"势力虽在 1977 年 11 月举行的台湾五项"地方公职民意人员"选举中取得了胜利,但"中坜事件"的爆发,"党外"势力的成型也引起了台湾当局的注意。

1978 年底台湾又有"增额中央民意代表"选举,许多"党外"人士跃跃欲试。从 9 月起,"党外"人士就开始积极筹备竞选工作。11 月 15 日,"党外"人士达成协议决定成立有史以来第一个助选机构——"全省党外人士助选团",以黄信介任总联络人,施明德任总干事,在岛内组织集会、募捐等活动,并提出"十二大政治建议"作为"党外"候选人的共同政见。呼之欲出的政治团体使国民党紧张万分。12 月 5 日,"党外"人士因"国歌"歌词问题与亲国民党人士发生"中山堂国歌事件",双方关系更趋紧张。此时,中美两国建交公报即将发表,台湾在国际的处境艰难,政治合法性再次遭到质疑,岛内的政治局势变得极为不稳,不可测政治危机随时可能爆发。为避免局势失控,台湾当局宣布停止"中央民意代表增额选举"。

选举的忽然中断,使许多跃跃欲试的"党外"精英丧失了一次"登台亮相"的重要机会。迸发的热情被强行压抑,必然会引发强烈的反弹。12 月 25 日,"党外"七十多人在主张和平统一中国的老"党外"人士余登发的带领下,共同签署了《党外人士国是声明》,要求实行民主宪政,决定从 1979 年 1 月 29 日起从台北出发作环岛拜年活动,沿途散发"国是声明",商定 2 月 1 日在高雄县桥头乡余登发家举办有一千多位"党外"人士参加的"党外大会餐"。这表明,"党外"运动正逐步走上了街头抗争的发展之路。双方的强力对峙,是国民党退台 30 年历史中从未有过的。

从 1979 年初开始,台湾当局基本恢复了对"党外"反对派的高压政策,大批逮捕"党外"人士,查禁"党外"杂志。1 月 21 日,台湾当局以"涉嫌参与匪谍吴泰安叛乱"罪名逮捕余登发、余瑞言父子。22 日,康宁祥等 58 位"党外"知名人士联名致信蒋经国,对国民党逮捕余登发父子表示"严重抗议"。同日,"党外"倾向街头斗争的激烈分子许信良、张俊宏、姚嘉文、林义雄、陈菊、王拓、施明德等二十多人到桥头乡余登发家与余的儿媳余陈月瑛商洽营救余家父子,决定成立"关心余登发父子被捕委员会"。会后举行示威游行,沿途散发《为余氏父子被捕告全国同胞书》,高呼"坚决反对政治迫害"、"立即释放余氏父子"口号。这次游行,是国民党退台后第一次针对国民党而不是某一部门的政治性的示威游行,对 30 年来的戒严体制提出了严峻的挑战。

由于时任桃园县长许信良参加这次抗议活动,台湾当局又以"擅离职守"为名决定将其交公务员惩戒委员会议处。为此,1 月 30 日,黄信介等人宣布将"关心余登发父子被捕委员会"改名为"台湾人权委员会",以黄信介为主任委员,施明德为总干事。2 月 1 日,黄信介等人组织近 30 名"党外"人士前往桃园县慰问许信良,接着在桃园县城内举行示威游行,同时散发抗议声明,吸引了两万多名群众参与。台湾当局如临大敌,派出大量军警封锁路口。

4 月 16 日,台湾当局不顾来自各方的抗议,以"知匪不报为匪宣传"罪判处余登发有期徒刑 8 年,以"知匪不报"判处余瑞言 3 年徒刑缓期 2 年。4 月 20 日,台湾"监察院"通过许信良弹劾案。6 月 8 日,台湾省政府宣布给予许信良处分。6 月 29 日,台湾"司法部公务员惩戒委员会"给予许信良"停职 2 年"的处分。在台湾当局的压力下,许信良最终被迫离台赴美。

3."美丽岛事件"

台湾当局的高压政策不见成效,反而引发"党外"对抗的情绪,最终必将导致更为激烈的"美丽岛事件"的发生。"美丽岛事件"是双方矛盾继续和发展的结果,既是"党外"势力直接领导的一次有准备的斗争,也是台湾当局蓄意镇压"党外"势力的一次有计划的行动。

《美丽岛》是一份政治性杂志,1979 年 9 月由"党外"人士在台北创办,以黄信介为发行人,许信良为社长,张俊宏为总编辑,施明德为总经理。该杂志言论激烈,声势浩大,仅社务委员就达 91 人,几乎囊括了台湾全岛知名"党外"人士,并在台湾各地设立了 11 个分社及服务处。杂志的发行量达 15 万册。

《美丽岛》出版后,一改过去"国民党有组织无群众,党外有群众无组织"的局面,俨然形成一个"没有党名的反对党"。它一方面发表政见,抨击国民党专制统治;另一方面通过各地的分社及服务处,经常举办群众集会,扩大"党外"势力的影响。台湾当局对《美丽岛》恨之入骨,欲除之而后快。

早在 9 月 8 日,杂志社在中泰宾馆举办创刊酒会时,双方就发生冲突,引发过"中泰宾馆事件"。双方对立情绪越来越大,3 个月后,更大规模的"美丽岛事件"终于爆发。

1979 年 12 月初,《美丽岛》杂志社高雄服务处为纪念"国际人权日"向台湾当局有关部门申请 12 月 10 日晚上在高雄扶轮公园举行为数三万人的集会游行。申请被台湾当局以集会规模过大不易控制秩序和杂志社办此类活动理由不充分为由予以驳回。黄信介等人认为"和平已经绝望",表示绝不屈服。他们通过宣传机器大造舆论,向台湾当局挑战。

12 月 10 日,高雄市《美丽岛》杂志服务处门口聚集了五六百人,杂志社的宣传车不断广播,声称集会照常进行。当局调集了大批军警,进行交通管制。晚 7 时,黄信介、姚嘉文等先后登台演讲,要求当局"开放报禁,取消戒严令"。与会者呼出了"打倒特务统治"、"反对国民党专政"、"争取人权"等口号。集会后群众跟在宣传车后面开始游行。军警奉命拦阻,双方发生冲突。9 时左右,当游行队伍抵达《美丽岛》杂志服务处对面的大益饭店时,军警施放催泪瓦斯进行弹压,游行人员则手持木棍、火把、石块和酒瓶进行反击。双方发生大规模冲突,对抗持续数小时之久。直至次日凌晨 2 时 30 分,才开始恢复平静。

事件发生后，台湾当局于 13 日采取行动，先后逮捕了 152 人，大多数是著名的"党外"政治活动分子，同时查封了《美丽岛》杂志社及设在各地的机构。1980 年3、4 月间，当局对他们进行了公开的"军法审判"。4 月 18 日，台湾军事法庭以"为中共统战"和从事"台独叛乱"、进行双线"颠覆政府"活动的罪名判处施明德无期徒刑，黄信介有期徒刑 14 年，张俊宏、姚嘉文、林义雄、陈菊、吕秀莲、林弘宣等人有期徒刑 12 年，王拓、杨青矗、周平德、魏廷朝等被分别判刑 4 至 6 年。

被称为"高雄之冬"的"美丽岛事件"，是"党外"人士与国民党正式较量的尝试。"党外"人士受挫，骨干分子锒铛入狱，大受损失。但是台湾当局的高压政策也引起台湾民众的不满，加剧了当局与民众之间的对立和矛盾，为 80 年代"党外"运动的崛起提供了条件。

"美丽岛事件"后，劫后余生的"党外"势力在温和派康宁祥的重新组合下逐步恢复。一批新人加入进来，其中包括"美丽岛事件"受刑人家属、被告的辩护律师以及一批新生代人物。"党外"势力再度崛起。

4."公政会"和"编联会"两大组织的建立

1980 年 6 月"美丽岛事件""军法大审"结束后，台湾当局宣布年底恢复"中央民意代表"的选举。消息传来，"党外"人士表示将积极参与，特别是"美丽岛事件"受刑人的家属和辩护律师也决定参加竞选。在选举造势活动中，他们以情感人，争取选民。结果姚嘉文之妻周清玉以 15万张选票当选"国大代表"，张俊宏之妻许荣淑也以高票当选"立法委员"，康宁祥、黄天福、黄煌雄、黄余秀鸾、张德铭当选为"立法委员"，王兆钊、林应专当选"国大代表"，尤清也于第二年被选为"监察委员"。如此众多的"党外"人士当选，而且还有多位"党外"候选人获得选区内的最高选票，这是前所未有的事情。

1980 年选举的胜利，极大地鼓舞了"党外"人士。为应对 1981 年台湾地方公职人员选举，"党外"人士组成了以康宁祥等"立法委员"为核心，尤清、周清玉等"监委"、"国代"为辅的"党外推荐团"，作为指挥协调中心，向选民推荐"党外"候选人。在这次选举中，他们提出"民主要制衡、制衡靠党外"的口号争取选民，再次大获全胜。"党外"人士推荐的 7 名县市长候选人中 3 人当选，15 名省市议员候选人中 8人当选，9 名台北市议员候选人中 8 人当选，当选率在 60% 以上。

通过这两次选举，"党外"运动的基本力量已完全超过了"美丽岛事件"前的水平，特别是 1981 年选举时的集体推荐制度和统一的组织助选活动、统一的政治口号、统一的标志（绿色），实际上已具"雏形政党"的特质。但是，随着投入到"党外"运动中的人愈来愈多，成分愈来愈复杂，内部意见和步骤也愈来愈不一致。

其实，"党外"势力的派系分歧早在"中坜事件"后就已存在，各以黄信介和康宁祥为首。双方的分歧主要表现在"体制改革"与"改革体制"、"议会路线"与"群众路线"、"本土意识"和"统一意识"的争执和对立上。"美丽岛事件"后，一批新生的力量加入到"党外"阵营中来，既有"美丽岛事件"受刑人员的家属、辩护律师，也有为"党外"公职人员助选和在"党外"杂志工作的新生代。因他们各自的阅历、出身背景以及加入"党外"运动的目的不同，政见上出现差异纯属正常。

"党外"新生代的最初舞台是"党外"

创办的杂志。在"党外"势力复苏时,"党外"杂志也迎来了一个五彩缤纷的"春天"。其中有周清玉办的《关怀》,许荣淑办的《生根》《深耕》,苏秋镇办的《代议士》,黄天福办的《钟鼓楼》《蓬莱阁》,林正杰办的《前进》等。这些杂志的创办为许多年轻的知识分子提供了施展才华的机会,自然吸引了许多有才华的年轻知识分子加入。他们大多年轻、低层,急功近利、争强好胜,对康宁祥的温和路线极为不满,只因初入时势力弱小,暂归于康宁祥的麾下,一旦条件成熟,必然会发难。他们在编辑杂志时不但陈述己方观点和主张,还不时互相攻讦,更加深了彼此间的裂痕。这些分歧终于导致了1982年发生的由"党外"新生代挑起的内部争论,或称之为"批康(宁祥)运动"。

1982年5月,"党外"势力在对"党外立委"是否杯葛台湾"警备总部"的预算审查上出现分歧,继而又因"党外立委"康宁祥、张德铭、黄煌雄及"监察委员"尤清等四人联袂访美一事争论更凶。事件的起因是该年6月,康宁祥等四人为扩大"党外"声誉而访美,历时40天,即有名的"党外四人行",但此行却引发了"党外"势力内部的大争吵。新生代不同意康宁祥为首的公职人员所采取的"温和路线"(即"体制改革"),而主张推动群众运动。他们在"党外导师"李敖的推动下,利用《深耕》《前进》等杂志,展开了一场声势浩大的"批康运动"。致使1983年底"立委"补额选举中,康宁祥等主流派惨败。康宁祥、张德铭、黄煌雄均落选,而新生代支持的"美丽岛系统"中的方素敏、许荣淑、江鹏坚、张俊宏当选。

康系遭重创之后,康宁祥赴美国进修。"党外"势力进一步分化。部分"党外"杂志的编辑人员在各自派系领袖的领导下,逐步演变为"党外"宣传家,进而演化为实际参与"党外"政治活动的"党工"。早在1983年9月,以洪奇昌、邱义仁、吴乃仁等新生代正式组成"党外编辑作家联谊会"(简称"编联会")。而原来倾向于"温和路线"的"党外"公职人员,则于1984年5月成立了由费希平、江鹏坚、许荣淑、尤清、林正杰、谢长廷、陈水扁、周清玉、王兆钊、黄煌雄、张德铭等三十余人组成的"公共政策研究会"(简称"公政会"),并于该年9月正式挂牌。

"公政会"与"编联会"成立后的混战,使"党外"势力再遭削弱,造成1985年底的县市长、省议员选举和1986年2月的县市议员、乡镇长选举的接连失利,而且也使一些年轻的"党外"精英如林浊水、林世煜等愤然退出"党外"运动。一些"党外"健将和元老如林正杰、费希平、黄顺兴等人也心灰意冷。

"公政会"和"编联会"两大组织的建立,反映了"党外"势力内部矛盾的激化,也说明了"党外"势力在矛盾中仍呈发展趋势。

5. 民进党的成立

在"革新"的形势下,一批关心政治,平素站在独立立场上,对国民党和"党外"势力均有善意批评的学者(也称"中介学者"),面对国民党与"党外"势力势如水火的尖锐对立,于是想方设法拉拢双方进行"沟通"。1986年5月10日,由台大教授胡佛等四位"中介学者"出面,邀请国民党"中央政策委员会"的三位副秘书长梁粟戎、萧天潜和黄光平及"党外"的尤清、康宁祥、费希平、江鹏坚等七人参加"沟通餐会"。经过争论,会议达成三点协议,即"共同承认'中华民国宪法'、承认'公政会'、讲求政治和谐"。并表示"沟通将继续进行下去"。尽管会上达成的三点协议并无实质内容,但国民党与"党外"沟通的本身仍具有划时代的重要意义。

沟通活动在台湾引起轰动,不少评论家认为这是台湾政治发展史上的一大契机。但国民党与"党外"势力的对峙由来已久,双方内部都有一些人对这次沟通极为不满。他们分别举行了一系列的反对活动。如警方查禁了康宁祥主办的《八十年代》,"党外"激进的新生代于 5 月 19 日组织大型街头示威行动——"五一九绿色运动"。

1986 年 5 月 19 日,200 多名"党外"人士身披绿色彩带,集结在台北龙山寺,准备从龙山寺出发,示威游行至"总统府"广场。但大批军警将他们团团围住,对峙达 12 小时后解散,未发生冲突。这正是 1985 年以来党内外力量对峙的缩影,说明台湾政治发展正处在十字路口,或是"美丽岛事件"的重演;或是开国民党治台四十年来之先河,破天荒允许一个反对党出现。因此,"党外"这次活动,既有试探的成分,也有示威的意蕴。

1986 年 6 月,台湾当局以"诽谤罪"判处"党外"杂志《蓬莱岛》发行人黄天福、社长陈水扁等三人服刑 8 个月。9 月,"台北地方法院"又以"诽谤罪"判处林正杰 18 个月的有期徒刑。"党外"势力借机进行大规模的街头抗议。9 月 3 日法庭宣判一结束,林正杰即在康宁祥等"党外"人士的陪同下,前往"总统府"游行示威。此后连续十几天,林正杰都举行"向市民告别会"。他手持玫瑰,出现在成千上万的听众面前,发表攻击台湾当局的演讲。每次演讲后,群众都举行街头示威游行。

1986 年发生的一连串事件及其处理结果,使"党外"人士既看到了国民党对待"党外"的态度和政策正在发生变化,也看到了若无一个强有力的组织,将无法制止国民党的压制行动,更无法在年底的"增额民意代表"选举中获胜。恰在此时,海外又传来许信良将于 10 月 4 日在美国洛杉矶成立"台湾民主党",并准备"带党回台"参加竞选的消息。于是,"党外"各派不约而同地加紧了组党活动。

1986 年 9 月 28 日,"党外"人士在台北圆山饭店召开了"全国党外后援会",全台湾知名"党外"人士聚集一堂。会议原定主要讨论"党外"参加 1986 年"中央民意代表"选举的各项工作,但进行过程中,突然有人提出讨论"组党"问题,甚至有人提出当天即宣布新党成立。尽管参加会议的人谁都没想到新党竟会如此匆忙的成立,但在建党问题上"党外"人士早有共识。经过一番激烈的讨论,终于以会场一致起立鼓掌通过的形式宣布民主进步党(简称民进党)正式成立。

民进党径自宣布成立,社会议论纷纷。台湾当局一再威胁不许正式组党,但民进党不顾当局的威胁,顶风加紧筹划其第一次"全国"代表大会。

1986 年 11 月 10 日,民进党第一次"全国"代表大会(以下简称民进党"一大")如期在台北环亚饭店举行,出席代表约 150 人,代表该党的 1200 名党员。大会由费希平任主席。主要议程是:讨论通过《党章》《党纲》及选举党的领导机构。

民进党的《党章》分为总则、党员、组织、"全国党员代表大会"、中央党部、地方党部、纪律与仲裁、经费、附则,共 9 章 23 条。

体现民进党政治取向的是其党纲。它提出了民进党对当时台湾各种焦点问题的政治主张,包括"外交"、"国防"、自由人权、政治、财经、社会、劳动、农渔林牧、教育、文化十部分,共计 139 条。党纲集"党外"时期各项诉求之大成,其基本主张则概括为:"要实施民主自由的法政秩序,成长均衡的财经政策,公平开放的福利社会,创新进步的教育文化。"

在政治方面,民进党党纲要求立即解除戒严,废止"非常状态"下的相关法规,全面改选"中央民意代表",省、市长直接民选,开放党禁。在自由人权方面,要求保障人权,非现役军人不受军事审判,"保障人民表达意见之自由";政党退出军队,实现军队国家化等。同时,又主张"不采取暴力革命手段从事政争,各政党应和平共存,公平竞争,共同为台湾的安定与繁荣而努力"。这表明民进党基本保持了"党外"时期的政治态度——对国民党政策绝对反对,但在反对方式上排斥"暴力主义"。

在经济政策方面,民进党党纲提出台湾应追求经济成长,使之成为国际社会健全的一员,"要尊重私人财产,促使充分就业,辅助中小企业,公营企业开放民营,扶助中小企业,健全财税金融制度",保护生态平衡等。这一主张,反映了台湾中产阶级的利益和要求。

在统一问题上,由于"党外"时期一直有"独统"之争,为避免分歧,民进党在党纲等文件中采取回避政策,态度暧昧而倾向"独派"。关于台湾的前途,民进党党纲指出:"台湾前途由一千九百万台湾住民决定","任何政府和政府的联合,都没有决定台湾政治归属的权力"。值得注意的是,在党纲中,民进党主张与中国共产党和平竞争,争取终止台海对抗,但把其对中共的政策列入"外交"项目而非政治项目中,且在其党旗上醒目地以台湾地图为图案,显然是别有用心,此举完全显露出民进党所具有的"分离倾向"。

民进党"一大"还选举出中央领导机构成员及负责人,共选出中央执行委员31名、中央常务委员11名、中央常务评议委员5名,江鹏坚被选为该党首任中央常务执行委员会主席。

民进党基本囊括了"党外"时期各派系、团体,但由于该党强调自身的"开放性"和"民主性",加之匆忙组党,更多是把党纲、党章当做必须首先完成的程序,而疏于考虑它们对未来运作的影响,《党章》《党纲》对全党的整合协调及约束作用很有限。因而在本质上,此时的民进党依然是为反对国民党而集结在一起的思想倾向和政治目标并不相同的各式团体的联合体。这种松散的政治联盟,内部山头林立,派系纷争,加之缺乏一个能感召统摄全党的领袖人物,极易造成党内激烈的斗争,造成领导核心的薄弱和政策的多变。

但无论如何,民进党成立后,给国民党当局带来了不少的麻烦。1987年5月19日,民进党组织上万人,在"国父纪念馆"前举行示威、游行,抗议《国安法》;6月12日,民进党为反对《国安法》举行了更大规模的游行,在台北济南路上和"反共爱国阵线"等拥护国民党的群众发生巨大冲突。另外,他们还在"立法院"中进行联合质询、反对、抗议,使国民党处于为难的境地。

民进党的成立,是台湾政治发展史上的一件大事。它是台湾"党外"人士三十多年来奋斗的结果,标志着台湾的政治结构从国民党一党专制的一元化朝着多党竞争的多元化迈出了第一步。

6.民进党成为"台独党"

1989年1月20日,台湾"立法院"三读通过《动员戡乱时期人民团体法》,存在40年的"党禁"解除,台湾各政治势力兴起"组党热"。作为台湾第一个反对党,民进党也借机迅速成长,成为仅次于国民党的台湾第二大政党。

民进党的发展，与其奉行"台独"主张是密切关系。"台独"是民进党的理论基础，是民进党组织的黏合剂，是民进党最重要的王牌，民进党就是靠这一招牌来召集"台独"分子的。

"台独"思想渗入民进党并成为其理论基础并非怪事。考察"党外"运动产生的背景及其最初的活动可以发现，反对国民党的专制，要求进行政治改革，是其主流。但不容忽视的是，其中一些人基于对国民党不满又对中共不满，以及国共两党关于"统一"主张所造成的逆反心理，使他们的分离倾向滋长。这种分离倾向是"台独"思潮长期影响所致，它虽然与"台独"主张尚有区别，但确是"台独"势力在岛内得以发展的社会思想基础。在国民党执政期间，主张"西方式民主"的"党外"人士和主张分离的"党外"人士都不同程度受到国民党的压制和打击，双方在反对国民党专制统治，要求革新方面确有不少一致之处。因此，运动之初，有"西式"民主思想和"分离"思想，或者两种思想皆有的"党外"人士都能在反对国民党的阵营内共存。随着运动发展，一部分"党外"人士成为"台独"的鼓吹者或支持者，甚至成为死硬的"台独"分子，继续留在"党外"阵营中，在这种土壤里成长起来的民进党被"台独"思想渗透就成为必然的事情。

1986年11月，在民进党"一大"通过党纲时，民进党内就有人主张将"台独"的主张写入党纲，但考虑到此时台湾仍处于戒严状态，民进党尚属非法组织，存亡之前途未卜，且"台独"言论仍是国民党打击的对象，生存成为民进党的第一要务；另外，此时民进党内尚有一批外省籍的、统派的人士，并不支持"台独"，故民进党在党纲条文的拟定时对含有"台独"内容的词句采取了暧昧的态度和做法，只在文中笼统地提出"台湾前途应由台湾全体住民自决"。

1987年，台湾解严，国民党对台湾的控制力有所减弱，民间长期被压制的"社会力"开始膨胀。随着各种社会运动的蓬勃兴起，"台独"势力也趁乱而起，乘虚而入，在台湾渐有市场，并公然打出自己的招牌，冲击国民党的反"台独"防线。是年8月，台湾发生"蔡许台独案"，民进党内激进的"台独"派系"泛新潮流系"利用岛内解严后政治环境日渐宽松的有利时机，在其负责人林浊水的领导下，要求将"台湾人民有主张台湾独立的自由"列入党纲。经过激烈的争论，最终各方达成妥协。在11月召开的民进党"二大"上虽未将"台湾人民有主张台湾独立的自由"列入党纲，但以强调的形式写进了大会的决议中。

1988年4月中旬，民进党召开"二大"临时会议。会上，是否将"台湾人民有主张台湾独立的自由"列入党纲再次成为争论的焦点。由于反对的声音仍十分强烈，会议最后通过"修正案"。该案决定暂不将"台湾人民有主张台湾独立的自由"列入党纲，但通过决议进一步称"台湾国际主权独立"，提出了"如果国共片面和谈，如果国民党出卖台湾人民利益，如果中共统一台湾，如果国民党不实行真正的民主宪政，则民进党主张台湾独立"。这一被称之为"四一七决议文"第一次公开提出了"台湾国际主权独立"的口号，并提出了"有条件台独"论，其在"台独"的立场上又向前迈进了一步。

1988年11月，民进党第三次"全国"代表大会召开，党内"泛美丽岛系"代表人物黄信介从姚嘉文手中夺得了党主席的职位。为固守本派利益，他们向"新潮流系"发动了论战。开始，双方势均力敌。

但在 1989 年底台湾三项公职选举中,"新潮流系"组成的"新国家连线",打出"新宪法、新国会、新台湾"的"台独"口号公开竞选,其候选人中竟有 20 人当选"立委"或省、市议员,从而使"新潮流系"在民进党内的势力大增,对"泛美丽岛系"形成强大的压力。此时,面对国民党的大陆政策,"新潮流系"强调将以"独立的政治实体为考量的准两国两府模式"来为台湾定位,并在 1990 年 10 月召开的"四大"二次会议上以决议方式通过"我国事实主权不及于中国大陆及蒙古"的提案,即"一〇〇七决议文"。

1991 年 4 月 24 日,民进党内顽固的"台独"分子借台湾当局"宪政"改革准备"修宪"之机,发动"人民制宪全国巡回列车"活动。8 月 24 日,他们召开了所谓"全民制宪会议",提出"台湾共和国宪法草案",将"国号"名定为"台湾"并以"事实主权"的原则规范台湾的领土范围,明定台湾的领土变更,"应该依照当地住民自决原则,并经国会决议通过"。27 日,民进党中常会讨论通过了该草案。这部公开打出"台湾共和国"旗号的"宪法草案"的出笼,向世人昭示,民进党不仅要争夺台湾的统治权,而且要把台湾从中国分离出去。

同年 10 月 12 日,民进党"五大"召开,"泛美丽岛系"在中执委和中常委选举中失利。13 日,会议通过了由"新潮流系"核心人物之一的林浊水提出"建立主权独立自主的台湾共和国"列入党纲的提案。新任民进党第五任党主席的许信良也发表演说,宣称民进党已是"台独党","主张坚定地维护台湾主权独立"。这些情况表明,短短的五年间,民进党已完全为"台独"分子所把持。

民进党猖獗的"台独"活动与当时台湾的政治环境有密切的关系。

首先,国民党改革后对台湾政治、思想和社会控制力的削弱为"台独"分子的猖獗活动提供了外部条件。从台湾光复一直到 20 世纪 70 年代末 80 年代初,国民党对"台独"活动采取严厉打击的政策,致使"台独"活动在岛内几无生存空间。"台独"分子们的活动是地下的、隐蔽的,且大多是在海外。1986 年以来,"台独"分子以"结社自由"、"言论自由"为幌子,公开拉帮结伙和参加各种选举,其活动开始由地下转到地上,由隐蔽走向公开。后来,由于台湾当局对"刑法 100 条"和"国家安全法"等有关法规作了修改以及李登辉为实现"一中一台"而对"台独"采取宽容态度,不仅为海外"台独"分子回台敞开了大门,也使"台独"势力在岛内的活动公开化、合法化,海外"台独"组织"台独联盟"、"台湾人公共事务协会"、"台湾民主运动海外组织"等乘机将主要力量转移到台湾,并将其活动的中心集中在岛内。

其次,民进党的发展壮大使其取代国民党执政的企图心增强。民进党成立后,夺取国民党政权一直是其活动的主要目标之一。随着国际形势和台湾岛内形势的变化,尤其是国民党"宪制改革",使"党外"势力取得了结社自由,生存空间有所扩大,作为集结岛内"党外"势力的民进党,在历届"立委"选举和省市长、县市长等地方选举中取得了不少席位,特别是民进党在"立委"席次的增加,使其成为台湾政坛上一支不可忽视的制衡力量。所有这些变化都增强了"党外"势力取得政权的信心。他们宣称要在 20 世纪结束前夺取国民党政权,使国民党成为在野党。为此,民进党发表"国是建言",提出"总体建国方略",从"宪政改革"、"国家定位"、"两岸关系"、"六年建国"、"地方自治"、"社会福利"诸方面,系统地阐述对各项政策的主张,实际上提出了一个完整的"夺权纲领"。面对世界新的格局和两岸关系新的情势,民进党认识到,为了夺权,必须寻找新的理论来组织和凝聚自己的支持群体。因此,民进党对其工作的着力点和行动策略进行了调整,从而使该党本身及其活动呈现出一些新的特点,即向"台独化"的方向转化。

四

李登辉时代的到来

1. 李登辉接班时的风风雨雨

1988年1月13日,蒋经国去世。由于蒋经国的去世事前没有任何征兆,就连国民党上层也深感突然,缺乏任何准备。对国民党上层来说,最重要的任务就是如何尽快填补蒋经国留下的政治空白,保证党政机构的运作协调及社会秩序的稳定。

随着蒋经国去世消息的公布,国民党内的权力争夺也开始了。在蒋经国去世到国民党临时中常会前的短短3小时内,国民党上层有人提议,推选"副总统"李登辉为"代理总统",遭李拒绝。当晚7时,国民党中常会召开紧急会议,在听取了关于蒋经国逝世经过的报告和宣读蒋经国的遗嘱后决定:一致支持李登辉继任"中华民国总统"职位。1月15日,军方负责人发表谈话,表示军队拥护李登辉。

李登辉顺利出任"总统"及军队的效忠谈话,说明蒋经国去世后在经过极短的混乱之后,台湾当局控制了局面,整个机关运作正常进行,社会稳定。蒋经国晚年苦心经营的"交班"计划得以顺利实现。民进党也认为:李登辉能依"宪法"顺利继任,足以证明"宪政"已初具基础。

然而,李登辉顺利继任"总统"并非国民党上层争夺权力的结束。在台湾的政治运作中,一切权力均集中于国民党之手,一切重大政策方针、行政措施、人事安排,均需国民党事先讨论决定,再由"总统"、"行政院长"发布命令,加以执行。从这个意义上说,国民党中央主席才是政治舞台上的中心角色。因此,蒋经国去世后,真正的较量还是在国民党新领袖的职位争夺上。

关于国民党主席人选问题,国民党上层分为两派:以"中央秘书长"李焕为首的第一线实权人物为一方,出于建立党政一元化领导体制的考虑,主张按蒋经国晚年的安排,拥立李登辉;以宋美龄及原在蒋、宋身边工作的元老幕僚们为一方,则要压制李登辉,另立他人。最初,两派都主张暂时不设主席,由双方各自活动,几个月后再做较量。

但形势的迅速发展,打破了国民党上层的如意算盘。李登辉继任"总统"后,一反常态,频繁展开活动,以弥补其在党内"缺乏实力和威望"的不足,为以后出任党主席铺路。他每天到蒋经国的灵堂一次;按序登门拜访宋美龄、严家淦、张群等国民党党政元老;接见"五院院长";接见台湾省和台北、高雄两市行政首长;接见军方首脑人物;主持中常会"十二人小组"会议,讨论蒋经国生前批准的方案,以表明将继续执行蒋的路线。这些行动,面面俱到,层次清楚、规矩分明,使其声望骤升,台湾舆论界及国民党内拥立李登辉的呼声开始高涨。国民党籍"立法委员"赵少康发起集体签名活动,拥戴李登辉出任国民党代理主席。美国新闻界也捕风捉影、推波助澜。在各方的压力下,国民党中常委们达成共识,联署提出推举李登辉代理主席的提案,拟在1988年1月27日中常会例会上通过。

不料,时任国民党中央评议委员会主席的宋美龄"插手"其间,险些使提案胎死腹中,国民党上层为此演出了一场惊险曲折的政治戏。1月26日下午,宋美龄致函李焕,称国民党主席应由全体党员代表推举,故应将此事交由7月召开的国民党"十三全"大会解决,目前中央常会可仍循蒋经国在世时常委轮流主持的惯例进行。宋美龄还打电话给各位中常委,要求他们放弃"拥立李登辉"的提案。宋美龄的活动无疑对中常委们形成巨大的压力,他们在中常会例会上紧急磋商决定当天会议暂不提拥李登辉案,准备利用一星期时间沟通斡旋,待下次会议再提。会议即将结束时,列席会议的国民党中央副秘书长宋楚瑜突然站起,请求发言。获准后,宋楚瑜指出:李登辉出任代理主席是一致期望,如果此时不提,国民党形象将置于何地?宋楚瑜的发言宛若石子击碎一潭死水,会场形势急转直下,一度搁浅的提案迅速进入实质性讨论阶段。经过讨论,提案通过,正式推举李登辉代理国民党主席职务。

这场较量以"官邸派"的失利而结束,主要的原因一是"官邸派"的保守与特殊的权力地位极易引起"开明派"和社会力量的不满;二是蒋经国忽然去世,其党内人事安排的意图尚不明朗,导致"官邸派"底气不足,态度暧昧,行动不统一;三是"开明派"的全力支持。因为李登辉在出道之后的循规蹈矩、开放务实的行政风格和业绩以及"副总统"的实际地位,使"开明派"看好了他,认为只有他才能把蒋经国的"改革"进行下去。

2.中国国民党第十三次"全国"代表大会

1988年7月7日至11日,国民党"十三大"召开。这次会议是蒋经国去世后,国民党进入"后蒋经国时代"召开的第一次代表大会,也是国民党败退台湾近四十年来权力重组的关键会议。

大会通过了《中国国民党政纲案》、《现阶段大陆政策案》、《现阶段党务革新纲领案》、《中国国民党党章修订案》、《弘扬三民主义思想案》。这"五大议案"的主要内容是:①在对内政策方面,提出要继续推行"政治革新","改革中央民意机构结构","强化地方自治","改进选举制度","合理规范政党活动";继续推行经济体制改革和经济"自由化"路线,"充实社会福利","加强公害防治","维护劳工权益"等。②在大陆政策方面,仍然维持蒋经国生前确定的反共、反"台独"的基本立场和处理两岸关系的基本原则,强调"以国家安全为前提","将中共与中国分别界限","将大陆同胞与中共政权区别对待",将官方关系与民间事务区别处理。处理官方关系仍坚持"敌我意识",坚持"三不政策",拒绝"一国两制";对民间基本上仍遵循"单向性、间接性、渐进性"原则,逐步放宽两岸交流的限制。③在对外关系方面,国民党首次提出要突破目前以"实质外交"为主的对外关系格局,以"最大弹性提升与无邦交国家的关系,并使双方更具有官方性质"。④在党务革新方面,会议只通过了一个一般性的《党务革新案》,在调整组织结构、党政分工、扩大党内参与、改进运作体制,以及党员考核与党纪等方面作出了一些原则性的规定。

从这些议案的内容看,国民党在"十三全"上对政策的调整力度并不大,基本上沿袭并重申了蒋经国生前所拟订的"革新方案"和大陆政策的一些内容,新意甚少。

在这次会议上,李登辉正式当选国民

党新主席,形成了以李登辉为核心的新领导集团。这标志着国民党的最高权力结构已开始由过去以蒋家为中心的、个人专制的"一元化"模式逐步向一人牵头、联合掌权、集体决策的"多元化"模式转变。

大会选举产生中央委员 180 人,候补中央委员 90 人,中央评议委员 232 人。在 7 月 14 日举行的十三届一中全会上,选举出 31 位中央常委,其中有 19 位是上届留任,他们是:谢东闵、李国鼎、倪文亚、俞国华、李焕、沈昌焕、林洋港、邱创焕、黄尊秋、郝柏村、何宜武、吴伯雄、陈履安、连战、施启扬、辜振甫、高育仁、许水德、张建邦;有 12 人是新任,他们是:宋楚瑜、钱复、郑为元、毛高文、许历农、赵自齐、曾广顺、郭婉容、苏南成、陈田锚、许胜发、谢深山。

此次人事调整,体现出以下特点:①"本土化"进一步加强。李登辉正式出任国民党主席,在国民党历史上是第一次由台籍人士担任最高领导人。在新选的 31 名常委中,台籍人士 16 人,所占比例由上届的 45.2% 上升到 51.6%,首次超过半数;在新选的 180 名中央委员中,台籍人士也由上届的 20% 上升到 38.3%。②年龄有所下降,中常委平均年龄 63.67 岁,比上届的 70.67 岁下降了 7 岁;中央委员的平均年龄也由上届的 67.8 岁降为 56.68 岁,较上届下降了 11 岁。③知识化程度更高,在 180 名中央委员中,有 45% 的人拥有博士或硕士学位,80% 以上具有大专以上文化程度。中常委中绝大多数都学有所长,学历较高。④"革新派"影响上升,"守旧派"地位下降,如李焕、宋楚瑜依选举结果分别被排在中委的第一、第三名;"行政院长"俞国华在中委的排名,就由提名中委候选人第 3 名,选举结果降至第 35 名。

本来,国民党在"十三全"时通过人事及权力的调整、建立新的领导体制和权力核心以及对政策作了一些"规划"和局部调整等措施,有助于缓和岛内的社会、政治矛盾,以及国民党内部各派的矛盾,也有可能为国民党开创一个新局面。但国民党"强人政治"结束后,国民党内部势均力敌的派系争斗也因失去"强人"主导与协调而俞加复杂、激烈且公开化。当李登辉控制国民党权力后,为了重树权威,固守地位,实现自己的政治野心,立即开始玩弄权术,打击党内其他不同政见的同仁,扩大了国民党内原已存在的裂痕,使国民党几乎陷于"万劫不复"的境地。

3. 国民党"主流派"与"非主流派"的较量

李登辉是一个玩弄权术的高手,他正式当选国民党主席后不久,就将眼光盯在"行政院长"上。根据台湾的政治体制,在行政方面除"总统"一职外,另一个重要的职位就是"行政院长",因而也是党内各派争夺的一个要职。俞国华在蒋经国任"总统"时就任"行政院长","十三全"时俞仍以此身份参加代表大会,但在会上选举的中央委员排位惨降至第 35 位,民意基础与其职位已不相符。"十三全"闭幕后仅过了一周,李登辉就在中常会中提出要改组"行政院"的方案。20 日,国民党中常会通过此方案却又内定好了"阁员"的名单。新的"行政院"仍以俞国华为"院长",但"阁员"变动较大。新"阁员"的特点是年轻(大都在 50 岁左右)、高学历(近 60% 有博士学位)、台籍背景增强(占 41.2%),"新贵族"和科技官僚人数增多(如被称为台湾政坛"四大公子"的钱复、陈履安、连战、沉君山均入阁),基本是"李登辉内阁"。值得注意的是新"阁员"大都"放错位置",根本无法施展其才能,如调驻美

"大使"钱复负责"经建规划",驻美"大使"被不懂外交的丁懋时接任;让"守成有余"的连战去当"外交部长",而让与工商界接触甚少的科技专家陈履安去当"经济部长"。由此可见,这种奇特的"错位"安排表面上是让年轻人增加历练,实际上是要组成一个"过渡内阁",让俞国华去当一个"过渡院长"。俞国华实际上成为国民党内部各派权力斗争和妥协下的一个摆设和牺牲品。果然不久,"内阁"的无所作为使"倒俞"之风一浪高过一浪。到1989年十三届二中全会前夕,"反俞"人士已形成"倒俞"的"联合阵线",迫使俞国华不得不在1989年5月中旬向李登辉提出辞职。5月26日,李登辉接受俞国华辞职并以架空手法提名党中央秘书长李焕继任"行政院长"。31日,宣布"阁员"名单,摆错位置的"阁员"大多复归所长。

1989年6月,李焕出任"行政院长",开始了所谓的"双李体制"。李焕是一个主张"革新保台"、讲究统治策略的技术型官僚,在党内有一定的思想基础和人脉资源。他在出任"行政院长"期间,在大陆政策和对"台独"的态度等问题上均与李登辉有较大的分歧。因此,双方并非真正意义上的合作,李登辉起用李焕,只不过是因为此时的李焕已经成为国民党内大陆籍人士中"革新派"的标杆人物。

权力之争与政策之争交织在一起,成为此时国民党内部派系斗争的显著特点。1989年底的台湾三项"公职"人员大选,是国民党退台以来遭到的第一次失利,所获席位降至总数的70%以下。李登辉和宋楚瑜(1989年5月31日,宋楚瑜接替李焕出任国民党中央党部秘书长职)不仅没有勇敢地承担此次失利的责任,反而借此机会对原由李焕把持的党务系统进行了大清洗、大换血,引起党内"反李(登辉)"派

的不满,"倒李(登辉)"呼声迭起。

更大的对立来自于推举第八届"总统"、"副总统"的候选人问题上,国民党内围绕"拥李(登辉)"还是"反李(登辉)"逐渐形成"主流派"与"非主流派"两大派系。李焕成为"非主流派"的首脑之一,与李登辉的矛盾公开化,"双李体制"无法继续维系。

按"中华民国宪法"规定,李登辉继承的第七届"总统"任期到1990年3月将满,需进行重新选举。是年2月11日,国民党召开十三届临时中央全会,以推选正、副"总统"候选人。因国民党中常委会从"维护党内团结"和"巩固领导中心"出发,早在1月31日就达成共识,一致拥护李登辉竞选连任"总统",故此次全会角逐的重点是"副总统"的人选。当时这一人选被看好的主要有林洋港、蒋纬国、李焕等人。林、蒋等人也希望李登辉能提名他们为"副总统"候选人,但李登辉把这次"总统"选举看做是自己巩固权力的关键一战。在2月11日的临时中央全会上,李登辉在未征求"党国"元老和政要的情况下,独断专行地提名对他不构成任何威胁的李元簇为"副总统"候选人,引起了党内不少人的不满,会议一开始,就在推举正、副"总统"候选人的方式上发生了分歧。以李登辉、宋楚瑜为首的"拥李派"主张以传统的起立方式通过,而以林洋港、李焕、蒋纬国、郝柏村为首的"反李派"要求用体现民主精神的票选来推选正、副"总统"候选人。会上发生了激烈的争论,也因此在党内有以"拥李"还是"反李"为标准的所谓"主流派"和"非主流派"之分。在最后表决中,"非主流派"败北。随后,以起立、举手方式确定李登辉、李元簇为正、副"总统"候选人。虽然以后的一个月左右的时间里,"非主流派"仍以种种方式与"主流派"斗争,诸如陈履安于2月25日提出"以

内阁制代替总统制"、"党主席不兼任总统"之议;2月28日,部分资深"国代"正式宣布推举林洋港、蒋纬国为正、副"总统"候选人,并成立"竞选总部",与李登辉抗衡。但是在李登辉的攻势下,一一败北。3月9日和10日,林洋港、蒋纬国先后宣布退选。"双李"成为唯一的正、副"总统"候选人。3月21日,李登辉、李元簇先后以高票当选第八届正、副"总统"。李登辉的正式当选,标志着台湾开始进入由台籍人士主政的时代。

此番推举"总统"、"副总统"引发的争端,虽以"主流派"获胜而告终,但却更加深了党内原有的矛盾,引发了空前激烈的内争。1990年4月,李登辉当上"总统"后不久,就放出风声要改组"行政院",拟由"参谋总长"郝柏村代替李焕"组阁"。而李焕对任期内许多事情不能做主也深表不满,不愿再与李登辉合作下去。5月,李焕提出辞呈,接替他的是军人出身的郝柏村。

郝柏村是位职业军人,1988年1月13日蒋经国去世后第二天,时任"参谋总长"的郝柏村和"国防部长"的郑为元联名向李登辉拍了"宣誓效忠"的电报。1月15日,两人又分别发表谈话表示军界"效忠"李登辉。应该说,早期的郝柏村是"拥李"的,只是后来因"经国"号战机试飞失误、李欲调郝任"国防部长"以削夺其兵权等问题导致双方关系恶化,特别是李郝之间在大陆政策以及对"台独"态度等问题上均意见相左,郝柏村才逐渐成为"反李"派的龙头之一。李焕辞职后,李登辉却要郝出来"组阁"代替李焕,与其进行"府院"合作。这种反常态的做法既反映出李登辉心怀叵测的险恶用心,也反映出李登辉在政治手段上的圆滑。

确实,李用郝可收一石三鸟之效。第一,可平息"非主流派"的意见。李登辉推郝出来"组阁"即是对3月份"非主流派"在正、副"总统"候选人问题上失势的一种补偿,避免在自己地位不牢固时引发"非主流派"的激烈反弹;同时也可用军事强人郝柏村来平息李焕等"非主流派"对"阁揆"人选上的意见,进而分化、瓦解"非主流派"。第二,从郝柏村手中夺回军队。郝柏村从"参谋总长"调任"行政院长",好像是提升,其实得不偿失。因李在要郝出任"阁揆"时,就打着降低"军人干政"色彩的旗号,要郝柏村提前退役。这等于削夺了郝的军权,进一步消除他在军界中的影响,为李登辉掌控军队扫清障碍。第三,利用郝柏村的政治倾向和政治性格为自己的政治目的服务。郝柏村有强烈的"反台独"和"反共"的言行,为世人所知。起用郝伯村,既可利用其反"台独"特点来减少人们对李登辉的"台独"倾向的怀疑和指责,同时又可利用其积极"反共"来对付中共的和平攻势。

由此可见,李登辉主动提出并力主要郝柏村"组阁",确属无奈之下的最好办法。此时"主流派"还未完全控制政局,两派尚处在对峙的态势,因此双方在"组阁"后的人事安排也大都以妥协的态度来解决,如郝柏村提出要求王建煊出任"财政部长"、陈履安出任"国防部长",李登辉完全同意;而李登辉提出让连战出任省主席,黄大洲、吴敦义出任台北市、高雄市市长,郝柏村也无异议。李郝之间达成了暂时的妥协与谅解。

既然郝柏村"组阁"是"非主流派"与"主流派"之间斗争的结果,那么郝柏村"组阁"的前景必不美妙。李郝从1991年8月开始发生公开直接冲突,严重对立。1992年底至1993年初,李登辉借助"宪改",羽翼渐丰,特别是第二届"立法委员"选出后,极力"反郝"的民进党所占比例增加以及"立法院"倒阁权限增大的有利时机,再次挥舞起大棒,纠集党内外"反郝"力量,掀起了"倒郝"风潮,来势甚至比前两次"倒阁"更凶猛。1993年2月4日,郝柏村在"倒郝"声中,不得不率"内阁"总辞职。在下台前,郝建议由林洋港继任"行政院长",邱创焕出任党中央秘书长。但此时非彼时。2月10日,李登辉决定由听信于己的台湾省主席连战出来"组阁",并把自己的亲信安插到全部的重要部门中。2月23日,连战出任"行政院长"获"立法院"通过,3月1日率新"内阁"就职。李登辉最终控制了台湾的"行政"大权。

与此同时,所谓"五院革新"亦在进行,高层人事大幅调整,国民党中央秘书长、"国安会"秘书长、"立法院"、"监察院"、"考试院"的正、副院长和"司法院"的副院长、台湾省"主席"均易新人。在"行政院"内,"国防"、"财政"、"经济"、"交通"、"教育"、"法务"、"经建会"、"退辅会"、"侨务会"等重要部会首长亦大换班。经过这次调整,台湾当局的最高权力结构发生了根本性的变化,中生代全面接班,大陆籍人士进一步退出权力核心。尤其是另一行政要津——"行政院长"首次易手。从此,台湾的权力分配发生了变化,由以往的"大陆籍人士为主、台籍人士为辅"转变成"台籍人士为主、大陆籍人士为辅"的新格局,表明"台籍本土势力全面掌握国民党政权的时代"正式到来。

五

李登辉主导下的"宪政改革"

1. 宪政改革的背景和主要内容

"动员戡乱时期"和"临时条款"是蒋氏父子在台湾实行独裁统治的工具,随着台湾政治环境的变迁,终止"动员戡乱时期",废除"临时条款",已成为台湾民众的一致要求,也成为台湾新的政治发展所必须突破的瓶颈。对此,国民党当局曾幻想通过所谓的"政治革新"加以修补,但无济于事,反而促成政治多元化的出现,对畸形的专制体制形成更猛烈的冲击。1989年1月,台湾"立法院"相继通过了《动员戡乱时期人民团体法》、《动员戡乱时期公职人员选举罢免法修正案》、"第一资深中央民意代表自愿退职条例"。三大法案的通过对台湾的政治生态影响巨大。是年,台湾出现了前所未有的组党和参选热潮,不仅使实施政党政治的条件日趋成熟,也使国民党的执政地位遭到严重挑战。民进党完全能够借助组织的力量,滥用"民意"的招牌,对国民党执政的"合法性"形成冲击。1990年2月、3月间,国、民两党冲突不断,甚至发生群殴事件。3月16日,台湾地区各大专院校的学生三千余人在中正纪念堂前静坐抗议,要求"召开国是会议,国民党提出民主改革时间表,解散国民大会,废除临时条款",风潮迅速蔓延。由此可见,90年代初台湾的"动员戡乱体制"已走向末路,无法维持,必须予以解决。

1990年5月20日,李登辉在其"总统就职演说"中声称,将于最短时间内宣告终止"动员戡乱时期",恢复"宪政体制"的正常发展;以两年为期,修订"宪法"中有关"中央民意结构"、"地方制度"及"政府体制"等问题的规定,由此揭开了台湾当局"宪政改革"的序幕。

6月28日至7月3日,李登辉主持召开了国民党退台后第一次有反对党、无党籍人士、海外"异议人士"及社会各界知名人士参加的"国是会议",出席会议的代表141人,国民党占绝对优势,完全具有操纵会议的能力。会议经过激烈的争吵,最后就一些重要问题如"总统选举方式"必须改进、"省市长民选"、"资深民代"退休、"国大虚级化"等达成"原则性共识"。7月11日,根据李登辉的提名,成立了"宪政改革策划小组",由"副总统"李元簇任召集人,"行政院长"郝柏村、"司法院长"林洋港、"总统府"秘书长蒋彦士任副召集人,下设工作、法制两个小组,开始了"宪政改革"的具体研拟阶段。经过了近半年的准备,12月底提出了"一机关两阶段"的"修宪方案"。

"一机关"是指"修宪"由"国民大会"一机关进行,"两阶段"则是指"宪政"分两个阶段完成。第一阶段为"程序修宪",即在1991年4月间召开"第一届国大第二次临时会议",通过终止"动员戡乱时期"和"废除临时条款"的法律程序,同时制定"足以因应宣告终止动员戡乱时期后宪政运作及两岸情势的宪法增修条文",以解决第二届"国大""修宪"的法源问题。第二阶段是在"资深民代"即将任期届满前选出"第二届国大代表",1992年3月以前由"总统"召集新"国大"临时会议,进行"实质修宪",完成"宪改"主体工程,使"宪改"走上"正轨"。

纵览国民党当局力主实施的"修宪"方案,主要内容是:第一,终止"动员戡乱时期"和废除"临时条款"。终止"动员戡乱时期"和废除"临时条款"是台湾"宪政改革"的前提,必须加紧进行。因"动员戡乱时期"和"临时条款"都源自于"国民大会",故拟在旧"国大"尚存之机,通过召开"国民大会临时会"的方式解决这一棘手的问题。第二,全面改造"国会"。即采取由"司法院大法官会议"作出解释和召开

"第一届国民大会临时会议"作出决定,赋予"法源"的方式,宣布1946年12月开始行使职权的"中央第一届民意代表"(指资深"国大代表"、"立法委员"和"监察委员",不包括之后选出的"增额代表")的任期,到1991年12月31日前结束;"第二届国大代表、立法委员和监察委员"分别于1991年底前和1993年1月底前选出,并于"法定期限"内行使职权;"增额代表"的任期至届满时停止。第三,修正"宪法"中不适应的条文。主要包括:①明确制定"宪法增修条文"为"因应国家统一前之需要"。②确定"总统"由"中华民国自由地区全体人民选举"的原则,自1996年起实行,四年一改选,改变"宪法"中关于"总统"由"国民大会"选举,任期6年的规定。③局部调整"五权宪法体制"架构,将原由"监察院"行使对"总统"提名的"司法院长、考试院长、大法官、考试委员"等的同意权转移给"国大";将原由省(市)议会选举"监察委员"的规定,改由"总统"提名(包括正、副"监察院长")经由"国大"同意任命之,将"监察院"性质由"民意机构"改为"准司法机构";"国代"任期由6年改为4年,每年集会听取"总统"的"国情报告"、"检讨国是"、并提供"建言"。④增订省、县地方自治制度的规定,省置省长,省长、县长分别由省民、县民选举。① ⑤在"司法院"设立"司法法庭",由大法官组成,职司审理政党"违宪"之解散事项,明确政党的目的或行为,以"危害中华民国之存在或自由民主之宪政秩序者为违宪",增强"司法院"的独立权限。⑥停止使用"宪法"有关"考试院"按省区分别规定名额、分区举行考试之规定。⑦保留"临时条款"中关于"总统紧急命令权"及"国家安全会议"、

---

① 1997年"修宪"后,台湾省的性质与地位已发生变化。

"国家安全局"、"行政院人事行政局"等三机构的设置。⑧确定未来"中央民意代表"分区域代表、全国不分区域代表和侨选代表三类，区域代表由台湾地区选民直接选举产生，后两类"代表中国"的代表则采取政党比例代表制方式产生。

2. 终止"动员戡乱时期"，废除"临时条款"

1991年4月8日，台湾当局经过一番论证和准备，正式召开了第一届"国民大会"第二次临时会议（下称"临时会"），以正式废除"临时条款"，通过"宪法增修条文"。

"临时条款"的废除，虽是情势之必然，但毕竟涉及"资深国代"的切身利益，他们自然是心不甘情不愿，总想制造点麻烦。台湾当局为了所谓的"法统"，也只能忍气吞声，到处拜请，以求"资深国代""退职"。然而，最难缠的还是民进党。

民进党早已表示不同意"修宪"。他们主张要重新制定"宪法"（即"制宪"），而且他们还认为第一届"国代"早已失去民意基础，没有资格主导第一阶段的"修宪"。但民进党籍的"国代"仅有9人，只占"国代"总数的2%，根本无法阻止任何"修宪"活动。因此，从会议一开始，民进党就刻意采取惹眼的抗争行动，甚至将在"立法院"打斗的经验搬到"国民大会"。当抗议无效时，他们再次挑起"街头抗争"。4月17日，民进党组织"四一七游行"，集结了大约二万名群众，从台湾大学游行到中山堂前示威，吸引了十万群众围观，交通为之阻塞。最后，经国、民两党协商，达成妥协：由老"国代"修宪，但老"国代"必须在1991年年底前全部退职；国民党暂时保留依"临时条款"建立的"国家安全会议"、"国家安全局"、"行政人事局"三机构，但必须在两年半后（即1993年12月31日）撤销。民进党表示不再以激烈的方式为难国民党，但基于他们的政治理念，暂时不返回"立法院"和"国民大会"。

民进党的退出使议事得以顺利进行。4月22日，"临时会"终于通过了《中华民国宪法增修条文》和废止"临时条款"的决议。30日下午，李登辉在"总统府"大礼堂举行有145名记者参加的招待会，宣布自5月1日零点起，终止"动员戡乱时期"，废止《动员戡乱时期临时条款》，"动员戡乱法系"中的法律、法规、命令需进行修改，或是整文废止，或是删除"动员戡乱"四个字。①这意味着长达43年的"动员戡乱时期"宣告结束，也意味着有"万年国代"之称的第一届"国大"在经过43年历史后终于曲终人散。台湾政局由此开始进入一个建立"多元政治架构"为标志的新阶段。

3. "中央民代"的换届选举

1991年12月21日，台湾当局如期举行了第二届"国大代表"的选举。这是国民党退台四十多年来首次对"中央民意机构"进行全面的换届改选，也是国民党退台40多年来"中央民意机构"的最大一次选举。选举有国民党、民进党、中华社会民主党、"全国民主非政党联盟"等17个政党的467名候选人参加，需产生出325名新的"国大代表"。

选举结果是：国民党共得254个席位，占总席位的78.15%；民进党获得66个席位，占20.13%；"全国民主非政党联盟"获得3个席位，占0.93%；无党籍人士

① "修宪"后，取消"临时条款"赋予"总统"的"紧急处分权"，但又赋予"总统"超越"宪法"的"紧急命令权"，即同意"总统"在"为避免国家和人民遭遇紧急危难"的情况下行使"紧急命令权"，而"动戡法系"大部分经过技术处理，去掉了"动员戡乱"字眼和个别条文，予以保留。

获得 2 席位,占 0.65%;中华社会民主党没有获得席位。这表明国民党获胜,民进党失败,"第三种势力"遭重挫。

此次选举对台湾政治演变产生的影响不可低估。首先,国民党掌握了"修宪"的主导权,控制着下一步的"修宪"。① 此次选举中国民党获得 254 个席位,加上原"增额国代"的 64 个席位,在 403 个席位中拥有 318 席,占总数的 78.91%,超过四分之三,掌握着"修宪"主导权。而民进党虽在选前曾扬言要拿到四分之一以上席位以制衡国民党,但选举结果只获得 66 席,加上原"增补代表"9 席,共拥有 75 席,占总数 18.61%。其次,"国大"的组成结构发生了质变。"国大"是台湾最早发生质变的"民意"机构。全面改选前,台籍"国代"最多时有 101 席,约占当时(1988 年)全部"国代"的 11%,台籍与大陆籍之比为 1∶9;全面改选后,台籍人士 324 人,占总数的 80.69%,与大陆籍人数相比形成 5∶1。改选前经由台湾选民选出的"增额国代"最多时只有 84 席,约占总数的 9%,其余均为 1947 年自大陆产生的"资深国代"(包括替补代表);全面改选后,"国代"比例百分之百由台湾地区选举产生,就是依政党比例代表制分配的 80 名"全国不分区代表"和 20 名"侨选代表",其中多数是台籍,且全部民意基础在台湾而不是在大陆。"国大"成员的构成已由以往主要由大陆地区产生,以"大陆籍"人士为主,仅有极少数政治反对势力代表参与的结构转变为主要由台湾地区选举产生,以"台籍"人士为主,反对党成分大大增加的结构。再次,初步形成主张维持现状的国民党和主张"台独"的民进党两大政党控制、影响台湾政坛的格局。此次选举,以

中华社会民主党、"全国非民主政党联盟"为主的"第三种势力"受挫,它们总得票率未超过 5%。这既说明台湾的"第三种势力"实力有限,基础薄弱,内部组织松懈,不易形成与国民党、民进党抗衡的政党,同时也说明台湾民众仍希望有一支强有力的反对党来制衡国民党和民进党,而不愿意支持弱小的"第三势力"。由于台湾在选举方式上开始使用"政党比例代表制",总得票率能否超过 5%,对一个政党控制席位,发挥政治影响力来说至关重要。

4. "实质修宪"阶段党内的争吵

第二届"国代"选举完成后,国民党进入"实质修宪"阶段。但由于对李登辉版的"修宪方案"中一些条文的不满,国民党与民进党、国民党内部"主流派"与"非主流派"吵闹不休,其中争论最大的是"总统"产生方式。

从原来的"宪改"构想来看,"宪政改革"的另一项重要内容就是:改"总统"由"国民大会"间接选举为"由自由地区全体选民选举"的直选。李登辉认为,只有通过"公民直选"产生的"总统",才是具有民意基础的"总统",才会有"公信力"和"公权力"。其实,李登辉力主"总统直选"的真正目的是要将台湾的政体由"内阁制"改为"总统制",要做有实权的"总统",从而使台湾的党、政、军各层面的政治改革能够按自己的意愿进行。"宪政改革"正是沿着这一想法进行的。

但国民党"非主流派"担心通过"公民直选"产生的"强势总统"会削弱"行政院长"的权力,故极力反对改变"总统"选举方式。民进党则企图把改变"总统"选举方式,实现其夺取政权这一政治目的,故

---

① "国大修宪"需 1/5 提出提案、2/3 出席、3/4 通过。

极力主张改变"总统"选举方式。因此,是否改变"总统"选举方式以及采取何种政治体制就成为"宪改"中"两党三方"争论最激烈的焦点。

相比较而言,民进党与李登辉有共同之处,观点也相近。早在1990年6月召开"国是会议"讨论"宪政改革"之前,双方就已通过秘密渠道进行过多次沟通,很快达成了"总统"应由全体公民选举的共识。此事一公开,国民党的大多数代表,甚至包括一些"主流派"的核心人物也不知内情,均有被捉弄之感,党内反弹强烈。经过争论和妥协,到1991年下半年才在党内逐渐达成"委任直选"的共识。①

1992年3月4日,李登辉忽然表示要推动"公民直选",国民党宣传机构也立即转向。8日,李登辉以国民党主席身份邀集党内高层人士召开"宪改"讨论会,与会的"副总统"李元簇、中央党部秘书长宋楚瑜、"总统府秘书长"蒋彦士、"监察院长"黄尊秋和"司法院长"林洋港、"台湾省主席"连战、"内政部长"吴伯雄、"法务部长"施启扬8人主张"公民直选",李焕、邱创焕、沈昌焕、谢东闵、梁肃戎和蒋纬国等人则坚持"委任直选",郝柏村持保留态度。3月9日,国民党召开临时中常会,针对"总统"选举方式议题,又经过长达7小时半的激烈争论,结果是15人主张"公民直选",10人支持"委任直选",4人主张两案并陈交国民党十三届三中全会讨论。两种意见相持不下,只得将两案并列提交三中全会讨论。

3月14日至16日,国民党举行十三届三中全会,中心议题是"宪政改革"。会上出现了"国民党迁台以来最激烈的斗争"。"行政院长"郝柏村也转变立场,明确支持"委任直选"。由于众多国民党元老反对,李登辉不得不决定将"总统"选举方式交由二届"国大"第一次临时会议讨论。国民党勉强挽救了迁台四十多年来最严重的一次分裂危机。

1992年3月20日至5月30日,台湾第二届"国大"第一次临时会议举行。会议通过了《宪法增修条文第11条至第18条草案》。主要内容有:"总统"选举为"公民选举","总统"任期由6年减少到4年,具体选举方式在1995年5月20日前决定;"国代"任期与"总统"一样减为4年;扩大"总统"权力,赋予"总统"对"司法院长"、"监察院长"、"考试院长"及"大法官"、"监察委员"、"考试委员"的提名权;对"总统"的制衡机制进一步削弱,"国大"罢免"总统"的门槛由1/6提名、半数同意,提高到1/4提议、2/3同意;"监委"由"总统"提名,则"监察院"对"总统"的监督权被取消;扩充"国大"权限,"国大"增加对"司法院长"、"监察院长"、"考试院长"行使同意权;听取"总统国情报告",若"国大"一年不集会,可由"总统"召集,实际上把"国大"定位成如同"立法院"的"常设国会";改变"监察院"和"考试院"的性质,"监察委员"由"省市议会选举"改为"总统提名",且人数大幅下降,初定只有9人,其原有的对"大法官"、"考试委员"行使同意权被取消,"监察院"实质成为"准行政机构";设立"宪法法庭",审理政党是否"违宪"事项,"政党解散"提升到"宪法"层次,强化地方自治,赋予"立法院"就个别省份制订"地方自治法律"的权限,为下一

① "公民直选"是由选民直接投票选举"总统"、"副总统",不再通过《国民大会》。"委任直选"是指选民只投一张选票,选举"国代",再由"国代"选举"总统"、"副总统";"国代"在竞选时必须向选民说明自己所支持的"总统"候选人,当选后也必须遵守对选民的承诺。

步制订"台湾省自治法"、实行"省长民选"准备条件。

会议期间,民进党不仅在形式上没有给国民党"主流派"面子,而且还将"独立建国"的私货与"总统公民直选"夹在一起塞到他们提出的"宪法修正案"中,并组织"四一九"大游行、策动民进党籍和部分无党籍"国代"退出会议以示抗议,使争论愈加激烈。最后大会只是通过了"总统"不再由"国代"选举,改由"台湾全体人民选举"产生这一妥协原则,但究竟是采取"公民直选",还是"委任直选"仍未确定,拟在该届"总统"任期结束前,召开"国大"临时会议决定。

5. 第二届"立委"选举

1992年12月19日,台湾举行了第二届"立委"选举。此次选举是国民党退台43年来对"立法院"进行的第一次全面改选。由于在"宪政体制"下"立法院"对"行政当局"的监督、制衡作用越来越强,该院已成为岛内政治的运作中心和争夺场所,各党都力争在"立法院"中获取尽可能多的席位以影响台湾的政局。

在这次事关政党前途的选举中,国民党因内部的分化实力大受影响,民进党则吸取二届"国大"选举失利的教训,淡化"台独"诉求,增加公共政策以吸引选民。选举结果:国民党获得103席(包括"区域立委"80席,"全国不分区立委"19席,"侨选立委"4席),占总席位的63.97%;民进党获50席(包括"区域立委"37席,"全国不分区立委"11席和"侨选立委"2席),占"立委"总数的31.05%;无党籍人士获7席,社民党获1席,共占"立委"总数的4.98%。民进党及其他在野势力,在第二届"立委"中共有58席,已超过"立委"总数的三分之一。

第二届"立委"的选举结果,无论在组织机构,还是在运作方面,都发生了很大的变化。第一,省籍结构发生变化。原"立委"总数中,虽有不少在台湾选出的台籍"增额立委",但台湾与大陆籍"立委"的比例为3:7,经此次选举两者比例改为8:2,与第二届"国代"一起,完成了"中央民意机构"的"本土化"。第二,年龄结构发生变化。新选出"立委"的年龄在30至60岁之间,大多数是台湾出生或在台湾长大的中青年代"精英",他们逐渐成为日后台湾政坛上的风云人物。第三,政党结构发生变化。过去国民党在"立委"中占绝对优势,民进党在"立法院"中席位最多时仅21席,约占总数的8.4%。此次选举后,民进党与国民党实力相距大为缩小。民进党的席位增至50席,接近1/3,将在"立法院"内形成与国民党抗衡的力量。第三势力比重虽小,但因民进党仅差4票就可以否决国民党的提案,第三势力能够发挥关键少数的作用。第四,"立法院"内国民党内部斗争仍将存在。此次选举国民党"主流派"未能达到把"非主流派"排除在外的目的。"非主流派"在"立法院"中仍占30个席位,与国民党"主流派"有矛盾的中生代"精英"赵少康、王建煊、关中、郁慕明、李庆华、魏镛等人都以高票当选"立委",而"主流派"在"立法院"中最大派系"集思会"成员,却在选举中失利,"主流派"控制的席位有所下降。台湾"立法院"内的竞争更趋复杂。

总之,第二届"立委"选举后,彻底改变了过去国民党依靠"立法院",维护大陆籍官僚集团利益的局面,使"立法院"成为国民党、民进党两党抗争、多党利益集团利益制衡的政治议坛,也使之成为台湾地区各政治集团、各阶层为维护自身利益进行争斗、妥协的"议会"。从功能运作来看,经过此次"全面改选"后,"立法院"的作用将明显增大,对"行政院"的监督、制衡力度将迅速增强。可以说,自此之后的"立法院"将在台湾政治舞台上的地位与作用更加突出。

李登辉的大陆政策

1. 台湾大陆政策的改变

李登辉继位后,随着党内政策和人事主导权的确立,其大陆政策逐渐逆转,蒋氏父子时期"一个中国"的主张最终被抛弃。

在继位之初,由于立足未稳,为了夺取和巩固自己的权力,特别是为了争取主张统一的国民党元老派的支持,李登辉遂在口头上承袭蒋氏父子"一个中国"的主张。他在 1988 年 2 月继任"总统"后不久举行的首次记者会上表示:"中华民国的国策"就是只要"一个中国"的政策,而没有"两个中国"的政策。此后的一段时间里,李登辉在"一个中国"问题上虽也流露出与蒋经国不同的观念,但他还是在多种场合里强调"一个中国"的政策,称"今天政府虽然立足于台湾,但我们必须共同确认,中国只有一个","我们与中共之间是一个敌对关系,我们如不能统一大陆,中共就要统一我们"。正因为如此,当李登辉在国民党十三全会上当选为国民党主席时,中共中央向他发了贺电,希望他能为早日实现祖国统一作出贡献。

其实,在国民党"十三全"上,国民党已对其大陆政策作了重大的、实质性的调整。这些调整主要体现在会上通过的指导国民党大陆政策的纲领性文件《现阶段大陆政策案》之中,即一是将大陆政策的着眼点,由"光复大陆、统一中国"转移到"偏安台湾、分而两立",逐渐改变其坚持的"一个中国"为基本点的政策;二是在大陆政策的拟订、执行上主张采取务实、主动、灵活的态度,以攻为守。可以说,《现阶段大陆政策案》是李登辉背离"一个中国",制造两岸分离的新大陆政策的起点,只不过此时的李登辉必须集中精力整合岛内权力而将此事处理得相当圆滑、低调而已。

时隔不久,感到权位渐趋稳固的李登辉就远离了"一个中国"的立场,在两岸关系定位上提出了诸多怪论。1990 年 5 月 6 日,李登辉发表了对两岸关系的看法,称"愿意同中共进行政府对政府的对话,对话必须在一个中国、政府对政府和双方地位平等的基础上进行。我们愿意谈判,但是不能由两个政党进行谈判,因为国家的统一不仅仅涉及两个组织,一个国家,两个政府这是现实",提出所谓"一国两府"论。紧接着,他在就职演说中正式使用"中共当局"的提法,并表示"愿意以对等地位建立双方沟通管道"。表面看来,这一举措是以李登辉为代表的台湾当局放弃自欺欺人的态度,承认大陆政权的合法性和权威性,迈向积极、务实的第一步,但实质是此时的国民党已清醒地认识到"光复大陆"永远不可能实现,必须通过对两岸关系重新定位,保住自己的利益,并寻求国际政治空间,伺机脱离祖国怀抱。标志着国民党大陆政策在形式上已逐步脱离内政的轨道而与外交政策密切挂钩。

这一企图在之后的一系列言行中进一步发展,并形成李登辉的新大陆政策。1990 年 9 月至 1991 年 2 月间,由李登辉亲自主导,台湾当局相继成立了"总统府国家统一委员会"(简称"国统会")、"行政院大陆委员会"(简称"陆委会")和"财团法人海峡交流基金会"(简称"海基会")三个机构,组成大陆工作的行政系统,使大陆政策和两岸关系事务脱离党务系统(大陆工作指导小组,国民党"十三全"成立)的控制,加强李登辉对大陆政策的领导,摆脱中共提出的"党对党"谈判的架构。

1991 年 2 月 13 日,"国统会"在经过 4 个月的酝酿草拟和六易其稿后,正式公布了作为其"将来大陆政策的最高指导方针"的"国统纲领"。4 月,台湾当局宣布终止"动员戡乱时期",废止"动员戡乱临时条款",放弃了"反攻大陆"的提法,等于"承认中共政权在大陆享有事实统治权"。但在同时,又把两岸关系定位为"一国两府"或"一个国家、两个政治实体",要求大陆方面也要承认台湾是一个对等的政治实体,以对抗大陆提出的"一国两制"构想。

"国统纲领"是国民党退台后 40 年来首次提出的一个较为系统、具体的"国家统一"方案,集中阐明了台湾当局关于两岸统一的基本主张。该方案具有双重性。一方面包含了一些积极因素,如确认"一个中国"的目标;强调"大陆和台湾均是中国的领土,促进国家统一,是中国人的共同责任";提出"以交流促进了解、以互惠化解敌意","逐渐放宽限制,开放'三通',扩大两岸民间往来";放松"三不"立场,提出"两岸高层互访"、建立"沟通管道",分阶段"促进两岸统一"等等,对增进共识、缓和两岸关系,促进两岸关系继续向前发展是有利的。但另一方面,"纲领"在国家和平统一,乃至在直接"三通"、双向交流等这样一些双方都有利的问题上,提出诸多先决条件,预设种种障碍,具有明显的消极性和非建设性。这显然是与台湾当局口头宣称的促进统一的目标相悖的。如在第四章"过程"中,提出祖国的统一应分为三个阶段完成,即所谓的"近程——

交流互惠"、"中程——互信合作"、"远程——协商统一",并对每一阶段提出各种前提条件,设置障碍。如"近程"阶段,台湾当局就对大陆提出了五项条件:①"互惠中不否定对方为政治实体";②"建立两岸交流秩序,制订交流规范,设立中介机构";③大陆地区更积极推动经济改革,"逐步开放舆论,实行政治民主";④"两岸应摒除敌对状况,以和平方式结束一切争端";⑤"在国际间相互尊重,互不排斥"。台湾当局要祖国政府只有照单接受这 5 项条件,并逐一付诸实施,才能进入"互信合作"的"中程"阶段。在这 5 项条件中,其核心是①、⑤项,即要求两岸"在互惠中不否定对方为政治实体"。准确地说就是要求祖国大陆承认其为对等的政治实体,为进一步的"政府对政府"的谈判准备条件。

所谓"政治实体"是一个抽象的政治学概念,含义广泛且富有弹性,泛指国际社会中的政治存在,这种存在可以是国家、政党、政团等政治组织。从台湾的政治表述来看,其所谓的"政治实体"就是指国家这一政治组织。按照国际法,一个国家只能有一个合法政府代表这个国家,如果用"一个中国,两个对等的政治实体"为两岸关系定位必然会得出在一个中国内存在着两个代表这个国家的对等政府,中国的国家主权可以分裂这一荒谬的结论。可以说,坚持"一个中国"就绝不能允许有两个拥有独立主权的政治实体同时存在。对此,李登辉主导国民党中常会和"国统会研究委员会"在 1992 年 8 月 1 日首次对"一个中国"的含义进行了新的"界定",试图将"一个中国"的原则虚化,一方面声称"'一个中国'应指 1912 年成立迄今之中华民国,其主权及于整个中国",基本维持国民党当局一贯坚持的"一个中国就是中华民国"的前提；另一方面又声称："目前中国处于暂时之分裂状态，由两个政治实体，分治海峡两岸，一个中华人民共和国在大陆，一个中华民国在台湾，一个民主、自由均富的中国在未来"，企图用所谓的"三个中国观"来取代"一个中国"。这实际上是其"两个中国"、"一中一台"谬论即将出笼的前兆。1993年2月6日，李登辉在约见高雄市民进党籍"立委"时进一步表示："我主张中华民国在台湾，始终没讲过一个中国。"李的这个讲话，暴露出李登辉在两岸关系定位上放弃"一个中国"原则的倾向。当年秋季，台湾当局发动"参与联合国"的首次活动遭到挫败，恼羞成怒，台"外交部长"钱复立即对外表示，"一个中国在国际上容易被误解为是指中共，对我们加入联合国不利"。"我们不能再谈一个中国，再谈一个中国会把自己箍住"。10月1日，李登辉在接见民进党参与联合国宣达团黄信介等人时说："一个中国是我们追求的目标，但这是将来的……中华民国目前统辖台、澎、金、马，拥有绝对而且完整的主权和治权，这就是为什么我说'中华民国在台湾'的原因。"11月4日，李进一步宣称："目前的中国属于分裂，是一项不容否认的事实，中华民国在台湾，中共在大陆，应属平等的政治实体。"李登辉甚至公然宣称"中华民国在台湾"拥有台、澎、金、马地区的"主权和治权"，与"大陆政权"是平等的，这等于表明国民党不再坚持"中华民国主权及于整个中国"，而主张海峡两岸存在着两个"主权与治权互不重叠"的国家。11月21日，台"经济部长"江丙坤在西雅图会议上代表台湾当局发表了一项关于"两个中国政策"的声明："中华民国及中华人民共和国实为历史、地理或文化含义的'一个中国'下，互不隶属的两个主权国家"，台湾的政策是"主张分裂主权的两个国家并存，采取以'一个中国'为指向的阶段性两个中国政策"。尽管这些言语不是出自李登辉之口，但却是李登辉对两岸关系定位的准确性表达。以此为标志，李登辉关于两岸关系定位的主张开始发生实质性的变化，即由"一个中国"转变成了"两个中国"，强化了分裂意识。由此我们不难看出李登辉提出的所谓"一个中国，两个对等的政治实体"的真实目的无非想套用"南北韩模式"与"统一前东西德案例"来否定中华人民共和国是代表中国的唯一合法政府，让台湾以一个独立的"政治实体"进入国际社会，谋求外交上的双重承认，最终实现"一中一台"或"两个中国"的政治图谋。

从历史和现实的角度看，德国、朝鲜的分裂与海峡两岸的对立在性质上是完全不同的。东西德和南北朝鲜的分裂由第二次世界大战造成，是根据《雅尔塔协议》等国际协议实行分治的结果。台湾与大陆的对峙则是中国内战时国民党政权被中国革命力量打败退据台湾，并受到外国势力的庇护而形成的。1949年10月，中华人民共和国宣告成立，建立起代表中国的人民政权，国民党政权已经覆亡。尽管其暂时占据台湾也无法改变这一政治事实。因此，作为中国一个地区的台湾与祖国大陆只是暂时的、局部的分裂，国家主权仍然统一、领土依然完整，台湾当局永远不能作为代表中国（包括台湾）国家主权的政治实体存在。台湾问题纯属中国的内部事务，解决的方式、方法只能由中国自己确定。这种分裂状态与性质决定了两岸关系绝不能套用东西德和南北朝鲜模式，否则就不是使两岸走向统一，而是进一步扩大分裂，形成违背全中国人民意愿的"两个中国"或"一中一台"甚至是"台湾独立"。

2. 两岸民间交流的加强与事务性商谈的突破

80 年代末 90 年代初台湾当局陆续调整了大陆政策后,海峡两岸的敌对情绪有所缓和,两岸关系进入了一个新的时期。

①人员交流方面:台湾来大陆的人数 1989 年为 52 万人次,1990 年 1 月至 11 月达 82 万人次;大陆赴台交流人员 1989 年至 1991 年底只有四十余人,而 1992 年达 920 人次,1993 年增加到 3309 人次。但交流多局限于民间方面。其间,也有一些特殊人员(国民党"民意代表")的接触,较有名的是胡秋原的大陆行。1988 年 9 月 12 日晚,国民党籍"立法委员"、国民党中央评议委员会主席团主席、《中华杂志》发行人、"中央研究院近代史研究所研究员"、"中国统一联盟"荣誉主席、著名学者胡秋原访问大陆并与全国政协主席李先念等中共有关领导人接触,畅谈统一问题。胡秋原的大陆行可谓是两岸政治接触的开始,在台湾岛内引起了强烈的反响。国民党高层召开专门会议,作出了开除胡秋原党籍的决定。国民党当局这一不冷静的做法,不仅激化了台湾朝野的统独之争,也阻碍了两岸的进一步接触。

双方的新闻从业人员的交流则有所扩大。继台湾记者徐璐、李永得采访大陆后,1991 年 8 月 12 日,新华社记者范丽青、中新社记者郭伟峰成为 1949 年后首次进入岛内采访的大陆记者;1992 年 5 月,两岸记者组团联合采访长江三峡,首开两岸记者联合采访之先河;1992 年 9 月,以新华社记者为首的 18 名大陆记者联合组团到台湾采访,正式实现了两岸新闻的双向交流。

②经贸往来方面:台商在大陆投资最早是 1981 年,但直至 1987 年底数额不大。1987 年 7 月,台湾当局解除了实施三十余年的外汇管制,中央政府也适时公布了《关于鼓励台湾同胞投资的规定》(即所谓的"22 条"),特别是 11 月台湾当局开放民众赴大陆探亲,使台商投资迅速掀起第一波高潮。据经贸部门的统计,1988 年,台商在大陆投资项目 437 个,协议金额 6 亿美元,是前 7 年总和的 6 倍。

面对台商投资浪潮的冲击,台湾当局的大陆经贸政策发生了变化。1990 年 4 月,台湾"经济部"提出未来将开放间接投资大陆市场,并采取"负面表列"方式,即公告禁止投资项目;6 月又表示改采"正面表列"方式,即公告允许投资项目;10 月 6 日,台湾正式公布了《对大陆地区间接投资或技术合作管理办法》,其中规定"直接投资不许",即台湾地区人民、法人或其他机构必须经由第三地区投资设立的公司、事业对大陆间接投资;"间接有条件",即凡是在岛内已无法发展、非高科技产业、不涉及"国防"以及不会影响台湾地区经济发展的行业,以"正面表列"方式准许其对大陆间接投资,并首批公告开放准予投资项目 3353 项,促成台商对大陆的新一波投资热。1990 年至 1991 年间,台商在大陆投资 2848 项,协议金额 22.8 亿美元,实际利用台资 6.88 亿美元。

1992 年春,邓小平发表著名的"南方谈话",在中国又掀起新的经济改革高潮。这年秋末,中共十四大召开,确立了建立社会主义市场经济的目标,给中国的经济发展注入了新的活力。一系列改革开放的措施出台,特别是决定加快第三产业发展,向台商、外商开放部分内销市场与服务业领域的投资,更吸引了台商的投资热情,加上台湾当局大陆经贸政策的开始松动,台商纷纷奔赴大陆,再次形成台商赴大陆投资的热潮。据统计,1992 年一年中,台商对大陆投资项目达 6430 个,协议金额 55.43 亿美元,实际投资 10.5 亿美元,均超过了历年的总和。此时,台商在大陆的投资金额已位居大陆境外投资的第二位,仅次于香港。

③科技、教育、体育交流方面:随着两岸经贸的迅速发展,两岸科技交流的领域不断拓展,交流的层次也不断提高。1988年9月,海峡两岸科学家第一次在北京第22届国际科学会总年会上一起进行科技交流活动。1992年5月,台湾“中华研究院”院长吴大猷出席在北京和天津举行的物理学研究会并参观访问。在教育领域,80年代末,国家教委制定优惠政策,决定国内一些大学招收台湾考生,许多台湾青年学生到祖国大陆报考、就读;双方中学也开始进行大规模的校际交流、联谊活动。另外,双方的体育交流也有新的进展。1989年1月19日,中华台北奥委会宣布,自即日起接受台湾运动队赴大陆参加国际比赛的申请。1990年9月,亚运会在北京举行,台湾体育界组织了三百多名运动员参加比赛,一百多名记者随团来京,形成了两岸体育交流的第一次高潮。1992年台湾当局取消了大陆运动员赴台的禁令,允许大陆运动员赴台参加国际比赛,大陆棋圣聂卫平成为第一个被邀赴台的体育界代表。之后,大陆一些地方运动队陆续被邀请赴台参加比赛,民间体育双向交流有新的突破。

但是,由于台湾当局顽固地坚持“三不政策”,两岸之间仍无任何“官方”往来,双方联系主要通过“非官方”组织进行。

中国红十字会是最早与岛内进行联系与沟通的民间组织,在两岸关系处于极不正常的情况下,做了大量的工作。早在

1983年6月12日,为处理我方渔民打捞到的台湾空军遇难飞行员遗体交接问题,双方的红十字会组织就在福建厦门、金门间的海域首次接触。随着台湾当局大陆政策的改变,其原来处理两岸关系时的僵硬态度有所变化。1989年5月4日,台湾当局派出以“财政部长”郭婉容为首的代表团赴北京参加第22届亚银年会。这是两岸分离40年来台湾当局的高级官员首次踏上祖国大陆。他们的与会,是两岸“半官方”的第一次正式接触。尽管行前设计了很多方案以避免在仪式上“承认”祖国政府,但在会议期间,台湾代表团还是按礼仪规程行动,而且首次对“中国台北”的称谓没有表示异议。1990年9月11日至12日,因处理台湾当局制造的“闽平渔5540号”惨案和“闽平渔5202号”惨案①,两岸的红十字会代表在福建平潭谈判,经双方交换意见后,达成两岸第一个长期合作执行的事务性协议——《金门协议》。10月8日,根据协议实施的第一次海上遣返工作得以顺利进行。1991年8月20日,为处理台湾当局扣留我18名福建石狮渔民的“闽狮渔”事件,中国红十字总会副秘书长曲波、政策研究室副主任庄仲希及随行记者范丽青、郭伟峰赴台。这是两岸隔绝42年后大陆第一次派公务人员经由正式途径进入台湾。

七

台湾经济的转型与升级

1.“六年经济建设计划”

面对经济危机,台湾当局主要通过制

---

① 1990年7—8月间,台湾有关方面在遣返私自入台的福建沿海居民时,接连发生的两起惨案,导致46名遣返者死亡。

定经济发展战略方案和编排经建计划的方法来引导台湾经济走出困境。为调整产业结构,加强基础工业和基础设施建设,配合第二次经济转型——由劳动密集型向资本、技术密集型转变的最终实现,最终达到提高台湾经济的应变能力的目标,台湾当局于 1976 年编制了"六年经济建设计划",并着手进行"十二项建设"。

"六年经济建设计划"的主要内容是:①农业机械化;②建筑海边堤防;③林业精密化;④交通现代化;⑤扩充大众福利;⑥推动"国民"住宅建设;⑦制造现代武器;⑧加强社会建设;⑨开发广大山区;⑩大量扩充对外贸易;⑪提高"国民"个人收入;⑫开发海域及地下资源。其中,在工业方面:"着重于发展重化工业和精密工业,并将积极进行海陆能源与各种资源的探勘开发。"农业方面:"以加强农村建设,积极推动农业机械化,增加农民所得,改善农民生活环境与提高粮食增产为主要目标。"交通建设方面:"计划在高速公路、北回铁路、铁路电气化、桃园机场和台中港与苏澳港等工程完成之后,赓续兴建各种配合工程及其他运输通讯设施。"社会建设方面:"将在省市各地辟建卫星市镇,兴建 22 万余户的国民住宅。普遍加强农村、山地、滨海区域医疗卫生服务。提高国民营养,改造国民旅游娱乐设施,促进国民就业,使国民生活在实质上获得大幅度改善。"

"六年经济建设计划"的具体指标规定 1976 年至 1981 年的总体年均经济增长率为 7.5%。其中,农业年均增长率为 2.5%,工业则为 9%;年出口增长 12.2%,年进口增长 10.8%;"国民收入"年均增长率 7.7%。照此速度发展下去,到 1981 年,台湾人均"国民收入"将达 1400 美元。同时,该计划还确定了优先发展的资本和技术密集型产业(特别是电子组件、石化、精密仪器、成套设备、重型机械、钢铁和煤炭等产业)的策略,规定资本密集型产业的产值在整个"国民生产总值"中的比重,要从 1975 年的 13% 提高到 1981 年的17.5%。

"六年经济建设计划"是在国际政治经济形势对台湾经济发展极为不利的情况下制定的,所以各项指标都不高。随着石油危机过后世界经济的逐渐复苏,台湾经济状况出现好转,不少指标尚未到标点年就已远远超过原定计划。如经济增长率,1976 年为 13.48%,1977 年 9%,1978 年高达 13.85%。这表明原计划对经济发展的指导意义已丧失。为此,台湾当局于 1978 年 11 月重新修订该计划的后三年(1979—1981 年)指标,把计划中的年均经济增长率由 7.5% 提高到 8.5%;工业年均增长率由 9% 提高到 11.3%(农业不变);年出口增长为 15.4%,年进口增长为 19.6%;人均"国民收入"则订在 2000 美元的大关上。

然而,修改后的三年计划刚刚执行了一年,第二次石油危机又至,仍未摆脱对国际市场依赖的台湾经济再次受挫,各项指标均未能实现,台湾当局被迫于 1979 年底停止执行该计划,并于 1979 年制定了"十年经济建设计划"。

2. "十二项建设"和"十四项建设"

1977 年 9 月 23 日,台湾当局宣布再进行"十二项建设"。"十二项建设"中有四项是"十大建设"的继续,包括环岛铁路网、台中港第二和第三期工程、扩建高雄钢铁厂、续建核电二、三两厂。

环岛铁路网工程 该工程包括北回铁路、东线拓宽和南回铁路三部分,其中北回铁路建设属十大建设之一,已于 1979 年底完成。东线拓展工程,系将台东卑南至花莲田浦之窄轨铁路换为宽轨,并改善弯曲线路,降低坡度、缩短里程、扩充桥隧、整建站场,项目于 1979 年 7 月开工,1982 年 7 月完成,总长 164 公里。南回铁路工程系由台东卑南至屏东枋寮,全长 98.2 公里,1980 年 7 月开工,1986 年 6 月完成。

台中港第二、第三期工程　台中港第一期工程建设完工后,1976 年 11 月开始进入第二期工程,1979 年 10 月底完工,投资新台币 70 亿元;第三期工程于 1979 年 11 月动工,至 1982 年 10 月完工,耗资新台币 59 亿元。经过三期建设,台中港已成为拥有 32 座深水码头、年营运量 2000 万吨的国际港。

扩建高雄钢铁厂　高雄钢铁厂第一阶段工程完工后,1979 年又进行第二阶段工程,共扩建高炉一座、炼焦炉两座、烧结设备一套、炼钢炉一座。项目于 1982 年 6 月完成,形成年产 325 万吨粗钢的能力。

续建核能发电二、三厂　第二座核能电厂(北部)1974 年 9 月动工,分别装置第三、四号机组,每部容量 98.5 万千瓦,1982 年 10 月完成;第三座核能电厂(南部)装置第五、六号机组,每部容量 95.1 万千瓦,则于 1985 年 5 月完成。

其余八项分为二类。第一类,交通建设类三项,包括:①新建东西横贯公路 3 条,即:台北新店—宜兰员山全长 51 公里的新北横公路,屏东—台东知本全长 131 公里的新南横公路,嘉义—阿里山—台东玉里全长 266 公里的新中横公路(其中,嘉义—玉山线 90 公里,于 1986 年 6 月完工;水里—玉山线 71 公里,1987 年完工;玉里—玉山线因涉及"玉山国家公园"的环境保护问题中止建设计划),1978 年 7 月动工,1985 年 6 月完工;②延长高速公路,即将中山高速公路自凤山延长至屏

东,以改善高雄、屏东地区交通条件;③将屏东至鹅銮鼻路段由双线拓宽为四车道的高等级公路(全长 110 公里,1978 年 7 月兴建,1983 年 1 月底全线通车,耗资 35.5 亿元)。第二类,农业建设类三项,包括:①改善重要农田排水系统(投资新台币 48 亿元整修排水路和排水系统,改善农田水淹状况。工程分二期进行,分别完成于 1981 年 6 月和 1989 年 6 月);②修建台湾西岸海堤工程及全岛重要河川工程(投资新台币 70 亿元,1979 年 6 月开工,完成时间为 1987 年 6 月);③设置农业机械化基金,促进农业全面机械化(投资 80 亿元新台币,1982 年计划完成时,达到每公顷耕地平均使用机械 1 马力以上,整地机械化程度达 93%,插秧机械化达 90%)。第三类,社会文化建设类二项,包括:①开发新市镇及建立居民住宅(即开发林口、南嵌、台中港、大坪顶、澄清湖 5 处新市镇;每年兴建 2.5 万户住宅,6 年共建 109392 户住宅);②建立新的文化机构(分中央、台湾省、台北市三部分。中央部分包括设立音乐厅、"国家"剧院、迁建"国立中央图书馆",在北部地区兴建海洋博物馆、在台中地区兴建自然科学博物馆、在高雄地区兴建科学工艺博物馆。台湾省部分包括设置每一县市文化中心,内设图书馆、音乐厅、文物陈列室。台北市部分包括在台北增设 7 个市立图书分馆,在预定兴建的社教馆内设置音乐活动中心一处)。

"十二项建设"于 1978 年开始实施,1984 年完成,历时 6 年,投资 78.54 亿美元。项目分布也反映出台湾当局促进工业升级、克服工农业失衡的急切心情。"十二项建设"的完成,改善了台湾的经济环境,加强了基础设施,为此后的工业升级提供了一定的条件。但是,这些建设并

没有从根本上解决台湾经济存在的问题，且这些计划项目多、工期长，留下了不少的"尾巴"。1984 年 9 月 21 日，台湾当局不得不再搞了一个"十四项建设"，其中不少就是"十项建设"和"十二项建设"的后续工程。

"十四项建设"涉及工业、农业、交通、环保、邮电通讯、能源、水利、生态、基层建设等，共 5 大类，14 个项目，30 个子计划，总投资约新台币 7239 亿元。大部分项目在 80 年代中期启动，其中 25 项在 90 年代初期陆续完成，5 项延至 90 年代中后期，建设周期长达十多年。

交通与通讯 5 项，即铁路扩展计划、公路拓展计划、台北市区铁路地下化计划、台北都会区大众捷运系统初期计划、电信现代化计划，投资额达新台币 3073 亿元，占"十四项建设"总投资的 42.4％。①铁路扩展计划的投资额是新台币 245 亿元，占投资总额的 3.4％，包括：投资新台币 212 亿元继续完成南回铁路计划，最终形成台湾环岛铁路网；投资新台币 34 亿元将高雄至屏东间的铁路由单线改为双线，缓解北回线拥挤的现象。②公路拓展计划的投资额是新台币 762 亿元，占投资总额的 10.5％，包括是：投资新台币 558 亿元兴建北部第二条全长 108 公里的高速公路，使之与中山高速公路结合形成北部完整的公路网（工程延至 90 年代中后期）；投资新台币 33 亿元修建台北县和基隆市界起至屏东水底寮止全长 512 公里的西部滨海公路网，构建一整体性的环岛滨海公路系统；投资新台币 71 亿元修建台北至屏东全长 452 公里的第三号（省道）纵贯公路。③台北地区铁路地下化计划是：投资新台币 205 亿元将纵贯铁路台北段移入地下，建设包括周边工程和主体工程并东延至松山，将有 50 年历史的台

北车站拆除，新建一幢 10 层大厦的新车站，并修建岛式月台 4 座，铁路主、副正线 9 股，形成办理列车次数 330 列/天的能力。④台北都市区大众捷运系统初期计划是：为改善台北市的交通，台湾当局决定投资新台币 88 亿元推动都市大众捷运系统建设。初期准备兴建 4 条路线（淡水—新店、新动物园—松山机场、松山—板桥、罗斯福路—中和），路网全长 85 公里。部分工程于 1992 年完工，全部工程则在 90 年代中后期陆续完成。⑤电信现代化计划则包括投资新台币 979 亿元实现都市电信现代化、乡村电话普及化及电信网络高级化等，至 80 年代末基本完成。

工业三项，即中钢公司第一期工程第三阶段扩建计划、电力发展计划、油气能源计划，投资新台币 2415 亿元，占"十四项建设"总投资的 33.4％。①中钢公司第一期工程第三阶段扩建计划是投资新台币 523 亿元（后减为新台币 429 亿元）在生产设备上大量采用程控电脑，以实现生产高度自动化，提高工作效率，控制产品质量，并增加线材、热轧、冷轧产品。工程于 1984 年 7 月动工，1988 年 4 月完工，形成年产粗钢 240 万吨的能力。②电力发展计划包括投资新台币 1410 亿元（不包括核四厂）在台北县贡寮乡兴建核能四厂、投资新台币 902 亿元在台中港附近兴建火力发电厂以及投资新台币 509 亿元修建明潭抽蓄发电工程。③油气能源计划包括投资新台币 153 亿元进行轻油裂解工厂更新计划和投资新台币 329 亿元兴建液化天然气专用接收站计划。

水利建设二项，即防洪排水计划、水资源开发计划，投资新台币 503 亿元，占十四项建设总投资的 6.9％。①防洪排水计划共投资新台币 328 亿元，包括台北地区防洪后续计划、继续河堤海堤修建计

划、继续区域排水计划、东部及兰阳地区治山防洪计划。②水资源开发计划投资新台币211亿元,包括兴建鲤鱼潭水库、后堀水库(又名南化水库)、四重溪水库,保证其周边地区的工业与民用用水需求。

环保与卫生建设二项,即自然生态保护及民众旅游计划、城市垃圾处理计划、医疗保健计划,投资新台币428亿元,占十四项建设总投资的6%。①自然生态保护及民众旅游计划是投资新台币148亿元建设玉山、太鲁阁、垦丁、阳明山4个"国家"公园和东北角海岸风景特定区。②城市垃圾处理计划是投资新台币280亿元在重要城市建立垃圾中转站和垃圾处理工厂,包括设置卫生掩埋场67处、焚化炉23座,改善或封闭掩埋场191处、自动化堆肥场1座,以及建立起若干配合性软体设施。

社会建设计划二项,包括医疗保健计划以及基层建设计划,投资新台币820亿元,占十四项建设总投资的11.3%。①医疗保健计划包括台湾大学医疗学院及附属医院的改进计划、荣民总医院改进及高雄分院计划、成功大学医学院及附属医院计划和建立基层医疗网计划,投资新台币430亿元。②基层建设计划包括整修市、乡、村道路、桥梁和排水沟渠,兴建产业道路;普及自来水;改善偏远地区居民生活等,投资新台币390亿元。

3."十年经济建设计划"

1979年,由于伊朗发生"伊斯兰革命",世界石油市场再次出现供不应求的局面,石油价格出现猛烈上涨,由此引发了长达四年的世界性经济危机。这场危机,给台湾经济带来了不小的影响。台湾消费者物价上涨率在1979年和1980年分别为14%和22%,而1981年和1982年分别回落至7.6%和—0.2%,转为下跌趋

势;批发物价上涨率在1980—1981年持续徘徊于16%~19%间,1982年下降至3%。台湾经济增长率则从1980年的7%下降到1982年的3.6%,其中工业增长率从6.8%下降到—0.9%,进出口贸易也出现不同程度的下降,特别是进口贸易,1982年比1981年下降了10.9%。

1979年7月,台湾当局决定停止实行原定"六年经济建设计划",拟订新的"台湾经济建设十年规划"(1980—1989年),并于1980年3月由"行政院"批准实行。这是台湾当局第一个中长期经济建设计划,也是整个80年代的经济发展规划。

十年计划分为总体计划部分和部门计划部分,又分为前五年(1980—1984年)与后五年(1985—1989年)两个阶段,主要指标是:保持稳定而较高的经济增长率,10年的平均增长率确定为7.9%,其中前五年的年均增长率为8%,后五年为7.8%;按1979年价格计算的1989年"国民"生产总值为新台币24901亿元,比1979年增加14倍;10年物价上涨率控制在6%,失业率控制在1.3%。具体部门指标是:工业生产在10年期间年均增长率为10%,其中前五年增长10.5%,后五年为9.4%;农业生产在10年期间年均增长率为1.5%;服务业年均增长率为5.8%;交通运输业年均增长率为7.4%;对外贸易总额年均增长率为12.5%,到1989年按当年价格计算,进出口贸易总额将达到2000万美元,人均消费额每年增长5.6%。

由于"十年经济建设计划"是台湾当局第一个中长期计划,制定的经验不足,加之1979年世界性的经济危机尚未"见底",故台湾当局对危机的严重性估计不足,过于乐观,将一些经济指标定得过高。事实上,1982—1985年间,受美国经济波动拖累,台湾工业发展遭到重大挫折,整

个计划几乎悉数落空。因此,台湾当局在制定 1986—1989 年经济建设中期计划(即第九期"四年经建计划")时,吸取了上期"四年经建计划"的教训,为减少计划的盲目性,降低了工业及其各个部门的计划增长目标,实行稳打稳扎的战略。该计划的工业发展方案预订为支持 6.5% 的经济增长率,工业部门的增长目标定在年均 6.1%,其中矿业为 1.0%,制造业为 6.3%,营造业为 5.7%,水电燃气业为 5.8%。4 年间将继续加强发展机械工业、电机工业、运输工具工业、电子及资讯工业等策略性产业,加速工业升级,改善工业结构,提高劳动生产率,降低能源密集度。基本金属及石化工业以稳定岛内市场的供应为主,并健全上、中、下游关联工业的整体发展。至于现有劳动密集型工业则鼓励更新机械设备,推动生产自动化,改善生产及经营管理技术,提高生产率。在该计划实施过程中,正值台湾提出"三化"政策,经济有效进行转型,促进了经济的迅速发展。四年期间,台湾经济年增长率达到 9.25%,工业增长率也达到 9.2%,均超出原定指标近三个百分点。

4. 第二次土地改革

60 年代末 70 年代初,台湾通过调整政策来解决日显严重的农业问题,收到些微效,但并不能从根本上挽救农业下滑的趋势。随着台湾资本主义工业化的推进,以分散为特点的小(自耕)农经济越来越不适应工业发展的需要,成为工业发展的累赘,必须解决农业的经营问题。为此,台湾当局在 70 年代末提出了第二次土地改革,试图通过第二次土改,使一部分小农失去土地所有权,成为雇佣劳动者;使一部分小农转变为大农,形成小地主、大佃农的格局,促进小农生产转向资本主义社会化大生产。

1979 年 12 月,蒋经国在国民党十一届三中全会发表讲话,提出"推动第二阶段的土地改革,进一步实现地尽其利、地利共享的目的"。1980 年 2 月 5 日,台湾"行政院长"孙运璇在台湾农民节庆祝集会上正式宣布了第二次土改计划。

第二次土地改革的主要内容和措施是:

(1)加速农地重划,辅导小农转业,促进土地所有权转移

所谓农地重划,就是耕地的转移与合并,农民之间以互换耕地的形式,把分散在多处的小块土地集中在一起,以利于农事耕作和管理,提高生产效益;或以自愿结合的方式将不规则的耕地连成一片,办成标准农场或综合利用。早在 1960—1971 年间,台湾当局就以此方式使耕地集中在一块的农户从 42% 上升到 86%,农田丘块从每块平均 0.07 公顷增加到 0.25 公顷。但重划工作涉及面广不易进行。此次农地重划,台湾当局专门制定了《农地重划条例》,规定重划工程费用由台湾当局与土地所有权者大致按 2:1 的比例分担;重划区不受行政区划的限制;重划区内耕地出售时,优先购买权的次序为出租耕地的承租人、共同经营的现耕农民、毗连耕地的现耕所有人。经过多年的努力,至 1985 年时,台湾办理重划的耕地达 35.03 万公顷,占全部适宜重划的耕地总面积(约 40 万公顷)的 87%。

农地重划可以让农户集中土地经营管理但并不能解决农户土地面积过小的问题。由于小土地私有制的存在,严重限制了农田经营面积扩大,因此无法真正提高农业生产效率。解决之道就是让一部分无耕种能力的农户自动放弃土地所有权,在政府的辅导下实行转业。按台湾当局的估算,若将岛内 90 万公顷的土地,从

分属 90 万农户转变为分属 30 万农户,将使每户农户经营的土地由原来的 1 公顷变为 3 公顷,但须安排 60 万农户约 370 万人转业,难度不小。为保证目标的实现,台湾当局一方面鼓励无耕种能力的农户出售土地,由政府辅导转业;另一方面,通过提供贷款的方式,辅导有能力的农户购买弃耕或厌耕的土地,以扩大耕地面积,达到适度经营规模。为此,台湾当局专门设立了"农地购置基金"约新台币 35 亿元,以低息贷给耕地较小的农户,协助他们购买耕地。按规定,每个农民可从基金中贷款购买 3 公顷土地,每公顷耕地的贷款额度从原来的新台币 10 万元上升至 30 万元,凡购买的土地获得免纳 5 年农业土地税的优惠。

(2)继续推广共同经营、专业区经营和委托经营等资本主义商业经营模式,扩大农业经营规模

所谓共同经营,就是土地相毗邻的农民,或者饲养同类禽、畜、鱼的邻近农民自愿结合起来共同经营。耕种土地者,一般由 20—30 户组成一个经营单位,耕种面积在 15 公顷甚至更多。共同经营的方式主要有三种:一是合耕经营,既整地、插秧、收割等生产过程的作业由共同经营组织协作进行,而保管、运输、出售等流通过程的作业由各户自行负责;二是合营分耕,即流通过程采取合营,生产过程则采取分耕;三是合营合耕,既联合生产,又共同买卖。共同经营是小自耕农在保持小土地私有制的基础上进行的劳动协作,旨在解决农业劳动力尤其是青壮年劳动力不足及购买大型农业机械困难等农业生产问题。由于其简单、灵活、有效在第二次土地改革期间成为土地改革的主要内容之一,经过推广,至 1985 年时,接受辅导、参加共同经营的农户共有 19.48 万户,占农户总数的 22%。他们累计组成 6061 班(组),涵盖 12.22 万公顷土地,占耕地总面积的 13.76%。

所谓专业区,就是按照农业生产规定的经营种类划定并建立产、制、储、销体系的地区,即把若干小型的共同经营的组织,联合成稍大的亦农亦商的产销联合组织。这种专业区经营的主要特点是生产专业化,即只生产一种特定的农产品,为加工出口提供农业原料。80 年代初,台湾的农业专业区发展迅速,有水稻、杂粮、茶叶、芦笋、香蕉、凤梨、禽畜、鱼虾等三十余种,四百余处,参加农户近 30 万户,耕地面积超过 5 万公顷,约占耕地总面积的 5.5%。

所谓委托经营,就是耕地面积过小或劳力、农业机械缺乏的农户,将农业的部分或全部作业委托另一农户或农业服务组织经营。全部委托的称为"代营",部分委托的称为"代耕",其中,"代耕"较为普遍,主要有机器耕地、插秧、收割、干燥等作业。在台湾农业生产中,委托经营的形式十分普遍,其中代为整地、插秧、收割者在 80% 以上,代为干燥者占 50% 左右。

(3)促进农业耕作机械化和农产品商业化,提高农民务农意愿

农业机械化是农业现代化的关键。为配合第二次土地改革,台湾当局制定了相关农业机械化计划,计划每公顷土地平均使用机械达 1 马力以上,整地机械化程度从 83% 提高到 93%,插秧机械化从 39% 上升到 90%,收割机械化从 39% 增加至 73%,干燥机械化从 39% 提升到 54%。为此,台湾当局出台多项措施,以各种优惠扶持农户购买农业机械,至 1985 年,台湾地区水稻整地、插秧、收割、干燥的机械化程度分别达到 98%、97%、95%、65%,远远超过了原定指标。

为了促进农产品商品化,台湾颁布实施《农产品市场交易法》,规定重要农产品,如稻米、蔬菜、青果、猪肉、鱼货等,由农民团体组织共同运销;设置批发市场,直接供应零售商;建立重要契约产销制度,加强农产品贸易与生产之间的联系和配合。

为了提高农民务农的意愿,促进农业发展,1980年1月和1983年3月,台湾当局将1973年制定的《农业发展条例》进行了修订,通过有关政策予以引导,如:奖励从事专业生产的农民;采取补助农业生产资料价款、提高粮食收购价格、收购民间余粮等措施,减少农业生产成本,增加农民收入;加强农村福利措施等。

(4)修订农业政策,加强农政的统筹和管理

为加强对第二次土地改革的组织和推广,台湾当局将原来"经济部"下属的农业司改为农业局(1984年该局与"行政院"农业发展委员会合并成立"行政院"农业委员会),统一掌握农业行政及规划、发展任务。与此同时,台湾当局还将过去颁布但已不合时宜的法规、政策进行调整、删除或补充。

为推进第二次土改的顺利进行,台湾当局作出了很大的努力,但直至1986年时整个改革的进展仍十分缓慢。据台湾方面的资料,1980年,台湾平均每户农民拥有耕地为1.04公顷,1984年为1.12公顷;到1986年时,才上升到1.15公顷。1980年时,台湾农户的总数是872267户,其中自耕农占82%,半自耕农占11%,佃农占7%;到1984年,台湾农户总数下降为797664户,其中自耕农仍占82%,半自耕农占11.5%,佃农占6.5%;1986年,台湾农户总数再降为771073户,其中自耕农占83%,半自耕农占11.6%,佃农

6.4%。1980年,农业就业人口占台湾就业总人口的比重为19.5%,1984年降为17.6%,到1986年时再降为17%。

1988年,台湾当局召开第二次"全国农业"大会,提出了"开创农业发展新境界"的要求。同年又提出了《农业改进九项措施》。1989年11月,国民党中央常会正式决定调整农地政策,研究废除《耕者有其田条例》,并修改《耕地三七五减租条例》,以促进农业经营规模的扩大。1991年7月,台湾正式实施"农业综合调整方案",对农业进行了大规模的调整。1992年,台湾决定放宽农地利用限制,允许农地买卖和转移,加速农地的集约化,提高农业生产效率,增加农民收入,使台湾农业真正实现现代化。

但台湾的农业发展仍步履艰难。90年代,台湾农业年均增长率除1990年(1.9%)、1991年(0.8%)、1995年(2.8%)和1999年(1.78%)外,其余年份均是负值。其中1998年为—7.05%,为国民党退台以来的最低点。这表明,台湾农业的衰退仅靠一两个政策和措施的出台收效是十分有限的。尽管在政策和措施推行之初可能会有些微改观,但自60年代以来,台湾农业在总体趋势上渐呈衰退之势,是不容置疑的。

5."三化"方针的提出与台湾的第三次经济改革

台湾当局对经济的控制,曾经在台湾经济恢复和发展中起过重大的作用。但是,原有的一套体制和办法,越来越不适应台湾经济形势的发展需要。

80年代以来,台湾公营资本本身,政企不分,运行僵化,缺乏效益,造成企业高成本低产出,只能凭借特权维持生存。"经济部"所属企业中,仅台湾铝业公司、台湾金属矿业公司和台湾机械公司三家

企业 1984 年度决算亏损就高达新台币 15 亿元。12 家省营企事业单位从 1982 年到 1984 年的 3 年中亏损总额高达新台币 88.2 亿元。

这些公营企业，都是一些长期独占本地市场的内向型企业，缺乏竞争动力，对技术更新的积极性远逊于民间企业。根据台湾经济研究所 1984 年对包括"中国石油公司"、台湾电力公司、台湾糖业公司、"中国造船公司"、"中国钢铁公司"等 5 家大型公营企业在内的台湾 21 家最大企业申请专利权项目调查发现，仅上述 5 家大型公营企业在 1974—1983 年度申请专利项目总共只有 12 项，占申请专利项目总数的 4%，仅为民营企业台塑集团申请专利项目的 10%、大同集团的 20%。公营企业这种技术上只求保守垄断不求革新创新，严重阻滞着台湾工业生产技术水准的提高，减缓了工业升级的进程。

公营企业拥有的垄断特权，严重地扭曲了市场竞争，相对削弱了民营企业的资本积累，使民营企业不仅要面对国际市场的竞争压力，还要承受公营企业的挤压，从而极大地挫伤了民间投资者的投资热情。民间企业在两种压力下，对提高企业资本和技术密集程度上力不从心，根本无法推动技术产业向前发展。

长期以来，台湾当局直接控制着金融业。公营银行具有不可动摇的独占性，"中央银行"不仅是具有唯一的货币发行权，而且还拥有金融利率的唯一确定权。各银行业务分工呆板，服务功能单一。进入 80 年代以后，金融体制不能有效地配合经济发展需要的问题日益明显。经济的发展和产业间的竞争，使民间投资者拓展投资领域的呼声日益强烈。改变民间几乎不能染指银行业的限制，进一步拓展、疏通资金渠道，提高银行的综合服务

水平，已成为台湾民间工商业者的迫切要求。

台湾当局对岛内资金的控制，不仅限于金融方面，还涉及资金的流向。长期以来，台湾当局严格限制资金流出岛外，致使台湾的对外投资规模一直较小。这种对外投资的限制，在早期曾对台湾的经济发展起到过积极的作用。但到 80 年代后，由于台湾游资泛滥，资金消化不良，这种限制就显得多余。为了使资金能发挥有效的作用，就必须为投资者资本输出开辟出更大窗口，即意味着放松这种限制。

另外，经过十多年经济的快速发展，到 80 年代时已积累了不少问题，台湾经济发展也走到了一个十字路口。经济中存在的工业升级缓慢、投资意愿低落、外贸面临种种压力等一系列难题，是任何单一性的调整措施都无力解决的。要解决台湾经济面临的各种难题，必须实施又一次综合性的调整。顺应这种经济发展的内在要求，给经济"松绑"，实现经济转型，已经成为刺激台湾经济发展的必由之路。"三化"方针就是在这样的背景下提出来的。

1984 年 11 月，台湾当局明确提出了"三化"政策。所谓"三化"，即自由化、国际化、制度化。"自由化"就是要尊重市场价格规律，减少不必要的行政干预，创造公平、合理的竞争环境。"国际化"就是将台湾经济纳入国际经济体系，扩大经济活动空间，开放岛内市场，促进内外交流。"制度化"就是修正法规，用法制来调节经济运行。其中，"自由化"是核心。因为台湾经济是出口导向型的经济形态，对外依赖严重，必须加强国际合作，而自由化正是国际经济交往的先决条件。

在"自由化、国际化、制度化"方针的指导下，台湾当局采取了一系列财经

措施。

第一,改革外汇贸易体制,走向贸易自由化。具体做法:一是在外汇管理方面,实现机动汇制,逐渐减少"中央银行"对汇率的干预,并于1989年3月对外汇操作方式作重大改革,废止中心汇率制度,允许汇率由市场自行决定。同时,大幅度放宽对外汇的管制,允许民间自由持有外汇。出口收入及进口所需外汇,可直接办理结汇,无须申报;外汇收入可由外汇持有人自由持有,不必结售给"中央银行"或其他指定银行。此外,外汇的汇出入最高限额也逐步放宽,汇出限额为500万美元,汇入最高限额为100万美元。二是放宽进口管制。到1988年底,台湾准许进口货品项目已占进口货品总数的98.5%,禁止、管制和暂停进口者仅占1.5%。从1990年1月1日起,进口商品全部免签进口许可证。三是大幅度降低关税。到1989年度,台湾平均名目税率已从1984年的23.48%下降到9.65%,实质税率为6.28%。李登辉执政以后,台湾当局把加入国际经济组织视为台湾摆脱"外交"困境,争取"国际生存空间"的重要手段。在先后加入了一些地区性的经济组织后,又于1990年1月1日正式提出申请加入被称为"经济联合国"的GATT(关税及贸易总协议),并为达到这一目标而加快了降低关税、减少限制的步伐。1992年,台湾的实质关税率平均已降至5.2%。为了尽快加入GATT,台湾当局于1994年2月又提出475项农工产品降税方案,其中73项工业产品机动调降30%,其他工业品平均降幅是17.5%,农产品为12.5%。

第二,改革投资体制,鼓励资本双向流动。自80年代起,台湾当局在继续开放侨、外资本和技术输入的同时,积极推动对外投资的展开,由过去"单向投资"策略转变为"双向投资"策略。具体做法:一是放宽外资进入设限,对侨、外商资本的投资业别、股份、结汇或外销比例等,都有相当程度的放宽。在"自由化、国际化"经济政策的诱导下,侨、外商私人直接投资持续增长,并向"大型化、多样化、高级化"方向发展,大型投资案和技术层次高的投资案明显增加,外资股份也由原40%提高到100%。外资带来的先进技术和管理经验的转移,以及国际市场的开拓,对台湾经济的发展起了重要作用。二是积极鼓励对外投资,将1972年公布的"对外投资审核处理办法"更名为"对外投资及技术使用审核处理办法",并修订了具体内容。例如,将对外投资厂商最低资本额的限制由1亿元新台币降至5000万元,给投资岛外自然资源开发或加工,并将产品运回岛内之厂商免税及延长免税期。修订后的"办法"还增列"有助于增进外交关系者"和"有助于促进侨务发展者"两项对外投资条款,并把对外投资核备权交给"经济部投资审议委员会"。后来,又再度将对外投资资本额的限制由新台币5000万元降至2000万元。此外,还制定了一系列辅导办法,如凡按规定向有关机构核备的厂商,可暂时引进外籍劳工在岛内训练,期满后再返回原地从事生产劳动;对外投资厂商可向指定银行申请对外投资融资和保险,其转移融通金额以不超过投资总额的30%~80%为限。台湾当局鼓励对外投资的政策促进了对外投资的迅速发展。1987年超过1亿美元,1989年达到9.3亿美元,1990年为15.5亿美元,1993年为16.6亿美元。

台湾当局将世界划分为八大投资区,即北美、东北亚、欧洲、东南亚、中东、大洋洲、中南美洲、非洲,并分别制定具体"投资方案"。台湾当局把投资重点放在美国和东南亚地区。大财团和官营企业主要赴美设厂。中小企业主要投向东南亚地区,并借机向外转移劳动密集型产业,以提高岛内产业层次;同时,利用东南亚地区丰富的资源和廉价的劳动力,更有力地参与国际竞争。

第三,实行金融自由化和国际化。在从严格管制转向逐步自由化方面,一是实行利率自由化。自80年代以来,"中央银行"逐步废除利率管制。首先,从货币市场开始,再渐及银行存放款利率。1989年7月,台湾修改了"银行法",使银行利率完全由银行自行决定。1991年10月,"中央银行"将银行拆款市场与短期通融市场合并为金融业拆款市场,使岛内银行、外商银行、信托投资公司、票券公司、证券金融公司及保险公司均可参加拆款市场公开竞标,落实利率自由化。二是实行外汇自由化。包括:①开放外汇市场。1989年4月,"中央银行"实行一种废除中心汇率,以自由议价为基础的汇率制度,汇率由市场供需决定。与此同时,"中央银行"也开放新种外汇金融商品,如:1991年6月开放外币间换汇及保证金交易;同年11月,重建远期外汇市场,允许与贸易有关的交易采取此项避险措施;1992年9月开办美元对马克的第三种币别交易,并于10月就此项业务与新加坡的国际货币经纪商联机。②撤除外汇管制。允许进出口商自由持有及运用外汇,以从事贸易。放宽资本账交易的限制,允许个人或公司每年提高汇出及汇入款分别达500万美元,无须事前核准,也不限制用途。③放宽金融机构的设立与业务经营范围。不仅逐步接触对岛内新银行设立及业务活动的限制,而且放宽外商银行在台分行的业务,允许外商银行在台分行设立2个以上的支行,开放外国银行在台办理储蓄存款及信托业务。

在从内向发展转向外向发展方面:①吸引外国银行继续来台设立分行。②鼓励增设海外分支机构。截至1993年4月,岛内银行在海外设立分支机构达60处,遍布美欧亚三大洲的各大都市。为了加强与国际金融机构的联系及信息交流,提高金融外汇操作效率,学习国际金融中心的发展经验,1993年4月,"中央银行"正式成立了第一个海外金融据点——驻纽约世界金融中心的代表处。③成立国际金融业务分行。截至1992年12月底,已开业的国际金融业务分行共35家。自1992年5月起,"中央银行"准许国际金融业务分行扩大承办业务范围,如境外客户的外币信用状开发、外币保证、承兑及外币票据贴现等。④建立外币拆放市场。为了方便银行、厂商筹措外币短期资金,自1989年8月起建立了台北外币拆款市场,与新加坡、香港及东京国际货币经纪商联机交易。由于台湾经纪公司遍及东京、香港等地,因此台北外币拆款市场与东京、香港及新加坡连成一体,促进了这个市场的发展。⑤推进证券市场国际化。具体措施有:准许岛内官、民营事业在海外发行可转让公司债;外国人可投资岛内各种投资信托基金,外国专业投资机构可投资台湾股票市场;可以用在岛内募集的证券信托基金投资海外有价证券,通过岛内银行代销售及外国投资顾问机构的协助,在岛内募集"指定用途信托资金投资海外有价证券",以各种共同基金名义投资海外证券;准许美国美林、协利证券投资公司在台设分公司,岛内投资者可通过这两家公司投资纽约、伦敦、东京的证券市场。

1994年3月,台湾"行政院经济建设委员会"为了配合争取加入"关税及贸易总协议"和推动台湾成为亚太区域营运中心,进一步提出推动金融自由化改革的清单。改革的重点包括 10 项内容:放宽资金移动限制,逐年取消外汇管制与资金进出境的限制;放宽股票上市审查准则;增设"非公开募股"相关规定;增设非银行金融服务业的相关管理规范;简化并降低外资进入台湾金融市场的障碍;删除或放宽股权限制;放宽最低资本额限制;放宽金融服务业经营业务限制;开放证券市场,加强培训金融专业人才;成立"台北区域金融中心推动小组",加强推动设立台北区域金融中心。

第四,推行官营企事业民营化。为解决官营企事业的种种问题,台湾当局决定把推行官营企事业民营化列为以"自由化、国际化、制度化"为指导方针的经济改革的重要内容之一。从 80 年代中期开始,陆续采取的主要措施有:一是开放原官营企事业独占的领域,让民间参与竞争。如准许民间设立银行,批准"台塑"企业集团兴建第六轻油裂解工厂等。二是将部分官营企事业单位转为民营。1989年 7 月,"行政院"成立了由"经建会"、"经济部"、"财政部"、"交通部"等单位组成的"跨部、会"推动机构——"公营事业民营化推动项目小组",负责制定官营事业民营化方案,修订或制定有关法令,研究解决民营化问题的途径,审议民营化的执行方案和其他重大相关事宜。1991年 6 月,"立法院"通过"公营事业转移民营条例修正案",1992年又通过"条例实施细则",基本形成了一套较为完整、系统的民营化政策。台湾当局选定为第一批实施民营化的官营企事业单位有 22 家,其中包括"中钢"、"台机"、"中国石油化学工业开发"、"中华工程"、"中华产物保险"、"交通银行"、"农民银行"、"阳明海运"、"中船"9 家

"国营"企事业单位以及华南银行、第一银行、彰化银行、台湾中小企业银行等 13 家"省营"企事业单位。民营化的方式主要是拍卖股权和股票承销,即股票公开上市,以官股释出比例达 51%以上为完成民营化的标准。1994 年 6 月,"中石化"和"中华工程"正式完成股票过户,转为民营。这是继"中国产物保险公司"之后,40年来第二家和第三家转由民间人士接手的官营事业单位,也是"经济部"所属的事业单位中首先转为民营的两家公司。"经济部长"江丙坤指出,"民营化是必走之路","经济部"希望除了"台糖公司"之外,其他部属事业单位,包括"中油"、"台电"都能由民间投资经营。预计到 2001 年,台"经济部"所属的"国营"企事业单位除"台糖"外,都将转为民营。

随着民营化的实施,以及私人资本和在台外国资本的不断发展,官营企事业在台湾经济总体中的比重将继续下降,但是预计在今后相当长的时期内,官营资本仍将在金融、能源、交通等重要部门处于控制和支配地位。

继续调整产业结构。在产业升级政策方面,首先是调整奖励投资政策。制定了"促进产业升级条例",取代原有的"奖励投资条例",加强对研究发展自动化技术、培训人才、建立国际品牌形象的产业的投资奖励,旨在提升产业发展层次。其次是制定高科技产业发展规划。台湾当局为了彻底调整产业结构,加速推动高科技产业,于 1991 年制定新"国建六年计划"时,确定以兴建十大新兴产业为工业发展方向。它们是"通信、信息、消费性电子、半导体、精密机械与自动化、航天、高级材料、特用化学品与制药、医疗保健、污染防治"。这十大新兴产业的特点是:市场潜力大、产业关联性强、附加价值高、技

术层次高、污染程度低、能源依存度低。根据规划,1990—2000 年,10 种产业的平均增长率是:通信工业 16.0%,信息工业 15.1%,消费性电子工业 7.0%,半导体工业 14.8%,精密机械与自动化产业 13.5%,航天工业 24.5%,高级材料工业 14.3%,特用化学品与制药工业 10.8%,医疗保健工业 18.5%,污染防治工业 13.9%。再次是提出把台湾建成"亚太营运中心"的构想。这个旨在吸引国际跨国公司来台投资,将科研开发、财务调度、存货、保养等业务部门设在台湾,使台湾成为欧美厂商在亚太地区的经营基地,以吸引更多的人才和技术,改变台湾企业规模小和技术力量薄弱的状况,促进台湾的产业升级。

在向技术密集型产业升级方面,经台湾当局的大力推动,产业升级已初现成效。台湾是出口导向型经济,我们可以从出口产品的技术含量来了解它产业升级的情况。1987 年,出口产品中劳动密集型产品占 47.9%,1992 年下降为 39.2%。与此同时,技术密集型产品则由 1987 年的 19.4%增至 1992 年的 29.5%。

在发展第三产业方面,自 80 年代后期以来,台湾产业结构发生了重点变化,第三产业逐渐取代工业在经济活动中的地位,台湾已走向以第三产业为主体的时代,第三产业生产总值与就业人数均居三大产业的首位。台湾"经济部研究发展委员会"表示,台湾自实施经济自由化和国际化以来,产业走向经调整变化已呈现工业与服务业并重的态势,服务业产值占经济总产值的比重,由 1986 年的 47%提高为 1994 年的 59.2%;工业产值由 45%降为 37.3%。目前,台湾发展第三产业的主要措施有:(一)健全第三产业发展的法规体系。1991 年和 1993 年相继制定并通过了"公平交易法"、"贸易法",修订了"公司法"、"商业登记法"、"商业会计法"等,完善了第三产业的相关法规。与此同时,全面取缔违法地下经济活动,辅导服务业的正常发展。(二)培养服务业人才。台湾积极改革各级学校教育制度,培养各种服务业所需的人才;扩大服务业就业人员进修教育,健全服务业人才专业执照考选制度,提高服务业人员素质。(三)落实第三产业区位规划,实现服务业发展地方化。(四)推动服务业自动化。全面推动运输、电信建设,扩充服务业发展的基础设施,推动服务业自动化,提高服务业技术水平。1989—2000 年,在服务业自动化方面计划投资 616.2 亿元新台币。随着台湾社会经济的发展,社会分工日益精细,新的行业将不断涌现并加入第三产业行列,第三产业所含范围将日益扩大,第三产业占 GDP 产值的比例将进一步提高,并接近发达国家的水平。

在开发人力资源方面,台湾当局为了适应国际化产业向技术密集型、知识密集型发展,以增强竞争能力,十分重视人力资源的开发。采取的措施有:积极发展正规教育和职业技术教育,"国民义务教育"延长至 12 年;努力改善知识分子待遇;逐步完善教育方法,先后制定和颁布"大学法"、"国民教育法"、"幼儿教育法"、"师范学校法"、"职业学校法"、"教师法"以及相关的法令、法规等,使教育事业的发展从法律上得到保证。台湾当局还制定了"人才教育及延揽高级科技人才方案",各大学增设研究所,加强培养博士、硕士人才,工业技术研究院等机构培养企业界需要的实用型科技人才,逐步建立科学人才培养体系。台湾当局计划至 1996 年,每万名人口中的研究人员数要由 1986 年的 12 人左右增加至 20 人,研究人员数量要由同期的 2.5 万人增加到 4.3 万人,其中硕士、博士所占的比例将由同期的 1/3 左右提高到 1/2,经费将由 250 亿元增加到 1000 亿元,实现人才倍增,经费翻两番。此外,台湾当局采取建立海外科技人才档案,官方负责招揽,允许具"双重国籍"的人才回台服务等措施,积极延揽海外优秀科技人才。与先进工业国合办专业技术学院,集各国之长,吸取各国的先进技术。凡此种种,对于继续调整产业结构,促进产业升级,都起到了不可低估的作用。

自由化、国际化、制度化政策的制定和执行,标志着台湾经济从高保护状态走向自由开放状态。这是台湾当局经济战略决策的重大转折。这一政策的实施,进一步调动了企业经营者的生产积极性。

6. 产业升级

"工业升级"也即工业中的产业部门由劳动密集型向资本密集型、技术密集型转变。台湾的产业升级前后有两个阶段:第一阶段是发展重化工业,第二阶段是发展高科技工业。

工业升级的第一阶段,是从 70 年代初期开始的。台湾当局在充实轻纺工业的基础上,加快了重化工业的建设,增加了在钢铁、石油化工等领域的投资,以逐步增强其生产资料方面的自给率。试图以自产工业原料、机器设备、工业产品取代进口,以减轻对进口的依赖程度。70 年代后,台湾陆续兴建了造船、化纤、炼油、炼铝及钢铁等资本密集型产业。

但是,台湾在一少资源二少市场的情况下发展重化工业困难重重,主要是:第一,原有的工业企业落后。规模小,设备次,技术低,且 90% 以上是中小企业,进行改造十分困难;第二,能源缺乏,市场过分依赖外国,受国际市场的影响巨大;第三,重化工业所需投资多、时间长、周转慢、风险大,民间投资意愿低落。

第一阶段的工业升级,虽使台湾初步建立了钢铁、石化等重化工业,但在第二次石油危机的冲击下,台湾当局深感大量重化工业不宜进一步发展,因而决定从 80 年代初开始把经济发展战略由资本密集型向技术密集型工业,即高科技工业。由此,工业升级进入第二阶段。

技术密集型工业的特点是:技术密集度高,产品附加值高,能源系数低,污染程度小,国际市场广阔,产业关联效果大。为保证高科技工业的发展,1981 年和 1983 年,台湾分别制定了"十年人力发展计划"和"加强培育及延揽高级科技人才方案",以满足对大批高科技人才的需求。在财力资源方面,1982 年台湾"交通银行"改组为开发银行,配合"创业投资推动方案",提供长期低利资金并参与投资。从 1983 年起,台湾"中央银行"开始提供高科技产业发展的中长期稳定性资金;1986 年后又组织"汉通"、"和通"、"国际"、"台湾"等多家创业投资公司推动高新技术产业的发展。另外,台湾还先后颁布并提出"促进产业升级条例"、"十大新兴工业发展策略"及"科学工业园区设置管理条例",从多方面来扶植、培育高科技产业的发展。

作为技术密集型工业的核心和主力的电子信息产业是 80 年代以来台湾新兴的重要产业,已成为台湾经济发展的支柱产业。1980 年,台湾从事信息产品制造的厂商只有 17 家,营业额约为 5.8 亿美元,经过 10 年的发展,到 1990 年时制造厂商已达 600 家以上,增加了 35 倍。进入 90 年代以后,台湾的信息产业以前所未有的速度向前发展。1996 年台湾的信息产业产值已达到 164.14 亿美元。1997 年达 385 亿美元。2000 年时,产值约为 500 亿美元,已连续6年仅次于美、日,居世界第三位,在世界上占有一席之地。台湾该产业有14项产品居世界市场占有率第一位,全球占有率超过30%。尤其在半导体加工生产方面更处于世界领先地位,全球有1/3芯片由台湾企业加工生产。目前,台湾是世界上仅次于美、日、韩的第四大半导体生产基地。

伴随着信息电子产业迅速发展,台湾的技术密集工业产值占工业产值的比重从1986年的24%上升为1997年的39.1%,到2000年已超过40%。与此同时,台湾传统产业却因劳动生产成本的上升、技术更新的落后、筹资不易而增长放慢或衰退,在整个国民经济中的地位迅速下降。1986年到1997年,台湾传统工业产值占制造业产值的比重从40.4%降为24%;1988年到1999年,传统产业就业人数减少36万人;1995年到1999年短短的5年间,传统产业股票市值占股票上市总值的比率从50.6%降至28.8%。目前250家传统产业公司的股价低于公司的净值,从而与电子信息产业的迅速发展形成鲜明的对照。

但必须看到的是,台湾产业升级过程中存在着许多问题。首先,产业升级不平衡。在台湾产业升级中,取得明显效果的是高科技产业而非整体行业,在高科技产业中,较有成绩的又只有电子资讯产业。台湾整体经济的增长对电子资讯产业的依赖过大。到2000年,台湾资讯产业的出口已占到台湾出口总额的三成以上。这种过分依赖电子资讯产业,而电子资讯产业本身又以制造为主,易受客观因素影响的状况,大大增加了整体经济的脆弱性。其次,产业升级的后劲不足。台湾的电子资讯产业是利用发达国家已开掘的资源,参与第三次产业革命浪潮的,其所

追求的目标,基本上在发达国家或地区已经实现。因此,其整体水平与世界发达国家比仍不算高。最后,产业升级所需人才供应不足的现象日益明显。

7. 新竹科学工业园的建立

台湾当局为发展技术密集型工业、实现工业升级的一个重要举措,就是在台湾西北部的新竹,仿照美国斯坦福工业公园模式筹建了“新竹科学工业园区”(简称“新竹科工园”)。

新竹县(1982年升格为新竹市)距台北市约70公里,距桃园国际机场、基隆港、台中港均不远。境内有纵贯铁路、南北高速公路通过,交通极为方便。台湾的一些著名大学和研究机构如清华大学和工业技术研究院也设在新竹,科技条件较好,加之环境风光秀丽,气候宜人,确是一处理想的园区地址。

新竹科工园从1976年5月开始筹建,1980年12月14日正式揭幕开园。园区规划占地2000公顷,计划投资10亿—15亿美元,用10年分3期完成。第一期3年(1980—1982年),为“科技转移期”,重点在于引进高科技工业的整体技术、人才和制造经验,使产品尽快走向市场;第二期3年(1983—1985年),为“培养产品竞争力期”,重点在于科技生根,市场拓展,以培养研究发展人才,推动建教合作,充裕基本材料及零件供应,建立高级工业基础,强化产品竞争能力为主;第三期5年(1986—1990年),为“突破期”,重点在科技突破,产品创新,力争自行发展台湾的优质产品,加入世界高级产品的竞争行列。台湾当局就是通过创办新竹科学园区,使之能成为台湾高科技密集产业的“硅谷”,带动台湾的高科技产业的发展。

为保证新竹科工园建设的顺利进行,从筹建时起,台湾当局就着手拟订有关园

区的管理法规。先后于 1979 年和 1981 年颁布了《科学工业园区设置管理条例》和《科学工业园区设置管理条例实施细则》，加上其他的配套法规、相关法规，构成了台湾科学工业园区完整的法规体系。这些法规，分别对投资范围、投资者资格、税收、征用土地、土地租金、物资进出口、人员出入境、人才引进与培养等方面都作了明确的规定。

自 1980 年 2 月完成园区第一期工程、正式开业以来，成绩不错。到 1988 年，经核准入园的厂家共 82 家。其中，生产计算机类 25 家、集成电路 16 家、电讯类 12 家、电子类 9 家、科学设备器材类 9 家、精密机械类 5 家、生物技术类 3 家、光学组件类 2 家。园区从业人员 1.36 万人，其中博士 82 人、硕士 537 人、大学本科毕业生 2258 人、专科生 2340 人、海外回台学者 372 人。到 1995 年时，经核准入园的厂家已达 179 个。其中集成电路厂家 52 家、电脑及外部设备 43 家，这两大类企业占到总厂家数的 53%；另外，通讯产业 30 家、光电产业 26 家、精密机械产业和生物技术产业分别为 17 家和 11 家。科工园从业人员达到 3.8 万人，其中专科以上学历者达 2 万人，占 52%；博士、硕士等高科技人员有 4500 人，占 12%。园区公司经理中，博士、硕士各占 1/3。

新竹科工园建成后，不仅成为台湾信息产业的中心，也成为世界信息产业的中心。不论在电脑硬件还是半导体加工方面，该园区均成为全球生产的重镇。其产品更是在岛内占有举足轻重的地位。1996 年，科学园区各项主力产品占岛内的比重分别为：积体电路 100%、终端机 85%、扫描器 75%、工作站 64%、微波通讯元件 63%、网路卡 59%、发光二极体 52%、局用交换机 35%、个人电脑 27%、鼠标 27%、软式磁碟机 22%、数据机 20%。1993 年园区的营业额已达 1290 亿新台币。

经过 20 年的发展，新竹科工园不仅在科技园区的建立和管理上积累了丰富的经验，而且在台湾工业结构调整、商品结构调整中发挥了重要的引导作用。园区厂家的许多高新技术产品已跻身国际市场，获得用户的好评。

新竹科工园的建立，在台湾经济发展和工业升级中发挥了越来越重要的作用。当然，新竹科工园的发展还存在不少的问题，如前期外商投资的热情不高，园区内真正采用最新技术的工厂还不多，其产品还大多处在装配阶段，且有的产品成本偏高、质量欠佳，因而影响了园区产品在国际市场上的竞争力。

8.“国建六年计划”

从 1953 年起，台湾当局先后实施了 9 期“四年经济建设计划”（其中第七期改为“经济建设六年计划”）。1991 年 2 月又开始公布实施“国建六年计划”（1991—1996 年）。

80 年代末 90 年代初，台湾经济在高速发展的同时出现了诸多“失衡、脱序”现象，表现为交通拥挤、环境污染、治安恶化、文化娱乐设施不足等，并由此导致生活质量下降，民众不满增加，企业竞争力减退等社会问题加重。针对上述种种问题，台湾当局制定了旨在突破经济发展的“瓶颈”，全面提高民众生活质量的“国建六年计划”。

“国建六年计划”的主要目标是“重建经济社会秩序，谋求全面平衡发展”。

“国建六年计划”具体规划出各个方面的“政策目标”：一是提高国民所得。为了创造就业机会，提高国民所得，增进民众福利，台湾当局计划在 6 年内推动多项重大公共建设,以带动岛内需求的继续扩张,并增强生产潜力,维持经济持续稳定增长。计划要求:6 年间台湾经济年平均增长率为 7%,人均"国民"生产毛额由 1991 年的 8000 美元提高到 1996 年的 14000 美元;消费者物价上涨率在 1991 年不超过 5%,1992—1996 年平均为 3.5%。二是增强产业发展潜力。计划要求将台湾建设成为西太平洋的金融中心、交通运转中心、科技重镇,使台湾在国际经济中占据重要的地位。三是均衡区域建设。计划要求促进区域经济的均衡发展,尤其要发展落后地区的基础设施,缩小各区域发展差距。四是提高生活质量。计划要求在产业区位的周边地带,规划和建设 18 个"生活圈"。同时要求加强社会福利与安全,健全环保法规及体制,做好环境保护和生态保护工作。

"国建六年计划"以公共投资为重点,计有 75 项工程,包括运输通讯、能源开发、都市住宅、社会福利安全、文教、农业、水利防洪、工业、环境保护、科技、观光旅游、医疗保健、服务业及其他等 14 大部分,涵盖了台湾经济、社会、文化等各方面,总预算投资 82382 亿元新台币(约合 3000 多亿美元),相当于 1990 年台湾"国民"生产总额的两倍。资本来源以官营资本、民营资本为主,外国资本为辅,其中官方投资于能源、重型机械以及钢铁、化学原料等重化工业部门;外资参与核电、航天、都市运输系统等技术和资本密集型工业项目;民营资本参与兴建住宅、购物中心、停车场等一般生活服务性设施。

"国建六年计划"按实施顺序分为三个层次:一是延续性计划,即 1991 年底以前已经核定,目前正在进行与将要进行的计划,投资占总预算的 60.03%;二是新兴甲级计划,即迫切需要优先实施的计划,投资占总预算的 32.25%;三是新兴乙级计划,即优先实施的计划,投资占总预算的 7.72%。

"国建六年计划"中的基本建设项目主要有 7 项,即高速公路、一般公路、高速铁路、一般铁路、都会捷运系统、货物转运系统、东部交通现代化。

(1)高速公路。①拓宽改善中山高速公路;②兴建北部第二条高速公路,全长 108 公里;③兴建北宜高速公路,全长 30.8 公里;④实施第二高速公路后续计划,修建长约 431 公里的公路;⑤兴建南横高速公路,全长约 80 公里;⑥兴建东部高速公路,先行办理可行性研究工作。上述高速公路完工通车后,台湾地区高速公路的长度将由原来的 382 公里增加到 1072 公里,每千平方公里内高速公路的长度将由 10.61 公里增加到 29.75 公里,超过 90 年代初的日本、法国、瑞士等国拥有的里程。

(2)一般公路。①拓宽西部走廊的主干道台一线;②改善台北至屏东的台三线;③拓建自基隆至屏东的西部滨海快速道路;④改善自名间至顶坎的台十六线,长 20 公里;⑤改善自花莲至台东的台九线;⑥改善和拓宽东部海岸公路台十一线,全长 173 公里;⑦改善自砖子瑶至岭口段的台二十线,长约 15 公里;⑧拓宽改善中山高速公路及北部第二高速公路交流道联络道路;⑨改善东北角海岸风景特定区道路等主要观光风景地区联外道路;⑩改建台北大桥及华江大桥等主要公路桥梁;⑪配合生活圈交通网系统,新开辟 10 条东西向快速道路,以衔接西滨快速道路、中山高速公路及第二高速公路,使城乡生活一体化。

(3)高速铁路。兴建北起台北、经桃园、新竹、台中、嘉义、台南,直至高雄,全长 344 公里的高速铁路。建成后,全程行车时间在 2 小时以内。工程预计在 1996 年完成。

（4）一般铁路。①继续完成兴建南回铁路计划，自屏东枋寮至台东卑南，全长 98 公里；②完成山区线竹南至丰原双轨计划，改善屏东枋寮铁路；③完成台北市区铁路底下化东延松山工程，自华山至松山，长 5.33 公里；④将万华、板桥间铁路扩建为四轨，同时实现地下化，并改建板桥站；⑤实现东部铁路现代化；⑥继续实施平交道改建为立体交叉道工程；⑦实施重要都市铁路立体化计划；⑧实现高雄市区铁路地下化等。

（5）都会区捷运系统。项目包括台北、高雄、台中、台南、桃园、新竹等城市市区公交运输系统的规划和建设。

（6）货物转运系统。建设项目包括仓储货柜服务区、工商综合服务区、商品冷冻加工仓储设施等。

（7）东部交通现代化。主要建设项目包括继续兴建南回铁路，改善东部铁路、公路，改善花莲机场航管设施等。

台湾"国建六年计划"的实施，从总体上来说起到了奠定经济基础、吸引投资、提高效益、改善环境的作用。但计划自 1991 年推出后不久，就因为"耗资庞大"和"评估不足"而受到经济界和民意代表的质疑。在实施两年多的时间里，因实施不顺利，严重影响到台湾经济的发展。针对这种情况，台湾当局不得不在 1993 年对计划进行"中期评估"和调整。调整的情况为：①总体经济指标适当调低。1994—1996 年，经济增长率由原定的 7% 调为 6.2%，降低了 0.8 个百分点；"政府"消费年增长率由 11.3% 降为 3%；固定资本投资年增长率由 15.5% 降为 10%；物价上涨率控制在 4% 以内（原为 3.5%）。②经费和项目有所压缩。总经费压缩 1/3，项目削

减近 1/5，由原订的 775 项削减为 632 项，减少 143 项；项目依轻重缓急重新排列，有些项目的执行时间延长。

为了确保调整后的计划顺利实施，台湾当局又推出为期两年的"振兴经济方案"。方案在财政、金融、环保、土地、人力、公共建设、公共事业及两岸经贸关系等 10 个方面，提出了对策。稍后，台湾当局又对这个方案进行了修正，由原来的 10 项经济对策缩减为 5 项，只涉及土地、产业升级、财政金融、两岸经贸、非经济因素等 5 个方面。台湾当局企图通过"振兴经济方案"，达到促进"产业升级"和"将台湾建成亚太区域营运中心"两大政策目标。

八

社会运动蓬勃发展

进入 80 年代以后，随着台湾社会的转型，经济利益的再分配，政治力量的再组合，社会矛盾日益多元化。特别是台湾政治体制出现松动后，民间社会力量开始逐渐发挥出来。他们通过各式的社会运动，与国民党的社会政策相抗衡。此阶段大致有原住民人权运动、残障及弱势团体抗议运动、政治受难人人权运动、生态保护运动、妇女运动、老兵福利运动、果农抗议运动、教师人权运动、反污染自力救济运动、消费者运动、劳工运动、校园自治运动、新约教会抗议运动、老兵返乡运动等 14 个社会运动。

1. 消费者与环保运动

消费者与环保运动的兴起，是台湾民众争取生活品质和生活权益的结果。

消费者保护运动，最早出现在 1973 年，系由台湾当局推动所至，而真正开始具有组织性的运动形态，则是在 1980 年

11月1日消费者文教基金会(简称"消基会")成立之后。"消基会"是一个民间团体,其使命就是保护全台湾消费者合法权益。该组织下设19个委员会,利用比较试验、调查、申诉、诉讼等方式,挖掘了相当多的有关食品卫生、商品标示与价格计算等消费问题,并积极参与国际性事务(如拒乘日亚航老班机并督促其汰旧更新、促成进口产品降价以反应关税与汇率降低后的成本等)、公共政策(如参与新营业税、公平交易法与消费者保护法的制定与修改等)、求偿(如为多氯联苯患者打官司与募捐、争取因味全AG—U奶粉导致低血钙婴儿的补偿、要求三阳泡水车赔偿以改善新店喜洋洋社区供水系统等)等活动。同时,该组织还运用新闻传播媒体对消费者进行宣传、引导,提高消费者的保护意识,如该组织的《消费者报导》(月刊)就为此做了大量的工作。尽管"消基会"因财务危机时常陷入困境,但为维护组织的公正、客观,宁愿清贫也不到企业募捐,使该组织在台湾影响力极大。1992年台湾"立法院"通过的《消费者保护法》,就是以该会的条文为蓝本,几乎一字未改便形成了法律。

民间环保意识早在60年代就已产生,但形成较有规模的运动,则是1986年高雄永安乡"中国石油公司"液化天然气专用接收站挡路风波和求偿事件,以及同年更具影响力的鹿港杜邦设厂事件。在此之前,虽有彰化花坛事件、高雄林园阿米诺酸事件、台中大里三晃农药厂事件、新竹新丰倍克厂事件、反核四厂筹建事件,但只具地方性影响力,且组织性较差。自1986年后,台湾环保联盟、新环境基金会和地方性环保团体(如台中、彰化、新竹、宜兰等公害防治协会、台中市新环境促进协会、台东环保协会等)陆续成立且加强联系,台湾的环保运动逐渐呈有组织性的行动。1988年9月,高雄林园工业区内一废水处理工厂废水外溢,造成附近河川的鱼贝大量死亡,引起附近渔民的极大不满。数百名怒不可遏的渔民包围了工业区管理中心,要求赔偿。协调不成,10月13日,数以千计的当地民众冲进工业区,迫使18家工厂先后停工,造成台湾石化业及相关产业每天高达20亿元新台币的损失。最后,工厂被迫赔偿受害居民13亿新台币,创下岛内公害赔偿数额的最高纪录,从而结束了长达24天震撼全岛的环保冲突事件。

值得一提的是,80年代以来,台湾的反核运动迭起。早在1980年,台湾当局为缓解电力紧张,就拟建"核能四厂",但从1979年3月至1984年7、8月间,岛内外不断有核电厂事故的消息传来,引起台湾民众的关注,台湾不少民众对建厂予以反对。因核电站可能引发的环保问题影响甚巨,反对者的阵营逐渐扩大。他们中,除了"核能四厂"所在地贡寮乡的反核组织(主要是乡民代表)外,还包括"监委"、"立委"在内的众多人士和团体。到1985年4、5月间,终于形成了"反核"运动的第一次高潮,迫使台湾当局不得不在5月2日下令缓建"核能四厂"。

1985年以后,台湾的反核运动又因为连续的核能事故,特别是1985年7月7日"核能三厂"大火,1986年4月28日苏联切尔诺贝利核电站爆炸事故,10月"核能三厂"工人遭核污染事故以及1987年4月1日核能一、二厂值班员工打瞌睡、15日"核能一厂"员工被电弧击伤、8月30日"核能三厂"模拟操作中心工地失火的消息传来,"反核"运动更具组织化,"反核"的声浪也逐渐从都市向台湾地区的偏远角落发展。

环境保护是一个比消费者权益更复杂、规模更大的问题。其主要形式是自力救济，即民众在自身利益受到损害而又无法可循，投诉无门；或不甘心遵循恶法，不服从不合理的解决办法时所采用的一种靠自身力量伸张正义和维护权利的行为。这是台湾民众不得已而采取的行动。早期的民间环保运动较多采取和平请愿或抗议的方式进行，但由于台湾的环保立法不健全，制造污染的企业又往往自恃其财势收买各级机关或雇佣律师制造不实反证，使得通过法律途径无法解决，遂使带有暴力色彩的自力救助成为80年代后台湾环保运动的主流。另一个形式则是发展环境保育行动，如1981年8月由台北地区文艺界人士和学者发起的"台湾恒春半岛保护过境候鸟行动"，1983年由专家学者和生态保育人士发起的"保护淡水河口红树林区行动"等。

进入90年代，环境保护与经济发展的矛盾日益突出，环保运动政治化、环保运动暴力化的趋向愈来愈明显。民进党在与国民党斗法的过程中，也搅入其中。他们往往借助民间环保运动，对国民党的经济政策和经济活动发起一次次进攻，从而影响了台湾经济的发展。

2. 妇女运动

受中国传统文化的影响，台湾妇女的地位一直较低。70年代初，随着台湾女性知识分子产生、壮大和受美国妇女解放运动的影响，台湾妇女争取公平待遇的社会运动也逐渐展开。但由于当时社会民主化程度不高，妇女运动所得到的社会支持极为有限。毕业于台大法律系的吕秀莲是在台湾妇女运动中注入女性意识的第一人。她在美国留学期间，接触女性意识思想，1971年回台后，通过在报上发表文章和座谈、演讲、出版丛书等形式，大力提倡"新女性主义"。1982年，《妇女新知》杂志社成立，集合了一批妇女，传播其"唤醒妇女、支持妇女、建立平等和谐的两性社会"的主张，奠定了80年代女权意识发展的基础。

1985年至1987年间，台湾妇女团体纷纷成立，分别由热心参与社会的知识女性为领导人，如主妇联盟、前进妇盟、妇女救援协会、晚晴协会和彩虹项目等。由于她们所关心的对象和课题与社会事件相配合，因此在大众传播媒体上频繁出现。这些新出现的妇女团体与传统的妇女团体不同的是，除了以提高女性自觉为前提外，还以座谈会和发动签名、游行、抗议等方式来唤起社会关心妇女，并通过有力的传媒手段来宣传其活动的主旨。

1987年，妇女新知基金会成立，标志着台湾妇女运动进入了一个新的时期。该年及第二年，由彩虹项目、妇女新知等数个女性团体联合，举行抗议贩卖妇女人口、救援雏妓示威大游行和举办反对选美的有关活动。正是这些活动，才引起了台湾当局的重视。1987年3月1日，台湾"警政署"正式宣布推出"正风项目"来对付黄道，达到"加强检肃贩卖人口，根除雏妓、取缔非法色情行业"的目的。然而，就所成立的妇女团体来说，各团体成员不多，主要是中产阶级的妇女参加，且团体过于集中在台北市。其工作还有待进一步普及。

3. 劳工运动

台湾的劳工一向被看做是和平、温驯和容易管理的社会阶层，台湾的工会也常常被描绘为装饰性的、被阉割的、御用的组织。但是，随着台湾经济的发展，劳工不仅在人数上有很快的增长，而且出现了质的变化。如就业场所的固定和劳动者素质的提高，劳工开始确立了自己的身份,进一步萌生自立自觉的意识,劳资纠纷也随之增多。据统计,1970 年劳资争议的事件仅有 92 件,到 1982 年时已增至 1153 件,1987 年发展到 1609 件,成为 80 年代以来劳资争议最多的一年。

台湾的劳工运动兴起于 70 年代中期,到 80 年代中期得到进一步发展。大规模的工潮风起云涌,其规模之大、频率之快、持续时间之长均为台湾前几十年来所罕见。1988 年 5 月 1 日,台湾铁路局 1000 多名火车司机为要求改善工作条件和生活待遇,进行集体"休假",使原定开出的 688 班列车仅开出 75 班,全岛铁路运输陷于瘫痪,直接经济损失三千多万元新台币。7 月 15 日,二千多名"中国石油公司"的员工走上街头,开"国营"事业员工游行请愿之先例,迫使台湾当局答应工会提出的提高基层员工薪资、合理调整福利方案的要求。一时间,罢工、怠工的风潮广为蔓延。1989 年 2 月下旬,由于年终奖金的发放问题又再次引发劳资纠纷,许多工厂企业相继爆发了罢工和怠工等示威活动。

与此同时,劳工们日益意识到组织的重要性。他们纷纷自主成立工会组织,以摆脱御用工会的限制。1985 年,新竹玻璃公司的工人解散了原有的工会组织,另行建立自己的新工会实行"自救",在社会上引起很大的反响。1987 年初,台湾"中国轮船公司"的工会成员集体要求罢免工会理事长,实行自力更生。1987 年 3 月,高雄工业区由数名工会干部倡导成立了非正式的"工会干部联谊会",经过了一段时间发展,力量大增,逐一将所属企业原由资方控制的工会改造为劳方控制,如永丰余纸厂产业工会和台泥小港纸厂产业工会均如此。工会干部联谊会还北上与新竹、台中、彰化、南投等地的工会组织建立

联系,壮大声势,相互支持,使高雄工业区的劳工运动颇具声势。

随着劳工运动的深入,劳工要求自主的政治意识加强,劳工运动也逐渐与政治运动融合。1986 年底的"中央民意代表"选举中,约有 60 万劳工选民不按台湾当局的意愿投票。他们中有不少人把票投给了"党外"人士,如高雄市民进党候选人正是因为劳工选民的支持,获得了该市总票数的 37.8% 选票,远高于其他地区。

4. 学生校园运动

长期以来,国民党在教育界推行"党化教育",以控制学生运动。但是,到 80 年代时情况发生了变化。此时台湾的教育发展很快,外出留学的人也越来越多,自由、自主化思潮日渐冲击着台湾教育界,推动其向民主化方向转变。1981 年 5 月 26 日,台北市东门"国小"8 名五年级的学生为了自己的权限,越级向台"教育部"递交陈情书,抗议级任老师强迫他们补习,并且惩罚他们。是为台湾教育界数十年来第一次未发生严重后果的校园民主化运动。1982 年,台湾大学社团又向校方提出取消指定学生会主席的规定,该由"普选"来推动校园民主化,遭到台大当局的警告、制止、停止社团活动并予以记过处分。1984 年 5 月 4 日,台大 8 名学生向"教育部"陈情,希望大学独立自主,教授治校,学生参与校政,并抗议学校的政治化和"救国团"的逸乐导向。同年,学生推派的候选人以"还我学生权,还我自治权"作竞选口号,击败了校方中意的候选人。这是有史以来国民党在台湾的校园选举中的第一次惨败。社团纷纷趁热打铁,举办数场"言论自由在台湾"和"言论自由在台大"的座谈会,邀请许多自由派学者参加,以推动校园民主化运动。然而,来自各方的阻力和恐吓不断涌来,获胜的学生

吴睿人在发表《告台大同学书》和《给你……鸵鸟》二文后,宣布辞去"学生代表联合会"主席职务。1985年,台大94个社团开会,以94∶0通过"普选"案,继续坚持"普选"。但校方仍以"普选决议与现行法规抵触"为由拒绝"普选",终至引发台大政治系学生李文忠绝食与退学事件。

1986年,彰化鹿港杜邦设厂事件后,台大新闻社成员即分三批南下调查并写成调查报告。台大训导处拒绝审理,认为该社前几期违反文稿评阅办法已移送惩处,该社应立即停止活动。对校方的粗暴行为,社员们表示了强烈地不满,仍继续出版《台大学生社杜邦事件调查团综合报告书》,再次遭到校方的拦阻。台大学生为有发表言论的充分自由,遂创办刊名为《自由之爱》的"地下刊物"。之后,政治大学的《野火》、中兴大学的《春雷》、辅仁大学的《野声》、中原大学的《少年中国》、东海大学的《东湖》及成功大学的《西格玛》等刊物相继诞生在各个大专院校的校园里。1987年3月24日,台大学生组织请愿团到台湾的"立法院"请愿,递交"大学改革方案",要求实现"教授治校、学生自治"、"废除审稿制度"、"普选"及"政治势力退出校园",成立"教授联谊会"等。1987年7月,台湾13所大专院校学生联合成立了跨校际的学生组织——大学生改革促进会,使台湾校园学生运动走上了高潮。

5. 原住民族群认同运动及老兵自救运动

台湾原住民是指台湾当局分类中的山地同胞,包括平地山胞与山地山胞,是当地的少数民族。由于自然和人为的因素,山地社会经济落后,教育不发达,原住民生活健康状况均落后于汉族地区,人口贩卖和色情交易问题严重。特别是台湾的工业化,给原住民的传统制度以巨大的冲击,原有社会体系面临解体的危机,原住民与台湾当局的矛盾和冲突加剧。1983年5月,一群在台北的山地大学生以铜版刻字发行《高山青》刊物,猛烈抨击国民党和"救国团"对山地大专生联谊会的操纵,并强烈呼吁尊重山地文化和山地学生的自主权。1984年12月,以来自排湾族的民歌手胡德夫为主的知识精英组成"原权会",并发行《原住民》会讯(后改为《山外山》)。此外,另一批以基督教山地宣教会为基地的精英分子,于1987年组成"台湾原住民领袖发展小组",先后创刊《山青论坛》与《原住民之声》两份刊物。这些社团组成的宗旨都是要"以服务、文字、言论、和平行动等方式,保障并促进台湾原住民之权利",因而受到基督教长老教会、在野政治力量以及学术界中关心山地生存的学者们的关注与支持。

"原权会"成立后,曾多次结合原住民知识精英以及社会上关心山地的人士和组织的力量,走上街头,抗议东埔挖坟、山地"雏妓",以及"吴凤传说"等问题,并通过大众传播媒介,呼吁重视"汤英伸事件"(曹族青年汤英伸杀人被处死刑)背后所隐含的文化冲突和种族歧视等问题。这些激烈的街头运动,并不仅仅凸显出山地问题的严重,而且也反映出他们对自我族群与文化的关心和认同。

在族人高度自我关心和族群认同所形成的压力下,原来倾向国民党当局的原住民"中央民意代表",也在1987年9月"内政部"《山地工作会报》中,提出涉及原住民经济、教育、语言、政治和法律等19项提案,要求台湾当局对原住民及其文化予以关注。

进入80年代,台湾的老兵自救运动也蓬勃发展。

1948 年以后随国民党政府从大陆撤退来台的 60 万军人,截至 1987 年底已退了 57.3 万人,其中 8.7 万余人死亡,尚存 48.5 万余人。在台入伍的军人也有将近 10 万人退伍,形成了台湾社会一大特殊的群体。

这些老兵,尤其是随蒋介石败退来台的老兵,因官阶低、年龄大、没有受过或受过很少教育等原因,退伍后往往谋生困难,生活贫困,渐生怨气。当年蒋介石提出 5 年即可"反攻大陆",让他们返回大陆老家。然而,蒋介石开的这张空头政治支票永远无法兑现。为了排解怀乡思亲之情,老兵们组织同乡会、宗亲会。到 80 年代时,这些老兵已大多在 50 岁以上,思乡之情更浓。1986 年 8 月,以老兵曹光甫为首的老兵们发起组织了"大陆来台国军自谋生活退除役官兵自救联谊会",集中了 264 人共同签署一封致蒋经国书,并于 10 月 31 日集中数百名老兵到"中正纪念堂"提出诉求。该组织到 12 月时,已有五千余人参加,到 1987 年 3 月时人数则升至 1.5 万人,造成不小的声势。

由于成分复杂,各人的政治观点不一,自救组织于 1987 年 4 月发生分裂,领导人改选。之后,5 月 5 日,新任会长刘任航等人率五六百名老兵到台"立法院"、"监察院"、"行政院"请愿。26 日,又派 8 名代表到国民党中央党部静坐抗议,要求每月发生活补助费 8000—10000 元新台币、折价收购"战士授田证"、补发"三节"慰问金。请愿无任何具体效果。7 月 7 日,近千名老兵手举"七七抗战子弟兵,五十周年请愿人"的条幅,集聚国民党中央党部门前再次请愿。此次行动引起传播媒体的广泛关注,但国民党当局仍以拖延的方式违背与老兵们沟通后的承诺。11 月 9 日,千名老兵再次齐聚"行政院"门口,国民党当局出动近千名警察"保护"它的"行政院",维持秩序。双方一直对峙到深夜,国民党当局妥协,请愿活动才告结束。

面对老兵的呼号,以"荣民大家长"自称的蒋经国只能指示"国防部"对"战士授田证"作专题研究。1990 年 4 月 7 日,"立法院"于凌晨三时通过"战士授田凭证处理条件",决议由当局收购授田凭证,75 万份中每份发给 1—10 个基数补偿金,每一基数金额为 5 万元新台币,补偿总额以不超过 800 亿元新台币为原则。

九

教育、科技、文化事业的发展

1. 社会教育持续发展

社会教育是指与学校教育、家庭教育并行的、影响个人身心发展的教育活动,主要借助除学校外各种社会文化设施对青少年和民众进行各种文化和生活知识教育。台湾是中国较早推崇社会教育的地区之一,1953 年就公布了《社会教育法》。该法明确指出:社会教育实施的对象是一般公民,凡已过学龄未受基本教育的公民,应一律接受补习教育,已受学校教育的公民使其有受继续教育及进修教育的机会。台湾当局公布此法,主要是基于当时台湾社会文盲较多、人口素质低下、社会民智未开、学校教育严重不足的现实,企望通过设立各种社会教育机构并形成一个相对全面的社会教育系统,达到扫除文盲、提高公民素质、改革社会风俗的目的。

《社会教育法》公布后,台湾当局明令加快建立各类社会教育机构,台湾社会各级部门遂在原有的基础上开始积极筹划、设立和完善了包括图书馆、博物馆、科学馆、纪念馆、艺术馆、体育馆(场)等在内的一批教育设施,并筹组了交响乐、国乐团。

50至60年代初,台湾兴建(完善)的大型社会教育机构和设施主要有:台湾图书馆(1954年建于台北,直属台湾"教育部",是台湾地区最大的公共图书馆)、台湾省立台中图书馆(日据时期设立,原名台中州立图书馆,1946年改现名,隶属于台湾省教育厅)、台湾省新竹社会教育馆(1953年成立)、台湾省立彰化社会教育馆(1955年成立)、台湾省立台南社会教育馆(1955年成立)、台湾省立台东社会教育馆(1955年成立)、"台湾故宫博物馆"(1965年设建,直属台湾"教育部")、台湾历史博物馆(1955年成立)、台湾省立博物馆、台湾教育资料馆(1955年成立,隶属于台湾"教育部")、台湾科学馆(1955年成立,隶属台湾"教育部")、台湾艺术馆(1957年设立,隶属台湾"教育部")。

到70年代初,台湾经济发展,人民生活水平日益提高,社会文化生活日益丰富,人民对接受教育的需求也日益增长且多元化,所有这些因素都有利于台湾社会教育事业的扩充。1977年台湾当局决定进行十二项建设,明确规定:建立每一县市文化中心,包括图书馆、博物馆、音乐厅。经过努力,台湾"中央"级的文化活动机构基本建成,省市级和县市级文化活动机构也新添了不少。据不完全统计,到80年代中期,台湾已拥有图书馆204所(1988年数据)、博物馆9所、美术馆4所、名人纪念馆2所、社会教育馆11所、动物园4所、体育场馆251所、民俗文物馆6所、戏曲音乐厅1所、儿童音乐中心1所、公园576所;拥有国乐团13个,交响乐团5个。

1980年,台湾地区正式公布了修订的《社会教育法》,规定社会教育的宗旨是实施全民教育及终生教育,用现代社会教育理念改革和发展社会教育事业,以适应社会迈向工业化与现代化的需要。至此,台湾社会教育跨进了一个新时代,在社会生活中扮演着越来越重要的角色。以成人教育为例,台湾的成人教育传统的成人教育包括中小学补习教育、进修补习教育、职业补习教育以及短期补习教育等各类补习教育。为了更好地发展成人社会教育,1986年台湾成立了以电视、广播等现代化工具为主要手段的空中大学,广播、电视、录音及录像带等声光电技术加入了成人教育的行列,成为教育的利器,使台湾成人学习可以突破时空因素的限制,影响极为深远。

台湾社会教育的宗旨既然是全民教育,就不应该有性别、年龄、阶段、贫富、身体状况的限制,尤其是身体有残障的儿童。台湾地区的特殊教育开始于1890年,但直到20世纪80年代,台湾地区能幸运入学的特殊儿童只有5%。其余95%的特殊儿童仍处于自生自灭的境地,特殊教育事业有待进一步发展。为了体现这一点,台湾当局又把特殊教育的发展作为台湾社会教育发展的主要内容之一。1987年台湾公布了《特殊教育法实施细则》,进一步推动特殊教育的发展。

2. 科技投入逐渐加大

随着台湾工业产业升级进程的加快,科技领域成为台湾当局日益重视的领域之一,特别是进入70年代末,科技水平较低已成为推动产业升级和社会进步的主要障碍,台湾当局开始加大科技经费和人员的投入,制定一系列相应计划和发展战略,以实现将台湾建成"科技岛"的长期目标。1978年,台湾当局首次召开由产、官、学界参加的科技会议,次年颁布《科学技术发展方案》,作为科技发展的最高指导方针。此后,科技会议每四年举行一次,制定出新的发展政策与计划,如 1982 年召开的第二次科技大会,就确定把资讯、能源、光电、自动化、新材料、生物工程、肝病防治技术、食品科技定为"八大策略性"科技项目重点发展,以构建科技产业框架。

此阶段,台湾注重政策制定和执行的各个环节的系统化和规划,注重建立科技发展新机制,并在突出应用科技的同时,提出了"提高科技水平,促进经济发展,提高人民生活和建设自主的防务能力"这一高科技发展总目标。

80 年代以来,台湾科技发展较快,在人力资源方面,台湾每万人口科研人员的比例从 1989 年的 20 人增至 1996 年的 25 人,到 2002 年将达 35 人;研究人员总人数将从 1989 年的 35000 人增至 2002 年的 65000 人。财力资源方面,研发经费占生产总额的比重从 1989 年的 1.38% 增至 1996 年的 2.2%,到 2002 年达到 2.5%,其中企业占研发经费的比例,1989 年为 40%,到 1996 年以后占 60% 以上。1997 年 6 月,台湾通过其首部科技白皮书,勾画了台湾跨世纪发展的蓝图,提出了 12 项策略及具体措施,特别强调了科技人力、财力、信息资源的建设,并把科技政策的制定纳入法制化轨道。

值得一提的是自 1969 年以来,台湾逐渐加大了对科研的投资,特别是进入 80 年代以后更是如此。投入的加大,使台湾的科技发展进入一个稳步发展的时期。1985 年,台湾用于研究发展的总经费占整个 GNP 的比值首次超过了 1%;从 1986 年到 1996 年的 10 年间,台湾的科研经费增长了 4.8 倍,占 GNP 总值的比例由 1.14% 提高到了 1.85%,即 1996 年投入已达 1385.68 亿元新台币;研究发展人员也增加了 2 倍,每万人口中拥有的研究人员数由 14.3 人提高到了 33.4 人,研究人员中的高学历人员所占的比例增大。从科技研究的成果看,本地专利项目 1996 年达到 19410 项,是 1986 年的 3.3 倍;台湾 SCI 论文发表篇数的国际排名,由 1989 年的第 28 位提高到 1994 年的第 20 位。在发展技术密集型产业方面,1980 年台湾成立了新竹科学工业园区,推动了信息、半导体、通讯等高科技产业的发展,1997 年高技术密集型产品出口值占总出口的比重达到 39.7%,较 1986 年提高了一倍多。到 2000 年时,台湾信息产业和半导体产业产值已分别跃居世界第三位和第四位,成为世界上重要的加工生产基地,半导体集成电路生产技术已接近或达到世界先进水平。

台湾科技发展的一个成功经验是其科技的发展始终遵循"实用"的宗旨,加强应用科技的研究,如在农业技术、加工工业技术、"策略性"科技开发等。这种较为实际和适宜的"定位",不仅有助于科技实力的增强,而且对台湾经济的发展起到了很好的促进作用。

但必须看到的是,台湾科技发展的过程中存在不少的问题。

首先,基础科学研究薄弱。由于台湾在科技发展方向过于急功近利,忽视基础科学研究的作用,是造成台湾基础科学研究薄弱的主要原因。在台湾的各种科研机构,包括各有关科技研究所和大专院校研究所,在基础科学的研究上均无重大的突破,而且缺乏从事基础科学研究的专家,后续人才的培养乏力,高校内部缺乏培养此类人才的机制和条件。据台湾 1996 年的资料显示,在各项研究领域的经费支出中,工科最多,占 77.9%,其余分别为农科 7.2%、理科 6.1%、医科 5.4%、人文社会科学 3.4%。研究人员学科分布中,工科也占 69.8%。研发人员分布中,企业最多,占 56.6%,其余为科研机构 22.1%、高校 21.3%。这一结果必然会导致台湾科技发展只能选择以引进为主、自主开发为辅,以引进带动开发的移植型发展模式。

其次,科研投入仍不足。由于台湾经济规模较小、中小企业占绝大多数,民间科技研究的发展先天不足,因此在科技投入中,主要依靠官方的力量。以投资为例,1993 年以前,台湾官方的投入始终在 50% 以上。这必然导致投资力度的不足。50 年来,不论是台湾官方还是民间,在科技研究的投资一直偏低。1984 年以前,其科研投入尚不足"国民生产总值"的一个百分点,直到 1985 年时才上升超过 1%,但与发达的国家或地区相比仍属偏低。投入的不足,使台湾总体研究水平落后,绝大多数的高新技术产业的关键技术、关键零部件等方面都严重依赖日本和美国;多半台湾厂商的生产技术仍然依靠引进。

再次,科研的中心主要放在军事科学的研究上。在台湾科研经费中,以"国防部"掌握最多,以下才是"经济部"、"国科会"、"中研院"等"部"、"会"、"署"。以中山科学院为例,80 年代后期,该院吸纳了台湾大部分尖端科技人才。其 2 万名科研人员中,就拥有 3200 名具有博士、硕士学位的中高级研究人员,拥有一百多亿元新台币的研究经费。这是其他私营乃至公营企业和科研机构难以望其项背的。

3. 文化事业的发展

抗日时期,日本文化对台湾的影响甚大,文化机构基本由日本人控制和经营。台湾光复后,为尽快消除日本文化的影响,国民政府采取了一系列措施,取缔日文图书杂志、日本唱片,禁止中学使用日语;协助推广国语教育,创办中文报纸杂志。1945 年 9 月,《一阳周报》在台中诞生,这是台湾光复后的第一份中文杂志。10 月 25 日,台湾光复后的第一张中文报纸《台湾新生报》在台北发行。至 1946 年底,获批准登记的报纸、杂志及通讯社达 77 家,已开始发行的有 55 家,其中报纸 21 家,杂志 30 家,新闻通讯社 4 家。

"二二八事件"使台湾的文化事业遭到了巨大的冲击。许多报社、杂志社和出版社被迫停刊停业,多家报社的负责人在混乱中失踪。1949 年 12 月,国民党"政府"退台,许多文化人也随之来到台湾,一些大陆的文化机关也迁到台湾,集聚在这 3.6 万平方公里的土地上。台湾的文化事业进入了起步阶段。

50 年代中,尽管国民党在台湾实行严厉的文化管制,但文化事业仍得到一定的发展。如台湾的出版社由 1953 年的 138 家增至 1959 年的 490 余家,出版图书种类也由 1952 年的 420 种增至 1959 年的 1470 余种。当然,这些出版机构,主要以党公营为主,成长较快;民营则势单力薄。出版物也以文艺图书、古籍、工具书为主。翻印旧书也是此时出版界的一大特色。

进入 60 年代以后,随着台湾经济的发展,台湾的文化事业也有了较快的成长。以报界和出版界为例,1959 年时,台湾报社的数量为 31 家,发行量在 60 万份左右,到 60 年代末,虽因"报禁"还是 31 家,但发行量却增至 120 万份左右,广告收入也由 1960 年的 1 亿多元新台币增长为 5 亿多元新台币。其中,《联合报》、《中国时报》、《中央日报》的发行量分别达到 26 万、24 万和 14 万份,民营的《联合报》、《中国时报》超过了国民党的《中央日报》,成为台湾发行量最大、最有影响的报纸;杂志出版则由 1960 年的 670 余种发展到 1969 年的 1300 余种,影响较大的有《文星》、《传记文学》、《皇冠》、《现代文学》、《文学季刊》、《纯文学》、《剧场》、《政治评论》、《大学》、《孔孟学报》、《故宫季刊》、《台湾文献》等等；出版社在60年代末也发展到1200家，图书出版种类达四千多种，丛书、文库的出版成为时尚，涌现出文星、志文、水牛、仙人掌等著名出版机构。1962年，台湾的第一家电视台——台湾电视公司开播，1969年和1971年又成立了中国电视公司和中华电视公司，共同组成了台湾三大电视公司。

进入70年代以后，台湾社会在政治、经济等方面都发生了极大的变化。岛内外错综复杂的局面也深刻地影响着台湾文化事业的发展。一大批青年加入文化界的队伍并逐渐成为文化界的中坚力量，给文化界增添了生机和活力。报纸出版：由于持续三十多年的"报禁"限制，台湾报社一直只有31家，解严后，报社数量迅速增加，到1989年底时已达196家，到1996年时，已增至362家；杂志出版：经过70年代初的短期低潮后，杂志出版稳定发展，1981年时，台湾有杂志社超过2200家，解严时超过3000家，达到每七千人就拥有一种杂志的水平。书籍出版：到1980年，台湾已有超过2000家出版社，出版图书8870余种；1986年更增加到2900家、10200种。出版物虽仍以文艺图书、译著、古籍为主，但科技类图书明显增加，尤其是应用科技类的图书。到80年代中期，仅应用科技图书的出版就达到2400余种，跃升到第一位。

1986年3月，台湾进行政治革新，文化环境有所好转，文化的多元化。一些过去敏感的话题、民众普遍关心的话题成为文化界关注的焦点。到1997年底，台湾的报纸已超过340家，竞争日益白热化。出版社已发展到5826家，出版新书达

24554种。科普、环保、休闲、娱乐等类图书的出版持续升温。

为扩大其文化影响，从1987年开始，台湾举办了较有规模和影响的台北"国际"书展，到1999年时已举办了七届，并继续定期或不定期在海外举办巡回书展。

4. 文学艺术的多元化

进入80年代后，随着两岸关系趋于缓和，政治上的民主化改革，意识形态的自由度增大，作家相对有较多的创作自由；物资生活富裕，读者的审美趣味趋于多样化；经济的发展带来了许多新的社会问题，所有这一切为文学提供了广阔的发展空间，文学思潮也日呈多元化趋势，其中主要有：新乡土文学思潮、后现代主义文学思潮、新女性文学思潮和通俗文学思潮、政治文学思潮等。具体地说，小说创作体裁日益多元化，新现代小说、言情小说、科幻小说、武侠小说、女性小说、都市小说、政治小说等，五彩纷呈，摇曳多姿。散文创作上则是出现了都市散文、山林散文、生态散文。诗歌在前半期主要倾向于传统的写实主义，后半期有所变化，主张传统与现代结合，出现了"录像诗"、"视觉诗"和"后都市诗"。戏剧方面，随着80年代电影、电视热的降温，戏剧开始复苏，戏剧中心与戏剧团体林立，新剧作大量涌现，现代剧迅速发展，"反书写的文学剧本"、"反叙事结构"、"变更舞台位置"、"降低对话的重要性"等戏剧新理论和新特点出现。

80年代后，随着有声出版的发展和传播载体的扩大，台湾音乐作品日趋丰富，表现手法多种多样。通俗古典音乐方面，台湾本土产生了陈冠华、高培华、温金龙、吴冠英等音乐家、演奏家；流行音乐方面，受香港和日本音乐的影响，台湾流行乐坛也创作出一批有影响的作品，出现了像任

贤齐、高胜美、齐秦等歌手和"小虎队"、"东方快车"、"红唇族"等现代歌曲演唱组;本土音乐和少数民族音乐方面,一些具有台湾本土风格的台语或原始歌曲、音乐也逐渐成为时尚,涌现出一批歌手,如来自于卑难族的歌手张惠妹、"动力火车"二人组、"山风点火"二人组及"原始人"四人乐团。

在漫画领域,1979 年 10 月,台湾掀起了一股谴责审查制度、要求清洁日本漫画的风潮。1980 年,《民生报》发表了敖幼祥的一幅动物漫画小狗"皮皮",这只小狗的诞生,标志着台湾漫画家创作的兴起。1983 年,敖幼祥、洪德麟合作创作了《乌龙院》,在台湾引起轰动,"中华民国"漫画学会、《中国时报》等单位又适时举办了三届"全国漫画大擂台",使一大批青年漫画家如朱德庸、郑问、季青、蔡志忠、曾正忠等人脱颖而出。

在电影制作领域,随着 80 年代初一批留学美国、意大利的电影工作者回到岛内,给岛内电影事业带来新的气息,这些有着国际文化背景的电影工作者与岛内导演合作,陆续拍摄了一批优秀的作品,如《光阴的故事》(1982 年)、《小毕的故事》(1983 年)、《儿子的大玩偶》(1983 年)等等,出现了侯孝贤、杨德昌、王童、陈坤厚、柯一飞、万仁、曾壮祥、张毅等一大批名导演、名编剧、名摄影和名演员,掀起了台湾新电影的第一次高潮。

步履蹒跚的对"外"关系

1. 国民党"外交"政策的调整

中美建交后,国民党对其"外交"政策进行了调整,强调要加强实质"外交"的推进。因此,1979 年后,台湾的"外交"出现了一些新的特征。首先,台湾改变了过去单纯依赖美国的做法,提出所谓"独立自主"的"外交"方针;其次,在对"外"关系上,主张进行多方位"外交",对"反共外交"体制作了某些调整;再次,采取将实效的现实态度,不再把"外交"承认看成是最重要的环节,而是注重实质上的关系。这些做法实质上是要走出一个中国、两个政治实体的道路。

这一时期,台湾当局的"外交"政策讲求弹性、务实,即①对与台湾没有邦交的国家,积极设立非官方的办事机构,让台湾的官方人员充任联系、沟通的工作人员;②在国际舞台上,以积极的态度参加国际组织活动,凡属中华人民共和国参加的官方性国际组织,台湾当局既可采取退出也可"留而不与会";③加强"国民外交",鼓励民间团体或民众,以中国台北的名称或以个人的名义参加国际活动;④以经济为后盾,通过经贸关系与其他国家,特别是无邦交的国家建立起实质关系;⑤进行金钱"外交"。对发达国家,以政治性的采购方法获取支持,对一些落后的国家,则采取政治性投资或捐款的方式,维持"外交"关系。

李登辉主政台湾时,正是台湾"外交"的低谷时期。1988 年 2 月,台湾与乌拉圭"断交",使其"邦交国"降到 22 个,为国民党退台以来数目最少的一年。然而最令台湾当局担忧的是与乌拉圭的"断交"有可能引发"骨牌效应",使台湾"外交"出现大崩盘的惨象。

由于岛内和国际形势的急剧变化,台湾当局加紧推行其"弹性外交",并比蒋经国走得更远。在 1988 年 7 月召开的国民党"十三大"上,李登辉声称今后将"升高并突破目前以实质'外交'为主的对外关系"，要求台湾"外交"部门"充分利用'国家'力量，以更灵活、更务实、更前瞻性的做法，来突破当前以实质关系为主的'外交'关系"。

此时台湾当局推行的"弹性外交"与蒋氏父子时代的"外交"政策已有本质的区别，即："外交活动"可以完全"不受既定观念的约束"，要"重实轻名"，强调所谓"国家利益"。有些台湾学者称之为"新弹性外交"或"务实外交"。其"务实"的"新外交"特征，一是要突破原来所谓的思想框框，如从"一个中国"到搞"双重承认"，准备同一些已和中华人民共和国建立外交关系的国家"恢复'外交'关系"；二是以经济实力为后盾，采取"灵活"、"务实"的做法，大力动用社会政治、经济、文化、教育等方面的力量，积极推行全方位的"务实外交"；三是在谋求扩大与世界各地的民间交往的同时，竭力以提升"官方"的或"半官方"的关系为目标，在"承担国际义务"的言辞下，要"扩展国际生存空间"，"重返联合国"，使台湾的"独立的政治实体"得到国际社会的承认，搞"一中一台"和"两个中国"的分裂活动。

台湾"务实外交"的主要内容是：

（1）突破"一个中国"的框架，寻求"双重承认"的"外交"模式

1988年3月，台湾"行政院研考会主委"魏镛在"立法院"首次提到"双重承认"（既承认"中华人民共和国"，又承认台湾的"中华民国"）问题，认为台湾可参考德国和韩国模式"突破外交承认瓶颈"，达到既可凸显其在国际社会的"独立人格"和与大陆"对等"的地位，又可突破我对其在"外交"领域的打压，达到其树立"独立主权国家"的国际形象，拓展"国际生存空间"，从而与大陆进行抗衡的多重目的。

但魏镛于此是有严格限制的。他主张"双重承认"必须坚持"一个中国"。而李登辉却大相径庭，他在"外交"上推行的"双重承认"是在否定"一个中国"的原则下进行的，其目的无非是在国际社会上制造"一中一台"或"两个中国"。

由于政治地位的不稳和岛内外形势的制约，李登辉上台后采取否定"一个中国"来实现"双重承认"的"外交"政策有一个逐渐显现的过程。最初是从否定"汉贼不两立"的政策开始的。1988年7月，台湾当局公开表示蒋氏父子时期的"汉贼不两立"政策已经过时，台湾将不再以"你来我走"的办法处理"正式外交关系"的存废问题。当时与台湾当局还有正式"外交关系"的沙特阿拉伯，有意改善与中国的关系。台湾当局一方面采取扩展共同投资项目，提高科技合作层次等措施，以维持"邦交关系"；另一方面也希望在沙特阿拉伯设立官方机构，造成"双重承认"的事实。

1989年4月，李登辉开始对"一国两府"倍感兴趣。1991年2月，台湾当局在其"国家统一纲领"中，要求大陆承认两岸为"对等政治实体"。所有这些均遭到大陆的严厉批驳。1993年初，台湾当局终于在其正式发表的第一部"外交报告书"中称："在务实'外交'政策的原则下，'我国'发展与其他国家的双边关系，已不再考虑中共因素。"在此政策下，台湾当局公开表示，在同一些国家建立"外交关系"时，"将考虑建立'双重承认'模式"。至此，台湾当局最终完成了从"汉贼不两立"到"双重承认"政策目标的转变。

在"双重承认"政策的指导下，80年代末90年代初台湾上演了一出出花钱买"外交"的"建、复交"闹剧。对与双方均无邦交关系的国家，台湾"外交"部门积极行动。如1989年4月间巴林明确表示愿与

我建交后,台湾当局驻巴林办事处立即频繁与巴林当局接触,力求在中巴建交后继续维持其办事处的准官方地位。对与我有外交关系国家,台湾当局也插上一脚。如格林纳达,台当局就利用其需要经援,在"建交"问题上全力与格当局交涉,诱使其与台"建交"。在花费了1000多万美元的代价下,双方于1989年7月20日正式宣布"建交"。台当局认为,这是打开了"双重承认"的先例。1992年1月,台湾当局又故技重演,在与中国有外交关系的拉脱维亚设立"总领事馆",建立"总领事级关系"。同年9月,台又与已同中国建立外交关系的南太平洋岛国瓦努阿图签署"政府间相互承认"的联合公报,并称这是其"首次以'相互承认'方式与中共有邦交的国家建立官方关系的第一步"。

中国政府对台湾当局的企图十分清楚。当格林纳达等国与台湾"建交"后不久,中国政府即宣布与这些国家终止外交关系,从而粉碎了台湾当局"双重承认"的美梦。

(2)增加"邦交国",提升"非邦交国"的关系层次

台湾当局认为,要维持其"独立主权国家"的国际形象,必须拥有一定数量的"邦交国"。随着与台"关系久远"的、在国际上有一定影响的沙特阿拉伯、韩国、南非等国家相继与我建交,台湾当局更是强调不惜代价,发展新的"邦交国",以挽回颓势。90年代以来先后与瓦努阿图、布基纳法索、马绍尔群岛、巴布亚新几内亚、帕劳等国家"复交"或"建交"。至1999年末,与台湾当局有"外交关系"的"邦交国"为29个,绝大多数是非洲、美洲和太平洋地区小国。

与此同时,台湾当局还力求提升与一些"非邦交国"的关系层次,力图发展"官方"、"半官方"的"实质"关系。

但这对台湾并无重大的"外交"意义。台湾的29个"邦交国"之所以愿意与台湾"建交",就是为了以"建交"换金钱。台湾当局为此提供了大量的经济援助,资金负担已不小,如1999年末与台湾"建交"的只有1.8万人的帕劳共和国,就要台湾付出了一千多万美元的代价。这些国家的要求一旦得不到满足,与台的"外交"关系随即陷入危机。

经过一系列惨败,台湾当局已逐渐认识到与"迷你"国家"建交",口惠实不至,对提高"国际人格"补益不大,而且徒增经援包袱。因此,对一些小国主动提出要与台"建交",以求经援,台湾当局表示暂缓与之"建交"。台报认为,二十多个"邦交"与三十多个"邦交"无多大区别,一定数量的"邦交"足以维持台湾的"国际人格",应以质量取胜。这种倾向表明,台湾当局的"外交政策"已更趋"务实"。

(3)以经济实力为后盾,利用政治、文化、教育、旅游等多种形式,开展"全方位"的"务实外交"

李登辉执政以来,台湾当局利用多种形式,展开"全方位出击"的"外交"活动,其主要手法有"金钱外交"(也称"银弹外交")、"度假外交"、"典礼外交"、"过境外交"、"体育外交"、"校友外交"等等。

利用其雄厚的经济实力进行"金钱外交"是台湾当局最常用的手法之一。1988年11月,台湾专门成立了有2.2亿美元的"海外经济合作发展基金"。该基金以低息直接贷款为主要经援内容,以第三世界国家为援助对象,用以拉拢这些国家与台"建、复交"。如伯利兹获得了1000万美元的经济援助,几内亚比绍、冈比亚分别获得2000万美元和3500万美元。

对于与台湾有"外交"关系的国家,台

湾当局不敢丝毫大意。即或是小国的典礼,台湾当局也频频出动,一方面为了维持与这些国家的关系;另一方面也借机与前去参加典礼的各国代表进行"双边"或"多边"会谈。90年代以来,李登辉、连战就先后率团"访问"了洪都拉斯、巴拿马、尼加拉瓜、哥斯达黎加、萨尔瓦多、南非、斯威士兰和无"邦交"的墨西哥,并参加了一些国家新任总统的就职典礼。

对于那些与中国有外交关系又愿意与台湾往来的国家,李登辉表示:为了拓展台湾的"国际生存空间","不在乎头衔","不计较有没有礼炮、红地毯",只要能"走出去"就是"外交"的"胜利"。

(4)图谋参与联合国,在国际上制造"两个中国"

在台湾当局的"务实外交"活动中,最大的动因和追求还是图谋参与像联合国这样的国际组织。1991年6月18日,台湾"立法院"院会通过了国民党籍"立委"黄主文等18人提出的"重返联合国案",建议"行政院"积极拓展"外交",争取在适当时机以"中华民国"名义申请加入联合国。同年9月,民进党"台独"势力抛出"以台湾名义加入联合国"的宣言。岛内两大政治势力正式合演了一场"重返联合国"的二重奏。

2.台美关系的升温

李登辉上台时,台美"断交"已近十年,但在美国"与台湾关系法"的架构下,台美关系已逐渐趋向平稳与制度化。美国在大陆和台湾之间始终玩弄两面手法,以其"双轨"政策最大限度的保护美国的国家利益。

1989年1月,布什入主白宫。2月25日至27日,布什进行了他就任总统后的首次访华。这是自70年代以来首位美国总统上台伊始即出访中国,显示美国政府对中国的重视。但不久,苏联、东欧的剧变以及中国发生的"政治风波",美国对华政策开始发生了重大变化。由于美国对华实行制裁,使原已非常脆弱的中美关系出现了大倒退。

在此背景下,美国内部的"反华""亲台"势力频频活动,鼓吹加强台美关系,美对台政策出现了新的调整和变化。7月19日,美国参议院通过了所谓"台湾的前途"的285号"修正案"。该"修正案"主张:①台湾前途应以一种和平的、不带任何强制的,并且是台湾住民能够接受的方式来决定;②美国和中华人民共和国之间的良好关系取决于中国当局不使用武力解决台湾前途或不以武力进行威胁的意愿。

1991年7月下旬,布什"委托"美国前驻华大使李洁明以"私人身份"赴台活动。李登辉亲自在日月潭与之会面,研讨台湾推动"一中一台"活动的"动作细节"及落实"一中一台"政策的制定。9月,布什在其提交国会的《国家安全战略》报告中,宣称要与台湾保持"牢固的、实质的、非官方"的关系,公开把"中国"与"台湾"看成是两个对等的政治实体。

1992年9月,布什政府又不顾中国政府的强烈抗议,违反中美《八一七公报》的原则,向台湾出售价值达60亿美元的150架F—16A型和B型战斗机。11月,又指派美部长级官员希尔斯访台。这是美国在台美"断交"13年后,首次派高级官员访台,影响十分恶劣。这表明美国意欲提升美台关系,使台湾成为对华政策的棋子。

附　录

党、政、军、民主党派、人民团体、
组织沿革和领导成员名录

一

中　央

中国共产党

中国共产党第十一届中央委员会
（1977 年 8 月—1982 年 9 月）

中国共产党第十一次全国代表大会
（1977 年 8 月 12 日—18 日）

选举产生新的中央委员会：
中央委员（201 人）

华国锋（以下以姓氏笔画为序）　　　丁可则

丁国钰　于　桑　于明涛　于洪亮　万　达
万　里　马　力　马　辉　马文瑞　马兴元
天　宝　王　平　王　诤　王　猛　王　谦
王　震　王一平　王世泰　王必成　王光宇
王秀秀（女）　　王茂全　王林鹤　王国藩
王首道　王恩茂　王超柱　韦国清　尤太忠
毛致用　乌兰夫　方　毅　邓小平
邓颖超（女）　　孔　原　孔石泉　孔照年
巴　桑（女）　　叶　飞　叶剑英　白如冰
白栋材　冯　铉　司马义·艾买提
邢燕子（女）　　吕玉兰（女）　　吕正操
乔晓光　朱光亚　朱穆之　伍修权　任　荣
任仲夷　任思忠　刘　伟　刘　震　刘子厚
刘光涛　刘兴元　刘伯承　刘建勋　刘春樵
刘锡昌　江　华　江礼银　江拥辉　江渭清

池必卿	安平生	许世友	许家屯	阮泊生
纪登奎	杜义德	杨　勇	杨成武	杨易辰
杨得志	杨静仁	苏　静	苏振华	苏毅然
李　达	李　强	李子元	李井泉	李水清
李世俊	李先念	李任之	李志民	李启明
李葆华	李瑞山	李德生	肖　华	萧　克
萧劲光	吴　德	吴全清	吴桂贤(女)	
余秋里	谷　牧	希候巴	汪　锋	汪东兴
汪明章	宋　平	宋时轮	张才千	张玉华
张平化	张立宪	张廷发	张劲夫	张爱萍
张铚秀	张富贵	张福恒	张鼎丞	陈　云
陈丕显	陈永贵	陈伟达	陈奇涵	陈国栋
陈锡联	陈福汉	陈慕华(女)		陈璞如
林乎加	林李明	林丽韫(女)		罗青长
罗瑞卿	周纯麟	周建人	宝日勒岱(女)	
宗希云	胡立教	胡耀邦	郝建秀(女)	
赵志坚	赵苍璧	赵辛初	赵紫阳	段君毅
饶兴礼	姚依林	贺　诚	秦基伟	耿　飚
耿起昌	聂凤智	聂荣臻	钱之光	
钱正英(女)		铁　瑛	倪志福	徐向前
郭玉峰	郭沫若	唐　克	姬鹏飞	黄　华
黄　镇	黄欧东	黄知真	曹里怀	
曹轶欧(女)		康世恩	康克清(女)	
鹿田计	梁必业	韩　英	韩先楚	彭　冲
彭绍辉	覃应机	粟　裕	程子华	储　江
焦林义	鲁大东	曾绍山	曾思玉	解学恭
蔡　畅(女)		蔡　啸	廖汉生	廖志高
廖承志	赛福鼎	谭启龙	谭震林	樊德玲
薛金达	霍士廉	戴光前		

中央候补委员(132 人)

丁长华(女)		七林旺丹		卜谷香
马　明	马金花(女)		马思忠	王六生
王扶之	王君绍	王尚荣	王金山	王金友
王金玲(女)		仁增旺杰		
毛信贤(女)		文香兰(女)		邓　华
厉日耐	左崇义	卢忠阳	申茂功	
冉桂英(女)		冯占武	冯品德	
肉孜·吐尔迪		吕　和	吕存姐(女)	
吕需国	朱绍清	向仲华	任质斌	刘西尧
刘志坚	刘明辉	刘重桂	刘振华	刘维明
刘道生	刘瑞庆	江燮元	关泽海	许彪俊
孙雪梅(女)		纪英林	杜　平	杜学然

杨大易	杨永良	杨俊生	杨富珍(女)
李化民	李巧云(女)		李成芳	李守林
李坚真(女)		李昌安	李学智	李祖根
李继良	李耀文	肖　寒	肖望东	吴　忠
吴火金	吴向必	吴克华	吴冷西	吴金全
岑国荣	邹家华	宋庆友	沈初云(女)	
张　震	张令彬	张怀连	张林池	张积慧
张植弟	张耀词	陆金龙	陈仁甫	陈玉宝
陈永林	陈先瑞	陈作霖	陈爱娥(女)	
金明汉	周子健	周阿庆	郑三生	柳志强
胡　松	胡良才	胡金娣(女)		赵兴元
赵学全	赵武成	钟夫翔	贺晋年	袁宝华
贾那布尔		热　地	顾秀莲(女)	
钱学森	徐　驰	徐立清	郭凤莲(女)	
郭耀卿	高厚良	唐　亮	唐克碧(女)	
唐闻生(女)		梅松林	黄作珍	黄荣海
黄新廷	曹思明	盘美英(女)		康　林
尉凤英(女)		蒋宝娣(女)		程义太
谢正荣	蔡凤兰(女)		谭文贞(女)	
谭善和	黎　原	潘时兴	薛金莲(女)	
冀桂昕	戴苏理	魏兴政		

十一届一中全会

（1977 年 8 月 19 日）

选举：

中央委员会

主　席　华国锋

副主席　叶剑英　邓小平　李先念　汪东兴

政治局常务委员会委员

　华国锋　叶剑英　邓小平　李先念　汪东兴

政治局委员

　华国锋　韦国清　乌兰夫　方　毅　邓小平
　叶剑英　刘伯承　许世友　纪登奎　苏振华
　李先念　李德生　吴　德　余秋里　汪东兴
　张廷发　陈永贵　陈锡联　耿　飚　聂荣臻
　倪志福　徐向前　彭　冲

政治局候补委员　陈慕华(女)　赵紫阳　赛福鼎

十一届三中全会

（1978 年 12 月 18 日—22 日）

增选：

政治局委员、政治局常务委员会委员、中央委
员会副主席　陈　云

政治局委员　邓颖超（女）　胡耀邦　王　震

中央委员　黄克诚　宋任穷　胡乔木　习仲勋
王任重　黄火青　陈再道　韩　光
周　惠

中央政治局会议
（1978 年 12 月 25 日）

设立中央秘书长、副秘书长：

秘书长　胡耀邦

副秘书长　胡乔木　姚依林

十一届四中全会
（1979 年 9 月 25 日—28 日）

选举：

政治局委员　赵紫阳　彭　真

增补：

中央委员

王鹤寿　刘澜波　刘澜涛　安子文　李　昌
杨尚昆　周　扬　陆定一　洪学智　彭　真
蒋南翔　薄一波

十一届五中全会
（1980 年 2 月 23 日—29 日）

选举：

政治局常务委员会委员　胡耀邦　赵紫阳

设立中央书记处，选举：

中央委员会

总书记　胡耀邦

书记处书记（按姓氏笔画为序）

万　里　王任重　方　毅　谷　牧　宋任穷
余秋里　杨得志　胡乔木　胡耀邦　姚依林
彭　冲

（批准汪东兴、纪登奎、吴德、陈锡联的辞职
请求，免除或提请免除他们所担负的党和国家的

领导职务）

十一届六中全会
（1981 年 6 月 27 日—29 日）

（同意华国锋辞去党中央主席和中央军委主
席职务的请求）

改选和增选：

主席　胡耀邦

副主席　赵紫阳　华国锋

政治局常务委员会委员

胡耀邦　叶剑英　邓小平　赵紫阳　李先念
陈　云　华国锋

书记处书记　习仲勋

中国共产党第十二届中央委员会
（1982 年 9 月—1987 年 10 月）

中国共产党第十二次全国代表大会
（1982 年 9 月 1 日—11 日）

选举产生新的中央委员会：

中央委员（210 人，按姓氏笔画为序）

于明清　于洪恩　万　达　万　里　万海峰
马文瑞　马兴元　习仲勋　王　芳　王　猛
王　震　王丙乾　王汉斌　王光中　王光宇
王兆国　王全国　王任重　王克文　王诚汉
王恩茂　王崇伦　王朝文（苗族）　王鹤寿
韦国清（壮族）　尤太忠　毛致用
乌兰夫（蒙古族）　方　毅
巴　桑（女，藏族）　邓力群　邓小平
邓颖超（女）　邓稼先
布　赫（蒙古族）　叶　飞　叶剑英　田纪云
白栋材　司马义·艾买提（维吾尔族）
邢燕子（女）　吕培俭　朱云谦　朱光亚
朱穆之　乔　石　乔晓光　伍精华（彝族）
任仲夷　华国锋　向守志　刘　震　刘正威
刘华清　刘志坚　刘复之　刘振华　江泽民
江拥辉　池必卿　安平生　许家屯　孙大光
阴法唐　严东生　苏　钢　苏毅然　李　锐
李　鹏　李力安　李子奇　李立功　李东冶

李先念　李启明　李学智　李梦华　李绪鄂
李森茂　李瑞环　李锡铭　李溪溥　李德生
李耀文　杨　波　杨　勇　杨　堤　杨成武
杨汝岱　杨易辰　杨尚昆　杨得志
杨静仁（回族）　杨德中　肖　华　肖　寒
肖全夫　吴全清　吴学谦　何　康　何东昌
余秋里　谷　牧　沈　图　沈因洛　宋　平
宋任穷　张　寿　张　震　张廷发　张再旺
张劲夫　张爱萍　张铚秀　张曙光　陈　云
陈　彬　陈　雷　陈仁洪　陈丕显　陈伟达
陈希同　陈国栋　陈福汉　陈慕华（女）
陈璞如　林　若　林乎加　林丽韫（女）
罗青长　周　惠　周子健　周世忠　周建南
郑三生　郑拓彬　项　南　赵守一　赵兴元
赵志坚　赵苍璧　赵南起（朝鲜族）　赵海峰
赵紫阳　郝建秀（女）　胡　宏　胡　绳
胡立教　胡乔木　胡启立　胡耀邦　柳　林
饶兴礼　洪学智　姚　广　姚依林　贺进恒
贺敬之　秦　川　秦仲达　秦基伟　袁宝华
聂荣臻　莫文祥　热　地（藏族）
顾秀莲（女）　钱正英（女）　钱永昌
铁　瑛　铁木尔·达瓦买提（维吾尔族）
倪志福　徐少甫　徐向前　殷　渊　高扬文
郭力文（女）　唐　克　黄　华　黄知真
黄新廷　崔乃夫　崔月犁　康世恩
康克清（女）　章　泽　梁必业　梁灵光
梁步庭　彭　冲　彭　真　蒋南翔　韩先楚
韩培信　覃应机（壮族）　傅奎清　焦林义
鲁大东　谢希德（女）　谢振华　强晓初
解　峰　廖汉生　廖承志
赛福鼎（维吾尔族）　谭友林　谭启龙
谭善和　薛　驹　穆　青（回族）　戴苏理
中央候补委员（138 人，以得票多少为序）
杨泰芳　郎大忠（傣族）　尉健行　蒋民宽
尹长民（女）　罗尚才（布依族）　周光召
郑光迪（女）　姜燮生　　　　彭士禄
尹　俊（白族）　年得祥（回族）　李　刚
陈素芝（女，满族）　　　胡　平　胡锦涛
袁芳烈　格桑多杰（藏族）　蒋心雄　杨析综
金宝生（瑶族）　赵宗鼐　唐仲文
潘荣文（女）　朱　训　刘树生（回族）
李　冰（女）　吴文英（女）　张序登

陆懋曾　陈　焕　林殷才　梁栋材　熊清泉
魏鸣一　于振武　于鸿礼　卢良恕　朱厚泽
乔学亭　邹竞蒙　张辛泰　宫本言　黎　明
王　群　李慧芬（女）　　　杨岭多吉（藏族）
周阿庆　黄德懋　刘贵谦　孙维本　粟寿山
钱其琛　董继昌　马思忠（回族）
王越丰（黎族）　巴图巴根（蒙古族）
卢功勋　田世兴　刘鸿儒　张万年
梁成业（壮族）　王忍之　王林鹤
刘玉洁（女）　刘国光　许　勤
贾那布尔（哈萨克族）　　黑伯理（回族）
丁凤英（女）　　韩　叙　谢　非　魏金山
孙国治　李铁映　李淑铮（女）　吴祖强
何光远　张　祥　聂奎聚　高德占　黄　枢
马忠臣　王学珍　邢崇智　刘友法　刘明辉
汪家镠（女）　　张伯祥　韩瑞阶
邢至康（女）　　刘　毅　董占林　王建功
张万欣　安志文　李　锋　吴蔚然　何竹康
陈作霖　宋　健　林涧清　邹家华　罗　干
马卫华　李化民　黄甘英（女）　赵东宛
吴向必（苗族）　高厚良
杨正午（土家族）　严　政　刘维明　钱学森
杨海波　马　洪　房维中　王　蒙　李际均
徐　信　高占祥　叶选平　刘海清　马　明
王六生　李昌安　张健民　任　荣　杨永良
王扶之　张根生　吴冷西　袁　俊　王金山
李瑞山　王　谦　于　桑　汪东兴

十二届一中全会

（1982 年 9 月 12 日—13 日）

选举：
中央委员会
总书记　胡耀邦
政治局常务委员会委员
　胡耀邦　叶剑英　邓小平　赵紫阳　李先念
　陈　云
政治局委员（按姓氏笔画为序）
　万　里　习仲勋　王　震
　韦国清（壮族）　乌兰夫（蒙古族）
　方　毅　邓小平　邓颖超（女）

叶剑英　李先念　李德生　杨尚昆
杨得志　余秋里　宋任穷　张廷发
陈　云　赵紫阳　胡乔木　胡耀邦
聂荣臻　倪志福　徐向前　彭　真
廖承志

政治局候补委员（以得票多少为序）

姚依林　秦基伟　陈慕华（女）

书记处书记（按姓氏笔画为序）

　万　里　习仲勋　邓力群　杨　勇
余秋里　谷　牧　陈丕显　胡启立
姚依林

书记处候补书记（以得票多少为序）

　乔　石　郝建秀（女）

十二届二中全会

（1983 年 10 月 11 日—12 日）

　中央候补委员递补：

中央委员　杨泰芳　郎大忠（傣族）

十二届四中全会

（1985 年 9 月 16 日）

（根据肖寒请求，免去他中央委员职务。

同意下列 64 位老同志请求不再担任中共中央委员、候补中央委员的请求，并向党的代表会议报告，后经党的代表会议同意）

　叶剑英　邓颖超（女）　　徐向前　聂荣臻
乌兰夫　王　震　韦国清　李德生　宋任穷
张廷发　于　桑　马文瑞　王　谦　王六生
王金山　王恩茂　王鹤寿　白栋材　朱穆之
任仲夷　刘　震　刘华清　刘志坚　刘明辉
刘复之　许家屯　孙大光　孙国治　李　锐
李化民　李启明　杨易辰　肖全夫　汪东兴
张　震　张爱萍　张铚秀　陈伟达　陈国栋
林乎加　周子健　郑三生　赵守一　赵苍璧
胡立教　洪学智　袁宝华　钱学森　铁　瑛
高厚良　黄　华　黄新廷　康克清　梁必业
梁灵光　蒋南翔　韩先楚　覃应机　鲁大东
谢振华　廖汉生　谭友林　谭启龙　谭善和

中国共产党全国代表会议

（1985 年 9 月 18 日—23 日）

　增选：

中央委员（56 人，按姓氏笔画为序）

丁关根　万绍芬（女）　　王　涛　王　海
王　蒙　王忍之　王森浩　尹克升　叶选平
白纪年　邢崇智　朱　训　朱厚泽　伍绍祖
刘精松　关广富（满族）　阮崇武　孙维本
芮杏文　李九龙　李际均　李昌安　李贵鲜
李铁映　杨正午（土家族）杨析综
吴文英（女）　吴蔚然　何竹康　邹家华
宋　健　迟浩田　张帼英（女）　陈光毅
陈辉光　周光召　周克玉　赵先顺　胡　平
胡锦涛　侯　捷　贾春旺　钱李仁　钱其琛
徐惠滋　高　狄　黄　璜　尉健行　蒋心雄
蒋民宽　傅全有　普朝柱　廖　晖　熊清泉
黎　明　魏金山

中央候补委员（35 人，按得票多少为序）

丹增（藏族）　　刘国范　丁廷模　全树仁
孙文盛　李德洙（朝鲜族）杨国梁　宋汉良
郑　华　徐世群　丁衡高
克尤木·巴吾东（维吾尔族）　陈明义
袁伟民　戚元靖　路甫祥　王宗春　孙同川
孙家正　李长春　吴邦国　宋德福　张立昌
张仲先　贺国强　杨　钟　姜洪泉　艾知生
吴官正　乔宗淮　刘云山　刘荣惠
赵　地（女）　　金　鉴（满族）　王郁昭

十二届五中全会

（1985 年 9 月 24 日）

　增选：

政治局常务委员会委员

田纪云　乔　石　李　鹏　吴学谦　胡启立
姚依林

（增选和调整后的中央政治局由 22 人组成）

政治局委员（按姓氏笔画为序）

　万　里　习仲勋　方　毅　邓小平　田纪云
乔　石　李　鹏　李先念　杨尚昆　杨得志

吴学谦　余秋里　陈　云　赵紫阳　胡乔木
胡启立　胡耀邦　姚依林　倪志福　彭　真
政治局候补委员　秦基伟　陈慕华(女)
(根据习仲勋、谷牧、姚依林的请求,同意他
们不再担任中央书记处书记)
增选：
书记处书记　乔　石　田纪云　李　鹏
　　　　郝建秀(女)　　王兆国
增选和调整后的中央书记处由 11 人组成：
总书记　胡耀邦
书　记　胡启立　万　里　余秋里　乔　石
　　　　田纪云　李　鹏　陈丕显　邓力群
　　　　郝建秀(女)　　王兆国

十二届六中全会

(1986 年 9 月 28 日)

中央候补委员递补：
中央委员　尹长民

中共中央政治局扩大会议

(1987 年 1 月 16 日)

批准辞职：
总书记　胡耀邦
一致推选：
代理总书记　赵紫阳

十二届七中全会

(1987 年 10 月 20 日)

撤销：
中央委员　沈　图

中国共产党第十三届中央委员会

(1987 年 11 月—1992 年 10 月)

中国共产党第十三次全国代表大会

(1987 年 10 月 25 日—11 月 1 日)

选举产生新的中央委员会：
中央委员(175 人,按姓氏笔画为序)
丁关根　丁衡高　于永波(满族)　　于洪恩
万　里　万绍芬(女)　　王　涛　王　海
王　蒙　王　群　王丙乾　王汉斌　王成斌
王任重　王兆国　王忍之　王茂林
王朝文(苗族)　　王森浩　王瑞林　毛致用
尹克升　艾知生　布　赫(蒙古族)　卢荣景
叶选平　田纪云　史玉孝　白立忱(回族)
司马义·艾买提(维吾尔族)　　　邢崇智
吕培俭　朱　训　朱　光　朱　良　朱光亚
乔　石　伍绍祖　伍精华(彝族)　　任建新
华国锋　全树仁　多吉才让(藏族)　刘正威
刘安元　刘振华　刘精松　关广富(满族)
江泽民　许士杰　阮崇武　孙维本　芮杏文
李　鹏　李九龙　李子奇　李长春　李立功
李旭阁　李际均　李泽民　李贵鲜　李根深
李铁映　李乾元　李梦华　李瑞环　李锡铭
李新良　李德洙(朝鲜族)　杨正午(土家族)
杨白冰　杨汝岱　杨析综　杨尚昆　杨泰芳
杨静仁(回族)　　杨德中　吴文英(女)
吴官正　吴学谦　吴蔚然　何　康　何东昌
何竹康　邹家华　沈达人　沈祖伦　宋　平
宋　健　宋汉良　宋德福　迟浩田　张　寿
张仲先　张勃兴　张帼英(女)　　陆懋曾
陈玉英(女)　　陈光毅　陈希同　陈俊生
陈辉光　陈慕华(女)　　林　若
林丽韫(女)　　罗　干　周光召　周衣冰
周克玉　郑拓彬　房维中　赵东宛　赵先顺
赵宗鼐　赵南起(朝鲜族)　赵紫阳　赵富林
郝建秀(女)　　胡　平　胡启立　胡锦涛
胡耀邦　侯　捷　侯宗宾　姜春云　姜洪泉
姚依林　贺敬之　秦仲达　秦基伟
热　地(藏族)　　袁伟民　聂奎聚　聂璧初
贾春旺　顾秀莲(女)　　顾金池
钱正英(女)　　钱永昌　钱李仁　钱其琛
铁木尔·达瓦买提(维吾尔族)　　倪志福
徐惠滋　高　狄　高焕昌　郭振乾　郭超人
朗大忠(傣族)　戚元靖　崔乃夫　阎明复
梁步庭　梁栋材　尉健行　彭　冲　董继昌
蒋心雄　蒋民宽　韩培信　程维高　傅全有
普朝柱　温家宝　谢　非　谢希德(女)

雷鸣球 鲍 彤 蔡 诚 廖 晖 熊清泉

赛福鼎·艾则孜(维吾尔族) 薛 驹

魏金山

中央候补委员(110人,按得票多少为序)

格桑多杰(藏族) 贾志杰 马玉海(回族)

丹 增(藏族) 王越丰(黎族)

克尤木·巴吾东(维吾尔族) 李振潜

张连忠 陈明义 罗尚才(布依族)

贾那布尔(哈萨克族) 王志武 刘国光

何道泉 陈敏章 姜燮生 马思忠(回族)

杨国梁 邹竞蒙 高镇宁 王洛林 张立昌

赵国臣 王学珍 尹 俊(白族) 叶连松

张万年 陈素芝(女,满族) 葛洪升

傅锡寿 朱森林 周绍勋 刘方仁 杨永良

陈世俊 郑 华 钱国梁 钱绍钧 卢功勋

刘国范 刘鸿儒 周玉书 贺国强 梁光烈

路甬祥 王忠禹 彭功阁 朱开轩 何光远

孙同川 宋克达 赵炳耀 栗寿山

刘玉洁(女) 孙家正 李淑铮(女)

林殷才 孙文盛 陈玉杰(女) 钱树根

曾宪林 于振武 史大桢 吴邦国 张思卿

和志强(纳西族) 徐世群 丁廷模

栾恩杰(满族) 沙健孙(回族)

陈至立(女) 顾传训 曾庆存

巴图巴根(蒙古族) 廖文海(女)

刘 毅 李慧芬(女) 韩 叙 齐怀远

李岚清 吴 仪(女) 张彦仲 邓鸿勋

汪家镠(女) 高德占 刘荣惠

赵延年(回族) 金 鉴(满族) 张万欣

董占林 朱镕基 李森茂 任 铁 宗顺留

孙 奇 桂世镛 邢至康(女) 胡笑云

固 辉 白恩培 陈邦柱 周文元

赵 地(女) 马忠臣 乔宗淮 袁 俊

何其宗 尹长民(女) 黎 明 黄 菊

十三届一中全会

(1987 年 11 月 2 日)

选举:

中央委员会

总书记 赵紫阳

政治局常务委员会委员 赵紫阳 李 鹏 乔 石 胡启立 姚依林

政治局委员(按姓氏笔画为序)

万 里 田纪云 乔 石 江泽民

李 鹏 李铁映 李瑞环 李锡铭

杨汝岱 杨尚昆 吴学谦 宋 平

赵紫阳 胡启立 胡耀邦 姚依林

秦基伟

政治局候补委员 丁关根

书记处书记 胡启立 乔 石 芮杏文 阎明复

书记处候补书记 温家宝

中央军委主席 邓小平

第一副主席 赵紫阳

常务副主席 杨尚昆

十三届四中全会

(1989 年 6 月 23 日—24 日)

撤销:

中央委员会总书记、政治局常委、政治局委员、中央委员、中央军委第一副主席 赵紫阳

选举:

中央委员会

总书记 江泽民

增选:

政治局常委 江泽民 宋 平 李瑞环

增选:

书记处书记 李瑞环 丁关根

免职:

政治局常委、政治局委员、书记处书记 胡启立

书记处书记 芮杏文 阎明复

十三届五中全会

(1989 年 11 月 6 日—9 日)

增补:

书记处书记 杨白冰

中央顾问委员会

中国共产党第十二届中央委员会期间

（1982 年 9 月—1987 年 11 月）

第十二次全国代表大会

（1982 年 9 月 1 日—12 日）

决定成立中央顾问委员会，选举：

委　员（172 人，按姓氏笔画为序）

于光远	万　毅（满族）	王　平	王一平
王子纲	王世泰	王幼平	王必成	王尚荣
王首道	王新亭	天　宝（藏族）	
韦　杰（壮族）	区梦觉（女）	方　强	
方志纯	尹林平	孔　原	孔石泉	邓小平
甘渭汉	平杰三	帅孟奇（女）	白如冰
冯　铉	冯文彬	冯纪新	冯基平	成　钧
成仿吾	吕正操	廷　懋（蒙古族）	伍修权
任白戈	任质斌	刘　杰	刘　晓	刘田夫
刘转连	刘建章	刘顺元	刘俊秀	刘道生
刘景范	刘澜涛	江　华（瑶族）	江一真
江渭清	许世友	孙冶方	杜　平	杜义德
李　达	李　贞（女）	李　强	李一氓
李丰平	李井泉	李任之	李成芳	李志民
李运昌	李坚真（女）	李卓然	李维汉
李葆华	李颉伯	李楚离	李聚奎	杨尚奎
杨献珍	萧　克	萧劲光	肖望东	吴　德
吴克华	吴亮平	吴富善	旷伏兆	何长工
汪　锋	宋　黎	宋时轮	宋侃夫	张　策
张才千	张平化	张令彬	张达志	张光年
张仲良	张邦英	张秀山	张启龙	张维桢
张稼夫	陆定一	陈再道	陈野萍	陈锡联
陈漫远	武新宇	范式人	林　铁	欧阳山
罗玉川	罗贵波	金　明	周　扬	周　里
周　林	周仁杰	郑天翔	赵　林	赵辛初
赵武成	赵健民	赵毅敏	钟子云	钟汉华
钟期光	段君毅	贺　彪	贺晋年	袁升平
袁任远	耿　飚	聂凤智	栗又文	夏　衍
夏之栩（女）	夏世厚	夏征农	顾卓新
钱之光	徐立清	高　扬	高克林	郭　峰
郭化若	郭述申	郭洪涛	唐　亮	姬鹏飞

黄　镇	黄火青	黄欧东	曹　瑛	曹里怀
常黎夫	章　蕴（女）		阎达开	阎揆要
彭嘉庆	彭德清	韩念龙	惠浴宇	粟　裕
程子华	程世才	傅　钟	舒　同	曾　三
曾　生	曾　志（女）		詹才芳	雍文涛
廖志高	谭震林	薄一波	霍士廉	魏金水

十二届一中全会

（1982 年 9 月 12 日—13 日）

批准中央顾问委员会全体会议选举结果：

主　任　邓小平

副主任　薄一波　许世友　谭震林　李维汉

常务委员（按姓氏笔画为序）

王　平	王首道	邓小平	伍修权	刘澜涛
江　华	许世友	李井泉	李维汉	萧　克
萧劲光	何长工	宋时轮	陆定一	陈锡联
段君毅	耿　飚	姬鹏飞	黄火青	粟　裕
程子华	傅　钟	谭震林	薄一波	

（以上由 1982 年 9 月 13 日举行的中顾委全体会议选举产生，并经十二届一中全会批准）

十二届二中全会

（1983 年 10 月 11 日—12 日）

批准增选：

中央顾问委员会委员

魏文伯　奎　璧（蒙古族）　张　苏　杜星垣
贾庭三

十二届四中全会

（1985 年 9 月 16 日）

批准不再担任中央顾问委员会委员：

李井泉	萧劲光	何长工	傅　钟	万　毅
王必成	王尚荣	区梦觉（女）	方志纯
帅孟奇（女）	冯　铉	刘　晓	李　达
李　贞（女）	李卓然	李楚离	杨尚奎
杨献珍	张　苏	张令彬	张启龙	张维桢
范式人	林　铁	周　扬	周　里	奎　璧
钟汉华	钟期光	袁任远	夏　衍	钱之光

郭化若　黄欧东　詹才芳　魏文伯　刘俊秀

中国共产党全国代表会议

（1985 年 9 月 18 日—23 日）

增选：

中央顾问委员会委员（56 人，按姓氏笔画为序）

马国瑞	王　谦	王　震	王　磊	王六生
王从吾	文敏生	白栋材	朱穆之	任仲夷
刘　震	刘华清	刘志坚	刘明辉	刘复之
许家屯	孙大光	杜润生	李　昌（土家族）	
李　锐	李化民	李启明	李雪峰	李德生
杨秀生	肖全夫	汪东兴	宋任穷	张　震
张廷发	张铚秀	陈伟达	陈国栋	武　衡
林乎加	郑维山	赵守一	赵苍璧	荣高棠
饶　斌	饶守坤	洪学智	钱信忠	高厚良
郭林祥	黄新廷	梅　益	梁必业	蒋南翔
韩宁夫	傅崇碧	鲁大东	谢振华	谭友林
谭启龙	谭善和			

十二届五中全会

（1985 年 9 月 24 日）

批准中央顾问委员会全体会议选举结果：

副主任　王　震　宋任穷

常务委员　王　震　李一氓　李德生
　　　　　宋任穷

调整后的中央顾问委员会：

主　任　邓小平

副主任　王　震　薄一波（常务）　许世友
　　　　宋任穷

常务委员（按姓氏笔画为序）

王　平	王　震	王首道	邓小平	伍修权
刘澜涛	江　华	许世友	李一氓	李德生
萧　克	宋任穷	宋时轮	陆定一	陈锡联
段君毅	耿　飚	姬鹏飞	黄　镇	黄火青
程子华	薄一波			

中国共产党第十三届中央委员会期间

（1987 年 11 月—1992 年 10 月）

中国共产党第十三次全国代表大会

（1987 年 10 月 25 日—11 月 1 日）

选举产生新的中央顾问委员会：

委　员（200 人，按姓氏笔画为序）

于光远	于明涛	万海峰	马兴元	马国瑞
王　平	王　芳	王　林	王　谦	王　磊
王一平	王子纲	王从吾	王六生	王世泰
王幼平	王诚汉	王首道	王鹤寿	
天　宝（藏族）	韦纯束（壮族）		尤太忠	
邓力群	文敏生	方　强	孔石泉	白如冰
白栋材	冯文彬	冯纪新	成　钧	吕　东
朱云谦	朱穆之	迁　懋（蒙古族）		乔晓光
伍修权	任仲夷	任质斌	向守志	刘　杰
刘　震	刘田夫	刘华清	刘志坚	刘转连
刘明辉	刘建章	刘复之	刘景范	刘道生
刘澜涛	江　华（瑶族）		江一真	江拥辉
江渭清	池必卿	安平生	安志文	许家屯
孙大光	严　政	苏毅然	杜　平	杜义德
杜星垣	杜润生	李　昌（土家族）		李　锐
李一氓	李力安	李丰平	李化民	李东冶
李庆伟	李运昌	李启明	李葆华	李登瀛
李德生	李耀文	杨易辰	杨秀山	杨得志
萧　克	肖全夫	肖望东	吴　德	吴富善
旷伏兆	余秋里	汪　锋	汪东兴	汪道涵
宋　黎	宋任穷	宋时轮	张　策	张　震
张才千	张邦英	张达志	张光年	张廷发
张秀山	张劲夫	张爱萍	张铚秀	张曙光
陆定一	陈　云	陈　彬	陈　雷	陈仁洪
陈丕显	陈伟达	陈国栋	陈野萍	陈锡联
陈璞如	武　衡	林乎加	欧阳山	罗玉川
罗青长	罗贵波	金　明	周　林	周　惠
周子健	周仁杰	周世忠	周建南	郑天翔
郑维山	项　南	赵苍璧	赵辛初	赵武成
赵健民	荣高棠	胡立教	胡乔木	钟子云
段君毅	饶守坤	贺　彪	贺晋年	袁升平
袁宝华	耿　飚	聂凤智	夏世厚	顾卓新
钱信忠	铁　瑛	徐　信	高　扬	高厚良
郭　峰	郭洪涛	姬鹏飞	黄　华	黄　镇
黄罗斌	黄新廷	梅　益	曹　瑛	曹里怀
常黎夫	崔月犁	康世恩	阎达开	梁必业
彭嘉庆	彭德清	蒋南翔	韩天石	韩宁夫

韩念龙　惠浴宇　覃应机(壮族)　程子华
程世才　傅崇碧　焦若愚　鲁大东　曾　生
曾　志(女)　谢振华　强晓初　雍文涛
廖志高　谭友林　谭启龙　谭善和　薄一波
霍士廉　穆　青(回族)　戴苏理

十三届一中全会

（1987 年 11 月 2 日）

批准中央顾问委员会全体会议选举结果：

主　任　陈　云

副主任　薄一波　宋任穷

常务委员（按姓氏笔画为序）

王　平　王首道　伍修权　刘澜涛　江　华
李一氓　李德生　杨得志　萧　克　余秋里
宋任穷　宋时轮　张劲夫　张爱萍　陆定一
陈　云　陈丕显　陈锡联　胡乔木　段君毅
耿　飚　姬鹏飞　黄　华　黄　镇　康世恩
程子华　薄一波

中顾委常委会　中纪委常委会

（1991 年 3 月）

撤销：

中顾委委员　许家屯

中央纪律检查委员会

中国共产党第十一届中央委员会期间

（1978 年 12 月—1982 年 9 月）

十一届三中全会

（1978 年 12 月 18 日—22 日）

决定成立中央纪律检查委员会，选举：

第一书记　陈　云

第二书记　邓颖超(女)

第三书记　胡耀邦

常务书记　黄克诚

副书记

王鹤寿　王从吾　刘顺元　张启龙　袁任远
章　蕴(女)　郭述申　马国瑞　李一氓
魏文伯　张　策　赵毅敏(后任)

常务委员（按姓氏笔画为序）

马辉之　王建安　王维纲　王鹤峰　方志纯
孔祥祯　帅孟奇(女)　吕剑人　刘　型
刘建章　刘澜波　李士英　李楚离　张子意
武新宇　周　扬　周仲英　唐天际　曹　瑛
曹广化　阎秀峰　韩　光　傅秋涛　曾涌泉

委　员（按姓氏笔画为序）

马　信　王大中　王文轩　王若冰　王苏民
王朝文　王直哲　毛　铎　文正一　平杰三
朱云谦　朱穆之　卢仁灿　刘　英(女)
刘丽英(女)　刘敬之　刘鸣九　安建平
多吉才让　严东生　李　坚　李之琏
李立功　李华生　李振海　杰尔格勒
杨心培　杨长春　杨秀山　何东昌　何廷一
何善远　阿木冬·尼牙孜　吴　波　汪文风
宋　诚　张　中　张　凯　张　祺　张兆美
张承先　张瑞华(女)　陈　林　段　云
范儒生　周太和　周凤鸣　郑爱平　胡德华
饶正锡　侯维煜　徐少甫　徐深吉
浦安修(女)　殷继昌　黄　荣
黄甘英(女)　黄民伟　彭　儒(女)
曾　三　蹇先任(女)

中国共产党第十二届中央委员会期间

（1982 年 9 月—1987 年 11 月）

中国共产党第十二次全国代表大会

（1982 年 9 月 1 日—11 日）

选举产生新的中央纪律检查委员会：

委　员（132 人，按姓氏笔画为序）

马国瑞　王　凌(女)　王　铁　王　焰
王又新　王从吾　王尧山　王众音　王秉祥
王宗槐　王战平　王晓光　王福庆　王鹤寿
王鹤峰　云世英(蒙古族)　毛　铎
文　力(回族)　文正一(朝鲜族)　石生荣
石新山　史　敏　白治民
包玉山(蒙古族)　朱绍清　乔　青　任志恒

多吉才让(藏族) 刘 英(女) 刘 昆

刘汉生 刘自德 刘丽英(女) 刘鸣九

刘家栋 刘茹影(女) 刘新权 刘鹤孔

许梦侠 孙丹辉(女) 严佑民 严克伦

李 庄 李 坚 李 昌 李 涛(满族)

李 耀 李之琏 李正亭 李兴旺 李君彦

李哲夫 李健民 李振海 杨 克 杨 珏

杨子谦 杨西林 杨攸箴 杨蕴玉(女)

吴信泉 余达佳(壮族) 余述生 余建亭

狄子才 邹 衍 宋 诚 宋洁涵

张 矛(女) 张 凯 张 顺 张力行

张传栋 张海峰

阿木冬·尼牙孜(维吾尔族) 陈 云

陈 坦 陈达之 陈如龙 邵井蛙 范希贤

范朝利 林 晓 林一心 林维先 金 凤

金 石 金昭典 庞 然 赵重德 赵起扬

段 云 饶正锡 徐其孝 徐深吉 高 峻

高新华 郭 健(女) 郭春原 唐延杰

浦安修(女) 晏福生 黄 中 黄 凯

黄乃一 黄民伟 黄立清 黄克诚 曹广化

曹幼民 曹冠群(女)

曹达诺夫(维吾尔族) 戚元靖 崔 健

康 迪 章 林 梁茂成 彭 儒(女)

彭清云 韩 光 韩天石 焦若愚 焦善民

谢邦治 詹大南 蔡顺礼 谭开云 谭申平

薛 坦 薛凤霄 塞先任(女)

塞先佛(女)

十二届一中全会

(1982 年 9 月 12 日—13 日)

批准中央纪律检查委员会全体会议选举结果：

第一书记 陈 云

第二书记 黄克诚

常务书记 王鹤寿

书 记 王从吾 韩 光 李 昌 马国瑞
韩天石

常务委员(按姓氏笔画为序)

马国瑞 王从吾 王鹤寿 李 昌 李之琏

李正亭 陈 云 黄克诚 韩 光 韩天石

蔡顺礼

十二届四中全会

(1985 年 9 月 16 日)

同意不再担任职务：

黄克诚 王从吾 李 昌 马国瑞 蔡顺礼

王 凌 王尧山 王鹤峰 毛 铎 朱绍清

刘 英(女) 刘汉生 严克伦 李 耀

吴信泉 张海峰 陈 坦 林一心 金昭典

段 云 饶正锡 徐深吉 郭 建(女)

唐延杰 黄民伟 曹广化 曹幼民

彭 儒(女) 谭申平 塞先任(女)

中国共产党全国代表会议

(1985 年 9 月 19 日—23 日)

增选中央纪律检查委员会委员(31 人，按姓氏笔画为序)

王玉福 王德瑛 韦成栋(壮族) 白 石

刘 崑 刘汉桢 李 元 李 克 李曼村

李德明 肖洪达 肖选进 吴景春(女)

汪文风 张少华 张定鸿 陈作霖 林英海

罗运通(壮族) 周雅光 单印章 赵保星

赵富林 侯 颖 顾云飞 曹思明 韩双亭

傅 杰 曾繁茂 谢 勇 强晓初

十二届五中全会

(1985 年 9 月 24 日)

批准中央纪律检查委员会全体会议选举结果：

第二书记 王鹤寿

常务书记 韩 光

书 记 强晓初 陈作霖

增选和调整后的中央纪律检查委员会：

第一书记 陈 云

第二书记 王鹤寿

常务书记 韩 光

书 记 强晓初 韩天石 陈作霖

常务委员(按姓氏笔画为序)

王德瑛 王鹤寿 包玉山 刘丽英(女)

李之琏 李正亭 肖洪达 陈 云 陈作霖

傅 杰 韩 光 韩天石 强晓初

中国共产党第十三届中央委员会期间

（1987 年 11 月—1992 年 10 月）

中国共产党第十三次全国代表大会

（1987 年 10 月 25 日—11 月 1 日）

选举产生新的中央纪律检查委员会：

委　员（69 人，按姓氏笔画为序）

丁凤英（女）　　　马启新（回族）

马铁军（回族）　　王占昌　　王言昌　　王宗春

王晓光　　王维澄　　王德瑛　　韦成栋（壮族）

云世英（蒙古族）　巴　桑（女，藏族）

石　庚　　白　石　　冯芝茂　　吕　枫　　吕绍堂

朱治宏　　乔　石　　多　巴（藏族）　　刘友法

刘汉桢　　刘丽英（女）　　齐中堂　　许鸣真

孙彤辉（女）　　李正亭　　李发荣　　李春亭

李焕政　　李德明　　杨敏之　　肖洪达　　汪文风

张　明　　张丁华　　张伯祥　　张序登　　张定鸿

陈达之　　陈作霖　　陈法文　　武长友　　林开钦

林英海　　罗进新　　罗运通（壮族）　　孟志元

项　华（女）　　赵兴元　　赵保星　　荀友明

侯　颖　　格日勒图（蒙古族）　　贾　军

顾云飞　　徐　青　　徐文伯　　高　姿　　郭林祥

黄继述　　曹芃生　　曹庆泽　　曹克明

彭　钢（女）　　彭珮云（女）

董范园（女）　　傅　杰　　谢　勇

十三届一中全会

（1987 年 11 月 2 日）

批准中央纪律检查委员会全体会议选举结果：

书　记　乔　石

副书记　陈作霖　李正亭　肖洪达

常务委员（按姓氏笔画为序）

王德瑛　　乔　石　　刘丽英（女）　　李正亭

肖洪达　　陈作霖　　郭林祥　　　　　傅　杰

中纪委第七次全体会议

（1990 年 12 月 30 日）

补选：

副书记　王德瑛

常务委员　陈达之

中共中央直属机关

中共中央办公厅

主　任　汪东兴（1965 年 11 月—1978 年 11 月）

姚依林（1978 年 12 月—1982 年 4 月）

胡启立（1982 年 4 月—1983 年 6 月）

乔　石（1983 年 6 月—1984 年 4 月）

王兆国（1984 年 4 月—1986 年 5 月）

温家宝（1986 年 5 月—1993 年 3 月）

曾庆红（1993 年 3 月—　　）

副主任　邓典桃（1977 年 6 月—1980 年 7 月）

曾　三（1979 年 6 月—1993 年 3 月）

张耀祠（1969 年 11 月—1979 年 2 月）

李质忠（1979 年 1 月—　　）

冯文彬（第一副主任，1978 年 12 月—　　）

杨德中（第一副主任，1982 年—　　）

邓力群（1979 年 1 月—　　）

李　鑫（1976 年 11 月—1980 年）

高登榜（1979 年—　　）

康一民（1982 年—　　）

周　杰（1985 年—1987 年）

冯岭安（1985 年—　　）

温家宝（1985 年—1986 年 5 月）

张岳琦（1987 年—1990 年）

王瑞林（1983 年—　　）

徐瑞新（1987 年—　　）

曾庆红（1989 年—1993 年 3 月）

中共中央组织部

部　长　郭玉峰（1975 年 6 月—1977 年 12 月）

胡耀邦（1977 年 12 月—1978 年 12 月）

宋任穷（1978 年 12 月—1983 年 2 月）

陈野萍（1983 年 2 月—1984 年 4 月）

乔　石（1984 年 4 月—1985 年 7 月）

尉健行（1985 年 7 月—1987 年 5 月）

宋　平(1987 年 5 月—1989 年 12 月)

吕　枫(1989 年 12 月—　)

副部长

李步新(1978 年—1980 年)

陈野萍(常务副部长,1978 年—1983 年 2 月)

郑屏年(1978 年—1979 年)

曾　志(女)(1978 年 6 月—1985 年)

杨士杰(1978 年 6 月—　)

赵振清(1978 年 10 月—　)

白治民(1979 年 7 月—　)

王照华(1980 年 7 月—　)

李　锐(1983 年—　)

尉健行(1984 年—1985 年 7 月)

何　勇(1986 年—1987 年)

曹　志(1984 年—1987 年)

吕　枫(1983 年—1989 年 12 月)

赵家骕(1988 年—　)

孟连昆(1987 年—　)

刘泽彭(1987 年—　)

张全景(1991 年—　)

中共中央宣传部

部　长

耿　飚(负责人,1976 年 10 月—1977 年 10 月)

张平化(1977 年 10 月—1978 年 12 月)

胡耀邦(1978 年 12 月—1980 年 2 月)

王任重(1980 年 2 月—1982 年 4 月)

邓力群(1982 年 4 月—1985 年 7 月)

朱厚泽(1985 年 7 月—1987 年 1 月)

王忍之(1987 年 1 月—1993 年 3 月)

副部长

周　扬(1980 年 3 月—　)

李　鑫(负责人,1976 年 10 月—1977 年 10 月)

王　殊(负责人,1976 年 12 月—1977 年 10 月)

华　楠(负责人,1977 年 1 月—1977 年 10 月)

黄　镇(第一副部长,1977 年 12 月—　)

朱穆之(1977 年 12 月—1982 年)

廖井丹(1977 年 11 月—　)

张香山(1977 年 12 月—　)

赵守一(1980 年 3 月—1982 年)

郁　文(1982 年—　)

贺敬之(1982 年—　)

王惠德(1982 年—　)

滕　藤(1985 年—1987 年)

曾德林(1982 年—　)

王大明(1986 年—1987 年)

刘忠德(1990 年—　)

李　彦(1986 年—　)

王维澄(常务副部长,1987 年—1989 年)

曾建徽(1988 年—　)

龚育之(1988 年—　)

徐惟诚(常务副部长,1989 年—　)

聂大江(1990 年—　)

翟泰丰(1991 年—　)

中共中央统一战线工作部

部　长

乌兰夫(1977 年 6 月—1982 年 4 月)

杨静仁(1982 年 4 月—1985 年 11 月)

阎明复(1985 年 11 月—1990 年 11 月)

丁关根(1990 年 11 月—1993 年 3 月)

副部长

齐燕铭(1978 年 4 月—10 月)

平杰三(1979 年 1 月—1982 年)

张执一(1979 年 1 月—1982 年)

薛子正(1979 年 1 月—1980 年 7 月)

刘澜涛(第一副部长,1978 年 12 月—1982 年)

杨静仁(1978 年 4 月—1982 年 4 月)

童小鹏(1977 年 9 月—1982 年)

熊向晖(1978 年 9 月—1980 年)

李　贵(1977 年 9 月—1986 年)

方知达(1979 年 1 月—1982 年)

刘宁一(1979 年 7 月—1980 年)

江　平(1982 年—1986 年)

李　定(1982 年—1989 年 12 月)

宋　堃(1988 年 3 月—1991 年 9 月)

武连元(1986 年 5 月—　)

万绍芬(女)(1988 年 12 月—　)

张声作(1988 年 12 月—　)

蒋民宽(常务副部长,1990 年 9 月—　)

刘延东(女)(1991 年 9 月—　)

中共中央对外联络部

部　长

耿　飚(1971 年 1 月—1979 年 1 月)

姬鹏飞(1979 年 1 月—1982 年 4 月)

乔　石(1982 年 4 月—1983 年 7 月)

钱李仁(1983 年 7 月—1985 年 12 月)

朱　良(1985 年 12 月—1993 年 3 月)

李淑铮(女)(1993 年 3 月—　)

副部长

申　健(1973 年 8 月—1979 年 4 月)

任允中(1973 年 8 月—1976 年)

张香山(1973 年 8 月—1977 年)

李一氓(1975 年 10 月—1982 年)

冯　铉(1973 年 8 月—1982 年)

张致祥(1978 年 2 月—1982 年)

区棠亮(女)(1978 年 2 月—1982 年)

吴学谦(1978 年 2 月—1980 年)

乔　石(1978 年 2 月—1982 年)

李淑铮(女)(1981 年—1993 年 3 月)

钱李仁(1982 年—1983 年)

朱　良(1982 年—1985 年 12 月)

蒋光化(1982 年—　)

朱善卿(1985 年—　)

李成仁(1988 年—　)

中共中央党校

校　长

华国锋(1977 年 3 月—1982 年 4 月)

王　震(1982 年 4 月—1987 年 3 月)

高　扬(1987 年 3 月—1989 年 3 月)

乔　石(1989 年 3 月—1993 年 3 月)

副校长

汪东兴(第一副校长,1977 年 3 月—1980 年 2 月)

胡耀邦(1977 年 3 月—1980 年 12 月)

马文瑞(1977 年 12 月—1978 年 12 月)

张平化(1978 年 12 月—1979 年 2 月)

安子文(1979 年 1 月—1980 年 6 月)

冯文彬(1978 年 10 月—　)

蒋南翔(第一副校长,1982 年—1988 年)

陈维仁(　—1988 年,1993 年 3 月—　)

韩树英(　—1988 年,1993 年 3 月—　)

高　狄(1988 年 4 月—1989 年 6 月,1993 年 3 月—　)

邢贲思(1988 年—　)

苏　星(1988 年—　)

薛　驹(常务副校长,1989 年—　)

中共中央文献研究室

主　任

汪东兴(1977 年 3 月—1978 年 12 月)

胡乔木(1980 年 1 月—1982 年 4 月)

李　琦(1982 年 4 月—1993 年 3 月)

副主任

李　鑫(1977 年 3 月—1980 年 1 月)

贾步彬(1977 年 3 月—1980 年 1 月)

熊　复(1977 年 3 月—1980 年 1 月)

武建华(1977 年 3 月—1978 年 12 月)

李　琦(第一副主任,1980 年 1 月—1982 年)

吴冷西(1977 年 3 月—　)

胡　绳(1977 年 3 月—　)

廖盖隆(1980 年 1 月—　)

龚育之(1980 年 1 月—　)

逢先知(1982 年—　)

金冲及(1984 年—　)

中共中央党史研究室

主　任

胡乔木(1980 年 1 月—1982 年 4 月)

胡　绳(1982 年 4 月—　)

副主任

冯文彬(1982 年—　)

华　楠(1982 年—　)

李　新(1982 年—　)

廖盖隆(1980 年—　)

胡　绳(1980 年—1982 年)

沙健孙(1986 年—　)

马石江(1988 年—1993 年 3 月)

郑　惠(1986 年—　)

中共中央直属机关(工作)委员会

书　记

冯文彬(1980 年 5 月—1985 年 5 月)

王兆国(1985 年 5 月—1987 年 8 月)

温家宝(1988 年 2 月—1993 年 3 月)

中共中央国家机关(工作)委员会

书　记

宋一平(1980 年 5 月—1986 年 2 月)

陈俊生(1986 年 2 月—1989 年 3 月)

罗　干(1989 年 3 月—1993 年 3 月)

人民日报社

社　长

胡绩伟(1982 年 4 月—1983 年 11 月)

秦　川(1983 年 11 月—1985 年 12 月)

钱李仁(1985 年 12 月—1989 年 6 月)

高　狄(1989 年 6 月—1993 年 3 月)

总编辑

胡绩伟(1977 年 1 月—1982 年 4 月)

秦　川(1982 年 4 月—1983 年 11 月)

李　庄(1983 年 11 月—1986 年 3 月)

谭文瑞(1986 年 3 月—1989 年 7 月)

邵华泽(1989 年 6 月—1993 年 3 月)

副总编辑

张云声(常务)　李仁臣　郑梦熊　武春河

刘奇葆　周瑞金　保育钧

红旗杂志社

总编辑　王　殊(1977 年 1 月—1978 年 5 月)

求是杂志社

总编辑

熊　复(1978 年 5 月—1987 年 8 月)

苏　星(代总编辑,1987 年 8 月—1988 年 6

月;总编辑,1988 年 6 月—1989 年 10

月)

有　林(1989 年 10 月—　　)

副总编辑　马蓥伯

中共中央党史资料征集委员会

主　任　冯文彬(1980 年 5 月—1988 年 8 月)

中共中央书记处研究室

主　任　邓力群(1981 年 1 月—1987 年 9 月)

邓力群(兼)(1993 年 3 月—　　)

副主任　林涧青　梅　珩　曹　志

顾　问　王玉清　丁树奇　徐　荇

陈舜瑶(女)

中共中央(书记处)农村政策研究室

主　任　杜润生(1982 年 4 月—1989 年 7 月)

副主任　谢　华　刘　堪　翁永曦

中共中央政策研究室

主　任　王维澄(1989 年 8 月—　　)

副主任　卫建林　滕文生　郑科扬

回良玉(免)

中共中央政治体制改革研究室

主　任　鲍　彤(1987 年 12 月—1989 年 7 月)

副主任　周　杰

中共中央马恩列斯著作编译局

局　长　王惠德(1978 年 10 月—1980 年 6 月)

宋书声(1980 年 8 月—　　)

副局长　顾锦屏　容子青(女)　林基洲(已故)

顾　问　张仲实　姜椿芳　何锡麟

秘书长　毕　克

全国人民代表大会

第五届全国人民代表大会常务委员会

（1978 年 2 月—1983 年 6 月）

五届全国人大一次会议

（1978 年 3 月 5 日）

选举：

常务委员会

委员长　叶剑英

副委员长　宋庆龄（女）　聂荣臻　刘伯承
乌兰夫　吴　德　韦国清　陈　云　郭沫若
谭震林　李井泉　张鼎丞　蔡　畅（女）
邓颖超（女）　赛福鼎　廖承志
姬鹏飞　阿沛·阿旺晋美　周建人
许德珩　胡厥文

秘书长　姬鹏飞（兼）

委　员（按姓名笔画排列）

才旦卓玛（女）　马纯古　马恒昌　马浩谦
王玉贵　王　平　王永幸　王冶秋　王昆仑
王建安　王淦昌　王耀花（女）
区棠亮（女）　贝时璋　毛迪秋　方志纯
巴一恺　巴　金　巴　桑（女）　邓初民
邓典桃　甘祖昌　石钟琴（女）　卢盛和
叶圣陶　史来贺　史　良（女）　白寿彝
吉长山　朴春子（女）　毕　肯（女）
吕玉兰（女）　吕叔湘　吕　骥　朱良才
朱学范　朱绂山　任新民　华罗庚
向腊玉（女）　庄希泉　刘大年　刘　斐
齐子升　江礼银　许　杰　许涤新　那木拉
严济慈　克尤木·买提尼牙孜　苏步青
李凤兰（女）　李　贞（女）　李延禄
李　昌　李瑞环　李福忠　李聚奎　杨东莼
杨秀峰　杨尚奎　杨　沫（女）　杨　勇
萧劲光　吴先锋　吴冷西　吴承清　吴耀宗
汪月霞（女）　沙千里　沈　鸿　张万福
张凤云（女）　张文裕　张正桃　张平化
张启龙　张国清（女）　张秉贵　张金榜
张桂珍（女）　张爱萍　张福财
陈玉娘（女）　陈永祥　陈再道　陈此生

陈孝顺　陈逸松　邵荣宾　武玉璞　武新宇
范忠志　茅以升　林一山　林巧稚（女）
林丽韫（女）　林依平　林　铁　欧阳钦
罗青长　罗叔章（女）　罗瑞卿　季　方
岳美中　周士第　周占鳌　周　里　周叔弢
周培源　单怀香　宝日勒岱（女）　孟继懋
赵忠尧　郝德青　荣毅仁　胡子昂　胡乔木
胡　绳　胡愈之　胡耀邦　奎　璧
俞霭峰（女）　洪学智　姚士昌　姚茂启
袁任远　袁雪芬（女）　晋桂香（女）
夏菊花（女）　顾康乐　钱信忠
铁木尔·达瓦买提　倪谷音（女）
高克林　郭化若　郭凤莲（女）　郭述申
郭映福　唐天际　海玉琛　陶峙岳　黄作勤
黄秉维　黄荣昌　黄菊香（女）
曹轶欧（女）　曹　禺　曹菊如
盛　婉（女）　康克清（女）　章瑞英（女）
阎德义　梁必业　梁吉良　彭明治　董天祯
董其武　蒋南翔　粟　裕　程世才　傅　钟
傅秋涛　童第周　曾　生　曾　志（女）
谢铁骊　瑞　板　楚图南　詹才芳
裔式娟（女）　裴昌会　谭余保　谭　政
樊德玲

副秘书长　武新宇　沙千里
（1978 年 3 月 7 日五届全国人大常委会第一
次会议通过）

副秘书长　罗青长　郑季翘　邢亦民　张加洛
（1978 年 5 月 24 日五届全国人大常委会第
二次会议通过）

副秘书长　孔　厚
（1979 年 2 月 23 日五届全国人大常委会第
六次会议通过）

副秘书长　曾　涛　高登榜
（1979 年 11 月 29 日五届全国人大常委会第
十二次会议通过）

副秘书长　王汉斌
（1982 年 11 月 19 日五届全国人大常委会第
二十五次会议通过）

五届全国人大二次会议

（1979 年 7 月 1 日）

补选：

副委员长　彭　真　萧劲光　朱蕴山
　　　　　　史　良（女）

五届全国人大常委会第十一次会议（1979 年 9 月 13 日）决定,任命姬鹏飞为国务院副总理（姬鹏飞担任副总理后,不再担任全国人大常委会副委员长、秘书长职务）。

五届全国人大常委会第十二次会议（1979 年 11 月 19 日）通过叶剑英委员长的提议:彭真副委员长兼任第五届全国人大常务委员会代秘书长。

五届全国人大常委会第十四次会议（1980 年 4 月 16 日）决定:接受吴德辞去本届全国人大常委会副委员长职务的请求,并报全国人大下一次会议追认。

五届全国人大三次会议
（1980 年 9 月 10 日）

补选：

副委员长　彭　冲　习仲勋　粟　裕　杨尚昆
　　　　　　班禅额尔德尼·确吉坚赞

秘书长　杨尚昆（兼）

委　员　（按姓名笔画排列）
　　　　　马寅初　王观澜　邓兆祥　平措汪杰
　　　　　司马义·艾买提　费彝民　郭增恺
　　　　　缪云台

会议决定接受聂荣臻、刘伯承、张鼎丞、蔡畅（女）、周建人辞去全国人大常委会副委员长职务的请求。

五届全国人大常委会第十七次会议（1981 年 3 月 6 日）撤销曹轶欧、陈永祥全国人大常委会委员的职务。

五届全国人大常委会第十九次会议（1981 年 6 月 10 日）撤销江礼银全国人大常委会委员的职务。

五届全国人大常委会第二十一次会议（1981 年 11 月 26 日）撤销樊德玲全国人大常委会委员的职务。

五届全国人大四次会议
（1981 年 12 月 13 日）

补选：

副委员长　朱学范

五届全国人大常委会第二十六次会议（1983 年 3 月 5 日）撤销毛迪秋的全国人大常委会委员的职务。

第五届全国人民代表大会
所属专门委员会

民族委员会

主任委员　阿沛·阿旺晋美（藏族）

副主任委员

　　张　冲（彝族）　白寿彝（回族）
　　李　贵（汉族）
　　杰尔格勒（蒙古族）　　　　杜　易（壮族）
　　阿木冬·尼牙孜（维吾尔族）　吴运昌（苗族）
　　赵南起（朝鲜族）　伊尔哈里（哈萨克族）
　　平措汪杰（藏族）（1981 年 11 月 29 日—　）
　　吴向必（苗族）（五届全国人大五次会议预备
　　　　会议补选）

法案委员会

主任委员
　　彭　真（1978 年 3 月—1981 年 11 月）
　　习仲勋（1981 年 11 月 29 日—　）

副主任委员　胡乔木　谭　政　王首道
　　史　良（女）　安子文　杨秀峰　高克林
　　武新宇　　　陶希晋　沙千里
　　顾　明（1980 年 8 月 29 日—　）

预算委员会

主任委员　薄一波（1979 年 6 月 17 日—　）
　　　　　　谭震林（1980 年 8 月 29 日—　）

副主任委员　胡子昂　许涤新

代表资格审查委员会

主任委员

纪登奎　胡耀邦

宋任穷（1980年8月29日—　）

副主任委员

胡耀邦　李　强　梁必业　宋蕴山

副主任委员

宋任穷　康克清（女）　杨静仁

朱学范（1981年12月29日—　）

常委会法制委员会

主　任

彭　真（1979年2月23日—1981年6月10日）

习仲勋（1981年8月—　）

副主任

胡乔木　谭　政　王首道

史　良（女）　　安子文

杨秀峰　高克林　武新宇

陶希晋　沙千里

张友渔（1980年4月16日—　）

刘复之（1980年4月16日—1982年5月4日）

顾　明（1980年4月16日—　）

王汉斌（1980年4月16日—　）

周仁山（1981年9月10日—　）

邹　瑜（1981年9月10日—1982年5月4日）

项淳一（1981年9月10日—　）

宋汝棼（1981年11月26日—　）

第六届全国人民代表大会常务委员会

（1983年6月—1988年3月）

六届全国人大一次会议

（1983年6月6日—21日）

选举：

常务委员会

委员长　彭　真

副委员长

陈丕显　韦国清（壮族）　耿　飚　胡厥文

许德珩　彭　冲　王任重　史　良（女）

朱学范　阿沛·阿旺晋美（藏族）

班禅额尔德尼·确吉坚赞（藏族）

赛福鼎（维吾尔族）　　周谷城

严济慈　胡愈之　荣毅仁　叶　飞

廖汉生　韩先楚　黄　华

秘书长　王汉斌

委　员（按姓名笔画排列）

丁光训　马木托夫·库尔班（维吾尔族）

马　璧　王永幸　王兆国　王　甫　王国权

王炳南　王淦昌　扎喜旺徐（藏族）

区棠亮（女）　　贝时璋　牛荫冠　孔从洲

邓家泰　艾　青　古耕虞

平措汪杰（藏族）　叶　林　史来贺

白寿彝（回族）　吕　骥　伍觉天　任新民

华罗庚　刘大年　刘东生　刘有光　刘　达

刘　伟　刘念智　刘瑞龙　刘靖基

江家福（壮族）　许　杰　许涤新　孙敬文

苏步青　李一清　李文清　李　贵

李桂英（女,彝族）　　李　琦　杨乃俊

杨立功　杨克冰（女）　杨初桂（女,侗族）

吴世昌　吴仲华　吴作人　吴茂荪

吴　波　吴桓兴　何　英　何　贤　谷景生

沈　鸿　宋一平　宋劭文　宋承志

张子斋（白族）　张友渔　张文裕

张秀龙　张　杰（回族）　张贤约　张秉贵

张承先　张　珍　张致祥　陈永康　陈宗基

陈惠波　陈鹤桥　武　衡　茅以升　林一山

林月琴（女）　林丽韫（女）　林　雨（女）

欧阳毅　罗叔章（女）　　罗　琼（女）

季羡林　周占鳌　周礼荣　郑伯克　赵忠尧

郝德青　荣高棠　胡克实　胡荣贵　胡绩伟

段苏权　侯学煜　俞霭峰（女）　　洪丝丝

宦　乡　费彝民　秦宝兴　袁雪芬（女）

莫文骅　顾大椿　钱　敏　钱端升　徐运北

爱新觉罗·溥杰（满族）　　高登榜　黄志刚

黄荣昌　梅　行　梅　益　曹龙浩（朝鲜族）

曹　禺　符　浩　章瑞英（女）

清格尔泰（蒙古族）　　彭迪先　董建华

韩哲一（回族）　　曾绍山　曾　涛　谢怀德

谢铁骊　楚图南　裴维蕃　雷洁琼（女）

解　方　裴昌会　廖海光　熊　复　潘　焱

薛暮桥

副秘书长

1983 年 6 月 23 日六届全国人大常委会第一次会议通过

有　林　高登榜　王厚德

1983 年 12 月 8 日六届全国人大常委会第三次会议通过

杨　明(白族)　阎明复　丁关根

六届全国人大常委会第十一次会议于 1985 年 6 月 18 日免去丁关根的副秘书长职务。

1985 年 9 月 6 日六届全国人大常委会第十二次会议通过

彭清源

六届全国人大常委会第十四次会议于 1986 年 1 月 20 日免去阎明复的副秘书长职务。

1986 年 3 月 19 日六届全国人大常委会第十五次会议通过

许孔让

六届全国人大常委会第十六次会议于 1986 年 6 月 25 日免去高登榜、杨明的副秘书长职务。

六届全国人大二次会议

(1984 年 5 月 31 日)

补选：

常委会委员　马万祺

六届全国人大三次会议

(1985 年 4 月 10 日)

补选：

常委会委员　黄玉昆

六届全国人大四次会议

(1986 年 4 月 12 日)

补选：

副委员长　楚图南

常委会委员

多杰才旦(藏族)　郁　文　陶大镛　彭清源

程思远

六届人大常委会第十六次会议

(1986 年 6 月 25 日)

决定:接受江家福辞去常委会委员职务。

六届全国人大五次会议

(1987 年 4 月 11 日)

补选：

常委会委员　王金陵　叶笃正　蚁美厚

蔡子民　颜金生

六届全国人大常委会第二十三次会议

(1987 年 11 月 24 日)

决定:接受王兆国辞去常委会委员职务。

第六届全国人民代表大会
所属专门委员会

民族委员会

主任委员　阿沛·阿旺晋美(藏族)

副主任委员　王国权　爱新觉罗·溥杰(满族)

李　贵　平措汪杰(藏族)

吴向必(苗族)　巴　岱(蒙古族)

郁　文(1986 年 4 月—　)

法律委员会

主任委员　彭　冲

副主任委员

张友渔　沈　鸿　雷洁琼(女)

钱端升　项淳一

宋汝棼(1986 年 4 月 12 日—　)

财政经济委员会

主任委员　王任重

副主任委员

吴 波 叶 林 韩哲一 古耕虞 刘念智
王 谦(1986 年 4 月 12 日—)

教育科学文化卫生委员会

主任委员 周谷城
副主任委员

张承先 胡克实 胡绩伟 苏步青 吴世昌
多杰才旦(藏族)(1986 年 1 月 20 日—)

外事委员会

主任委员 耿 飚
副主任委员

宦 乡 符 浩 曾 涛 楚图南 吴茂逊
程思远(1983 年 6 月 7 日—)
王国权(1983 年 6 月 7 日—)

华侨委员会

主任委员 叶 飞
副主任委员 何 英 司徒慧敏 陈宗基
高登榜(1986 年 4 月 12 日—)

常委会法制工作委员会

主 任 王汉斌(兼)
副主任 宋汝棼 项淳一 裘劭恒 顾昂然
高西江
秘书长 顾昂然(兼)
副秘书长 岳 祥 杨景宇

　　(六届全国人大常委会第九次会议于 1985 年
1 月 21 日任命岳祥为秘书长,免去顾昂然兼任的
秘书长职务,免去岳祥的副秘书长职务。任命王
著谦为副秘书长。六届全国人大常委会第十次
会议于 1985 年 3 月 21 日任命杨景宇为副主任,
免去杨景宇的副秘书长职务。六届全国人大常
委会第十二次会议于 1985 年 9 月 6 日任命张昕
若为副秘书长。六届全国人大常委会第十四次
会议于 1986 年 1 月 20 日任命郭福肇为副主任。

六届全国人大常委会第二十二次会议于 1987 年
9 月 5 日免去高西江的副主任职务)

第七届全国人民代表大会
常务委员会

(1988 年 3 月—1993 年 3 月)

七届全国人大一次会议

(1988 年 4 月 8 日)

选举:
常务委员会
委员长 万 里
副委员长 习仲勋 乌兰夫(蒙古族) 彭 冲
韦国清(壮族) 朱学范
阿沛·阿旺晋美(藏族)
班禅额尔德尼·确吉坚赞(藏族)
赛福鼎·艾则孜(维吾尔族)
周谷城 严济慈 荣毅仁 叶 飞
廖汉生(土家族) 倪志福
陈慕华(女) 费孝通 孙起孟
雷洁琼(女) 王汉斌
秘书长 彭 冲(兼)
委 员(按姓名笔画为序)
丁光训 马万祺
马木托夫·库尔班(维吾尔族) 马 洪
马腾霭(回族) 王永幸 王 伟
王秉鍪(布依族) 王金陵 王厚德 王润生
王 猛 王耀伦(苗族) 扎喜旺徐(藏族)
区棠亮(女) 邓家泰 厉以宁
平措汪杰(藏族) 叶叔华(女) 叶笃正
史来贺 冯之浚(回族) 朱 荣
朱德熙 伍觉天 任新民 刘大年 刘东生
刘有光 刘 伟 刘延东(女) 刘念智
江 平 许家屯 许嘉璐 孙敬文 阴法唐
李学智 李 朋 李 贵 李剑白 李宣化
李桂英(女,彝族) 李崇淮 李 清
李 琦 李瑞山 杨立功 杨纪珂
杨 明(白族) 杨初桂(女,侗族)
杨 波 杨烈宇 杨海波 杨 浚 杨 铿
吴大琨 吴仲华 何 英 何浣芬(女)

邹 瑜　宋一平　宋则行　宋汝棻　宋承志
张再旺　张有隽(瑶族)　张 忱(女)
张承先　张 挺　陈 先　陈宗基　陈舜礼
陈邃衡　林兰英(女)　林丽韫(女)
林润青　郁 文　周占鳌　孟连昆　赵复三
赵 修　郝治纯(女)　胡代光　胡克实
胡绩伟　胡德华(女)　蚁美厚　段苏权
姚 广　姚 峻　贺进恒　贺敬之　秦 川
袁雪芬(女)　莫文祥　顾 明　钱 敏
徐运北　徐采栋　徐起超
爱新觉罗·溥杰(满族)　高 修
高登榜　郭力文(女)　郭秀珍(女)
陶 力　陶大镛　陶爱英(壮族)　黄玉昆
黄志刚　黄顺兴　曹龙浩(朝鲜族)　曹思明
符 浩　章文晋　章师明　章瑞英(女)
清格尔泰(蒙古族)　梁灵光　彭清源
董建华　董耐芳(女)　董辅礽　董寅初
傅奎清　曾 涛　谢怀德　谢铁骊　楚 庄
蔡子民　熊 复　颜金生　潘 焱　霍英东
副秘书长 曹 志　王厚德　有 林　彭清源
　　　　　　许孔让　周 杰　李钟英　冯兰明

七届全国人大常委会第四次会议于 1988 年
11 月 8 日免去王厚德的副秘书长职务。

七届全国人大常委会第十次会议于 1989 年
10 月 31 日免去有林的副秘书长职务。

七届全国人大常委会第九次会议于 1989 年
9 月 4 日决定接受贺敬之辞去七届全国人大常委
会委员职务的请求。

七届全国人大常委会于 1990 年 3 月 15 日发
布公告：四川省人大常委会已通过决定罢免胡绩
伟的七届人大代表的职务,相应撤销胡绩伟的七
届人大常委会委员的职务。

七届全国人大常委会第十三次会议于 1990
年 3 月 15 日决定：接受伍觉天辞去七届全国人大
常委会委员职务的请求。

七届全国人大第三次会议于 1990 年 4 月 3
日补选出：

　委 员 曹 志

七届全国人大常委会于 1990 年 6 月 28 日发
布公告：上海市人大常委会已通过决定罢免赵复
三的七届全国人大代表的职务,相应撤销赵复三
的七届全国人大常委会委员的职务。

七届全国人大常委会于 1991 年 3 月 2 日发
表公告：广东省人民代表大会常委会已通过决定
罢免许家屯的七届全国人大代表的职务,相应撤
销许家屯的七届全国人大常委会委员的职务。

七届全国人大第四次会议于 1991 年 4 月 8
日补选出：

　委 员 周 南

第七届全国人民代表大会
所属专门委员会

民族委员会

主任委员 阿沛·阿旺晋美(藏族)
副主任委员
　郁 文　李学智　爱新觉罗·溥杰(满族)
　李 贵　陶爱英(壮族)　平措汪杰(藏族)
　(1990 年 3 月免去郁文副主任委员职务)

法律委员会

主任委员 王汉斌
副主任委员
　宋汝棻　费彝民　顾 明　项淳一　江 平
　林润青(1988 年 7 月—)

内务司法委员会

主任委员 习仲勋
副主任委员
　邹 瑜　孟连昆　彭清源　焦善民
　李瑞山(1988 年 11 月 8 日—)

财政经济委员会

主任委员 陈慕华(女)
副主任委员
　叶 林　马 洪　陶大镛
　李 朋　张根生　董辅礽
　杨 波(1989 年 7 月 6 日—)

教育科学文化卫生委员会

主任委员　周谷城
副主任委员
　张承先　胡绩伟　胡克实　王　伟　刘　冰

外事委员会

主任委员　廖汉生
副主任委员
　符　浩　曾　涛　章文晋　姚　广　柯　平

华侨委员会

主任委员　叶　飞
副主任委员
　何　英　梁灵光　高登榜　陈宗基

常委会法制工作委员会

　七届全国人大常委会第三次会议于 1988 年 9 月 5 日免去宋汝棼、项淳一、裘劭恒的副主任职务。

中华人民共和国政府

中华人民共和国主席、副主席

1983 年 6 月—1988 年 4 月
（第六届全国人大期间）

主　席　李先念
副主席　乌兰夫
（1954 年宪法规定设立国家主席、副主席，1975 年宪法取消了这一规定，1982 年宪法规定重新设立国家主席、副主席）

1988 年 4 月—1993 年 3 月
（第七届全国人大期间）

主　席　杨尚昆
副主席　王　震

1993 年 3 月—
（第八届全国人大期间）

主　席　江泽民
副主席　荣毅仁

国　务　院

1978 年 3 月—1983 年 6 月
（第五届全国人大期间）

总　理　华国锋（　—1980 年 9 月）
　　　　赵紫阳（1980 年 9 月—　）
副总理　邓小平（　—1980 年 9 月）
　　　　李先念（　—1980 年 9 月）
　　　　徐向前（　—1980 年 9 月）
　　　　纪登奎（　—1980 年 4 月）
　　　　余秋里（　—1982 年 5 月）
　　　　陈锡联（　—1980 年 4 月）
　　　　耿　飚（　—1982 年 5 月）
　　　　陈永贵（　—1980 年 9 月）
　　　　方　毅（　—1982 年 5 月）
　　　　王　震（　—1980 年 9 月）
　　　　谷　牧（　—1982 年 5 月）
　　　　康世恩（　—1982 年 5 月）
　　　　陈慕华（　—1982 年 5 月）
　　　　王任重（　—1978 年 12 月）
　　　　陈　云（1979 年 7 月—1980 年 9 月）
　　　　薄一波（1979 年 7 月—1980 年 9 月）
　　　　姚依林（1979 年 7 月—　）
　　　　姬鹏飞（1979 年 7 月—1982 年 5 月）
　　　　赵紫阳（1980 年 4 月—1980 年 9 月）
　　　　万　里（1980 年 4 月—　）
　　　　杨静仁（1980 年 9 月—1982 年 5 月）

张爱萍(1980 年 9 月—1982 年 5 月)

黄 华(1980 年 9 月—1982 年 5 月)

国务委员 余秋里 耿 飚 方 毅 谷 牧

康世恩 陈慕华 薄一波 姬鹏飞

黄 华 张劲夫

秘书长 姬鹏飞

金 明(1979 年 6 月—)

杜星垣(1981 年 3 月—)

1983 年 6 月—1988 年 4 月

（第六届全国人大期间）

总 理 赵紫阳（ —1987 年 11 月）

代总理 李 鹏(1987 年 11 月—)

副总理 万 里 姚依林 李 鹏 田纪云

乔 石(1986 年 4 月—)

国务委员 方 毅 谷 牧 康世恩

陈慕华(女) 姬鹏飞 张劲夫

张爱萍 吴学谦 王丙乾 宋 平

宋 健(1986 年 4 月—)

秘书长 田纪云(兼)

（1983 年 6 月—1985 年 11 月）

陈俊生(1985 年 11 月—)

1988 年 4 月—1993 年 3 月

（第七届全国人大期间）

总 理 李 鹏

副总理 姚依林 田纪云 吴学谦

邹家华(1991 年 4 月—)

朱镕基(1991 年 4 月—)

国务委员 李铁映 秦基伟 王丙乾 宋 健

王 芳

邹家华（ —1991 年 4 月）

李贵鲜 陈希同 陈俊生

钱其琛(1991 年 4 月—)

秘书长 陈俊生(兼)（ —1988 年 12 月）

罗 干(1988 年 12 月—)

1993 年 3 月—

（第八届全国人大期间）

总 理 李 鹏

副总理 朱镕基 邹家华 钱其琛 李岚清

国务委员 李铁映 迟浩田 宋 健

李贵鲜 陈俊生

司马义·艾买提(维吾尔族)

彭珮云(女) 罗 干

秘书长 罗 干(兼)

副秘书长 何椿霖 徐志坚 李世忠 席德华

李树文 张克智 刘济民

安成信(免) 王书明(免)

李昌安(免)

外 交 部

1978 年 3 月—1983 年 6 月

（第五届全国人大期间）

部 长 黄 华(1978 年 3 月—1982 年 11 月)

吴学谦(1982 年 11 月—)

副部长 韩念龙 何 英 仲曦东 余 湛

王海容 刘振华 张海峰 章文晋

张灿明 宫达非 浦寿昌 王 殊

王幼平 韩克华 吴学谦 韩 叙

钱其琛 温业湛 姚 广

1983 年 6 月—1988 年 4 月

（第六届全国人大期间）

部 长 吴学谦(兼)(1983 年 6 月—)

副部长 宫达非 韩 叙 钱其琛 温业湛

姚 广 周 南 刘述卿 朱启桢

齐怀远

1988 年 4 月—1993 年 3 月

（第七届全国人大期间）

部 长 钱其琛

副部长 周 南（ —1990 年 1 月）

刘述卿（ —1989 年 10 月）

朱启桢（ —1989 年 12 月）

齐怀远（ —1991 年 8 月）

田曾佩

刘华秋（1989 年 10 月— ）

杨福昌（1990 年 3 月— ）

徐敦信（1991 年 4 月— ）

姜恩柱（1991 年 12 月— ）

国 防 部

（见"中国人民解放军"部分）

国家计划委员会

1978 年 3 月—1983 年 6 月

（第五届全国人大期间）

主 任 余秋里（1978 年 3 月—1980 年 8 月）

姚依林（1980 年 8 月— ）

1983 年 6 月—1988 年 4 月

（第六届全国人大期间）

主 任 宋 平（ —1987 年 6 月）

姚依林（1987 年 6 月— ）

1988 年 4 月—1993 年 3 月

（第七届全国人大期间）

主 任 姚依林

（后）邹家华

副主任 丁关根 房维中 甘子玉 叶 青

张 寿（ —1989 年 10 月）

郝建秀 刘中一 盛树仁

陈光健（ —1991 年 10 月）

桂世镛 刘 江 王春正

姚振炎（1991 年 10 月— ）

芮杏文（1991 年 5 月— ）

国家经济委员会

1978 年 3 月—1983 年 6 月

（第五届全国人大期间）

主 任 康世恩（1978 年 3 月—1981 年 3 月）

袁宝华（1981 年 3 月—1982 年 5 月）

张劲夫（1982 年 5 月— ）

（1978 年 3 月恢复设立国家经济委员会）

1983 年 6 月—1988 年 4 月

（第六届全国人大期间）

主 任 张劲夫（兼）（1983 年 1 月—1984 年 9 月）

吕 东（1984 年 9 月— ）

（1988 年 4 月，七届全国人大一次会议决定，不再设国家经济委员会）

国务院财政经济委员会

1979 年 7 月—1981 年 3 月

（第五届全国人大期间）

主 任 陈 云

（1979 年 7 月，五届全国人大常委会第九次会议决定成立国务院财政经济委员会；1981 年 3 月，五届全国人大常委会第十七次会议决定撤销之）

国务院物价委员会

1988 年 4 月—1993 年 3 月

（第七届全国人大期间）

主 任 姚依林

副主任 白美清

国家经济体制改革委员会

1982 年 3 月—1983 年 6 月
（第五届全国人大期间）

主　任　赵紫阳（兼）（1982 年 3 月—　　）

（1982 年 3 月，五届全国人大常委会第二十二次会议决定设立国家经济体制改革委员会）

1983 年 6 月—1988 年 4 月
（第六届全国人大期间）

主　任　赵紫阳（兼）

1988 年 4 月—1993 年 3 月
（第七届全国人大期间）

主　任　李　鹏（兼）（　　—1990 年 9 月）
　　　　陈锦华（1990 年 9 月—　　）
副主任　贺光辉　刘鸿儒
　　　　张彦宁（　　—1991 年 4 月）
　　　　高尚全
　　　　洪　虎（1991 年 2 月—　　）

1993 年 3 月—
（第八届全国人大期间）

主　任　李铁映（兼）
副主任　贺光辉　洪　虎　刘志峰
　　　　乌　杰（蒙古族）　马　凯　王任元
　　　　刘鸿儒（兼、免）　高尚全（免）

国家教育委员会

1985 年 6 月—1988 年 4 月
（第六届全国人大期间）

主　任　李　鹏（兼）
副主任　何东昌　杨海波　朱开轩　柳　斌
　　　　彭珮云　邹时炎　王明达　刘忠德

（1985 年 6 月，六届全国人大常委会第十一次会议决定设立国家教育委员会，撤销教育部）

1988 年 4 月—1993 年 3 月
（第七届全国人大期间）

主　任　李铁映（兼）
副主任　何东昌（　　—1992 年 5 月）
　　　　滕　藤　朱开轩　柳　斌
　　　　邹时炎　王明达

教　育　部

1978 年 3 月—1983 年 6 月
（第五届全国人大期间）

部　长　刘西尧（1978 年 3 月—1979 年 2 月）
　　　　蒋南翔（1979 年 2 月—1982 年 5 月）
　　　　何东昌（1982 年 5 月—　　）
副部长　雍文涛　同　林　李　琦　李琦涛
　　　　高　沂　刘雪初　刘仲侯　浦通修
　　　　张承先　刘仰峤　董纯才　黄辛白
　　　　杨蕴玉　藏伯平　曾德林　彭珮云
　　　　张文松

1983 年 6 月—1985 年 6 月
（第六届全国人大期间）

部　长　何东昌
副部长　黄辛白　张文松　彭珮云

（1985 年 6 月撤销教育部，设立国家教育委员会）

国家科学技术委员会

1978 年 3 月—1983 年 6 月
（第五届全国人大期间）

主　任　方　毅（1978 年 3 月—　　）

（从 1978 年 3 月起科学技术委员会改为国家

科学技术委员会）

1983 年 6 月—1988 年 6 月
（第六届全国人大期间）

主　任　方　毅（兼）
　　　　宋　健（1984 年 9 月—　）
副主任　朱丽兰　李绪鄂　周　平　惠永正
　　　　李效时

1988 年 4 月—1993 年 3 月
（第七届全国人大期间）

主　任　宋　健
副主任　阮崇武（1989 年 8 月）
　　　　朱丽兰（女）　周　平
　　　　邓　楠（女）（1991 年 10 月—　）

民族事务委员会

1978 年 3 月—1983 年 6 月
（第五届全国人大期间）

主　任　杨静仁
副主任　杨东生　伍精华　江　平　胡嘉宾
　　　　布　赫　铁木尔·达瓦买提　文正一
　　　　薛剑华　任　英　黄光学　洛布桑

1983 年 6 月—1988 年 4 月
（第六届全国人大期间）

主　任　杨静仁
　　　　司马义·艾买提（1986 年 1 月—　）
副主任　伍精华　铁木尔·达瓦买提　薛剑华
　　　　任　英　黄光学　洛布桑　苏　和
　　　　赵延年　江家福　卓　加　陈　欣
　　　　张　竹　包玉山

1988 年 4 月—1993 年 3 月
（第七届全国人大期间）

主　任　司马义·艾买提（维吾尔族）
副主任　伍精华（彝族）　赵延年（回族）
　　　　江家福
　　　　卓　加（藏族）（　—1991 年 10 月）
　　　　陈　欣（女）　张　竹
　　　　包玉山（蒙古族）　文　精（蒙古族）
　　　　李德洙（朝鲜族）（　—1992 年 10 月）
　　　　图道多吉（藏族）（1991 年 10 月—　）

公　安　部

1978 年 3 月—1983 年 6 月
（第五届全国人大期间）

部　长　赵苍璧
副部长　杨奇清　凌　云　于　桑　黄庆熙
　　　　席国光　吕剑光　高文礼　李广祥
　　　　惠　平

1983 年 6 月—1988 年 4 月
（第六届全国人大期间）

部　长　刘复之（　—1985 年 9 月）
　　　　阮崇武（1985 年 9 月—　）
副部长　李广祥　惠　平　王文同　陶驷驹
　　　　余　雷　胡之光

1988 年 4 月—1993 年 3 月
（第七届全国人大期间）

部　长　王　芳
　　　　陶驷驹
副部长　陶驷驹　俞　雷　胡之光　顾林昉

国家安全部

1983 年 6 月—1988 年 4 月
（第六届全国人大期间）

部　长　凌　云（　—1985 年 9 月）

贾春旺(1985 年 9 月—)

1988 年 4 月—1993 年 3 月
（第七届全国人大期间）

部　长　贾春旺

监 察 部

1986 年 12 月—1988 年 4 月
（第六届全国人大期间）

部　长　尉健行
副部长　刘鸣九(—1989 年 5 月)
　　　　徐　青　何　勇　冯梯云

民 政 部

1978 年 3 月—1983 年 6 月
（第五届全国人大期间）

部　长　程子华(1978 年 3 月—1982 年 3 月)
　　　　崔乃夫(1982 年 3 月—)
副部长　王国权　陈　光　张　凯　张邦英
　　　　刘景范　史怀璧　黄庆熙　卓　雄
　　　　李金德　袁血卒
　　　　（以上人员 1978 年 5 月—1982 年 3 月任职）
　　　　岳　嵩　潘友谌　崔乃夫
　　　　（以上人员 1981 年 1 月—1982 年 3 月任职）
　　　　（1978 年 3 月，五届全国人大一次会议决定
撤销内务部，设立民政部）

1983 年 6 月—1988 年 4 月
（第六届全国人大期间）

部　长　崔乃夫
副部长　邹思同　杨　琛　章　明
　　　　张德江(1980 年 8 月—)
　　　　范宝俊(1987 年 7 月—)

1988 年 4 月—1993 年 3 月
（第七届全国人大期间）

部　长　崔乃夫
副部长　张德江　范宝俊　连　尹
　　　　多吉才让(1990 年 5 月—)
　　　　阎明复(1991 年 5 月—)
　　　　陈　虹(1991 年 5 月—)

司 法 部

1979 年 8 月—1983 年 6 月
（第五届全国人大期间）

部　长　魏文伯(1979 年 9 月—1982 年 5 月)
　　　　刘复之(1982 年 5 月—)
副部长　李运昌　邹　瑜　陈　卓　谢邦治
　　　　王悦尘　王　文　郑希文　朱剑明
　　　　（1979 年 9 月，五届全国人大常委会第十一
次会议决定恢复设立司法部）

1983 年 6 月—1988 年 6 月
（第六届全国人大期间）

部　长　邹　瑜
副部长　郑希文　朱剑明　李石生　顾启良
　　　　鲁　坚　蔡　诚

1988 年 4 月—1993 年 3 月
（第七届全国人大期间）

部　长　蔡　诚
副部长　金　鉴　鲁　坚　郭德治
　　　　余孟孝(—1991 年 10 月)
　　　　张秀夫(1991 年 4 月—)

财　政　部

1978 年 3 月—1983 年 6 月
（第五届全国人大期间）

部　长　张劲夫（ 　—1979 年 7 月）
　　　　吴　波（1979 年 9 月—1980 年 8 月）
　　　　王丙乾（1980 年 8 月—　 ）
副部长　吴　波（ 　—1979 年 9 月）
　　　　王学明　杜向光　江东平
　　　　王丙乾（ 　—1980 年 8 月）
　　　　张瑞清　忻元锡　姚　进　吕培俭
　　　　田一农　武博山　陈如龙　谢　明
　　　　李　朋　迟海滨

1983 年 6 月—1988 年 4 月
（第六届全国人大期间）

部　长　王丙乾（兼）
副部长　田一农　陈如龙　李　朋　迟海滨
　　　　项怀诚　刘仲藜

1988 年 4 月—1993 年 3 月
（第七届全国人大期间）

部　长　王丙乾（兼）
　　　　（后）刘仲藜（1992 年 9 月—　 ）
副部长　迟海滨　刘仲藜　项怀诚　刘积斌
　　　　田一农　李　朋
　　　　张佑才（1989 年 12 月—　 ）

1993 年 3 月—
（第八届全国人大期间）

部　长　刘仲藜
副部长　项怀诚　刘积斌　张佑才　金人庆
　　　　李延龄（ 　—1993 年 8 月）

人　事　部

1988 年 4 月—1993 年 3 月
（第七届全国人大期间）

部　长　赵东宛
副部长　程连昌　张志坚　张汉夫　蒋冠庄
　　　　赵宗鼐（1989 年 12 月—　 ）
（1988 年 4 月，七届全国人大一次会议决定
设立人事部）

劳　动　部

1988 年 4 月—1993 年 3 月
（第七届全国人大期间）

部　长　罗　干（ 　—1989 年 3 月）
　　　　阮崇武（1989 年 3 月—　 ）
副部长　严忠勤（ 　—1989 年 9 月）
　　　　李伯勇　朱家甄　李沛瑶
　　　　令狐安（1989 年 9 月—1993 年 4 月）
（1988 年 4 月，七届全国人大一次会议决定
设立劳动部）

劳动人事部

1982 年 5 月—1983 年 6 月
（第五届全国人大期间）

部　长　赵守一
副部长　李云川　严忠勤　焦善民　何　光
（1982 年 5 月，五届全国人大常委会第二十
三次会议决定将国家劳动总局、国家人事
局、国务院科学技术干部局、国家编制委员
会合并,设立劳动人事部）

1983 年 6 月—1988 年 4 月
（第六届全国人大期间）

部　长　赵守一（ 　—1985 年 9 月）

赵东宛(1985 年 9 月—)

副部长 李云川 严忠勤 焦善民 何 光
李伯勇 张志坚

（1988 年 4 月，七届全国人大一次会议决定
分别设立人事部、劳动部）

地质矿产部

1982 年 5 月—1988 年 4 月
（第六届全国人大期间）

部 长 孙大光(—1985 年 9 月)
朱 训(1985 年 9 月—)

副部长 朱 训 夏国治 温家宝 张文驹
张宏仁 方章顺

（1982 年 5 月，五届全国人大常委会第二十
三次会议决定将地质部改名为地质矿产部）

1988 年 4 月—1993 年 3 月
（第七届全国人大期间）

部 长 朱 训

副部长 夏国治(—1990 年 6 月)
张文驹 张宏仁 方樟顺
宋瑞祥(1989 年 9 月—)
张文景

地 质 部

1979 年 9 月—1982 年 5 月
（第五届全国人大期间）

部 长 孙大光

副部长 李建平 张同钰 程裕淇 邹家尤
李 轩 谭申平 牟建华 寒 风
朱 训 夏国治

（1979 年恢复设立地质部）

建 设 部

1988 年 4 月—1993 年 3 月
（第七届全国人大期间）

部 长 林汉雄(—1991 年 3 月)
侯 捷(1991 年 3 月)

副部长 叶如棠 干志坚(—1992 年 5 月)
周干峙 谭庆琏 李振东

国家基本建设委员会

1978 年 3 月—1982 年 5 月
（第五届全国人大期间）

主 任 谷 牧(—1981 年 3 月)
韩 光(1981 年 3 月—)

（1982 年 5 月五届全国人大常委会第二十三
次会议决定将国家基本建设委员会并入城
乡建设环境保护部）

建筑材料工业部

1979 年 4 月—1982 年 5 月
（第五届全国人大期间）

部 长 宋养初

（1979 年 4 月，五届全国人大常委会第七次
会议决定重新设立建筑材料工业部。1982
年 5 月五届全国人大常委会第二十三次会议
决定撤销建筑材料工业部）

城乡建设环境保护部

1982 年 2 月—1983 年 6 月
（第五届全国人大期间）

部 长 李锡铭

（1982 年 5 月，五届全国人大常委会第二十
三次会议决定将国家基本建设委员会、国家

城市建设总局、国家测绘总局合并,设立城乡建设环境保护部)

1983 年 6 月—1988 年 4 月

（第六届全国人大期间）

部　长　李锡铭（　—1984 年 7 月）

芮杏文（1984 年 7 月—1985 年 11 月）

叶如棠（1985 年 11 月—　）

（1988 年 4 月,七届全国人大一次会议决定设立建设部,撤销城乡建设环境保护部)

能　源　部

1988 年 4 月—1993 年 3 月

（第七届全国人大期间）

部　长　黄毅诚

副部长　史大桢　胡富国　陆佑楣

（1988 年 4 月,七届全国人大一次会议决定设立能源部)

国家能源委员会

1980 年 8 月—1982 年 5 月

（第五届全国人大期间）

主　任　余秋里

（1980 年 8 月,五届全国人大三次会议决定设立国家能源委员会,1982 年 5 月撤销)

煤炭工业部

1978 年 3 月—1983 年 6 月

（第五届全国人大期间）

部　长　肖　寒（　—1980 年 2 月）

高扬文（1980 年 2 月—　）

1983 年 6 月—1988 年 4 月

（第六届全国人大期间）

部　长　高扬文（　—1985 年 6 月）

于洪恩（1985 年 6 月—1993 年 3 月）

（1988 年 4 月,七届全国人大一次会议决定设立能源部,撤销煤炭部)

石油工业部

1978 年 3 月—1983 年 6 月

（第五届全国人大期间）

部　长　宋振明（　—1980 年 8 月）

康世恩（1981 年 3 月—1982 年 5 月）

唐　克（1982 年 5 月—　）

（1978 年 3 月,五届全国人大一次会议恢复设立石油工业部)

1983 年 6 月—1988 年 4 月

（第六届全国人大期间）

部　长　唐　克（　—1985 年 6 月）

王　涛（1985 年 6 月—　）

（1988 年 4 月,七届全国人大一次会议决定撤销石油工业部,另设能源部)

铁　道　部

1978 年 3 月—1983 年 6 月

（第五届全国人大期间）

部　长　段君毅（1978 年 3 月—1978 年 12 月）

郭维城（1978 年 12 月—1981 年 9 月）

刘建章（1981 年 9 月—1982 年 5 月）

陈璞如（1982 年 5 月—　）

副部长　刘建章（　—1981 年 9 月）

郭　鲁　苏　杰　邓存伦　李　新

黎　光　王效斌　廖诗权　吴冶山

赵文普

郭维城（　—1978 年 12 月）

李颉伯　布　克　耿振林　李　震

刘白涛　邓炳军　韩力平　李克非

刘平田　李森茂　李　轩　张辛泰

1983 年 6 月—1988 年 4 月
（第六届全国人大期间）

部　长　陈璞如（　—1985 年 6 月）
　　　　丁关根（1985 年 6 月—　）
副部长　李克非　李森茂　李　轩　张辛泰
　　　　尚志功　石希玉　孙永福　罗云光

1988 年 4 月—1993 年 3 月
（第七届全国人大期间）

部　长　李森茂
　　　　韩杼滨（1992 年 9 月—　）
副部长　张辛泰　孙永福　罗云光　屠由瑞
　　　　石希玉（1989 年 12 月—　）

交　通　部

1978 年 3 月—1983 年 6 月
（第五届全国人大期间）

部　长　叶　飞（　—1979 年 2 月）
　　　　曾　生（1979 年 2 月—1981 年 3 月）
　　　　彭德清（1981 年 3 月—1982 年 5 月）
　　　　李　清（1982 年 5 月—　）
副部长　于　眉（　—1980 年 5 月）
　　　　马耀骥（　—1979 年 12 月）
　　　　陶　琦（　—1982 年 4 月）
　　　　曾　生（　—1979 年 2 月）
　　　　潘　琪（　—1982 年 4 月）
　　　　周　惠（　—1978 年 11 月）
　　　　郭　健（　—1982 年 4 月）
　　　　曾　直（　—1982 年 4 月）
　　　　王西萍（　—1982 年 4 月）
　　　　贺崇升（　—1982 年 4 月）
　　　　程　望（　—1982 年 4 月）
　　　　汪少川（　—1982 年 4 月）
　　　　李　清（　—1982 年 4 月）

李维中（　—1982 年 4 月）
林　岑（　—1982 年 4 月）
钱永昌（　—1982 年 4 月）
于　刚（　—1982 年 4 月）
王展意（　—1982 年 4 月）
郑光迪（　—1982 年 5 月）

1983 年 6 月—1988 年 4 月
（第六届全国人大期间）

部　长　李　清（　—1984 年 7 月）
　　　　钱永昌（1984 年 7 月—　）
副部长　钱永昌（　—1984 年 6 月）
　　　　于　刚（　—1985 年 6 月）
　　　　郑光迪（女）　王展意
　　　　林祖乙（　—1985 年 6 月）
　　　　黄镇东（　—1985 年 6 月）

1988 年 4 月—1993 年 3 月
（第七届全国人大期间）

部　长　钱永昌（　—1991 年 3 月）
　　　　黄镇东（1991 年 3 月—　）
副部长　王展意　郑光迪（女）　林祖乙
　　　　刘松金（1991 年 10 月—　）

机械电子工业部

1988 年 4 月—1993 年 3 月
（第七届全国人大期间）

部　长　邹家华（兼）
副部长　何光远　张学东
　　　　唐仲文（　—1991 年 2 月）
　　　　曾培炎
　　　　赵明生（　—1989 年 9 月）
　　　　张德邻（1991 年 2 月—　）
　　　　陆燕荪（1989 年 9 月—　）
　　　　胡启立（1991 年 5 月—　）

国家机械工业委员会

1986 年 12 月—1988 年 4 月
（第六届全国人大期间）

主　任　邹家华（兼）
副主任　何光远　赵明生　李守仁　丁孝浓
　　　　唐仲文

（1986 年 12 月，六届全国人大常委会第十八次会议决定撤销机械工业部和兵器工业部，设立国家机械工业委员会。1988 年 4 月七届全国人大一次会议决定成立机械电子工业部，撤销国家机械工业委员会）

国务院机械工业委员会

1980 年 2 月—1983 年 6 月
（第五届全国人大期间）

主　任　薄一波

（1980 年 2 月，五届全国人大常委会第十三次会议决定设立）

电子工业部

1982 年 5 月—1983 年 6 月
（第五届全国人大期间）

部　长　张　挺

1983 年 6 月—1988 年 4 月
（第六届全国人大期间）

部　长　江泽民（ —1985 年 6 月）
　　　　李铁映（1985 年 6 月— ）

第四机械工业部

1978 年 3 月—1982 年 5 月
（第五届全国人大期间）

部　长　王　净（ —1979 年 8 月）
　　　　钱　敏（1978 年 8 月— ）

（1982 年 5 月，五届全国人大常委会第二十三次会议决定撤销第四机械工业部，改设电子工业部）

航空航天工业部

1988 年 4 月—1993 年 3 月
（第七届全国人大期间）

部　长　林宗棠
副部长　姜燮生（ —1991 年 2 月）
　　　　刘纪原　何文治
　　　　孙家栋（ —1990 年 5 月）
　　　　王礼恒（1990 年 5 月— ）
　　　　王　昂（1991 年 2 月— ）

航天工业部

1978 年 3 月—1983 年 6 月
（第五届全国人大期间）

部　长　张　钧（1982 年 5 月— ）

1983 年 6 月—1988 年 4 月
（第六届全国人大期间）

部　长　张　钧（ —1985 年 6 月）
　　　　李绪鄂（1985 年 6 月— ）

（1988 年 4 月与航空工业部合并为航空航天工业部）

第七机械工业部

1978 年 3 月—1982 年 5 月
（第五届全国人大期间）

部 长 宋任穷（ —1979 年 2 月）
郑天翔（1979 年 2 月— ）
（1981 年 9 月，八机部并入该部。1982 年 5
月，五届全国人大常委会第二十三次会议决
定撤销第七机械工业部，改设航天工业部）

第八机械工业部

1979 年 9 月—1981 年 9 月
（第五届全国人大期间）

部 长 焦岩愚
（1979 年 9 月，八届全国人大常委会第十一
次会议决定重新设立第八机械工业部。1981
年 9 月，五届全国人大常委会第二十次会议
决定撤销第八机械工业部，并入第七机械工
业部）

航空工业部

1982 年 5 月—1983 年 6 月
（第五届全国人大期间）

部 长 莫文祥
（1982 年 5 月，原第三机械工业部改为航空
工业部）

1983 年 6 月—1988 年 4 月
（第六届全国人大期间）

部 长 莫文祥
副部长 王其恭 崔光炜 高镇宁 何文治
姜燮生 王 昂 刘积斌
（1988 年 4 月与航天工业部合并为航空航天
工业部）

第一机械工业部

1978 年 3 月—1982 年 5 月
（第五届全国人大期间）

部 长 周子健（ —1981 年 3 月）
饶 斌（1981 年 3 月— ）
副部长 杨 铿 孙友余 沈 鸿 张怀忠
张效曾 祁 田 王子仪 徐斌洲
范慕韩 刘 昂 项 南 于 明
张逢时 曹维康 刘鹤孙 何光远
沈烈初 赵明生
（1982 年 5 月五届全国人大常委会第二十三
次会议决定撤销第一机械工业部，并入机械
工业部）

农业机械部

1979 年 2 月—1982 年 5 月
（第五届全国人大期间）

部 长 杨立功
（1979 年 2 月，五届全国人大常委会第六次
会议决定重新设立农业机械部，1982 年 5 月
五届全国人大常委会第二十三次会议决定
撤销农业机械部，并入机械工业部）

机械工业部

1982 年 5 月—1983 年 6 月
（第五届全国人大期间）

部 长 周建南
（1982 年 5 月五届全国人大常委会第二十三
次会议决定将第一机械工业部、农业机械
部、国家仪器仪表工业总局、国家机械设备
成套总局合并，成立机械工业部）

1983 年 6 月—1986 年

（第六届全国人大期间）

部　长　周建南
副部长　杨　铿　何光远　沈烈初　赵明生
　　　　李守仁　丁孝浓
（1986 年机械工业部与兵器工业部合并，成立国家机械工业委员会）

第二机械工业部

1978 年 3 月—1982 年 2 月

（第五届全国人大期间）

部　长　刘　伟（　—1982 年 5 月）
（1982 年 5 月第二机械工业部改为核工业部）

核工业部

1982 年 5 月—1983 年 6 月

（第五届全国人大期间）

部　长　张　忱（女）
副部长　雷荣天　刘淇生　牛书申　李　觉
　　　　王介福　苏　华　姜玉阶　周　秩
　　　　王淦昌　张丕绪　赵敬璞　刘玉柱
　　　　刁筠寿　王侯山　张献金　刘书林
　　　　蒋心雄　赵　宏
（1982 年 5 月，五届全国人大常委会第二十三次会议决定将第二机械工业部改名为核工业部）

1983 年 6 月—1988 年 4 月

（第六届全国人大期间）

部　长　蒋心雄
副部长　刘书林　赵　宏　周　平　陈肇搏
　　　　武连元　李宝凡　黄齐陶
（1988 年 4 月，核工业部撤销）

第三机械工业部

1978 年 3 月—1982 年 5 月

（第五届全国人大期间）

部　长　吕　东（　—1981 年 9 月）
　　　　莫文祥（1981 年 9 月—1982 年 5 月）
副部长　赵健民　段子俊　王振乾　朱涤新
　　　　肖友明　张良诚　莫文祥　陈少中
　　　　油　江　王其恭　徐昌裕　于　辉
　　　　崔光炜　耿　涛　王晓光　吴　瑕
　　　　姜燮生　何文治　高镇宇
（1982 年 5 月，五届全国人大常委会第二十三次会议决定将第三机械工业部改为航空工业部）

第五机械工业部

1978 年 3 月—1982 年 5 月

（第五届全国人大期间）

部　长　张　珍
（1982 年 5 月，五届全国人大常委会第二十三次会议决定将第五机械工业部改名为兵器工业部）

兵器工业部

1982 年 5 月—1983 年 6 月

（第五届全国人大期间）

部　长　于　一
（1982 年 5 月，第五机械工业部改名为兵器工业部）

1983 年 6 月—1986 年 11 月

（第六届全国人大期间）

部　长　于　一（　—1985 年 6 月）

邹家华(1985 年 6 月—　)

(1986 年 11 月,六届全国人大常委会第十八
次会议决定撤销兵器工业部和机械工业部,
设立国家机械工业委员会)

第六机械工业部

1978 年 3 月—1982 年 5 月
(第五届全国人大期间)

部　长　柴树藩(　—1981 年 6 月)
　　　　安志文(1981 年 6 月—　)

(1982 年 5 月,五届全国人大常委会第二十
三次会议决定撤销第六机械工业部)

冶金工业部

1978 年 3 月—1983 年 6 月
(第五届全国人大期间)

部　长　唐　克(　—1982 年 5 月)
　　　　李东冶(1982 年 5 月—　)
副部长　叶志强　高扬文
　　　　李东冶(　—1982 年 5 月)
　　　　徐　驰　夏　耘　王玉清　李非平
　　　　钱传钧　赵　岚　张益民　林泽生
　　　　李　华　马　明　李　超　周冠五
　　　　陆　达　马承德　刘学新　马　宾
　　　　张　凡　茅　林　郝田段　周传典
　　　　戚元靖

1983 年 6 月—1988 年 4 月
(第六届全国人大期间)

部　长　李东冶(　—1985 年 9 月)
　　　　戚元靖(1985 年 9 月—　)
副部长　黎　明　王汝林　徐大铨　陆叙生

1988 年 4 月—1993 年 3 月
(第七届全国人大期间)

部　长　戚元靖
副部长　黎　明　王汝林　徐大铨　段瑞钰

化学工业部

1978 年 3 月—1983 年 6 月
(第五届全国人大期间)

部　长　孙敬文(　—1982 年 3 月)
　　　　秦仲达(1982 年 3 月—　)

(1978 年 3 月,五届全国人大一次会议决定
恢复设立化学工业部)

1983 年 6 月—1988 年 4 月
(第六届全国人大期间)

部　长　秦仲达

1988 年 4 月—1993 年 3 月
(第七届全国人大期间)

部　长　秦仲达(　—1989 年 7 月)
　　　　顾秀莲(1989 年 7 月—　)
副部长　林殷才(　—1991 年 12 月)
　　　　谭竹洲　王　珉(女)　潘连生
　　　　贺国强(1991 年 2 月—　)
　　　　李子彬(1991 年 12 月—　)

轻工业部

1978 年 3 月—1983 年 6 月
(第五届全国人大期间)

部　长　梁灵光(　—1981 年 3 月)
　　　　宋季文(1981 年 9 月—1982 年 6 月)
　　　　杨　波(1982 年 5 月—　)
副部长　姜时彦　王雨洛　杜子端　韩培信
　　　　谢鑫鹤　夏之栩　王毅之　李建平
　　　　余建亭　贺志华　王文哲　徐运北

季　龙　乔明甫　杨玉山　曾　群
宋季文（　—1981 年 9 月）

1983 年 6 月—1988 年 4 月

（第六届全国人大期间）

部　长　杨　波
副部长　贺志华　王文哲　季　龙　陈士能
　　　　康仲伦　于　珍

1988 年 4 月—1993 年 3 月

（第七届全国人大期间）

部　长　曾宪林
副部长　康仲伦　陈士能　于　珍
　　　　肖永定（　—1991 年 10 月）
　　　　潘蓓蕾（女）
　　　　段存华（1992 年 5 月—　）

纺织工业部

1977 年 12 月—1978 年 3 月

（第四届全国人大期间）

部　长　钱之光
副部长　胡　明　谢红胜　焦善民　陈维稷
　　　　郝建秀　王瑞庭　寿汉卿　李正光
（1977 年 12 月恢复设立纺织工业部）

1978 年 3 月—1983 年 6 月

（第五届全国人大期间）

部　长　钱之光（　—1981 年 3 月）
　　　　郝建秀（女）（1981 年 3 月—　）
副部长　胡　明（　—1982 年 3 月）
　　　　谢红胜（　—1981 年 7 月）
　　　　焦善民（　—1980 年 10 月）
　　　　陈维稷（　—1982 年）
　　　　郝建秀（　—1981 年 3 月）
　　　　王瑞庭（　—1983 年 6 月）

寿汉卿（　—1982 年）
李正光（　—1982 年 3 月）
李　涛（1978 年 11 月—1980 年 11 月）
王达成（1978 年 12 月—1980 年 9 月）
李竹平（1978 年 12 月—1982 年 3 月）
朱致平（1978 年 12 月—1982 年）
何正璋（1982 年 3 月—1986 年 6 月）

1983 年 6 月—1988 年 4 月

（第六届全国人大期间）

部　长　吴文英
副部长　王瑞庭（　—1985 年 8 月）
　　　　何正璋
　　　　季国标（1984 年 12 月—　）
　　　　杜钰洲（1985 年 10 月—　）

1988 年 4 月—1993 年 3 月

（第七届全国人大期间）

部　长　吴文英
副部长　季国标　杜钰洲
　　　　王曾敬（1988 年 6 月—　）
　　　　刘　珩（1990 年 8 月—　）
　　　　许坤元

邮　电　部

1978 年 3 月—1983 年 6 月

（第五届全国人大期间）

部　长　钟夫翔（　—1978 年 12 月）
　　　　王子纲（1978 年 12 月—1981 年 3 月）
　　　　文敏生（1981 年 3 月—　）
副部长　申　光　李玉奎　朱春和　刘澄清
　　　　彭洪志　罗淑珍（女）　　杨　杰
　　　　李一清　赵志刚　诚安玉　李临川
　　　　阎晓峰　侯德原　杨泰芳　朱高峰

1983 年 6 月—1988 年 4 月
(第六届全国人大期间)

部　　长　文敏生(—1984 年 7 月)
　　　　　杨泰芳(1984 年 7 月—)
副部长　李玉奎　谢安玉
　　　　　杨泰芳(—1984 年 7 月)
　　　　　朱高峰　宋直元　吴基传

1988 年 4 月—1993 年 3 月
(第七届全国人大期间)

部　　长　杨泰芳
副部长　朱高峰　宋直元(—1991 年 5 月)
　　　　　吴基传　谢高觉　杨贤足
　　　　　刘平原(1991 年 5 月—)

水 利 部

1979 年 4 月—1982 年 3 月

部　　长　钱正英
副部长　刘向三　李伯宁　张季农　李化一
　　　　　王化云　史向生　刘书田　冯　寅
　　　　　陈赓仪　刘兆伦
　　　　　陈　实(1980 年 8 月—)
　　　　　黄友若(1981 年 6 月—)
(1982 年 2 月撤销水利部,成立水利电力部)

1988 年 4 月—1993 年 3 月
(第七届全国人大期间)

部　　长　杨振怀
副部长　侯　捷(1988 年 12 月—1991 年 2 月)
　　　　　娄溥礼(1988 年 5 月—1988 年 7 月)
　　　　　钮茂生(1988 年 5 月—1990 年)
　　　　　张春园(1988 年 9 月—)
　　　　　王守强(1989 年 8 月—)
　　　　　严克强(1990 年 11 月—)
　　　　　周文智(1991 年 4 月—)

(1988 年 4 月,七届全国人大第一次会议决定撤销水利电力部,恢复水利部)

水利电力部

1978 年 3 月—1979 年 2 月
(第五届全国人大期间)

部　　长　钱正英(女)
第一副部长　王　林(—1979 年 4 月)
副部长　刘向三　张季农　李代耕　李锡铭
　　　　　李伯宁　郑代雨　郑永和　姚成庆
(1979 年 12 月,五届全国人大常委会第六次会议决定撤销水利电力部,分别设立水利部和电力工业部)

1982 年 3 月—1983 年 6 月
(第五届全国人大期间)

部　　长　钱正英
第一副部长　李　鹏
副部长　李代耕　李伯宁　赵庆夫
　　　　　彭士禄(1983 年 1 月—)
(1982 年 3 月,五届全国人大常委会第二十二次会议决定将水利部和电力工业部合并,重新设立水利电力部)

1983 年 6 月—1988 年 4 月
(第六届全国人大期间)

部　　长　钱正英
副部长　李代耕(—1984 年 8 月)
　　　　　李伯宁(—1984 年 8 月)
　　　　　赵庆夫(—1986 年 11 月)
　　　　　彭士禄(—1985 年 9 月)
　　　　　杨振怀(—1983 年 7 月)
　　　　　张凤祥(1984 年 8 月—)
　　　　　陆佑楣(1984 年 8 月—)
　　　　　姚振炎(1985 年 9 月—)
　　　　　史大桢(1986 年 11 月—)

（1988 年 4 月，七届全国人大一次会议决定
撤销水利电力部，重新设立水利部）

电力工业部

1979 年 2 月—1982 年 3 月
（第五届全国人大期间）

部　长　刘澜波（　—1981 年 3 月）
　　　　李　鹏（1981 年 3 月—　）

（1979 年 2 月，五届全国人大常委会第六次
会议决定重设电力工业部。1982 年 3 月，五
届全国人大常委会第二十二次会议决定将
水利部和电力工业部合并，成立水利电力部）

农　业　部

1979 年 2 月—1982 年 5 月
（第五届全国人大期间）

部　长　霍士廉（　—1981 年 3 月）
　　　　林乎加（1981 年 3 月—　）
副部长　张根生　朱　荣　刘瑞龙　郝中士
　　　　李友九　何　康　王常柏　刘锡庚
　　　　赵　修　邢崇智　蔡子伟　郑　重
　　　　杨显东　徐元泉　曹冠群　刘培植
　　　　杜子瑞

（1979 年 2 月，五届全国人大常委会第六次
会议决定恢复农业部建制。1982 年 5 月，五
届全国人大常委会第二十三次会议决定撤
销农业部，设立农牧渔业部。1988 年 4 月，
七届全国人大一次会议决定重新设立农业
部）

1988 年 4 月—1993 年 3 月
（第七届全国人大期间）

部　长　何　康
　　　　（后）刘中一
副部长　王连铮（　—1991 年 4 月）

陈耀邦　刘　江　洪绂曾
相重杨　马忠臣

国家农业委员会

1979 年 2 月—1982 年 5 月
（第五届全国人大期间）

主　任　王任重（　—1980 年 8 月）
　　　　万　里（1980 年 8 月—　）

（1979 年 2 月，五届全国人大常委会第六次
会议决定设立国家农业委员会。1982 年 5
月，五届全国人大常委会第二十三次会议决
定撤销国家农业委员会，并入国家经济委员
会）

农牧渔业部

1982 年 5 月—1983 年 6 月
（第五届全国人大期间）

部　长　林乎加

1983 年 6 月—1988 年 4 月
（第六届全国人大期间）

部　长　何　康

农　林　部

1978 年 3 月—1979 年 2 月
（第五届全国人大期间）

部　长　杨立功

（1979 年 2 月，五届全国人大常委会第六次
会议决定撤销农林部，分别设立农业部和林
业部）

农 垦 部

1979 年 6 月—1982 年 5 月
（第五届全国人大期间）

部　长　高　扬
（1979 年 6 月，五届全国人大常委会第八次会议决定恢复建立农垦部。1982 年 5 月，五届全国人大常委会第二十三次会议决定撤销农垦部，并入农牧渔业部）

林 业 部

1979 年 2 月—1983 年 6 月
（第五届全国人大期间）

部　长　罗玉川（　—1980 年 9 月）
　　　　雍文涛（1980 年 9 月—1982 年 5 月）
　　　　杨　钟（1982 年 5 月—　）
副部长　杨　珏　马玉槐　张盘石　梁昌武
　　　　唐子奇　荀昌五　杨天放　张世军
　　　　郝玉山　杨延森　汪　滨　刘　琨
　　　　王殿文　董智勇

1983 年 6 月—1988 年 4 月
（第六届全国人大期间）

部　长　杨　钟
（1987 年 6 月，六届全国人大常委会第二十一次会议决定撤职）
　　　　高德占（1987 年 6 月—　）
副部长　刘　琨　王殿文　董智勇　刘广运
　　　　徐有芳

1988 年 4 月—1993 年 3 月
（第七届全国人大期间）

部　长　高德占
副部长　刘广运　徐有芳　沈茂成　蔡延松

商 业 部

1978 年 3 月—1983 年 6 月
（第五届全国人大期间）

部　长　王　磊（　—1978 年 8 月）
　　　　姚依林（1978 年 8 月—1979 年 2 月）
　　　　王　磊（1979 年 2 月—1982 年 3 月）
　　　　刘　毅（1982 年 3 月—　）
副部长　赵发生（　—1979 年 4 月）
　　　　高　修（　—1982 年 3 月）
　　　　张永刚（　—1982 年 3 月）
　　　　任泉生（　—1982 年 3 月）
　　　　安法乾（　—1979 年 4 月）
　　　　宋克仁（　—1982 年 3 月）
　　　　刘　毅（　—1982 年 3 月）
　　　　姜　习（　—1979 年 4 月）
　　　　郭今吾（1978 年 7 月—1982 年 3 月）
　　　　金　明（1978 年 8 月—　）
　　　　冯　骥（1979 年 1 月—1982 年 3 月）
　　　　孙　正（1979 年 1 月—1982 年 3 月）
　　　　段士奇（1980 年 5 月—1981 年 2 月）
　　　　黄凉尘（1980 年 7 月—1982 年 3 月）
　　　　罗东明（1981 年 6 月—1982 年 3 月）
　　　　曹文斌（1981 年 6 月—1982 年 3 月）
　　　　潘　遥（1982 年 3 月—　）
　　　　宋克仁（1982 年 3 月—　）
　　　　姜　习（1982 年 3 月—　）
　　　　季　铭（1982 年 3 月—　）

1983 年 6 月—1988 年 4 月
（第六届全国人大期间）

部　长　刘　毅
副部长　姜　习　宋克仁（　—1983 年 12 月）
　　　　潘　遥　季　铭
　　　　何济海（1985 年 1 月—　）

1988 年 4 月—1993 年 3 月
（第七届全国人大期间）

部　长　胡　平

副部长　潘　遥（　—1990 年 11 月）

　　　　何济海　张世尧　傅立民

　　　　白美清（1990 年 7 月—　）

粮 食 部

1979 年 6 月—1982 年 3 月

（第五届全国人大期间）

部　长　陈国栋（　—1980 年 2 月）

　　　　赵辛初（1980 年 2 月—　）

副部长　杨少桥　赵发生　安法乾　姜　习

　　　　李衍授　邓　飞　周康民

（以上 7 人，1979 年 4 月至 1982 年 3 月先后任职。1979 年 6 月，五届全国人大常委会第八次会议决定设立粮食部。1982 年 3 月五届全国人大常委会第二十二次会议决定撤销粮食部）

全国供销合作总社

1978 年 3 月—1982 年 3 月

（第五届全国人大期间）

主　任　陈国栋（　—1979 年 6 月）

　　　　牛荫冠（1979 年 6 月—　）

副部长　牛荫冠　郭世荣　程宏毅　闫　颖

　　　　王文波　郭月斋　叶树德　潘　遥

　　　　史立德　王念基　王卓如　王兴让

　　　　解　方　王宸生　王厚德

（1982 年 3 月，五届全国人大常委会第二十二次会议决定全国供销合作总社与商业部合并）

对外经济贸易部

1982 年 3 月—1983 年 6 月

（第五届全国人大期间）

部　长　陈慕华（女）

（1982 年 3 月，五届全国人大常委会第二十二次会议决定将国家进出口管理委员会、对外贸易部、对外经济联络部和国家外国投资管理委员会合并，成立对外经济贸易部。1993 年 3 月，八届全国人大一次会议决定对外经济贸易部改为对外贸易经济合作部）

1983 年 6 月—1988 年 4 月

（第六届全国人大期间）

部　长　陈慕华（兼）（　—1985 年 3 月）

　　　　郑拓彬（1985 年 3 月—　）

1988 年 4 月—1993 年 3 月

（第七届全国人大期间）

部　长　郑拓彬

副部长　李岚清　吕学俭　王品清

　　　　沈觉人（　—1991 年 5 月）

　　　　吴　仪（女）（1991 年 5 月—　）

　　　　佟志广（1991 年 2 月—　）

对外贸易部

1978 年 3 月—1982 年 3 月

（第五届全国人大期间）

部　长　李　强（　—1981 年 9 月）

　　　　郑拓彬（1981 年 9 月—　）

（1982 年 3 月，五届全国人大常委会第二十二次会议决定将对外贸易部并入对外经济贸易部）

对外经济联络部

1978 年 3 月—1982 年 3 月

（第五届全国人大期间）

部　长　陈慕华（女）

（1982 年 3 月，五届全国人大常委会第二十二次会议决定撤销对外经济联络部，并入对外经济贸易部）

国家进出口管理委员会

1979 年 7 月—1982 年 3 月
（第五届全国人大期间）

主 任 谷 牧

（1979 年 7 月，五届全国人大常委会第十次会议决定成立。1982 年 3 月，五届全国人大常委会第二十二次会议决定将国家进出口管理委员会并入对外经济贸易部）

外国投资管理委员会

1979 年 1 月—1982 年 3 月
（第五届全国人大期间）

主 任 谷 牧

（1979 年 7 月，五届全国人大常委会第十次会议决定设立国家外国投资管理委员会。1982 年 3 月，五届人大常委会第二十二次会议决定将之并入对外经济贸易部）

物 资 部

1988 年 4 月—1993 年 3 月
（第七届全国人大期间）

部 长 柳随年
副部长 凌毓勋（ —1990 年 3 月）
丁孝浓 陆叙生 蔡宁林
桓玉玥（1990 年 3 月— ）
马毅民（1990 年 3 月— ）
陆 江

（1988 年 4 月，七届全国人大一次会议决定设立物资部，1993 年 3 月，八届全国人大一次会议决定将之并入国内贸易部）

文 化 部

1980 年—1982 年

代部长 周巍峙
副部长 林默涵 司徒慧敏 陈荒煤 赵起扬
吴 雪 仲秋元

1982 年—1986 年

部 长 朱穆之
第一副部长 周巍峙
副部长 吕志先 丁 峤

1986 年—1989 年

部 长 王 蒙（1986 年 3 月—1989 年 9 月）
副部长 高占祥（1986 年 1 月— ）
王济夫（1987 年 3 月— ）
刘德有（1986 年 3 月— ）
宋木文（1986 年 3 月—1986 年 12 月）
英若诚（1986 年 6 月— ）

1989 年—1993 年 3 月

代部长 贺敬之（1989 年 8 月— ）
副部长 高占祥 刘德有 徐文伯 陈昌本
王济夫（ —1990 年 5 月）
英若诚（ —1990 年 5 月）

对外文化联络委员会

1981 年 3 月—1982 年 5 月
（第五届全国人大期间）

主 任 黄 镇

（1981 年 3 月，五届全国人大常委会第十七次会议决定恢复对外文化联络委员会。1982 年 5 月，五届全国人大常委会第二十三次会

议决定撤销对外文化联络委员会，将其职权
并入文化部）

广播电影电视部

1986 年 1 月—1988 年 4 月

（第七届全国人大期间）

部　　长　艾知生（1986 年 1 月—　）
副 部 长　谢文清（1986 年—1987 年）
　　　　　聂大江（1986 年—1988 年）
　　　　　丁　峤（1986 年—1987 年）
　　　　　马庆雄（1986 年—1988 年）
　　　　　徐崇华（1986 年—1988 年）
　　　　　陈昊苏（1987 年—1988 年）
　　　　　王　枫（1987 年—1988 年）

（1986 年 1 月 20 日，六届全国人大常委会第
十四次会议决定将广播电视部改为广播电
影电视部）

1988 年 4 月—1993 年 3 月

（第七届全国人大期间）

部　　长　艾知生
副 部 长　聂大江（　—1991 年）　马庆雄
　　　　　徐崇华　陈昊苏（　—1990 年 5 月）
　　　　　王　枫　田聪明（1991 年—　）
　　　　　刘习良（1991 年 5 月—　）

广播电视部

部　　长　吴冷西（1982 年 5 月—1985 年 6 月）
　　　　　艾知生（1985 年 6 月—　）
副 部 长　郝平南（1982 年 5 月—1986 年）
　　　　　马庆雄（1982 年 5 月—1986 年）
　　　　　徐崇华（1982 年 5 月—1986 年）
　　　　　谢文清（1983 年 2 月—1986 年）

（1982 年 5 月 4 日，五届全国人大常委会第
二十三次会议决定撤销中央广播事业局，设
立广播电视部）

卫 生 部

1978 年 3 月—1983 年 6 月

（第五届全国人大期间）

部　　长　江一真（　—1979 年 4 月）
　　　　　钱信忠（1979 年 4 月—1982 年 5 月）
　　　　　崔月犁（1982 年 5 月—　）
副 部 长　黄树则（　—1982 年 4 月）
　　　　　谭云鹤　王　伟
　　　　　崔月犁（　—1982 年 4 月）
　　　　　杨寿山（　—1982 年 4 月）
　　　　　胡昭衡（　—1982 年 4 月）
　　　　　李宗权（1979 年 2 月—1982 年 4 月）
　　　　　郭子恒
　　　　　杨　纯（1980 年 12 月—1982 年 4 月）

1983 年 6 月—1988 年 4 月

（第六届全国人大期间）

部　　长　崔月犁（　—1987 年 3 月）
　　　　　陈敏章（1987 年 3 月—　）
副 部 长　谭云鹤（　—1984 年 1 月）
　　　　　王　伟（　—1983 年 11 月）
　　　　　郭子恒（　—1985 年 12 月）
　　　　　陈敏章（　—1987 年 3 月）
　　　　　顾英奇（1984 年 9 月—　）
　　　　　胡熙明（1984 年 11 月—　）
　　　　　何界生（1986 年 2 月　　）

1988 年 4 月—1993 年 3 月

（第七届全国人大期间）

部　　长　陈敏章
副 部 长　何界生（女）　顾英奇　胡熙明
　　　　　曹泽毅（1988 年 9 月—1990 年 9 月）
　　　　　孙隆椿（1990 年 9 月—　）

国家体育运动委员会

1978 年—1983 年 6 月
（第五届全国人大期间）

主 任　王　猛（ —1981 年 9 月）
　　　　李梦华（1981 年 9 月— ）
副主任　李梦华（ —1981 年 9 月）
　　　　荣高棠（1979 年 6 月—1981 年 8 月）
　　　　李青川（ —1982 年 3 月）
　　　　徐寅生（1979 年 6 月— ）
　　　　路金栋（1978 年 7 月— ）
　　　　尹忠尉（1978 年 7 月—1979 年 12 月）
　　　　栗树彬（1980 年 3 月— ）
　　　　陈　先（1981 年 10 月— ）
　　　　徐　才（1981 年 10 月— ）

1983 年 6 月—1988 年 4 月
（第六届全国人大期间）

主 任　李梦华
副主任　徐寅生
　　　　路金栋（ —1985 年 5 月）
　　　　陈　先（ —1985 年 5 月）
　　　　徐　才（ —1985 年 5 月）
　　　　袁伟民（1984 年 10 月— ）
　　　　何振梁（1985 年 5 月— ）
　　　　张彩珍（1985 年 5 月— ）

1988 年 4 月—1993 年 3 月
（第七届全国人大期间）

主 任　李梦华（ —1988 年 12 月）
　　　　伍绍祖（1988 年 12 月— ）
副主任　袁伟民　何振梁　徐寅生
　　　　张彩珍（ —1991 年 10 月）
　　　　刘　吉（1991 年 5 月— ）

国家计划生育委员会

1981 年 3 月—1983 年 6 月
（第五届全国人大期间）

主 任　陈慕华（女）（ —1982 年 5 月）
　　　　钱信忠（1982 年 5 月— ）
副主任　钱信忠　崔月犁　栗秀真　周伯祥
　　　　李宗权
（1981 年 3 月 6 日，五届全国人大常委会第
十七次会议决定设立国家计划生育委员会）

1983 年 6 月—1988 年 4 月
（第六届全国人大期间）

主 任　钱信忠（ —1983 年 12 月）
　　　　王　伟（1983 年 12 月— ）
副主任　周伯萍　季宗权　常崇煊　彭　玉

1988 年 4 月—1993 年 3 月
（第七届全国人大期间）

主 任　彭珮云
副主任　常崇煊（ —1991 年 10 月）
　　　　彭　玉（女）
　　　　吴景春（女）
　　　　杨魁孚（1991 年 2 月— ）
　　　　刘汉彬（1991 年 10 月— ）
　　　　蒋正华（1991 年 10 月— ）

中国人民银行

1978 年 3 月—1983 年 6 月
（第五届全国人大期间）

行 长　李葆华（ —1982 年 5 月）
　　　　吕培俭（1982 年 5 月— ）
副行长　陈希愈　胡景云　乔培新　丁冬放
　　　　李绍禹　方　皋　袁子扬　卜　明
　　　　耿道明　李　飞　朱田顺　刘鸿儒

邱　晴(女)　尚　明　陈　元
韩　雷

1983 年 6 月—1988 年 4 月
（第六届全国人大期间）

行　长　吕培俭
　　　　陈慕华(女)(兼)(1985 年 3 月—　)
副行长　李　飞　朱田顺　刘鸿儒
　　　　邱　晴(女)　陈　元
　　　　童赠银　周正庆

1988 年 4 月—1993 年 3 月
（第七届全国人大期间）

行　长　李贵鲜
副行长　刘鸿儒(　—1989 年 8 月)
　　　　邱　晴(女)(　—1990 年 3 月)
　　　　童赠银　周正庆　陈　元
　　　　白文庆(1989 年 9 月—　)
　　　　郭振乾(1990 年 3 月—　)

审　计　署

1983 年 6 月—1988 年 4 月
（第六届全国人大期间）

审计长　于明涛(　—1985 年 3 月)
　　　　吕培俭(1985 年 3 月—　)

1988 年 4 月—1993 年 3 月
（第七届全国人大期间）

审计长　吕培俭
副审计长　崔健民　罗进新　李金华
　　　　　郑　力(女)

国家统计局

1988 年 4 月—1993 年 3 月
（第七届全国人大期间）

局　长　张　塞
副局长　郑家亨　于广沛　邵宗明　孙竞新
　　　　李林书　许　刚

国家物价局

1988 年 4 月—1993 年 3 月
（第七届全国人大期间）

局　长　成致平(　—1990 年 3 月)
　　　　罗植龄(1990 年 8 月—　)
副局长　张　祺　王兴家　马　凯　胡邦定
　　　　邓昭行

海　关　总　署

1988 年 4 月—1993 年 3 月
（第七届全国人大期间）

署　长　戴　杰
副署长　王洁平　宿世芳　吴乃文　甄　朴
　　　　于庚申　钱冠林

中国民用航空局

1988 年 4 月—1993 年 3 月
（第七届全国人大期间）

局　长　胡逸洲(　—1991 年 2 月)
　　　　蒋祝平(1991 年 2 月—　)
副局长　管　德　阎志祥　李　钊　柯德铭

国家旅游事业委员会

1988 年 4 月—1993 年 3 月
（第七届全国人大期间）

主　任　吴学谦（兼）
副主任　李昌安　刘　毅　郝建秀（女）

国家旅游局

1988 年 4 月—1993 年 3 月
（第七届全国人大期间）

局　长　刘　毅
副局长　何光晰　程文栋　章新胜　何若泉

国家海洋局

1988 年 4 月—1993 年 3 月
（第七届全国人大期间）

局　长　严宏谟
副局长　钱志宏　陈炳鑫　陈德鸿　杨文鹤

国家气象局

1988 年 4 月—1993 年 3 月
（第七届全国人大期间）

局　长　邹竞蒙
副局长　张基嘉　骆继宾　温克刚　马鹤年
　　　　李　黄

国家地震局

1988 年 4 月—1993 年 3 月
（第七届全国人大期间）

局　长　安启元（　—1988 年 8 月）

方樟顺（1988 年 8 月—　）
副局长　高文学　陈　颙　周　锐

国家档案局

1988 年 4 月—1993 年 3 月
（第七届全国人大期间）

局　长　韩毓虎（　—1989 年）
　　　　冯子直（1989 年—　）
副局长　李凤楼　张成良

国务院参事室

1988 年 4 月—1993 年 3 月
（第七届全国人大期间）

主　任　吴庆彤（1988 年 4 月—　）
　　　　常　捷
副主任　王海容（女）　吴　空　白光涛
　　　　王立明　吕德润

国家建筑材料工业局

1988 年 4 月—1993 年 3 月
（第七届全国人大期间）

局　长　王燕谋
副局长　李俭之　张人为　李明豫　杨志元

国家工商行政管理局

1988 年 4 月—1993 年 3 月
（第七届全国人大期间）

局　长　任中林（　—1989 年 12 月）
　　　　刘敏学（1989 年 12 月—　）
副局长　刘敏学（　—1989 年 12 月）
　　　　田树千　甘国屏　费开龙

李衍绥　白大华

国家土地管理局

1984 年 4 月—1993 年 3 月

（第七届全国人大期间）

局　　长　王先进
副局长　王光希　陈　业　邹玉川

新闻出版署

1988 年 4 月—1993 年 3 月

（第七届全国人大期间）

署　　长　杜导正（　—1989 年 7 月）
　　　　　宋木文（1989 年 7 月—1993 年 3 月）
副署长　宋木文（1988 年 4 月—1989 年 7 月）
　　　　　刘　杲　王强华　杨正彦　卢玉忆

国家技术监督局

1988 年 4 月—1993 年 3 月

（第七届全国人大期间）

局　　长　徐志坚
　　　　　朱育理
副局长　李保国　白景中　鲁绍曾

国家医药管理局

1988 年 4 月—1993 年 3 月

（第七届全国人大期间）

局　　长　齐谋甲
副局长　刘永纲　金同珍　石　岠　张鹤镛

国家环境保护局

1988 年 4 月—1993 年 3 月

（第七届全国人大期间）

局　　长　曲格平
副局长　张坤民　王扬祖　金鉴明　孙嘉锦
　　　　　程振华　叶汝求

国务院宗教事务局

1988 年 4 月—1993 年 3 月

（第七届全国人大期间）

局　　长　任务之
副局长　曹锦如　宛耀宾（回族）
　　　　　洛桑·赤耐（藏族）
　　　　　杨同祥（后到任）

国务院机关事务管理局

1988 年 4 月—1993 年 3 月

（第七届全国人大期间）

局　　长　常　捷
　　　　　郭　济
副局长　郭　济　冯兰明　田玉安　刘广振

国家版权局

1988 年 4 月—1993 年 3 月

（第七届全国人大期间）

局　　长　宋木文
副局长　刘　杲

国务院经济技术社会发展研究中心

1988 年 4 月—1993 年 3 月
（第七届全国人大期间）

名誉总干事　薛暮桥
总干事　马　洪
副总干事　李庆伟　孙尚清　张　磐　吴明瑜
　　　　　张万欣　方晓予

国务院农村发展研究中心

1988 年 4 月—1993 年 3 月
（第七届全国人大期间）

主　任　杜润生
副主任　张根生

中国科学院

1978 年 3 月—1983 年 6 月
（第五届全国人大期间）

院　长　郭沫若（　—1978 年 6 月）
　　　　方　毅（1979 年 7 月—1982 年 8 月）
　　　　卢嘉锡（1982 年 2 月—　）
副院长　方　毅（1978 年 3 月—1979 年 7 月）
　　　　李　昌　周培源　童第周　胡克实
　　　　严济慈　华罗庚　钱三强　冯德培
　　　　李　薰　严东生　叶笃正

1983 年 6 月—1988 年 4 月
（第六届全国人大期间）

院　长　卢嘉锡（　—1986 年 12 月）
　　　　周光召（1986 年 12 月—　）
副院长　钱三强　冯德培　严东生　叶笃正
　　　　周光召（　—1986 年 12 月）
　　　　孙鸿烈　滕　藤　李振声　胡启恒

1988 年 4 月—1993 年 3 月
（第七届全国人大期间）

院　长　周光召
副院长　孙鸿烈　李振声　胡启恒　王佛松

中国社会科学院

1978 年 3 月—1983 年 6 月
（第五届全国人大期间）

院　长　胡乔木（1978 年—1982 年 8 月）
　　　　马　洪（1982 年 8 月—　）
副院长　邓力群（　—1982 年 5 月）
　　　　于光远（　—1982 年 5 月）
　　　　武　光（1979 年 10 月—1982 年 5 月）
　　　　周　扬（1978 年 9 月—1982 年 5 月）
　　　　许涤新（1978 年 9 月—1982 年 5 月）
　　　　张友渔（1979 年 9 月—1982 年）
　　　　宦　乡（1978 年—1982 年）
　　　　马　洪（1979 年—1982 年 8 月）
　　　　宋一平（1979 年 10 月—1982 年 5 月）
　　　　梅　益（1980 年 4 月—1982 年）
　　　　汝　信（1982 年—　）
　　　　夏　鼐（1982 年 8 月—　）
　　　　钱钟书（1982 年 8 月—　）
（1978 年 3 月，五届全国人大一次会议决定成立）

1983 年 6 月—1988 年 4 月
（第六届全国人大期间）

名誉院长　胡乔木（1985 年—1988 年）
院　长　胡　绳（1985 年—　）
副院长　刘国光　赵复三　汝　信
　　　　夏　鼐（　—1985 年）钱钟书
　　　　李慎之（1985 年—　）

1988 年 4 月—1993 年 3 月
（第七届全国人大期间）

院　长　胡　绳
副院长　刘国光
　　　　丁伟志（　—1989 年 12 月）
　　　　钱钟书
　　　　赵复三（　—1989 年）
　　　　汝　信
　　　　郑必坚（1988 年 9 月—　）
　　　　郁　文（1989 年 12 月—　）
　　　　曲维镇（1989 年 12 月—　）
　　　　江　流（1989 年 12 月—　）

新华通讯社

1977 年—1982 年 8 月

社　长　曾　涛（1977 年 1 月—1982 年 4 月）
副社长　李　普（1978 年 5 月—　）
　　　　刘敬之（1978 年 5 月—　）

1982 年 8 月—

　　（1982 年 8 月，五届全国人大常委会第二十四次会议决定将新华通讯社作为国务院的组成部分，并通过任命）
社　长　穆　青
副社长　冯　健　曾建徽　陈伯坚　杨家祥
　　　　郭超人　庞炳庵　丁翔起

国家烟草专卖局

1988 年 4 月—1993 年 3 月
（第七届全国人大期间）

局　长　江　明
副局长　马尔赤　金茂先　刘治光　关政林
（国家烟草专卖局由轻工业部归口管理）

国家中医药管理局

1988 年 4 月—1993 年 3 月
（第七届全国人大期间）

局　长　胡熙明（　—1990 年 2 月）
（国家中医药管理局由卫生部归口管理）

国家语言文字工作委员会

1988 年 4 月—1993 年 3 月
（第七届全国人大期间）

主　任　陈　原（　—1989 年 12 月）
　　　　柳　斌（兼）（1989 年 12 月—　）
副主任　王　均　曹先擢
（国家语言文字工作委员会由国家教育委员会归口管理）

国家国有资产管理局

1988 年 4 月—1993 年 3 月
（第七届全国人大期间）

局　长　汤丙牛
副局长　蒋乐民　盛焕德　罗元明
（国家国有资产管理局由财政部归口管理）

国家税务局

1988 年 4 月—1993 年 3 月
（第七届全国人大期间）

局　长　金　鑫
副局长　牛立成　陈景新　王平武　卢仁法
（国家税务局由财政部归口管理）

国家外国专家局

1988 年 4 月—1993 年 3 月
（第七届全国人大期间）

局　长　王　酒
副局长　李明俊　武永兴　徐振元　杨汉炎
（国家外国专家局由国务院办公厅归口管理）

国家专利局

1988 年 4 月—1993 年 3 月
（第七届全国人大期间）

局　长　蒋民宽（兼）（ —1989 年 9 月）
　　　　高卢麟（1989 年 9 月— ）
副局长　高卢麟（ —1989 年 9 月）
　　　　安玉涛　沈尧曾　姜　颖

国务院法制局

1988 年 4 月—1993 年 3 月
（第七届全国人大期间）

局　长　孙琬钟
副局长　王世荣　黄曙海　李培传

国务院港澳办公室

1988 年 4 月—1993 年 3 月
（第七届全国人大期间）

主　任　姬鹏飞
　　　　鲁　平
副主任　李　后　鲁平
　　　　陈滋英（1991 年 2 月— ）
　　　　王启人（1991 年 12 月— ）

国务院侨务办公室

1988 年 4 月—1993 年 3 月
（第七届全国人大期间）

主　任　廖　晖
副主任　林水龙（ —1991 年 8 月）
　　　　李星浩　陈白皋

国务院特区办公室

1988 年 4 月—1993 年 3 月
（第七届全国人大期间）

主　任　何椿霖
副主任　赵云栋　张　戈　胡光宝

国务院外事办公室

1988 年 4 月—1993 年 3 月
（第七届全国人大期间）

主　任　钱永年（ —1989 年 12 月）
　　　　刘述卿（1989 年 12 月—1991 年 8 月）
　　　　齐怀远（1991 年 8 月— ）
副主任　隋　勤　林致冒　黄桂劳

国务院新闻办公室

1991 年—1993 年 3 月

主　任　朱穆之（1991 年 4 月—1993 年 3 月）
副主任　曾建徽（1991 年 4 月—1993 年 3 月）
　　　　周　觉（1991 年 4 月—1993 年 3 月）

国务院台湾事务办公室

主　任　丁关根（兼）（1990 年 11 月）
　　　　王兆国（1990 年 11 月— ）

副主任　陈宗枭（　—1991 年 5 月）
　　　　唐树备（1989 年 5 月—　）
　　　　张克辉（1990 年 1 月—　）

中华人民共和国最高人民法院

1978 年 3 月—1983 年 6 月
（第五届全国人大期间）

院　长　江　华
副院长　王维纲　曾汉周　何兰阶　郑绍文
　　　　宋　光　王怀安　王战平

1983 年 6 月—1988 年 4 月
（第六届全国人大期间）

院　长　郑天翔
副院长　任建新　宋　光　王怀安　王战平
　　　　林　准　祝铭山　马　原（女）

1988 年 4 月—1993 年 3 月
（第七届全国人大期间）

院　长　任建新
副院长　华联奎　林　准　祝铭山
　　　　马　原（女）　　端木正

中华人民共和国最高人民检察院

1978 年 3 月—1983 年 6 月
（第五届全国人大期间）

检察长　黄火青
副检察长　喻　屏
　　　　张　苏（1978 年 5 月—）.
　　　　王　甫
　　　　李士英（1978 年 12 月—　）
　　　　郗占元（1979 年 11 月—　）
　　　　陈养山（1979 年 2 月—　）
　　　　关山复　张灿明　江　文

1983 年 6 月—1988 年 4 月
（第六届全国人大期间）

检察长　杨易辰
副检察长　李士英　王　甫　王晓光　江　文
　　　　冯锦汶

1988 年 4 月—1993 年 3 月
（第七届全国人大期间）

检察长　刘复之
副检察长　王晓光　张思卿　冯锦汶　梁国庆
　　　　江　文　肖　扬　陈明枢　王文元

中国人民政治协商会议

中国人民政治协商会议
第五届全国委员会
（1978 年 2 月 24 日—1983 年 6 月 3 日）

五届一次会议
（1978 年 3 月 8 日）

选举：
全国委员会
主　席　邓小平
副土席　乌兰夫　韦国清　彭　冲　赵紫阳
　　　　郭沫若　宋任穷　沈雁冰　许德珩
　　　　欧阳钦　史　良（女）　　朱蕴山
　　　　康克清（女）　　季　方　王首道
　　　　杨静仁　张　冲　帕巴拉·格列朗杰
　　　　周建人　庄希泉　胡子昂　荣毅仁
　　　　童第周
秘书长　齐燕铭
常务委员（243 名，按姓氏笔画为序）
　　　　丁光训　刀栋庭　于树德　于毅夫　寸树声
　　　　万　毅　习仲勋　马青年　马寅初　王　中
　　　　王　甫　王子纲　王文鼎　王从吾　王芸生
　　　　王近山　王昆仑　王学文　王炳南

王雪莹(女)　　王维纲　王逸伦　王新亭
木沙也夫　　　瓦扎木基　方仲如
尹林平　孔　原　孔从洲　孔祥祯　邓初民
甘春雷　甘祠森　古耕虞　龙　潜　卢　胜
申　健　叶圣陶　叶桔泉　叶道英　包尔汉
冯文彬　冯德培　巩天民　成仿吾　吕　东
朱理治　朱惠方　朱穆之　伍献文　任白戈
庄　田　刘　型　刘　晓　刘　斐　刘　鼎
刘少文　刘仲容　刘良模　刘顺元　刘景范
刘瑞龙　刘靖基　关瑞梧(女)　　江一真
安士伟　许立群　孙　毅　孙兰峰　孙承佩
孙起孟　孙晓村　买合苏德·铁衣波夫
严信民　克力更　苏　静　苏子蘅　杜聿明
李　信　李　琦　李力殷　李文宜(女)
李世济(女)　　李世璋　李步新　李初梨
李纯青　李卓然　李国伟　李金德
李宝光(女)　　李淑英(女)　　李维汉
李景林　杨士杰　杨石先　杨东生　杨东莼
杨奇清　杨国夫　杨拯民　杨秋玲(女)
肖　鹏　肖思明　吴　波　吴文俊　吴茂荪
吴岱峰　吴贻芳(女)　　吴亮平　吴觉农
吴桓兴　吴雪之　吴鸿宾　何　贤　何长工
何以端　何基沣　谷志标　谷春帆　汪金祥
汪德昭　沙千里　宋希濂　张　苏　张　策
张子意　张邦英　张孝骞　张志让　张克侠
张连奎　张秀熟　张含英　张南生　张香山
张维桢　张超伦　张瑞华(女)　　张稼夫
陆镇藩　陈正湘　陈此生　陈养山　陈维稷
陈锐霆　林一心　林修德　林海云
罗　琼(女)　　金　城　周　扬　周士观
周纯全　郑洞国　郑敏之(女)　　屈　武
项朝宗　赵朴初　赵宗燠　赵得贤
胡子婴(女)　　胡克实　胡厥文　胡愈之
钟师统　钟期光　钟惠澜　侯祥麟　侯德封
侯镜如　俞大绂　闻家驷　姜椿芳　费孝通
费彝民　姚　喆　贺　诚　贺庆积　贺绿汀
班禅额尔德尼·确吉坚赞　袁克服　粟又文
贾亦斌　夏　衍　夏之栩(女)　　顿星云
钱昌照　徐伯昕　徐彬如　徐楚波　高文华
郭洪涛　郭棣活　郭影秋　谈家桢　陶峙岳
黄　达　黄　昆　黄　岩　黄　维　黄　镇
黄甘英(女)　　黄汲清　黄克诚　黄鼎臣

萨空了　曹广化　龚逢春　章　蕴(女)
阎揆要　梁华新　彭迪先　董其武　蒋　英
韩　光　韩东山　韩练成　喻　杰　程　坦
程思远　傅　鹰　童小鹏　童少年　曾传六
曾宪植(女)　　曾涌泉　谢冰心(女)
楚图南　赖　毅　赖际发　雷洁琼(女)
鲍先志　嘉木样·洛桑久美·图丹却吉尼玛
蔡　啸　谭冠三　熊　复　熊天荆(女)
熊向晖　潘　菽　潘震亚　寨先任(女)
鄞云鹤(女)

五届二次会议

(1979 年 7 月 2 日)

增选：

副主席　刘澜涛　陆定一　李维汉　胡愈之
　　　　　王昆仑　班禅额尔德尼·确吉坚赞

秘书长　刘澜涛(兼)

常务委员

马辉之　王　匡　王再天　王孝慈　王克俊
牛佩琮　文正一　平杰三　帅孟奇　申伯纯
戎子和　刘亚雄　刘宁一　刘澜涛　阳翰笙
李　立　李运昌　李铁铮　李楚离　杨尚昆
杨献珍　何柱国　张友渔　张执一　张磐石
陆定一　易礼容　郑绍文　赵君迈　赵毅敏
胡启立　贺敏学　聂　真　徐万进　徐逸樵
徐斌洲　韩　英　舒　同　缪云台　薛子正

五届三次会议

(1980 年 9 月 12 日)

增选：

副主席　何长工　萧　克　程子华　杨秀峰
　　　　　沙千里　包尔汉(维吾尔族)
　　　　　周培源　钱昌照

常务委员(24 人，按姓氏笔画为序)

王　力　扎喜旺徐(藏族)
尧西·贡保才旦(藏族)　　任质斌
刘　英(女)　　孙作宾　孙越崎
李伯钊(女)　　肖　三　沈其震
周谷城　赵伯平　胡嘉宾　柯　麟

钱伟长　钱俊瑞　钱端升

崔科·顿珠次仁(藏族)　章夷白　韩幽桐

梁漱溟　覃异之　黎　玉　霍英东

(在这次会议上还决定韦国清、彭冲、赵紫阳、宋任穷、杨静仁因担任其他领导职务,不再兼任政协副主席、常委和委员;班禅额尔德尼·确吉坚赞已担任其他领导职务,不再兼任政协副主席职务,但保留其政协常委、委员;习仲勋、杨尚昆已在人大常委会担任工作,不再兼任政协常委和委员)

五届四次会议
(1981 年 12 月 14 日)

增选:

副主席　刘　斐　董其武

常务委员(19 人,按姓氏笔画为序)

叶笃义　冯　定　刘孟纯　李　觉　杨放之
杨植霖　吴羹梅　宋劭文　张达志　张如屏
强家树　张敬礼　荣高棠　赵子立　胡　风
凌其翰　黄正清　喻　屏　焦实斋

五届五次会议
(1982 年 12 月 11 日)

增选:

常务委员　马　璧　范寿康

政协第五届全国委员会
所属主要工作机构
(1978 年 2 月—1983 年 6 月)

国际问题组

组　　长　楚图南

副组长　胡愈之　郑森禹　程思远　张明养
　　　　朱　良

文化组

组　　长　周　扬

副组长　张香山　魏传统　陈翰伯　姜椿芳
　　　　林默涵

教育组

组　　长　董纯才

副组长　周有光　霍懋征　方　明

科学技术组

组　　长　茅以升

副组长　钱伟长　赵宗燠　裴丽生

工商组

组　　长　吴雪之

副组长　黄凉尘　孙孚凌　吴羹梅　王　奋

华侨组

组　　长　黄鼎臣

副组长　钟庆发　苏　惠　连　贯

宗教组

组　　长　赵朴初

副组长　安士伟　肖贤法

医药卫生组

组　　长　沈其霞

副组长　柯　麟　钟惠澜　崔月犁　杨放之

民族组

组　　长　萨空了

副组长　扎喜旺徐　翁独健　薛剑华　文正一

妇女组

组　　长　罗　琼

对台宣传组

组　　长　蔡　啸

副组长　田富达　李纯青　侯镜如　王　仁

经济建设组

组　　长　郭洪涛

副组长　林海云　吴　波　陈维稷　薛暮桥
　　　　孙冶方　宋劭文　靳崇智

法制组

组　　长　韩幽桐

副组长　雷洁琼　侯　政

城市建设组

组　　长　韩　光

副组长　赵鹏飞　邵井蛙　郑孝燮　佟　铮
　　　　曹言行

农业组

组　　长　杨显东

副组长　石　山　张季高

体育组

组 长 荣高棠
副组长 黄 中 牟依云 何启君

中国人民政治协商会议
第六届全国委员会

（1983年6月4日—1988年3月22日）

六届一次会议

（1983年6月17日）

选举：

全国委员会

主 席 邓颖超（女）

副主席 杨静仁 刘澜涛 陆定一 程子华
康克清（女） 季 方 庄希泉
帕巴拉·格列朗杰 胡子昂
王昆仑 钱昌照 董其武 陶峙岳
周叔弢 杨成武 肖 华 陈再道
吕正操 周建人 周培源 包尔汉
缪云台 王光英 邓兆祥 费孝通
赵朴初 叶圣陶 屈 武 巴 金

秘书长 彭友今

常务委员（按姓氏笔画排列）

丁 玲（女） 丁声树 万国权 千家驹
马 信 马万祺 马海德 马腾霭 王 力
王 匡 王 序 王一帆 王玉清
王光美（女） 王艮仲 王克俊 王宽诚
王雪莹（女） 王耀伦 韦章平 巨 赞
瓦扎木基 方荣欣 孔 飞 孔祥祯
正 果 龙泽汇 卢嘉锡 叶至善 叶笃义
叶恭绍（女） 叶桔泉 叶道英 冯友兰
冯素陶 冯德培 兰 江 兰志流 戎子和
尧西·贡保才旦 吕 东 朱光潜 乔明甫
庄明理 刘 寅 刘 鼎 刘开渠 刘元瑄
刘宁一 刘亚雄（女） 刘向三
刘延东（女） 刘良模 刘尊棋
关瑞梧（女） 汤元炳 汤定元 汤蒂因（女）
汤德全 安士伟 安子介 许志猛 许宝骙
孙兰峰 孙廷芳 孙作宾 孙孚凌 孙承佩
孙起孟 孙晓村 孙越崎 阳翰笙
买合苏德·铁衣波夫 玛高维亚 严信民

苏 进 苏子蘅 苏鸿熙 苏谦益 李 立
李 觉 李 毅 李人林 李子诵
李文宜（女） 李水清 李世济（女）
李世璋 李步新 李伯钊（女） 李纯青
李铁铮 李雪峰 杨士杰 杨石先 杨西光
杨克成 杨放之 杨拯民 杨秋玲（女）
吴 钰 吴文俊 吴廷璆 吴贻芳（女）
吴觉农 吴雪之 吴鸿宾 吴羹梅 何柱国
启 功 汪德昭 沈从文 沈其震 宋希濂
宋季文 宋养初 罕富有 张 权（女）
张文舟 张光斗 张仲实 张毕来 张孝骞
张志公 张含英 张君秋 张国声 张明远
张明养 张香山 张家树 张敬礼
张瑞华（女） 张磐石 陆 平
陆士嘉（女） 陆镇藩 陈 光 陈 宇
陈伯村 陈岱孙 陈建晨（女） 陈荒煤
陈铭德 陈维稷 陈锐霆 陈舜礼 陈逸松
陈邃衡 林默涵 易礼容 罗 明 罗涵先
金如柏 金显宅 周 颖（女） 周士观
周化民 郑兆荣 郑守仪（女） 郑绍文
郑洞国 郑敏之（女） 宗怀德 项朝宗
赵子立 赵伯平 赵君迈 赵宗燠 赵复三
赵得贤 胡 风 胡锦涛 柯 麟 钟师统
钟惠澜 侯祥麟 侯镜如 俞大绂 闻家驷
姜椿芳 贺敏学 贺绿汀 秦振武 袁隆平
袁翰青 聂 真 贾亦斌 钱三强 钱伟长
钱俊瑞 钱福星 徐以枋 徐以新 徐迈进
徐伯昕 徐彬如 徐逸樵 徐斌洲
爱泼斯坦 凌其翰 高 天 郭秀珍（女）
郭维城 郭维藩 郭棣活 郭增恺 唐 哲
唐生明 谈家桢 陶大镛 黄 昆 黄 维
黄 翔 黄正清 黄汲清 黄药眠 黄逖非
黄凉尘 黄鼎臣 萨空了 曹钟梁 曹鹤荪
龚子荣 章夷白 章师明 梁尚立 梁漱溟
彭 林 彭秀模 葛志成 董 边（女）
蒋丽金（女） 韩幽桐（女） 覃异之
程思远 程星龄 程裕淇 傅学文（女）
焦实斋 童小鹏 章少生 曾传六 曾涌泉
谢立惠 谢冰心（女） 雷天觉
嘉木样·洛桑久美·图丹却吉尼玛 蔡 啸
蔡子伟 臧克家 裴丽生 管文蔚
谭惕吾（女） 熊 晃 熊天荆（女） 黎 玉

德格·格桑旺堆　　潘　菽　　潘锷镖
薛　明(女)　　　　霍英东　　霍懋征(女)
戴爱莲(女)　　　　魏龙骧　　魏传统

六届二次会议

(1984 年 5 月 26 日)

增选：

副主席 马文瑞　茅以升　刘靖基
常务委员(按姓氏笔画排列)

刘海粟　李伯球　林亨元　赵超构　侯外庐
谈镐生

六届三次会议

(1985 年 4 月 8 日)

增选：

副主席 华罗庚
常务委员 郝治纯　李健生　王　枫　郭秀仪

六届四次会议

(1986 年 4 月 11 日)

增选：

副主席 王恩茂　钱学森　雷洁琼(女)
常务委员(16 名)

王恩茂　钱学森　雷洁琼(女)　　周绍铮
阎明复　何正文　刘西尧　康永和　刘子厚
黄启汉　柯　灵　经叔平　张素我(女)
张楚琨　傅铁山　林盛中
改选：

秘书长 周绍铮

六届五次会议

(1987 年 4 月 8 日)

增选：

副主席 汪　锋　钱伟长
常务委员

张春男　黎遇航　关梦觉　董寅初　张伯权

叶仁寿　陈铭珊　汪　锋　严东生　欧阳文
艾买提·瓦吉地　李人俊

政协第六届全国委员会
所属主要工作机构

(1983 年 6 月—1988 年 3 月)

学习委员会
　　主　任　费孝通
　　副主任　孙起孟　聂　真　宋德敏
文史资料委员会
　　主　任　杨成武
　　副主任　邓广铭　张磐石　许宝骙　杜建时
　　　　　　黄　森
提案工作委员会
　　主　任　肖　华
　　副主任　程思远　吕　东　杨放之　董纯才
　　　　　　陈　宇
文化组
　　组　长　丁　玲(1986 年病逝)
　　　　　　姜椿芳(1987 年由副组长改任组长)
　　副组长　陈荒煤　肖　乾　启　功　魏传统
　　　　　　罗招文
教育组
　　组　长　董纯才
　　副组长　陶大镛　叶笃义　霍懋征　周有亮
　　　　　　方　明
科学技术组
　　组　长　裴丽生
　　副组长　钱三强　赵宗燠　钱伟长　赵访熊
　　　　　　郝治纯　谈镐生
华侨组
　　组　长　庄明理
　　副组长　彭充涵　王纪元　司徒擎　肖　岗
宗教组
　　组　长　赵朴初
　　副组长　安士伟　刘良模　宗怀德　黎遇航
医药卫生组
　　组　长　沈其霞
　　副组长　杨放之　王伯岳　宋儒耀　吕丙奎

民族组

　　组　长　马　信

　　副组长　薛剑华　赤　耐

妇女组

　　组　长　吴全衡

　　副组长　叶恭绍　张素我　刘　澈

经济建设组

　　组　长　孙越崎

　　副组长　宋季文　千家驹　戎子和　黄凉尘
　　　　　　郑孝燮　林　华

法制组

　　组　长　郑绍文

　　副组长　韩幽桐　林享元　李文杰　陈体强
　　　　　　王悦尘

农业组

　　组　长　蔡子伟

　　副组长　杨显东　马玉槐　李连捷　程绍迥
　　　　　　张季高　王兴让

体育组

　　组　长　钟师统

　　副组长　赵君迈　霍英东　程成宽　牟作云
　　　　　　陈　先

祖国统一工作组

　　组　长　屈　武

　　副组长　侯镜如　苏子蘅　费亦斌　王　匡
　　　　　　王　力

国际问题研究组

　　组　长　刘宁一

　　副组长　李铁铮　郑森禹　凌其翰　丁雪松

外事工作组

　　组　长　程子华

　　副组长　柴泽民　侯德原

中国人民政治协商会议
第七届全国委员会

（1988 年 3 月 23 日—1993 年 3 月）

七届一次会议

（1988 年 4 月 10 日）

选举：

全国委员会

主　席　李先念（　—1992 年 6 月 21 日）

副主席　王任重　阎明复　方　毅　谷　牧
　　　　杨静仁（回族）　康克清（女）
　　　　帕巴拉·格列朗杰（藏族）　胡子昂
　　　　钱昌照　周培源　缪云台　王光英
　　　　邓兆祥　赵朴初　屈　武　巴　金
　　　　马文瑞　刘靖基　王恩茂　钱学森
　　　　钱伟长　胡　绳　孙晓村　程思远
　　　　卢嘉锡　钱正英（女）　苏步青
　　　　司马义·艾买提（维吾尔族）

秘书长　周绍铮

常务委员（按姓氏笔画为序）

　　丁轸宇　万国权　千家驹　马　信（回族）
　　马大猷　马玉槐（回族）　马海德　王　匡
　　王　枫（女）　王　健　王玉清
　　王光美（女）　王艮仲　王扶之　王秉祥
　　王神荫　王鸿祯　王锡爵　王黎之　方荣欣
　　孔　飞（蒙古族）
　　艾买提·瓦吉地（维吾尔族）
　　卢邦正（彝族）　叶仁寿　叶至善　叶笃义
　　叶恭绍（女）　叶桔泉　叶道英
　　田　渊（土家族）　田光涛　田麦久　田昭武
　　白纪年　白治民　冯友兰　冯元蔚（彝族）
　　冯素陶　冯梯云　冯德培　兰志流（瑶族）
　　尧西·古公才旦（藏族）　光仁洪　乔明甫
　　任　荣　邹沧萍　庄世平　庄明理　刘开渠
　　刘元瑄　刘向三　刘西尧　刘海清　刘海粟
　　刘昆水　刘秉彦　刘尊棋　关梦觉（满族）
　　江　平　江家福（壮族）　池际尚（女）
　　汤元炳　汤定元　汤德全　安子介
　　安士伟（回族）　许志猛　许宝骙　孙廷芳
　　孙孚凌　孙承佩　孙越崎　阳忠恕
　　买合苏德·铁依波夫（维吾尔族）　严东生
　　苏　赫（蒙古族）　苏子蘅　苏谦益　李　刚
　　李　定　李　涛（满族）　李　毅　李人林
　　李人俊　李子诵　李文宜（女）　李水清
　　李世济（女）　李沛瑶　李纯青　李国豪
　　李健生（女）　李振军（苗族）　李铁铮
　　李源潮　李儒云（苗族）　杨　栖　杨士杰
　　杨西光　杨纪琬　杨克成（白族）　杨拯民

杨斯德　肖　乾(蒙古族)　吴京　吴文俊
吴式铎　吴廷栋(侗族)　　吴廷璆　吴作人
吴冷西　吴克泰　吴志超　吴修平　吴觉农
吴祖强　吴羹梅　何正文　余　湛　余国琮
启　功(满族)　　沈　元　沈从文(苗族)
沈求我　沈其震　沈遐熙(回族)　　宋希濂
宋季文　宋鸿钊　宋儒耀　罕富有(傣族)
张　权(女)　　张　钧　张　祥　张光斗
张毕来　张志公　张伯权　张君秋　张国声
张明养　张春男　张香山　张素我(女)
张敬礼　张媛贞(女,满族)　　　张楚琨
陆　平　陆榕树(壮族)
陆镇藩(布依族)　陈　宇　陈岱孙　陈秉权
陈祖沛　陈荒煤　陈铭珊　陈铭德　陈逸松
林亨元　林盛中　林默涵　松　布(土族)
欧阳文　明　旸　易礼容　罗　琼(女)
罗冠宗　罗涵先　金开诚
金显宅(朝鲜族)　金泰甲(朝鲜族)　金鲁贤
周　颖(女)　　周与良(女)　　周化民
周同善　周巍峙　郑守仪(女)　　郑洞国
宗怀德　经叔平　项朝宗(苗族)　　赵子立
赵伟之　赵君迈　赵海峰　赵超构　胡　敏
胡如雷　胡赛音·斯牙巴也夫(哈萨克族)
柯　华　柯　灵　钟师统　侯学煜　侯祥麟
侯镜如　闻家驷　姜培禄　洪　晶(女)
胥光义　袁隆平　袁翰青　聂卫平　贾　石
贾亦斌　顾大椿　钱三强　徐以枋　徐以新
徐昭隆　徐逸樵　徐斌洲　爱泼斯坦
凌其翰　高　天　郭秀仪(女)
郭维城(满族)　　郭维藩(哈尼族)　唐有祺
唐振绪　唐翔千　浦安修(女)　　谈家桢
谈镐生　陶鲁笳
桑顶·多吉帕姆(女,藏族)　　　黄　昆
黄　维　黄　翔　黄大能　黄正清(藏族)
黄甘英(女)　　黄长溪　黄克立
黄启汉(壮族)　　黄启章　黄汲清　黄逖非
黄凉尘　黄鼎臣　黄静波　梅　行　曹　禺
曹达诺夫·扎伊尔(维吾尔族)　　　龚子荣
康永和　梁　家　梁尚立
梁裕宁(女,壮族)　　　梁漱溟　彭友今
葛志成　董幼娴(女)　　黑伯理(回族)
蒋丽金(女)　　韩克华　韩哲一(回族)

程裕淇　傅学文(女)　　　傅铁山　曾近义
谢　良　谢立惠　谢冰心(女)　　雷天觉
鲍亦珊
嘉木样·洛桑久美·图丹却吉尼玛(藏族)
蔡文浩　臧克家　廖延雄　谭惕吾(女)
熊　晃　熊向晖　黎遇航
翦天聪(维吾尔族)　　　　薛　明(女)
霍懋征(女)　　　戴树和　戴爱莲(女)
魏龙骧

七届二次会议

(1989 年 3 月 27 日)

增选：
副主席　侯镜如　丁光训
常务委员
　李开信　李赣骝　何鲁丽　杨　堤　钱钟书
　解　峰

七届三次会议

(1990 年 3 月 29 日)

补选：
副主席　洪学智
常务委员
　杨植霖　宋德敏　唐敖庆　谈维煦

七届四次会议

(1991 年 4 月 4 日)

增选：
副主席　叶选平
常务委员
　王文元　　叶选平　多杰才旦
　贡唐仓·丹贝旺旭　　　李默庵　陈仲颐
　陈灏珠　帕提曼·贾库林　周光春　蒋民宽
补选：
秘书长　宋德敏

中国人民政治协商会议第七届全国委员会所属主要工作机构

（1988 年 3 月—1993 年 3 月）

提案委员会
主 任 程思远

副主任 彭友今 孙孚凌 郑孝燮 孙承佩
叶笃义 周同善 葛志成 沈 元

学习委员会
主 任 胡绳

副主任 王惠德 张毕来 沈求我 黄大能
韩树英 邢贲思

文史资料委员会
主 任 孙晓村

副主任 黄 森 许宝骙 刘 琦 张楚琨
高 沂 潘静安 冯和法

经济委员会
主 任 谷 牧

副主任 孙越崎 李人俊 马 仪 韩哲一
千家驹 经叔平 肖 鹏 李伯宁
罗涵先 闫 颖

教育文化委员会
主 任 方 毅

副主任 陆 平 陈荒煤 张文寿 安 岗
丁石孙 方 明 黄辛白

科学技术委员会
主 任 钱学森

副主任 钱三强 鲍奕珊 严东生 侯祥麟
张 维

医卫体委员会
主 任 钱正英（女）

副主任 沈其震 郭子恒 何振梁 王绵之
张惠兰（女）

法制委员会
主 任 马文瑞

副主任 陈 宇 林亨元 李文杰
巫昌祯（女） 浦通修
何 载 吴庆彤

民族委员会
主 任 杨静仁（回族）

副主任 司马义·艾买提（维吾尔族）
冯元蔚（彝族） 洛布桑（蒙古族）
马 信（回族） 洛桑赤耐（藏族）

宗教委员会
主 任 赵朴初

副主任 安士伟 宗怀德 韩文藻 明 旸
黎遇航 丁光训

妇女青年委员会
主 任 康克清（女）

副主任 罗 琼（女） 李源潮 张素我（女）
吴全衡（女） 吴 涛（女） 洛 桑
王庆淑

华侨委员会
主 任 卢嘉锡

副主任 庄炎林 庄明理 肖 岗 许志猛
林水龙 彭光涵 马庆雄

祖国统一联谊委员会
主 任 钱伟长

副主任 程思远 杨拯民 曹 禺 侯镜如
费亦斌 万国权 吴克泰

外事委员会
主 任 周培源

副主任 韩克华 柴泽民 李赣骝 刘希文

中共中央军事委员会

1977 年 8 月—1982 年 9 月

主 席 华国锋

副主席 叶剑英 邓小平 刘伯承 徐向前
聂荣臻

常 委 李先念 汪东兴 陈锡联 韦国清
苏振华 张廷发 粟 裕 罗瑞卿

列席常委 杨 勇 梁必业 张 震

秘书长 罗瑞卿

委 员 华国锋 叶剑英 邓小平 刘伯承
徐向前 聂荣臻 王 平 王 净
王 震 王必成 王尚荣 王建安
韦国清 邓 华 孔石泉 甘渭汉
吕正操 刘 震 刘志坚 许世友
杜义德 杨 勇 杨成武 杨得志

苏振华　李水清　李先念　李志民
李德生　李聚奎　李耀文　肖　华
萧　克　萧劲光　萧望东　吴克华
汪东兴　宋时轮　宋承志　张　震
张才千　张廷发　张爱萍　陈先瑞
陈再道　陈锡联　陈鹤桥　罗瑞卿
金如柏　洪学智　秦基伟　聂凤智
徐立清　郭林祥　高厚良　唐　亮
黄新廷　梁必业　韩先楚　粟　裕
曾思玉　廖汉生　谭善和
　1978 年 3 月增补：
军委常委　王　震
　1979 年 1 月决定：
军委常委　耿　飚
军委秘书长　耿　飚
　1980 年 1 月增补：
军委常委　许世友　杨得志　韩先楚　杨　勇
　　　　　　王　平
　1981 年 6 月决定：
军委主席　邓小平
　1981 年 7 月决定：
军委常委　杨尚昆
军委秘书长　杨尚昆

1982 年 9 月—1987 年 11 月

主　席　邓小平
副主席　叶剑英　徐向前　聂荣臻
　　　　　杨尚昆（常务）

1987 年 11 月—1989 年 11 月

主　席　邓小平
第一副主席　赵紫阳
常务副主席　杨尚昆
秘书长　杨尚昆
副秘书长　洪学智　刘华清
　1989 年 6 月撤销：
第一副主席　赵紫阳

1989 年 11 月—1992 年 10 月

主　席　江泽民
第一副主席　杨尚昆
副主席　刘华清
秘书长　杨白冰
委　员　杨白冰　秦基伟　迟浩田　赵南起

中华人民共和国中央军事委员会

1983 年 6 月—1988 年 4 月
（第六届全国人大期间）

主　席　邓小平
副主席　叶剑英　徐向前　聂荣臻　杨尚昆
委　员　余秋里　杨得志　张爱萍　洪学智

1988 年 4 月—1993 年 3 月
（第七届全国人大期间）

主　席　邓小平（1990 年 4 月辞职）
　　　　　江泽民（1990 年 4 月 3 日七届全国人
　　　　　　大三次会议选举）
副主席　赵紫阳（1989 年 6 月撤职）
　　　　　杨尚昆（1988 年 4 月—　　）
　　　　　刘华清（1990 年 4 月 4 日七届全国人
　　　　　　大三次会议根据中央军事委
　　　　　　员会主席江泽民的提名决定）
委　员　洪学智（　—1990 年 4 月）
　　　　　刘华清　秦基伟　迟浩田
　　　　　杨白冰　赵南起（朝鲜族）

中国人民解放军

中国人民解放军各总部、各军兵种

中华人民共和国国防部

部　长　徐向前（1978 年 3 月—1981 年 3 月）

耿　飚(1981 年 3 月—1982 年 11 月)

张爱萍(1982 年 11 月—1984 年 4 月)

秦基伟(1984 年 4 月—1993 年 3 月)

中国人民解放军总参谋部

总参谋长　邓小平(兼)(1977 年 7 月—1980 年
3 月)

杨得志(1980 年 3 月—1987 年 11 月)

迟浩田(1987 年 11 月—1992 年 10
月)

中国人民解放军总政治部

主　任　韦国清(1977 年 8 月—1982 年 9 月)

余秋里(1982 年 9 月—1987 年 11 月)

杨白冰(1987 年 11 月—1992 年 10 月)

中国人民解放军总后勤部

部　长　张　震(1978 年 2 月—1980 年 1 月)

洪学智(1980 年 1 月—1987 年 11 月)

赵南起(1987 年 11 月—1992 年 10 月)

政治委员

王　平(1977 年 12 月—1985 年 3 月)

洪学智(兼)(1985 年 3 月—1987 年 11 月)

刘安元(1987 年 11 月—1990 年 4 月)

周克玉(1990 年 4 月—　　)

中国人民解放军海军

司令员　叶　飞(1980 年 1 月—1982 年 8 月)

刘华清(1982 年 8 月—1988 年 1 月)

张连忠(1988 年 1 月—　　)

政治委员

杜义德(第二)(1977 年 10 月—1980 年 1 月)

叶　飞(第一)(1979 年 2 月—1980 年 1 月)

李耀文(1980 年 10 月—1990 年 4 月)

魏金山(1990 年 4 月—　　)

中国人民解放军空军

司令员　张廷发(1977 年 4 月—1985 年 7 月)

王　海(1985 年 7 月—1992 年 10 月)

政治委员

高厚良(1977 年 4 月—1985 年 7 月)

朱　光(1985 年 7 月—1992 年 10 月)

中国人民解放军装甲兵

(1982 年 9 月改称总参谋部装甲兵部,归总
参建制领导)

政治委员

钟汉华(1977 年 12 月—1978 年 12 月)

中国人民解放军炮兵

(1950 年 8 月成立炮兵司令部,1982 年 9 月
改为总参谋部炮兵部)

司令员　宋承志(1977 年 9 月—1982 年 9 月)

政治委员

金如柏(1977 年 9 月—1982 年 8 月)

中国人民解放军铁道兵

(1983 年 1 月并入铁道部)

司令员　陈再道(1977 年 9 月—1983 年 1 月)

政治委员

旷伏兆(第二)(1978 年 5 月—1983 年 1 月)

中国人民解放军第二炮兵

司令员　李水清(1977 年 9 月—1982 年 11 月)

贺进恒(1982 年 11 月—1985 年 7 月)

李旭阁(1985 年 7 月—1992 年 10 月)

政治委员

刘立封(1982 年 11 月—1990 年 4 月)

刘安元(1990 年 4 月—1992 年 10 月)

中国人民解放军基本建设工程兵

（1978 年 1 月成立领导机关；1982 年 9 月撤销）

主　任　李人林（1978 年 1 月—1982 年 8 月）
政治委员　谷牧（兼）（1978 年 1 月—1982 年）

各 大 军 区

北京军区

司令员　秦基伟（1980 年 1 月—1987 年 11 月）
　　　　　周衣冰（1987 年 11 月—1990 年 4 月）
　　　　　王成斌（1990 年 4 月—　）
政治委员
　　秦基伟（第一）（1977 年 9 月—1980 年 1 月）
　　袁升平（1980 年 1 月—1982 年 10 月）
　　傅崇碧（1982 年 10 月—1985 年 6 月）
　　杨白冰（1985 年 6 月—1987 年 11 月）
　　刘振华（1987 年 11 月—1990 年 4 月）
　　张　工（1990 年 4 月—　）
　　谷善庆

南京军区

司令员　聂凤智（1977 年 4 月—1982 年 10 月）
　　　　　向守志（1982 年 10 月—1990 年 4 月）
　　　　　周　辉（1990 年 4 月—　）
政治委员　杜平（1977 年 8 月—1982 年 10 月）
　　　　　廖汉生（第一）（1977 年 9 月—1980 年 1 月）
　　　　　郭林祥（第一）（1980 年 1 月—1985 年 6 月）
　　　　　傅奎清（1985 年 6 月—　）
　　　　　史玉孝（1990 年 4 月—　）
　　　　　刘安元

福州军区

司令员　杨成武（1977 年 9 月—1983 年 10 月）
　　　　　江拥辉（1983 年 10 月—1985 年 6 月）
政治委员　傅奎清（1980 年 12 月—1985 年 6 月）

成都军区

司令员　吴克华（1977 年 9 月—1979 年 1 月）
　　　　　尤太忠（1980 年 1 月—1982 年 10 月）
　　　　　王诚汉（1982 年 10 月—1985 年 6 月）
　　　　　傅全有（1985 年 6 月—1990 年 4 月）
　　　　　张太恒（1990 年 4 月—　）
　　　　　李九龙
政治委员　孔石泉（第二）（1977 年 9 月—1978 年 12 月）
　　　　　钟汉华（1978 年 12 月—1982 年 10 月）
　　　　　徐立清（第二）（1980 年 1 月—1980 年 6 月）
　　　　　（第二）（1980 年 6 月—1982 年 10 月）
　　　　　谭启龙（兼，第三）（1980 年 6 月—1982 年 10 月）
　　　　　万海峰（1982 年 10 月—1990 年 4 月）
　　　　　谷善庆（1990 年 4 月—　）
　　　　　张　工

乌鲁木齐军区

司令员　刘　震（1977 年 7 月—1979 年 1 月）
　　　　　吴克华（1979 年 1 月—1980 年 1 月）
　　　　　萧全夫（1980 年 1 月—1985 年 6 月）
政治委员　汪　锋（第一）（1978 年 1 月—1982 年 1 月）
　　　　　郭林祥（第二）（1978 年 1 月—1980 年 1 月）
　　　　　谭友林（1980 年 1 月—1983 年 10 月）
　　　　　谷景生（1981 年 2 月—1982 年 10 月）
　　　　　王恩茂（第一）（1982 年 1 月—1985 年 6 月）
　　　　　谭善和（1983 年 10 月—1985 年 6 月）

兰州军区

司令员　杜义德(1980 年 1 月—1982 年 12 月)
　　　　郑维山(1982 年 12 月—1985 年 6 月)
　　　　赵先顺(1985 年 6 月—1990 年 4 月)
　　　　傅全有(1990 年 4 月—　　)
　　　　刘精松

政治委员
　　萧　华(第二)(1977 年 2 月—1977 年 6 月)
　　　　(第一)(1977 年 6 月—1982 年 12 月)
　　宋　平(第二)
　　　　(1977 年 6 月—1982 年 12 月)
　　萧　华(1982 年 12 月—1983 年 10 月)
　　谭友林(1983 年 10 月—1985 年 6 月)
　　李宣化(1985 年 6 月—1990 年 4 月)
　　曹芃生(1990 年 4 月—　　)

广州军区

司令员　吴克华(1980 年 1 月—1982 年 10 月)
　　　　尤太忠(1982 年 10 月—1987 年 11 月)
　　　　张万年(1987 年 11 月—1990 年 4 月)
　　　　朱敦法(1990 年 4 月—　　)
　　　　李希林

政治委员
　　向仲华(1977 年 9 月—1981 年 5 月)
　　习仲勋(第二)(兼)(1978 年 7 月—1980 年 1 月)
　　　　(第一)(1980 年 1 月—1982 年 10 月)
　　王　猛(1981 年 7 月—1985 年 6 月)
　　张仲先(1985 年 6 月—　　)
　　史玉孝

济南军区

司令员　饶守坤(1980 年 1 月—1985 年 6 月)
　　　　李九龙(1985 年 6 月—1990 年 4 月)
　　　　张万年(1990 年 4 月—　　)
　　　　张太恒

政治委员
　　任思忠(第一)(1980 年 1 月—1982 年 10 月)

白如冰(兼)(1980 年 1 月—1981 年 4 月)
陈仁洪(1982 年 10 月—1985 年 6 月)
迟浩田(1985 年 6 月—1987 年 11 月)
宋清渭(1987 年 11 月—　　)

武汉军区

司令员　王必成(1979 年 1 月—1980 年 1 月)
　　　　张才千(1980 年 1 月—1982 年 10 月)
　　　　周世忠(1982 年 10 月—1985 年 6 月)

政治委员
　　王　平(第一)(1977 年 9 月—1977 年 12 月)
　　严　政(1977 年 9 月—1985 年 6 月)
　　李成芳(第一)(1977 年 12 月—1987 年 10 月)
　　陈丕显(兼)(1979 年 1 月—1982 年 10 月)

昆明军区

司令员　杨得志(1979 年 1 月—1980 年 1 月)
　　　　张铚秀(1980 年 1 月—1985 年 6 月)

政治委员
　　刘志坚(第一)(1979 年 1 月—1982 年 10 月)
　　安平生(兼)(1979 年 1 月—1982 年 10 月)
　　谢振华(1982 年 10 月—1985 年 6 月)

沈阳军区

司令员　刘精松(1986 年 5 月—　　)
　　　　王　克

政治委员
　　甘渭汉(第二)(1977 年 9 月—1980 年 1 月)
　　廖汉生(第一)(1980 年 1 月—1982 年 10 月)
　　刘振华(1982 年 10 月—1987 年 11 月)
　　宋克达(1987 年 11 月—　　)

中国各民主党派

中国国民党革命委员会

第五届中央委员会

（1979 年 10 月—1983 年 12 月）

五届一中全会

（1979 年 10 月 24 日）

选举：

中央委员会

主　席　朱蕴山（1981 年 4 月 30 日逝世）

副主席　王昆仑　陈此生　刘斐　屈武

　　　　朱学范　裴昌会　李世璋　刘仲容

　　　　钱昌照　郑洞国　甘祠森　吴茂荪

　　　　贾亦斌

五届中央常务委员会第十一次会议

（1981 年 9 月 9 日）

推选：

代主席　王昆仑

五届二中全会

（1981 年 12 月 25 日）

增选：

中央委员会

主　席　王昆仑

副主席　侯镜如　孙越崎　赵祖康

第六届中央委员会

（1983 年 12 月—1988 年 11 月）

六届一中全会

（1983 年 12 月 28 日）

选举：

中央委员会

主　席　王昆仑（1985 年 8 月 23 日逝世）

副主席　屈武　朱学范　裴昌会　钱昌照

　　　　郑洞国　吴茂荪　贾亦斌　侯镜如

　　　　孙越崎　赵祖康　徐起超　彭清源

李赣骝

六届中央常委会第十一次会议

（1985 年 9 月 27 日）

推选：

代理主席　屈武

六届三中全会

（1987 年 2 月 5 日）

选举：

主　席　屈武

六届五中全会

（1988 年 1 月 1 日）

辞职：

主　席　屈武

选举：

主　席　朱学范

推举：

名誉主席　屈武

第七届中央委员会

（1988 年 11 月—　　）

第七次全国代表大会

（1988 年 11 月 16 日）

推举：

中央委员会

名誉主席　屈武（1992 年 6 月 13 日逝世）

名誉副主席　裴昌会（1992 年 3 月 23 日逝世）

　　　　　　赵祖康

七届一中全会

（1988 年 11 月 19 日）

选举：

中央委员会

主　席　朱学范

副主席　郑洞国　贾亦斌　侯镜如　徐起超
　　　　彭清源　李赣骝　何鲁丽(女)
　　　　李沛瑶

七届四中全会

(1991 年 12 月 24 日)

增选：

副主席　沈求我

中国民主同盟

第四届中央委员会

(1979 年 10 月—1983 年 12 月)

四届一中全会

(1979 年 10 月 24 日)

选举：

中央委员会

主　席　史　良(女)

副主席　胡愈之　邓初民　楚图南　苏步青
　　　　华罗庚　彭迪先　萨空了
　　　　李文宜(女)　费孝通

四届二中全会

(1981 年 12 月 20 日)

增选：

副主席　闻家驷

第五届中央委员会

(1983 年 12 月—1988 年 10 月)

五届一中全会

(1983 年 12 月 27 日)

选举：

中央委员会

主　席　史　良(女)(1985 年 9 月 6 日逝世)

副主席　胡愈之　楚图南　苏步青　华罗庚
　　　　彭迪先　萨空了　李文宜(女)
　　　　费孝通　闻家驷　钱伟长　高　天
　　　　叶笃义　谈家桢　陶大镛

第五届中央常务委员会第八次会议

(1985 年 9 月 27 日)

推选：

代理主席　胡愈之(1986 年 1 月 16 日逝世)

第五届中央常务委员会第九次会议

(1986 年 1 月 30 日)

推选：

代理主席　楚图南

五届三中全会

(1986 年 12 月 31 日)

推选：

主　席　楚图南

五届四中全会

(1987 年 1 月 9 日)

推选：

名誉主席　楚图南

主　席　费孝通

增补：

副主席　千家驹　关梦觉　罗涵先　马大猷
　　　　冯之浚

第六届中央委员会

(1988 年 10 月—　　)

第六次全国代表会议

（1988 年 10 月 15 日）

推举：
中央委员会
　名誉主席　楚图南

六届一中全会

（1988 年 10 月 17 日）

选举：
　主　席　费孝通
　副主席　钱伟长　高　天　叶笃义　谈家桢
　　　　　陶大镛　千家驹　关梦觉　罗涵先
　　　　　马大猷　冯之浚　丁石孙　康振黄
　　　　　孔令仁　谢颂凯

第六届中央常务委员会第十二次会议

（1991 年 3 月 20 日）

撤职：
　副主席　千家驹

中国民主建国会

第四届中央委员会

（1983 年 11 月—1988 年 6 月）

四届一中全会

（1983 年 11 月 18 日）

选举：
中央委员会
　主　席　胡厥文
　副主席　胡子昂　许涤新　孙起孟　郭棣活
　　　　　孙晓村　周士观　童少生
　　　　　浦洁修（女）　汤元炳　吴志超
　　　　　陈邃衡　陈铭珊　万国权　冯梯云
　　　　　黄大能

第四届中央常务委员会第七次会议

（1987 年 12 月 27 日）

辞职：
　主　席　胡厥文
推举：
　名誉主席　胡厥文
推选：
　主　席　孙起孟

第五届中央委员会

（1988 年 6 月--1992 年 11 月）

五届一中全会

（1988 年 6 月 27 日）

推举：
中央委员会
　名誉主席　胡厥文
选举：
　主　席　孙起孟
　副主席　汤元炳　吴志超　陈邃衡　陈铭珊
　　　　　万国权　冯梯云　黄大能　李崇淮
　　　　　白大华

中国民主促进会

第六届中央委员会

（1979 年 10 月—1983 年 11 月）

六届一中全会

（1979 年 10 月 24 日）

选举：
中央委员会
　主　席　周建人
　副主席　叶圣陶　徐伯昕　赵朴初
　　　　　吴贻芳（女）　雷洁琼（女）

谢冰心(女)　吴若安(女)

第七届中央委员会

（1983 年 11 月—1988 年 11 月）

七届一中全会

（1983 年 11 月 22 日）

选举：

中央委员会

主　席　周建人(1984 年 7 月 29 日逝世)

　　　　叶圣陶(1984 年 9 月任代理主席)

副主席　叶圣陶　徐伯昕　赵朴初

　　　　吴贻芳(女)　雷洁琼(女)

　　　　谢冰心(女)　吴若安(女)

　　　　陈舜礼

七届二中全会

（1984 年 12 月 22 日）

选举：

主　席　叶圣陶

增选：

副主席　葛志成　楚　庄

七届五中全会

（1987 年 6 月 11 日）

推举：

名誉主席　叶圣陶

选举：

主　席　雷洁琼

增选：

副主席　叶至善

第一届中央参议委员会第一次会议

（1987 年 6 月 11 日）

选举：

参议委员会

主　席　赵朴初

副主席　吴若安　张明养　柯　灵　董纯才

　　　　潘承孝

第八届中央委员会

（1988 年 11 月—　　）

八届一中全会

（1988 年 11 月 29 日）

选举：

中央委员会

名誉主席　谢冰心（女）

主　席　雷洁琼(女)

副主席　赵朴初　陈舜礼　葛志成　楚　庄

　　　　叶至善　梅向明　陈难先　冯骥才

　　　　邓伟志

第二届中央参议委员会会议

（1988 年 11 月 29 日）

选举：

参议委员会

主　席　赵朴初

副主席　吴若安　张明养　柯　灵　董纯才

　　　　潘承孝　梅达君

中国农工民主党

第八届中央委员会

（1979 年 10 月—1983 年 12 月）

八届一中全会

（1979 年 10 月 24 日）

选举：

中央委员会

主　席　季　方

副主席　周谷城　沈其震　刘树勋　严信民

徐彬如　叶桔泉

第九届中央委员会

（1983 年 12 月—1988 年 11 月）

九届一中全会

（1983 年 12 月 7 日）

选举：

中央委员会

主　席　季　方

副主席　周谷城　沈其震　刘树勋　严信民

　　　　徐彬如　叶桔泉　卢嘉锡　方荣欣

九届三中全会

（1987 年 1 月 3 日）

辞职：

中央委员会

主　席　季　方

推举：

名誉主席　季　方

选举：

主　席　周谷城

增选：

副主席　姚　峻　章师明　田光涛　杨烈宇

九届六中全会

（1988 年 11 月 4 日）

辞职：

主　席　周谷城

推举：

名誉主席　周谷城

第十届中央委员会

（1988 年 11 月—1992 年 12 月）

十届一中全会

（1988 年 11 月 14 日）

选举：

中央委员会

名誉主席　周谷城

主　席　卢嘉锡

副主席　方荣欣　姚　峻　章师明　田光涛

　　　　杨烈宇　光仁洪　覃天聪　陈灏珠

中央咨监委员会第一次会议

（1988 年 11 月 13 日）

选举：

咨监委员会

主　席　沈其震

副主席　叶桔泉　李健生（女）　郭秀仪（女）

　　　　邓昊明　李洁之　梅日新

中国致公党

第七届中央委员会

（1979 年 10 月—1983 年 12 月）

七届一中全会

（1979 年 10 月 24 日）

选举：

中央委员会

主　席　黄鼎臣

副主席　伍觉天　伍　禅

七届三中全会

（1982 年 7 月 13 日）

选举：

副主席　董寅初

第七届中央常务委员会第十次会议

（1983 年 6 月）

增补：

副主席　许志猛　陆榕树

第八届中央委员会

（1983 年 12 月—1988 年 12 月）

八届一中全会

（1983 年 12 月 6 日）

选举：

中央委员会

主　席　黄鼎臣

副主席　伍觉天　伍　禅　许志猛　陆榕树

　　　　董寅初　郑守仪(女)

八届三中全会

（1986 年 4 月 17 日）

增选：

副主席　黄清渠

第八届中央常务委员会第十六次会议

（1987 年 8 月 31 日）

推举：

常务副主席　董寅初

第八届中央常务委员会第十八次会议

（1988 年 4 月 11 日）

辞职：

主　席　黄鼎臣

推举：

代主席　董寅初

名誉主席　黄鼎臣

第九届中央委员会

（1988 年 12 月—1992 年 12 月）

九届一中全会

（1988 年 12 月 18 日）

推举：

名誉主席　黄鼎臣

名誉副主席　许志猛

选举：

中央委员会

主　席　董寅初

副主席　杨纪珂　伍觉天　黄清渠　陆榕树

　　　　郑守仪　王宋大

九三学社

第六届中央委员会

（1979 年 10 月—1983 年 12 月）

六届一中全会

（1979 年 10 月 24 日）

选举：

中央委员会

主　席　许德珩

副主席　周培源　潘　菽　茅以升　严济慈

　　　　税西恒　金善宝　卢于道　王竹溪

　　　　柯　召　孙承佩

第七届中央委员会

（1983 年 12 月—1989 年 1 月）

七届一中全会

（1983 年 12 月 12 日）

选举：

中央委员会

主　席　许德珩

副主席　周培源　潘　菽　茅以升　严济慈

　　　　金善宝　卢于道　柯　召　孙承佩

徐采栋　郝治纯(女)　安振东

七届三中全会

(1987 年 12 月 28 日)

辞职：

主　席　许德珩

名誉主席　许德珩

选举：

主　席　周培源

第八届中央委员会

(1989 年 1 月—1993 年 1 月)

八届一中全会

(1989 年 1 月 8 日)

推举：

名誉主席　许德珩　严济慈　茅以升　金善宝

选举：

中央委员会

主　席　周培源

副主席　孙承佩　徐采栋　郝治纯　安振东

　　　　王文元　杨　槱　吴阶平　陈明绍

　　　　陈学俊

八届三中全会

(1990 年 12 月 19 日)

增选：

副主席　赵伟之

台湾民主自治同盟

第二届总部理事会

(1979 年 10 月—1983 年 12 月)

第二届总部理事会第一次会议

(1979 年 10 月 24 日)

选举：

总部理事会

主　席　蔡　啸

副主席　李纯青　苏子蘅　田富达

第三届总部理事会

(1983 年 12 月—1987 年 12 月)

第三届总部理事会第一次会议

(1983 年 12 月 6 日)

选举：

总部理事会

主　席　苏子蘅

副主席　李纯青　田富达　钱富星　林盛中

第四届中央委员会

(1987 年 12 月—　　)

四届一中全会

(1987 年 12 月 1 日)

推举：

中央委员会主席团

　名誉主席　苏子蘅

选举：

主　席　林盛中

第四届中央评议委员会第一次会议

(1987 年 12 月 1 日)

选举：

主　席　李纯青

副主席　李　辰　曾明如　许文思　曾重郎

四届二中全会

(1988 年 12 月 15 日)

选举：

主　席　蔡子民

四届三中全会
（1989 年 12 月 14 日）

选举：

主　席　蔡子民

四届四中全会
（1990 年 12 月 20 日）

选举：

主　席　蔡子民

人民团体

中华全国总工会

中华全国总工会第九届执行委员会
（1978 年 10 月—1983 年 10 月）

主　席　倪志福
副主席　朱学范　马纯古　康永和　黄民伟
　　　　陈　宇　宋侃夫　王崇伦　韩荣华
　　　　刘玉娥（女）　章瑞英（女）
　　　　顾大椿（1981 年 10 月—　）
　　　　金直夫（1981 年 10 月—　）
　　　　张　祺（1982 年 8 月—　）

中华全国总工会第十届执行委员会
（1983 年 10 月—1988 年 10 月）

主　席　倪志福
副主席　顾大椿　尉健行　罗　干　王崇伦
　　　　章瑞英（女）　　　王家宠　蒋　毅
　　　　陈秉权（后增,1985 年 11 月—　）

中华全国总工会第十一届执行委员会
（1988 年 10 月—1993 年 10 月）

主　席　倪志福
副主席　朱厚泽　王厚德　陈秉权
　　　　章瑞英（女）　　　郑万通
　　　　李容光　李沛瑶
　　　　于洪恩（1989 年 12 月—　）
　　　　杨兴富（1989 年 12 月—　）
　　　　张丁华（1991 年 12 月—　）

中国共产主义青年团

中国共产主义青年团第十届中央委员会
（1978 年 10 月—1982 年 12 月）

书记处第一书记
　　韩　英（　—1982 年 11 月）
　　王兆国（1982 年 11 月—　）
书　记　胡启立　王敏生　刘维明
　　　　胡德华（女）　　　周鹏程　高占祥
　　　　李海峰（女）
　　　　李瑞环（1980 年 1 月）
　　　　克尤木·巴吾东（1981 年 8 月—　）
　　　　王建功（　—1981 年 8 月）
　　　　陈昊苏（　—1981 年 8 月）
　　　　何光晔（　—1981 年 8 月）

中国共产主义青年团第十一届中央委员会
（1982 年 12 月—1986 年 5 月）

书记处第一书记
　　王兆国（　—1984 年 12 月）
　　胡锦涛（1984 年 12 月—1985 年 11 月）
　　宋德福（1988 年 11 月—　）
书　记　胡锦涛　刘延东（女）　李海峰（女）
　　　　克尤木·巴吾东　陈昊苏　何光晔
　　　　李源潮（1983 年 12 月—　）
　　　　宋德福（1983 年 12 月—　）
　　　　张宝顺（1985 年 11 月—　）

李克强(1985 年 11 月—)

洛 桑(1985 年 11 月—)

刘奇葆(1985 年 11 月—)

冯 军(1985 年 11 月—)

候补书记

张宝顺(1982 年 12 月—1985 年 11 月)

李克强(1983 年 12 月—1985 年 11 月)

中国共产主义青年团第十二届中央委员会

（1986 年 5 月—1993 年 5 月）

书记处第一书记 宋德福

书 记 刘延东 李源潮 张宝顺 李克强

洛 桑 刘奇葆 冯 军

中华全国妇女联合会

中华全国妇女联合会第四届执行委员会

（1978 年 9 月—1983 年 9 月）

主 席 康克清

副主席 史 良 罗 琼 吴贻芳 曾宪植

雷洁琼 林巧稚 李宝光 郝建秀

黄甘英 林丽韫 关 建

阿沛·才旦卓嘎 玛依努尔·哈斯木

中华全国妇女联合会第五届执行委员会

（1983 年 9 月—1988 年 9 月）

主 席 康克清

副主席 罗 琼 吴贻芳 雷洁琼 谭惕吾

李文宜 张帼英 郭力文 黄甘英

林丽韫 阿沛·才旦卓嘎

玛依努尔·哈斯木 王琇瑛

谭茀芸

中华全国妇女联合会第六届执行委员会

（1988 年 9 月—1993 年 9 月）

名誉主席 康克清

主 席 陈慕华

副主席 张帼英 黄启璪 林丽韫

阿沛·才旦卓嘎 玛依努尔·哈斯木

郝诒纯 张素我 卢乐山 聂 力

韦 钰 赵 地(1990 年 12 月—)

杨衍银(1990 年 12 月—)

中华全国青年联合会

中华全国青年联合会第五届全国委员会

（1979 年 5 月—1983 年 8 月）

主 席 胡启立

副主席 刘维明 徐寅生 周鹏程

杜近芳(女) 高占祥 李海峰(女)

伍绍祖 李寿葆 刘厚明

杨 乐 曲钦岳

嘉木祥 洛桑·图丹却吉尼玛

李瑞环 荣鸿仁 刘汉良

何光晔(1981 年 8 月—)

中华全国青年联合会第六届全国委员会

（1983 年 8 月—1990 年 8 月）

主 席 胡锦涛

刘延东(1985 年 4 月—)

副主席 克尤木·巴吾东 刘延东(女)

李海峰(女) 何 光 刘厚明

杨 乐 李富荣 吴英辅 戚烈云

孙家昶 刘伟元

洛 桑(1986 年 6 月—)

李源潮(1986 年 6 月—)

张宝顺(1986 年 6 月—)

李克强(1986 年 6 月—)

施光南(1986 年 6 月—)

中华全国青年联合会第七届全国委员会

（1990 年 8 月— ）

主 席 刘延东(女)

副主席　洛　桑　李源潮　张宝顺　李克强
　　　　吴英辅　倪长信(女)　　　盛承发
　　　　张蓉芳(女)　　　策墨林·单增赤列
　　　　秦大河　关牧村(女)　　　霍震寰
　　　　杨　岳

中华全国学生联合会

中华全国学联第十九届主席团
(1979 年 5 月—1983 年 8 月)

主　席　伍绍祖(　—1981 年 8 月)
　　　　林炎志(1981 年 8 月—　)
副主席　吴学范　俞贵麟　袁纯清　杜松岩
　　　　王胜洪　齐宝林　楼志豪
　　　　韩建敏(女)　　　崔　丽(女)
　　　　黄鸣奋　许为扬　胡树祥
　　　　王济川　张荐华　郭汝艳(女)
　　　　艾尔肯·斯迪克

中华全国学联第二十届主席团
(1983 年 8 月—1990 年 8 月)

主　席　刘能元
副主席　宋　军　李　一　张少林　崔建中
　　　　王立春(女)　　　张海滨　姚为群
　　　　丁　绮(女)　　　姚卫民　谢鹏云
　　　　王艺华　胡　军　郭立兴　区锦明
　　　　张　轩(女)　　　何　俊　吴　炜
　　　　买买提艾力·达尼

中华全国学联第二十一届主席团
(1990 年 8 月—　)

主　席　杨　岳
副主席　陈　伟　王学勤　毛劲松　张　雁
　　　　薛敛文　包　钢　孟志强　李胤辉
　　　　安桂武　张　伟　张立军　朱　庆
　　　　徐明书　王　晓　童　磊　郭孝实
　　　　刘宏伟　李献峰　明　铭　毛晓峰

　　　　洪　军　包红胜　冷光明　郭晓帆
　　　　章勋宏　陈　颖(女)　　　邵　备
　　　　边　巴(女)　　　金志鹏　刘见明
　　　　石　敏(女)　　　郭书印
　　　　安尼瓦尔·热合曼
1991 年 8 月更换：
副主席　贾兆为　赵　磊　傅垣洪　那顺孟和
　　　　李家文　刘　逊　任海斌　丁　宁
　　　　姚　昌　曹克舜　罗小钢　司徒英杰
　　　　林文南　田　原　贺　君　叶　鹏
　　　　邵风高　贾铁军　王占国　陈　苹

中华全国台湾同胞联谊会

中华全国台湾同胞联谊会第一届理事会
(1981 年 12 月—1985 年 3 月)

会　长　林丽韫(女)
副会长　董　克　李　辰　林朝权　宋又顺
　　　　甘　莹(女)　　　彭腾云　郑　坚

中华全国台湾同胞联谊会第二届理事会
(1985 年 3 月—1988 年 2 月)

会　长　林丽韫(女)
副会长　董　克　李　辰　朱天顺　彭腾云
　　　　郑　坚　李河民　郭焰烈　郭平坦
　　　　张　洽

中华全国台湾同胞联谊会第三届理事会
(1988 年 2 月—1991 年 5 月)

会　长　林丽韫(女)
副会长　朱天顺　李河民　吴愿金　陈　亨
　　　　郭平坦　郭焰烈　徐兆麟　徐进星
　　　　梁泰平　廖秋忠

中华全国台湾同胞联谊会第四届理事会
(1991 年 5 月—　)

会　长　张克辉

副会长　李河民　吴愿金　杨国庆　陈　亨
　　　　郭平坦　徐兆麟　徐进星　梁泰平
　　　　廖秋忠

中华全国归国华侨联合会

中华全国归国华侨联合会第二届委员会

（1978 年 12 月—1984 年 4 月）

名誉主席　廖承志

主　席　庄希泉

副主席　王汉杰　尤扬祖　刘念智　庄明理
　　　　李广臣　吴桓兴　苏　惠（女）
　　　　陈宗基　林慧卿（女）　蚁美厚
　　　　钟庆发　洪丝丝（女）　郭棣活
　　　　郭瑞人　连　贯　黄长水　谢文思
　　　　廖　胜　廖灿辉

中华全国归国华侨联合会第三届委员会

（1984 年 4 月—1989 年 12 月）

名誉主席　叶　飞　庄希泉

主　席　张国基

副主席　王汉杰　刘念智　庄世平　庄明理
　　　　连　贯　肖　岗　吴桓兴　陈　明
　　　　陈宗基　蚁美厚　洪丝丝（女）
　　　　郭棣活　郭瑞人　黄军军（女）
　　　　黄登保　黄鼎臣　廖灿辉

中华全国归国华侨联合会第四届委员会

（1989 年 12 月—　）

名誉主席　张国基

主　席　庄炎林

副主席　王汉杰　王宋大　王善荣　庄世平
　　　　庄明理　陈兰通　陈　明　陈宗基
　　　　肖　岗　林水龙　罗豪才　蚁美厚
　　　　郭瑞人　徐发淦　黄长溪
　　　　黄军军（女）　黄其兴　廖灿辉

二

各省、市、自治区

北　京　市

中国共产党北京市委员会

第四届市委

（1976 年 10 月—1982 年 11 月）

第一书记

　吴　德（　—1978 年 10 月）

　林乎加（1978 年 10 月—1981 年 1 月）

　段君毅（1981 年 1 月—　）

第二书记

　倪志福（1977 年 7 月—1980 年 2 月）

　焦若愚（1981 年 1 月—　）

第三书记

　丁国钰（1977 年 7 月—1978 年 5 月）

　贾庭三（1978 年 5 月—　）

书　记　杨俊生（　—1979 年 11 月）

　　　　吴　忠（　—1977 年 9 月）

　　　　黄作珍（　—1978 年 12 月）

　　　　刘绍文（　—1979 年 11 月）

　　　　丁国钰（　—1977 年 7 月）

　　　　倪志福（　—1977 年 7 月）

　　　　杨寿山（1977 年 7 月—1978 年 5 月）

　　　　王　磊（1977 年 7 月—12 月）

　　　　　　　　（1978 年 5 月—1979 年 3 月）

　　　　郑天翔（1977 年 7 月—1978 年 5 月）

　　　　叶　林（1978 年 5 月—　）

　　　　赵鹏飞（1978 年 5 月—　）

　　　　毛联珏（1978 年 5 月—1980 年 8 月）

　　　　李立功（1978 年 5 月—1981 年 5 月）

　　　　王　宪（1978 年 5 月—　）

　　　　王　纯（1979 年 3 月—　）

　　　　陈　鹏（1979 年 3 月—　）

　　　　刘导生（1981 年 3 月—　）

　　　　冯基平（1981 年 4 月—　）

陈希同(1981 年 7 月—　　)

第五届市委

1982 年 10 月—1984 年 8 月

第一书记　段君毅（　—1984 年 5 月）
书　记　焦若愚（　—1983 年 3 月）
　　　　陈希同　赵鹏飞

1984 年 8 月—

书　记　李锡铭
　　　　陈希同
副书记　贾春旺（　—1985 年 12 月）
　　　　金　鉴　徐惟诚
　　　　王大明(1987 年 3 月—　　)

第六届市委

(1987 年 12 月—1992 年 12 月)

书　记　李锡铭
副书记　陈希同
　　　　徐惟诚（　—1989 年 10 月）
　　　　李其炎
　　　　汪家镠（女）(1988 年 9 月—　　)
　　　　王　光(1989 年 10 月—　　)

北京市人民代表大会常务委员会

第七届人民代表大会常务委员会
(1979 年 12 月—1983 年 3 月)

主　任　贾庭三
副主任　赵鹏飞　王　宪　潘　焱　陈克寒
　　　　范　瑾（女）　冯耀骥　王裴然
　　　　杨春茂　侯镜如　闻家驷
　　　　浦洁修（女）　蔡　旭　安朝俊
　　　　叶恭绍（女）
（1979 年 12 月七届人大三次会议选举）

副主任　武　光
（1982 年 3 月七届人大六次会议补选）

第八届人民代表大会常务委员会
(1983 年 3 月—1988 年 1 月)

主　任　赵鹏飞
副主任　潘　焱　范　瑾（女）　王裴然
　　　　杨春茂　武　光　侯镜如　闻家驷
　　　　浦洁修（女）　蔡　旭　安朝俊
　　　　佘涤清　陈明绍
（1983 年 3 月八届人大一次会议选举）
副主任　马耀骥
（1984 年 8 月八届人大三次会议补选）
副主任　张大中　黎　光　邢　军　戎　易
　　　　夏钦林
（1985 年 3 月八届人大四次会议补选）

第九届人民代表大会常务委员会
(1988 年 1 月—1993 年 2 月)

主　任　赵鹏飞
副主任　马耀骥　黎　光　夏钦林　邢　军
　　　　覃异之　陶大镛　浦洁修（女）
　　　　陈明绍　戎　易
（1988 年 1 月九届人大一次会议选举）

北京市革命委员会

1967 年 4 月—1977 年 12 月

主　任　吴　德(1972 年 3 月—　　)
副主任　吴　忠(1973 年 5 月—1977 年 9 月)
　　　　黄作珍(1973 年 5 月—　　)
　　　　丁国钰(1973 年 5 月—1977 年 11 月)
　　　　刘锡昌(1973 年 5 月—1977 年 12 月)
　　　　杨寿山(1973 年 5 月—1977 年 12 月)
　　　　倪志福(1973 年 5 月—1977 年 12 月)
　　　　王　磊(1973 年 5 月—　　)
　　　　刘传新(1973 年 5 月—1977 年 5 月)

贾　汀(1973 年 5 月—　　)

徐运北(1973 年 5 月—　　)

赵俊祯(女)(1973 年 5 月—　　)

1977 年 12 月—1979 年 12 月

主　任　吴　德(　—1978 年 10 月)

　　　　林乎加(1978 年 10 月—　　)

副主任　倪志福　丁国钰(1978 年 5 月)

　　　　黄作珍(1978 年 5 月)

　　　　郑天翔(1978 年 5 月)

　　　　杨寿山(1978 年 5 月)　吴　烈

　　　　贾　汀(1978 年 5 月)

　　　　赵鹏飞　王　宪

　　　　毛联珏　王笑一　刘坚夫　叶　林

　　　　郭献瑞　王　纯　李立功

　　　　李巧云(女)

(1977 年 12 月北京市七届人大一次会议选举)

副主任　贾庭三　王　磊　白介夫

(1979 年 5 月市人大七届二次会议增补)

北京市人民政府

1979 年 12 月—1983 年 3 月

(北京市第七届人大期间)

市　长　林乎加(1979 年 12 月—1981 年 4 月)

　　　　焦若愚(1981 年 4 月—　　)

副市长　叶　林　王　纯　白介夫　王笑一

　　　　刘坚夫　叶子龙　郭献珍

　　　　雷洁琼(女)　陆　禹

　　　　苏　展　张　彭　陈希同

(1979 年 12 月市七届人大三次会议选举)

副市长　赵鹏飞　安　林　张百发

(市人大常委会增补)

1983 年 3 月—1988 年 1 月

(北京市第八届人大期间)

市　长　陈希同

副市长　白介夫(　—1984 年 7 月)

　　　　韩伯平　张百发

　　　　安　林(　—1984 年 7 月)

　　　　孙孚凌

　　　　张　彭(　—1984 年 7 月)

(1983 年 3 月市八届人大一次会议选举)

副市长　张健民　封明为

　　　　陈昊苏(　—1987 年 8 月)

　　　　黄　超

(1984 年 8 月八届人大三次会议增选)

1988 年 1 月—1993 年 2 月

(北京市第九届人大期间)

市　长　陈希同

副市长　张健民　张百发　黄　超

　　　　吴　仪(女)(　—1991 年 6 月)

　　　　陆宇澄　何鲁丽(女)　苏仲祥

(1988 年 1 月市九届人大一次会议选举)

副市长　王宝森

(1991 年 6 月增补)

中国人民政治协商会议
北京市委员会

第五届委员会

(1977 年 11 月—1983 年 3 月)

主　席　丁国钰

副主席　郑天翔　刘绍文　王笑一　郭影秋

　　　　陈克寒　范儒生　严济慈　张　亮

　　　　范　瑾(女)　崔月犁　高　戈

　　　　夏　翔　侯镜如　闻家驷

　　　　浦洁修(女)　雷洁琼(女)

(1977 年 11 月政协五届一次会议选举)

主　席　赵鹏飞

副主席　廖沫沙　刘　诵　郭步岳　罗　青

　　　　贺翼张　梁正中　林　彤

　　　　王子如(女)　张光斗　苏从周

　　　　陆宗达　孙孚凌　顾均正　丁贡南

(1979 年 12 月政协五届二次会议增选)

副主席 陈明绍 巫宝三

（1982 年 3 月政协五届五次会议增选）

第六届委员会
（1983 年 3 月—1988 年 1 月）

主 席 刘导生
副主席 高 戈 廖沫沙 苏从周 陆宗达
　　　 刘 诵 邓季惺（女） 夏 翔
　　　 张光斗 郭步岳 巫宝三 丁贡南
　　　 阚冠卿 罗 青 林 彤

（1983 年 3 月政协六届一次会议选举）

主 席 范 瑾（女）

（1985 年 3 月政协六届三次会议选举）

副主席 关世雄 李伯康 李 晨
　　　 甘 英（女）

（1985 年 3 月政协六届三次会议增选）

主 席 白介夫

（1986 年 5 月政协六届四次会议选举）

副主席 安 林

（1986 年 5 月政协六届四次会议增选）

第七届委员会
（1988 年 1 月—1993 年 2 月）

主 席 白介夫
副主席 封明为 王大明 关世雄 孙孚凌
　　　 张明义 李伯康 夏 翔 许嘉璐
　　　 祝谌予 阚冠卿 陈仲颐 甘英（女）

（1988 年 1 月政协七届一次会议选举）

北京卫戍区

司令员
　　傅崇碧（兼）（1977 年 9 月—1979 年 1 月）
　　潘 焱（兼）（1979 年 1 月—1983 年 9 月）
　　李钟玄（1983 年 9 月—1985 年 6 月）
　　阎同茂（兼）（1985 年 6 月—1990 年 6 月）
　　董学林（1990 年 6 月— ）
　　张志坚（兼）

政治委员

吴 德（第一）（1976 年 10 月—1979 年 2 月）
林乎加（第一）（1980 年 12 月—1981 年 6 月）
段君毅（第一）（1981 年 7 月—1984 年 8 月）
吴 烈（兼）（1976 年 10 月—1987 年 10 月）
杨俊生（1976 年 10 月—1987 年 10 月）
黄作珍（1976 年 10 月—1987 年 10 月）
刘绍文（1976 年 10 月—1987 年 10 月）
李钟玄（兼）
许志奋（1976 年 10 月—1987 年 1 月）
李进导（1976 年 10 月—1987 年 10 月）
张宝康（1990 年 6 月— ）

天 津 市

中国共产党天津市委员会

第三届市委
（1971 年 5 月—1983 年 12 月）

第一书记
　　解学恭（ —1978 年 6 月）
　　林乎加（1978 年 6 月—10 月）
　　陈伟达（1978 年 10 月— ）
第二书记
　　吴 岱（1971 年 6 月—1975 年 11 月）
　　赵武成（1977 年 7 月—11 月）
　　黄志刚（1977 年 11 月—1982 年 7 月）
第三书记
　　赵武成（1977 年 11 月—1979 年 4 月）
常务书记
　　张再旺（1982 年 7 月—1983 年 3 月）
书 记 蒋南翔（1977 年 7 月—10 月）
　　　 阎达开（1977 年 7 月—1982 年 7 月）
　　　 王中年（1977 年 7 月—1982 年 6 月）
　　　 谷云亭（1977 年 10 月—1982 年 6 月）
　　　 张淮三（1978 年 2 月—1982 年 7 月）
　　　 范儒生（1978 年 6 月—1981 年 6 月）
　　　 刘 刚（1979 年 1 月—1982 年 7 月）
　　　 胡启立（1980 年 6 月—1982 年 4 月）
　　　 郭春原（1981 年 10 月—1982 年 7 月）
　　　 李瑞环（1982 年 5 月— ）

张再旺（1983 年 3 月—　　）

吴　振（1983 年 3 月—　　）

谭绍文（1983 年 3 月—　　）

副书记　冯　勤（1975 年 6 月—1981 年 8 月）

王一夫（1979 年 1 月—1981 年 6 月）

吴　振（1978 年 2 月—1983 年 3 月）

陈　冰（1981 年 8 月—1983 年 3 月）

第四届市委

（1983 年 12 月—1988 年 4 月）

第一书记　陈伟达（　—1984 年 10 月）

书　记　张再旺（　—1984 年 10 月）

李瑞环（　—1984 年 10 月）

吴　振（　—1984 年 10 月）

谭绍文（　—1984 年 10 月）

书　记　倪志福（1984 年 10 月—1987 年 8 月）

李瑞环（1987 年 8 月—　　）

副书记　张再旺（1984 年 10 月—1985 年 9 月）

李瑞环（1984 年 10 月—1987 年 8 月）

吴　振（1984 年 10 月—　　）

谭绍文（1984 年 10 月—　　）

聂璧初（1985 年 9 月—　　）

刘晋峰（1987 年—　　）

第五届市委

（1988 年 4 月—1993 年 5 月 13 日）

书　记　李瑞环（　　1989 年 10 月）

谭绍文（1989 年 10 月—　　）

副书记　谭绍文（　—1989 年 10 月）

聂璧初　刘晋峰

张立昌（1989 年 10 月—　　）

王旭东（1991 年 8 月—　　）

天津市人民代表大会常务委员会

第九届人民代表大会常务委员会

（1980 年 6 月—1983 年 4 月）

主　任　阎达开

副主任　王一夫　王恩惠　王培仁　刘　刚

许　明　李华生　杨坚白　范　权

周叔弢　曹西康　路　达

（1980 年 6 月九届人大一次会议选举）

第十届人民代表大会常务委员会

（1983 年 4 月—1988 年 5 月）

主　任　张再旺

副主任　白　桦　李中垣　周叔弢　赵　钧

路　达　许　明　杨坚白　范　权

韩天耀　吴　震　虞福京　石　坚

（1983 年 4 月十届人大一次会议选举）

副主任　刘曾坤

（1985 年 10 月十届人大四次会议补选）

第十一届人民代表大会常务委员会

（1988 年 5 月—1993 年 6 月）

主　任　吴　振

副主任　李　原　刘曾坤　杨坚白　范　权

韩天耀　虞福京　石　坚　朱文榘

白化岭　潘义清

（1988 年 5 月十一届人大一次会议选举）

副主任　黄其兴

（1991 年 4 月十一届人大五次会议补选）

天津市革命委员会

主　任　林乎加（1978 年 6 月—10 月）

陈伟达（1978 年 10 月—1980 年 6 月）

第一副主任

赵武成（1977 年 7 月—1979 年 4 月）

副主任　蒋南翔（1977 年 2 月—10 月）

王中年（1977 年 7 月—1980 年 6 月）

王占瀛（1977 年 7 月—1980 年 6 月）

马秀中（1977 年 7 月—1980 年 4 月）

黄志刚（1977 年 12 月—1980 年 6 月）

白　桦（1977 年 12 月—1980 年 6 月）

王恩惠（1977 年 12 月—1980 年 6 月）

李中垣(1977 年 12 月—1980 年 6 月)

赵　钧(1977 年 12 月—1980 年 6 月)

刘晋峰(1977 年 12 月—1980 年 6 月)

胡昭衡(1978 年 4 月—1979 年)

张淮三(1978 年 10 月—1980 年 6 月)

郭春原(1978 年 12 月—1980 年 6 月)

王一夫(1979 年 1 月—1980 年 6 月)

刘　刚(1979 年 2 月—1980 年 6 月)

吴　振(1979 年 4 月—1980 年 6 月)

杜新波(1979 年 4 月—1980 年 6 月)

郝田役(1979 年 12 月—1980 年 6 月)

天津市人民政府

1980 年 6 月—1983 年 4 月
（天津市第九届人大期间）

市　长　胡启立(1980 年 6 月—1982 年 4 月)

代市长　李瑞环(1982 年 4 月—12 月)

副市长　王光英(1980 年 6 月—1983 年 4 月)

白　桦(1980 年 6 月—1983 年 4 月)

刘晋峰(1980 年 6 月—1983 年 4 月)

杜新波(1980 年 6 月—1982 年 7 月)

李中垣(1980 年 6 月—1983 年 4 月)

吴　振(1980 年 6 月—1983 年 4 月)

赵　钧(1980 年 6 月—1982 年 3 月)

郝田役(1980 年 6 月—1983 年 4 月)

郭春原(1980 年 6 月—1982 年 7 月)

虞福京(1980 年 6 月—1982 年 7 月)

（1980 年 6 月 30 日九届人大一次会议选举）

副市长　李瑞环(1981 年 3 月—1982 年 4 月)

1983 年 4 月—1988 年 5 月
（天津市第十届人大期间）

市　长　李瑞环(1982 年 12 月—1988 年 5 月)

副市长　吴　振(1983 年 4 月—1985 年 10 月)

刘曾坤(1983 年 4 月—1985 年 10 月)

聂璧初(1983 年 4 月—1988 年 5 月)

姚　峻(1983 年 4 月—1987 年 10 月)

刘晋峰(1983 年 4 月—1988 年 5 月)

高岚清(1983 年 4 月—1986 年 10 月)

（1983 年 4 月 9 日十届人大一次会议选举）

副市长　张立昌　鲁学政　李长兴

（1985 年 10 月十届人大四次会议增选）

1988 年 5 月—1993 年 6 月
（天津市第十一届人大期间）

市　长　李瑞环(1988 年 5 月—1989 年 1 月)

副市长　聂璧初(1988 年 5 月—1989 年 11 月)

张立昌　李长兴　陆焕生

李慧芬(女)　李振东

张昭若(　—1989 年 10 月)

钱其璩

（1988 年 5 月 15 日十一届人大一次会议选举）

市　长　聂璧初

（1989 年 11 月 18 日十一届人大三次会议选举）

副市长　宋平顺(1990 年 6 月增补)

李盛霖(增补)

中国人民政治协商会议
天津市委员会

第五届委员会
（1977 年 12 月—1980 年 6 月）

主　席　解学恭

副主席　谷云亭　周叔弢　毛　平　路　达

李　定　韩　震　王培仁　樊青典

赵今声　杨坚白　范　权　何宗谦

黄逖非　黄钰生　吴廷镠

主　席　阎达开

（1979 年 7 月政协五届二次会议选举）

副主席　于致远

（1979 年 7 月政协五届二次会议增选）

第六届委员会
（1980 年 6 月—1983 年 4 月）

主　席　黄志刚

副主席　于致远　朱子强　优铁隽

邢燕子(女)　　杨天受　李　定

李守真　吴廷镠　何宗谦

陈茹玉(女)　　周　茹　郑天挺

金显宅　范儒生　赵今声　哈荔田

娄凝先　黄钰生　黄逖非　韩　震

虞颂庭　缪天瑞　廖灿辉

(1980年6月政协六届一次会议选举)

副主席　李曙森

(1982年4月政协六届三次会议增选)

第七届委员会

(1983年4月—1988年5月)

主　席　陈　冰

副主席　王恩惠　朱子强　李曙森　娄凝先

赵今声　周　茹　黄逖非　黄钰生

缪天瑞　杨天受　何宗谦　虞颂庭

优铁隽　陈茹玉(女)　　廖灿辉

(1983年4月政协七届一次会议选举)

副主席　肖　元

(1985年10月政协七届四次会议增选)

主　席　吴　振

(1987年4月政协七届六次会议选举)

副主席　李　原

(1987年4月政协七届六次会议增选)

第八届委员会

(1988年5月—1993年6月)

主　席　谭绍文

副主席　肖　元　赵今声　何国模　黄逖非

黄钰生　杨天受　虞颂庭　优铁隽

陈茹玉(女)　　廖灿辉　杨　辉

(1988年5月政协八届一次会议选举)

主　席　刘晋峰

(1990年4月政协八届三次会议选举)

天津警备区

司令员　吴　震(1983年—1985年)

郑国忠(1985年—1990年6月)

杨志华(1990年6月—　　)

政治委员

曾　威(1975年6月—1978年5月)

曹中南(1978年5月—1983年4月)

宋振春(1983年4月—1985年7月)

兰保景(1985年7月—1990年6月)

陈德毅(1990年6月—　　)

杨惠川

河　北　省

中国共产党河北省委员会

第二届省委

(1971年5月—1985年5月)

第一书记　刘子厚(　—1979年12月)

书　记　马　辉(　—1979年12月)

副书记　吕玉兰(女)(　—1977年5月)

马　力(　—1977年3月)

书　记　王金山(1977年5月—1979年12月)

吕玉兰(女)(1977年5月—1980年12月)

郭　志(1978年11月—1983年3月)

干　铮(1979年4月—1983年3月)

尹　哲(1979年7月—1983年3月)

赵一民(1979年7月—1983年3月)

裴仰山(1979年7月—1982年6月)

副书记　郭　志(1977年5月—1978年11月)

尹　哲(1977年5月—1979年9月)

杨泽江(1978年11月—1983年3月)

刘　英(1978年11月—1983年3月)

岳宗泰(1979年7月—1983年3月)

第一书记

金　明(1979年12月—1982年6月)

第二书记

江一真(1979年4月—1982年6月)

书 记 李尔重(1980 年 1 月—1982 年 6 月)

　　　　刘秉彦(1981 年 12 月—1983 年 3 月)

　　　　高占祥(1983 年 1 月—　　)

副书记 解　峰(1982 年 7 月—1983 年 3 月)

　　　　邢崇智(1982 年 7 月—1983 年 3 月)

第一书记 高　扬(1982 年 6 月—　　)

常务书记

　　张曙光(1982 年 7 月—1983 年 3 月)

书 记 张曙光(1983 年 3 月—　　)

　　　　邢崇智(1983 年 3 月—　　)

　　　　解　峰(1983 年 3 月—　　)

第三届省委

(1985 年 5 月—1990 年 6 月)

书 记 邢崇智

副书记 张曙光(　—1986 年 3 月)

　　　　高占祥(　—1986 年 1 月)

　　　　解　峰

　　　　李文珊(1986 年 2 月—　　)

　　　　吕传赞(1986 年 7 月—　　)

　　　　岳岐峰(1986 年 7 月—　　)

第四届省委

(1990 年 7 月—1993 年 6 月)

书 记 邢崇智

副书记 程维高　吕传赞　李炳良

河北省人民代表大会常务委员会

第五届人民代表大会常务委员会

(1980 年 1 月—1983 年 4 月)

主 任 江一真

副主任 牛树才　马　辉　吴庆诚　葛　启

　　　　曹幼民　郭　芳　丁廷馨　权哲民

　　　　赵振中　张　达　耿长锁　彭　青

　　　　潘承孝　孙越崎　周学鳌　黄　桦

　　　　杨定安　胡　毅

(1980 年 1 月五届人大二次会议选举)

第六届人民代表大会常务委员会

(1983 年 4 月—1988 年 4 月)

主 任 刘秉彦

副主任 吴庆诚　岳宗泰　张震川　潘承孝

　　　　葛　启　刘　英　赵卓云　王　玉

　　　　杨定安　韩启民　都本洁　丁廷馨

　　　　王幼辉

(1983 年 4 月六届人大一次会议选举)

副主任 孙国治

(1984 年 6 月六届人大二次会议补选)

主 任 孙国治

副主任 郭　志　张克让

(1985 年 6 月六届人大三次会议补选)

第七届人民代表大会常务委员会

(1988 年 4 月—1993 年 3 月)

主 任 郭　志

副主任 岳宗泰　刘　英　王幼辉　洪　毅

　　　　邹仁鋆　都本洁

(1988 年 4 月七届人大一次会议选举)

副主任 白　石

(1990 年 4 月七届人大三次会议补选)

副主任 董耐芳

(1991 年 4 月七届人大四次会议补选)

河北省革命委员会

1977 年 12 月—1980 年 2 月

主 任 刘子厚

副主任 马　辉　王金山　吕玉兰(女)

　　　　郭　志　刘　英　张承先

　　　　王桂华(女)　　　　朱理治

　　　　兰凯民　岳宗泰　洪　毅

(1977 年 12 月人大五届一次会议选举)

副主任 李永进　耿长锁　裴仰山　王东宁

李　峰　徐瑞林　张克让　王克东

　　吴庆诚　葛　启　杨　远　丁廷馨

（五届人大一次会议后先后增补）

河北省人民政府

1980 年 2 月—1983 年 4 月

（河北省五届人大期间）

省　长　李尔重
副省长　郭　志　岳宗泰　洪　毅　兰凯民
　　　　张克让　王克东　王东宁　杨乃俊
　　　　李　峰　徐瑞林　杨远　韩启民（女）
（1980 年 2 月 6 日五届人大二次会议选举）

1983 年 4 月—1988 年 5 月

（河北省六届人大期间）

省　长　张曙光（　—1986 年 5 月）
副省长　李　峰　王祖武　郭　志　杜竟一
　　　　洪　毅
（1983 年 4 月六届人大一次会议选举）
副省长　叶连松　张润身
（1985 年 6 月补选）
副省长　宋叔华
（以上两人，1986 年 5 月六届人大四次会议
　补选和增选）

1988 年 5 月—1993 年 5 月

（河北省七届人大期间）

省　长　岳岐峰
副省长　叶连松　宋叔华　王祖武　张润身
（1988 年 5 月七届人大一次会议选举）
省　长　程维高
副省长　郭洪岐　顾二熊　王幼辉　陈立友
（七届人大一次会议后增补）

中国人民政治协商会议
河北省委员会

第四届委员会

（1977 年 12 月—1983 年 4 月）

主　席　刘子厚
副主席　张承先　潘承孝　耿长锁　姜占春
　　　　白志文　于大绂　邹国厚　孙越崎
　　　　陆治国　马卓洲　甘春雷　李华生
　　　　胡　毅　罗成德　申希礼　俞履圻
（1977 年 12 月政协四届一次会议选举）
副主席　牛树才
（1979 年 4 月政协第四届常委会第二次会议
　增选）
副主席　张晓东
（1979 年 7 月政协第四届常委会第四次会议
　增选）
主　席　尹　哲
（1980 年 2 月政协四届二次会议选举）
副主席　李　德　庞　均　阴一刚　白芸（女）
　　　　林润田　段慧轩　梁　斌　宋志毅
　　　　张若麟（女）
（1980 年 2 月政协四届二次会议增选）
副主席　戴冀农
（1981 年 10 月政协四届三次会议增选）

第五届委员会

（1983 年 4 月—1988 年 4 月）

主　席　尹　哲
副主席　李芳林　陆治国　申希礼
　　　　张若麟（女）　贾启允　白铁石
　　　　徐瑞林　陈林堂　马卓洲　李赣骝
　　　　王恩多　严镜波（女）　马新云
　　　　刘宗跃
（1983 年 4 月政协五届一次会议选举）
副主席　徐纯性　杜竟一
（1985 年 6 月政协五届三次会议增选）

第六届委员会

（1988 年 4 月—1993 年 5 月）

主　席　李文珊

副主席　徐纯性　杜竟一　王恩多　马新云
　　　　张若麟(女)　陈林堂　刘宗耀
　　　　王树森　黄　岚　余振中
　　　　(1988年4月政协六届一次会议选举)

副主席　王祖武
　　　　(1990年4月政协六届三次会议增选)

河北省军区

司令员　张振川(1983年3月—1985年7月)
　　　　董学林(1985年7月—1990年6月)
　　　　韩世谦(1990年6月—　)

政治委员
　　　　金　明(第一)(1980年5月—1982年8月)
　　　　董立芳(1979年2月—1983年2月)
　　　　费国柱(1979年4月—1985年7月)
　　　　高　扬(第一)(1982年9月—1985年7月)
　　　　张　超(1985年7月—1987年12月)
　　　　任佩瑜(1990年6月—　)

山　西　省

中国共产党山西省委员会

第三届省委
(1971年4月—1978年3月)

书　记　王扶之(1977年3月—1978年3月)
　　　　王金籽(1977年3月—1978年3月)
　　　　王大任(1977年3月—1978年3月)
　　　　王克文(1978年1月—　)

第四届省委
(1978年3月—1985年7月)

第一书记　王谦(　—1980年10月)
　　　　　霍士廉(1980年10月—　)
第二书记　罗贵波(1978年12月—　)
常务书记　李立功(1981年6月—　)

书　记　陈永贵(1978年3月—1979年3月)
　　　　韩　英(1978年3月—1979年3月)
　　　　王扶之　王大任
　　　　李韩锁(1978年3月—1979年3月)
　　　　王庭栋　王克文
　　　　武光汤(1979年3月—　)
　　　　赵雨亭(1979年3月—　)
　　　　贾　俊(1979年3月—　)
　　　　朱卫华(1979年3月—　)
　　　　阮泊生(1979年4月—　)
　　　　李立功(1983年3月—1985年6月)
副书记　李修仁(1983年3月—1985年6月)
　　　　王森浩(1983年3月—1985年6月)
　　　　王克文(1983年3月—1985年6月)

第五届省委
(1985年7月—1991年2月)

书　记　李立功
副书记　王森浩
　　　　王建功(　—1987年6月)
　　　　王茂林(1987年6月—　)
　　　　卢功勋(1988年2月—　)

第六届省委
(1991年3月—　)

书　记　王茂林(1991年3月—1993年)
　　　　胡富国(1993年—　)
副书记　王森浩　卢功勋　胡富国

山西省人民代表大会
常务委员会

第五届人民代表大会常务委员会
(1979年12月—1983年4月)

主　任　阮泊生
副主任　焦国鼐　史纪言　刘开基　冯素陶
　　　　郑效峰　任映仑　胡晓琴　曹　普

陈思恭

（1979 年 12 月五届人大二次会议选举）

第六届人民代表大会常务委员会

（1983 年 4 月—1988 年 1 月）

主　任　阮泊生
副主任　霍　泛　冯素陶　任映仑　陈思恭
　　　　王弼臣　麻贵书　姜　一　郭钦安
　　　　魏蕴瑜　李顺达
（1983 年 4 月六届人大一次会议选举）
副主任　王文章
（1984 年 4 月六届人大二次会议增选）
副主任　王　西　张健民　王庭栋
（1985 年 5 月六届人大三次会议补选）

第七届人民代表大会常务委员会

（1988 年 1 月—1993 年 1 月）

主　任　王庭栋
副主任　阎武宏　冯素陶　张健民　潘瑞征
　　　　刘砚青　魏蕴瑜
（1988 年 1 月七届人大一次会议选举）
副主任　李玉明　阎元锁
（1989 年 4 月七届人大二次会议增选）
副主任　彭少逸
（1990 年 3 月七届人大三次会议增选）

山西省人民政府

1979 年 12 月—1983 年 4 月

（山西省五届人大期间）

省　长　罗贵波
副省长　武光汤　郭钦安　赵力之　王茂林
　　　　张天乙　张健民　阎武宏　贾云标
　　　　王中青　岳维藩　贾冲之　麻贵书
　　　　卫逢祺　赵　军　潘瑞征
（1979 年 12 月五届人大二次会议选举及其
后增补）

副省长　霍　泛（1981 年 3 月—　　）
　　　　王　西（1981 年 3 月—　　）

1983 年 4 月—1988 年 1 月

（山西省六届人大期间）

省　长　王森浩
副省长　阎武宏　白清才
　　　　张维庆（　—1986 年 5 月）
　　　　郭裕怀
（以上人员 1983 年 4 月六届人大一次会议选
举）

冯芝茂（1986 年 5 月补选）

1988 年 1 月—1993 年 1 月

（山西省七届人大期间）

省　长　王森浩
副省长　白清才　郭裕怀　吴达才　吴俊洲
（1988 年 1 月七届人大一次会议选举）
副省长　乌　杰（1989 年 9 月增补）
　　　　李振华（增补）
副省长　王文前　纪馨芳
（1992 年 5 月七届人大常委会第二十八次会
议决定任命）

中国人民政治协商会议
山西省委员会

第四届委员会

（1977 年 12 月—1983 年 4 月）

主　席　王　谦
副主席　郑　林　杨自秀　朱卫华　麻贵书
　　　　冯素陶　焦国鼐　张邦英　樊清江
　　　　郡象伊　李志敏　严开元　陈舜礼
（1977 年 12 月政协四届一次会议选举）
主　席　郑　林
副主席　安志藩　马　林　张隽轩　于　林
　　　　陶　健　高沐鸿　朱景梓　凌大琦

李顺达　王定南　陈公庆　杨明葆
（1979 年 12 月政协四届二次会议增选）

副主席　阎定础
（1980 年 12 月政协四届三次会议增选）

第五届委员会

（1983 年 4 月—1988 年 1 月）

主　席　武光汤
副主席　朱卫华　王绣锦　陈舜礼　陶　健
　　　　朱景梓　凌大琦　王定南　杨明葆
　　　　赵雨亭　潘瑞征　姚奠中　师星三
（1983 年 4 月政协五届一次会议选举）

主　席　李修仁
（1985 年 5 月政协五届三次会议选举）

副主席　张天乙
（1985 年 5 月政协五届三次会议增选）

副主席　王　西　马　烽　汤祷德
（1986 年 5 月政协五届四次会议增选）

第六届委员会

（1988 年 1 月—1993 年 1 月）

主　席　李修仁
副主席　王　西　凌大琦　杨明葆　姚奠中
　　　　师星三　马　烽　汤祷德　陈德贵
　　　　秦国栋
（1988 年 1 月政协六届一次会议选举）

副主席　路正西
（1989 年 4 月政协六届二次会议增选）

山西省军区

司令员　王扶之（1976 年—1980 年）
　　　　耿淑明（1981 年—1983 年）
　　　　张广有（1983 年—1985 年）
　　　　于鸿礼（1985 年—　）
　　　　董云海
政治委员　郑效峰（1975 年—1981 年）
　　　　王弼臣（1978 年—1981 年）
　　　　霍士廉　李立功

苏国柱（1983 年—1985 年）
罗敬辉（1985 年—1990 年）
曹　丁（1990 年 6 月—　）

内蒙古自治区

中国共产党内蒙古
自治区委员会

第三届区委

（1971 年 5 月—1984 年 12 月）

第一书记
　　尤太忠
　　周　惠（1978 年 10 月—　）
第二书记
　　池必卿
　　周　惠（1978 年 7 月—10 月）
　　廷　懋（蒙古族）（1979 年 6 月—　）
书　记　吴涛（蒙古族）　徐　信　邓存伦
　　　　赵紫阳　宝日勒岱（女·蒙古族）
　　　　刘景平　王　铎　孔　飞（蒙古族）
　　　　王逸伦　云世英（蒙古族）
常务书记
　　王　铎（1979 年 6 月—1982 年 12 月）
副书记　冰鹏图　杰尔格勒（蒙古族）　李　文
　　　　布赫（蒙古族）　石生荣
　　　　千奋勇（蒙古族）　林蔚然
　　　　巴图巴根（蒙古族）

第四届区委

（1984 年 12 月—1989 年 12 月）

书　记　周　惠
　　　　张曙光（1986 年 3 月—　）
　　　　王　群（1987 年—　）
副书记　布　赫（蒙古族）　千奋勇（蒙古族）
　　　　巴图巴根（蒙古族）　田聪明

第五届区委

（1989 年 12 月—　）

书　记　王　群
副书记　布　赫（蒙古族）　张丁华
　　　　千奋勇（蒙古族）　乌力吉

内蒙古自治区人民代表
大会常务委员会

第五届人民代表大会常务委员会

（1979 年 12 月—1983 年 4 月）

主　任　廷　懋（蒙古族）
副主任　王逸伦　高增培　沈新发
　　　　克力更（蒙古族）　刘　昌　孙兰峰
　　　　张为岗　寒　峰（蒙古族）
　　　　奇峻山（蒙古族）
　　　　色音巴雅尔（蒙古族）
　　　　宝日勒岱（女，蒙古族）
　　　　鄂其尔呼雅克图（蒙古族）　张荣臻
（1979 年 12 月五届人大一次会议选举）

第六届人民代表大会常务委员会

（1983 年 4 月—1988 年 5 月）

主　任　巴图巴根（蒙古族）
副主任　李　文　郝秀山　孙兰峰　周北峰
　　　　何　耀　色音巴雅尔（蒙古族）
　　　　鄂其尔呼雅克图（蒙古族）
　　　　潮洛濛（蒙古族）　布特格其（蒙古族）
　　　　阿拉坦敖其尔（蒙古族）　胡钟达
（1983 年 4 月六届人大一次会议选举）

第七届人民代表大会常务委员会

（1988 年 5 月—1993 年 5 月）

主　任　巴图巴根（蒙古族）
副主任　布特格其（蒙古族）　张灿公
　　　　色音巴雅尔（蒙古族）　许令妊（女）
　　　　白俊卿（蒙古族）　刘震乙
　　　　沙　驼（鄂温克族）
（1988 年 5 月七届人大一次会议选举）
副主任　周荣昌　崔维嶽
（1990 年 4 月七届人大三次会议补选）
副主任　陈奎元　伊钧华
（1991 年 5 月七届人大四次会议补选）

内蒙古自治区革命委员会

（1977 年 12 月—1979 年 12 月）

主　任　尤太忠（　—1978 年 10 月）
　　　　孔　飞（1978 年 10 月继任）（蒙古族）
副主任　池必卿　宝日勒岱（女，蒙古族）
　　　　刘景平　滕俊清　沈新发　王　铎
　　　　邵子言　孟　琦　乌　恩（蒙古族）
　　　　侯　永　张鹏图　姜　习　赵　军
　　　　云世英（蒙古族）　周　惠　李　文
　　　　王逸伦　彭梦庚
（以上人员 1977 年 12 月五届人大一次会议
选举）

内蒙古自治区人民政府

1979 年 12 月—1983 年 4 月

（内蒙古自治区五届人大二次会议以后）

主　席
　　孔　飞（蒙古族）（　—1980 年 12 月）
　　布　赫（蒙古族）（1980 年 12 月继任）
副主席　云世英（蒙古族）　杰尔格勒（蒙古族）
　　　　郝秀山　彭梦庚　周北峰　石光华
　　　　陈炳宇（蒙古族）　巴图巴根（蒙古族）
　　　　李斌三　王　西

1983 年 4 月—1988 年 6 月

（内蒙古自治区六届人大期间）

主　席
　　布　赫（蒙古族）（1983 年 4 月—1987 年 10

月)

副主席

　白俊卿(蒙古族)(1983 年 4 月—1987 年 10
月)

　刘作合(1983 年 4 月—1987 年 10 月)

　赵志宏(1983 年 4 月—1987 年 10 月)

　马振锋(蒙古族)(1985 年 3 月—　)

　张灿公(1986 年 3 月—　)

　裴英武(1987 年 3 月—　)

1988 年 6 月—1993 年 5 月
(内蒙古自治区七届人大期间)

主　席　布　赫(蒙古族)

副主席　裴英武　文　精(蒙古族)　刘作合
　　　　阿拉坦敖其尔(蒙古族)　赵志宏
　(1992 年 4 月七届人大五次会议选举)

中国人民政治协商会议
内蒙古自治区委员会

第四届委员会
(1977 年 12 月—1983 年 4 月)

主　席　尤太忠

副主席　奎　璧(蒙古族)　克力更(蒙古族)
　　　　王再天(蒙古族)　孙兰峰　刘华香
　　　　孔　飞(蒙古族)　李世杰
　　　　朋斯克(蒙古族)　黄巨俊　周北峰
　　　　鄂其尔呼雅克图(蒙古族)　杨全德
　　　　张荣臻　谭振雄
　(1977 年 12 月政协四届一次会议选举)

主　席　奎　璧(蒙古族)
　(1979 年 12 月政协四届二次会议选举)

副主席　武达平　赵展山　赵云驶
　　　　那钦双和尔(蒙古族)　王建功
　　　　胡钟达　齐永存　梁一鸣
　　　　王海山　魏兆融
　(1979 年 12 月政协四届二次会议增选)

副主席　李　森
　(1982 年 4 月政协四届四次会议增选)

第五届委员会
(1983 年 4 月—1988 年 6 月)

主　席　石生荣

副主席　陈炳宇(蒙古族)　乌力更(蒙古族)
　　　　杨令德　那钦双和尔(蒙古族)
　　　　韩　明　魏兆融　马振锋　李树元
　　　　齐震乙　暴彦巴图(蒙古族)
　　　　云照光(蒙古族)
　(1983 年 4 月政协五届一次会议选举)

第六届委员会
(1988 年 6 月—1993 年 5 月)

主　席　石生荣

副主席　云照光(蒙古族)
　　　　云曙芬(女·蒙古族)
　　　　王崇仁　乌力更(蒙古族)
　　　　乌　兰(蒙古族)　兰乾福　李树元
　　　　张顺臻　陈　杰　奇忠义(蒙古族)
　　　　突　克(蒙古族)　韩　明
　　　　暴彦巴图(蒙古族)
　(1988 年 6 月政协六届一次会议选举)

副主席　周君球
　(1991 年 5 月政协六届四次会议增选)

内蒙古军区

司令员　黄　厚(1978 年 11 月—1981 年 7 月)
　　　　蔡　英(1981 年 8 月—1988 年 6 月)
　　　　李贵彬(1988 年 6 月—1990 年 6 月)
　　　　刁从洲(1990 年 6 月—　)

政治委员

　吴　涛(蒙古族)(第一)(兼)(1976 年 10
月—1978 年 5 月)

　周　惠(兼)(1978 年 11 月—1986 年 3 月)

　腾俊清(第二)(1976 年 10 月—　)

　廷　懋(蒙古族)(第二)(1979 年 4 月—　)

　王弼臣(1978 年 5 月—12 月)

　刘　昌(1978 年 5 月—1981 年 7 月)

廷　懋(蒙古族)(1978 年 12 月—1979 年 4
月)

云一立(1978 年 12 月—1983 年 3 月)

张德武(1978 年 4 月—1983 年 3 月)

刘西恒(1983 年 3 月—1985 年 2 月)

刘一云(1985 年 2 月—1988 年 6 月)

杨恩博(1988 年 6 月—1990 年 6 月)

白永生(1990 年 6 月—　)

(1955 年 4 月,国务院和中央军委决定,华北军区番号撤销,原属华北军区的内蒙古军区由省级军区升格为一级军区,下辖内蒙古自治区范围的野战军和地方部队。1967 年 5 月,中央军委决定内蒙古军区降格为省级军区,归北京军区建制。)

辽 宁 省

中国共产党辽宁省委员会

第四届省委

(1971 年 1 月—1979 年 8 月)

第一书记　任仲夷(1978 年 9 月—　)

第二书记　曾绍山

　　　　　任仲夷(1977 年 2 月—　)

　　　　　黄欧东(1978 年 11 月—　)

第三书记　黄欧东(1977 年 10 月—　)

书　记　陈璞如(1977 年 12 月—　)

　　　　张树德(1977 年 10 月—　)

　　　　李　荒(1978 年 3 月—　)

　　　　徐少甫(1978 年 1 月—　)

　　　　郭　峰(1979 年 2 月—　)

　　　　张正德(1979 年 4 月—　)

　　　　沈　越(1979 年 6 月—　)

副书记　杨春甫　毛远新

　　　　张新春(1977 年 8 月—　)

第五届省委

(1979 年 9 月—1985 年 6 月)

第一书记　任仲夷

　　　　　郭　峰(1980 年 11 月—　)

第二书记　黄欧东

　　　　　郭　峰(1980 年 9 月—　)

常务书记　李　荒(1982 年 4 月—　)

　　　　　戴苏理(1982 年 12 月—　)

书　记　陈璞如　李　荒　白　潜　胡亦民

　　　　徐少甫　郭　峰　沈　越　张正德

　　　　张新村

　　　　李　涛(1980 年 11 月—　)

1983 年 3 月经中共中央批准,组成新的领导班子:

第一书记　郭　峰

书　记　戴苏理　李铁映　全树仁

　　　　孙维本　徐少甫

第六届省委

(1985 年 6 月—1990 年 8 月)

书　记　李贵鲜(　—1986 年 4 月)

　　　　全树仁(1986 年 4 月—　)

副书记　全树仁　孙维本　李长春　孙　奇

　　　　李泽民(　—1988 年)

　　　　王巨禄(1987 年 10 月—　)

第七届省委

(1990 年 8 月—　)

书　记　顾金池(1990 年 8 月—1993 年 10 月)

副书记　岳岐峰　孙　奇

　　　　尚　文(1990 年 8 月—1993 年 10 月)

　　　　曹伯纯

辽宁省人民代表大会常务委员会

第五届人民代表大会常务委员会

(1980 年 1 月—1983 年 4 月)

主　任　黄欧东

副主任　张子衡　周持衡　王堃聘　张庆泰

刘多荃　赵　石　柳　文(女)
李　薰　娄尔康　肖佐汉　傅忠海
杨克冰(女)　邓　禹　唐宏光
顾敬心
(1980 年 1 月五届人大二次会议选举)

第六届人民代表大会常务委员会
（1983 年 4 月—1988 年 1 月）

主　任　张正德
副主任　陈北辰　谢荒田　吴子杰　赵　石
　　　　柳　文(女)　娄尔康　傅忠海
　　　　唐宏光　顾敬心　周明安　刘曾浩
　　　　刘　蓬　冯友松
(1983 年 4 月六届人大一次会议选举)
副主任　王光中　张铁军　张知远　崔荣汉
(1985 年 7 月六届人大四次会议补选)

第七届人民代表大会常务委员会
（1988 年 1 月—1993 年 3 月）

主　任　王光中
副主任　张铁军　娄尔康　唐宏光　顾敬心
　　　　冯友松　张知远　崔荣汉　左　琨
　　　　程金相　李　军
(1988 年 1 月七届人大一次会议选举)
副主任　于希岭
(1990 年 3 月七届人大三次会议补选)

辽宁省革命委员会

1977 年 12 月—1980 年 1 月

主　任　曾绍山
副主任　任仲夷　黄欧东　陈璞如　胡亦民
　　　　王光中　汪应中　杨　波　谢荒田
　　　　赵　奇　唐宏光　王纪元　程义太
　　　　左　琨　张知远
主　任　任仲夷(1978 年 9 月—　)
副主任　周持衡(1979 年 2 月—　)

张正德　陈北辰　谈立人
(以上 3 人,1979 年 4 月—　)

辽宁省人民政府

1980 年 1 月—1983 年 4 月
（辽宁省五届人大期间）

省　长　陈璞如
副省长　胡亦民　王光中　陈北辰　朱　川
　　　　张铁军　谢荒田　谈立人　赵　奇
　　　　王纪元　周明安　张知远
(1980 年 1 月五届人大二次会议选举)
副省长　左　琨　陈素芝　李贵鲜
　　　　彭祥松(1982 年 3 月增补)

1983 年 4 月—1988 年 1 月
（辽宁省六届人大期间）

省　长　全树仁(　—1986 年 7 月)
副省长　王光中　李贵鲜　孙　奇　张知远
　　　　左　琨　彭祥松
(1983 年 4 月省六届人大一次会议选举)
副省长　白立忱　朱家甄　林　声
(1985 年 7 月增补)
代省长　李长春(1986 年 7 月—　)
省　长　李长春(1987 年 3 月—　)
副省长　闻世震(1986 年 1 月—　)

1988 年 1 月—1993 年 3 月
（辽宁省七届人大期间）

省　长　李长春
副省长　朱家甄　陈素芝(女)　林　声
　　　　闻世震　肖作福　王文元
(1988 年人大七届一次会议选举)

中国人民政治协商会议
辽宁省委员会

第四届委员会

（1977 年 12 月—1983 年 4 月）

主　席　黄欧东
副主席　仇友文　周　桓　黄　达　巩天民
　　　　张子衡　曲　径　王堃聘　陈北辰
　　　　王家善　张庆泰　陈恩凤　章岩（女）
　　　　娄尔康　任志远　陈美福　刘多荃
　　　　沈洪涛　牛平甫

（1977 年 12 月政协四届一次会议选举）

主　席　李　荒

（1980 年 1 月政协四届二次会议选举）

副主席　刘宝田　唐　铎　赵濯华　阎定础
　　　　陈　放　刘鸣九　卢广绩　姜培禄
　　　　卫　之　苗宝泰　李松堂　吴友三
　　　　赵龙韬　顾学裘　李东潮　李文甫
　　　　方　明

（1980 年 1 月政协四届二次会议增选）

主　席　宋　黎

（1982 年 3 月政协四届四次会议选举）

副主席　刘仲明　吴建安　马龙翔

（1982 年 3 月政协四届四次会议增选）

第五届委员会

（1983 年 4 月—1988 年 1 月）

主　席　宋　黎
副主席　王堃骋　陈恩凤　章　岩（女）
　　　　刘仲明　陈彦之　牛平甫　于镜清
　　　　刘鸣九　卢广绩　赵龙韬　顾学裘
　　　　马龙翔　岳维春

（1983 年 4 月政协五届一次会议选举）

主　席　徐少甫

（1985 年 7 月政协五届四次会议选举）

副主席　刘庆奎

（1985 年 7 月政协五届四次会议增选）

第六届委员会

（1988 年 1 月—1993 年 3 月）

主　席　徐少甫

副主席　沈显惠　陈恩凤　陈彦之　牛平甫
　　　　刘鸣九　卢广绩　顾学裘　马龙翔
　　　　岳维春　刘庆奎　彭祥松　李启生
　　　　黎　明　王树芝

（1988 年 1 月政协六届一次会议选举）

第七届委员会

（1993 年 3 月—　　）

主　席　孙　奇
副主席　林　声　刘鸣九　岳维春　刘庆奎
　　　　王树芝　高擎洲　张凌云　张成伦
　　　　龚世萍　马品芳

辽宁省军区

司令员　杨大易（1975 年 6 月—1983 年 5 月）
　　　　丁剑锐（1983 年 5 月—1985 年 8 月）
　　　　王有翰（1985 年 8 月—1990 年 6 月）
　　　　向经源（1990 年 6 月—　　）

政治委员
　　　　胡金波（1976 年 11 月—　　）
　　　　任仲夷（第一）（1978 年 4 月—1981 年 2 月）
　　　　马　瑛（1979 年 4 月—1982 年 10 月）
　　　　郭　峰（第一）（1981 年 2 月—1985 年 6 月）
　　　　刘东藩（1983 年 5 月—　　）
　　　　马盛林（1990 年 6 月—　　）
　　　　高殿成

吉　林　省

中国共产党吉林省委员会

第三届省委

（1977 年 3 月—1978 年 12 月）

第一书记　王恩茂
书　记　何友发　阮泊生　高　扬
副书记　兰干亭　张士英　宋洁涵　于　克

1979 年 1 月调整

第一书记　王恩茂
书　记　王大任　张根生　何友发　李砥平
　　　　于　林　于　克　张士英　宋洁涵

1981 年 10 月—1983 年 3 月

第一书记　强晓初
书　记　王大任　张根生　赵　修　何友发
　　　　李砥平　于　林　于　克　张士英
　　　　宋洁涵　刘敬之　霍明光
副书记　赵南起　肖　纯

第四届省委

(1983 年 3 月—1988 年 5 月)

第一书记　强晓初
书　记　张根生　高　狄　赵　修　赵南起
　　　　刘敬之
1985 年 5 月经中共中央批准，调整领导
班子：
书　记　高　狄
副书记　王先进　高德占　王忠禹

第五届省委

(1988 年 5 月—1993 年 4 月)

书　记　何竹康
副书记　王忠禹　杜春林　谷长春
　　　　张德江(后任)

吉林省人民代表大会常务委员会

第五届人民代表大会常务委员会

(1980 年 3 月—1983 年 4 月)

主　任　栗又文
副主任　李梦龄　宋任远　赵天野　徐寿轩
　　　　刘慈恺　苏俊禄　张开荆

毛　诚(女)　吴学周　陈　钟
吴　铎　成盛三　余瑞璜
仁钦扎木苏
(1980 年 3 月五届人大二次会议选举)

第六届人民代表大会常务委员会

(1983 年 4 月—1988 年 1 月)

主　任　于　克
副主任　杨战韬　刘慈恺　吴学周　吴　铎
　　　　成盛三　崔　林　王吉仁　余瑞璜
　　　　董　速(女)　仁钦扎木苏
(1983 年 4 月六届人大一次会议选举)
副主任　朱静航
(1984 年 4 月六届人大二次会议选举)
主　任　赵　修
副主任　霍明光　刘慈恺　吴　铎　成盛三
　　　　崔　林　王吉仁　余瑞璜　董　速
　　　　(女)
　　　　仁钦扎木苏　徐元存
(1985 年 5 月六届人大三次会议选举)

第七届人民代表大会常务委员会

(1988 年 1 月—1993 年 1 月)

主　任　霍明光
副主任　成盛三　崔　林　余瑞璜
　　　　仁钦扎木苏　朱静航
　　　　徐元存　陈振康
　　　　可沐云
(1988 年 1 月七届人大一次会议选举)

吉林省革命委员会

1977 年 2 月—1977 年 12 月

主　任　王恩茂
副主任　阮泊生　兰干亭　周　光　张　英
　　　　药天禄　宗希云　冯占武　许肇昌
　　　　吴招弟(女)　金泰然(女)

（1977 年 2 月中央批准任命）

1977 年 12 月—1980 年 3 月

主　任　王恩茂

副主任　阮泊生　张士英　宋洁涵　于　克
　　　　宗希云　穆　林　宋振庭　高　扬
　　　　安志文　魏振五
　　　　色音巴雅尔（蒙古族）
　　　　杨战韬　金泰然（女）
（1977 年 12 月五届人大一次会议选举）

副主任　王大任　张根生　王观潮　肖　纯
（1979 年 3 月中央批准任命）

吉林省人民政府

1980 年 3 月—1983 年 4 月
（吉林省五届人大期间）

省　长　于　克（　—1982 年 6 月）
副省长　张士英　穆　林　杨战韬　董　昕
　　　　肖　纯　王观潮　赵南起　王季平
　　　　李树仁　冯英奎　刘云沼
　　　　罗越嘉（女）
（1980 年 3 月五届人大二次会议选举）

副省长　李振江
（1981 年 1 月中央批准任命）

省　长　张根生
副省长　赵　修　杨战韬　董　昕　肖　纯
　　　　王观潮　赵南起　王季平　李树仁
　　　　冯英奎　刘云沼　罗越嘉　任青运
　　　　李振江
（1982 年 6 月五届人大四次会议选举）

1983 年 4 月—1988 年 1 月
（吉林省六届人大期间）

省　长　赵　修
副省长　霍明光　刘云沼　高德占　刘树林
　　　　王金山
（1983 年六届人大一次会议选举）

省　长　高德占（1985 年 6 月—1987 年 7 月）
副省长　刘云沼　高　文　刘树林　王金山
（1985 年 6 月六届人大三次会议决定）

代理省长　何竹康
副省长　回良玉
（1987 年 7 月六届人大常委会第二十六次会
　　议决定增补）

1988 年 1 月—1993 年 1 月
（吉林省七届人大期间）

省　长　何竹康（　—1989 年 3 月）
副省长　刘希林　高　文　李德洙　回良玉
　　　　高　严
（1988 年 1 月七届人大一次会议选举）

副省长　王忠禹
（1988 年 5 月七届人大常委会第三次会议决
　　定任命）

省　长　王忠禹
副省长　王云坤
（1989 年 3 月七届人大二次会议增补）

副省长　吴赤侠
（1989 年 12 月七届人大常委会第十三次会
　　议任命）

　　　　张岳琦（增补）　霍荣华（增补）

中国人民政治协商会议
吉林省委员会

第四届委员会
（1977 年 12 月—1983 年 4 月）

主　席　王恩茂
副主席　于　克　徐寿轩　李梦龄　王大珩
　　　　富振声　吴学周　栗又文　于毅夫
　　　　宋任远　张德馨　张文海　张开荆
　　　　毛　诚（女）　　成盛三　崔　采
　　　　刘风竹　肖丹峰　严子涛
（1977 年 12 月政协四届一次会议选举）
主　席　李砥平
副主席　富振声　于毅夫　宋任远　吴家象

钟明彪　车敏焦　张德馨　严子涛

王大珩　关梦觉　陶慰苏(女)

崔次丰　钱止庵　崔　采　刘风竹

肖丹峰　苗竹贤　杨如柏

(1980年4月政协四届二次会议选举)

第五届委员会

(1983年4月—1988年1月)

主　席　李砥平
副主席　张凤岐　车敏焦　张德馨　关梦觉
　　　　苗竹贤　贺云卿　耿岳仑
　　　　罗越嘉(女)　　辛　程
　　　　金明汉　蔡启运

(1983年4月政协五届一次会议选举)

副主席　卢士谦

(1984年4月政协五届二次会议增选)

主　席　刘敬之

(1985年5月政协五届三次会议选举)

第六届委员会

(1988年1月—1993年1月)

主　席　刘云沼
副主席　冯锡铭　张德馨　关梦觉　苗竹贤
　　　　耿岳仑　罗越嘉(女)　　金明汉
　　　　蔡启运　卢士谦　冯锡瑞

(1988年1月政协六届一次会议选举)

副主席　张洪奎

(1989年3月政协六届二次会议增选)

吉林省军区

司令员　陈兴印(1983年5月—1990年6月)
　　　　周再康(1990年6月—　　)
政治委员
　　王恩茂(1977年2月—1982年2月)(第一)
　　强晓初(第一)(1982年2月—1985年5月)
　　张　英(1976年10月—1979年2月)
　　刘路明(1979年6月—1983年5月)
　　刘　镜(1983年5月—1984年4月)

赵南起(1984年4月—1985年8月)

玉宗焕(1985年8月—　　)

施兆平

黑 龙 江 省

中国共产党黑龙江省委员会

第四届省委

(1979年1月—1983年8月)

第一书记　杨易辰
书　记　李力安　陈　雷　李剑白
　　　　文敏生(　—1981年2月)
　　　　王一伦　陈剑飞　陈烈民
　　　　王金籽　赵德尊
　　　　陈俊生(1981年9月—　　)
　　　　王路明(1981年9月—　　)
　　　　王　钊(1981年9月—　　)
　　　　侯　捷(1981年9月—　　)
第二书记　李力安(1981年9月—　　)

第五届省委

(1983年8月—1988年6月)

书　记　李力安
　　　　孙维本(1985年10月—　　)

第六届省委

(1988年6月—1993年5月)

书　记　孙维本
副书记　侯　捷　周文华　王海彦
　　　　马国良(1992年3月—　　)

黑龙江省人民代表大会
常务委员会

第五届人民代表大会常务委员会

(1979年12月—1983年4月)

主　任　赵德尊

副主任　倪　伟　张瑞麟　刘　潜　刘恢先
　　　　王丕年　王肇治　吴　诚　孙子原
　　　　杜国平　柏　青

（1979 年 12 月五届人大二次会议选举）

副主任　鲁　光

（1982 年五届人大五次会议补选）

第六届人民代表大会常务委员会

（1983 年 4 月—1988 年 1 月）

主　任　赵德尊

副主任　陈元直　鲁　光　王操犁　卫之民
　　　　张瑞麟　王金陵　刘恢先　王丕年
　　　　王肇治　王　军

（1983 年 4 月六届人大一次会议选举）

主　任　李剑白

副主任　陈元直　鲁　光　王操犁　卫之民
　　　　张瑞麟　王金陵　刘恢先　王丕年
　　　　王肇治　王　军　赵振华　张若先

（1985 年 5 月六届人大三次会议选举）

第七届人民代表大会常务委员会

（1988 年 1 月—1993 年 1 月）

主　任　孙维本

副主任　王　军　王玉生　王肇治　杜殿成
　　　　何首伦　张若先　赵清景　嵇　华

（1988 年 1 月七届人大一次会议选举）

副主任　陈烈民

（1989 年 3 月七届人大二次会议补选）

副主任　安振东　戚贵元

（1990 年 3 月七届人大三次会议补选）

副主任　李根深

（1992 年 3 月七届人大五次会议补选）

黑龙江省革命委员会

1977 年 2 月—1977 年 12 月

主　任　刘光涛

副主任　傅奎清　张林池　任仲夷　杨易辰
　　　　王一伦　苏　民　夏光亚　张春和
　　　　谢长华　曹　志　刘思聪　唐金枝
　　　　聂世荣　宋振业　马占春

1977 年 12 月—1978 年 1 月

主　任　杨易辰

副主任　张林池　王一伦　张春和　谢长华
　　　　刘思聪　唐金枝　聂世荣　宋振业
　　　　马占春

（1977 年 12 月五届人大一次会议选举）

1978 年 1 月—1979 年 12 月

主　任　杨易辰

副主任　陈　雷　陈剑飞　于洪亮　关　舟
　　　　张世军　王维文　侯　捷　阮永胜
　　　　孙子源　鲁　光　王金籽

（1978 年 1 月始任职）

副主任　王钊任（1978 年 8 月—　）
　　　　赵德尊　王路明　解方清

（1979 年 4 月始任职）

黑龙江省人民政府

1979 年 12 月—1983 年 4 月

（黑龙江省五届人大二次会议以后）

省　长　陈　雷

副省长　陈剑飞　王路明　侯　捷　李　瑞
　　　　解方清　王操犁　鲁　光　卫之民
　　　　王　军　王金陵

（1979 年 12 月五届人大二次会议选举）

1983 年 4 月—1988 年 1 月

（黑龙江省六届人大期间）

省　长　陈　雷

副省长 侯 捷 宫本言 王连铮 安振东
　　　何首伦

（1983 年 4 月六届人大一次会议选举）

省 长 侯 捷
副省长 刘仲藜 靖伯文

（1985 年 5 月六届人大三次会议增选）

1988 年 1 月—1993 年 2 月

（黑龙江省七届人大会议期间）

省 长 侯 捷
副省长 安振东 杜显忠 陈云林 邵奇惠
　　　黄 枫 戴漠安

（1988 年 1 月七届人大一次会议选举）

省 长 邵奇惠
副省长 丛福奎 孙魁文 周铁农

（以上人员 1989 年后增补）

中国人民政治协商会议
黑龙江省委员会

第四届委员会
（1977 年 12 月—1983 年 4 月）

主 席 杨易辰
副主席 王一伦 李延禄 杨和亭 张瑞麟
　　　王明贵 吴 诚 王金陵 刘恢先
　　　唐连第 王肇治 郭守昌

（1977 年 12 月政协四届一次会议选举）

主 席 王一伦

（1979 年 12 月政协四届二次会议选举）

副主席 肖一丹 王维之 孙西岐 薛兰斌
　　　金浪白

（1979 年 12 月政协四届二次会议增选）

副主席 王金陵

（1981 年 3 月政协四届三次会议增选）

副主席 高 衡

（1982 年 3 月政协四届四次会议增选）

第五届委员会
（1983 年 4 月—1988 年 4 月）

主 席 李剑白
副主席 包 琮 王明贵 杨子荣 唐连第
　　　王维之 郭守昌 李 敏 黄德馨
　　　傅世英 胡聿贤 洪 晶 麻新泉

（1983 年 4 月政协五届一次会议选举）

主 席 王 钊

（1985 年 5 月政协五届三次会议选举）

副主席 李 和

（1986 年 5 月政协五届四次会议增选）

副主席 宋克文

（1987 年 3 月政协五届五次会议增选）

第六届委员会
（1988 年 4 月—1993 年 1 月）

主 席 王 剑
副主席 张 厘 王 斐 刘恢先 唐连第
　　　郭守昌 李 敏（女）　黄德馨
　　　傅世英 麻新泉 宋克文

（1988 年 4 月政协六届一次会议选举）

副主席 黄 枫

（1990 年 5 月政协六届三次会议增选）

副主席 全玉祥 孟传生 陈文志

（1991 年 3 月政协六届四次会议增选）

黑龙江省军区

司令员 赵先顺（1975 年—1982 年 10 月）
　　　李德和（1983 年 4 月—1985 年 8 月）
　　　邵 和（1985 年 8 月—1990 年 6 月）
　　　唐作厚（1990 年 6 月—　 ）
　　　王贵勤
政治委员
　　　赵兴元（1973 年—1984 年 4 月）
　　　刘光涛（1977 年—1978 年 3 月）
　　　杨易辰（1978 年 5 月—1983 年 5 月）
　　　王丕礼（1979 年 6 月—1983 年 4 月）
　　　裴九洲（1984 年 4 月—1984 年 10 月）

马春娃(1985 年 5 月—　)

于景常

上　海　市

中国共产党上海市委员会

1976 年 10 月—1979 年 1 月

第一书记　苏振华(兼)

第二书记　倪志福(兼)

第三书记　彭　冲

书　记　周纯麟(　—1978 年 6 月)

　　　　林乎加(1977 年 1 月—1978 年 10 月)

　　　　严佑民(1977 年 1 月—　)

　　　　王一平(1977 年 1 月—　)

　　　　韩哲一(1977 年 11 月—　)

1979 年 1 月—1980 年 3 月

第一书记　彭　冲

第二书记　陈国栋(1980 年 1 月—　)

书　记　严佑民　王一平　韩哲一

　　　　钟　民(1979 年 4 月—　)

　　　　赵行志(1979 年 4 月—　)

　　　　夏征农(1979 年 4 月—　)

副书记　陈　沂(1979 年 5 月—　)

　　　　杨士法(1979 年 4 月—　)

　　　　陈锦华(1979 年 4 月—　)

1980 年 3 月—1983 年 3 月

第一书记　陈国栋

第二书记　胡立教(1981 年 1 月—　)

书　记　汪道涵(1980 年 6 月—　)

　　　　严佑民(　—1981 年 1 月)

　　　　王一平　韩哲一　钟　民

　　　　赵行志　夏征农

1983 年 3 月—1985 年 6 月

第一书记　陈国栋

第二书记　胡立教

书　记　杨　堤　汪道涵　阮崇武

1985 年 6 月—1986 年 3 月

书　记　芮杏文

副书记　江泽民　杨　堤

　　　　阮崇武(　—1985 年 9 月)

　　　　黄　菊　吴邦国

第五届市委

(1986 年 3 月—1992 年 10 月)

书　记　芮杏文(　—1987 年 11 月)

　　　　江泽民(1987 年 11 月—1989 年 8 月)

　　　　朱镕基(1989 年 8 月—1991 年 4 月)

　　　　吴邦国(1991 年 4 月—　)

副书记　江泽民(　—1987 年 11 月)

　　　　朱镕基(1987 年 12 月—1989 年 8 月)

　　　　杨　堤　黄　菊

　　　　吴邦国(1986 年 3 月—1991 年 4 月)

　　　　曾庆红(1986 年 10 月—1989 年)

　　　　陈至立(女)(1989 年 8 月—　)

　　　　倪鸿福(1989 年 11 月—　)

　　　　陈铁迪(1991 年 5 月—　)

上海市人民代表大会常务委员会

第七届人民代表大会常务委员会

(1979 年 12 月—1983 年 4 月)

主　任　严佑民

副主任　钟　民　张承宗　狄景襄　苏步青

　　　　王　涛　梁国斌　刘靖基　吴若安

　　　　周谷城　李培南

(1979 年 12 月七届人大二次会议选举)

主　任　胡立教

（1981 年 4 月七届人大三次会议选举）

第八届人民代表大会常务委员会

（1983 年 4 月—1988 年 4 月）

主　任　胡立教
副主任　赵祖康　施　平　陈　沂　何以祥
　　　　狄景襄　王　涛　刘靖基　吴若安
　　　　李培南　谈家桢　刘念智
（1983 年 4 月八届人大一次会议选举）
副主任　王　鉴　裴先白　舒　文　曹天钦
　　　　左　英
（1985 年 7 月八届人大四次会议补选）

第九届人民代表大会常务委员会

（1988 年 4 月—1993 年 2 月）

主　任　叶公琦
副主任　王崇基　叶叔华　华联奎　刘念智
　　　　刘靖基　孙贵璋　李家镐　陈铁迪
　　　　赵祖康　谈家桢
（1988 年 4 月九届人大一次会议选举）
副主任　胡传治
（1990 年 4 月九届人大三次会议补选）

上海市革命委员会

1976 年 10 月—1977 年 12 月

主　任　苏振华
第一副主任　倪志福
第二副主任　彭　冲
副主任　王一平　周纯麟　杨西光　杨富珍
　　　　林乎加　严佑民
　　　　赵行志
（以上 3 人从 1977 年 1 月—　）

1978 年—1979 年

主　任　苏振华（　—1979 年 1 月）

　　　　彭　冲（1979 年 1 月—　）
第一副主任　倪志福（　—1979 年 1 月）
第二副主任　彭　冲（　—1979 年 1 月）
副主任　周纯麟（　—1978 年 6 月）
　　　　林乎加（　—1978 年 6 月）
　　　　严佑民　王一平　韩哲一　陈锦华
　　　　赵行志　杨富珍　王　鉴
　　　　杨西光（　—1978 年 10 月）
　　　　杨　恺
副主任　杨士洁　杨心培　裴先白
（以上 3 人从 1978 年 5 月任职）
副主任　钟　民　陈宗烈　张承宗　狄景襄
（以上 4 人从 1979 年 4 月任职）

上海市人民政府

1979 年 12 月—1983 年 4 月

（上海市七届人大期间）

市　长　彭　冲（　—1981 年 4 月）
　　　　汪道涵（1980 年 10 月任代市长，1981
　　　　年 4 月当选市长）
副市长　王一平　韩哲一　陈锦华　赵行志
　　　　杨士洁　赵祖康　王　鉴　陈宗烈
　　　　杨　恺　裴先白　杨　堤
　　　　汪道涵（1980 年 6 月—　）
　　　　忻元锡（1982 年 3 月—　）
（1979 年 12 月七届人大二次会议选举）

1983 年 4 月—1988 年 4 月

（上海市八届人大期间）

市　长　汪道涵
副市长　阮崇武　朱宗葆　李肇基　刘振元
　　　　倪天增　叶公琦
（1983 年 4 月八届人大一次会议选举）
市　长　江泽民（1985 年 7 月—1988 年 4 月）
（1985 年 7 月八届人大三次会议选举）
副市长　黄　菊　谢丽娟　钱学中
（1986 年 10 月八届人大四次会议增补）

1988 年 4 月—1993 年 4 月

（上海市九届人大期间）

市 长 朱镕基（ —1991 年）

副市长 庄晓天 刘振元 顾传训 倪天增

　　　　倪鸿福 黄 菊 谢丽娟

（1988 年 4 月九届人大一次会议选举）

市 长 黄 菊（1991 年补选）

副市长 赵启正（增选）

中国人民政治协商会议
上海市委员会

第五届委员会

（1977 年 12 月—1983 年 4 月）

主 席 彭 冲

副主席 赵行志 张承宗 巴 金 李干成

　　　　赵祖康 黄赤波 冯德培 刘靖基

　　　　吴若安 王致中 周谷城 卢于道

　　　　苏步青 梁国斌 宋日昌

（1977 年 12 月政协五届一次会议选举）

主 席 王一平

（1979 年 12 月政协五届二次会议选举）

副主席 靖任秋 谈家桢 龙 跃 刘良模

　　　　杨宣武 许文思 唐君远

（1979 年 12 月政协五届二次会议增选）

第六届委员会

（1983 年 4 月—1988 年 4 月）

主 席 李国豪

副主席 张承宗 宋日昌 梅嘉生 杨士法

　　　　靖任秋 卢于道 赵超构 徐以枋

　　　　龙 跃 叶叔华 刘良模 唐君远

　　　　董寅初 吴文琪

（1983 年 4 月政协六届一次会议选举）

副主席 毛经权 杨 恺 周 璧

　　　　张瑞芳（女）

（1985 年 7 月政协六届四次会议增选）

副主席 杨 栖

（1986 年 4 月政协六届五次会议增选）

副主席 严东生

（1987 年 4 月政协六届六次会议增选）

第七届委员会

（1988 年 4 月—1993 年 2 月）

主 席 谢希德（女）

副主席 毛经权 王 兴 赵超构 徐以枋

　　　　唐君远 董寅初 张瑞芳（女）

　　　　杨 栖 严东生 吴增亮 陈铭珊

　　　　郑励志 赵宪初

（1988 年 4 月政协七届一次会议选举）

副主席 陈灏珠

（1989 年 4 月政协七届二次会议增选）

上海警备区

司令员

　　何以祥（兼）（1978 年 5 月—1981 年 6 月）

　　王景昆（1981 年 6 月—1983 年 5 月）

　　郭 涛（1983 年 5 月—1985 年 6 月）

　　巴忠倓（1985 年 8 月—1990 年 6 月）

　　徐文义（1990 年 6 月— ）

政治委员

　　李宝奇（1975 年 10 月—1981 年 1 月）

　　彭 冲（第一）（兼）（1978 年 7 月—1980 年
　　　　　　　　　　　　　　　　6 月）

　　陈国栋（第一）（兼）（1980 年 6 月—1985 年
　　　　　　　　　　　　　　　　6 月）

　　章 尘（1981 年 1 月—1983 年 5 月）

　　平昌喜（1983 年 5 月—1985 年 6 月）

　　平昌喜（1985 年 8 月—1987 年 7 月）

　　杨志泛（1987 年 7 月—1990 年 6 月）

　　朱晓初（1990 年 6 月— ）

江 苏 省

中国共产党江苏省委员会

第六届省委

（1977 年 12 月—1984 年 12 月）

第一书记　许家屯
书　记　胡　宏　王敏生　储　江　钟国楚
　　　　周　泽

1978 年 1 月—

书记处书记　许家屯　胡　宏　储　江
　　　　　　惠浴宇　钟国楚　周　泽
　　　　　　张仲良　包厚昌

第七届省委

（1984 年 12 月—1989 年 12 月）

书　记　韩培信
副书记　沈达人　顾秀莲（女）　孙　颔

第八届省委

（1989 年 12 月—　）

书　记　沈达人（　—1993 年 9 月 30 日）
　　　　陈焕友（1993 年 9 月 30 日—　）
副书记　陈焕友　邓鸿勋（　—1990 年 5 月）
　　　　孙家正　曹鸿鸣　曹克明

江苏省人民代表大会常务委员会

第五届人民代表大会常务委员会

（1979 年 12 月—1983 年 5 月）

主　任　许家屯
副主任　张仲良　钟国楚　宋少波　匡亚明
　　　　何冰皓　戴为然　谢克东　陈鹤然
　　　　杨汉林　叶胥朝　刘树勋　廖运泽
（1979 年 12 月五届人大二次会议选举）

第六届人民代表大会常务委员会

（1983 年 5 月—1988 年 2 月）

主　任　储　江
副主任　辛少波　匡亚明　陈德先　何冰皓
　　　　刘树勋　钟国楚　李庆逵

第七届人民代表大会常务委员会

（1988 年 2 月—1993 年 4 月）

主　任　韩培信
副主任　李执中　邢　白　李庆逵　杜子威
（1988 年 2 月七届人大一次会议选举）
副主任　张耀华　唐念慈
（1989 年 4 月七届人大二次会议增选）
副主任　秦　杰
（1991 年 3 月七届人大四次会议补选）
副主任　凌启鸿
（1992 年 3 月七届人大五次会议补选）

江苏省革命委员会

1977 年 12 月—1979 年 12 月

主　任　许家屯
副主任　胡　宏　王敏生　周　泽　惠浴宇
　　　　丁可则　汪冰石　张仲良　陈　光
　　　　汪海粟　戴为然　李执中　陈克天
　　　　章瑞英　刘锡庚
（1977 年 12 月五届人大一次会议选出）
副主任　金　逊　宫维桢　柳　林　徐方恒
　　　　周一峰　洪沛霖
（1979 年 2 月增补）

江苏省人民政府

1979 年 12 月—1983 年 5 月

（江苏省五届人大二次会议以后）

省　长　惠浴宇（　—1982 年辞职）
副省长　周　泽　宫维桢　汪海粟
　　　　吴贻芳（女）　　汪冰石　金　逊

　　　　柳　林　杨廷宝　李执中　陈克天
　　　　洪沛霖
　　（1979 年 12 月五届人大二次会议选举）
代省长　韩培信
　　（1982 年 7 月五届人大常委会第十五次会议
　　决定）

1983 年 5 月—1988 年 2 月
（江苏省六届人大期间）

省　长　顾秀莲（女）
副省长　金　逊　陈焕友　凌启鸿　杨泳沂
　　　　张绪武　李绶章
　　（1983 年 5 月 30 日六届人大一次会议选举）

1988 年 2 月—1993 年 1 月
（江苏省七届人大期间）

省　长　顾秀莲（女）（　—1989 年 4 月）
　　　　陈焕友（1989 年 4 月—　）
副省长　陈焕友（　—1989 年 4 月）
　　　　凌启鸿　杨泳沂　张绪武
　　　　李绶章　吴锡军
　　（1988 年 2 月和 1989 年 4 月七届人大一、二
　　次会议选举）

中国人民政治协商会议
江苏省委员会

第四届委员会
（1977 年 12 月—1983 年 4 月）

主　席　许家屯
副主席　刘顺元　宫维桢　张光中　张启龙
　　　　李士英　管文蔚　杨廷宝
　　　　吴贻芳（女）　　刘国钧　陈鹤琴
　　　　曾如清　包厚昌　刘树勋　陈中凡
　　　　华诚一　王昭铨　廖运泽　丁光训
　　（1977 年 12 月政协四届一次会议选举）
主　席　惠浴宇

副主席　韦永义　朱　辉　刘毓标　陈玉生
　　　　叶胥朝　张敬礼
　　（1979 年 8 月政协四届二次会议选举）
主　席　包厚昌
副主席　黄朝天　吴　觉　周文在　陈立平
　　　　艾明山　顾复生　刘烈人　邓昊明
　　　　高觉敷　欧阳惠林
　　（1980 年 1 月政协四届三次会议增选）

第五届委员会
（1983 年 4 月—1988 年 1 月）

主　席　钱钟韩
副主席　吴贻芳（女）　　韦永义　王昭铨
　　　　廖运泽　丁光训　邓昊明　高觉敷
　　　　欧阳惠林　　左　爱　陈敏之
　　　　陈邃衡　程秉文　杜子威
　　（1983 年 4 月政协五届一次会议选举）
副主席　宫维桢
　　（1984 年 6 月政协五届二次会议增选）
副主席　罗运来　刘星汉
　　（1985 年 5 月政协五届三次会议增选）
副主席　陈宗烈
　　（1987 年 4 月政协五届五次会议增选）

第六届委员会
（1988 年 1 月—1993 年 4 月）

主　席　钱钟韩
副主席　罗运来　丁光训　邓昊明　高觉敷
　　　　陈宗烈　陈敏之　陈邃衡　程秉文
　　　　刘星汉　章臣桓　杭鸿志
　　（1988 年 1 月政协六届一次会议选举）
主　席　孙　颔
　　（1989 年 4 月政协六届二次会议选举）
副主席　彭司勋　徐英锐　韩文藻　童　傅
　　（1991 年 3 月政协六届四次会议增选）
副主席　戴顺智
　　（1992 年 3 月政协六届五次会议增选）

江苏省军区

司令员　刘先胜　段焕竞　赵　俊
　　　　黄朝天（代）　　王景昆
　　　　林有声　甄　申
　　　　章昭熏（1988 年 8 月—1992 年 3 月）
　　　　郑炀清（1992 年 3 月—　）
政治委员　江渭清　肖望东（第二）　黄火星
　　　　　曾如清　吴大胜　梁辑卿　钟国楚
　　　　　宋　文　许家屯（第一）　罗清涛
　　　　　韩培信　彭　勃
　　　　　岳德旺（1983 年 5 月—　）
　　　　　魏长安（1990 年 6 月—　）

浙　江　省

中国共产党浙江省委员会

第六届省委

（1978 年 5 月—1983 年 11 月）

第一书记　铁　瑛（　—1983 年 3 月）
书　记　李丰平　陈伟达　陈作霖
　　　　官峻亭（1978 年 6 月—　）
副书记　王　芳　张敬堂
　　　　薛　驹（1979 年 2 月—　）
　　　　崔　健（1980 年 7 月—　）
1983 年 3 月中央决定：
书　记　王　芳
副书记　薛　驹　陈法文　吴敏达

第七届省委

（1983 年 12 月—1988 年 12 月）

书　记　王　芳
　　　　薛　驹（1987 年 4 月—　）
副书记　薛　驹　陈法文　吴敏达

第八届省委

（1988 年 12 月—1993 年 12 月）

书　记　李泽民
副书记　沈祖伦　葛洪升　刘　枫
　　　　朱其超（1992 年—　）

浙江省人民代表大会常务委员会

第五届人民代表大会常务委员会

（1979 年 12 月—1983 年 4 月）

主　任　铁　瑛
副主任　王　芳　刘　丹　刘子正　夏　琦
　　　　林辉山　厉矞华　李蓝炎　王启东
　　　　朱祖祥
（1979 年 12 月五届人大二次会议选举）
副主任　余纪一　邢子陶
（1981 年 5 月五届人大三次会议增选）
主　任　王耀亭
（1982 年 6 月五届人大四次会议增选）

第六届人民代表大会常务委员会

（1983 年 4 月—1988 年 1 月）

主　任　李丰平
副主任　陈安羽　刘　丹　刘子正　商景才
　　　　厉矞华　吴植椽　王启东　朱祖祥
　　　　余纪一　邢子陶　李克昌
（1983 年 4 月六届人大一次会议选举）

第七届人民代表大会常务委员会

（1988 年 1 月—1993 年 1 月）

主　任　陈安羽
副主任　吴敏达　吴植椽　厉矞华　王启东
　　　　朱祖祥　王裕民　杨　彬

浙江省革命委员会

1977 年 2 月—1977 年 12 月

主　任　铁　瑛（1977 年 2 月始任职）

副主任　陈伟达（1977 年 5 月始任职）

1977 年 12 月—1979 年 12 月

主　任　铁　瑛

副主任　陈伟达　陈作霖　张子石　蒋宝娣

　　　　冯　克　袁芳烈　王　芳　王博平

　　　　刘亦夫　陈安羽　翟翕武

　　　　（1977 年 12 月始任职）

副主任　李丰平

　　　　（1978 年 12 月始任职）

浙江省人民政府

1979 年 12 月—1983 年 4 月
（浙江省五届人大期间）

省　长　李丰平

副省长　陈作霖　袁芳烈　翟翕武　王博平

　　　　李克昌　汤元炳　刘亦夫

　　　　（1979 年 12 月五届人大二次会议选举）

副省长　王家扬　吴植椽　牟海秀

　　　　（1981 年 5 月五届人大三次会议增选）

副省长　张兆万

　　　　（1981 年 12 月始任职）

1983 年 4 月—1988 年 2 月
（浙江省六届人大期间）

省　长　薛　驹

副省长　张兆万　吴敏达　沈祖伦　李德葆

　　　　徐起超

　　　　（1983 年 4 月六届人大一次会议选举）

副省长　许行贯

　　　　（1986 年 11 月增补）

1988 年 2 月—1993 年 2 月
（浙江省七届人大期间）

省　长　沈祖伦

副省长　许行贯　王钟麓　李德葆　柴松岳

　　　　（1988 年 2 月七届人大一次会议选举）

省　长　葛洪升

中国人民政治协商会议
浙江省委员会

第四届委员会
（1977 年 12 月—1983 年 4 月）

主　席　铁　瑛

副主席　陈伟达　陈　冰　毛齐华　吴　宪

　　　　何克希　汤元炳　余纪一　林辉山

　　　　陈　立　蔡　堡　李蓝炎　吴又新

　　　　王季午　周庆祥　杨海波　陈礼节

　　　　江希明　崔东伯

　　　　（1977 年 12 月政协四届一次会议选举）

主　席　毛齐华

副主席　薛　驹　张忍之　彭瑞林　何志斌

　　　　（1979 年 12 月政协四届二次会议增选）

副主席　朱之光　周春晖　冯梯云

　　　　（1981 年 5 月政协四届三次会议增选）

第五届委员会
（1983 年 4 月—1988 年 1 月）

主　席　王家扬

副主席　汤元炳　张忍之　蔡　堡　吴又新

　　　　朱之光　陈礼节　江希明　孙章录

　　　　何志斌　周春晖　冯梯云　蒋次升

　　　　邱清华　曹萱龄（女）

　　　　（1983 年 4 月政协五届一次会议选举）

副主席

　　詹少文

　　　　（1984 年 6 月政协五届二次会议增选）

副主席　王承绪　丁德云

　　　　（1985 年 6 月政协五届三次会议增选）

副主席　杨士林

　　　　（1986 年 5 月政协五届四次会议增选）

副主席　厉德馨　苏纪兰

（1987 年 5 月政协五届五次会议增选）

第六届委员会

（1988 年 1 月—1993 年 1 月）

主　席　商景才
副主席　汤元炳　厉德馨　吴又新　何志斌
　　　　周春晖　蒋次升　邱清华　詹少文
　　　　王承绪　丁德云　李朝龙　苏纪兰
　　　　薛艳庄（女）

（1988 年 1 月政协六届一次会议选举）

浙江省军区

司令员　官峻亭（1978 年 5 月—1982 年 4 月）
　　　　康明才（1982 年 4 月—1985 年 8 月）
　　　　黎　靖（1985 年 8 月—1988 年 4 月）
　　　　杨士杰（1990 年 6 月—　）
政治委员
　　　　铁　瑛（1977 年 2 月—1983 年 5 月省委书
　　　　记，兼）
　　　　牟翰清（1978 年 7 月—1981 年 7 月）
　　　　罗清涛（1981 年 7 月—1983 年 7 月）
　　　　王　芳（1983 年 7 月—1986 年 3 月省委书
　　　　记，兼）
　　　　马骥良（1983 年 5 月—1985 年 8 月）
　　　　刘新增（1985 年 8 月—1988 年 3 月）
　　　　徐永清（1988 年 8 月—　）

安　徽　省

中国共产党安徽省委员会

第三届省委

（1971 年 1 月—1984 年 12 月）

第一书记　宋佩璋（1975 年 5 月—　）
　　　　　万　里（1977 年 6 月—　）
　　　　　张劲夫（1980 年 3 月—　）
　　　　　周子健（代理，1982 年 4 月—　）

书　记　宋佩璋（　—1975 年 5 月）
　　　　黄　璜（1983 年 3 月—　）
副书记　李任之　梁辑卿　郭宏杰

第四届省委

（1984 年 12 月—1990 年 2 月）

书　记　黄　璜（　—1986 年 4 月）
　　　　李贵鲜（1986 年 4 月—　）
　　　　卢荣景（1988 年 4 月—　）
副书记　王郁昭　史钧生　卢荣景　徐乐义

第五届省委

（1990 年 3 月—　）

书　记　卢荣景
副书记　傅锡寿　孟富林　杨永良

安徽省人民代表大会
常务委员会

第五届人民代表大会常务委员会

（1979 年 12 月—1983 年 4 月）

主　任　顾卓新
副主任　李世农　胡开明　黄　岩　马长炎
　　　　程业棠　李凡夫　刘儒林　杨承宗
　　　　应宜权（女）　杨　明　张祚荫

（1979 年 12 月五届人大二次会议选举）

副主任　夏德义　赵敏学　李广清

（1981 年 2 月五届人大三次会议补选）

副主任　陈元良　赵　凯

（1982 年 2 月五届人大四次会议补选）

第六届人民代表大会常务委员会

（1983 年 4 月—1988 年 1 月）

主　任　杨蔚屏
副主任　黄　岩　苏　羽　张祚荫　魏心一
　　　　夏德义　郑　锐　杨承宗　赵敏学

应宜权(女)　　康志杰　杜维佑
郑淮舟
（1983 年 4 月六届人大一次会议选举）
主　任　王光宇
副主任　苏　桦
（1985 年 3 月六届人大三次会议选举）
副主任　陈庭元
（1986 年 4 月六届人大四次会议补选）

第七届人民代表大会常务委员会

（1988 年 1 月—1993 年 2 月）

主　任　王光宇
副主任　苏　桦　郑　锐　应宜权(女)
　　　　康志杰　杜维佑　杨纪珂
　　　　陈天任　陈庭元　黄　驭
（1988 年 1 月七届人大一次会议选举）
副主席　杜宏本
（1989 年 4 月七届人大二次会议补选）
副主任　孟富林　陆子修
（1992 年 3 月七届人大五次会议补选）

安徽省革命委员会

1978 年 1 月—1979 年 12 月

主　任　万　里
副主任　李任之　顾卓新　赵守一　王光宇
　　　　马敬铮　程光华　杨蔚屏　马长炎
　　　　张祚荫　胡　坦　孟家芹　郭体祥
　　　　李振东
（1978 年 1 月五届人大一次会议选举）

安徽省人民政府

1979 年 12 月—1983 年 4 月

（安徽省五届人大期间）

省　长　张劲夫（　—1981 年 3 月）
副省长　杨蔚屏　程光华　侯　永　孟家芹

魏心一　黄　驭　杨纪珂　郭体祥
孟富林
（1979 年 12 月五届人大二次会议选举）
省　长　周子健
副省长　李清泉
（1981 年 3 月 3 日五届人大三次会议选举）
副省长　苏　羽　胡　坦
（1981 年 10 月五届人大常委会第十次会议
任命）
副省长　康志杰
（1982 年 3 月五届人大四次会议选举）

1983 年 4 月—1988 年 2 月

（安徽省六届人大期间）

省　长　王郁昭（　—1987 年 6 月）
副省长　苏　桦　侯　永　杨纪珂　孟富林
黄　驭
（1983 年 4 月六届人大一次会议选举）
副省长　张大为　邵　明
（1984 年 12 月六届人大常委会第十一次会
议任命）
副省长　王厚宏　宋　明(女)
（1985 年 3 月六届人大三次会议补选）
副省长　龙　念　汪涉云
（1987 年 4 月六届人大五次会议补选）
代理省长　卢荣景
（1987 年 6 月六届人大常委会第三十次会议
任命）

1988 年 2 月—1993 年 1 月

（安徽省七届人大期间）

省　长　卢荣景（　—1989 年 4 月）
副省长　龙　念　杜宜瑾　吴昌期　汪涉云
张润霞(女)　邵　明
（1988 年 2 月七届人大一次会议选举）
省　长　傅锡寿
（1989 年 4 月七届人大二次会议选举）

中国人民政治协商会议安徽省委员会

第四届委员会

（1978 年 1 月—1983 年 4 月）

主 席 顾卓新
副主席 李世农 张恺帆 黄 岩 杜 蓬
　　　 魏建章 吴彦求 彭宗珠 钱俊瑞
　　　 刘儒林 房师亮 王 中 李凡夫
　　　 王泽农 方启申（女）　柴登榜
　　　 孙女樵
（1978 年 1 月政协四届一次会议选举）
主 席 张恺帆
（1980 年 1 月政协四届二次会议选举）
副主席 杨家保 赵敏学 潘锷镩
（1980 年 1 月政协四届二次会议增选）
副主席 龚意农 刘征文 操震球 高 鸿
　　　 陈天任 马乐庭
（1981 年 3 月政协四届三次会议增选）
副主席 朱 农 胡锡光 方向明
（1982 年 3 月政协四届四次会议增选）

第五届委员会

（1983 年 4 月—1988 年 2 月）

主 席 张恺帆
副主席 孙宗溶 李清泉 吴彦求 房师亮
　　　 洪 沛 朱 农 王泽农 柴登榜
　　　 孙友樵 潘锷镩 郑家琪 操震球
　　　 陈天任 赖少其 马乐庭
（1983 年 4 月政协五届一次会议选举）
主 席 杨海波
（1985 年 3 月政协五届三次会议选举）
副主席 丁继哲 光仁洪 滕茂桐
（1985 年 3 月政协五届三次会议增选）
主 席 史钧杰
（1986 年 4 月政协五届四次会议选举）
副主席 李继祥 孟亦奇
（1986 年 4 月政协五届四次会议增选）

第六届委员会

（1988 年 2 月—1993 年 2 月）

主 席 史钧杰
副主席 徐乐义 马乐庭 王泽农 刘一平
　　　 光仁洪 孙友樵 孟亦奇 滕茂相
　　　 潘锷镩 操震球
（1988 年 2 月政协六届一次会议选举）
副主席 赵怀寿
（1989 年 4 月政协六届二次会议增选）
副主席 李明俊
（1992 年 3 月政协六届五次会议增选）

安徽省军区

司令员 酒德和（1983 年 5 月— ）
　　　 李元嘉（1985 年 8 月— ）
　　　 沈善文
政治委员 万 里（第一）（1977 年 6 月— ）
　　　　 刘耀祖（1978 年— ）
　　　　 王文模（第一）（1978 年 10 月— ）
　　　　 张劲夫（第一）（1980 年 6 月— ）
　　　　 熊玉坤（1981 年 7 月— ）
　　　　 黄 璜（第一）（1983 年 5 月— ）
　　　　 张林元（1983 年 5 月— ）
　　　　 石 磊（1987 年 4 月— ）
　　　　 陈培森

福 建 省

中国共产党福建省委员会

1976 年 10 月—1979 年 12 月

第一书记 廖志高
书 记 朱绍清 马兴元
　　　 江礼银（ —1978 年 12 月）
　　　 林一心（ —1979 年 3 月）
　　　 金昭典
　　　 伍洪祥（1978 年 9 月— ）

白治民(1978 年 9 月—1979 年 7 月)

李正亭(1979 年 7 月—　)

郭　超(1979 年 8 月—　)

许　亚(1979 年 8 月—　)

第三届省委

1979 年 12 月—1982 年 7 月

第一书记

　　廖志高(　—1982 年 2 月)

　　项　南(1982 年 2 月—1982 年 7 月)

常务书记

　　项　南(1980 年 12 月—1982 年 2 月)

书　记　马兴元　金昭典　伍洪祥

　　　　李正亭(　—1981 年 9 月)

　　　　郭　超许　亚

　　　　程　序(1981 年 7 月—　)

1982 年 7 月—1985 年 7 月

第一书记　项　南

常务书记　胡　宏

书　记　胡　平　程　序　袁　改　温秀山

　　　　张渝民　张克祥　高　胡

　　　　王一士(　—1984 年 3 月)

　　　　贾庆林

第四届省委

(1985 年 7 月—1990 年 11 月)

书　记　项　南(　—1986 年 3 月)

　　　　陈光毅(1986 年 3 月—　)

副书记　胡　平(　—1987 年 9 月)

　　　　贾庆林(1985 年 11 月—　)

　　　　王兆国(1987 年 8 月—　)

第五届省委

(1990 年 11 月—　)

书　记　贾庆林

副书记　袁启彤

　　　　林开钦　陈明义(1993 年 9 月—　)

福建省人民代表大会
常务委员会

第五届人民代表大会常务委员会
(1979 年 12 月—1983 年 4 月)

主　任　廖志高

副主任　蔡　黎　蓝荣玉　刘永生　王　直

　　　　贾久民　贺敏学　陈希仲　傅伯翠

　　　　蔡良承　侯林舟　卢嘉锡

　　　　任曼君(女)　李温仁

　　　　(1979 年 12 月五届人大二次会议选举)

主　任　项　南

　　　　(1982 年 2 月五届人大四次会议选举)

第六届人民代表大会常务委员会
(1983 年 4 月—1988 年 1 月)

主　任　胡　宏

副主任　蔡　黎　刘永生　郭瑞人

　　　　康北笙(女)　王　直　曾　鸣

　　　　刘永业　侯林舟　蔡良承

　　　　(1983 年 4 月六届人大一次会议选举)

主　任　程　序

副主任　王　炎　温秀山

　　　　(1985 年 10 月六届人大三次会议补选)

副主任　王一士

　　　　(1987 年 5 月六届人大五次会议补选)

第七届人民代表大会常务委员会
(1988 年 1 月—1993 年 1 月)

主　任　程　序

副主任　郭瑞人　温秀山　黄长溪　张渝民

　　　　康北笙(女)　王一士　刘永业

　　　　肖　健

（1988 年 1 月七届人大一次会议选举）

副主任 游德馨

（1992 年 4 月七届人大五次会议补选）

福建省革命委员会

1976 年 10 月—1979 年 12 月

主 任 廖志高

副主任 蓝荣玉　伍洪祥

田毓民（ —1978 年 1 月）

洪秀枞（ —1978 年 1 月）　郑火排

贾久民（ —1978 年 1 月）　刘永生

魏金生（ —1978 年 1 月）

李敏唐（ —1978 年 1 月）　许 亚

梁灵光（ —1979 年 10 月）

金昭典（1976 年 10 月始任职）

副主任 张格心（1976 年 10 月— ）

毕际昌（1977 年 12 月— ）

王 炎（1978 年 1 月— ）

马兴元（1978 年 1 月— ）

张 遗（1978 年 9 月—）

白治民（1978 年 9 月—1979 年 7 月）

温附山（1978 年 9 月— ）

郭 超（1979 年 8 月— ）

福建省人民政府

1979 年 12 月—1983 年 4 月
（福建省五届人大期间）

省 长 马光元（ —1983 年 1 月）

副省长 金昭典（ —1982 年 10 月）

伍洪祥（ —1982 年 10 月）

郭 超（ —1982 年 10 月）

许 亚（ —1982 年 10 月）

郭瑞人（ —1982 年 10 月）　王 炎

张格心 毕际昌（ —1981 年 6 月）

张 遗 温附山

（1979 年 12 月省五届人大二次会议选举）

副省长 胡 平（1981 年 10 月—1982 年 8 月）

黄长溪（1982 年 10 月—1983 年 6 月）

陆东明（1982 年 10 月—1983 年 6 月）

常务副省长 胡 平（1982 年 8 月— ）

代理省长 胡 平（1983 年 1 月— ）

1983 年 4 月—1988 年 1 月
（福建省六届人大期间）

省 长 胡 平（ —1987 年 9 月）

副省长 王 炎（ —1983 年 6 月）

张格心（ —1983 年 6 月）

张 遗（ —1985 年 8 月）

温附山（ —1983 年 6 月）

陆东明（ —1983 年 12 月撤职）

蔡宁林（1983 年 4 月— ）

王一士（1984 年 3 月—1987 年 5 月）

游德馨（1984 年 3 月— ）

陈明义（1985 年 8 月— ）

陈彬藩（1985 年 8 月—1987 年 7 月）

苏昌培（1987 年 5 月— ）

代理省长 王兆国（1987 年 9 月— ）

（以上人员，福建省六届人大期间选举或任命）

1988 年 1 月—1995 年 1 月
（福建省七届人大期间）

省 长 王兆国

副省长 蔡宁林　游德馨　陈明义　苏昌培
施性谋

（以上人员 1988 年 1 月七届人大一次会议选举）

刘金美（1990 年 1 月增补）

省 长 贾庆林（补选）

副省长 张家坤

（1992 年 4 月七届人大五次会议补选）

中国人民政治协商会议
福建省委员会

第四届委员会

（1977 年 12 月—1983 年 4 月）

主　席　廖志高

副主席　林一心　袁　改　倪南山　贾久民
　　　　贺敏学　尤扬祖　陈希仲　卢嘉锡
　　　　郭瑞人　王世锐　卢浩然

（1977 年 12 月政协四届一次会议选举）

主　席　伍洪祥

（1979 年 12 月政协四届二次会议选举）

副主席　熊兆仁　郑　瑛　罗炳钦　魏金水
　　　　倪松茂　郑丹甫　左丰美

（1979 年 12 月政协四届二次会议增选）

第五届委员会

（1983 年 4 月—1988 年 1 月）

主　席　伍洪祥

副主席　陈希仲　张克辉　蒋学道　倪松茂
　　　　许显时　赵修复　卢浩然　左丰美
　　　　郑丹甫　卢　叨　陈仰曾

（1983 年 4 月政协五届一次会议选举）

主　席　袁　玫

（1985 年 10 月政协五届三次会议选举）

副主席　许集美

（1985 年 10 月政协五届三次会议增选）

第六届委员会

（1988 年 1 月—1993 年 1 月）

主　席　陈光毅

副主席　陈希仲　张克辉　凌　青　倪松茂
　　　　赵修复　卢浩然　陈仰曾　许集美
　　　　高　胡　洪华生（女）　林梦飞

（1988 年 1 月政协六届一次会议选举）

福建省军区

司令员　丛德滋（1976 年 12 月—1983 年 5 月）

卢福祥（1983 年 5 月—1985 年 8 月）
张宗德（1985 年 12 月—1990 年 6 月）
陈树清（1990 年 6 月—　　）
任永贵

政治委员
蒋润观（1975 年 7 月—1979 年 11 月）
张志勇（1979 年 3 月—1980 年 7 月）
孟乐天（1980 年 7 月—1983 年 5 月）
林治泽（1983 年 5 月—1985 年 9 月）
张宗德（1985 年 9 月—1985 年 12 月）
丛立志（1985 年 12 月—1988 年 7 月）
陈树清（1988 年 7 月—1990 年 6 月）
郑仕超（1990 年 6 月—　　）
张玉江

江　西　省

中国共产党江西省委员会

第八届省委

（1985 年 6 月—1990 年 9 月）

书　记　万绍芬（女）（　—1988 年 4 月）
　　　　毛致用（1988 年 4 月—　　）

副书记　刘方仁
　　　　倪献策（　—1986 年 8 月）
　　　　许　勤
　　　　吴官正（1986 年 10 月—　　）

第九届省委

（1990 年 9 月—　　）

书　记　毛致用

副书记　吴官正　刘方仁（免）　蒋祝平（免）
　　　　朱治宏（1992 年—　　）
　　　　卢秀珍

江西省人民代表大会
常务委员会

第五届人民代表大会常务委员会

（1979 年 12 月—1983 年 4 月）

主　任　杨尚奎

副主任　刘俊秀　李毅章　罗孟文　张宇晴
　　　　叶长庚　李芳远　徐　敏（女）
　　　　谷霁光　谢象晃

（1979 年 12 月五届人大二次会议选举）

第六届人民代表大会常务委员会

（1983 年 4 月—1988 年 1 月）

主　任　马继孔

副主任　王泽民　张宇晴　谢象晃　信俊杰
　　　　张国震　郑校先　黄贤度

（1983 年 4 月六届人大一次会议选举）

主　任　王书枫

副主任　梁凯轩　彭胜昔　柳　滨（女）

（1985 年 6 月六届人大三次会议补选）

第七届人民代表大会常务委员会

（1988 年 1 月—1993 年 2 月）

主　任　许　勤

副主任　王泽民　裴德安　梁凯轩　黄贤度

（1988 年 1 月七届人大一次会议选举）

副主任　王国本　王仲发

（1990 年 4 月七届人大三次会议补选）

副主任　王昭荣　钱家铭　胡东太

（1991 年 3 月七届人大四次会议补选）

江西省革命委员会

1978 年 2 月—1979 年 2 月

主　任　江渭清

副主任　白栋材　黄知真　刘俊秀　方志纯
　　　　信俊杰　彭梦庚　李毅章　王昭荣

赵志坚　万里浪

（1978 年 2 月五届人大一次会议选举）

副主任　马继孔　傅雨田　刘仲侯

（1978 年 12 月增补）

江西省人民政府

1979 年 2 月—1983 年 4 月

（江西省五届人大期间）

省　长　白栋材（　—1982 年 9 月）

副省长　傅雨田　王实先　王昭荣　李世璋
　　　　许　勤　张国震　方　谦　梁凯轩

（1979 年 12 月五届人大二次会议选举）

副省长　郑校先（1981 年 8 月增补）

代省长　赵增益

（1982 年 6 月五届人大常委会第十三次会议
　决定任命）

1983 年 4 月—1988 年 1 月

（江西省六届人大期间）

省　长　赵增益（　—1985 年 6 月）

副省长　倪献策　梁凯轩　柳　斌

（1983 年 4 月六届人大一次会议选出）

副省长　孙希岳　陈癸尊

（1985 年 3 月增补）

省　长　倪献策（1985 年 6 月—1986 年 10 月
　撤职）

副省长　蒋祝平　钱家铭

（1985 年 6 月六届人大三次会议决定）

省　长　吴官正

（1986 年 10 月六届人大五次会议选举）

1988 年 1 月—1995 年 2 月

（江西省七届人大期间）

省　长　吴官正

副省长　蒋祝平　黄　璜　钱家铭　孙希岳
　　　　陈癸尊

（1988 年 1 月七届人大一次会议选举）

副省长 张逢雨(1988 年 11 月增补)

　　　　周热平(增补)　　　舒惠国(增补)

中国人民政治协商会议
江西省委员会

第四届委员会
（1978 年 2 月—1983 年 5 月）

主　席　杨尚奎

副主席　罗孟文　甘祖昌　梁达山　潘震亚

　　　　李世璋　胡德兰(女)　　　刘护平

　　　　钟　平　赖绍尧　谷霁光　潘式言

　　　　何世琨　陆孝彭　沈翰卿

（1978 年 2 月政协四届一次会议选举）

主　席　方志纯

（1979 年 12 月政协四届二次会议选举）

副主席　马继孔　朱开铨　呈甄锋　李华封

　　　　倪南山　刘建华

（1979 年 12 月政协四届二次会议增选）

第五届委员会
（1983 年 5 月—1988 年 1 月）

主　席　吴　平

副主席　李世璋　谷霁光　何世琨　陆孝彭

　　　　沈翰卿　李华封　刘建华　吕　良

　　　　朱旦华(女)　　　郭庆棻　李善元

　　　　吴永乐

（1983 年 5 月政协五届一次会议选举）

副主席　杨永峰　武惕予　金立强

（1984 年 5 月政协五届二次会议增选）

副主席　吴允中

（1985 年 7 月政协五届三次会议增选）

第六届委员会
（1988 年 1 月—1993 年 2 月）

主　席　吴　平

副主席　杨永峰　陆孝彭　沈翰卿　李善元

　　　　吴永乐　金立强　廖延雄　李沛瑶

　　　　戴执中

（1988 年 1 月政协六届一次会议选举）

副主席　叶学龄　黄立圻　罗　明

（1990 年 4 月政协六届三次会议增选）

江西省军区

司令员　王保田(1983 年 5 月—1988 年 8 月)

　　　　张传诗(1989 年 4 月—　　)

　　　　冯金茂

政治委员

　　　　张闽初(1979 年 7 月—1982 年 9 月)

　　　　宋长庚(1981 年 10 月—1983 年 5 月)

　　　　白栋材(兼)(1982 年 10 月—1985 年 8 月)

　　　　王冠德(1983 年 5 月—1989 年 7 月)

　　　　魏长安(1989 年 4 月—1990 年 7 月)

　　　　张玉江(1990 年 6 月—　　)

　　　　郑仕超

山　东　省

中国共产党山东省委员会

第四届省委
（1983 年 7 月—1988 年 11 月）

书　记　苏毅然

　　　　梁步庭

副书记　陆懋曾　李昌安　李　振　姜春云

第五届省委
（1988 年 12 月—1993 年 11 月）

书　记　姜春云

副书记　马忠臣　赵志浩

　　　　高昌礼(1991 年—　　)

　　　　马仲才(1991 年—　　)

第六届省委

（1993 年 11 月—　）

书　记　姜春云
副书记　赵志皓　李春亭　韩喜凯

山东省人民代表大会
常务委员会

第五届人民代表大会常务委员会

（1979 年 12 月—1983 年 4 月）

主　任　赵　林
副主任　刘秉琳　赵　峰　张　晔　李予昂
　　　　徐建春　陈　雷　张竹生　杨介人
　　　　朱本正　张富贵　曾呈奎　周志俊
　　　　王捷臣
（1979 年 12 月五届人大二次会议选举）
副主任　王保民　刘　干
（1981 年 12 月五届人大四次会议补选）

第六届人民代表大会常务委员会

（1983 年 4 月—1988 年 1 月）

主　任　秦和珍
副主任　徐雷健　高逢五　张　晔　陈　雷
　　　　张竹生　徐建春　林　萍　杨介人
　　　　曾呈奎　周志俊　王捷臣　王保民
　　　　刘　干　张富贵
（1983 年 4 月六届人大一次会议选举）
主　任　李　振
副主任　肖　寒
（1985 年 5 月六届人大三次会议选举）
副主任　冯立族　卢　洪　许　森　严庆清
（1986 年 5 月六届人大四次会议补选）

第七届人民代表大会常务委员会

（1988 年 1 月—1993 年 4 月）

主　任　李　振

副主任　卢　洪　肖　寒　王树芳　徐建春
　　　　林　萍　曾呈奎　许　森　严庆清
　　　　李　晔　马绪涛
（1988 年 1 月七届人大一次会议选举）
副主任　杨兴富
（1989 年 2 月七届人大二次会议补选）
副主任　苗枫林　郭松年　徐学孟
（1992 年 3 月七届人大五次会议补选）

山东省革命委员会

1977 年 12 月—1979 年 12 月

（山东省五届人大一次会议期间）

主　任　白如冰
副主任　苏毅然　秦和珍　厉日耐　李　振
　　　　高启云　李子超　刘秉琳　张富贵
　　　　姚士昌　武开章　宋一民　杨　波
　　　　刘　鹏　朱本正
（1977 年 12 月五届人大一次会议选举）
副主任　赵　峰　张敬焘　朱奇民　高克亭
　　　　赵　林　强晓初　王众音　徐雷健
　　　　徐建春　郑子久
（1978 年 11 月至 1979 年 7 月期间先后任命）

山东省人民政府

1979 年 12 月—1983 年 4 月

（山东省五届人大二次会议以后）

省　长　苏毅然
副省长　秦和珍　王众音　徐雷健　宋一民
　　　　刘　鹏　张敬焘　朱奇民　郑子久
　　　　刘先志　刘众前　丁方明
（1979 年 12 月五届人大二次会议选举）
副省长　强晓初　李　振　周振兴
（1979 年 12 月五届人大三次会议增选）
副省长　王金山
（1981 年 12 月五届人大四次会议增选）

1983 年 4 月—1988 年 2 月
（山东省六届人大期间）

省　长　梁步庭（　—1985 年）
副省长　李　振　马世忠　刘　鹏　卢　洪
　　　　马长贵　马连礼
（1983 年 4 月六届人大一次会议选举）
省　长　李昌安（　—1987 年 7 月）
（1985 年 6 月六届人大三次会议选举）
副省长　马忠臣　谭庆琏　李　晔
（1986 年 5 月六届人大四次会议选举）
代理省长　姜春云
（1987 年 7 月六届人大常委会第二十六次会
议决定）

1988 年 2 月—1993 年 4 月
（山东省七届人大期间）

省　长　姜春云（—1989 年 3 月）
副省长　马忠臣　马世忠　谭庆琏　赵志浩
　　　　李春亭
（1988 年 2 月七届人大一次会议选举）
省　长　赵志浩
副省长　高昌礼　张瑞凤　王乐泉　宋法棠
（1989 年 3 月七届人大二次会议增选）
副省长　王建功　郭长才
（七届人大二次会议以后补选）

中国人民政治协商会议
山东省委员会

第四届委员会
（1977 年 12 月—1983 年 4 月）

主　席　白如冰
副主席　杨国夫　王众音　李子超　王　哲
　　　　张　晔　刘民生　陈　雷　张竹生
　　　　冯　平　徐眉生　杨介人　曾呈奎
　　　　刘先志　郭贻诚　周志俊　李思敬
　　　　张蔚岑

（1977 年 12 月政协四届一次会议选举）
主　席　高克亭
（1979 年 12 月政协四届二次会议选举）
副主席　周星夫　余　修　李　林　田海山
　　　　白淡波　王　亮　江国栋　范予遂
　　　　方宗熙
（1979 年 12 月政协四届二次会议增选）
副主席　杜瑞兰
（1981 年 12 月政协四届四次会议增选）

第五届委员会
（1983 年 4 月—1988 年 2 月）

主　席　李子超
副主席　周星夫　余　修　刘先志　徐眉生
　　　　郭贻诚　李思敬　张蔚岑　田海山
　　　　王　亮　范予遂　方宗熙　徐文园
　　　　孔令仁（女）　　蔡强康　丁方明
（1983 年 4 月政协五届一次会议选举）
副主席　周振兴　郑伟民　金宝珍　刘　勇
　　　　杨　达　郑守仪（女）
（1986 年 5 月政协五届四次会议增选）

第六届委员会
（1988 年 2 月—1993 年 4 月）

主　席　李子超
副主席　周振兴　徐文园　孔令仁（女）
　　　　丁方明　郑伟民　金宝珍　杨　达
　　　　郑守仪（女）　　吴富恒　吴鸣岗
　　　　王祖农　苏应衡　苗永明
（1988 年 2 月政协六届一次会议选举）
副主席　陆懋曾
（1989 年 3 月政协六届二次会议增选）
副主席　翟永浡　田　健
（1992 年 3 月政协六届五次会议增选）

山东省军区

司令员　赵　峰（1978 年 5 月—1983 年 5 月）
　　　　刘玉德（1983 年 5 月—1988 年 7 月）

阎　琢(1988 年 7 月—　　)

易元秋

政治委员

苏毅然(兼)(第一)(1978 年 7 月—1983 年 5 月)

梁步庭(兼)(第一)(1985 年 8 月—1989 年 1 月)

姜春云(兼)(第一)(1989 年 1 月—　　)

何志远(1961 年 10 月—1981 年 6 月)

唐健如(1968 年 7 月—1981 年 6 月)

陈　德(1975 年 12 月—1980 年 10 月)

刘　琏(1981 年 6 月—1983 年 5 月)

徐堅林(1983 年 5 月—1985 年 8 月)

曹芃生(1985 年 8 月—1988 年 1 月)

李春廷(1988 年 7 月—　　)

刘国福

河　南　省

中国共产党河南省委员会

第三届省委

1976 年 10 月—1978 年 10 月

第一书记　刘建勋

第二书记　胡立教　纪登奎

书　记　耿起昌(　—1978 年 3 月)

张树芝(　—1978 年 2 月)

戴苏理(1977 年 10 月—　　)

胡尚礼(1977 年 10 月—　　)

王　辉

副书记　王维群

郑永和(1977 年 10 月—　　)

刘鸿文(1978 年 3 月—　　)

李庆伟(1978 年 3 月—　　)

1978 年 10 月—1981 年 11 月

第一书记　殷君毅

第二书记　胡立教

常务书记　刘　杰

书　记　戴苏理

胡尚礼(　—1979 年 6 月)

乔明甫(1978 年 12 月—　　)

张树德(1978 年 12 月—　　)

赵文甫(1979 年 10 月—　　)

李庆伟

王　辉(　—1979 年 6 月)

副书记　刘鸿文(　—1979 年 11 月)

于一川(1978 年 12 月—　　)

王树成(1978 年 3 月—1980 年 10 月)

李宝光(1979 年 11 月—　　)

郑永和

1981 年 11 月—1983 年 2 月

第一书记　刘　杰

刘正威

书　记　戴苏理(　—1982 年 12 月)

乔明甫(　—1981 年 4 月)

张树德　赵文甫　李庆伟　于一川

李宝光

韩劲草(1981 年 7 月—　　)

于明涛(1982 年 12 月—　　)

副书记　郑永和(　—1981 年 3 月)

1983 年 2 月—1984 年 8 月

第一书记　刘　杰

副书记　刘正威

于明涛(　—1983 年 4 月)

何竹康

罗　干(　—1983 年 11 月)

第四届省委

(1984 年 8 月—1990 年 10 月)

书　记　刘　杰(　—1985 年 4 月)

杨析综(1985 年 5 月—　　)

侯宗宾(1990 年 3 月—　　)

副书记　刘正威(　—1987 年 6 月)

何竹康(　—1987 年 6 月)

赵　地(女)

程维高(1987 年 6 月—　　)

姚敏学(1987 年 6 月—　　)

胡英云(1987 年 6 月—　　)

第五届省委

（1990 年 11 月—　　）

书　记　侯宗宾

　　　　李长春

副书记　李长春　吴基传　林英海

河南省人民代表大会常务委员会

第五届人民代表大会常务委员会

（1979 年 9 月—1983 年 4 月）

主　任　胡立教

副主任　乔明甫　刘名榜　王全国　霍秉权

　　　　邵文杰　叶仁寿　李赋都

（1979 年 9 月五届人大二次会议选举）

副主任　于一川

（1980 年 11 月五届人大三次会议补选）

主　任　刘杰

副主任　陈冰之　王培育　郝福鸿　范濂

（1981 年 12 月五届人大四次会议增选）

第六届人民代表大会常务委员会

（1983 年 4 月—1988 年 1 月）

主　任　赵文甫

副主任　张树德　刘名榜　李赋都　马端华

　　　　邵文杰　吴绍骙　丁　石　陈冰之

　　　　王培育　郭培鋆　范濂

（1983 年 4 月六届人大一次会议选举）

主　任　张树德

副主任　郭　坦　岳肖峡　林　晓　纪涵皇

（1985 年 5 月六届人大三次会议补选）

第七届人民代表大会常务委员会

（1988 年 1 月—1993 年 4 月）

主　任　张树德

副主任　胡廷积　赵文隆　林　晓　纪涵星

　　　　吴绍骙　郭培鋆　范濂

（1988 年 1 月七届人大一次会议选举）

主　任　杨析综

副主任　侯志英

（1989 年 4 月七届人大二次会议选举）

副主任　张志刚

（1991 年 3 月七届人大四次会议增补）

河南省人民政府

1979 年 9 月—1983 年 4 月

（河南省五届人大二次会议以后）

省　长　刘　杰(　　—1981 年 12 月)

副省长　戴苏理　李庆伟

　　　　于一川(　　—1980 年 11 月)

　　　　王树成(　　—1980 年 11 月)

　　　　阎济民　崔光华　史　毅　岳肖峡

（1979 年 9 月五届人大二次会议选举）

副省长　何竹康

（1980 年 11 月补选）

省　长　戴苏理

副省长　韩劲草　罗　干　纪涵星

（1981 年 12 月五届人大四次会议决定）

1983 年 4 月—1988 年 1 月

（河南省六届人大期间）

省　长　何竹康(　　—1987 年 6 月)

副省长　岳肖峡　胡廷积　阎济民　纪涵星

（1983 年 4 月六届人大一次会议选举）

副省长　秦科才　胡悌云

（1984 年 12 月任命）

副省长　张志刚

（1985 年 5 月六届人大三次会议补选）

副省长　刘玉洁　赵正夫

（1986 年 3 月任职）

代省长　程维高

（1987 年 9 月任命）

1988 年 1 月—1993 年 4 月

（河南省七届人大期间）

省　长　程维高

副省长　胡笑云　秦科才　宋照肃　胡悌云
　　　　于友光　刘　源

（1988 年 1 月七届人大一次会议选举）

省　长　李长春（补选）

副省长　范钦臣（补选）

中国人民政治协商会议
河南省委员会

第四届委员会

（1977 年 12 月—1983 年 4 月）

主　席　刘建勋

副主席　胡立教　刘鸿文　赵文甫　刘名榜
　　　　张柏园　吴绍骙　彭笑千　王化云
　　　　霍秉权　李赋都　郭培鋆　董民声
　　　　叶仁寿

（1977 年 12 月政协四届一次会议选举）

主　席　赵文甫

（1979 年 9 月政协四届二次会议选举）

副主席　周骏鸣　齐文俭　余克勤　金少英
　　　　张　轸

（1979 年 9 月政协四届二次会议增选）

副主席　崔子明

（1980 年 11 月政协四届三次会议增选）

副主席　张增敬

（1981 年 12 月政协四届四次会议增选）

副主席　刘希程　荣玉德

（1982 年 8 月政协四届五次会议增选）

第五届委员会

（1983 年 4 月—1988 年 1 月）

主　席　王化云

副主席　宋玉玺　李福祥　齐文俭　张柏园
　　　　董民声　叶仁寿　金少英　郝福鸿
　　　　刘希程　荣玉德　左明生　任访秋
　　　　段宗三　丁轸宇

（1983 年 4 月政协五届三次会议选举）

主　席　宋玉玺

（1985 年 6 月政协五届五次会议选举）

副主席　阎济民　崔光华　任雷远　屠家骧

（1985 年 6 月政协五届三次会议增选）

第六届委员会

（1988 年 1 月—1993 年 4 月）

主　席　阎济民

副主席　赵正夫　魏钦公　董民声　叶仁寿
　　　　刘希程　左明生　任访秋　段宗三
　　　　丁轸宇　屠家骧　李润田

（1988 年 1 月政协六届一次会议选举）

副主任　刘玉洁

（1989 年 4 月政协六届二次会议增选）

河南省军区

司令员　张树芝（1976 年 10 月—1978 年 5 月）
　　　　高　坦（1978 年 5 月—1983 年 10 月）
　　　　战景武（1983 年 10 月—　　）
　　　　李广生（1988 年 8 月—　　）

政治委员

　　　　段君毅（1978 年 10 月—1981 年 8 月）
　　　　刘　杰（1981 年 8 月—　　）
　　　　姚　侠
　　　　董国庆（1985 年 8 月—1987 年 10 月）
　　　　吴光贤

湖 北 省

中国共产党湖北省委员会

第三届省委

（1976 年 10 月—1983 年 11 月）

第一书记　赵辛初（　—1978 年 8 月）
　　　　　陈丕显（1978 年 8 月—1982 年）
第二书记
　陈丕显（1977 年 7 月—1978 年 6 月）
　韩宁夫（1982 年 8 月—1983 年 2 月）
常务书记
　王全国（1982 年 11 月—1983 年 12 月）
书　记
　张玉华（1982 年 11 月—1983 年 12 月）
　孔庆德（　—1978 年 8 月）
　姜　一（　—1977 年 7 月）
　潘振武（　—1983 年）
　赵　修（　—1977 年 4 月）
　韩宁夫（　—1983 年 2 月）
　王克文（　—1978 年 1 月）
　宋侃夫（　—1977 年 7 月）
　顾大椿（1977 年 5 月—　）
　李任之（1978 年 10 月—1982 年 8 月）
　许道琦（1979 年 3 月—1982 年 8 月）
　黄知真（1978 年 10 月—　）
　魏　韦（1982 年 8 月—1983 年 2 月）
　沈因洛（1982 年 10 月—　）

第四届省委

（1983 年 12 月—1988 年 12 月）

书　记　关广富（1983 年 2 月—　）
副书记　王全国（　—1985 年）
　　　　黄知真（　—1985 年 12 月）
　　　　沈因洛（　—1985 年 12 月）
　　　　王　群　钱运录
　　　　郭振乾（1985 年 12 月—　）
　　　　赵富林（1985 年 12 月—　）

第五届省委

（1988 年 12 月—1993 年 10 月）

书　记　关广富
副书记　郭振乾　赵富林　钱运录

湖北省人民代表大会常务委员会

第五届人民代表大会常务委员会

（1980 年 1 月—1983 年 4 月）

主　任　陈丕显
副主任　麦世厚　张秀龙　张旺午　刘　晋
　　　　陶述曾　韩东山　林木森　胡金魁
　　　　饶兴礼　王海山　吕文远　唐　哲
　　　　伍献文　江仲华（女）
（1980 年 1 月五届人大二次会议选举）

第六届人民代表大会常务委员会

（1983 年 4 月—1988 年 4 月）

主　任　韩宁夫
副主任　李夫全　张秀龙　陶述曾　焦德秀
　　　　唐　哲　张进光　伍献文　石　川
　　　　林木森　褚传禹　王之卓
　　　　林少南（女）
（1983 年 4 月六届人大一次会议选举）
主　任　黄知真
副主任　田　英　王瑞生　黄正夏
（1986 年 5 月六届人大四次会议补选）
副主任　姜　一
（1987 年 4 月六届人大五次会议增选）

第七届人民代表大会常务委员会

（1988 年 4 月—1993 年 5 月）

主　任　黄知真
副主任　石　川　田　英　陶述曾　唐　哲
　　　　王汉章　王之卓　王瑞生　李海忠
　　　　黄正夏　梁淑芬　王利滨　肖全涛

（1988 年 4 月七届人大一次会议选举）

副主任　谢培栋

（1992 年 4 月七届人大五次会议增选）

湖北省革命委员会

1977 年 12 月—1980 年 1 月

主　任　赵辛初（　—1978 年 8 月）

　　　　陈丕显（1978 年 8 月—　）

第一副主任　陈丕显（　—1978 年 8 月）

副主任　韩宁夫　顾大椿（　—1979 年 6 月）

　　　　李夫全　丁凤英（女）　麦世厚

　　　　许道琦（　—1979 年 7 月）

　　　　林少南（女）　朱邦俊　李任之

（1977 年 12 月五届人大一次会议选举）

副主任　张秀龙　田　英　王汉章　郝国道

（1978 年 1 月始任职）

　　　　黎　韦（1978 年 5 月—　）

　　　　黄知真（1978 年 12 月—　）

　　　　陈　明　刘和赓　张进先　石　川

（1979 年 7 月始任职）

湖北省人民政府

1980 年 1 月—1983 年 4 月
（湖北省五届人大二次会议以后）

省　长　韩宁夫

副省长　黄知真

　　　　李夫全（　—1982 年 8 月）

　　　　刘和赓（　—1981 年 9 月）

　　　　张进先（　—1982 年 8 月）

　　　　陈　明（　—1982 年 8 月）

　　　　石　川（　—1982 年 8 月）

　　　　田　英（　—1982 年 8 月）

　　　　王汉章（　—1982 年 8 月）

　　　　王利滨（　—1982 年 8 月）

　　　　华煜卿（　—1982 年 8 月）

　　　　林少南（女）（　—1982 年 8 月）

（1980 年 1 月五届人大二次会议选举）

副省长　李　俊（1981 年 4 月—1982 年 8 月）

　　　　邓　垦（1982 年 2 月—1982 年 8 月）

　　　　郭振乾（1982 年 8 月—1983 年 4 月）

　　　　王瑞生（1982 年 8 月—　）

　　　　梁淑芬（1983 年 2 月—　）

1983 年 4 月—1988 年 4 月
（湖北省六届人大期间）

省　长　黄知青（　—1986 年 1 月）

　　　　郭振乾（1986 年 5 月—　）

副省长　田　英（　—1986 年 5 月）

　　　　郭振乾（　—1986 年 5 月）

　　　　梁淑芬（女）　王汉章　王利滨

（1983 年 4 月六届人大一次会议选举）

副省长　段永康（　—1987 年 7 月）

　　　　徐鹏航　韩南鹏

（1986 年 5 月六届人大四次会议增选）

1988 年 4 月—1993 年 5 月
（湖北省七届人大期间）

省　长　郭振乾（　—1990 年）

副省长　张怀念　徐鹏航　韩南鹏　韩宏树

（1988 年 4 月七届人大一次会议选举）

副省长　厉有为（1989 年 6 月—　）

副省长　李大强（1989 年 10 月—　）

代理省长　郭树言

（1990 年 3 月七届人大常委会第十二次会议任命）

省　长　郭树言

（1990 年以后补选）

副省长　李大强（增选）

中国人民政治协商会议
湖北省委员会

第四届委员会
（1978 年 1 月—1983 年 4 月）

主　席　赵辛初

副主席　韩宁夫　阎　钧　胡金魁　唐　哲

　　　　陶述曾　孙耀华　余益庵　黄宏儒

　　　　任献文　王之卓　华煜卿　章文才

　　　　高尚荫

　　　（1978 年 1 月政协四届一次会议选举）

主　席　韩宁夫

　　　（1979 年 2 月政协四届二次会议选举）

副主席　陈一新　许子威　谢甫生

　　　（1979 年 2 月政协四届二次会议增选）

主　席　许道琦

　　　（1980 年 1 月政协四届三次会议选举）

副主席　何定华　李明灏　卜盛光　张如屏

　　　　周季方　饶钦止　许金彪　马修吉

　　　　谢　威　谢毓晋　梁之彦　朱鼎卿

　　　　周方先

　　　（1980 年 1 月政协四届三次会议增选）

副主席　刘济荪　徐觉非

　　　（1981 年 3 月政协四届四次会议增选）

第五届委员会

（1983 年 4 月—1988 年 5 月）

主　席　黎　韦

副主席　史子荣　谢　威　尚作霖　章文才

　　　　周季方　华煜卿　饶钦止　许金彪

　　　　谢毓晋　梁之彦　陶　扬　陈耀华

　　　　曹宏勋

　　　（1983 年 4 月政协五届一次会议选举）

副主席　杨　锐　周咏曾

　　　（1984 年 4 月政协五届二次会议增选）

副主席　穆常生　胡恒生　董玉森　毛　更

　　　　唐振生　韩文卿

　　　（1986 年 5 月政协五届四次会议增选）

第六届委员会

（1988 年 5 月—1993 年 5 月）

主　席　沈因洛

副主席　穆常生　胡恒生　章文才　董玉森

　　　　林少南（女）　　韩文卿　谢　直

　　　　吴于廑　蔺天聪

　　　（1988 年 5 月政协六届一次会议选举）

副主席　周兹柏　石　泉　平麟伯　曾重郎

　　　（1989 年 4 月政协六届二次会议增选）

湖北省军区

司令员　褚传禹（1981 年 9 月—1983 年 5 月）

　　　　王　恒（1983 年 5 月—1985 年 8 月）

　　　　王　申（1985 年 8 月—　　）

　　　　刘国裕

政治委员

　　　　李蔚华（1981 年 2 月—1983 年 5 月）

　　　　周焕中（1983 年 5 月—1985 年 8 月）

　　　　张学奇（1985 年 8 月—　　）

　　　　王洁清　徐师樵

湖　南　省

中国共产党湖南省委员会

第四届省委

（1977 年 10 月—1985 年 5 月）

第一书记　毛致用

书　记　万　达　张立宪　孙国治　刘夫生

　　　　赵处琪　王治国　董志文

第五届省委

（1985 年 6 月—1990 年 9 月）

书　记　毛致用（　—1988 年 5 月）

　　　　熊清泉（1988 年 5 月—　　）

副书记　熊清泉（　—1988 年 5 月）

　　　　刘　正　刘夫生

　　　　陈邦柱（1989 年 1 月—　　）

　　　　孙文盛（1989 年 1 月—　　）

第六届省委

（1990 年 10 月—　　）

书　记　熊清泉(1990 年 10 月—1993 年 9 月)

王茂林(1993 年 9 月—　　)

副书记　陈邦柱　孙文盛(免)　杨正干

湖南省人民代表大会
常务委员会

第五届人民代表大会常务委员会
（1979 年 12 月—1983 年 4 月）

主　任　万　达

副主任　谭余保　郭　森　罗秋月　尹子明

齐寿良　王含馥　陶峙岳　刘世洪

凌霞新　孔安民　石邦智　陈新民

刘春樵

（1979 年 12 月五届人大二次会议选举）

副主任　吴志渊

（1980 年 12 月五届人大三次会议补选）

第六届人民代表大会常务委员会
（1983 年 4 月—1988 年 1 月）

主　任　孙国治

副主任　郭　森　陶峙岳　吴志渊　纪照青

罗秋月　齐寿良　石邦智　孔安民

陈新民　陈芸田　谢新颖　李田耕

主　任　焦林义

副主任　黄道奇　徐天贵

（1985 年 7 月六届人大三次会议补选）

第七届人民代表大会常务委员会
（1988 年 1 月—1993 年 1 月）

主　任　刘夫生

副主任　黄道奇　李田耕　罗秋月　陈新民

陈芸田　谢新颖　曹文举　刘玉娥

吴运昌

湖南省革命委员会

1977 年 11 月—1979 年 12 月

主　任　毛致用

副主任　万　达　张立宪　孙国治　刘夫生

童国贵　罗秋月　尚子锦　尹子明

孔安明　齐寿良　石邦智　刘亚南

（1977 年 11 月 16 日开始任职）

湖南省人民政府

1979 年 12 月—1983 年 5 月
（湖南省五届人大期间）

省　长　孙国治

副省长　刘夫生　王治国　尚子锦　程星龄

张文光　曹文举　刘亚南　周　政

（1979 年 12 月五届人大二次会议选举）

1983 年 5 月—1988 年 1 月
（湖南省六届人大期间）

省　长　刘　正（　—1985 年 7 月）

熊清泉(1985 年 7 月—　)

副省长　周　政　曹文举　俞海潮　杨汇泉

副省长　陈邦柱(1984 年 10 月任命)

王向天(1985 年 7 月补选)

1988 年 1 月—1993 年 1 月
（湖南省七届人大期间）

省　长　熊清泉(　—1989 年 5 月)

副省长　陈邦柱　王向天　俞海潮　卓康宁

杨汇泉(1989 年 5 月罢免)

省　长　陈邦柱

（1989 年 5 月七届人大二次会议选举）

副省长　董志文　（1989 年 7 月增补）

汪啸风　陈彬藩　储　波　曹伯纯

王克英

（以上 5 人均为增补）

中国人民政治协商会议
湖南省委员会

第四届委员会
（1977 年 11 月—1983 年 5 月）

主　席　毛致用

副主席　万　达　周　礼　尚子锦　凌霞新
　　　　郭　森　谢　华　黄一欧　丁维克
　　　　谷子元　卢惠霖　周汝沆　曹鹤荪
　　　　杨开智

主　席　周　礼
（1979 年 4 月政协四届二次会议选举）

副主席　王延春（第一副主席）　　　陶峙岳
　　　　何德全　程星龄　罗其南　翁徐文
　　　　文士桢　袁学之　陈新民
（1979 年 4 月政协四届二次会议增选）

副主席　陈郁发　刘亚球　黄立功　向　德
（1979 年 12 月政协四届三次会议增选）

副主席　穰明德　杨第甫　陈芸田　凌敏猷
（1980 年 12 月政协四届四次会议增选）

第五届委员会
（1983 年 5 月—1988 年 2 月）

主　席　程星龄

副主席　杨第甫　佟　英　刘亚球　向　德
　　　　穰明德　凌敏猷　卢惠霖　袁学之
　　　　周汝沆　彭铭鼎　徐君虎　陈孝禅
　　　　曹国智　姜亚勋

副主席　尹长民（女）　周　政　陈洪新
　　　　刘国安
（1985 年 7 月政协五届三次会议增选）

第六届委员会
（1988 年 2 月—1993 年 1 月）

主　席　刘　正

副主席　尹长民（女）　　周　政　佟　英
　　　　徐君虎　陈孝禅　刘国安　袁隆平
　　　　何绍勋　张德仁　韩　明

副主席　卓康宁　邓有志　龙禹贤　阳忠恕
（1991 年 4 月政协六届四次会议增选）

湖南省军区

司令员　刘占荣（1980 年 2 月—1983 年 5 月）
　　　　蒋金流（1983 年 5 月—1989 年 11 月）
　　　　文国庆（1989 年 11 月—　　）
　　　　庞为强

政治委员
　　　　毛致用（第一）（1977 年 6 月—　　）
　　　　张平化（第二）（　—1977 年 6 月）
　　　　张立宪（第二）（1977 年 8 月—1979 年）
　　　　刘世洪（1975 年 7 月—1982 年 8 月）
　　　　毛致用（第一）（1980 年 2 月—1983 年 5 月）
　　　　陈树福（1980 年—1983 年 5 月）
　　　　卢文新（1981 年 5 月—1983 年）
　　　　毛致用（第一）（　—1986 年 3 月）
　　　　谷善庆（1983 年 5 月—　　）
　　　　吴爱群（1988 年 4 月—　　）
　　　　吴爱群（1989 年 11 月—　　）
　　　　金　锋（1990 年 6 月—　　）
　　　　邓汉民

广　东　省

中国共产党广东省委员会

第四届省委
（1978 年 4 月—1983 年 2 月）

第一书记
　　　　韦国清（　—1978 年 12 月）
　　　　习仲勋（1978 年 12 月—1980 年 11 月）
　　　　任仲夷（1980 年 11 月—　　）

第二书记
　　　　习仲勋（　—1978 年 12 月）

杨尚昆(1978 年 12 月—1980 年 11 月)

常务书记　焦林义

书　记　王首道(　—1978 年 10 月)

　　　　刘田夫　李坚真(女)　郭荣昌

　　　　王全国(　—1982 年 10 月)

　　　　吴南生

　　　　龚子荣(1978 年 12 月—1982 年 4 月)

　　　　王　德(1979 年 12 月—　)

　　　　尹林平(1979 年 12 月—　)

　　　　吴冷西(1980 年 3 月—1982 年 4 月)

　　　　梁灵光(1980 年 11 月—　)

　　　　林　若(1982 年 12 月—　)

　　　　王　宁(1982 年 12 月—　)

第五届省委

(1983 年 3 月—1988 年 5 月)

第一书记　任仲夷

书　记　林　若　梁灵光　谢　非　吴南生

　　　　王　宁

　　(1985 年 7 月中央批准组成)

书　记　林　若

副书记　叶选平　谢　非　王　宁　郭荣昌

第六届省委

(1988 年 5 月—1993 年 5 月)

书　记　林　若

　　　　谢　非(1991 年 1 月—　)

副书记　叶选平

　　　　谢　非(　—1991 年 1 月)

　　　　郭荣昌

　　　　张帼英(女)(1990 年 2 月—　)

　　　　朱森林(1992 年 1 月—　)

广东省人民代表大会
常务委员会

第五届人民代表大会常务委员会

(1979 年 12 月—1983 年 4 月)

主　任　李坚真(女)

副主任　区梦觉(女)　罗　天　薛光军

　　　　庄　田　黄友谋　罗　明　梁　广

　　　　肖焕辉　云广英　王作尧　李学先

　　　　欧阳山

　　(1979 年 12 月五届人大二次会议选举)

副主任　罗雄才

　　(1981 年 2 月五届人大三次会议增选)

第六届人民代表大会常务委员会

(1983 年 4 月—1988 年 1 月)

主　任　罗　天

副主任　薛　焰　范曾贤　郭棣活　杜长天

　　　　曾定石　钟　明　肖隽英　蚁美厚

　　　　黄友谋　梁　广　罗雄才　王　维

　　　　吴有恒

　　(1983 年 4 月六届人大一次会议选举)

副主任　曾昭科

　　(1984 年 6 月六届人大二次会议增选)

副主任　刘俊杰　罗克明　程　里

　　(1985 年 8 月六届人大四次会议增选)

第七届人民代表大会常务委员会

(1988 年 1 月—1993 年 2 月)

主　任　罗　天

副主任　薛　焰　杨　立　曾定石　蚁美厚

　　　　曾昭科　刘俊杰　罗克明　程　里

　　　　陈祖沛　方少逸　端木正

　　(1988 年 1 月七届人大一次会议选举)

主　任　林　若

　　(1990 年 5 月七届人大三次会议选举)

广东省革命委员会

1977 年 12 月—1978 年 12 月

主　任　韦国清

副主任　王首道　林李明　焦林义　刘田夫

刘维明　王全国　李坚真（女）

寇庆延　罗　天　郭荣昌　李建安

薛光军　孟宪德　范希贤　梁威林

梁　湘　王　宁　李嘉人　杨康华

田华贵　梁秀珍（女）

（1977 年 12 月五届人大一次会议选举）

1978 年 12 月—1979 年 12 月

主　任　习仲勋

副主任　杨尚昆　焦林义　李坚真（女）

　　　　刘田夫　王全国　孟宪德　罗　天

　　　　梁　湘　寇庆延　郭荣昌　薛光军

　　　　王　宁　李建安　范希贤　梁威林

　　　　李嘉人　杨康华　黄静波　曾定石

（1978 年 12 月任职）

广东省人民政府

1979 年 12 月—1983 年 4 月
（广东省五届人大期间）

省　长　习仲勋（　—1980 年 11 月）

副省长　杨尚昆　刘田夫　王全国　孟宪章

　　　　王　宁　李健安　黄静波　范希贤

　　　　梁威林　郭棣活　杨康华　曾定石

　　　　叶选平

（1979 年 12 月五届人大二次会议选举）

省　长　刘田夫

副省长　杨德元　刘俊杰　梁　湘

（1981 年 3 月五届人大三次会议补选）

1983 年 4 月—1988 年 1 月
（广东省六届人大期间）

省　长　梁灵光（　—1985 年 8 月）

副省长　李健安　梁　湘　杨德元　刘俊杰

　　　　王屏山　匡　吉　杨　立

（1983 年 4 月六届人大一次会议选举）

副省长　黄清渠

（1984 年 6 月六届人大二次会议增选）

省　长　叶选平

（1985 年 8 月六届人大四次会议选举）

副省长　凌伯棠　于　飞　李　灏

（1985 年 8 月六届人大四次会议增选）

1988 年 1 月—1993 年 2 月
（广东省七届人大期间）

省　长　叶选平

副省长　于　飞　凌伯棠　匡　吉　刘维明

　　　　卢钟鹤　张高丽

（1988 年 1 月七届人大一次会议选举）

省　长　朱森林

副省长　卢瑞华　李立芳

（七届人大一次会议以后选举和增选）

中国人民政治协商会议
广东省委员会

第四届委员会
（1977 年 12 月—1983 年 4 月）

主　席　王首道

副主席　刘田夫　尹林平　罗范群　郭棣活

　　　　张泊泉　梁　广　肖焕辉　周志飞

　　　　云广英　谭天度　肖隽英　蚁美厚

　　　　黄友谋　罗　明　罗　浚　王　越

　　　　罗雄才

（1977 年 12 月政协四届一次会议选举）

主　席　尹林平

副主席　黄　康　邹　强　廖似光（女）

　　　　曾天节　吴仲禧　郭翘然　胡希明

　　　　陈祖沛　陈伊林　伍觉天　刁沼芬

　　　　周　楠　莫　雄　刘祥庆

（1979 年 12 月政协四届二次会议选举）

副主席　左洪涛　李伯球

（1981 年 3 月政协四届三次会议增选）

第五届委员会
（1983 年 4 月—1988 年 1 月）

主　席　梁威林
副主席　郑　群　罗　浚　王　越　黄　康
　　　　廖似光(女)　　曾天节　吴仲禧
　　　　郭翘然　胡希明　陈祖沛　陈伊林
　　　　伍觉天　刁沼芬　左洪涛　李伯球
　　　　李洁之
（1983 年 4 月政协五届一次会议选举）
主　席　吴南生
副主席　杨应彬　祁　烽　何宝松　黄耀燊
　　　　李　辰
（1985 年 9 月政协五届四次会议选举）

第六届委员会
（1988 年 1 月—1993 年 2 月）

主　席　吴南生
副主席　杨应彬　郑　群　祁　烽　王屏山
　　　　黄清渠　何宝松　黄耀燊　李　辰
　　　　陈子彬　李金培　沈永椿
（1988 年 1 月政协六届一次会议选举）
副主席　张殿霞(女)　曾近义
（1989 年 3 月政协六届二次会议增选）
副主席　杨奎章
（1990 年 3 月政协六届三次会议增选）
副主席　肖耀堂
（1991 年政协六届四次会议增选）
副主席　匡　吉
（1992 年 1 月政协六届五次会议增选）

广东省军区

司令员　郝盛旺(1979 年—1983 年)
　　　　张巨惠(1983 年—1992 年)
　　　　温玉柱(1992 年—　)
政治委员　张明远(1982 年—1985 年)
　　　　修向辉(1985 年—1989 年)
　　　　张洪运(1989 年—　)

广西壮族自治区

中国共产党广西壮族
自治区委员会

第四届区委
（1977 年 11 月—1985 年 6 月）

第一书记　乔晓光
第二书记　刘重桂
书　记　覃应机　赵茂勋　杜　易　肖　寒

第五届区委
（1985 年 6 月—1990 年 12 月）

书　记　陈辉光
副书记　韦纯束　金宝生　陶爱英
　　　　李振潜(1987 年 1 月—　)

第六届区委
（1990 年 12 月—　)

书　记　赵富林
副书记　成克杰(壮族)　刘明祖　丁廷模

广西壮族自治区人民代表大会
常务委员会

第五届人民代表大会常务委员会
（1979 年 12 月—1983 年 4 月）

主　任　黄　荣(壮族)
副主任　梁华新(壮族)　　钟　枫　郭质甫
　　　　李殿丹　林克武　石兆棠　叶馥荪
　　　　赵明坚(女,壮族)　蔡勇为　陈　岸
　　　　任国章(壮族)　　陆榕树(壮族)
　　　　甘怀义(壮族)　　秦振武(侗族)
（1979 年 12 月五届人大二次会议选举）

第六届人民代表大会常务委员会

（1983 年 4 月—1988 年 1 月）

主　任　黄　荣（壮族）
副主任　钟　枫　李殷丹　林克武　石兆棠
　　　　叶馥苏　赵明坚（女，壮族）
　　　　韦章平　甘怀义（壮族）
　　　　秦振武（侗族）　张景宁
（1983 年 4 月六届人大一次会议选举）
主　任　甘　苦（壮族）
副主任　黄　嘉
（1985 年 6 月六届人大三次会议补选）

第七届人民代表大会常务委员会

（1988 年 1 月—1993 年 1 月）

主　任　甘　苦（壮族）
副主任　金宝生　黄　嘉　韦章平　石兆棠
　　　　赵明坚　张景宁　丘文懿　田一民
　　　　黎济武
（1988 年 1 月七届人大一次会议选举）
副主任　黄保尧（壮族）
（1989 年 1 月七届人大二次会议增选）

广西壮族自治区人民政府

1979 年 12 月—1983 年 4 月

（广西壮族自治区五届人大二次会议以后）

主　席　覃应机
副主席　周光春　肖　寒　徐其海　廖生东
　　　　罗立斌　贺亦然　任耕卿　黄　云
　　　　梁成业　莫乃群　史清盛　金宝生
　　　　郭城里林　甘　苦　骆　明
（1979 年 12 月五届人大二次会议选举）

1983 年 4 月—1988 年 1 月

（广西壮族自治区六届人大期间）

主　席　韦纯束

副主席　王祝光　张声震　甘　苦　王蓉贞
　　　　吴克清
（1983 年 4 月六届人大一次会议选举）
副主席　张春园（1985 年 7 月—　）
　　　　郑　义（1985 年 7 月—　）
（1985 年 7 月六届人大三次会议补选）
副主席　陈　仁　成克杰
（1986 年 8 月六届人大常委会二十二次会议
任命）
副主席　赵维臣
（1987 年 7 月六届人大常委会二十七次会议
任命）

1988 年 1 月—1993 年 1 月

（广西壮族自治区七届人大期间）

主　席　韦纯束
副主席　成克杰　王蓉贞　赵维臣　张春园
　　　　陈　仁
（1988 年 1 月七届人大一次会议选举）
副主席　李振潜（1989 年 1 月—　）
　　　　龙　川（1989 年 1 月—　）
（1989 年 1 月七届人大二次会议补选）
副主席　雷　宇
（1992 年 4 月七届人大常委会第二十八次会
议通过）

中国人民政治协商会议
广西壮族自治区委员会

第四届委员会

（1977 年 12 月—1983 年 5 月）

主　席　覃应机
副主席　赵茂勋　钟　枫　卢绍武　黄一平
　　　　莫乃群　陆秀轩　石兆棠　林克武
　　　　郑建宣　黄松坚　黄启汉　叶　培
（1977 年 12 月政协四届一次会议选举）
主　席　乔晓光
副主席　廖联原　覃士冕　阎光彩　李同文
　　　　刘国平　尚　持　黄独峰　高天梅

孙仲逸　卢燕南　蓝昌法　秦　似
阳太阳　杨宗德　莫树杰

（1979 年 12 月政协四届二次会议选举）

副主席　张　华

（1981 年 2 月政协四届三次会议增选）

第五届委员会

（1983 年 5 月—1988 年 1 月）

主　席　覃应机
副主席　廖联原　莫乃群　黄启汉　叶　培
　　　　卢燕南　刘国平　黄独峰　孙仲逸
　　　　秦　似　阳太阳　莫树杰

（1983 年 5 月政协五届一次会议选举）

副主席　区济文　黄语扬

（1985 年 7 月政协五届三次会议增选）

第六届委员会

（1988 年 1 月—1993 年 1 月）

主　席　陈辉光
副主席　区济文　黄语扬　莫乃群　卢燕南
　　　　黄独峰　韦瑞霖　阳太阳　马明龙
　　　　姚克鲁

（1988 年 1 月政协六届一次会议选举）

副主席　钟家佐

（1989 年 1 月政协六届二次会议增选）

副主席　吴克清　侯德彭

（1990 年 4 月政协六届三次会议增选）

广西军区

司令员　文国庆
政　委　熊自仁
副司令员　胡　军　李梅生
副政委　詹克勋
党委第一书记　赵富林

海　南　省

中国共产党海南省委员会

第一届省委

（1988 年 9 月—1993 年 7 月）

书　记　许士杰
　　　　邓鸿勋（1990 年 6 月—　）
副书记　梁　湘（　—1989 年 9 月）
　　　　刘剑锋　姚文绪

海南省人民代表会议
（大会）常务委员会

人民代表会议常务委员会

（1988 年 8 月—1993 年 2 月）

主　任　许士杰
副主任　潘琼雄　曹文华　郑　章　杨文贵
　　　　林　英　黄宗道　吴葵光

（1988 年 8 月人民代表会议第一次会议选举）

副主任　缪恩禄

（1991 年 5 月人民代表会议第五次会议补选）

主　任　邓鸿勋

（1992 年 4 月 30 日人民代表会议第六次会议补选）

海南建省筹备组

组　长　许士杰
副组长　梁　湘

海南省人民政府

1988 年 4 月—1993 年 2 月
（海南省人民代表会议期间）

省　长　梁　湘（　—1989 年 9 月）
副省长　鲍克明　孟庆平　王越丰　辛业江
　　　　邹尔康
（1988 年 8 月人民代表会议第一次会议选举）
省　长　刘剑锋
（1989 年 9 月任命）

中国人民政治协商会议
海南省委员会

第一届委员会
（1988 年 8 月—　　）

主　席　姚文绪
副主席　陈克攻　章锦涛　周　铮
　　　　胡　楷（女）　　周　松
　　　　李明天　林鸿藻　陈　宏
（1988 年 8 月政协一届一次会议选举）
副主席　邹尔康
（1990 年 4 月政协一届四次会议增选）
副主席　王越丰
（1991 年 5 月政协一届五次会议增选）

海南省军区

司令员　江　海（1979 年—1983 年）
　　　　庞为强（1983 年—1990 年）
　　　　肖旭初（1990 年—　　）
政治委员　李　鹏（1979 年—1983 年）
　　　　王　星（1983 年—1985 年）
　　　　刘桂楠（1985 年—1989 年）
　　　　龚平秘（1989 年—　　）

四　川　省

中国共产党四川省委员会

第三届省委
（1979 年 1 月—1983 年 1 月）

第一书记　赵紫阳（　—1980 年 3 月）
　　　　谭启龙（1980 年 3 月—1982 年 12
　　　　月）
常务书记　鲁大东（　—1980 年 3 月）
　　　　杨汝岱（1982 年 1 月—　　）
第二书记　鲁大东（1980 年 3 月—　　）
书　记　李子元　许梦侠　杜星垣　杜心源
　　　　杨　超　王黎之　杨万选　刘西尧
　　　　何郝炬　天　宝　王　谦
副书记　聂荣贵（1982 年 1 月—　　）
　　　　杨析综（1982 年 1 月—　　）
（1982 年 12 月中央批准调整）
书　记　杨汝岱
副书记　杨析综　聂荣贵　冯元蔚

第四届省委
（1983 年 2 月—1988 年 4 月）

书　记　杨汝岱
副书记　杨析综　聂荣贵　冯元蔚　蒋民宽

第五届省委
（1988 年 4 月—1993 年 4 月）

书　记　杨汝岱
副书记　张皓若
　　　　顾金池（　—1990 年 11 月）
　　　　冯元蔚　宋宝瑞　聂荣贵

四川省人民代表大会
常务委员会

第五届人民代表大会常务委员会
（1979 年 12 月—1983 年 4 月）

主　任　杜心源
副主任　李林枝　张秀熟　刘子毅　童少生

李中一　谷志标　裴昌会　伍精华
马识途　刘云波

（1979 年 12 月五届人大二次会议选举）

副主任　冀春光

（1982 年 2 月五届人大四次会议选举）

第六届人民代表大会常务委员会

（1983 年 4 月—1988 年 1 月）

主　任　杜心源

副主任　秦传厚　张秀熟　裴昌会　刘子毅
童少生　彭迪光　马识途　冀春光
孟东波　刘云波　刘海泉　刘西林
扎西泽仁

（1983 年 4 月六届人大一次会议选举）

主　任　何郝炬

副主任　王　敖　邓自力　王彦立

（1985 年 5 月六届人大三次会议选举）

第七届人民代表大会常务委员会

（1988 年 1 月—1993 年 2 月）

主　任　何郝炬

副主任　王　敖　王彦立　韦思琪　扎西泽仁
白尚武　邓自力　刘西林　刘海泉
宋大凡　康振黄

（1988 年 1 月七届人大一次会议选举）

副主任　刘元瑄　饶用虞

（1989 年 1 月七届人大二次会议补选）

四川省人民政府

1979 年 12 月—1983 年 4 月

（四川省五届人大二次会议以后）

省　长　鲁大东（　—1982 年 12 月）

副省长　刘西尧　杨汝岱　何郝炬　杨岭多吉
杨　钟　孟东波　牟海秀　彭迪先
刘海泉　乔志敏　管学思　吴希海

（1979 年 12 月五届人大二次会议选举）

副省长　刘　星

（1980 年 3 月五届人大三次会议任命）

副省长　天　宝

（1981 年 3 月五届人大八次会议任命）

副省长　丁长河

（1981 年 12 月五届人大十三次会议任命）

副省长　顾金池

（1982 年 2 月五届人大四次会议补选）

副省长　康振黄

（1983 年 2 月五届人大十九次会议任命）

代省长　杨析综（1982 年 12 月—　）

1983 年 4 月—1988 年 1 月

（四川省六届人大期间）

省　长　杨析综（　—1985 年 5 月）
蒋民宽（1985 年 5 月—　）

副省长　何郝炬　蒋民宽　刘纯夫　顾金池
罗通达　康振黄

（1983 年 4 月六届人大一次会议选举）

副省长　马　麟　蒲海青

（1985 年 5 月六届人大三次会议补选）

副省长　谢世杰

（1986 年 5 月六届人大四次会议补选）

1988 年 1 月—1993 年 2 月

（四川省七届人大期间）

省　长　张皓若

副省长　谢世杰　罗通达　马　麟　韩邦彦
刘昌杰　金洪生

（1988 年 1 月七届人大一次会议选举）

副省长　蒲海清（增补）

中国人民政治协商会议
四川省委员会

第四届委员会

（1977 年 12 月—1983 年 4 月）

主 席 杜心源
副主席 杨 超 张秀熟 童少生 谷志标
　　　 张呼晨 彭迪先 石 础(女)
　　　 王定一 任景龙 罗承烈 徐崇林
　　　 果基木古　赵孟明 乔钟灵
　　　 田一平 刘星垣 降央伯姆(女)
　　　(1977年12月政协四届一次会议选举)
主 席 任白戈
副主席 曹钟梁 刘文珍 罗志敏 刘披云
　　　 周钦岳 赵欲樵 白 认 李 振
　　　 王腾波 柯 召 刘云波
　　　(1979年12月政协四届二次会议增选)
副主席 白 认 骆是愚 潘大逵
　　　(1982年3月政协四届四次会议补选)

第五届委员会
(1983年4月—1988年2月)

主 席 杨 超
副主席 周 颐 余洪远 周钦岳 潘大逵
　　　 王定一 罗承烈 徐崇林 任景龙
　　　 李 振 骆是愚 柯 召 田一平
　　　 李培根 果基木古 降央伯姆(女)
　　　 邓白力
　　　(1983年4月政协五届一次会议选举)
副主席 王犁之 杨代蒂(女)
　　　(1984年6月政协五届二次会议增选)
主 席 冯元蔚
副主席 黄启璪(女) 李维嘉 冯达仕
　　　 张广钦
　　　(1985年5月政协五届三次会议补选)
副主席 杨岭多吉
　　　(1986年5月政协五届四次会议补选)

第六届委员会
(1988年2月—1993年2月)

主 席 廖伯康
副主席 王 于(女) 王叔云 王黎之
　　　 冯达仕 刘纯夫 辛 文
　　　 李培根 杨代蒂(女) 杨岭多吉

吴汉家 陈祖湘 柯 召
姜泽亭 降央伯姆(女)
(1988年2月政协六届一次会议选举)
副主席 李克光
(1990年2月政协六届三次会议增选)

四川省军区

司令员 任应来(1990年6月—)
政治委员 张少松(1990年6月—)

贵 州 省

中国共产党贵州省委员会

第四届省委
(1978年4月—1983年8月)

第一书记 马 力
　　　　 池必卿(代理)(1979年10月—)
第二书记 贾庭三
书 记 苏 钢 吴向必
　　　 王朝文(1980年1月—)
　　　 朱厚泽(1982年12月—)
副书记 苗春亭 徐健生 李庭桂 陈行庚
　　　 吴 实(1980年1月—)

第五届省委
1983年8月—1985年3月

第一书记 池必卿
书 记 朱厚泽 苏 钢 王朝文

1985年3月—

书 记 朱厚泽
　　　 胡锦涛(1985年7月—)
副书记 王朝文
　　　 丁廷模(1985年4月—)

刘正威(1987 年 6 月—)

第六届省委

（1988 年 8 月—1993 年 11 月）

书 记 胡锦涛（ —1988 年 12 月）
　　　 刘正威（1988 年 12 月— ）
副书记 王朝文
　　　 刘正威（ —1988 年 12 月）
　　　 丁廷模（1990 年 11 月— ）
　　　 龙志毅

贵州省人民代表大会
常务委员会

第五届人民代表大会常务委员会

（1980 年 1 月—1983 年 4 月）

主 任 徐健生
副主任 吴 肃 戴晓东 田君亮 张 量
　　　 罗登义 罗 英 叶谷霖
　　　 龙贤昭（侗族） 曾宪辉
　　　 白 林（女，回族）耿万青 侯国祥
　　　 孟子明
（1980 年 1 月五届人大二次会议选举）

第六届人民代表大会常务委员会

（1983 年 4 月—1988 年 1 月）

主 任 吴 实
副主任 吴 肃 罗登义 曾宪辉 叶谷霖
　　　 侯国祥 任 应 白 林（女，回族）
　　　 吴通明（苗族） 冉砚农
　　　 王秉鋆（布依族） 王振江 钱允中
　　　 梁旺贵（侗族）
（1983 年 4 月六届人大一次会议选举）
主 任 张玉环
副主任 夏页文 周衍松
（1985 年 5 月六届人大三次会议选举）

第七届人民代表大会常务委员会

（1988 年 1 月—1993 年 1 月）

主 任 张玉环
副主任 罗登义 周衍松 王振江 梁旺贵
　　　（侗族） 涂光炽 罗尚才（布依族）
　　　 乔学珩 李冀峰 王耀伦（苗族）
　　　 陈远武
（1988 年 1 月七届人大一次会议选举）
副主任 禄文斌
（1992 年 3 月七届人大五次会议补选）

贵州省革命委员会

1977 年 2 月—1977 年 11 月

主 任 马 力（1977 年 2 月中央决定）
副主任 苏 钢（1977 年 3 月中央批准任命）

1977 年 11 月—1980 年 1 月

主 任 马 力
副主任 贾庭三 苏 钢 李庭桂 刘兴胜
　　　 王朝文（苗族） 王振江 吴 肃
　　　 吴 实 贾林放 冉砚农 宋筱蓬
　　　 解 杰 张玉芹（女）
（1977 年 11 月五届人大一次会议决定）
副主任 秦天真（1979 年 3 月— ）
　　　 申云浦（1979 年 5 月）

贵州省人民政府

1980 年 1 月—1983 年 4 月

（贵州省五届人大二次会议以后）

省 长 苏 钢
副省长 李庭桂 王朝文（苗族） 张玉环
　　　 申云浦 陈 铁 秦天真 冉砚农
　　　 宋筱蓬 王秉鋆 张玉芹（女）
　　　 王振江

（1980 年 1 月五届人大二次会议选举）

1983 年 4 月—1988 年 1 月
（贵州省六届人大期间）

省　长　王朝文（苗族）
副省长　张玉环　周衍松　徐采栋
　　　　张玉芹（女）　罗尚才（布依族）
（1983 年 4 月六届人大一次会议选举）
副省长　张树魁　刘玉林
（1983 年 5 月六届人大三次会议增选）

1988 年 1 月—1993 年 1 月
（贵州省七届人大期间）

省　长　王朝文（苗族）
副省长　张树魁　刘玉林　张玉芹（女）
　　　　龚贤永　王安泽（布依族）
（1988 年 1 月七届人大一次会议选举）
副省长　陈士能（增选）

中国人民政治协商会议
贵州省委员会

第四届委员会
（1977 年 11 月—1983 年 4 月）

主　席　李葆华
副主席　苗春亭　秦天真　戴晓东　田君亮
　　　　陈铁　惠世如　罗登义　曾宪辉
　　　　杨汉先　金风　唐弘仁　毛铁桥
　　　　蒙素芬（女）　　袁家玑
（1977 年 11 月政协四届一次会议选举）
主　席　池必卿
（1979 年 1 月政协四届常委会第三次会议选举）
主　席　苗春亭
副主席　孙汉章　王乐亭　李侠公　朱煜如
　　　　贺培真　蹇先艾　吴通明
（1980 年 1 月政协四届二次会议选举）

副主席　张超伦
（1981 年 3 月政协四届三次会议增选）

第五届委员会
（1983 年 4 月—1988 年 1 月）

主　席　苗春亭
副主席　惠世如　宋树功　李侠公　汪福清
　　　　杨汉先　唐弘仁　贺培真　王铁桥
　　　　朱煜如　袁家玑　蹇先艾　王庆延
　　　　蒙素芬（女）　　张超伦　王伯勋
（1983 年 4 月政协五届一次会议选举）
副主席　王景渊
（1984 年 4 月政协五届二次会议增选）
副主席　褚振民
（1985 年 5 月政协五届三次会议增选）

第六届委员会
（1988 年 1 月—1993 年 1 月）

主　席　苗春亭
副主席　宋树功　李侠公　汪福清　唐弘仁
　　　　毛铁桥　袁家玑　蹇先艾　王庆延
　　　　蒙素芬（女）　　张超伦　王景渊
（1988 年 1 月政协六届一次会议选举）
副主席　王思明
（1990 年 2 月政协六届三次会议增选）
副主席　邱耀国　安迪伟
（1992 年 3 月政协六届五次会议补选）

贵州省军区

司令员　任　应（1979 年 1 月—1983 年 5 月）
　　　　王　争（1983 年 5 月—1985 年 9 月）
　　　　焦　斌（1985 年 9 月—1990 年 6 月）
　　　　朱　启（1990 年 6 月—　　）
政治委员
　　　　原增录（1976 年 10 月—1981 年 12 月）
　　　　池必卿（1979 年 10 月—1983 年 5 月）
　　　　贺　明（1978 年 8 月—1980 年 9 月）
　　　　段志忠（1979 年 5 月—1980 年）

赵泽荞(1980 年 7 月—1983 年 8 月)

焦　斌(1983 年 5 月—1985 年 9 月)

曲明耀(1985 年 9 月—1986 年 10 月)

康虎振(1986 年 12 月—1990 年 6 月)

喻忠桂(1990 年 6 月—　)

云　南　省

中国共产党云南省委员会

第三届省委

（1979 年 8 月—1985 年 7 月）

第 一 书 记　安平生

第 二 书 记　刘明辉（　—1979 年 12 月）

　　　　　　李 启 明（1979 年 12 月—1985 年 2 月）

常 务 书 记　李启明（1979 年 8 月—1979 年 12 月）

书　　　记　刘明辉(1979 年 12 月—1985 年 2 月)

副 书 记　赵增益（　—1982 年 8 月）

　　　　　高治国（　—1983 年 3 月）

　　　　　孙雨亭（　—1983 年 3 月）

　　　　　薛　韬（　—1983 年 3 月）

　　　　　李兴旺(1981 年—　)

　　　　　刘树生(1981 年—1985 年 7 月)

　　　　　普朝柱(1983 年 3 月—1985 年 7 月)

　　　　　赵廷光(1983 年 3 月—1985 年 7 月)

　　　　　梁　家(1983 年 12 月—1985 年 7 月)

第四届省委

（1985 年 7 月—1990 年 8 月）

书　　　记　普朝柱

副 书 记　和志强(纳西族)　朱志辉　李树基

　　　　　刘树生

第五届省委

（1990 年 8 月—　）

书　　　记　普朝柱

副 书 记　和志强(纳西族)

　　　　　尹　俊(白族)

云南省人民代表大会常务委员会

第五届人民代表大会常务委员会

（1979 年 12 月—1983 年 4 月）

主　　任　安平生

副 主 任　孙雨亭　张铨秀　张　冲　吴作民

　　　　　张天放　王少岩　张海棠　习从真

　　　　　吴志渊　张子斋　李和才　于兰馥

（1979 年 12 月五届人大二次会议选举）

第六届人民代表大会常务委员会

（1983 年 4 月—1988 年 4 月）

主　　任　刘明辉

副 主 任　孙雨亭　祁　山　张天放　王少岩

　　　　　张子斋　李和才　颜义泉

　　　　　李桂英(女)　　马文东　吴生敏

　　　　　王士超　王连芳

（1983 年 4 月六届人大一次会议选举）

主　　任　李桂英(女)

副 主 任　余活力　龙泽汇　杨　明

（1984 年 4 月六届人大二次会议补选）

第七届人民代表大会常务委员会

（1988 年 4 月—1993 年 5 月）

主　　任　李桂英(女)

副 主 任　杨一堂　王少岩　王士超　杨　明

　　　　　龙泽汇　刀国栋　余活力　白佐光

（1988 年 4 月七届人大一次会议选举）

云南省革命委员会

1977 年 2 月—1979 年 3 月

主　任　安平生

副主任　陈丕显　王必成　刘明辉　张海棠

　　　　张　冲　刀国栋　段宝珍（女）

　　　　吴志渊　李启明　张铚秀　高治国

　　　　薛　韬　梁文英　赵增益　张　云

1979年5月—1979年12月

主　任　安平生

副主任　刘明辉　赵增益　张　云　吴作民

　　　　张子斋　习从真　邵　风　马文东

　　　　林　超　孟　琦　吴生敏　刀国栋

　　　　段宝珍

（1979年3月任职）

云南省人民政府

1979年12月—1983年4月
（云南省五届人大二次会议以后）

省　长　刘明辉

副省长　赵增益　张　云　刀国栋　马文东

　　　　吴生敏　邵　风　林　超　孟　琦

　　　　杨克成　段华民　王士超　祁　山

（1979年12月五届人大二次会议选举）

1983年4月—1988年5月
（云南省六届人大期间）

省　长　普朝柱（　—1985年8月）

副省长　和志强　朱　奎　陈立英（女）

　　　　李铮友　刀国栋　金人庆

（1983年4月六届人大一次会议选举）

（1985年8月—1988年5月）

省　长　和志强

副省长　朱　奎　陈立英（女）　李铮友

　　　　刀国栋　金人庆

（1985年8月六届人大三次会议决定）

1988年5月—
（云南省七届人大期间）

省　长　和志强（纳西族）

副省长　朱　奎（　—1989年7月）

　　　　保永康　赵廷光（瑶族）　金人庆

　　　　陈立英（女）

（1988年5月七届人大一次会议选举）

副省长　李树基

（1989年7月增选）

中国人民政治协商会议
云南省委员会

第四届委员会
（1977年12月—1983年4月）

主　席　安平生

副主席　吴志渊　孙雨亭　赵健民　吴作民

　　　　刘披云　李握如　寸树声　张天放

　　　　王少岩　龙泽汇　张子斋　陈　方

　　　　曲仲湘　李和才　刀栋庭　司拉山

（1977年12月政协四届一次会议选举）

主　席　李启明

副主席　朱家璧　刘披云　陈　方　龙泽汇

　　　　曲仲湘　刀栋庭　司拉山　曾育生

　　　　王捷三　谷佑箴　杨　明　王启明

　　　　项朝宗　张相时　马惠亭　保洪忠

　　　　金琼英（女）

（1979年12月政协四届二次会议选举）

第五届委员会
（1983年4月—1988年5月）

主　席　朱家璧

副主席　梁　家　王捷三　龙泽汇　杨克成

　　　　曲仲湘　曾育生　杨　明　王启明

　　　　黄　平　项朝宗　张相时　马惠亭

　　　　保洪忠　金琼英（女）

（1983年4月政协五届一次会议选举）

主 席 梁 家

（1985 年 8 月政协五届三次会议选举）

副主席 杨春洲 刀世勋 杨维骏

（1985 年 8 月政协五届三次会议增选）

副主席 陈盛年

（1987 年 2 月政协五届五次会议增选）

第六届委员会

（1988 年 5 月—1993 年 5 月）

主 席 刘树生

副主席 梁 林（女） 杨克成 曲仲湘

张相时 李 瑾 项朝宗 马惠亭

保洪忠 杨春洲 刀世勋 杨维骏

（1988 年 5 月政协六届一次会议选举）

副主席 罗运通

（1991 年 3 月政协六届四次会议增选）

副主席 刘邦瑞 朱应庚

（1992 年 3 月政协六届五次会议补选）

云南省军区

司令员

张海常（兼）（1979 年 1 月—1981 年 4 月）

陈宗贵（兼）（1981 年 4 月—1983 年 5 月）

李金桥（1983 年 5 月—1985 年 9 月）

王祖训（1985 年 9 月—1989 年 1 月）

孙粹屏（1989 年 1 月—1990 年 6 月）

朱成友（1990 年 6 月— ）

李 杰

政治委员

安平生（兼）（1977 年 2 月—1979 年 3 月）

马子安（1978 年 5 月—1983 年 5 月）

徐尧田（1979 年 12 月—1983 年 5 月）

张志铭（1983 年 5 月—1983 年 9 月）

赵 坤（1985 年 9 月—1990 年 6 月）

陈连富（1990 年 6 月— ）

谢鹤明 姚双龙

西藏自治区

中国共产党西藏自治区委员会

第二届区委

1977 年 10 月—1983 年 12 月

第一书记 任 英（ —1980 年）

阴法唐（先代理后任,1980 年— ）

书 记 天 宝（藏族） 杨东生（藏族）

郭锡兰 邲晋武 巴 桑（女,藏族）

热 地（藏族）

副书记 陈 卓 宋子元

1983 年 12 月中央批准组成

第一书记 阴法唐

书 记 热 地（藏族） 多杰才旦（藏族）

杨岭多吉（藏族） 巴 桑（女,藏族）

宋子元

第三届区委

（1983 年 12 月—1990 年 6 月）

1983 年 12 月—

第一书记 阴法唐

书 记 热 地（藏族） 多杰才旦（藏族）

杨岭多吉（藏族） 巴 桑（女,藏族）

宋子元 伍精华

副书记 李文珊 毛如柏

1985 年 11 月—

书 记 伍精华（ —1988 年）

胡锦涛（1988 年— ）

副书记 热 地（藏族） 多杰才让（藏族）

巴 桑（女,藏族） 毛如柏

丹 增（藏族） 江村罗布（藏族）

第四届区委

（1990 年 7 月—　）

书　记　胡锦涛（　—1992 年 12 月）
　　　　陈奎元（1992 年 12 月—　）
副书记　热　地（藏族）　江村罗布（藏族）
　　　　田聪明（　—1991 年）
　　　　巴　桑（女，藏族）　毛如柏
　　　　丹　增（藏族）
　　　　张学忠（1992 年 3 月—　）

西藏自治区人民代表大会常务委员会

第三届人民代表大会常务委员会

（1979 年 8 月—1983 年 4 月）

主　任　阿沛·阿旺晋美（藏族）
副主任　热　地（藏族）　陈竟波　苗丕一
　　　　王静之　王运祥　胡宗林（藏族）
　　　　德格·格桑旺堆（藏族）
　　　　次仁拉姆（藏族）
　　　　崔科·顿珠才仁（藏族）
　　　　朗顿·贡嘎旺秋（藏族）
　　　　生钦·洛桑坚赞（藏族）
（1979 年 8 月三届人大二次会议选举）
主　任　杨东生
副主任　多杰才旦（藏族）
（1981 年 4 月三届人大三次会议选举）

第四届人民代表大会常务委员会

（1983 年 4 月—1988 年 7 月）

主　任　阿沛·阿旺晋美（藏族）
副主任　帕巴拉·格列朗杰（藏族）
　　　　德格·格桑旺堆（藏族）
　　　　李本善
　　　　生钦·洛桑坚赞（藏族）
　　　　雪康·士登尼玛（藏族）
　　　　曹旭布多吉（藏族）　朗　杰（藏族）

　　　　江中·扎西多吉（藏族）　彭　哲
（1983 年 4 月四届人大一次会议选举）
副主任　桑顶多吉帕姆（藏族）
　　　　伦珠陶凯（藏族）
（1984 年 7 月四届人大二次会议增选）

第五届人民代表大会常务委员会

（1988 年 7 月—1993 年 1 月）

主　任　阿沛·阿旺晋美（藏族）
副主任　帕巴拉·格列朗杰（藏族）
　　　　生钦·洛桑坚赞（藏族）
　　　　雪顿·士登尼玛（藏族）
　　　　布多杰（藏族）　朗杰（藏族）
　　　　江中·扎西多吉（藏族）
　　　　伦珠陶凯（藏族）
　　　　桑顶·多吉帕姆（藏族）
　　　　王广玺　胡颂杰
（1988 年 7 月五届人大一次会议选举）

西藏自治区人民政府

1979 年 8 月—1983 年 4 月

（西藏自治区三届人大二次会议以后）

主　席　天　宝（藏族）
第一副主席　杨锡兰
副主席　杨宗欣　巴　桑（藏族）
　　　　帕巴拉·格列朗杰（藏族）
　　　　洛桑慈诚（藏族）　牛瑞骈　乔加欣
　　　　张增文　李本善　侯　杰　王和亭
　　　　布多吉（藏族）　普　穷（藏族）
　　　　江　措（藏族）
（1979 年 8 月三届人大二次会议选举）
主　席　阿沛·阿旺晋美（藏族）
副主席　杨岭多吉（藏族）
　　　　雪康·士登尼玛（藏族）
（1981 年 4 月三届人大三次会议增补）

1983 年 4 月—1988 年 8 月

（西藏自治区四届人大期间）

主　席　多杰才旦(藏族)(　—1985 年 12 月)
副主席　多杰才让(藏族)　杨宗欣
　　　　普　穷(藏族)　江　措(藏族)
　　　　吉普·平措次登(藏族)
　　(1983 年 4 月四届人大一次会议选举)
代主席　多吉才让(藏族)(　—1986 年 5 月)
副主席　图道多吉(藏族)　龚希达
　　(1985 年 12 月任命)
主　席　多吉才让(藏族)
副主席　毛如柏
　　(1986 年 5 月任命)

1988 年 8 月—1993 年 1 月
（西藏自治区五届人大期间）

主　席　多吉才让(藏族)
副主席　毛如柏　马季胜　普　穷(藏族)
　　　　江　措(藏族)
　　　　吉普·平措次登(藏族)
　　　　图道多吉(藏族)　龚达希
　　(1988 年 8 月五届人大一次会议选举)
主　席　江村罗布(藏族,补选)
副主席　拉巴平措(藏族,补选)

中国人民政治协商会议
西藏自治区委员会

第三届委员会
（1977 年 12 月—1983 年 4 月）

主　席　任　英
副主席　杨东生　帕巴拉·格列朗杰(藏族)
　　　　苗丕一　李传恩　任　昌
　　　　朗顿·贡嘎旺秋(藏族)
　　　　生钦·洛桑坚赞(藏族)
　　　　穗格·格桑旺堆(藏族)
　　　　坚白赤列(藏族)
　　　　桑顶·多吉帕姆(藏族)
　　　　拉敏·索朗伦珠(藏族)

　　　　江中·扎西多吉(藏族)
　　　　吉普·平措次登(藏族)
　　(1977 年 12 月政协三届一次会议选举)
副主席　宋子元　郑　英
　　　　雪康·士登尼玛(藏族)
　　　　金中·坚赞平措(藏族)
　　　　拉乌达热·士登旦达(藏族)
　　　　朗　杰(藏族)
　　(1979 年 8 月政协三届二次会议增补)
主　席　阴法唐
　　(1981 年 4 月政协三届三次会议选举)
副主席　夏　川
　　(1981 年 4 月政协三届三次会议增选)

第四届委员会
（1983 年 4 月—1988 年 8 月）

主　席　杨岭多吉(藏族)
副主席　帕巴拉·格列朗杰(藏族)　宋子元
　　　　郑　英　坚白赤列(藏族)
　　　　桑顶·多吉帕姆(藏族)
　　　　拉敏·索朗伦珠(藏族)
　　　　金中·坚赞平措(藏族)
　　　　拉乌达热·士登丹达(藏族)
　　　　尧西·贡保才旦(藏族)
　　　　嘎雪·曲吉尼玛(藏族)
　　　　丹增加措(藏族)
　　　　拉鲁·次旺多吉(藏族)
　　(1983 年 4 月政协四届一次会议选举)
副主席　刘永康　雍增·士登康巴(藏族)
　　　　霍康·索朗边巴(藏族)
　　　　唐麦·贡觉白姆(藏族)
　　　　贡巴萨·士登吉扎(藏族)
　　　　恰巴·格桑旺堆(藏族)
　　(1984 年 7 月政协四届二次会议增选)
主　席　热　地(藏族)
　　(1986 年 5 月政协四届四次会议选举)
副主席　才旦卓玛(女,藏族)　曲金男
　　(1987 年 7 月政协四届五次会议增选)

第五届委员会

（1988 年 8 月—1993 年 1 月）

主　席　热　地（藏族）

副主席　帕巴拉·格列朗杰（藏族）　郑　英

　　　　桑顶·多吉帕姆（女，藏族）

　　　　拉敏·索朗伦珠（藏族）

　　　　金中·坚赞平措（藏族）

　　　　刘永康　尧西·古公才旦（藏族）

　　　　丹增加措（藏族）

　　　　拉鲁·次旺多吉（藏族）

　　　　霍康·索朗边巴（藏族）

　　　　唐麦·贡觉白姆（女，藏族）

　　　　贡巴萨·土登吉扎（藏族）

　　　　恰巴·格桑旺堆（藏族）

　　　　曲金男　才旦卓玛（女，藏族）

　　　　多吉扎·仁增钦莫·江白洛桑（藏族）

　　　　尧西·索朗卓玛（女，藏族）

　　　　（1988 年 8 月政协五届一次会议选举）

副主席　王海林

　　　　（1990 年 5 月政协五届三次会议增选）

西藏军区

司令员　张贵荣（1983—1984 年）

　　　　姜洪泉（1984—1992 年）

　　　　周文碧（1992 年—　　）

政治委员　王心前（1983—1985 年）

　　　　　张少松（1985—1990 年）

　　　　　耿全礼（1990 年—　　）

　　　　　胡永柱

陕　西　省

中国共产党陕西省委员会

第六届省委

（1983 年 4 月—1988 年 5 月）

1983 年 4 月—

第一书记　马文瑞（　—1984 年 8 月）

书　记　李溪溥　曾慎达　李庆伟　周雅光

　　　　黄继昌

1984 年 8 月—

书　记　白纪年（　—1987 年 8 月）

　　　　张勃兴（1987 年 8 月—）

副书记　李庆伟　周雅光

　　　　董继昌（1986 年 1 月—　　）

　　　　牟玲生（1986 年 1 月—　　）

第七届省委

（1988 年 5 月—1993 年 5 月）

书　记　张勃兴

副书记　侯宗宾　董继昌　牟玲生　白清才

陕西省人民代表大会
常务委员会

第五届人民代表大会常务委员会

（1979 年 12 月—1983 年 4 月）

主　任　马文瑞

副主任　常黎夫　胡炳云　杨文海　时逸之

　　　　张毅忱　孙作宾　林茵如　刘海滨

　　　　侯宗濂　原政庭　张汉武　董学源

　　　　石锋　王杰　熊应栋　刘力贞（女）

　　　　（1979 年 12 月五届人大二次会议选举）

第六届人民代表大会常务委员会

（1983 年 4 月—1988 年 5 月）

主　任　严克伦

副主任　李连壁　董学源　邓国忠　陈　明

　　　　淡维煦　侯宗濂　原政庭　余　明

　　　　熊应栋　刘力贞（女）　　何承华

韦明海　张铁在　孙克华

（以上包括六届人大二次、三次、四次会议选举和增选的人员）

第七届人民代表大会常务委员会

（1988 年 5 月—1993 年 4 月）

主　任　李溪溥

副主任　孙克华　余　明　熊应栋
　　　　刘力贞（女）　韦明海　陶　钟
　　　　毛生铣　陈学俊　高凌云　万建中

（1988 年 5 月七届人大一次会议选举）

副主任　牟玲生　沈　晋

（1992 年 3 月五届人大五次会议增选）

陕西省革命委员会

1977 年 12 月—1979 年 12 月

主　任　李瑞山（　—1979 年 12 月）
　　　　王任重（1978 年 12 月—1979 年 2 月）
　　　　于明涛（1979 年 2 月—　）

副主任　王任重　于明涛　姜　一　肖　纯
　　　　章　泽　胡炳云　傅子和　李登瀛
　　　　惠世荣　舒　同　任国义　郭允中
　　　　李海亭　谢怀德　时逸之　张毅忱
　　　　马青年　刘　庚　林茵如　何承华
　　　　孙作宾

（1977 年 12 月五届人大一次会议选举，其后于 1978 年和 1979 年先后增补 10 人）

陕西省人民政府

1979 年 12 月—1983 年 4 月

（陕西省五届人大二次会议以后）

省　长　于明涛（1979 年 12 月—1983 年 4 月）

代省长　李庆伟（1983 年 2 月—　）

副省长　姜　一　惠世恭　谢怀德　何承华
　　　　白纪年　宋友田　邓国忠　刘　庚

谈维煦　李连壁　刘邦显　孙克华
张　斌　王　真　陈　明　徐山林

（1979 年 12 月五届人大二次会议选举及其后增补）

1983 年 4 月—1988 年 6 月

（陕西省六届人大期间）

省　长　李庆伟（1983 年 4 月—1986 年 12 月）

代省长　张勃兴（1986 年 12 月—　）

副省长　白纪年（　—1984 年 10 月）　张　斌
　　　　孙克华（　—1986 年 3 月）　徐山林
　　　　林季周　孙达人　曾慎达
　　　　张勃兴（　—1987 年 10 月）

（1983 年 4 月六届人大一次会议选举及其后增补）

代省长　侯宗宾

（1987 年 9 月六届人大常委会第二十六次会议决定）

1988 年 6 月—1993 年 4 月

（陕西省七届人大期间）

省　长　侯宗宾（　—1990 年）

副省长　徐山林　孙达人　王双锡

（1988 年 6 月七届人大一次会议选举）

省　长　白清才

（1990 年七届人大三次会议选举）

中国人民政治协商会议
陕西省委员会

第四届委员会

（1977 年 12 月—1983 年 5 月）

主　席　李瑞山

副主席　常黎夫　秦仲方　高长久　孙蔚如
　　　　李瘦枝　伍晋南　侯宗濂　闵洪友
　　　　熊应栋　杨伯伦　陈雨皋　谈国帆
　　　　龚祖同

（1977 年 12 月政协四届一次会议选举）

主　席　吕剑人

（1979 年 12 月政协四届二次会议选举）

副主席　薛兰斌　杜瑞兰

（1979 年 12 月政协四届二次会议增选）

副主席　范　明

（1980 年 12 月政协四届三次会议增选）

第五届委员会

（1983 年 5 月—1988 年 5 月）

主　席　吕剑人
副主席　刘纲民　康健生　任　谦　李瘦枝
　　　　沈尚贤　范　明　刘聚奎　傅道伸
　　　　杜瑞兰（女）　　胡景儒（女）
　　　　薛道五　胡景通　高凌云

（1983 年 5 月政协五届一次会议选举）

主　席　谈维煦

（1985 年 4 月政协五届三次会议选举）

副主席　吴庆云　魏明中　李经伦　沈　晋
　　　　孙天义

（1985 年 4 月政协五届三次会议增选）

第六届委员会

（1988 年 5 月—1993 年 4 月）

主　席　周雅光
副主席　吴庆云　刘纲民　魏明中　沈尚贤
　　　　胡景通　李森桂　胡景儒（女）
　　　　白进勋　沈晋　刘良湛　孙天义
　　　　黄峻山　张鹤龄

（1988 年 5 月政协六届一次会议选举）

副主席　董继昌

（1990 年 4 月政协六届三次会议增选）

陕西省军区

司令员
　　胡炳云（兼）（1977 年 5 月—1980 年 5 月）
　　孙洪道（1980 年 5 月—1983 年 5 月）
　　冀廷壁（1983 年 5 月—1985 年 8 月）

王希斌（满族）（1985 年 8 月—1990 年 6 月）
王志成（1990 年 6 月—　）

政治委员
蔡长元（第二，1979 年 1 月—1983 年 5 月）
谷凤鸣（第三）
马文瑞（兼，第一）
白纪年（兼，第一）
王兰江（1983 年 5 月—1985 年 8 月）
孔昭文（1985 年 8 月—1986 年 9 月）
赵焕职（1986 年 9 月—　）
赵连臣

甘　肃　省

中国共产党甘肃省委员会

第五届省委

（1977 年 6 月—　）

第一书记
　　宋　平（　—1981 年 1 月）
　　冯纪新（代理 1981 年 1 月—1982 年；1982
　　　　年—　）

书　记　李登瀛（1978 年—　）
　　　　赵处琪（1978 年—　）
　　　　杨植霖（1978 年—　）
　　　　王秉祥（1980 年 6 月—　）
　　　　李子奇（1983 年 3 月—　）

副书记　冯纪新　茅　林　肖　华
　　　　李超伯（　—1979 年）
　　　　肖剑光（1979 年—　）
　　　　葛士英（1980 年 6 月—　）
　　　　陈　煦（1981 年 7 月—　）
　　　　刘　冰（1981 年 12 月—　）
　　　　郭洪超（1982 年 2 月—　）
　　　　李子奇（1982 年 10 月—1983 年 3 月）

第六届省委

（1983 年 12 月—1988 年 1 月）

书 记 李子奇
副书记 陈光毅(—1986 年 2 月)
　　　刘 冰　贾志杰
　　　聂大江(1984 年 12 月—1986 年 1 月)
　　　卢克俭(1984 年 12 月—)
　　　侯宗宾(1986 年 3 月—)

第七届省委

(1988 年 1 月—1993 年 12 月)

书 记 李子奇
　　　顾金池(1990 年 11 月—)
副书记 贾志杰　卢克俭　阎海旺

甘肃省人民代表大会
常务委员会

第五届人民代表大会常务委员会

(1979 年 11 月—1983 年 4 月)

主 任 王世泰
副主任 李登瀛　刘海声　吴俊扬　李培福
　　　曹幼民　高锦纯　杨嘉瑞　蒙定军
　　　强自修　李克如　吴鸿宾　孙润华
　　　李生华　吴治国
　　　(1979 年 11 月五届人大二次会议选举)

第六届人民代表大会常务委员会

(1983 年 4 月—1988 年 1 月)

主 任 李登瀛
副主任 王耀华　吴治国　吴 坚　刘海声
　　　刘兰亭　贺建山　李屺阳　兰天民
　　　邢安民　马丕烈　杨复兴
　　　(1983 年 4 月六届人大一次会议选举)
主 任 刘 冰
副主任 李福盛　王道义
　　　(1986 年 5 月六届人大四次会议增选)

第七届人民代表大会常务委员会

(1988 年 1 月—1993 年 1 月)

主 任 许飞青
副主任 邢安民　杨复兴　李福盛　王道义
　　　马谦卿　李文辉
　　　(1988 年 1 月七届人大一次会议选举)
副主任 流 萤　马玉海
　　　(1989 年 3 月七届人大二次会议补选)
副主任 嘉木样·洛桑久美·图丹却吉尼玛
　　　刘毓汉
　　　(1990 年 3 月七届人大三次会议补选)

甘肃省人民政府

1979 年 11 月—1983 年 4 月

(甘肃省五届人大二次会议以后)

省 长 冯纪新
副省长 肖剑光　葛士英　黄正清　王治邦
　　　年得祥　张建纲　许飞清　李屺阳
　　　刘 冰
　　　(1979 年 11 月五届人大二次会议选举)

1983 年 4 月—1988 年 1 月

(甘肃省六届人大期间)

省 长 陈光毅
副省长 侯宗宾　葛士英　年得祥　朱宣人
　　　刘 恕
　　　(1983 年 4 月六届人大一次会议选举)

1988 年 1 月—1993 年 1 月

(甘肃省七届人大期间)

省 长 贾志杰
副省长 张吾乐　阎海旺　刘 恕　路 明
　　　穆永吉
　　　(1988 年 1 月七届人大一次会议选举)
副省长 王金堂(增补)　李 萍(增补)

中国人民政治协商会议
甘肃省委员会

第四届委员会
（1977 年 12 月—1983 年 4 月）

主　席　王世泰
副主席　李芳远　李培福　兰文兆　吴鸿宾
　　　　朱声达　谢松柏　丁乃光　蒙定军
　　　　王世杰　杨澄中　黄正清　李克如
　　　　卢忠良　严树棠
　　（1977 年 12 月政协四届一次会议选举）
主　席　杨植霖
　　（1979 年 12 月政协四届二次会议选举）
副主席　王孝慈　郑重远　慕生忠　雷恩钧
　　　　吴　松　杨汉烈　陆为公
　　（1979 年 12 月政协四届二次会议增选）
副主席　骆是愚　王志匀
　　　　嘉木样·洛桑久美·图丹却吉尼玛
　　　　马重雍
　　（1980 年 12 月政协四届三次会议增选）

第五届委员会
（1983 年 5 月—1988 年 1 月）

主　席　黄罗斌
副主席　黄正清　吴鸿宾　王世杰　杨澄中
　　　　严忠良　严树棠　杨汉烈
　　　　嘉木样·洛桑久美·图丹却吉尼玛
　　　　马重雍　王国瑞　刘德琛　蒋云台
　　（1983 年 5 月政协五届一次会议选举）
主　席　王秉祥
　　（1984 年 3 月政协五届二次会议选举）
副主席　马祖灵　梁大均　朱宣人
　　　　贡唐仓·丹贝旺旭
　　（1984 年 3 月政协五届二次会议增选）
副主席　秦时晅
　　（1985 年 5 月政协五届三次会议增选）
副主席　崔国权
　　（1987 年 4 月政协五届五次会议增选）

第六届委员会
（1988 年 1 月—1993 年 1 月）

主　席　葛士英
副主席　黄正清　吴鸿宾　马祖灵　卢忠良
　　　　严树棠　马重雍
　　　　嘉木样·洛桑久美·图丹却吉尼玛
　　　　朱宣人　秦时晅　贡唐仓·丹贝旺
　　　　旭　崔国权
　　（1988 年 1 月政协六届一次会议选举）
副主席　应中逸
　　（1992 年 3 月政协六届五次会议增选）

甘肃省军区

司令员　李　彬（1978 年 7 月—1984 年 12 月）
　　　　周越池（1984 年 12 月—　）
　　　　孙粹屏（1990 年 6 月—　）
　　　　梁培祯
政治委员
　　　　兰天民（1979 年 5 月—1983 年 5 月）
　　　　王海山（1983 年 5 月—1985 年 8 月）
　　　　温景义（1985 年 8 月—1990 年 6 月）
　　　　李　忠（1990 年 6 月—　）

青　海　省

中国共产党青海省委员会

第六届省委
（1983 年 4 月—1988 年 5 月）

书　记　赵海峰（　—1985 年 7 月）
　　　　黄静波（　—1985 年 7 月）
　　　　马万里（　—1985 年 7 月）
　　　　尹克升（1985 年 7 月—　）
副书记　宦爵才朗（藏族）　刘　枫

第七届省委

（1988 年 5 月—1993 年 5 月）

书 记 尹克升
副书记 田成平 桑结加（藏族）
　　　金基鹏（1989 年 6 月— ）

青海省人民代表大会
常务委员会

第五届人民代表大会常务委员会

（1979 年 8 月—1983 年 4 月）

主 任 谭启龙
副主任 伍生荣 冀春光 韩 明 刘呈云
　　　梁昌汉 谢高峰 夏茸尕布（藏族）
　　　官保加（蒙古族） 郑文卿
　　　蔡凤兰（女） 马文鼎（回族）
（1979 年 8 月五届人大二次会议选举）
主 任 冀春光
（1980 年 10 月五届人大三次会议选举）
主 任 扎喜旺徐（藏族）
副主任 刘光弟 史进贤 郭若珍
　　　杨文锦（蒙古族） 卓 加（藏族）
（1981 年 10 月五届人大四次会议选举）

第六届人民代表大会常务委员会

（1983 年 4 月—1988 年 1 月）

主 任 宋 林
副主任 王文英 杨西林 强建华 谢高峰
　　　夏茸尕布（藏族） 马文鼎（回族）
　　　杨文锦（蒙古族） 卓 加（藏族）
　　　魏进德 杨茂嘉（女，藏族）
（1983 年 4 月六届人大一次会议选举）

第七届人民代表大会常务委员会

（1988 年 1 月—1993 年 1 月）

主 任 宦爵才郎（藏族）

副主任 尕布龙（蒙古族） 卢声道
　　　夏茸尕布（藏族） 谢高峰
　　　马文鼎（回族） 杨文锦（蒙古族）
　　　韩福才（回族） 杨茂嘉（女，藏族）
（1988 年 1 月七届人大一次会议选举）
副主任 马世清（回族）
（1992 年 4 月七届人大五次会议补选）

青海省革命委员会

1977 年 12 月—1979 年 8 月

主 任 谭启龙（1977 年 12 月—1979 年 4 月）
副主任 狄子才 薛宏福 冀春光 赵海峰
　　　希侯巴（藏族） 宋 林 郑校先
　　　马万里 沈 岑 尕布龙（蒙古族）
　　　蔡凤兰（女）
（1977 年 12 月五届人大一次会议当选）
副主任 张国声（1979 年 1 月—1979 年 4 月）
主 任 张国声（1979 年 4 月—1979 年 8 月）

青海省人民政府

1979 年 8 月—1983 年 4 月
（青海省五届人大期间）

省 长 张国声（ —1982 年 12 月）
副省长 赵海峰（ —1981 年 10 月）
　　　宋 林（ —1983 年 4 月）
　　　尕布龙（蒙古族）（ —1983 年 4 月）
　　　希侯巴（藏族）（ —1983 年 4 月）
　　　郑校先（ —1981 年 3 月）
　　　马万里（ —1981 年 10 月）
　　　沈 岑（ —1983 年 4 月）
　　　尚志田（ —1983 年 4 月）
（1979 年 8 月 20 日五届人大二次会议选举）
副省长 许林枫（ —1983 年 2 月）
　　　王静先 杨树芳 刘树林
　　　韩福才（回族） 汪福祥
　　　班玛旦增（藏族）
　　　杨茂嘉（女，藏族）

（1981 年 11 月五届人大四次会议增选）

代理省长　黄静波（1982 年 12 月—　　）

1983 年 4 月—1988 年 1 月

（青海省六届人大期间）

省　长　黄静波（　—1985 年 8 月）

副省长　尹克升（　—1985 年 7 月）

　　　　景生明（　—1985 年 5 月）

　　　　尕布龙（蒙古族）　韩福才（回族）

　　　　班玛旦增（藏族）

（1983 年 4 月六届人大一次会议选举）

省　长　宋瑞祥（　—1989 年 11 月）

副省长　卞耀武　吴承志

（1985 年 8 月六届人大三次会议补选）

1988 年 1 月—1993 年 1 月

（青海省七届人大期间）

省　长　宋瑞祥（　—1989 年 11 月）

副省长　卞耀武　班玛旦增（藏族）　吴承志

　　　　马元彪（土族）

（1988 年 1 月七届人大一次会议选举）

　　　　金基鹏（回族）　喇秉礼（回族）

（1989 年 7 月增补）

代省长　金基鹏（1989 年 11 月—　　）

副省长　蔡竹林（增补）

省　长　金基鹏（增选）

中国人民政治协商会议
青海省委员会

第四届委员会

（1977 年 12 月—1983 年 4 月）

主　席　谭启龙

副主席　冀春光　郭廷藩　张百苍　郭若珍

　　　　刘呈云　马乐天　夏茸尕布　郑文卿

　　　　苏耀亮　官保加　廖霭庭

（1977 年 12 月政协四届一次会议选举）

主　席　扎喜旺徐

（1979 年 9 月政协四届二次会议选举）

副主席　方　新　周　龙　周荣德

　　　　桑热加措　孙增荣

（1979 年 9 月政协四届二次会议增选）

主　席　赵海峰

（1981 年 11 月政协四届四次会议选举）

副主席　杜华安　松　布　郝怀仁　戴玉英

　　　　康建西　傅世春

（1981 年 11 月政协四届四次会议增选）

第五届委员会

（1983 年 4 月—1988 年 1 月）

主　席　沈　岭

副主席　方　新　张　百　廖霭庭　松　布

　　　　戴玉英　傅世春　黄太兴　徐光宗

　　　　汪福祥　古嘉赛　韩生贵

（1983 年 4 月政协五届一次会议选举）

副主席　希侯巴　韩应选

（1984 年 7 月政协五届二次会议增选）

副主席　官　却

（1986 年 4 月政协五届四次会议增选）

第六届委员会

（1988 年 1 月—1993 年 1 月）

主　席　刘　枫

副主席　韩应选　陈云峰　廖霭庭　松　布

　　　　傅世春　汪福祥　古嘉赛　韩生贵

　　　　官　却　扎喜安嘉　嘉　雅

（1988 年 1 月政协六届一次会议选举）

青海省军区

司令员　伍生荣（1977 年 6 月—1983 年 5 月）

　　　　解全威（1983 年 5 月—1986 年 12 月）

　　　　邱述先（1985 年 8 月—1988 年 9 月）

　　　　张美远

政治委员　陈燕勤

宁夏回族自治区

中国共产党
宁夏回族自治区委员会

第四届区委
(1978 年 4 月—1983 年 7 月)

第一书记　霍士廉（　—1979 年 2 月）
　　　　　李学智（1979 年 2 月—　）
书　记　黄经耀　邵井蛙　李学智
　　　　　马玉槐（回族）
副书记　薛宏福

第五届区委
(1983 年 7 月—1988 年 6 月)

书　记　李学智（　—1986 年 12 月）
　　　　　沈达人（1986 年 12 月—　）
副书记　黑伯理（回族）　郝廷藻（回族）
　　　　　李恽和　申效曾

第六届区委
(1988 年 6 月—1993 年 4 月)

书　记　沈达人（　—1989 年 12 月）
　　　　　黄　璜（1989 年 12 月—　）
副书记　白立忱（回族）　刘国范

宁夏回族自治区人民代表大会
常务委员会

第四届人民代表大会常务委员会
(1980 年 1 月—1983 年 4 月)

主　任　马青年
副主任　史玉林　张俊贤　李微冬　齐安昌
　　　　　黄执中　鹿　鸣　马有德
（1980 年 1 月四届人大选举）

第五届人民代表大会常务委员会
(1983 年 4 月—1988 年 5 月)

主　任　马青年
副主任　张俊贤　马有德　黄执中　丁毅民
　　　　　李庶民　郭文举　彭林柏　梁飞彪
　　　　　冯　茂
（1983 年 4 月五届人大一次会议选举）
主　任　黑伯里
（1987 年 5 月五届人大五次会议选举）

第六届人民代表大会常务委员会
(1988 年 5 月—1993 年 5 月)

主　任　马思忠
副主任　马腾霭　王燕鑫　梁飞彪　冯　茂
　　　　　文　力　张仕儒　雷　鸣
（1988 年 5 月六届人大一次会议选举）

宁夏回族自治区革命委员会

1977 年 12 月—1980 年 1 月

主　任　霍士廉（　—1977 年 2 月）
主　任　马　信（1979 年 2 月—　）
副主任　杨静仁（　—1978 年 3 月）
　　　　　邵井蛙（　—1979 年 6 月）
　　　　　马玉槐（　—1979 年 5 月）
　　　　　杨一木（　—1979 年 3 月）　马思忠
　　　　　丁毅民　马　信（　—1979 年 2 月）
　　　　　史玉林　李　力
（1977 年 12 月四届人大一次会议选举）
副主任　李庶民（1978 年 3 月—　）
　　　　　夏似萍（1978 年 3 月—　）
　　　　　康志杰（1978 年 9 月—　）
　　　　　李恽和（1979 年 8 月—　）
　　　　　薛宏福（1979 年 11 月—　）

宁夏回族自治区人民政府

1980 年 1 月—1985 年 4 月

主　席　马　信（　—1982 年 4 月）

副主席　薛宏福　李恽和　马思忠　马腾霭
　　　　丁毅民　李　力　李庶民　夏似萍
　　　　康志杰　程　浩

（1980 年 1 月自治区人代会选举）

副主席　马英亮　王燕鑫　杨惠云

（1983 年 2 月增补）

主　席　黑伯理（1982 年 4 月接任）

1983 年 4 月—1988 年 4 月
（宁夏回族自治区五届人大期间）

主　席　黑伯理（　—1987 年 5 月）

代主席　自立忱（1986 年 12 月—1987 年 5 月）

主　席　自立忱（1987 年 5 月—　）

副主席　李恽和（　—1985 年 4 月）
　　　　马英亮　马思忠　马腾霭　王燕鑫
　　　　杨惠云

（1983 年 4 月五届人大一次会议选举）

1988 年 4 月—1993 年 5 月
（宁夏回族自治区六届人大期间）

主　席　白立忱

副主席　马英亮　杨惠云　李成玉　任启兴
　　　　程法光

（1988 年 4 月六届人大一次会议选举）

中国人民政治协商会议
宁夏回族自治区委员会

第三届委员会
（1977 年 12 月—1983 年 4 月）

主　席　杨静仁

副主席　李景林　王金璋　雷启霖　牛化东

吴鸿业　金三寿　黄执中　马腾霭
洪清国

（1977 年 12 月政协三届一次会议选举）

副主席　李凯国　杨飞喜　罗文蔚　李清萍
　　　　金凤山　李凤藻

（1980 年 1 月政协三届二次会议增选）

第四届委员会
（1983 年 4 月—1988 年 6 月）

主　席　王金璋

副主席　雷启霖　陈静波　马立凯　张　源
　　　　金三寿　洪清国　马烈孙　杨正喜
　　　　杨遇春　金凤山　李凤藻　吴尚贤

（1983 年 4 月政协四届一次会议选举）

主　席　李恽和

（1985 年 4 月政协四届三次会议选举）

副主席　杨　辛

（1985 年 4 月政协四届三次会议选举）

副主席　马德钟

（1986 年 4 月政协四届四次会议增选）

第五届委员会
（1988 年 6 月—1993 年 5 月）

主　席　李恽和

副主席　申效曾　雷启霖　陈静波　马立凯
　　　　洪清国　马烈孙　吴尚贤　杨　辛
　　　　马德钟　汪　愚

（1988 年 6 月政协五届一次会议选举）

副主席　刘闽生

（1989 年 4 月政协五届二次会议增选）

副主席　郝廷藻　强　锷

（1990 年 4 月政协五届三次会议增选）

宁夏军区

司令员　黄经耀（1977 年 6 月—1981 年 1 月）
　　　　陈如意（1960 年 12 月—1983 年 5 月）
　　　　刘学基（1983 年 5 月—　）
　　　　胡世浩（1990 年 6 月—　）

李良辉

政治委员

赵　敏（1983 年 5 月—1985 年 8 月）

王焕民（1985 年 8 月—1990 年 6 月）

董道圣（1990 年 6 月—　）

王永正

新疆维吾尔自治区

中国共产党
新疆维吾尔自治区委员会

第三届区委
（1984 年 2 月—1991 年 3 月）

1984 年 2 月—

第一书记　王恩茂

书　记　司马义·艾买提（维吾尔族）

铁木尔·达瓦买提（维吾尔族）

祁　果　李嘉玉

贾那布尔（哈萨克族）

1985 年 10 月—

书　记　宋汉良

副书记　铁木尔·达瓦买提（维吾尔族）

粟寿山　贾那布尔（哈萨克族）

阿木冬·尼牙孜（维吾尔族）　张思学

第四届区委
（1991 年 3 月—　）

书　记　宋汉良

副书记　铁木尔·达瓦买提（维吾尔族）

粟寿山　贾那布尔（哈萨克族）

张福森　阿木冬·尼牙孜（维吾尔族）

金云辉（1991 年—　）　王乐泉

克尤木·巴吾东

新疆维吾尔自治区人民代表大会
常务委员会

第五届人民代表大会常务委员会
（1979 年 8 月—1983 年 4 月）

主　任　铁木尔·达瓦买提（维吾尔族）

副主任　谭友林　王振文

伊尔哈里（哈萨克族）　杨一青

木沙也夫（维吾尔族）　陆学斌

张凤岐　赵予征

玛依努尔（女，维吾尔族）

禹占林（回族）

阿曼吐尔（女，维吾尔族）

王鹤亭

买合苏德·铁衣波夫（维吾尔族）

副主任　赛甫拉也夫（维吾尔族）　刘思聪

（1980 年 12 月第五届人大第三次会议补选）

第六届人民代表大会常务委员会
（1983 年 4 月—1988 年 1 月）

主　任　铁木尔·达瓦买提（维吾尔族）

副主任　赛甫拉也夫（维吾尔族）　杨一青

陆学斌　任戈白

曹达诺夫（维吾尔族）　黄浴尘

禹占林（回族）

阿不列孜·木合买提（维吾尔族）

王鹤亭　玛依努尔（女，维吾尔族）

买合苏德·铁衣波夫（维吾尔族）

阿曼吐尔（女，维吾尔族）

胡赛音·斯牙巴也夫（哈萨克族）

（1983 年 4 月六届人大一次会议选举）

副主任　夏尔西别克·司的克（柯尔克孜族）

（1984 年 6 月六届人大二次会议补选）

主　任　阿木冬·尼牙孜

副主任　李嘉玉

（1985 年 12 月六届人大四次会议补选）

副主任　张少彭

（1986 年 6 月六届人大五次会议补选）

第七届人民代表大会常务委员会

（1988 年 1 月—1993 年 1 月）

主　任　阿木冬·尼牙孜
副主任
李嘉玉　曹达诺夫·扎义尔（维吾尔族）
陈西夫玛依努尔·哈斯木（女，维吾尔族）
张少彭　买合苏德·铁衣波夫（维吾尔族）
马明亮（回族）　库尔班·阿里（哈萨克族）
　许　鹏
阿不都热衣木·力提甫（维吾尔族）
吐尔巴依尔（蒙古族）
（1988 年 1 月七届人大一次会议选举）
副主任　张思学　石　庚　阿不拉尤夫
（1991 年 5 月七届人大四次会议补选）

新疆维吾尔自治区革命委员会

1978 年 2 月—1979 年 8 月

主　任　汪　锋
副主任　司马义·艾买提（维吾尔族）　宋致和
祁　果　贾那布尔（哈萨克族）
张竭诚　胡良才　谢高忠
铁木尔·达瓦买提（维吾尔族）
巴　岱（蒙古族）
阿木冬·尼牙孜（维吾尔族）
白成铭　张思明　王振文
（1978 年 2 月五届人大一次会议选举）
副主任　杨一青　刘子谟
伊尔哈里（哈萨克族）　田　仲
（1979 年 2 月任命）

新疆维吾尔自治区人民政府

1979 年 8 月—1983 年 4 月

（新疆维吾尔自治区五届人大二次会议以后）

主　席　司马义·艾买提（维吾尔族）
副主席　宋致和　阿木冬·尼牙孜（维吾尔族）

白成铭　贾那布尔（哈萨克族）
张思明　巴　岱（蒙古族）　田　仲
刘子谟
司马益·牙生诺夫（维吾尔族）
谢高忠
伊敏诺夫·哈米提（维吾尔族）
托乎提·沙比尔（维吾尔族）
（1979 年 8 月五届人大二次会议选举）
副主席　曾继福（1981 年 7 月 20 日任命）

1983 年 4 月—1988 年 1 月

（新疆维吾尔自治区六届人大期间）

主　席
司马义·艾买提（　—1985 年 12 月）
副主席　田　仲　托乎提·沙比尔（维吾尔族）
黄宝璋　何德尔拜（哈萨克族）
宋汉良
玉素甫·穆罕默德（维吾尔族）
（1983 年 4 月六届人大一次会议选举）
主　席　铁木尔·达瓦买提（维吾尔族）
副主席　金云辉　玉　素　毛德华
（1985 年 12 月六届人大四次会议补选）
副主席　王乐泉　克尤木·巴吾东　王友三
阿不来·阿不都热西提　李东辉
（六届人大四次会议以后增补）

1988 年 1 月—1993 年 1 月

（新疆维吾尔自治区七届人大期间）

主　席　铁木尔·达瓦买提（维吾尔族）
副主席　黄宝璋　金云辉　毛德华
托乎提·沙比尔（维吾尔族）（1988 年
9 月撤职）
何德尔拜（哈萨克族）
玉素甫·穆罕默德（维吾尔族）

中国人民政治协商会议
新疆维吾尔自治区委员会

第四届委员会

（1978 年 2 月—1983 年 4 月）

主　席　汪　峰

副主席　张世功　陆学斌　熊　晃

司马益·牙生诺夫　漆承德　禹占林

杨宗胜　王振东　杨一青

买合苏德·铁衣波夫

牙合甫大毛拉·沙得尔阿吉

阿曼吐尔　王鹤亭

胡赛音·斯牙巴也夫　汪师贞（女）

（1978 年 2 月政协四届一次会议选举）

主　席　张世功

副主席　赛甫拉也夫　安尼瓦尔·汗巴巴

陈　实　程　浩　林海清

玉素甫汗·昆拜

孟树林　黄浴尘　马平林

夏尔希别克　宫明·江巴曲日木

康巴尔汗·艾买提

（1979 年 9 月政协四届二次会议选举）

副主席　阿不列孜·木合买提　韩有文

张中涛

（1980 年 12 月政协四届三次会议增选）

第五届委员会

（1983 年 4 月—1988 年 1 月）

主　席　司马益·牙生诺夫

副主席　李静轩　孟树林　木沙也夫

牙合甫大毛拉·沙德尔吉

安尼瓦尔·汗巴巴　冯　达

李长林　汪师贞　玉素甫汗·昆拜

宫职·姜巴曲日木　韩友文

康巴尔汗·买买提　马明亮

塔伊尔·买买提力

（1983 年 4 月政协五届一次会议选举）

副主席　富　文

（1985 年 12 月政协五届三次会议增选）

第六届委员会

（1988 年 1 月—　　）

主　席　巴　岱

副主席　富　文　梅合买提·司马益

汪师贞（女）　韩友文

康巴尔汗·艾买提（女）

塔衣尔·买买提力　赵干卿

依不拉音·肉孜　迪牙尔·库马什

张　毅　尕文祥

买买提·尼牙孜哈日　阿荣汗阿吉

（1988 年 1 月政协六届一次会议选举）

副主席　冯大真　吕乾训

（1991 年 5 月政协六届四次会议增选）

新疆军区

司令员

刘　震（1977 年 7 月—1979 年 1 月）

吴克华（1979 年 1 月—1980 年 1 月）

肖全夫（1980 年 1 月—1985 年 7 月）

刘海清（1985 年 7 月—1987 年 4 月）

高焕昌（1987 年 4 月—　　）

傅秉耀

政治委员

赛福鼎（1977 年 9 月—1979 年 1 月）

汪　峰（1978 年 1 月—1982 年 1 月）

谭友林（1980 年 1 月—1983 年 10 月）

谷景生（1981 年 2 月—1982 年 10 月）

谭善和（1983 年 10 月—1985 年 7 月）

王恩茂（1982 年 1 月—1986 年 4 月）

唐广才（1985 年 7 月—　　）

潘兆民

国史研究论著索引[*]

论　文

"'89 风波"与"文化大革命":试析两次动乱的性质、表现、联系与教训/杨发民/理论导刊/1992.3

"一国两制"构想形成原因探析/张关钊/浙江师范大学学报/1993.4.11

"一定要做人民的好儿女"——刘平平、刘源、刘亭亭回忆爸爸刘少奇/宋文郁、孙兴盛/中国青年/1980.4.4

"七五"期间城市建设加快/人民日报/1990.11.22

"马克思主义基本原理与中国实际相统一"理论研讨会综述/唐振南/中共党史研究/1992.2

"中国国情和 70 年来中国社会的巨大变革及其经验"学术讨论会综述/周溯源/中共党史研究/1992.1

"六十一人案"平反昭雪的前后/戴煌/炎黄春秋/1995.12

"六五"成就功在改革/闻经/文汇报/1986.4.2

"六五"时期经济体制改革回顾/宏青/体改信息/1986.6

"双百"方针历史大事记/王德禄、李真真/科学研究/1988.4

"毛泽东热"产生和发展的原因探析/俞茂林/北京社会科学/1992.3

"长期打算,充分利用"——1949 至 1978 年新中国对于香港问题和香港的特殊政策/齐鹏飞/中共党史研究/1997.3

"发展"是最好的"捍卫"/金汶/安徽日报/1979.11.21

"对外经济技术援助的八项原则"决策的层次分析/伏霄汉/历史教学(高校版)/2008.1

"左"三害——邓小平三次挨"左"整/张建平/营口党史/1992.4

"百花齐放,百家争鸣"的三十年:回顾与展望/罗竹风/社会科学/1986.5

"百花齐放,百家争鸣"的历史回顾:纪念"双百"方针三十周年/陆定一/光明日报/1986.5.7

"目前形势与当代中国的国际关系和国际战略"学术圆桌会综述/刘国新/当代中国史研究/1999.5—6

"两个凡是"错误方针的恶果/文艺理论研究/1994.1

"冷战转型:1960—1980 年的中国与变化中的世界"国际学术讨论会综述/张威/中共党史研究/2007.2

"我们的基本口号是:民主化与工业化":刘少奇社会主义民主政治建设思想评述/吴纯光/光明日

报/1988.11.7

"陈云同志论著研讨会"综述/张映芳/中共党史研究/1990.5

"承载几千万人的大船"——湖南人民深切怀念周小舟同志/本报记者/湖南日报/1979.6.3

"知识就是力量"在改革开放中的体现与当代性反思/李彦/时代人物/2008.7

"经济学的混乱"与资产阶级自由化/李茂生/光明日报/1989.11.4

"该我开炮了"——谭震林与"二月抗争"/项南/人物/1992.6.5

"皇甫平"文章发表的前前后后/陆幸生/中国社会导刊/2003.9

"逃港风潮"与建立深圳特区/申晨/中国档案/2008.10

"惩前毖后"是治史的崇高目的:《中华人民共和国经济史纲要》读后/黄希源/中南财经大学学报/1988.3

"激进与渐进——中俄改革比较研究"国际学术研讨会综述/葛新生/世界历史/2003.3

《中共中央关于教育体制改革的决定》出台前后/胡启立/炎黄春秋/2008.12

《关于建国以来党的若干历史问题的决议》学习参考资料/史毅尔/北京日报/1981.7.4

《关于若干历史问题的决议》的诞生/惠香香/解放日报/1981.7.3

《实践是检验真理的唯一标准》一文写作和发表的经过/纵横/1996.10

《教育战线的一场大论战》发表的前前后后——推翻"四人帮"的"两个估计"亲历记/吉伟青/党的文献/2002.1

《粮食、饥荒与中国政府》一书导言/[美]斯沃思莫尔大学历史学副教授李莉莲著/张水良译/经济资料译丛/1986.3

1949—1978:新中国迈向世界的步履为何如此蹒跚/余三乐/中共党史研究/1997.2

1949—1978年中国城市化分析/苏少之/当代中国史研究/1999.2

1949—1978年华侨华人对中国经济与社会发展的贡献/李树桥/华侨华人历史研究/2000.3

1953—1978:国家工业化与农业政策选择/李成贵/教学与研究/1997.3

1957—1976年中国政治参与制度化偏轨原因的路径依赖理论解读/徐瑞祥/教书育人/2006.S2

1964—1978年的三线建设对贵州社会经济发展的重要意义/祝德桂/贵州文史丛刊/1995.3

1976—1982年:新的宏观历史叙述——以社会整合为视角/吴志军/内蒙古社会科学(汉文版)/2005.1

1977—1982:胡乔木对中国特色社会主义的贡献/程中原/党史研究与教学/2006.3

1977年恢复高校招生考试制度的最初酝酿/顾为铭/当代中国史研究/2003.5

1978:中国的重生/喻尘/政府法制/2008.23

1978:坚冰是怎样被打破的/杨继绳/贵州文史天地/1999.1

1978—1984年中国经济体制改革思路的演进决策与实施/肖冬连/当代中国史研究/2004.5

1978—1984年农村改革之中央、地方、农民的互动关系研究/孙泽学/中国经济史研究/2006.1

1978—1992:邓小平———一座丰碑/招嘉炽/城市党建/1993.1

1978年中国大转折写真/张湛彬/炎黄春秋/1998.10

1978年以来中共对台文化交流政策的探析/张亚/阜阳师范学院学报(社会科学版)/2006.5

1978年国务院务虚会经济建设和改革思想研究/黄一兵/中共党史研究/2006.5

1978年前海峡两岸谋和足迹实录/杨亲华/炎黄春秋/1997.8

1979:我赴新疆兵团处理上海青年回城问题/刘济民/纵横/2002.6

1979—1986年福建扩大国有企业自主权的改革进程/欧阳小松/党史研究与教学/2004.1

1979年全国开展社会主义生产目的大讨论始末/吴光祥/世纪桥/2008.13

1979年至1980年:经济调整在争论中推进/肖冬连/党史博览/2006.2

1980—1991 年证券市场的复苏与起步/王年咏/当代中国史研究/2007.3

1980 年以来中国共产党政权选举史研究述评/李瑗、吴继平/党史研究与教学/2006.3

1980 年全国第一届县级直接选举工作/白益华/当代中国史研究/2005.5

1982 年我国经济成就和新出现的问题/国家经委经济综合局/经济日报/1983.3.5

1982 年宪法的制定过程及其历史经验/刘荣刚/当代中国史研究/2005.1

1983 年天门特大洪涝与抗灾救灾纪实/曹以明/湖北文史资料/1998.4

1984—1988 年我国经济加速发展之历史回顾/林祥庚/中共党史研究/1992.5

1984 年以来中国宏观调控中的货币政策演变/吴超林/当代中国史研究/2004.3

1988—1998 年的中国经济发展：回顾和展望/王梦奎/人民日报/1993.4.12

1988 年中国 500 家最大工业企业及行业 50 家评价(一)/《管理世界》中国企业评价中心/国家统计局工交司/管理世界/1989.5

1988 年中国 500 家最大工业企业及行业 50 家评价(二)/《管理世界》中国企业评价中心/国家统计局工交司/管理世界/1989.6

1988 年全国史学理论讨论会综述/殷永林/文史哲/1988.5

1990 年全国史学理论研讨会情况述略/江文/历史教学问题(沪)/1990.4

20 世纪 80 年代的婚姻法律与婚姻家庭变迁/秦燕、李亚娟/当代中国史研究/2003.3

30 年来的新闻与政治/梁衡/山西大学学报(哲学社会科学版)/2009.1

1978 年：历史转折期的那些旧事(6)/岳斐文/山西档案/2008.6

40 年来中国革命和建设的基本经验/薛韬/学习导报/1989.10

70 年代后期的国际形势与我国改革开放的决策/孙大力/当代中国史研究/1995.3

80 年代"文化热"研究综述/宗胜利/理论前沿/1995.16

80 年代广东的反走私斗争/卢荻/百年潮/2000.5

80 年代中国民众政治参与的阶层分析/杨龙/当代中国史研究/1998.4

80 年代以来美国中美关系史研究述评/肖军/当代中国史研究/1997.4

1979 年我国对外关系发展示意图/徐如琛绘/解放军报/1979.12.30

1981 年以来我国毛泽东研究概述/黄永诚/史学月刊/1992.4.19

1989 年史学理论研究述评/无际/中国史研究动态/1990.11

1982 年国民经济发展情况统计图表/中国建设/1983.8

1985 年全省国民经济形势综述/河北日报/1986.1.4

1985 年经济形势分析与评价/南华/经济学周报/1986.1.29

1986 年史学理论研究概况/王也杨、李林/中国史研究动态/1987.10

1986 年全国史学理论研究述评/张艳国、熊远远/江汉论坛/1987.5

1956 年以来党的知识分子政策的回顾/裴棣、陈雪薇/党史研究/1984.2

一个老年知识分子的心声/费孝通/光明日报/1981.7.3

一个意义重大的构想：邓小平同志谈："一个国家　两种制度"/瞭望/1984.42

一本文史交融的人物传——《陈毅传》读后/陈夕/中共党史研究/1993.3

一份内参推翻"两个估计"——与《教育战线推翻"四人帮"两个估计前后》商榷/余焕椿/炎黄春秋/2004.8

一种早期的改革思路：产品经济观与商品经济观的冲突——兼谈孙冶方经济改革双重模式的矛盾/胡建/财经理论与实践(湖南财经学院)/1989.2

一项重要的首创(对刘少奇同志"天津讲话"中关于"加工订货、统购包销"思想的初步探讨)/张志杰、张凯/西北大学学报/1980.2

一部闪耀着马列主义、毛泽东思想光辉的重要历史文献(我省部分社会科学工作者学习座谈《关于建国以来党的若干历史问题的决议》纪要)/河南日报/1981.1.11

丁玲历史问题结论何以反复——对《文艺界平反冤假错案的我经我见》的辩证与补充/徐庆全/纵横/2000.5

70 年代末广东开展的反偷渡斗争/杨建/岭南学刊/2000.6

70 年代后期的中国第二次对外引进高潮/中共党史研究/1996.2

"九一三"事件后毛泽东的思想矛盾及其变化/张化/中共党史研究/1992.2

90 年代中国对外经济关系/张远/人民日报(海外版)/1990.11.15

90 年代国际形势与中国周边环境/王逸舟/开放时代/1993.3

二元经济中劳力转移尺度的重新界定/牛仁亮/经济研究/1993.4

人才是四化建设成败的关键——学习《周恩来选集》(下卷)关于知识分子问题论述的一点体会/曾涛/理论与实践/1985.4

人民的要求/历史的必然(回顾我们党领导社会主义改造的辉煌胜利)/李实/湖南日报/1981.6.25

人民的意志是不可战胜的/宋庆龄/人民日报/1979.9.29

人民群众是历史的创造者(学习《决议》关于天安门事件的论述)/新征/河北日报/1981.9.26

80 年代中国经济运行机制的理论与实践/小廖/福建社科情报/1990.1

1985 年以来农业萎缩的原因分析/孙新占/计划与市场/1989.2

八届全国人大常委会委员长乔石简历/人民日报/1993.3.28

几个历史争论的回顾:读《刘少奇选集》下卷首次发表的三篇手稿/龚育之、高路/读书/1986.5

十一届三中全会:邓小平理论创立的标志和走向成熟的起点/汪青松/当代中国史研究/1999.1

十一届三中全会与中国社会主义现代化的历史转折/黄圣炯/安徽农业大学学报(社会科学版)/1998.4

十一届三中全会与农村改革的兴起/盖军/新视野/1998.6

十一届三中全会及其主要文件形成的若干情况——我所知道的十一届三中全会(下)/朱佳木/党的文献/1999.1

十一届三中全会邓小平"主题报告"的形成过程/程中原/当代中国史研究/1998.6

十一届三中全会以来中共党史研究的新进展/唐培吉/党的文献/2002.4

十一届三中全会以来在农村发展道路问题上有哪些重大突破?/陈开国/红旗/1986.17

十一届三中全会以来我国经济发展情况统计表/经济问题/1983.1

十一届三中全会以来的七十项成就/本刊编辑部/半月谈/1986.2

十一届三中全会以来统一战线和民主党派研究新进展/周淑真/中共党史研究/2003.2

十一届三中全会以来党对马克思列宁主义的新贡献/沈宝祥/党史研究/1986.4

十一届三中全会以来党对计划与市场问题认识的发展过程/陈文通/党的文献/1992.6.25

十一届三中全会以来党对社会主义精神文明建设战略地位的认识历程/王立胜/当代中国史研究/1998.2

十一届三中全会以来解放思想的历史回顾/张峰/新视野/1998.6

十一届三中全会——社会主义建设时期的"遵义会议"/卢粉艳/渭南师范学院学报/1999.3

十一届三中全会前后农村改革报道琐忆/陈大斌/百年潮/2006.4

十一届三中全会前后拨乱反正研究综述/孙大力/教学与研究/1996.2

十一届三中全会前后的经济冒进与经济调整/黄如军/当代中国史研究/1998.6

十一届三中全会前后党的知识分子政策的演变/岳林强/中州统战/1998.10

十一届三中全会前的若干情况/朱佳木/纵横/1998.11

十一届三中全会前的若干情况(续)/朱佳木/纵横/1998.12

十一届三中全会前党对社会主义建设道路探索的构成分析/占善钦/北京党史/2006.3

十一届三中全会是我国对外开放基本国策的起点/张神根/理论前沿/2001.8

十一届三中全会是建国以来党的历史的伟大转折/郑惠/红旗/1981.17

十四年农村改革与发展的回顾/孙月平/经济研究资料/1993.7

十年史学的成绩与不足/王思治/光明日报/1988.4.6

十年外贸体制改革的评估/王绍熙/国际贸易问题/1989.12

十年对外经济开放的理论与实践/黄传新/淮北煤炭师院学报(社科版)/1989.3

十年民主建设的反顾与思索/朱光明/东岳论丛/1989.1

十年改革:理论与实践的飞跃/梓峰/中国青年报/1989.1.19

十年改革的困境与反思/李伟东/经济学周报/1989.2.19

十年来中国现代政治思想史研究述评/杜文君/中共党史研究/1992.1

十年来邓演达研究述评/赵金鹏/中共党史研究/1992.3

十年来张闻天研究述评/彭明/中共党史研究/1990.5

十年来我国经济理论研究的成就与失误/白永秀/社会科学报/1989.8.17

十年来所有制研究和改革的回顾/晓亮/求是/1988.11

十年经济理论的发展/刘家声、张存刚、王玉海/兰州大学学报(社科版)/1989.1

十年商业改革的宏观透视/薛士启/商品流通论坛/1989.1

万里与安徽农村改革/周曰礼/纵横/2008.8

万里抓农村改革的四个第一/刘秀兰/党史研究与教学/1998.3

万隆精神和周恩来:对亚非会议的回忆/李慎之/人民日报/1985.4.19

三十五年中国史学的简单回顾和展望/李侃/历史教学/1984.10

三十年来商业管理的回顾和今后改革的意见/叶荫松/经济管理/1979.10

三个阶段的变迁——回顾新中国与国际不扩散机制互动历程/高珊/中国国情国力/2006.4

三个重要文件与新时期中国乡村政治的变革/李正华/党的文献/2006.4

三个联合公报与中美关系的发展/吴双全/社科纵横/1998.1

三中全会以来我国的文艺发展/阮航/毛泽东思想研究/1998.6

三中全会透视——12位知名专家深层解读十七届三中全会/人民论坛/2008.20

三次"台海危机"论述/李瑗/党史研究与教学/1994.4

上将许世友的生前死后/黎清/炎黄春秋/1993.9

上海迎接建党六十周年热烈筹备各项纪念活动/解放日报/1981.6.25

乡镇企业改革开放十五年的历史回顾与前景展望/李炳坤/管理世界/1993.5

千秋功过的评论——黄克诚关于毛泽东评价问题文章发表的前前后后/乔希章/党史月刊/1993.1

大力开展经济效益的统计和分析/集中财力物力加强重点建设研究参考资料/本刊资料室/统计/1983.9

大包干"契约"之谜/王茂跃/中国档案/1998.11

大潮再起:邓小平南巡的前前后后/刘海涛/党史文汇/1993.4

女儿的怀念/刘爱琴/解放军报/1980.4.27

小岗村"秘密契约"的内部新闻/李超/江淮文史/1999.2

马克思主义与中国革命实践相结合的珍贵文献《朱德选集》出版/人民日报/1983.8.1

马克思主义在中国的历史命运/刘谷/复旦学报/1981.4

马克思主义的远见卓识:学习陈云同志《要使用资方人员》一文的体会/邵纯/新疆社会科学/1984.4

马克思主义理论教育与社会主义现代化建设/本刊评论员/教学与研究(中国人民大学)/1984.5

不畏权势,坚持真理——记经济学家马寅初先生/宋铁铮/社会科学战线/1980.1

中共十一届三中全会实现伟大转折的特点及其意义/张寿春/当代中国史研究/1998.2

中共三代领导集体对中国现代化的探索与实践/王效伯/党史纵横/2004.11

中共党史分期新探/梅长冬/中共党史研究/1993.2

中共党史研究七十年/陈明显/中国教育报/1992.4.18

中共党史研究的困惑与希望/陈浮/求索/1988.4

中共党史教学面临的改革任务/马齐彬/党史研究与教学/1988.1

中华人民共和国万岁/本刊编辑部/刘国新/当代中国史研究/1999.5—6

中华人民共和国经济史讨论会观点简述/赵凌云/经济学动态/1986.2

中华人民共和国经济史的分期/赵德馨/青海社会科学/1986.1

中华人民共和国政治体制的历史考察/蒋辅义/史学月刊/1989.5

中国人民站起来了/杜宣/解放军报/1979.9.28

中国人民站起来的时候——纪念中华人民共和国成立三十周年/李维汉/光明日报/1979.9.29

中国十年政治改革的基本走向/郎毅怀/社会主义研究(华中师大)/1989.1

中国乡镇企业的演进与发展过程/李宏/党的文献/1993.2

中国为什么犯20年的"左"倾错误/胡乔木/中共党史研究/1992.5

中国反"和平演变"斗争一瞥/刘怀珠、王玉明、关晋平/党史文汇/1992.3

中国计划经济时期计划管理的若干问题/董志凯/当代中国史研究/2003.5

中国计划经济的重新审视与评价/武力/当代中国史研究/2003.4

中国史学现代化刍议/张信/史学理论/1988.2

中国史学研究面临的重大转变/葛承雍/社会科学评论/1985.5

中国民主党派史研究现状之我见/李玉荣/中共党史研究/1992.5

中国共产党与中国社会主义工业化道路/陈夕/中共党史研究/1993.5

中国共产党为科学而奋斗的历史篇章/龚育之/红旗/1981.15

中国共产党对世界无产阶级革命事业的伟大贡献/柴保三/石油大学学报/1992.3

中国共产党光辉战斗的六十年(上)(胡华同志六月三十日在北京市委党校的报告)/学习与研究/1981.3

中国共产党光辉战斗的六十年(下)(胡华同志六月三十日在北京市委党校的报告)/学习与研究/1981.4

中国共产党光辉战斗的六十年——纪念党的创立六十周年/胡华/政治教育/1981.4

中国共产党执政的国际环境:对策与经验/刘国新/当代中国史研究/2001.4

中国共产党执政后自身建设的历史经验/金春明/学习论坛/1990.5

中国共产党河南省第八次党代表会议/贾英歌/河南党史研究/1987.2.3

中国共产党的执政地位是历史的选择/刘明范/河北师范大学学报/1993.1

中国共产党的统战方针与民主党派的历史发展/张军民/中共党史研究/1992.5

中国共产党是社会主义事业的领导核心/陈登才、陈雪薇/人文杂志/1981.4

中国当代史研究:不乏热点的年轻学科/刘国新/社会科学报/2008.3.6

中国农业经济波动论/于天义、张大思/财经问题研究/1993.10

中国农民的伟大创造——谈家庭联产承包责任制的由来和发展/王郁昭/党的文献/1992.4.7

中国农村土地制度:变迁过程的实证分析/孔泾源/经济研究/1993.2

中国农村社会主义道路的正确指针/章民生/江西大学学报(哲社版)/1984.3

邓小平"改革是一场革命"的理论初探/毕宪顺/东岳论丛/1993.3

邓小平"摆脱贫困的社会主义"思想的方法论意义——再论社会主义初级阶段的经济特征/苏东斌/学习与探索/1987.6

邓小平1978年东北谈话的主要内容、特点、意义/王宁/党的文献/1999.2

邓小平与80年代中期的政治体制改革/党的文献/1996.5

邓小平与中共党史研究/温乐群/中共党史研究/1992/4.6

邓小平与中美关系：1977—1991/陶文钊/社会科学研究/2005.5

邓小平与毛泽东思想/王锦侠/广西党史研究通讯/1993.1

邓小平与宁波帮/谢辉/中国乡镇企业/2000.Z2

邓小平与安徽经济体制改革/江鲲池/江淮文史/2004.5

邓小平与我国经济的三次大调整/郭学旺/党的文献/1996.6

邓小平与我国新时期的对外开放政策/黎青平/党史研究/1986.4

邓小平与知青问题的解决/张曙/党的文献/2003.5

邓小平与党在社会主义初级阶段的基本路线/魏新生/中共党史研究/1993.3

邓小平与真理标准问题讨论研究述评/沈宝祥/岭南学刊/2004.4

邓小平与教育战线上的拨乱反正/宋毅军/当代中国史研究/1996.4

邓小平与第二次历史性飞跃/高元庆/实事求是/1993.3

邓小平历史观简论/朱光甫/文史哲/1993.1

邓小平反对"左"倾错误的几次斗争/杨涛/党的文献/1993.2

邓小平对马克思主义共同富裕思想的新发展/杨云善/信阳师范学院学报/1993.1

邓小平对毛泽东建军思想的新贡献/林伯野、申辙/毛泽东思想研究/1984.3

邓小平对统一战线理论的新贡献/彭志远、陈秀琪/党建研究/1992.2

邓小平对唯物史观的新贡献/赵文绪/湘潭大学学报/1993.2

邓小平正确认识与纠正"左"右错误倾向的三个阶段/赵明义/当代中国史研究/2007.1

邓小平生产力发展观初探/杜书云/改革与战略/1993.2

邓小平关于政治稳定的思想初探/杨小冬/福建党史月刊/1990.7

邓小平农民脱贫致富思想/孟志中、陈占安/当代中国史研究/2004.4

邓小平同志对社会主义经济公式的理论贡献/闻仲/福建师范大学学报/1993.1

邓小平同志南巡谈话与对毛泽东思想的坚持和发展/石仲泉/教研参考资料/1993.1

邓小平在真理标准讨论期间的政治工作艺术初探/林伯海、曾森/毛泽东思想研究/2006.4

邓小平有中国特色社会主义理论对毛泽东思想的继承和发展/杨三省/科学社会主义/1993.2

邓小平论改革开放是非的三条标准/杨荣华/党史研究与教学/1993.3

邓小平的政策稳定思想探析/方小年/湖南师范大学社会科学/1993.2

邓小平的管理思想与领导艺术/夏禹龙/教学参考与资料/1993.1

邓小平经历的几场反"左"斗争/王红续/党史文汇/1993.1

邓小平经济特区理论/欧大军、梁钊/当代中国史研究/2004.4

邓小平谈什么是有中国特色的社会主义/瞭望/1984.34

邓小平教育战略思想形成与发展的历史过程和背景条件/周志平/河北师范大学学报/1993.1

邓小平提出"一国两制"构想的来龙去脉/冷溶/瞭望/1992.33

邓小平管理思想理论的精髓——实事求是/商孝才/华东师范大学学报/1993.1

以马克思主义为指导，开创历史研究的新局面——中国史学会首次学术年会侧记/华南/世界史研究动态/1983.6

以邓小平重要谈话指导党史教育的思考/运新宇、张桂伯/政工导刊/1992.5

以诚相见的中国共产党人/陶峙岳/人民日报/1981.8.13

以科学的态度对待党的历史错误/邵华泽/哲学研究/1981.6

加快工业发展必须遵循客观经济规律——对建国以来四川工业建设的几点看法/戴杨柳/社会科学研究/1979.4

加快传统农业向现代农业转化/顾益康/浙江经济/1988.4

加强党的领导,搞好党的建设——热烈庆祝中国共产党成立六十周年和党的六中全会胜利闭幕/内蒙古日报/1981.7.1

包产到户生产责任制浮沉录/陈杨勇/党史文汇/1992.12

包产到户提出过程中的高层争论——访国家农业委员会原副主任杜润生/徐庆全/炎黄春秋/2008.11

北京地区社会科学界庆祝建国三十周年学术讨论会经济组会议情况/武仁建/经济学动态/1979.12

发扬求实学风,清除精神污染——学习《邓小平文选》的体会/吴廷谬/历史教学/1983.12

发扬艰苦奋斗,密切联系群众的光荣传统——纪念毛泽东同志诞辰八十六周年/朱辉/新华日报/1979.12.25

发扬党的三大优良作风,为把我国建设成为四个现代化的社会主义强国而奋斗——纪念毛泽东同志诞辰九十周年/黄海泽/华侨大学论丛/1984.1

发扬党的优良传统,更好地为人民健康服务——纪念中国共产党成立六十周年/钱信忠/健康报/1981.6.28

发展最广泛的爱国统一战线/杨静仁/红旗/1984.19

发起改革开放/王宪国/广西党史/2004.4

古稀之年话今昔/郭有义/河南日报/1981.6.25

"目前形势与当代中国的国际关系和国际战略"学术圆桌会综述/刘国新/当代中国史研究/1999.5—6

只有马克思主义能够救中国/孟庆钟/解放军报/1979.5.8

只有创新,才有生命——庆祝中华人民共和国成立三十五周年/杨玎/青海师范大学学报(哲社版)/1984.4

只有社会主义能够救中国/鲁同文/大众日报/1979.4.27

只有社会主义能够救中国——从近百年历史来谈中国的根本出路/钟华/学术论坛/1979.2

只有社会主义能够救中国——关于"对话"的小结/栗昭/解放日报/1979.6.6

史学研究面临全面变革/白钢/光明日报/1988.5.4

史学理论:危机? 契机? /程洪/史学理论/1988.2

叶剑英与"九一三"事件后军队的两次整顿/胡长水/中共党史研究/1992.2

叶剑英对加强社会主义法制建设的贡献/李振军/党的文献/1993.2

四十年我国国民经济运行系统分析:三位经济学博士谈最新研究成果/徐伟/现代人报/1990.2

外贸体制改革十年回顾及发展趋向/冯卓五、张元龙、汪凤梅/决策探索/1989.6

外贸体制改革的回顾与反思/王林生/科技导报/1990.1

对"八五"期间经济发展与改革的思考/刘国光/光明日报/1990.7.21

对"六五"时期建设和改革问题的回顾与思考/中国社会科学院"六五"经验研究组/中国社会科学/1986.2

对马克思主义的重大发展/苏绍智/人民日报/1981.7.21

对中国社会主义改造的历史沉思/孙建英/吴中学刊(社科版)/1991.3

对四十年史学指导思想的基本估计/蒋大椿/山东社会科学/1990.3

对外贸易与经济发展关系的历史考察与分析/任净、李赖志/国际贸易问题/1989.9

对安徽农村两次改革的回顾/李守璋/江淮文史/2008.4

对有关毛泽东思想形成和发展的两个问题的看法/刘勉玉/中共党史研究/1993.2

对我国农业现代化道路的思考/高之栋/理论导刊/1988.9

对周恩来的研究与"周恩来的精神"之我见/石仲泉/党的文献/1993.2

对国家社会主义进行体制分析/[美]D. 斯达克、V. 倪著、高钻译/国外社会科学/1989.6

对建设有中国特色的社会主义的探索——读《周恩来选集》下卷/石仲泉/解放日报/1985.1.2

对建设社会主义中国的探索和贡献——《刘少奇选集》下卷的思想理论特色/刘崇文/人民日报/1985.12.16

对建国以来党内反腐败斗争的再认识/刘金祥、张兆武/沈阳师范学院学报/1992.4.56

对河北省编写地、市、县建国以来三十年大事记有关问题的探讨/任存志/档案学通讯/1985.2

对待毛泽东思想的正确态度/解放军报/1979.10.26

对党和国家利用外资政策的历史考察/黎青平/中共党史研究/1989.2

对真理标准讨论运动意义的再认识/郭继成/北京行政学院学报/2002.3

对资改造问题研究座谈会简介/王勇/人民日报/1989.6.30

对商业管理体制改革的探讨/湘萍/实践/1979.9

对第二次历史性飞跃的研究/高化民/当代中国史研究/1998.6

对越自卫反击战过程中的中美苏三角关系/宫力/党史文汇/1995.8

对新中国农业发展道路的几点认识/叶丹/济宁师范专科学校学报/1984.3

巨大的成就,光辉的前景:为庆祝中华人民共和国成立三十五周年而作/侯捷/学习与探索/1984.5

市政协邀请上海经济理论界知名人士回顾探讨十年经济改革理论:建树很多失误不少/联合时报/1989.10.20

平反冤假错案的历史进程和历史地位/缪慈潮/党史研究与教学/1998.4

平反冤假错案的历史进程和历史意义/王海光/当代中国史研究/1999.5

必须实行责任制(1962 年 7 月 18 日)/刘少奇/党的文献/1992.4

必须继续坚持毛泽东思想——学习《关于建国以来党的若干历史问题的决议》的初步体会/沈轩礼/辽宁日报/1981.7.9

正确反映党的斗争历史/杨振亚/人民日报/1979.11.27

正确处理人民内部矛盾与四个现代化——纪念《关于正确处理人民内部矛盾的问题》发表二十二周年/李茂/开封师范学院学报/1979.3

正确对待毛泽东思想/徐远侯/西藏日报/1979.11.22

正确地理解《决议》对三十二年的评价/尤敢/新华日报/1981.7.18

正确估价 1985 年的经济体制改革/方恭温/光明日报/1986.3.22

民族区域自治的光辉历程/乌兰夫/人民日报/1981.7.14

永远坚持马列主义、毛泽东思想/于思、吴顺长/牡丹江师范学院学报/1979.1

永远高举毛泽东思想的旗帜/柳佑、杨小岩/武汉大学学报(哲社版)/1979.3

永远跟着共产党走/董其武/光明日报/1981.7.3

用建设有中国特色社会主义理论武装全党/丁关根/人民日报/1993.6.21

用科学的态度对待毛泽东思想/黄启臣/思想解放/1979.11

用科学的态度评价毛泽东哲学思想/周琳/重庆日报/1982.4.24

用新的时代精神看待史学的价值与功能/沈定平/光明日报/1986.4.2

关于 1986 年经济体制改革的思考/高尚全/瞭望/1986.1

关于中国社会主义现代化问题/宦乡/哲学研究/1979.10

关于历史研究的指导思想问题——评马克思主义"过时"论/刘大年/世界历史/1983.4

关于开创中国历史研究和教学新局面的几个问题/邓广铭/北京大学学报/1983.4

关于毛泽东思想的定义、历史发展和基本特征/房成祥/陕西师范大学学报/1993.2

关于毛泽东思想的科学定义/熊政/湖北日报/1979.11.8

关于加快农村现代化建设的几个问题/李瑞环/红旗/1988.7

关于对毛主席评价和对毛泽东思想的态度问题/黄克诚/党史研究/1981.2

关于传统社会主义政治经济学缺陷的若干思考/张培华/吉林财专学报/1989.2

关于如何论述解放后历次政治运动问题讨论会综述/陈叔侗执笔/福建地方志通讯/1986.3

关于当前中共党史学习中应注意把握的几个问题/范香保、王金池/理论学习与研究/1992.1

关于我国农业现代化的几个问题/张敬让/安庆师范学院学报(社科版)/1988.4

关于我国社会主义建设的道路问题——重读《论十大关系》/王珏/理论与实践/1983.12

关于我国社会主义道路的几个理论问题/黄万畴/学术研究/1983.3

关于我国的经济形势/袁宝华/理论月刊/1984.4

关于改革开放史研究的若干思考/章百家/北京党史/2008.6

关于社会主义社会发展的动力问题/雍涛/武汉大学学报/1979.2

关于社会主义制度优越性问题/廖盖隆/哲学研究/1979.6

关于社会主义建设的历史阶段/吴江/人民日报/1986.5.5

关于建设有中国特色的社会主义问题/王守山/湘潭师专学报(社科版)/1984.3

关于建国以来历史决议的起草——龚育之访谈录/谢春涛/百年潮/2001.6

关于建国以来社会主义建设指导思想的回顾和反思——为国庆四十周年而作/雷云/科学社会主义研究/1989.10

关于建国初期国内主要矛盾的问题/郭名华/新乡师范学院学报(哲社版)/1983.1

关于经济杠杆失灵问题的思考/吉林财贸学院经济杠杆问题课题组/吉林财贸学院学报/1989.5

关于经济杠杆失灵问题的思考——对改革十年来运用经济杠杆的历史回顾和展望/毛树礼、李新国、胡彦伟/财政研究/1989.11

关于党史科学的分类与党史科学研究中存在的问题/宋俊生/江西党史研究/1988.1

关于党对社会主义发展阶段认识中"左"倾错误的反思/刁丽伟/北京党史研究/1992.3

关于党政关系问题的历史回顾/魏新生/中共党史研究/1988.2

关于党领导经济建设的几点思考/宫杰/内部文稿/1993.2

关于真理标准问题讨论大事记/新闻战线/2008.7

关于新中国工业经济史研究的若干问题/汪海波/江西社会科学/1984.2

关于新时期社会主义民主建设的历史考察/关晋平/党史文汇/1992.2

农业合作化与家庭联产承包为主的责任制/高化民/当代中国史研究/1996.2

农业合作化理论的新发展/沙风/河北日报/1984.8.11

农业现代化的发展趋势/卢良恕、司洪文/北京科技报/1988.11.16

农业现代化的新方向/世海/中国合作经济报/1988.4.20

农业现代化前景是啥样?/人民日报/1988.2.1

农业的历史演化规律——兼谈中国农业的特色问题/邹德秀/人文杂志/1984.2

农业的根本出路在于现代化/朱根宝/群众/1988.6

农村改革反思/张神根/当代中国史研究/1998.6

安葬胡耀邦前前后后/顾葆孜/中华儿女/1993.1

安徽包产到户的曲折历程/黄家声/江淮文史/1998.4

安徽农业责任田的雏形——刘庆兰父子事迹调查记/戴兴华/江淮文史/1998.2

安徽农村"大包干"的起源和发展/徐乐义/当代中国史研究/1998.6

寻找一条适合中国的建设道路——纪念《论十大关系》发表三十周年/苗增瑞/天津日报/1986.4.21

庄严的使命,光辉的榜样——《对起草〈关于建国以来党的若干历史问题的决议〉的意见》学习体会/王一渊/大同职业技术学院学报/2006.2

延伸与准备:1949年至1978年马克思主义中国化的曲折进程与原因/郑谦/中共党史研究/2007.4

异化与历史/刘大年/瞭望/1984.8

当代中国逆城市化研究(1949—1978)/邱国盛/经济史/2006.5

当代中国党和国家领导制度的建立/陈雪薇/南京政治学院学报/1988

当代西方研究毛泽东和毛泽东思想的思潮——西方"毛泽东学"评介/叶卫平/社会主义研究/1993.2

当前历史研究的时代使命问题/刘大年/近代史研究/1983.3

当前宏观经济形势/杨培新/世界经济导报/1986.7.21

当前的经济工作/江泽民/人民日报/1993.6.2

曲折的认识过程:对我国社会主义初级阶段认识的历史回顾/王法祖/党政干部论坛/1988.1.11—1

有中国特色社会主义发展道路的三块理论基石/包心鉴/宁夏社会科学/1993.3

欢庆与回忆/邓颖超/红旗/1981.13

百折不挠,奋勇前进/[日]横川次郎/人民日报/1981.6.29

纪念中华人民共和国成立40周年学术讨论会综述/樊天顺、王进、温乐群/中共党史研究/1990.1

纪念中国共产党成立六十周年/成仿吾/教学与研究/1981.4

纪念中国共产党成立六十周年/武汉师范学院学报/1981.专辑

纪念中国共产党成立六十周年学术讨论会简况/胡晟盛/历史教学/1981.10

纪念毛主席对音乐工作者的谈话/贺绿汀/红旗/1979.10

纪念张闻天90华诞学术讨论会综述/袁尉/中共党史研究/1990.6

纪念周恩来诞辰九十五周年学术讨论会综述/陈学才/教学与研究/1993.3

纪念的意义(本刊评论员)/刘国新/当代中国史研究/2000.5

纪念党的十一届三中全会十周年理论讨论会若干重大理论问题讨论述要/经济学动态/1989.4

老一辈革命家与三峡工程/曹应旺/党的文献/1993.1

老一辈革命家对国防科研事业的关怀/龚松圃、王寿云/光明日报/1981.7.19

老中青干部紧密团结是党的事业继往开来的重要保证/宋任穷/人民日报/1981.6.30

考察资本主义的新视角/迟秀敏、徐智海/黑龙江财专学报/1989.1

西方学术界研究我建国后历史的若干情况/唐秀文/党史研究/1987.5

西藏二十年经济建设的回顾与思考/肖远、金鑫/西藏党校/1985.3

西藏现代革命史研究概述/韩侠/中共党史研究/1990.1

论"两个凡是"与解放思想——纪念真理标准讨论二十周年/梁衡/求是/1998.9

论80年代以来毛泽东研究的主要特点/侯且岸/北京党史研究/1993.5

论二十世纪中国的三次思想解放/冯召刚/湖北经济学院学报(人文社会科学版)/2007.1

论人民民主专政在革命转变中的作用——庆祝中华人民共和国建国三十五周年/张万学/山西师范学院学报(社科版)/1984.4

论中国共产党集体领导制度的形成与发展/李道吉/成都党史/1992.5

论毛泽东对外开放思想及其发展/江华安/中国青年政治学院学报/1993.3

论毛泽东民族团结思想及其在新时期的发展/李瑞/内蒙古社会科学/1993.3

论毛泽东同志的独立自主、自力更生思想/邢志第/东岳论丛/1982.2

论毛泽东利用外资思想/冯都/党史文苑/1993.3

论毛泽东的"新经济政策"/喻卫国/毛泽东思想研究/1993.2

论毛泽东的经济思想体系/杨艳林/经济学动态/1993.12

论邓小平反倾向斗争的思想/贾恭惠/晋阳学刊/1993.3

论邓小平对马克思主义实践标准理论的贡献——纪念真理标准大讨论 20 周年/吴仁平/赣南师范学院学报/1998.2

论邓小平在真理标准问题讨论中的历史定位/徐永军/党的文献/2003.4

论邓小平的政策思想/李有芬/教学参考与资料/1993.1

论邓小平的政策科学思想/陈晓明/理论探讨/1993.3

论邓小平经济特区建设思想/刘国光/光明日报/1993.5.25

论邓小平复出前后有关按劳分配的思想/谭幼萍/当代中国史研究/2000.6

论邓小平理论的历史渊源/刘以顺/当代中国史研究/1998.1

论叶剑英主持制定的接收和管理广州市的方针政策/胡提春/广州党史研究/1992.3

论叶剑英的中国现代化思想/冯鉴川/华南师范大学学报(社会科学版)/1997.4

论当代中国的经济学危机/马凤森/求是学刊(黑龙江大学)/1989.1

论我国经济的适度增长与跳跃式发展/刘迎秋/经济研究/1993.1

论改革、开放与发展的协调/谭伟东/经济科学/1990.5

论社会主义市场经济条件下所有制形式的选择——对近十年国有企业改革的理论分析/陈东琪/江汉论坛/1989.4

论实现社会主义生产目的的经济机制——对经济体制改革的理论探讨/项启源/东岳论丛/1986.1

论建国后我国农业的发展道路和农村改革的成就/卢文/中共党史研究/1992.4

论政治思想战线斗争的历史经验/唐纯良、张国勤、刘萍华/北方论丛(哈尔滨师范大学学报)/1990.1

论党在社会主义时期处理阶级斗争问题的经验教训/新彦文/党建研究/1992.1

论新中国历史的研究——为迎接中华人民共和国成立四十周年而作/刘西芳/思想战线(云南大学学报)/1989.4

论新中国四十年的历史方位/赵凌云/江汉论坛/1989.12

论新时期邓小平国际战略思想/柳建辉/当代中国史研究/1995.3

迈开改革的步伐,开创历史教学的新局面/赵恒烈/历史教学问题(华东师范大学)/1984.1

更加自觉主动地推动文化的发展和繁荣/刘国新/中国社会科学院院报/2007.8.7

两个中国之命运的决战——1976 年:从天安门事件到粉碎"四人帮"/程中原/当代中国史研究/2005.1

两条基本路线之比较/葛树卿、杨华/经济与管理/1988.2

两类社会矛盾学说在新时期的运用和发展/崔薇圃/齐鲁学刊(曲阜师范学院学报)/1987.3

作为"意识形态"化的生活方式——1949 年到 1978 年中国社会生活史的总体特征/唐魁玉/理论界/2008.3

冷战时期新中国的四次对外战略抉择/张小明/当代中国史研究/1997.5

初访农家万里惊贫——1977 年安徽省委《六条》出台前后/周曰礼/炎黄春秋/1998.10

初搞包产到户的日子/裴余庆/文史月刊/2008.10

努力开创历史研究的新局面/本刊评论员/历史研究/1983.1.3

努力把学术研究推进到时代前沿/刘国新/中共党史研究/2000.1

努力加强马克思主义史学理论学科的建设——第六届全国史学理论讨论会(年会)观点综述/张艳国/学术界动态/1990.6

努力学习陈云同志的经济思想和思想方法/青彬/实践/1983.9

努力探索有中国特色的社会主义经济建设道路/郭祥谷/吉林大学社会科学学报/1984.5

吸取建国三十年高等教育工作的经验教训,努力办好中山大学,为四化作出更大贡献/李嘉人/中山大学学报/1979.4

吸取理论智慧/提高历史研究水平——学习《邓小平文选》的一点体会/茅家琦/江海学刊/1983.6

坚定地跟着伟大的党前进/何善昌、简永福/长江日报/1981.7.6

坚持毛泽东同志的实践论深入开展真理标准的讨论/吴滤/人民日报/1979.9.10

坚持先大公后小公的原则——学习陈云同志的经济论著/韩秀晨/理论与实践/1983.6

坚持改革,走中国式的发展社会主义农业的新路子/鲁从明、张华林/理论月刊/1986.7

坚持改革,富民兴邦/张劲夫/红旗/1984.19

坚持改革的社会主义方向——学习江泽民同志国庆讲话的体会/何建章/光明日报/1989.10.27

坚持走中国式社会主义农业发展道路/陈光林/大众日报/1984.10.5

坚持和发展毛泽东思想建设有中国特色的社会主义——纪念毛泽东同志九十周年诞辰/陈洪博/华中师范学院研究生学报/1983.5

坚持实事求是,实现工作重点转移/王汝继/四川师范学院学报(社科版)/1984.3

形势喜人,更要努力——访国务委员、国家计委主任宋平/胡国华/瞭望/1984.6

怀念人民的好市长陈毅同志/陈丕显/解放日报/1979.5.20

怀念少奇同志/杨尚昆/红旗/1980.8

我们坚持什么样的社会主义?/李洪林/人民日报/1979.5.9

我们前进在社会主义大道上/本刊评论/红旗/1981.12

我们怎样投入三十年前那场大讨论/蒋涵箴/新闻战线/2008.8

我们要建立的新经济体制的中国特色/刘国光/工人日报/1984.11.26

我参与讨论胡乔木论异化的文章/薛德震/炎黄春秋/2004.3

我国40年来民主政治建设的回顾与展望/王才强/重庆社会科学/1989.2

我国工业化进程中的矛盾及政策构想/王积业/中国工业经济研究/1993.7

我国工农业关系的历史考察/韩俊/中国社会科学/1993.4

我国对外开放的回顾和思考/张戈/国史研究参考资料/1993.2

我国农业社会主义改造时期的富裕中农问题初探/刘裕清/党史研究/1983.6

我国农村的三次伟大变革——庆祝建国三十五周年/韦奇/财经理论与实践/1984.3

我国农村的两次历史性变革(一)/劳思/历史教学/2002.3

我国农村的两次历史性变革(二)/许经勇/历史教学/2002.4

我国阶级斗争理论扩大化的历史演变/王力峰/新疆师范大学学报(哲社版)/1980.2

我国每天的社会经济活动量/经济日报/1983.5.9

我国社会主义民主建设的实践及其基本经验/宋连胜/东北师范大学学报(哲社版)/1989.6

我国社会主义法制建设简况/张良/新疆日报/1979.12.28

我国社会主义经济建设的回顾和前瞻——为国庆三十五周年而作/薛暮桥/红旗/1984.18

我国社会主义革命的根据和条件/马润青等/北京师范大学学报/1982.1

我国财政平衡政策的历史考察/贾康/中国社会科学/1993.2

我国近十年民主建设的主要成就和经验/刘政、程湘清、杜西川/中共党史研究/1988.6

我国法制建设三十年/陈守一等/法学研究/1979.4

我国的经济波动与调控手段/樊纲/中国物资经济/1993.10

我国经济体制改革年终回顾与展望/徐文河/世界经济导报/1986.12.29

我国经济体制改革的回顾与展望/萧灼基/北京大学学报(哲社版)/1986.6

我国经济体制改革的回顾和前瞻/薛暮桥/经济日报/1986.1.25

我国经济体制改革的回顾和瞻望/薛暮桥/中国经济体制改革/1986.1

我国经济体制改革的情况与前景/詹武/金融研究/1986.10

我国经济改革的实践和理论问题/雍文远/上海经济研究/1989.4

我国经济建设成就的综合考察——庆祝中华人民共和国成立三十五周年/杨坚白、李学曾、杨圣明/学习与思考/1984.5

我国经济建设的历史回顾与反思/梁秀峰/中共党史研究/1989.5

我国经济波动周期分析/周登科/贵州师范大学学报/1993.2

我国基本建设战线三十年成就辉煌/解放军报/1979.9.27

我所了解的宋庆龄/爱泼斯坦/中国妇女/1993.1

我所经历过的中国革命/[新西兰]路易·艾黎/人民日报/1981.6.29

我的人生导师——怀念罗荣桓元帅/白刃/党史纵横/1993.4

我的心愿——纪念党成立六十周年/许德珩/人民日报/1981.6.29

我经历的林家坪公社农村改革/李永民/文史月刊/2008.10

我党历史上反和平演变的基本经验/王洞庭、孙玉杰/学习论坛/1991.7

我党历史上两个最好的时期——延安时期和十一届三中全会以来我党的理论与实践/杨易辰/奋斗/1981.7

我党反对和平演变斗争经验初探/曹平、王诚宏、伊胜利、陈国权/党建研究/1992.1

我党对中国特色的社会主义道路的探索及其经验教训/刘重阳/理论探讨/1992.5

扭转乾坤的十年:"文化大革命"结束十年来国民经济发生八大深刻变化/高密、朱危安/经济学情报/1987.1

批评和自我批评是推动党前进发展的强大武器——纪念中国共产党成立六十周年/中共吉林省委组织部/吉林日报/1981.6.28

把我们的党建设好——纪念刘少奇同志/安子文/人民日报/1980.5.8

把党的建设提高到一个新水平/江泽民/人民日报/1993.6.26

把握大局 解放思想——纪念"真理标准大讨论"二十周年学术研讨会综述/李伦楚/江苏社会科学/1998.4

改革历史研究的途径/谢本书/云南社会科学/1986.1

改革开放与社会主义初级阶段/霍英东/纵横/1999.11

改革开放以来海外华商在中国大陆的投资及其作用/薛承/党史研究与教学/2006.6

改革开放以来意识形态创新的历史考察/萧功秦/天津社会科学/2006.4

改革开放必须坚持社会主义方向/刘云威、张绿江/鞍山社会科学/1990.3

改革开放的实践促进经济理论的发展——党的十一届三中全会十年来经济理论的重大突破/王铁星/张家口师范专科学校学报(社科版)(冀)/1988.2

改革开放是中国强国之路——纪念中华人民共和国成立四十周年/林治家/当代经济科学(陕西财经学院学报)/1989.6

改革必须在科学理论驾驭下进行——社会主义国家改革经验教训的启迪/韩秀晨/改革之

声/1989.1

改革的回顾和对若干问题的再认识/谢明干/开发报/1986.4.4

改革要深化、理论研究要先行/傅上伦/党校论坛/1989.1

李先念与1979年的经济调整工作/朱玉/中共党史研究/2006.1

李先念与全面整顿/程振声/中共党史研究/2006.5

杨西光与真理标准问题的讨论/王炳毅/百年潮/2007.2

杨西光与第一篇"真理标准"文章的发表/王强华/武汉文史资料/2008.8

极"左"路线的特征及其根源/张明/山东师范学院学报/1979.5

没有中国共产党就没有中国妇女的解放/康克清/红旗/1981.14

没有必要避讳资本主义和资产阶级/马兴华/争鸣/1989.1

没有共产党就没有中国工人阶级的今天/中华全国总工会/人民日报/1981.7.2

没有共产党就没有中国革命和建设的胜利/谢本书/云南日报/1981.6.26

没有共产党就没有民盟的今天/潘天青/新疆日报/1981.7.13

没有共产党就没有我的今天/张立钧/北京日报/1981.7.8

没有共产党就没有社会主义新中国/许德珩/中国青年报/1979.5.1

没有共产党就没有新中国/周建人/人民日报/1981.6.26

没有共产党就没有新中国/爱泼斯坦/工人日报/1981.6.27

没有共产党就没有新中国/雷启霖/宁夏日报/1981.6.27

没有共产党就没有新宁夏/杨生桂/宁夏日报/1981.9.1

没有现代化的大生产就没有完全的社会主义/孙伯镁/南京大学学报/1979.4

社会主义发展新时期从何时开始/刘万丽/黑龙江史志/2003.2

社会主义市场经济理论的建构在毛泽东思想发展史上的地位/北京党史研究/1993.5

社会主义有计划商品经济的新探索:全国高校庆祝建国四十周年经济理论讨论会综述/王兴华、程
恩富、刘诗白/社会科学报/1989.12

社会主义初级阶段农业实现初步现代化的刍见/王克、张乃忠/农业现代化研究/1988.2

社会主义时期我国民主党派历史分期问题新探/于文藻、陈述/东北师范大学学报(哲社版)/1990.3

社会主义时期党内"左"倾错误的特点/邵先崇/史学月刊/1989.6

社会主义时期党内长期存在"左"倾错误的原因试析/孙道同等/社会科学/1983.5

社会主义制度在中国建立的历史必然性/思史/思想战线/1979.6

社会主义制度在中国的建立/施驹侯/奋斗/1991.12

社会主义国家永不变色的根本保证/方元/国际共运史研究/1992.3

社会主义国家经济改革的过去和现在/郭树清/广州研究/1988.10

社会主义现代化建设的里程碑:十一届三中全会的伟大意义/黄存林/探索与求是/1992.4

社会主义经济建设理论的若干失误/李景治/未定稿/1989.7

社会主义政治经济学研究的困境与出路/刘迎秋、蔡继明/天津社会科学/1989.4

社会主义革命史上的伟大创举——学习陈云同志关于私营工商企业社会主义改造的论述/陈祥
元/上海师范学院学报/1983.2

社会主义革命是中国必由之路——学习《关于建国以来党的若干历史问题的决议》/胡汝泉/天津
师范学院学报/1981.4

社会主义道路光辉灿烂/金洪/北京日报/1979.4.25

社会主义道路越走越宽广/汤蒂因/解放日报/1981.6.26

系统思想方法的闪光,学习邓小平关于建设有中国特色的社会主义的论述/杜耀富/西南民族学院

学报·社科版/1986年增刊

评毛泽东对外开放思想研究中的两个观点/杨竟芳/真理的追求/1993.8

谷书堂论中国式渐进改革道路/苗壮/经济学动态/1993.1

谷牧与1978—1988年的中国对外开放/曹普/百年潮/2001.11

赤胆忠心智勇兼备——痛悼陈再道同志/秦基伟/人民日报/1993.5

走中国自己建设社会主义的道路——献给中华人民共和国成立三十五周年/本刊编辑部/红旗/1984.19

走出"剪刀差"的误区/王忠海/经济研究/1993.1

近15年国史研究述略/杨亲华/当代中国史研究/1994.1

近十年中华人民共和国史研究概述(上)/刘国新/中国历史学年鉴/1993

近十年中华人民共和国研究概述(下)/刘国新/中国历史学年鉴/1994

近十年来关于引进西方史学理论的若干思考/张广智/光明日报/1990.5.23

近三年毛泽东文艺思想研究概述/侯容水/苏州大学学报/1992.3.9

近年来史学改革意见述评/秦欣/中国史研究动态/1986.2

近年来史学界论争的几个问题/大学文科园地/1985.3

近年来农民负担过重对我省农业生产和农民生活的影响/孙德滨、陈洪毅、王文君/理论思维/1990.36

近年经济效益比较/本报资料室/世界经济导报/1983.9.12

进一步解放思想促进马克思主义理论的发展/薛驹/党校科研信息/1992.17

努力把学术研究推进到时代前沿/刘国新/中共党史研究/2000.1

陈云与十一届三中全会前后党的拨乱反正工作/迟爱萍/当代中国史研究/1998.6

陈云与改革开放/韩敬瑜/和田师范专科学校学报/2007.2

陈云同志经济思想中的唯物辩证法初探——学习《陈云同志文稿选编》/翟辉祖、王杰/青海社会科学/1983.4

陈云在十一届三中全会前后的贡献/王金艳/呼兰师专学报/1998.3

陈云在改革开放新时期的四大突出贡献/李正华/安徽史学/2007.5

供销合作社与农村合作化——学习《刘少奇论合作社经济》的体会/沈以宏/中国合作经济报/1987.12.22

卓有成效的探索——"文化大革命"后10年来经济建设的成就与启示/朱危安、赵凌云/中南财经大学研究生学报/1987.3

周恩来、陈云经济思想比较研究/曹应旺/党的文献/2003.3

周恩来与调查研究——学习《周恩来选集》下卷随想/石仲泉/毛泽东思想研究/1988.1

周恩来同志是调查研究实事求是的典范——学习《周恩来选集》下卷/杨超/四川日报/1985.1.8

论国史研究与构建社会主义和谐社会/刘国新/当代中国史研究/2007.3

国史研究与讲政治/刘国新/高校理论战线/1996.6

国史研究怎样在构建社会主义和谐社会中发挥功能/刘国新/中国社会科学院院报/2007.3.15

国史学科建设座谈会综述/(本刊记者)刘国新/当代中国史研究/1995.2

国务院总理李鹏简历/人民日报/1993.3.29

国外中共党史研究论著评析座谈会综述/马贵凡/中共党史研究/1992.6

国外毛泽东研究评介/毕剑横/中共党史研究/1993.3

国外对毛泽东和毛泽东思想的研究/张注洪/北京党史研究/1993.2

国外对周恩来外交思想的研究述评/林代昭/中共党史研究/1993.3

国外海外毛泽东研究动态扫描/刃洁/求实/1993.3

国民经济的巨大发展/红旗/1984.19

国民经济统计资料/统计/1983.3

国民经济统计资料/统计/1983.4

国民经济统计资料/统计/1983.5

国民经济统计资料/统计/1983.6

国民党大陆政策的演变与祖国的和平统一/耿丽华/辽宁大学学报/1992.5

国有企业改革的最初探索与构想——十一届三中全会前后邓小平的思考与论述/聂锦芳/党的文献/1999.5

始于毛泽东,成于邓小平/林蕴晖/党的文献/1993.3

始终不渝地坚持党的指导思想/浙江省委宣传部理论处/浙江日报/1981.6.27

学习《关于建国以来党的若干历史问题的决议》(学习问答)/全超等/文汇报/1981.7.8

学习《关于建国以来党的若干历史问题的决议》(资料1—8)/人民日报/1981.7.3

学习《关于建国以来党的若干历史问题的决议》参考资料/中国青年报/1981.7.7

学习《决议》参考资料/政治学院党史教研室供稿/工人日报/1981.7.6

学习马克思主义,坚持实事求是——纪念中国共产党诞生六十周年/刘导生/北京日报/1981.6.28

学习历史,坚持四项基本原则/袁似瑶/广西师范学院学报(哲社版)/1987.2

学习毛泽东同志关于宗教的论述/李传明/文史哲/1982.5

学习乔木同志《关于人道主义和异化问题》——有关人类社会历史发展的动力问题/梁寒冰/中州今古/1984.5

学习刘少奇同志实事求是　联系群众的作风/张平化/湖南日报/1980.3.14

学习刘少奇同志的社会主义建设思想/陈绍畴/经济日报/1985.12.21

学习陈云同志建国后一个时期的论著/本刊理论教育编辑室/红旗/1983.10

学习陈云同志建国后一个时期的论著/本刊理论教育编辑室/红旗/1983.8

学习陈云同志建国后一个时期的论著/本刊理论教育编辑室/红旗/1983.9

学习陈云同志建国后一个时期的论著/陶和/文汇报/1983.10.26

学习陈云同志建国初期经济论著的辅导材料/王珏/群众/1983.7

学习陈云同志建国初期经济论著的辅导材料/本刊理论教育编辑室/红旗/1983.5

学习陈云同志的农业经济思想/王杰/中国农村经济/1986.6

学习周恩来,研究周恩来——周恩来研究学术讨论会开幕词(1988年3月4日)/李琦/人民日报/1988.3.6

学习党内斗争的历史经验/朱岩/红旗/1979.9

学会用历史态度观察问题/吴江/中国青年报/1981.7.7

实事求是地看待社会主义及其与资本主义的关系/黄云飞/天津师范大学学报/1992.5

实事求是地研究党史人物/徐则浩/安徽日报/1991.12.6

实事求是论述社会主义初级阶段历史进程/黄运祥/方志研究/1988.4

实事求是是毛泽东思想的根本点/阎励/青海日报/1979.6.2

实事求是是毛泽东思想的精髓/丘一平/福建日报/1979.11.4

实现农业现代化是稳定发展农业的必由之路/凌启鸿/当代农业/1988.1

审判"四人帮"日记摘抄(上)/李峰/北京党史/2003.5

审判"四人帮"日记摘抄(下)/李峰/北京党史/2003.6

建立新的史学研究体系刍议/阳晓天/青年论坛(武汉)/1986.5

建设有中国特色的马克思主义历史学/田昌五/世界历史/1984.1

建设有中国特色的社会主义与科学社会主义在实践中的发展/江流/中州学刊/1983.2

建设有中国特色的社会主义现代化农业/何康/红旗/1984.19

建设有中国特色的社会主义经济——建国三十五年来经济建设的伟大成就和若干体会/李成瑞/经济研究/1984.10

建设有中国特色的社会主义是对毛泽东思想的重大发展——纪念毛泽东同志诞辰九十周年/茗轩/宁夏日报/1983.12.9

建设具有中国特色的社会主义农业/本报评论员/经济参考/1984.1.7

建国三十五周年经济社会发展伟大成就:农业生产全面增长/国家统计局供稿/红旗/1984.15

建国三十五周年经济和社会发展伟大成就/国家统计局供稿/红旗/1984.9

建国三十五周年经济和社会发展伟大成就:文教卫生事业发展情况/国家统计局供稿/红旗/1984.23

建国三十五周年经济和社会发展伟大成就:各种经济成分的变化/国家统计局供稿/红旗/1984.14

建国三十五周年经济和社会发展伟大成就:国民经济一些主要比例关系的变化/国家统计局供稿/红旗/1984.12

建国以来中共中央历次全会简况/工人日报/1981.7.22

建国以来民主党派任政府领导职务状况的历史考察/张涛/党史研究与教学/1992.6

建国以来我党反腐败斗争的历史回顾/王荣刚/福建党史月刊/1990.4

建国以来国民经济的伟大成就/经济日报/1983.10.1

建国以来经济体制改革的回顾/周太和等/红旗/1983.7

建国以来首都的水利建设事业/王祝三/北京党史研究/1993.6

建国以来党对官僚主义的斗争/林庆勋、张立仁/福建日报/1987.9.18

建国以来意识形态领域斗争的经验教训/王宏彬/理论界/1991.9

建国后政治体制的演变及其对党的决策的影响/邓运/福建党史月刊/1988.6

建国后党对群众路线的新发展/庆跃先、施光跃/学术界/1991.5

建国后监察制度的历史回顾/李建明/政治学研究资料/1988.4

拓展史学研究领域,促进两个文明建设/殷晴/新疆社会科学/1986.3

拨乱反正大转折——从"文革"到新时期的历史性转变/秦君/湖南党史月刊/1991.11

拨乱反正开新路——忆粉碎"四人帮"后十年间的人民日报经济宣传/林晞/新闻战线/2008.8

林彪的"四个第一"论必须彻底批判/武涛等/解放军报/1979.9.24

治理整顿深化改革和我国九十年代的经济发展/刘国光/浙江学刊/1990.5

浅论社会主义城乡结合/王兴隆/中国农村经济/1986.7

浅层矛盾基本缓解　深层问题更待解决:一九八九年国民经济运行分析/宗策/经济参考报/1990.1.14

浅谈我国社会主义农业发展道路/顾龙生、孙连成/学术月刊/1984.7

浅谈研究社会主义史/丰凯/世界史研究动态/1982.1

浅谈党史研究与改革开放/莫廷清/成都党史/1993.3

浅谈党的三代领导核心的形成和历史作用/王端生/福建党史月刊/1991.11

现代化与中国国情/林炯如、李光宇/上海师范大学学报/1979.4

知识分子政策和工人阶级立场——读《周恩来选集》(下卷)的感想/李荒/理论与实践/1985.3

经济工作要讲究实事求是——纪念周恩来同志逝世十六周年/何畏/经济日报/1992.1.7

经济民主论——纪念党的十一届三中全会召开十周年/蒋一苇/工运研究/1988.12

经济形势的回顾与瞻望/群言/1986.1

经济改革过程中权威理论的建设及其指导作用/汪前元/学习与实践/1989.5

经济建设必须以效益为中心:对建国以来经济建设的回顾/秀泉、梅斋/丽水师范专科学校学报(社科版)/1984.3

经济战线的可喜成就/章钟基/经济日报/1983.6.3

茂名市平反统战侨务冤假错案亲历记/梁基毅/源流/2008.12

试论"建设有中国特色的社会主义"的普遍意义/柏毅/济宁师范专科学校学报/1984.3

试论历史科学对培养共产主义世界观的作用/赵立兴/长春师范学院学报(哲社版)/1985.1

试论邓小平对外开放思想的特点/韦定广/社会科学/1993.5

试论邓小平关于利用资本主义的思想/廖中洲/社会主义研究/1993.3

试论史学研究中党性与科学性统一的原则/郝铁川/历史教学问题/1987.3

试论我国社会主义时期的矛盾与阶级斗争/李若谷/河北大学学报/1982.4

试论我国建设社会主义时期反封建残余的斗争/李银河、林春/历史研究/1979.9

试论具有中国特色的社会主义现代化建设道路的形成/汤贡亮/内蒙古师范大学学报(哲社版)/1984.3

试析新时期革命一词的含义/匡萃坚/江西社会科学/1983.2

贫困地区发展农村社会主义市场经济的思考/代鹏、周延明/经济体制改革/1994.1

转轨与摩擦:1979—1991年中国二元经济体制格局的历史分析/赵凌云/中国经济史研究/2006.3

饱经忧患坚韧不拔——深切怀念宋庆龄主席/程思远/人民日报/1993.1.27

前事不忘,后事之师/李新/光明日报/1981.7.10

香港与当代中国/刘国新/北京党史研究/1997.3

怎样理解毛泽东思想是集体智慧的产物/郭文卿/云南日报/1979.11.3

总结十一届三中全会以来的历史经验必须坚持的几个原则/张全景/当代中国史研究/2008.6

总结历史经验,加快黑龙江省工业现代化步伐/陈剑飞/奋斗/1979.10

总结历史经验的典范——学习《关于建国以来党的若干历史问题的决议》/石仲泉/红旗/1981.14

总结经验,加强马克思主义史学建设——1990年全国史学理论讨论会综述/李振宏/求是/1990.10

总结经验,团结前进——读《关于建国以来党的若干历史问题的决议》的体会/黄森/北京日报/1981.7.6

恢复毛泽东思想的本来面目——论为刘少奇同志平反/人民日报/1980.5.16

恢复和发扬党的优良作风——纪念建党六十周年/张白林/昆明师范学院学报/1981.3

恢复高考亲历记/薛庆超/纵横/2005.2

战争史上罕见的奇迹——纪念上海解放三十周年/聂凤智/文汇报/1979.5.18

战后中美关系研究的新材料和新角度/李丹慧/中共党史研究/1997.5

持续奋斗,振兴中华/邹启铸、韩隆福/常德师范专科学校学报(哲社版)/1984.4

政协三十年/石育岩/百科知识/1979.8

施拉姆在毛泽东研究方面的成果与不足/廖盖隆/党的文献/1992.4

独立自主地开创中国革命胜利的道路/吴志葵、王彦坦/淮北煤炭师范学院学报/1981.2

独立自主是毛泽东外交思想的灵魂/唐振南/淮北煤炭师范学院学报/1993.2

研究晚年毛泽东的历史方法——评《晚年毛泽东的艰苦探索》/樊瑞平/毛泽东哲学思想研究/1992.5

科学社会主义在中国的传播和实践/陈汉楚/天津社会科学/1983.1

科学社会主义理论在我国农村的伟大胜利/汪军/思想战线(中国人民解放军政治学院)/1984.10

科学的光辉在延安闪耀/于光远/光明日报/1981.7.8

科学的理论,伟大的实践——纪念中国共产党成立六十周年/本刊编辑部/哲学研究/1981.6

科学总结历史经验的光辉典范——学习《对起草〈关于建国以来党的若干历史问题的决议〉的意见》/学文、谷虹/吉林大学社会科学学报/1984.2

胡乔木与1981版《鲁迅全集》/程中原/纵横/2004.6

胡乔木与党的十一届三中全会/朱佳木/当代中国史研究/1998.2

胡乔木在十一届三中全会后对社会主义经济建设的思考和意见/朱元石/当代中国史研究/2003.4

胡乔木晚年对日本右翼势力的批判/李良志/中共党史研究/2000.6

胡乔木调话剧《于无声处》进京演出/张金才/百年潮/2008.2

胡福明:《实践是检验真理的唯一标准》发表的前前后后/王建柱/先锋队/2008.15

胡耀邦与平反冤假错案/戴煌/炎黄春秋/1995.11

胡耀邦正确处理信访大潮/许人俊/炎黄春秋/1998.5

要历史地辩证地乐观地看待三十年——学习叶剑英同志国庆讲话的一点体会/曹志成/解放军报/1979.10.31

要用科学态度对待毛泽东思想/冯树军/安徽日报/1979.10.31

要把党史工作的重点转移到社会主义时期党史的研究上来/薄一波/广西党史研究通讯/1993.3

要把商业搞活——读《陈云文选》第二卷(1949—1956)/蔡晓峰/光明日报/1984.7.17

要注意为少数民族多培养人才/朱明/光明日报/1979.12.9

要警惕右,但主要是防止"左"——党在开始全面建设社会主义时期指导方针的反思/李成龙/贵阳党史/1992.4、5

追求光明,寻找真理/毛翼虎/团结报/1981.7.4

重视对社会主义时期历史活动的反映与研究——评《中国学雷锋活动30年简史》/关键/史学月刊/1992.2

面向实际,解放思想,加强团结,促进社会科学的发展——从错批马寅初先生的教训谈起/申灼言/北京大学学报/1979.5

革命改良是社会主义和平发展时期革命的主要形式/黄英辉/四川大学学报/1982.2

革命到底,迎接新的胜利/朱学范/光明日报/1981.6.29

项南与福建改革开放/吴立平/纵横/2008.10

项南与福建改革开放/胡宏/海内与海外/2008.12

高举反对霸权维护和平的大旗/(本刊评论员)刘国新/当代中国史研究/1999.3

党为坚持和发展毛泽东思想而奋斗的七年/邵华泽/毛泽东思想研究/1984.1

党引导我不断走向进步/雷洁琼/光明日报/1981.7.3

党引导我国工会运动走向统一团结的光明大道/朱学范/工人日报/1981.6.24

党史上新的里程碑/胡华/光明日报/1981.7.9

党史工作如何为现代化建设服务/本刊记者/北京党史研究/1993.5

党史工作要坚持为现实服务的方向/罗炎卿/党史文苑/1991.6

党史研究也要为市场经济服务/广西党史研究室/广西党史研究通讯/1993.3

党史研究要加强对邓小平的经济思想的研究/罗宗荣等/中共党史研究/1992.5

党史研究要追赶时代/孙剑纯/求实/1988.5

党对个体经济的现行方针是历史经验的科学总结/林蕴晖/党史研究/1986.1

党关心人民的健康/钱信忠/光明日报/1981.7.12

党在现代中国的核心地位和领导作用——庆祝中国共产党成立六十周年/司亚民/四平师范学院

学报/1981.3

党和国家工作重点转移到经济建设上来的决策/张湛彬/当代中国史研究/1999.3

党和青年的血肉关系源远流长——中国共产党诞生六十周年前夕和青年朋友谈心/张黎群/中国青年报/1981.6.25

党的十一届三中全会与中国历史的转折/唐培吉/党史研究与教学/1998.6

党的十一届三中全会以来我国民族理论研究的状况回顾/宋全/当代中国史研究/1998.6

党的十一届三中全会路线指引我们前进/王洪模/河南党史研究/1987.4

党的屯垦戍边方针的伟大胜利——纪念中国共产党成立六十周年/中共新疆维吾尔自治区农垦总局委员会/新疆日报/1981.7.8

党的思想理论建设的一项重要任务——关于学习和研究中共党史的思考/余英杰/江西日报/1992.1.10

党的基本路线的形式及其内涵/徐鸿武、安咏梅/阵地/1992.6

党的基本路线的形成过程/李清泉/思想政治工作研究/1992.1

党的领导使宁夏回族人民走上兴旺发达的道路/洪清国/宁夏日报/1981.6.27

党的领导是工人运动胜利的保证/张祺/工人日报/1981.6.23

党的领导是我们事业胜利的根本保证——纪念中国共产党诞生六十周年/中共吉林大学委员会/吉林日报/1981.6.29

党指引我们走上了光明大道/胡子昂/人民日报/1981.6.26

党指引我们走上社会主义道路/王光英/天津日报/1981.7.3

党指引我走上光明大道/赵祖康/解放日报/1981.7.3

党指引我走上革命道路/那钦双和尔/内蒙古日报/1981.8.8

党校建设的鼓舞者和指导者——怀念少奇同志/杨献珍/红旗/1980.7

党探索中国社会主义建设道路的历程/李铭、宋学民/河北师范大学学报(社科版)/1992.2

党探索社会主义建设道路的光辉历程/陈汉楚、陈诗惠/党史研究/1982.5

党领导中国革命的一条根本经验/楚黄/人民教育/1979.7

党领导我们走的是历史必由之路/高正荣/江淮论坛/1981.3

党领导我国工作重点转移的基本经验和历史意义/吴恩壮/岭南学刊/1992.1

党领导我国建立起社会主义档案事业/曾三、张中/光明日报/1981.7.22

党领导青海各族人民走向光明/本报特约评论员/青海日报/1981.6.23

党领导着社会主义经济建设胜利前进/王干梅/贵州日报/1981.6.24

展望下一个十年的史学/瞿林东/光明日报/1988.5.4

振兴中华的中流砥柱/胡杨青、蔡衍振/湖北日报/1981.7.6

振兴中华的根本保障——纪念中国共产党成立六十周年/本刊编辑部/新湘评论/1981.7

桃李芬芳三十年——新疆教育事业的回顾/刘博特/新疆日报/1979.10.9

海外中共党史研究大趋势/杨辛华/党史天地/1993.5

爱国统一战线战略地位略论/韩德凌等/徐州师范学院学报/1992.2

真理标准大讨论/杨冬权/广西党史/2004.4

真理标准大讨论:中国当代历史性改革的序幕/江春泽/经济社会体制比较/1998.4

真理标准讨论中的一段曲折/温济泽/炎黄春秋/1998.11

真理标准讨论对我们的启迪/王兆铮/山东工业大学学报·社会科学版/1998.4

真理标准讨论的伟大胜利——谈恢复和确立解放思想、实事求是路线/朱惠东/潍坊高等专科学校学报/1998.4

真理标准问题大讨论的清障机——评述 1978 年《人民日报》民主法制宣传/蔡美华/新闻战线/2008.7

真理标准问题讨论过程中的"14 个最"/沈宝祥/理论前沿/1995.13

真理标准的讨论与农村改革的展开/林建华/党史研究与教学/1998.3

紧密团结在共产党周围/季方/人民日报/1981.6.27

继承和发扬延安作风坚决贯彻执行党的三中全会路线——庆祝中国共产党诞生六十周年/马文瑞/陕西日报/1981.6.30

读《"一国两制"的理论与实践》/郭绪印/中共党史研究/1992.5

调整、改革、整顿、提高方针的提出和贯彻/宋白/党史研究/1987.3

谈十年来关于张闻天史料的发掘/张培森/中共党史研究/1990.1

谈共产党领导的多党合作制度/肖春/湖南党史月刊/1990.1

谈在新时期如何坚持马克思主义历史科学党性与科学性的一致/洪征嗣/湖湘论坛/1990.6

谈谈"八五"期间的经济发展与改革/刘国光/学习导报/1990.10

谈谈我国建设社会主义的经济条件/肖学信/党史研究/1984.3

谈谈经济体制改革的出发点和主要依据/宋养琰/经济管理/1979.10

资本主义与社会主义国家政党制度之比较/高放/理论探讨/1992.5

资产阶级自由化思潮在史学领域中的几种表现:历史系教师清除资产阶级自由化思潮座谈会纪要/韩玉德整理/青岛师范专科学校学报(社科版)/1990.1

起草《关于建国以来的若干历史问题的决议》的两次谈话/胡乔木/国史研究参考资料/1993.1

部分省市开展社会主义时期党史工作的经验综述/肖辑/江苏党史文萃/1991.5

难以忘怀的教育——庆祝中国共产党诞生六十周年/黄正清/甘肃日报/1981.6.27

难忘的往事/[美]耿丽淑/人民日报/1981.6.29

高举独立、和平、发展的旗帜胜利前进/钟集/红旗/1984.19

高举反对霸权维护和平的大旗/本刊评论员/刘国新/当代中国史研究/1999.3

做一个清醒的革命者/王棣章/贵州日报/1981.6.29

唯意志论是林彪、"四人帮"极左路线的哲学基础/林京耀/学术研究/1979.5

基本路线的历史考察/文二白/当代思潮/1993.1

敢冒天下之大不"韪"——小岗的故事/亓伟/党史纵横/1999.1

深圳经济特区初期经济体制改革的回顾/周溪舞/中共党史资料/2007.1

理论界党史界努力十年不负历史重托——周恩来研究取得成果/人民日报/1988.3.5

略论"一国两制"科学构想的形成/陈登才/党史研究/1986.3

略论如何加强和健全党的集体领导制度/杨勤为/石油大学学报/1992.3

略论安徽农村改革兴起的原因/毛子/党史纵览/1997.5

略论我国十年经济体制改革的成就和问题/冯更新/郑州大学学报(哲社版)/1990.5

略论彭真对新时期人大选举制度建设的贡献/徐百尧/当代中国史研究/1997.4

略论新时期爱国统一战线的特点/李致平/吉林大学社会科学学报/1985.5

略谈近年来中国史学研究的若干变化/鲁生/史学情报/1987.1

票证祭:对中国票证制度的一种反思/郎友兴/浙江社会科学/1999.1

第二代领导集体在领袖评价问题上的历史经验/王保贤/陕西师范大学学报·哲学社会科学版/1998.4

第六届全国史学理论讨论会综述/周朝民/文汇报/1990.4.25

第六届全国史学理论讨论会综述/赵世瑜/光明日报/1990.4.18

尊重知识尊重人才的楷模——学习《周恩来选集》下卷/王端/华中师范学院学报(哲社版)/1985.2

彭真与改革开放事业的发展/王登芬/北京党史/2008.6

彭真法制思想述略/刘国新/当代中国史研究/1995.5

曾希圣:中国农村改革的先驱/江鲲池/百年潮/2000.9

最初的突破——1977、1978年经济理论大讨论述评/韩钢/中共党史研究/1998.6

港台学者对中国大陆经济改革若干重大问题研究述略/周云/当代中国史研究/2007.3

湖北1980年的洪涝以及我对水灾治理的一些看法/陈丕显/湖北文史资料/1998.4

辉煌的成就/灿烂的前程/方林、仲黎/奋斗/1981.7

摆脱困境的出路在于深化改革/厉以宁/广州日报/1989.2.20

新中国人口政策——历史的回顾与思考(上)/刘强/经济学情报(中南财经大学)/1988.1

新中国人口政策——历史的回顾与思考(下)/刘强/经济学情报(中南财经大学)/1988.2

新中国三十年工业生产发展统计数字/新华社新闻稿/1979.9

新中国外交史若干史实考订/宗道一/当代中国史研究/1997.6

新中国外贸方针的制定/之恺/中共党史资料/1993.47

新中国西藏历史的三次转折/王骅书/盐城师范专科学校学报(社科版)/1988.1

新中国的外交方针/章百家/国史研究参考资料/1993.2

新中国城市建设事业40年的主要成就回顾/邢萱/城市开发/1990.1

新老交替十四年——党的十一届三中全会以来培养选拔年轻干部工作回顾/宗河/党建/1993.5

新时期中国制度创新的思考/周清/沈阳干部学刊/2005.5

新时期历史转折的准备和意义/宁望和/洛阳师范学院学报/1999.3

新时期毛泽东研究概述/向盛/求实/1993.4

新时期对外开放政策的确立/黎青平/当代中国史研究/1999.5

新时期陈云的思想研究综述/迟爱萍/当代中国史研究/1995.3

新时期的"剪刀差"与"剪刀差"研究的新时期——兼评"剪刀差研究误区"论/张西营、邢莹/经济研究/1993.5

新时期党对毛泽东关于统一战线思想的发展/朱令名/求索/1983.6

新时期党对建设有中国特色的社会主义的探索/王洪模/党史研究/1987.3

新时期维护国家安全与国际和平的重要理论/刘国新/北京党史/2006.6

睦邻友好是我国外交的基本方针——1978年邓小平副总理出访东南亚三国纪实/江培柱/外交学院学报/1997.3

简论建国三十年间(1949—1978)农村工作中的平均主义/杨跃进/党史研究资料/1993.6

简析我国社会主义初级阶段和我国新民主主义社会的本质联系和区别/王训礼/理论学刊/1988.2

简述社会主义时期地方党史研究中的几个问题/赵云山/党史博采/1992.2

腾飞的助动力——记中央关于农村工作的五个"1号"文件/张秋月/党史纵横/1999.1

鼓舞全国人民实现十二大提出的宏伟目标:47县实现工农业或农业总产值翻番/黄正根/经济日报/1983.9.22

端正对马克思主义的态度/本报评论员/人民日报/1979.10.3

撰写在社会主义时期党史工作中失误专题资料的几个值得注意的问题/吴锋/成都党史/1993.1

整个社会走向富裕的必由之路——略论鼓励一部分地区、一部分企业、一部分人先富起来的政策/应以明/光明日报/1984.11.4

薄一波在全国党史工作会议上强调重点研究征编社会主义时期党史/人民日报/1993.4.4

繁荣了经济,积累了经验——我国十年经济体制改革回顾/邹健明/四川日报/1988.11.25

二

著　作

红灯记的台前幕后/沈国凡著/当代中国出版社,2009.1

《新中国的光辉历程》辅导讲座/当代中国出版社,1992.7

三大突破:新中国走向世界的报告/柴成文等著/解放军出版社,1994.12

三代领导集体与统一战线/王文、董志铭、齐彪著/华文出版社,1999.9

工读教育史/夏秀荣、兰宏生主编/海南出版社,2000.10

中小学教育史/卓晴君、李仲汉著/海南出版社,2000.9

中日友好交流 30 年(1978—2008)(共三卷)/王新生等主编/社会科学文献出版社,2008.11

中华人民共和国/刘国新著/中国青年出版社,1995.8

中华人民共和国 1949—1999 事典/李学昌主编/上海人民出版社,1999.9

中华人民共和国 36 位军事家/陈宇编著/上海文艺出版社,2002.7

中华人民共和国 40 年/蒋辅义主编/四川人民出版社,1990.6

中华人民共和国 40 年大事记(1949—1989)/中共中央宣传部编/光明日报出版社,1989.9

中华人民共和国 40 年大事记:1949—1989/黄道霞等主编/光明日报出版社,1989.9

中华人民共和国 50 年回顾与思考(上、下)/谢忱编著/新华出版社,1999.9

中华人民共和国 50 年成就大图典(上、下卷)/杨正泉主编/人民中国出版社,1999.11

中华人民共和国 50 年图集:1949—1999/方孔木、林谷良主编/上海人民出版社,1999.9

中华人民共和国 55 年要览:1949—2004/杨元华等主编/福建人民出版社,2006.1

中华人民共和国人事制度概要/曹志主编/北京大学出版社,1985.4

中华人民共和国大事日志/王一华著/济南出版社,1992.8

中华人民共和国大事记(1949—1980)/新华通讯社国内资料组编/新华出版社,1982.6

中华人民共和国大事记(1981—1984)/新华通讯社国内资料组编/新华出版社,1985.2.

中华人民共和国大事记:1985—1988/新华通讯社国内资料室编/新华出版社,1989.9

中华人民共和国大事记:1989—1994/徐进等主编/科学技术文献出版社,1995

中华人民共和国大事纪事本末/朱建华等主编/吉林教育出版社,1992.11

中华人民共和国大事评述/孙友葵等主编/黑龙江教育出版社,1989.4

中华人民共和国大事典(1949—1988)/张宏儒主编/东方出版社,1989.10

中华人民共和国大事典:1949—1989/段永林主编/吉林人民出版社,1991.2

中华人民共和国工业大事记/《人民日报》社国内资料组编/湖南出版社,1992.7

中华人民共和国广播电视简史:1949—2000/徐光春主编/中国广播电视出版社,2003.6

中华人民共和国专题史稿:卷五·世纪新篇(1990—2002)/郭德宏、王海光、韩钢主编/四川人民出版社,2004.4

中华人民共和国专题史稿:卷四·改革风云(1976—1990)/郭德宏、王海光、韩钢主编/四川人民出版社,2004.4

中华人民共和国历史纪实·大潮涌动:1990—1992/宇剑编/红旗出版社,1994.2

中华人民共和国历史纪实·闯关奋进:1984—1990/王炳林、徐付群编著/红旗出版社,1994.2

中华人民共和国历史纪实·改革扬帆:1976—1984/宇剑编著/红旗出版社,1994.2

中华人民共和国历史知识问答/陈述主编/中共中央党校出版社,2004.10

中华人民共和国历史故事/国家教委基础教育司主编/中国少年儿童出版社,1994.1

中华人民共和国历史简编/陈述著/中共中央党校出版社,2004.10

中华人民共和国历史简编/谭双泉等主编/新疆大学出版社,1989.7

中华人民共和国史:1977/许嘉璐等主编/四川人民出版社,2003.8

中华人民共和国史:1978/许嘉璐等主编/四川人民出版社,2003.8

中华人民共和国史:1979/许嘉璐等主编/四川人民出版社,2003.8

中华人民共和国史:1980/许嘉璐等主编/四川人民出版社,2003.8

中华人民共和国史:1981/许嘉璐等主编/四川人民出版社,2003.8

中华人民共和国史:1982/许嘉璐等主编/四川人民出版社,2003.8

中华人民共和国史:1983/许嘉璐等主编/四川人民出版社,2003.8

中华人民共和国史:1984/许嘉璐等主编/四川人民出版社,2003.8

中华人民共和国史:1985/许嘉璐等主编/四川人民出版社,2003.8

中华人民共和国史:1986/许嘉璐等主编/四川人民出版社,2003.8

中华人民共和国史:1987/许嘉璐等主编/四川人民出版社,2003.8

中华人民共和国史:1988/许嘉璐等主编/四川人民出版社,2003.8

中华人民共和国史:1989/许嘉璐等主编/四川人民出版社,2003.8

中华人民共和国史:1990/许嘉璐等主编/四川人民出版社,2003.8

中华人民共和国史:1991/许嘉璐等主编/四川人民出版社,2003.8

中华人民共和国史:1992/许嘉璐等主编/四川人民出版社,2003.8

中华人民共和国计量工作大事记(1950—1987)/国家计量局办公室编/中国计量出版社,1988.8

中华人民共和国风云实录/苏东海、方孔木主编/河北人民出版社,1994.8

中华人民共和国主席令(1—4册)/孙琬钟等主编/吉林人民出版社,2001.4

中华人民共和国史(2版)/何沁主编/高等教育出版社,1999.9

中华人民共和国史/何沁主编/高等教育出版社,1997.7

中华人民共和国史/何理主编/档案出版社,1989.11

中华人民共和国史/励维志主编/高等教育出版社,2001.12

中华人民共和国史/李茂盛主编/中国广播电视出版社,1990.10

中华人民共和国史/靳德行主编/河南大学出版社,1989.7

中华人民共和国史·增订本/何理主编、高化民等撰写/中国档案出版社,1995.4

中华人民共和国史专题研究/张广信主编/陕西人民教育出版社,1989.9

中华人民共和国史纲/杨勤为等主编/石油大学出版社,1990.2

中华人民共和国史纲/郭彬蔚著/河南教育出版社,1989.4

中华人民共和国史研究/焦春荣等主编/档案出版社,1989.7

中华人民共和国史简明教材/高平平主编/同济大学出版社,2005.9

中华人民共和国史稿/朱建华等主编/黑龙江人民出版社,1989.9

中华人民共和国史稿:序卷/邓力群主编/当代中国出版社,1996.6

中华人民共和国四十年/朱阳等编著/吉林人民出版社,1989.12

中华人民共和国四十年/肖效钦、王幼樵主编/北京师范学院出版社,1990.1

中华人民共和国外交大事记:1972年1月至1978年12月·第四卷/廉正保主编/世界知识出版社,2003.12

中华人民共和国外交史:1970—1978/王泰平主编/世界知识出版社,1999.9

中华人民共和国对外关系史/外交学院中国对外关系史教研室编/外交学院出版社,1964.3

中华人民共和国对外经济贸易关系大事记(1949—1985)/王和英编/对外贸易教育出版社,1987.3

中华人民共和国民法史/何勤华、殷啸虎主编/复旦大学出版社,1999.12

中华人民共和国电影事业三十五年(1949—1984)/中国电影家协会电影史研究部编/中国电影出版社,1985.3

中华人民共和国全记录:1949.10—1999.7(1—5卷)/李罗力、张春雷主编/海天出版社,2000.1

中华人民共和国全国人民代表大会及其常务委员会大事记·1949—1993/全国人大常委会办公厅研究室编/法律出版社,1994.3

中华人民共和国军事院校教育发展史·武警卷/张广平主编/军事科学出版社,2005.8

中华人民共和国农业史/陈守林等主编/黑龙江教育出版社,1989.12

中华人民共和国地方志:河南省志/中国大百科全书出版社,2003.1

中华人民共和国地质矿产史(1949—2000)/朱训、陈洲其主编/地质出版社,2003.8

中华人民共和国事典/陈明显、罗正楷主编/中国青年出版社,1994.9

中华人民共和国国史全鉴(1—15卷)/刘海藩主编、中共中央党校理论研究室编/中央文献出版社,2004.12

中华人民共和国国史全鉴:1949—1995(六卷)/本书编委会编/团结出版社,1996.4

中华人民共和国国史纪事/国际文化交流音像出版社,2004.1

中华人民共和国国民经济和社会发展计划大事辑要(1949—1985)/《当代中国的计划工作》办公室编/红旗出版社,1987.12

中华人民共和国国家机构通览/程湘清主编/中国民主法制出版社,1998.11

中华人民共和国国家机构概况/韩晓武编/中国展望出版社,1989.6

中华人民共和国实录(1—5卷)/刘国新等主编/吉林人民出版社,1994.6

中华人民共和国建国史手册/倪忠文主编/新华出版社,1989.6

中华人民共和国法制大事记(1949—1990)/钱辉等主编/吉林人民出版社,1992.2

中华人民共和国法制史/杨一凡、陈寒枫主编/黑龙江人民出版社,1996.11

中华人民共和国法制通史(1949—1995)/韩延龙主编/中共中央党校出版社,1998.11

中华人民共和国经济大事记:1949.10—1984.3/《中华人民共和国经济大事记》编选组编/北京出版社,1985.11

中华人民共和国经济大事辑要(1978—2001年)/白和金主编/中国计划出版社,2002.5

中华人民共和国经济专题人事记(1967—1984)/赵德馨主编/河南人民出版社,1989.3

中华人民共和国经济发展全史(1—12卷)/王博主编/中国经济文献出版社,2006.10

中华人民共和国经济史/武力主编/中国经济出版社,1999.10

中华人民共和国经济史/柏福临主编/黑龙江教育出版社,1989.12

中华人民共和国经济史/蒋家俊等编著/陕西人民出版社,1989.6

中华人民共和国经济史纲要/赵德馨主编/湖北人民出版社,1988.1

中华人民共和国经济史简明教程(1949—1985)/柳随年、吴群敢主编/高等教育出版社,1988.5

中华人民共和国经济史简编(1949—1985)/李德彬编/河南人民出版社,1987.6

中华人民共和国经济建设简史:1949—1994/陈国权等主编/中国物资出版社,1995

中华人民共和国经济简史/陈昌智主编/四川大学出版社,1990.4

中华人民共和国经济管理大事记/《当代中国的经济管理》编辑部编/中国经济出版社,1986.12

中华人民共和国政务工作全书/汪玉凯主编/研究出版社,2001.6

中华人民共和国政体通鉴·1949年/《中华人民共和国政体通鉴》编辑委员会编/红旗出版社,

2003.9

中华人民共和国政治体制沿革大事记(1949—1987)/洪承华、郭秀芝等编/春秋出版社,1987.12

中华人民共和国政治制度/浦兴祖主编/上海人民出版社,2005.2

中华人民共和国科技传播史/司有和主编/重庆出版社,2005.11

中华人民共和国科学技术大事记(1949—1988)/张应吾主编/科技文献出版社,1989.9

中华人民共和国统计大事记(1949—1991)/张寒主编/中国统计出版社,1992.8

中华人民共和国要事录:1949—1989/刘鲁风等主编/山东人民出版社,1989.8

中华人民共和国党政军群领导人名录/本书编辑组编/中共党史出版社,1990.12

中华人民共和国档案工作纪实(1949—1981)/吴宝康等编/青海人民出版社,1983.7

中华人民共和国通鉴/龙德等主编/学苑出版社,1994.5

中华人民共和国商业大事记(1958—1978)/《当代中国商业》编辑部编/中国商业出版社,1990.1

中华人民共和国教育大事记:1949—1982/中央教育科学研究所编/教育科学出版社,1984.1

中华人民共和国教育历史传统与基础/王炳照等主编/海南出版社,2000.8

中华人民共和国教育史纲/方晓东等主编/海南出版社,2002.3

中华人民共和国新闻史/张涛著/经济日报出版社,1992.6

中华人民共和国简史(1949—2004)/金春明著/中共党史出版社,2004.10

中华人民共和国简史/尹凤英主编/北京航空航天大学出版社,1991.8

中华人民共和国简史/朱玉湘主编/福建人民出版社,1991.6

中华人民共和国简史/庞松陈述著/上海人民出版社,1999.9

中华人民共和国简史/郭彬蔚等编著/吉林文史出版社,1988.7

中华人民共和国简史/曾长秋、刘仲良编著/中国工业大学出版社,1991.1

中国民间组织30年——走向公民社会/王名主编/社会科学文献出版社,2008.12

中国外文史:中华人民共和国时期:1949—1979/谢益显主编/河南人民出版社,1988.7

中国外交40年/中央人民广播电台国际部编/沈阳出版社,1989.8

中国对外关系转型30年/王逸舟主编/社会科学文献出版社,2008.12

中国共产党新时期历史大事记/中共中央党史研究室/中共党史出版社,2009.1

中国共产党新时期简史/中共中央党史研究室著/中共党史出版社,2009.1

中国农业大事记(1949—1980)/农业出版社编/农业出版社,1982.3

中国农业大事记(1981—1983)/《中国农业年鉴》编辑部编/农业出版社,1985.1

中国农业四十年:1949—1989/中华人民共和国农业部编/农业出版社,1989.7

中国当代文学/邱岚主编/辽宁教育出版社,1980.6

中国当代文学史(1—3册)/二十二院校编写组编/福建人民出版社,1985.11

中国当代文学史/吉林省五院校编/吉林人民出版社,1984.12

中国当代文学史/江西大学中文系编/百花洲文艺出版社,1990.7

中国当代文学史简编/华南四学院现代文学教研室编/广东高等教育出版社,1987.7

中国当代文学思潮史/朱寨主编/人民文学出版社,1987.5

中国当代哲学(1949—1990)/樊瑞平等著/石油大学出版社,1990.12

中国当代新闻事业史(1949—1988)/方汉奇等主编/新华出版社,1992.12

中国西部减贫与可持续发展/郑易生主编/社会科学文献出版社,2008.12

中国社会主义时期史稿(第一卷)/王学启等著/浙江人民出版社,1983.6

中国社会主义时期史稿(第二卷)/王学启等著/浙江人民出版社,1988.12

中国社会主义革命和建设史讲义/胡华主编/中国人民大学出版社,1985.4

中国社会主义革命和建设史纲/郭彬蔚等著/东北师范大学出版社,1986.6

中国社会主义革命和建设史研究荟萃/翟作君主编/华东师范大学出版社,1989.6

中国社会变迁 30 年/李强主编/社会科学文献出版社,2008.11

中国走向法治 30 年/蔡定剑、王晨光主编/社会科学文献出版社,2008.12

中国近现代史纲:1840—1989/上海外国语学院出国培训部编/上海外语教育出版社,1990.8

中国所有制改革 30 年(1978—2008)/邹东涛、欧阳日辉著/社会科学文献出版社,2008.12

中国治理变迁 30 年/俞可平主编/社会科学文献出版社,2008.12

中国法治 30 年/中国社会科学院法学所/社会科学文献出版社,2008.12

中国现代经济史/李宗植、张寿彭编/兰州大学出版社,1989.3

中国知青史——大潮/刘晓萌著/当代中国出版社,2009.1

中国知青史——初澜/定宜庄著/当代中国出版社,2009.1

中国经济发展 40 年/谢明干、罗元明主编/人民出版社,1990.3

中国经济体制改革纪事/郑德荣等编/春秋出版社,1987.12

中国经济转型 30 年/蔡昉主编/社会科学文献出版社,2008.12

中国金融改革 30 年/李扬著/社会科学文献出版社,2008.12

中国城市发展 30 年/牛凤瑞等主编/社会科学文献出版社,2009.1

中国革命史述论/孔令闻主编/北京航空航天大学出版社,1990.1

中国哲学四十年(1949—1989)/杨春贵主编/中共中央党校出版社,1989.9

中国特色社会主义理论体系形成与发展大事记(1978—2008 年)/中共中央文献研究室编/中央文献出版社,2009.1

中国教育发展与政策 30 年/张秀兰主编/社会科学文献出版社,2008.12

中南海大事:建国以来重大政治事件全记录·上/李健编著/中共党史出版社,2006.6

中南海大事:建国以来重大政治事件全记录·下/李健编著/中共党史出版社,2006.6

中美关系/马耀邦著/当代中国出版社,2008.10

五星红旗下的大使们/沈建、沈力编著/江苏人民出版社,1993.8

从"童怀周"到审江青/汪文风著/当代中国出版社,2004.1

元江哈尼族彝族傣族自治县志/云南省元江哈尼族彝族傣族自治县志编纂委员会编/中华书局,1993.6

历史的跨越:中华人民共和国国民经济和社会发展"一五"至"十一五"规划要览·1953—2010/郭德宏主编/中共党史出版社,2006.3

少年宫教育史/许德馨主编/海南出版社,2002.3

文化记忆:1978—2008/尚伟编/中央文献出版社,2008.12

毛泽东的中国及后毛泽东的中国——人民共和国史/[美]迈斯纳著、杜蒲译/四川人民出版社,1992.7

毛泽东的中国及其发展——中华人民共和国史/[美]梅斯纳著、张瑛译/社会科学文献出版社,1992.2

风云际会联合国/万经章、张兵主编/新华出版社,2008.1

民族教育史/朴胜一、程方平著/海南出版社,2001.8

共和国大审判/王文正口述/当代中国出版社,2006.1

共和国风云四十年/张伟瑄等主编/中国政法大学出版社,1989.9

共和国四十年大事述评/翟作君等主编/档案出版社,1989.11

共和国的岁月/孙冰红编/陕西人民出版社,1991.12

师范教育史/金长泽、张贵新主编/海南出版社,2002.3

当代中国四十年纪事 1949—1989/虞宝棠、李学昌主编/上海人民出版社,1990.7

当代中国外交/《当代中国》丛书编辑部编/中国社会科学出版社,1988.3

当代中国电影(上、下)/《当代中国》丛书编辑部编/中国社会科学出版社,1989.1

当代中国石油工业(上、下)/本书编委会/当代中国出版社,2009.1

当代中国军队的军事工作/《当代中国》丛书编辑部/中国社会科学出版社,1989.6

当代中国军队的后勤工作/《当代中国》丛书编辑部/中国社会科学出版社,1990.12

当代中国军队群众工作/颜金生等主编/中国社会科学出版社,1988.3

当代中国体育/荣高棠主编/中国社会科学出版社,1984.12

当代中国的人口/许涤新主编/中国社会科学出版社,1988.2

当代中国的乡村建设/《当代中国》丛书编辑部编/中国社会科学出版社,1987.1

当代中国的乡镇企业/《当代中国》丛书编辑部编/当代中国出版社,1991.8

当代中国的卫生事业(上、下)/《当代中国》丛书编辑部编/中国社会科学出版社,1986

当代中国的山西(上、下)/《当代中国》丛书编辑部编/中国社会科学出版社,1991.4

当代中国的工艺美术/季龙主编/中国社会科学出版社,1984.12

当代中国的工商行政管理/《当代中国》丛书编辑部编/当代中国出版社,1991.4

当代中国的广东(上、下)/《当代中国》丛书编辑部编/当代中国出版社,1991.12

当代中国的广西(上、下)/《当代中国》丛书编辑部编/当代中国出版社,1990.10

当代中国的云南(上、下)/《当代中国》丛书编辑部编/当代中国出版社,1991.3

当代中国的公安工作/《当代中国》丛书编辑部编/当代中国出版社,1992.2

当代中国的化学工业/《当代中国》丛书编辑部编/中国社会科学出版社,1986.6

当代中国的气象事业/《当代中国》丛书编辑部编/中国社会科学出版社,1984.8

当代中国的水产业/《当代中国》丛书编辑部编/当代中国出版社,1991.1

当代中国的水运事业/《当代中国》丛书编辑部编/中国社会科学出版社,1989.8

当代中国的计划生育事业/《当代中国》丛书编辑部编/当代中国出版社,1992.3

当代中国的计量事业/《当代中国》丛书编辑部编/中国社会科学出版社,1989.12

当代中国的北京/《当代中国》丛书编辑部编/中国社会科学出版社,1989.9

当代中国的四川(上、下)/《当代中国》丛书编辑部编/中国社会科学出版社,1990.12

当代中国的宁夏/李恽和主编/中国社会科学出版社,1990.1

当代中国的对外经济合作/《当代中国》丛书编辑部编/中国社会科学出版社,1989.11

当代中国的对外贸易(上、下)/《当代中国》丛书编辑部编/当代中国出版社,1992.3

当代中国的民航事业/《当代中国》丛书编辑部编/中国社会科学出版社,1989.10

当代中国的电子工业/《当代中国》丛书编辑部编/中国社会科学出版社,1987.6

当代中国的石油化学工业/《当代中国》丛书编辑部编/中国社会科学出版社,1987.10

当代中国的农业机械化/《当代中国》丛书编辑部编/中国社会科学出版社,1991.2

当代中国的农垦事业/《当代中国》丛书编辑部编/中国社会科学出版社,1986.10

当代中国的吉林(上、下)/《当代中国》丛书编辑部编/当代中国出版社,1991.1

当代中国的地质事业/《当代中国》丛书编辑部编/中国社会科学出版社,1990.3

当代中国的安徽(上、下)/《当代中国》丛书编辑部编/当代中国出版社,1992.3

当代中国的有色金属工业/《当代中国》丛书编辑部编/中国社会科学出版社,1990.2

当代中国的机械工业/《当代中国》丛书编辑部编/中国社会科学出版社,1990.10

当代中国的江西/傅雨田主编/中国社会科学出版社,1991.5

当代中国的江苏/《当代中国》丛书编辑部编/中国社会科学出版社,1989.9

当代中国的西藏(上、下)/《当代中国》丛书编辑部编/中国社会科学出版社,1991.4

当代中国的劳动力管理/《当代中国》丛书编辑部编/中国社会科学出版社,1990.7

当代中国的劳动保护/《当代中国》丛书编辑部编/当代中国出版社,1992.9

当代中国的医药事业/《当代中国》丛书编辑部编/中国社会科学出版社,1988.4

当代中国的纺织工业/《当代中国》丛书编辑部编/中国社会科学出版社,1984.11

当代中国的供销合作事业/《当代中国》丛书编辑部编/中国社会科学出版社,1990.1

当代中国的固定资产投资管理/《当代中国》丛书编辑部编/中国社会科学出版社,1989.9

当代中国的建筑业/《当代中国》丛书编辑部编/中国社会科学出版社,1988.2

当代中国的建筑材料工业/《当代中国》丛书编辑部编/中国社会科学出版社,1990.12

当代中国的林业/《当代中国》丛书编辑部编/中国社会科学出版社,1985.9

当代中国的河北/《当代中国》丛书编辑部编/中国社会科学出版社,1990.6

当代中国的空军/《当代中国》丛书编辑部编/中国社会科学出版社,1989.10

当代中国的经济管理/朱镕基主编/中国社会科学出版社,1985.8

当代中国的金融事业/《当代中国》丛书编辑部编/中国社会科学出版社,1989.3

当代中国的陕西/《当代中国》丛书编辑部编/当代中国出版社,1991.8

当代中国的青海(上、下)/《当代中国》丛书编辑部编/当代中国出版社,1991.2

当代中国的城市建设/《当代中国》丛书编辑部编/中国社会科学出版社,1990.3

当代中国的标准化/须浩凤编/中国社会科学出版社,1986.6

当代中国的测绘事业/《当代中国》丛书编辑部编/中国社会科学出版社,1987.12

当代中国的科学技术事业/《当代中国》丛书编辑部编/当代中国出版社,1991.12

当代中国的贵州/《当代中国》丛书编辑部编/中国社会科学出版社,1989.10

当代中国的轻工业(上)/《当代中国》丛书编辑部编/中国社会科学出版社,1985.2

当代中国的轻工业(下)/《当代中国》丛书编辑部编/中国社会科学出版社,1986.11

当代中国的档案事业/《当代中国》丛书编辑部编/中国社会科学出版社,1988.4

当代中国的浙江(上、下)/《当代中国》丛书编辑部编/中国社会科学出版社,1988.12

当代中国的海洋事业/《当代中国》丛书编辑部编/中国社会科学出版社,1985.7

当代中国的畜牧业/《当代中国》丛书编辑部编/当代中国出版社,1991.12

当代中国的航空工业/《当代中国》丛书编辑部编/中国社会科学出版社,1988.12

当代中国的铁道事业(上、下)/《当代中国》丛书编辑部编/中国社会科学出版社,1990.5

当代中国的基本建设(上、下)/《当代中国》丛书编辑部编/中国社会科学出版社,1989.4

当代中国的检察制度/《当代中国》丛书编辑部编/中国社会科学出版社,1988.12

当代中国的船舶工业/《当代中国》丛书编辑部编/当代中国出版社,1992.2

当代中国的湖北(上、下)/《当代中国》丛书编辑部编/当代中国出版社,1991.9

当代中国的湖北/《当代中国》丛书编辑部编/当代中国出版社,1991.9

当代中国的湖南/《当代中国》丛书编辑部编/中国社会科学出版社,1999.10

当代中国的集体工业/《当代中国》丛书编辑部编/当代中国出版社,1991.12

当代中国的黑龙江(上、下)/《当代中国》丛书编辑部编/中国社会科学出版社,1991.1

当代中国的新疆/《当代中国》丛书编辑部编/当代中国出版社,1991.9

当代中国的煤炭工业/《当代中国》丛书编辑部编/中国社会科学出版社,1988.7

当代中国的福建(上、下)/《当代中国》丛书编辑部编/当代中国出版社,1991.6

当代中国经济/《当代中国》丛书编辑部编辑/中国社会科学出版社,1987.1

当代中国经济概述/张剑编著/广东人民出版社,1989.5

当代中国海洋石油工业/本书编委会/当代中国出版社,2009.1

当代内蒙古简史:1949—1995/王铎主编/当代中国出版社,1998.5

当代宁夏简史/张远成著/当代中国出版社,2002.10

当代辽宁简史/朱川、沈显惠主编/当代中国出版社,1999.11

当代江西简史/本书编委会编/当代中国出版社,2002.4

当代江苏简史/刘定汉主编/当代中国出版社,1999.2

当代浙江简史:1949—1998/中共浙江省委党史研究室、当代浙江研究所编/当代中国出版社,2000.4

当代湖南简史:1949—1995/《当代湖南简史》编委会编/当代中国出版社,1997.12

当代新疆简史/党育林、张玉玺主编/当代中国出版社,2003.7

成人教育史/董明传等著/海南出版社,2002.3

西藏社会经济统计年鉴·1991/西藏自治区统计局编/中国统计出版社,1990.10

我国各民族的繁荣发展/戈柳、周竞红著/华文出版社,1999.9

我国多党合作的历程/张树桐著/华文出版社,1999.9

我国的宗教信仰自由/赵匡为著/华文出版社,1999.9

谷牧回忆录/谷牧/中央文献出版社,2009.1

进军西部:高层领导谈西部大开发/本书编辑组编/中央文献出版社,2001.1

陈云和邓小平在十一届三中全会前后/刘杰、徐绿山/中央文献出版社,2008.12

周恩来外交风云/杨明伟、陈扬勇著/解放军文艺出版社,1995.12

学校艺术教育史/杨力、宋尽贤主编/海南出版社,2002.1

学校体育史/李晋裕等著/海南出版社,2000.12

建国以来十大经济成就/张衔、林静主编/中国经济出版社,1994.12

建国以来十大经济观/刘朝明、张衔编著/中国经济出版社,1995.1

建国以来十大经济热点/杨江著/中国经济出版社,1995.1

建国以来中国史学论文集篇目索引初编/张海惠、王玉芝编/中华书局,1992.5

建国以来中国共产党科技政策研究/崔禄春著/华夏出版社,2002.10

建国以来军史百桩大事/李澄、晓季、王立兵主编/知识出版社,1992.7

建国以来法制建设记事/俞建平等著/河北人民出版社,1986.10

建国以来党政干部违法违纪大案要案索引/《建国以来党政干部违法违纪大案要案索引》编写组编/法律出版社,2004.2

建国后33年/金春明著/上海人民出版社,1987.4

波澜起伏:中美关系演变的曲折历程/王立著/世界知识出版社,1998.1

转折年代——1976至1981年的中国/程中原、王玉祥、李正华主编/中央文献出版社,2008.11

举世瞩目的八年(1978—1986):中国发展与改革纪事/中国经济体制改革研究所信息室编/四川人民出版社,1987.9

剑桥中华人民共和国史(1966—1982)/[美]费正清主编/海南出版社,1992.7

剑桥中华人民共和国史——中国革命内部的革命(1960—1982)/[美]麦克法夸尔编/中国社会科学出版社,1992.8

突围——国门初开的岁月/李岚清编/中央文献出版社,2008.11

党史札记末编/龚育之编/中共党史出版社,2008.1

海外华人华侨与中国改革开放/任贵祥主编/中共党史出版社,2009.2

高等教育史/郝维谦、龙正中主编/海南出版社,2000.7

教育国际交流与合作史/于富增等著/海南出版社,2001.8

旌勇里国史讲座(第二辑)/刘国新主编/当代中国出版社,2009.1

职业教育史/闻友信、杨金梅著/海南出版社,2000.9

辉煌的四十五年:中华人民共和国国史研究论文集/张启华主编/当代中国出版社,1995.1

辉煌的成就——新中国四十年/朱华布等主编/天津社会科学院出版社,1989.11

数读中国 30 年/中国产业地图编委会/社会科学文献出版社,2008.11

新中国 50 年(上、中、下卷)/韩泰华主编/红旗出版社,1999.12

新中国 50 年:1949—1999/闵凡路主编/湖北教育出版社,1999.8

新中国人口 50 年/路遇主编/中国人口出版社,2004.8

新中国万岁(1949—1999)/高凯、于玲、邱金利、申联彬主编/中国国际广播出版社,1999.4

新中国大事典/王永平主编/中国国际广播出版社,1992.11

新中国大事典:1949.9—1989.12/向彦才、高玉春主编/科学技术文献出版社,1990.9

新中国大博览/李默主编/广东旅游出版社,1993.2

新中国工业经济史/汪海波主编/经济管理出版社,1986.7

新中国马克思主义哲学 50 年/任俊明主编/人民出版社,2006.5

新中国五十年/陈明显编著/北京理工大学出版社,1999.5

新中国五十年大事记(上、下)/《新华月报》编辑部编/人民出版社,1999.9

新中国六次反侵略战争实录/李健编/中国广播电视出版社,1992.1

新中国反贪污贿赂理论与实践/钟澍钦主编/人民出版社,1995.8

新中国反腐败通鉴/李雪勤主编/天津人民出版社,1993.12

新中国文学发展史/李丛中主编/云南教育出版社,1988.7

新中国文学史(上、下)/张炯编著/海峡文艺出版社,2000.12

新中国水利 50 年/中华人民共和国水利部/中国水利水电出版社,1999.11

新中国——东盟关系论/曹云华、唐翀著/世界知识出版社,2005.4

新中国出版 50 年纪事/刘杲、石峰主编/新华出版社,1999.12

新中国史略/孙瑞鸢、腾文藻等著/陕西人民出版社,1991.9

新中国 40 年研究/陈明显、张恒等编著/北京理工大学出版社,1989.5

新中国外交 50 年(上、中、下)/王泰平主编/北京出版社,1999.9

新中国外交大写意/《纵横》编辑部编/中国文史出版社,2001.1

新中国外交 50 年/《新中国外交 50 年》编委会编/世界知识出版社,1999.9

新中国外交风云/外交部外交史编辑室编/世界知识出版社,1990.5

新中国外交风云·第三辑/外交部外交史研究室编/世界知识出版社,1994.3

新中国外交风云·第五辑/《新中国外交风云》编委会编/世界知识出版社,1999.8

新中国外交四十年/裴坚章主编/世界知识出版社,1989.9

新中国外交思想:从毛泽东到邓小平——毛泽东、周恩来、邓小平外交思想比较研究/叶自成著/北京大学出版社,2001.6

新中国对外汉语教学发展史/程裕祯主编/北京大学出版社,2005.3

新中国民族工作十讲/国家民族事务委员会研究室编/民族出版社,2006.4

新中国电影史:1949—2000/尹鸿、凌燕著/湖南美术出版社,2002.11

新中国立法概述/顾昂然著/法律出版社,1995.10

新中国价格简史:1949—1978/叶善蓬编著/中国物价出版社,1993.6

新中国企业领导制度/张占斌等编著/春秋出版社,1988.9

新中国军事大事纪要/张驭涛主编/军事科学出版社,1998.2

新中国农田水利史略:1949—1998/丁泽民主编/中国水利水电出版社,1999.3

新中国农村经济大事记:1949.10—1984.9/李德彬等编/北京大学出版社,1989.1

新中国刑法科学简史/高铭暄等撰/中国人民公安大学出版社,1993.5

新中国戏剧史:1949—2000/傅谨著/湖南美术出版社,2002.11

新中国成人高等教育发展研究/何红玲著/中国社会科学出版社,2004.5

新中国纪事:1949—1984/郑德荣等主编/东北师范大学出版社,1986.7

新中国行政管理简史:1949—2000/中国行政管理学会编/人民出版社,2002.2

新中国劳动保障史话:1949—2003/刘贯学著/中国劳动社会保障出版社,2004.11

新中国沉重的一幕/叶永烈著/作家出版社,1993.12

新中国社会科学五十年/中国社会科学院科研局编/中国社会科学出版社,2000.5

新中国国防科技体系的形成与发展研究/吴远平、赵新力、赵俊杰著/国防工业出版社,2006.1

新中国宗教工作大事概览:1949—1999/罗广武编著/华文出版社,2001.1

新中国定都北京纪实/王聚英著/军事科学出版社,2000.5

新中国往事/邓力群主编/中央文献出版社,2006.1

新中国法制建设四十年要览:1949—1988/周振想、邵景春主编/群众出版社,1990.8

新中国法制建设的回顾与反思/李龙主编/中国社会科学出版社,2004.4

新中国的历程:1949 年 10 月 1 日—1989 年 10 月 1 日/高凯、熊光甲主编/中国人民大学出版社,
1989.10

新中国经济史/苏星著/中共中央党校出版社,1999.9

新中国经济史:1949—1989/曾璧钧、林木西主编/经济日报出版社,1990.3

新中国经济建设评析/张寿春、金鑫著/东南大学出版社,1996.10

新中国经济理论史/赵晓雷著/上海财经大学出版社,1999.9

新中国诞生实录/庞松著/浙江人民出版社,2001.12

新中国城市 50 年/国家统计局城市社会经济调查总队编/新华出版社,1999.12

新中国宪政之路:1949—1999/殷啸虎著/上海交通大学出版社,2000.7

新中国思想理论教育史/张雷声、郑吉伟、李玉峰编著/高等教育出版社,2005.4

新中国政治学的回顾与展望/杨海蛟主编/世界知识出版社,2000.7

新中国统一战线五十年大事年表:(1949—1999)/中共中央统战部研究室编著/华文出版社,2000.6

新中国美术史:1949—2000/邹跃进著/湖南美术出版社,2002.11

新中国要事述评/林志坚主编/中共党史出版社,1994.7

新中国轻工业三十年:1949—1979·上册/轻工业部政策研究室编/轻工业出版社,1981.8

新中国轻工业三十年:1949—1979·下册/轻工业部政策研究室编/轻工业出版社,1981.2

新中国轻工业三十年:1949—1979·中册/轻工业部政策研究室编/轻工业出版社,1980.12

新中国重大决策纪实/中共中央文献研究室等编/中国文联出版社,1999.10

新中国音乐史:1949—2000/居其宏著/湖南美术出版社,2002.11

新中国哲学研究 50 年:中国社会科学院哲学研究所 50 周年学术文集·上/李景源主编/人民出版
社,2005.9

新中国哲学研究 50 年:中国社会科学院哲学研究所 50 周年学术文集·下/李景源主编/人民出版
社,2005.9

新中国哲学研究 50 年:中国社会科学院哲学研究所 50 周年学术文集·中/李景源主编/人民出版

社,2005.9

新中国海战档案/崔京生著/中国青年出版社,2007.7

新中国留学归国学人大词典/中华人民共和国人事部主编/湖北教育出版社,1993.7

新中国探索"三农"问题的历史经验/张新华主编/中共党史出版社,2007.6

新中国教育历程/高奇著/河北教育出版社,1999.1

新中国第一志/《新中国第一志》编写组/河南人民出版社,1986.6

新中国领事实践/《新中国领事实践》编写组编/世界知识出版社,1991.3

新中国编年史(1949—1989)/廖盖隆等主编/人民出版社,1989.7

新中国舞蹈史:1949—2000/冯双白著/湖南美术出版社,2002.11

新时期专题纪事(1976年10月—1987年10月)/黄贝秋等编/中共党史资料出版社,1988.10

新时期中国土地管理研究(上、下)/黄小虎主编/当代中国出版社,2006.5

新时期中国共产党的建设简史/中共中央党史研究室著/中共党史出版社,2009.1

新时期文学六年(1976年10月—1982年9月)/中国社会科学院文学研究所当代文学研究室编/中国社会科学出版社,1985.1

福建省志·总概述/福建省地方志编纂委员会编/方志出版社,2002.1

繁荣与代价——对改革开放30年中国发展的解读/中国21世纪可持续发展战略研究组编写/社会科学文献出版社,2008.12

襄樊市志/湖北省襄樊市地方志编纂委员会编纂/中国城市出版社,1994.12

工具书

"四大"以来妇女运动文选(1979—1983年)/中华全国妇女联合会编/中国妇女出版社,1983.9

人民法院年鉴·1989/《人民法院年鉴》编辑部编/人民法院出版社,1993.4

人民法院年鉴·1991/《人民法院年鉴》编辑部编/人民法院出版社,1994.8

人民法院年鉴·1992/《人民法院年鉴》编辑部编/人民法院出版社,1995.2

十一届三中全会以来重要文献选编/中共中央文献研究室编/人民出版社,1987.5

十一届三中全会以来党的历次代表大会中央全会重要文件选编/中共中央文献研究室编/中央文献出版社,1997.9

十二大以来重要文献选编(上)/中共中央文献研究室编/人民出版社,1986.10

十二大以来重要文献选编(下)/中共中央文献研究室编/人民出版社,1985.5

十二大以来重要文献选编(中)/中共中央文献研究室编/人民出版社,1986.10

三中全会以来重要文献选编/中共中央文献研究室编/人民出版社,1982.8

广东五十年1949—1999/广东省人民政府办公厅广东省统计局合编/中国统计出版社,1999.9

中山年鉴·1991—1997/广东人民出版社,1998.1

中共十三届四中全会以来历次全国代表大会中央全会重要文献选编/中共中央文献研究室编/中央文献出版社,2002.12

中共中央党校年鉴/中共中央党校年鉴编写组编/中共中央党校出版社,1985.8

中华人民共和国人民代表大会文献资料汇编(1949—1990)/全国人大常委会办公厅编/中国民主法制出版社,1991.3

中华人民共和国人事制度概要/曹志主编/北京大学出版社,1985.9

中华人民共和国大词典/本词典编写组编/中国国际广播出版社,1991.2

中华人民共和国大典/《中华人民共和大典》编委会编/中国经济出版社,1994.6

中华人民共和国大辞典/张克明主编/中国国际广播出版社,1989 年 1 月

中华人民共和国工业企业基本概况·电力工业卷/第三次全国工业普查办公室电力工业部普查领导小组办公室编/中国电力出版社,1996.10

中华人民共和国工业企业基本概况·纺织工业卷(上、下册)/中国纺织总会第三次全国工业普查办公室编/中国统计出版社,1996.12

中华人民共和国开国文选/中共中央文献研究室编/中央文献出版社,1999.10

中华人民共和国史词典/李宇铭主编/中国国际广播出版社,1989.6

中华人民共和国史词典·修订版/黄文安主编/中国档案出版社,1994.6

中华人民共和国史辞典/朱建华、郭彬蔚主编/吉林文史出版社,1989.6

中华人民共和国史辞典/黄文安主编/档案出版社,1989.11

中华人民共和国外汇管理法规汇编(1949.10.1—1997.10.31)/国家外汇管理局编/中国民主法制出版社,1998.1

中华人民共和国幼儿教育重要文献汇编/中国学前教育研究会编/北京师范大学出版社,1999.10

中华人民共和国民事诉讼法/国务院法制办公室编/中国法制出版社,2006.7

中华人民共和国边界事务条约集·中印、中不卷/中华人民共和国外交部条约法律司编/世界知识出版社,2004.11

中华人民共和国边界事务条约集·中吉卷/中华人民共和国外交部条约法律司编/世界知识出版社,2005.5

中华人民共和国边界事务条约集·中老卷/中华人民共和国外交部条约法律司编/世界知识出版社,2004.7

中华人民共和国边界事务条约集·中阿、中巴卷/中华人民共和国外交部条约法律司编/世界知识出版社,2004.11

中华人民共和国边界事务条约集·中俄卷/中华人民共和国外交部条约法律司编/世界知识出版社,2005.7

中华人民共和国边界事务条约集·中哈卷/中华人民共和国外交部条约法律司编/世界知识出版社,2005.5

中华人民共和国边界事务条约集·中塔卷/中华人民共和国外交部条约法律司编/世界知识出版社,2005.5

中华人民共和国边界事务条约集·中朝卷/中华人民共和国外交部条约法律司编/世界知识出版社,2004.11

中华人民共和国边界事务条约集·中缅卷/中华人民共和国外交部条约法律司编/世界知识出版社,2004.7

中华人民共和国边界事务条约集·中越卷/中华人民共和国外交部条约法律司编/世界知识出版社,2004.7

中华人民共和国边界事务条约集·中蒙卷/中华人民共和国外交部条约法律司编/世界知识出版社,2004.11

中华人民共和国地名录/中国地名委员会编/中国社会科学出版社,1994.3

中华人民共和国地图集/中国地图出版社,1994.6

中华人民共和国地图集/总参谋部测绘局编制/星球地图出版社,2000.5

中华人民共和国百科之最大辞典/张守强、于华夫主编/哈尔滨出版社,1993.1

中华人民共和国自然地图集/中国科学院编制/中国科学院出版社,1965.10

中华人民共和国行政区划沿革地图集/陈潮主编/中国地图出版社,2003.10

中华人民共和国体育文件汇编(第二辑)/人民体育出版社编/人民体育出版社,1958.4

中华人民共和国体育运动文件汇编(第三辑)/人民体育出版社编/人民体育出版社,1955.4

中华人民共和国投资法规文件汇编(上、下)/全国人大内务司法委员会内务室编/地震出版社,2001.5

中华人民共和国典章制度全书(1—6卷)/中华人民共和国典章制度编委会编/中国民主法制出版社,1999.7

中华人民共和国国务院令(全四卷)/全国人民代表大会常务委员会法制工作委员会审定/吉林人民出版社,2001.4

中华人民共和国国史大辞典/张晋藩等主编/黑龙江人民出版社,1992.10

中华人民共和国国史百科全书/邓力群主编/中国大百科全书出版社,1999.7

中华人民共和国国家普通地图集/国家地图集编纂委员会编/中国地图出版社,1995.1

中华人民共和国知识辞典/侯雄飞等主编/西南师范大学出版社,1990.6

中华人民共和国重要教育文献(1976—1990)/何东昌主编/海南出版社,1998.9

中华人民共和国重要教育文献(1991—1997)/何东昌主编/海南出版社,1998.9

中华人民共和第六届全国人民代表大会第一次会议文件汇编/全国人民代表大会常务委员会办公厅编/人民出版社,1983.7

中华人民共和国第六届全国人民代表大会第三次会议文件汇编/全国人民代表大会常务委员会办公厅编/人民出版社,1985.5

中华人民共和国第六届全国人民代表大会第五次会议文件汇编/全国人民代表大会常务委员会办公厅编/人民出版社,1987.5

中华人民共和国第六届全国人民代表大会第四次会议文件汇编/全国人民代表大会常务委员会办公厅编/人民出版社,1986.4

中国人物年鉴·1989/李方诗等主编/华艺出版社,1989.10

中国人物年鉴·1990/李方诗等主编/华艺出版社,1990.10

中国人物年鉴·1991/李方诗等主编/华艺出版社,1991.10

中国乡镇企业年鉴·1991/《中国乡镇企业年鉴》编辑委员会编/农业出版社,1992.4

中国历史学年鉴·1982年/中国史学会《中国历史学年鉴》编辑部编/人民出版社,1982.12

中国气象年鉴·1986/《中国气象年鉴》编辑部编/气象出版社,1986.12

中国气象年鉴·1987/《中国气象年鉴》编辑部编/气象出版社,1987.10

中国气象年鉴·1988/《中国气象年鉴》编辑部编/气象出版社,1988.12

中国气象年鉴·1989/《中国气象年鉴》编辑部编/气象出版社,1989.10

中国气象年鉴·1990/《中国气象年鉴》编辑部编/气象出版社,1990.10

中国代表团出席联合国有关会议文件集(1978.7—1978.12)/世界知识出版社,1979.9

中国代表团出席联合国有关会议文件集(1979.1—1979.6)/世界知识出版社,1979.12

中国代表团出席联合国有关会议文件集(1979.7—1979.12)/世界知识出版社,1980.7

中国代表团出席联合国有关会议文件集(1980.1—1980.6)/世界知识出版社,1981.1

中国代表团出席联合国有关会议文件集(1980.7—1980.12)/世界知识出版社,1982.2

中国代表团出席联合国有关会议文件集(1981.1—1981.6)/世界知识出版社,1982.12

中国代表团出席联合国有关会议文件集(1981.7—1981.12)/世界知识出版社,1982.11

中国代表团出席联合国有关会议文件集(1982.1—1982.6)/世界知识出版社,1983.4

中国代表团出席联合国有关会议文件集(1983.7—1983.12)/世界知识出版社,1985.4

中国代表团出席联合国有关会议文件集(1984.1—1984.6)/世界知识出版社,1987.2

中国出版年鉴·1990—1991/中国出版工作者学会、中国出版科学研究所编/中国年鉴出版社,1993.9

中国民族统计年鉴·1949—1994/国家民族事务委员会经济司、国家统计局国民经济综合统计司编/民族出版社,1994.8

中国电影年鉴·1981/中国电影家协会编/中国电影出版社,1982.6

中国电影年鉴·1982/中国电影家协会编/中国电影出版社,1983

中国电影年鉴·1983/中国电影家协会编/中国电影出版社,1984

中国电影年鉴·1984/中国电影家协会编/中国电影出版社,1985.11

中国电影年鉴·1985/中国电影家协会编/中国电影出版社,1987

中国电影年鉴·1986/中国电影家协会编/中国电影出版社,1988

中国电影年鉴·1987/中国电影家协会编/中国电影出版社,1990

中国电影年鉴·1988/中国电影家协会编/中国电影出版社,1991.2

中国电影年鉴·1989/中国电影家协会编/中国电影出版社,1991.8

中国电影年鉴·1990/中国电影家协会编/中国电影出版社,1992

中国电影年鉴·1991/中国电影家协会编/中国电影出版社,1993

中国共产主义青年团第十一次全国代表大会文件汇编/中国青年出版社编/中国青年出版社,1983.4

中国共产党第十一次全国代表大会文件汇编/人民出版社,1977.8

中国共产党第十二次全国代表大会文件汇编/人民出版社,1982.9

中国共产党第十三次全国代表大会文件汇编/人民出版社,1987.9

中国农业年鉴·1980/《中国农业年鉴》编辑部编/中国农业出版社,1981.11

中国农业年鉴·1981/《中国农业年鉴》编辑部编/中国农业出版社,1982.7

中国农业年鉴·1982/《中国农业年鉴》编辑部编/中国农业出版社,1983.7

中国农业年鉴·1983/《中国农业年鉴》编辑部编/中国农业出版社,1984.7

中国农业年鉴·1984/《中国农业年鉴》编辑部编/中国农业出版社,1984.12

中国农业年鉴·1985/《中国农业年鉴》编辑部编/中国农业出版社,1985.12

中国农业年鉴·1986/《中国农业年鉴》编辑部编/中国农业出版社,1986.12

中国农业年鉴·1987/《中国农业年鉴》编辑部编/中国农业出版社,1987.12

中国农业年鉴·1988/《中国农业年鉴》编辑部编/中国农业出版社,1988.12

中国农业年鉴·1989/《中国农业年鉴》编辑部编/中国农业出版社,1989.12

中国农业年鉴·1990/《中国农业年鉴》编辑部编/中国农业出版社,1990.12

中国农业年鉴·1991/《中国农业年鉴》编辑部编/中国农业出版社,1991.12

中国在联合国:共同缔造更美好的世界/田进、俞孟嘉等著/世界知识出版社,1999

中国年鉴·1991/中华人民共和国年鉴编辑部编辑/中国年鉴出版社,1991.12

中国年鉴史料/李维民主编/北京志鉴研究院,2003.10

中国百科年鉴·1980/中国大百科全书出版社《百科年鉴》编辑部编/中国大百科全书出版社,1980.10

中国百科年鉴·1981/中国大百科全书出版社《百科年鉴》编辑部编/中国大百科全书出版社,1981.10

中国百科年鉴·1982/中国大百科全书出版社《百科年鉴》编辑部编/中国大百科全书出版社,1982.10

中国百科年鉴·1983/中国大百科全书出版社《百科年鉴》编辑部编/中国大百科全书出版社,1983.10

中国百科年鉴·1984/《中国百科年鉴》编辑部编/中国大百科全书出版社,1984.12

中国百科年鉴·1985/《中国百科年鉴》编辑部编/中国大百科全书出版社,1985.12

中国百科年鉴·1986/《中国百科年鉴》编辑部编/中国大百科全书出版社,1986.10

中国百科年鉴·1987/《中国百科年鉴》编辑部编/中国大百科全书出版社,1987.12

中国百科年鉴·1988/《中国百科年鉴》编辑部编/中国大百科全书出版社,1988.12

中国百科年鉴·1989/《中国百科年鉴》编辑部编/中国大百科全书出版社,1989.10

中国百科年鉴·1990/罗洛主编/中国大百科全书出版社,1990.10

中国百科年鉴·1991/徐福生主编/中国大百科全书出版社,1991.10

中国社会学年鉴·1989—1993/陆学艺主编、中国社会科学院社会学研究所编/中国大百科全书出版社,1994.11

中国社会治安综合治理年鉴·1991—1992/中国社会治安综合治理委员会办公室组织编写/法律出版社,1996.5

中国法律年鉴·1987/《中国法律年鉴》编辑部编/法律出版社,1987.11

中国法律年鉴·1988/《中国法律年鉴》编辑部编/法律出版社,1988.11

中国法律年鉴·1989/《中国法律年鉴》编辑部编/法律出版社,1989.11

中国法律年鉴·1990/《中国法律年鉴》编辑部编/中国法律年鉴社,1990.11

中国法律年鉴·1991/《中国法律年鉴》编辑部编/中国法律年鉴社,1991.10

中国现代史辞典/李盛平主编/中国国际广播出版社,1987.12

中国现代史辞典/王宗华等主编/河南人民出版社,1991.6

中国经济年鉴·1981/《中国经济年鉴》编委会编/经济管理出版社,1981.12

中国经济年鉴·1982/《中国经济年鉴》编委会编/经济管理出版社,1982.8

中国经济年鉴·1983/《中国经济年鉴》编委会编/经济管理出版社,1983.8

中国经济年鉴·1984/《中国经济年鉴》编委会编/经济管理出版社,1984.10

中国经济年鉴·1985/《中国经济年鉴》编委会编/经济管理出版社,1985.9

中国经济年鉴·1986/《中国经济年鉴》编委会编/经济管理出版社,1986.9

中国经济年鉴·1987/《中国经济年鉴》编委会编/经济管理出版社,1987.9

中国经济年鉴·1988/《中国经济年鉴》编委会编/经济管理出版社,1988.10

中国经济年鉴·1989/《中国经济年鉴》编委会编/经济管理出版社,1989.10

中国经济年鉴·1990/《中国经济年鉴》编委会编/经济管理出版社,1990.10

中国经济年鉴·1991/《中国经济年鉴》编委会编/经济管理出版社,1991.11

中国经济体制改革年鉴·1990/国家经济体制改革委员会编/改革出版社,1991.12

中国经济体制改革年鉴·1991/国家经济体制改革委员会编/改革出版社,1992.12

中国经济科学年鉴·1986/晓亮主编/经济科学出版社,1986.12

中国经济科学年鉴·1987/晓亮主编/经济科学出版社,1987.12

中国经济科学年鉴·1988/晓亮主编/经济科学出版社,1989.12

中国经济科学年鉴·1989/晓亮主编/经济管理出版社,1990.12

中国经济科学年鉴·1990—1991/李京文等主编/经济管理出版社,1991.12

中国城市经济社会年鉴·1991/中国城市经济社会发展研究会、中国行政管理学会主办/中国城市

出版社,1991.12

中国统计年鉴·1984/国家统计局编/中国统计出版社,1984.8

中国统计年鉴·1985/国家统计局编/中国统计出版社,1985.10

中国统计年鉴·1986/国家统计局编/中国统计出版社,1986.10

中国统计年鉴·1987/国家统计局编/中国统计出版社,1987.10

中国统计年鉴·1988/国家统计局编/中国统计出版社,1988.10

中国统计年鉴·1989/国家统计局编/中国统计出版社,1989.10

中国统计年鉴·1990/国家统计局编/中国统计出版社,1990.10

中国统计年鉴·1991/国家统计局编/中国统计出版社,1991.8

中国美术年鉴·1949—1989/刘曦林主编/广西美术出版社,1993.5

中国监察年鉴:1987—1991/中华人民共和国监察部编/中国政法大学出版社,1993.1

中国教育年鉴·1989/《中国教育年鉴》编辑部编/人民教育出版社,1989.8

中国教育年鉴·1990/《中国教育年鉴》编辑部编/人民教育出版社,1991.10

中国教育年鉴·1991/《中国教育年鉴》编辑部编/人民教育出版社,1992.10

中国教育统计年鉴·1991—1992/中华人民共和国国家教育委员会计划建设司编/人民教育出版社,1992.12

中国检察年鉴·1991/《中国检察年鉴》编辑部编/中国检察出版社,1992.8

毛泽东邓小平江泽民论科学发展/中共中央文献研究室编/中央文献出版社,2008.9

邓小平决策恢复高考讲话谈话批示集(1977年5月—9月)/中共中央文献研究室编/中央文献出版社,2007.10

民族工作文献选编(1990—2002)/中共中央文献研究室编/中央文献出版社,2003.3

甘孜州志·上/《甘孜州志》编纂委员会编/四川人民出版社,1997.10

甘孜州志·下/《甘孜州志》编纂委员会编/四川人民出版社,1997.10

甘孜州志·中/《甘孜州志》编纂委员会编/四川人民出版社,1997.10

机构编制体制文件选编:上/劳动人事部编制局编/劳动人事出版社,1986.2

机构编制体制文件选编:下/劳动人事部编制局编/劳动人事出版社,1986.7

西藏工作文献选编(1949—2005)/中共中央文献研究室、西藏自治区委员会编/中央文献出版社,2005.9

坚持四项基本原则反对资产阶级自由化·十一届三中全会以来有关重要文献摘编/中共中央书记处研究室、中共中央文献研究室编/人民出版社,1987.2

坚持改革开放搞活:十一届三中全会以来有关重要文献摘编/中共中央书记处研究室、中共中央文献研究室编/人民出版社,1987.10

我国代表团出席联合国有关会议文件集(1976.1—1976.6)/人民出版社,1976.10

我国代表团出席联合国有关会议文件集(1976.7—1976.12)/人民出版社,1977.9

我国代表团出席联合国有关会议文件集(1977.1—1977.6)/人民出版社,1978.6

我国代表团出席联合国有关会议文件集(1977.7—1977.12)/人民出版社,1978.9

我国代表团出席联合国有关会议文件集(1978.12—1978.6)/人民出版社,1978.9

改革开放三十年重要文献选编/中共中央文献研究室编/中央文献出版社,2008.1

社会主义精神文明建设文献选编/中共中央文献研究室编/中央文献出版社,1996.10

国有企业改革重要法规汇编/中共中央文献研究室编/中央文献出版社,1997.8

知识分子问题文选/中共中央组织部研究室编/湖南人民出版社,1983.5

知识分子问题文献选编/中共中央组织部中共中央文献研究室编/人民出版社,1983.5

金昌市志/甘肃省金昌市地方志编纂委员会编纂/中国城市出版社,1995.2

南漳县志/湖北省南漳县地方志编纂委员会编纂/中国城市经济社会出版社,1990.8

盐城市建设志/《盐城市建设志》编纂委员会编纂/中国城市出版社,1994.12

新中国五十年农业统计资料/国家统计局农村社会经济调查总队编/中国统计出版社,2000.12

新中国五十年统计资料汇编/国家统计局国民经济综合统计司编/中国统计出版社,1999.11

新中国建设大辞典/范茂发、朱元珍主编/中国轻工业出版社,1994.3

新中国法制研究史料通鉴·第一卷·军管法制篇/张培田主编/中国政法大学出版社,2003.9

新中国法制研究史料通鉴·第七卷·民政法制篇/张培田主编/中国政法大学出版社,2003.9

新中国法制研究史料通鉴·第九卷·文化教育法制篇/张培田主编/中国政法大学出版社,2003.9

新中国法制研究史料通鉴·第二卷·镇反肃反法制篇/张培田主编/中国政法大学出版社,2003.9

新中国法制研究史料通鉴·第八卷·商业法制篇/张培田主编/中国政法大学出版社,2003.9

新中国法制研究史料通鉴·第十一卷·综合篇/张培田主编/中国政法大学出版社,2003.9

新中国法制研究史料通鉴·第十卷·外交法制篇/张培田主编/中国政法大学出版社,2003.9

新中国法制研究史料通鉴·第三卷·民主建设法制篇/张培田主编/中国政法大学出版社,2003.9

新中国法制研究史料通鉴·第五卷·农业法制篇/张培田主编/中国政法大学出版社,2003.9

新中国法制研究史料通鉴·第六卷·工业法制篇/张培田主编/中国政法大学出版社,2003.9

新中国法制研究史料通鉴·第四卷·经济法制篇/张培田主编/中国政法大学出版社,2003.9

新时期民族工作文献选编/中共中央文献研究室、国家民委编/中央文献出版社,1990.9

新时期农业和农村工作重要文献选编/中共中央文献研究室编/中央文献出版社,1996.3

新时期环境保护工作文献选编/国家环境保护局、中共中央文献研究室编/中央文献出版社、中国环境科学出版社,2001.5

新时期经济体制改革重要文献选编/中共中央文献研究室编/中央文献出版社,1998.11

新时期科学技术工作重要文献选编/中共中央文献研究室、国务院发展研究中心编/中央文献出版社,1995.5

新时期统一战线文献选编/中共中央统一战线工作部、中共中央文献研究室编/中共中央党校出版社,1985.11